PROMOCIÓN INMOBILIARIA, AUTOPROMOCIÓN Y COOPERATIVAS DE VIVIENDAS

Obligaciones y responsabilidades en derecho de la edificación

ROSA MILÀ RAFEL

Profesora de Derecho Civil
Universitat Pompeu Fabra

PROMOCIÓN INMOBILIARIA, AUTOPROMOCIÓN Y COOPERATIVAS DE VIVIENDAS

Obligaciones y responsabilidades en derecho de la edificación

THOMSON REUTERS
ARANZADI

Primera edición, 2014

Thomson Reuters y el logotipo de Thomson Reuters son marcas de Thomson Reuters

Aranzadi es una marca de Thomson Reuters (Legal) Limited

© 2014 [Thomson Reuters (Legal) Limited / Rosa Milà Rafel]
Editorial Aranzadi, SA
Camino de Galar, 15
31190 Cizur Menor (Navarra)
ISBN: 978-84-9059-419-3
Depósito Legal: NA 823/2014
Printed in Spain. Impreso en España
Fotocomposición: Editorial Aranzadi, SA
Impresión: Rodona Industria Gráfica, SL
Polígono Agustinos, Calle A, Nave D-11
31013 - Pamplona

SUMARIO

SEGUNDO
CONCEPTO DE PROMOTOR

TERCERO

**AUTOPROMOTOR INDIVIDUAL, COMUNEROS EN LA PROMOCIÓN
EN COMUNIDAD DE PROPIETARIOS Y COOPERATIVAS DE
VIVIENDAS**

QUINTO

OBLIGACIONES DEL PROMOTOR Y ESPECIALIDADES EN LA
AUTOPROMOCIÓN, LAS COMUNIDADES DE PROPIETARIOS Y LAS
COOPERATIVAS DE VIVIENDAS

SEXTO

RESPONSABILIDAD DEL PROMOTOR INMOBILIARIO POR VICIOS O DEFECTOS CONSTRUCTIVOS EN LA LEY DE ORDENACIÓN DE LA EDIFICACIÓN

SÉPTIMO

RESPONSABILIDAD POR DEFECTOS CONSTRUCTIVOS EN LA AUTOPROMOCIÓN Y LAS COMUNIDADES DE PROPIETARIOS

OCTAVO

RESPONSABILIDAD POR DEFECTOS CONSTRUCTIVOS EN LAS COOPERATIVAS DE VIVIENDAS, EN DEFECTO DE PROMOTOR-GESTOR

AGRADECIMIENTOS

El presente libro, cerrado en marzo de 2014, constituye una versión actualizada y puesta al día de mi Tesis Doctoral, que defendí el 10 de diciembre de 2012. La tesis fue dirigida por el Prof. Dr. Pablo Salvador Coderch, a quien agradezco muy sinceramente su generosidad y compromiso en la supervisión del trabajo y en mi formación como jurista.

El Tribunal de evaluación de la tesis, que la calificó con un apto *cum laude* por unanimidad, estuvo integrado por los Profs. Dres. Antoni Mirambell i Abancó, Josep Santdiumenge i Farré y Encarna Cordero Lobato, a quienes quiero agradecer los valiosos comentarios y acertadas observaciones realizadas al trabajo durante el acto de defensa y que he tratado de incorporar en la presente obra.

Agradezco también a los Dres. Joan Egea Fernàndez, Fernando Gómez Pomar, Josep Ferrer Riba, Albert Lamarca i Marquès, Josep Santdiumenge i Farré, Joan Carles Seuba i Torreblanca y Carlos Gómez Ligüerre, el apoyo prestado desde mi incorporación en el Área de Derecho Civil de la Universitat Pompeu Fabra. Además, quiero dar las gracias a todos los miembros del Área de Derecho Civil de la Universitat Pompeu Fabra que me han acompañado y ayudado en la realización de este trabajo y, especialmente, a los profesores Ariadna Aguilera, Sonia Ramos, Antoni Rubí, Marian Gili, Esther Farnós e Ignacio Marín, así como a nuestra compañera de Derecho laboral Anna Ginès.

Este trabajo ha sido posible en parte gracias a la Beca de Formación del Personal Investigador para la realización de la tesis doctoral recibida por parte del Ministerio de Educación y Tecnología. Asimismo, agradezco a la *University of Manchester* la posibilidad de realizar una estancia de investigación en su centro.

Muchas gracias a mi familia, por estar siempre a mi lado, y a Jose por sus consejos y paciencia, sin los cuales no hubiera podido terminar este libro.

ABREVIATURAS

AC	Aranzadi Civil (sentencias y autos de Audiencias Provinciales)
BOE	Boletín Oficial del Estado
CC	Código Civil español de 1889
CCH	*Code de la construction et de l'habitation*
CCO	Código de Comercio español de 1885
CCJC	Cuadernos Civitas de Jurisprudencia Civil
CE	Constitución Española
Cdo.	Considerando
Cfr.	Confróntese
Coord.	Coordinador
CTE	Código Técnico de la Edificación
Decreto 3114/1968	Decreto 3114/1968, de 12 de diciembre, sobre aplicación de la Ley 57/1968, de 27 de julio, a las Comunidades y Cooperativas de Viviendas
DCFR	*Draft Common Frame of Reference*
DGRN	Dirección General de los Registros y del Notariado
Dir.	Director
FD	Fundamento de Derecho
JUR	Jurisprudencia base de datos Aranzadi
Ley 22/1994	Ley 22/1994, de 6 de julio, de responsabilidad civil por los daños causados por productos defectuosos
LC	Ley estatal 27/1999, de 16 de julio, de Cooperativas
LEC	Ley 1/2000, de 7 de enero, de Enjuiciamiento Civil
LGDCU	Ley 26/1984, de 19 de julio, General para la Defensa de los Consumidores y Usuarios
LH	Ley Hipotecaria, Texto refundido según Decreto de 8 de febrero de 1946
LOE	Ley 38/1999, de 5 de noviembre, de Ordenación de la Edificación

LPH	Ley 49/1960, de 21 de julio, sobre Propiedad Horizontal
LS	Ley 8/2007, de 28 de mayo, del suelo
Propuesta 2005	Propuesta de Anteproyecto de Ley de modificación del Código civil en materia de contrato de compraventa de 2005
Propuesta 2009	Propuesta de Anteproyecto de Ley de modernización del Código Civil en materia de obligaciones y contratos de 2009
Real Decreto 2028/1995	Real Decreto 2028/1995, de 22 de diciembre, que establece las condiciones de acceso a la financiación estatal de las viviendas de protección oficial promovidas por cooperativas de viviendas y comunidades de propietarios al amparo de Planes Estatales de vivienda
RDGRN	Resolución de la Dirección General de los Registros y del Notariado
RJ	Repertorio jurisprudencia Aranzadi del Tribunal Supremo
SAP	Sentencia de Audiencia Provincial
SCE	Sociedad Cooperativa Europea
SJPI	Sentencia Juzgado de Primera Instancia
STC	Sentencia del Tribunal Constitucional
STJCE	Sentencia del Tribunal de Justicia de las Comunidades Europeas
STS	Sentencia del Tribunal Supremo
STSJ	Sentencia del Tribunal Superior de Justicia
TRLCU	Texto Refundido de la Ley General para la Defensa de los Consumidores y Usuarios y otras leyes complementarias, aprobado por el Real Decreto Legislativo 1/2007, de 16 de noviembre.
TRLS	Texto refundido de la Ley del suelo, aprobado por el Real Decreto Legislativo 2/2008, de 20 de julio.
TRLSC	Texto Refundido de la Ley de Sociedades de Capital, aprobado por el Real Decreto Legislativo 1/2010, de 2 de julio.
Vol.	Volumen

PRÓLOGO

La doctora Rosa Milà Rafel publica un libro sobre promoción inmobiliaria para los tiempos que han de venir después de la crisis inmobiliaria y financiera de 2008. El libro analiza el derecho de la construcción desde el triple punto de vista de la promoción inmobiliaria, la autopromoción y las cooperativas de viviendas. Colma así una laguna en la literatura jurídica española sobre la materia y lo hace desde una perspectiva realista, pues uno de los objetivos básicos del trabajo, sino el principal, es la distinción entre la autopromoción y promoción colectiva y cooperativa, por un lado, y los fenómenos de autopromoción puramente aparentes, por el otro. El trabajo persigue así guiar al operador jurídico en la importante tarea de diferenciar entre realidad y apariencia.

La mencionada labor de deslinde y acotamiento entre la auténtica realidad de la autopromoción y otras distintas se realiza a partir de un conocimiento exhaustivo de la legislación, la jurisprudencia, la jurisprudencia menor y la doctrina. Los lectores de la obra encuentran en ella no solo un mapa de la realidad jurídica sino, además, una guía óptima para articular relaciones jurídicas en el derecho de la promoción inmobiliaria y de la construcción. Académicos y profesionales del derecho, empresarios inmobiliarios y sus clientes, así como finalmente quienes estén interesados en autopromover iniciativas inmobiliarias encontrarán en el libro de Rosa Milà solidez en los fundamentos legales, buen sentido jurídico en la orientación legal y materiales útiles para la celebración y ejecución de los contratos asociados con una promoción inmobiliaria.

Una de las cualidades de la obra es su carácter monográfico. La autora entra directamente en materia, pues comienza el primer capítulo de su trabajo tratando de la promoción de viviendas en régimen de autopromoción, comunidad de propietarios y cooperativas de viviendas, describe la evolución del mercado anterior a la crisis del 2008, pero no se detiene en ella sino que tiene muy en cuenta qué es lo que ha sucedido, sobre todo aquello que no ha ocurrido entre 2009 y la actualidad. En el mismo capítulo primero, expone los fundamentos legales del derecho de la autopromoción inmobiliaria y, de nuevo, manifiesta desde las primeras páginas el claro sentido de la realidad al que nos referíamos en los párrafos anteriores, pues el trabajo da razón del estado de la cuestión en la jurisprudencia, en la jurisprudencia menor y en la doctrina hasta inicios de la primavera de este año, de 2014.

En el capítulo segundo, se parte del concepto de promotor según la Ley 38/1999, de 5 de noviembre, de Ordenación de la Edificación, para tratar a continuación y en el capítulo tercero de las figuras del autopromotor individual, de la comunidad de propietarios promotora y de las cooperativas de viviendas. El desempeño es muy valioso pues la autora ha tenido que poner en su justa relación el derecho del Código civil, la Ley de Ordenación de la Edificación, el derecho de los consumidores, así como la regulación de la copropiedad y el derecho de cooperativas. El trabajo manifiesta así otra cualidad, la transversalidad.

En el central capítulo cuarto del trabajo, Rosa Milà analiza la figura del gestor de comunidades o de cooperativas de viviendas, figura que distingue del project manager y que luego clasifica en dos categorías básicas, el gestor mandatario, representante o prestatario de servicios, y el denominado promotor-gestor. En esta última sede, la autora disecciona la figura del promotor-gestor y expone y justifica una de las tesis centrales de la obra, esto es, la frecuente necesidad de caracterizar la figura como un negocio calificable de contrato atípico complejo de promoción. El análisis se lleva a cabo desde la doctrina mejor establecida sobre simulación y fraude de ley y siempre desde el punto de vista realista que caracteriza el trabajo a lo largo de todos sus capítulos y muy centralmente, como hemos señalado, este capítulo cuarto.

En el capítulo quinto, desarrolla la cuestión de las obligaciones del promotor particularmente moduladas en los casos de autopromoción, promoción por comunidades y por cooperativas. La doctora Milà no rehúye tomar posición interpretativa –en algunos casos hasta se podría decir tomar partido– en cuestiones muy debatidas sobre el alcance de las obligaciones legales impuestas a los promotores, como es señaladamente el caso de la obligación de contratar el seguro decenal y otras. No es objetivo de un prólogo anticipar las tesis sustentadas por el autor de la obra prologada, pero sí cabe llamar la atención de sus lectores sobre la rotundidad y solidez con las cuales se manifiesta la doctora Milà, quien, sin perder nunca el sentido de la realidad y el objetivo de ofrecer una guía al profesional del derecho, no abdica en ningún momento de sus posiciones normativas, más allá de las positivas.

La estructura tríadica del libro se cierra con una última parte integrada por tres capítulos, sexto, séptimo y octavo, en los cuales la autora trata de la responsabilidad del promotor por vicios o defectos de la construcción. Encomiablemente se dedica un capítulo a la responsabilidad genérica del promotor inmobiliario en la Ley de Ordenación de la Edificación, así como en la jurisprudencia que en los últimos quince años la ha desarrollado, y luego, en el capítulo séptimo y octavo, se trata separadamente de la responsabilidad por defectos constructivos en la auténtica autopromoción y promoción por comunidades de propietarios, por un lado, y de la responsabilidad por el mismo concepto en el caso de las cooperativas de viviendas y en defecto de promotor-gestor. De nuevo la autora se posiciona claramente y manifiesta su propia y fundada opinión normativa en punto a la responsabilidad del autopromotor, circunstancia que le permite formular una interesante, aunque sin duda polémica, propuesta de lege ferenda sobre esta responsabilidad cuya valoración y juicio corresponden, en primer término, a los lectores y, en definitiva, a los tribunales los cuales tienen la encomienda de aplicar el derecho. Unos y otros podrán coincidir íntegra o parcialmente con las posiciones defendidas por la autora o discordar de ellas, pero, sea como fuere, todos harán bien en documentarse con el contenido del capítulo séptimo, pues, por lo menos durante los próximos años cualquier tesis razonable en esta materia ha de pasar por el conocimiento de los datos positivos y de las tesis normativas manifestadas en este importante capítulo del libro por su autora.

En el mencionado capítulo octavo, Rosa Milà aborda, finalmente y como ya hemos señalado, las cuestiones relacionadas con la responsabilidad por defectos constructivos en las cooperativas de viviendas partiendo de tres tesis de nuevo normativamente bien fundadas y que por una vez expondré: apunta la autora la necesidad de proteger efectivamente los intereses de los socios adquirentes, pone de manifiesto que los socios no compran sus viviendas a las cooperativas, pero el énfasis del capítulo y del trabajo está en las consecuencias que la condición de gestor de la cooperativa de viviendas puede tener en las vicisitudes jurídicas de las relaciones entabladas. En el mismo capítulo, se trata de la responsabilidad de las cooperativas frente a terceros ajenos a ellas por vicios constructivos, así como la que pudieran tener los socios frente a la cooperativa y a sus acreedores. Por último, la autora no olvida la temática de la eventual responsabilidad de los miembros del consejo rector de la cooperativa, concluyendo así un tratamiento que constituye, como hemos dicho efectivamente en este prólogo, una guía realista y completa del campo de investigación.

Esta obra no habría sido posible en su configuración actual sin la ayuda constante y crítica del primer grupo de investigación de España sobre derecho de la construcción que dirige el profesor Ángel Carrasco Perera, y que estuvo representado en el tribunal de tesis de la autora por la profesora Encarna Cordero Lobato. Al grupo, a su director y a la profesora Cordero, el autor de este prólogo quiere manifestar su agradecimiento más sincero, aunque por supuesto ninguno de los miembros del grupo mencionado es responsable de las opiniones manifestadas en el libro. Igualmente, la obra se ha beneficiado del apoyo prestado por los profesores del área de derecho civil de la Universitat Pompeu Fabra a la autora, así como por la cabal evaluación externa e independiente llevada a cabo por el profesor Antoni Mirambell i Abancó de la Universitat de Barcelona. A todos ellos, de nuevo y creo poder aquí hablar también en nombre de la profesora Milà, nuestro agradecimiento más sincero. Éste no sería completo si finalmente no lo hiciéramos extensivo a la editorial Thomson Reuters Aranzadi y a sus gestores, quienes desde hace muchos años vienen confiando repetidamente en los investigadores del área de derecho civil de la Universitat Pompeu Fabra.

Barcelona, mayo de 2014

Pablo SALVADOR CODERCH

PRIMERO

INTRODUCCIÓN Y MARCO LEGAL DEL PROCESO DE LA EDIFICACIÓN

I. INTRODUCCIÓN: PROMOCIÓN DE VIVIENDAS EN RÉGIMEN DE AUTOPROMOCIÓN, COMUNIDAD DE PROPIETARIOS Y COOPERATIVAS DE VIVIENDAS

1. DELIMITACIÓN DEL OBJETO DE ESTUDIO

El objeto de esta obra es analizar de forma monográfica la promoción inmobiliaria de viviendas en régimen de autopromoción individual, comunidad de propietarios y cooperativas de viviendas. El análisis separado de estos tres tipos concretos de promoción inmobiliaria se justifica, en primer lugar, en las características específicas que presentan respecto a otros métodos de acceso a la propiedad inmobiliaria, cuyo estudio ha centrado, hasta la fecha, la atención de la mayoría de la doctrina especializada en la materia. La importancia del tema se debe, también, en el no despreciable número de viviendas promovidas por estos métodos en el Estado español, desde la década de los años noventa hasta la actualidad.

Tras la entrada en vigor de la Ley 38/1999, de 5 de noviembre, de Ordenación de la Edificación se generó un intenso debate doctrinal en relación con el alcance de la definición de promotor prevista en el artículo 9.1 de la Ley. En particular, dicho precepto amplió la noción de promotor respecto a la perfilada, con anterioridad, por el Tribunal Supremo a los efectos de exigirle la responsabilidad por ruina del artículo 1591 del Código Civil. La jurisprudencia sobre responsabilidad por ruina consideraba promotor a quien emprendía el proceso de la edificación con la finalidad de transmitir las viviendas en el mercado con ánimo de lucro. Por esta razón, el Tribunal Supremo no atribuía la condición de promotor, al autopromotor individual, a los comuneros que promovían en régimen de comunidad y a las cooperativas de viviendas, a las que denominaba promotor-mediador.

Con todo, tras la entrada en vigor de la LOE, el citado artículo 9.1 de la Ley ha abandonado el ánimo de lucro como característica indispensable de la figura del promotor. De este modo, la LOE impone las mismas obligaciones, con excepción de la obligación de contratar el seguro decenal, e idéntico régimen de responsabilidad tanto a las sociedades mercantiles que comercializan viviendas en el mercado con ánimo de lucro, como a los particulares que de manera individual o colectiva promueven la construcción de una vivienda para destinarla al uso propio, así como a las cooperativas de viviendas.

En este contexto, un primer objetivo de este trabajo ha sido analizar el fundamento de las obligaciones y de las responsabilidades que el ordenamiento jurídico privado impone a todo promotor inmobiliario, con la finalidad de cuestionar su justificación en cada una de las modalidades de promoción de viviendas para uso propio.

En efecto, en la obra se analizan las obligaciones y las responsabilidades que el ordenamiento jurídico privado establece para estas formas de promoción, prestando una atención especial a la responsabilidad del promotor derivada de vicios y defectos constructivos, con base en los distintos regímenes de responsabilidad aplicables en el ordenamiento jurídico español (tanto la derivada del artículo 1591 CC, como de los artículos 1101 y ss. y 1124 CC, y el artículo 17 LOE).

Tras este análisis, el trabajo trata de dar respuesta, entre otras, a las siguientes cuestiones: ¿Debe estar sujeto al mismo régimen jurídico el profesional que promueve una edificación para transmitirla a terceros, que el particular que lo hace para uso propio?; ¿Y si el particular que promueve para sí lo hace unido con otros en régimen de comunidad de propietarios?; ¿Y las cooperativas de viviendas, está justificada su responsabilidad por vicios y defectos constructivos, aunque actúen sin ánimo de lucro?

En el libro se defiende que las peculiaridades que presenta la promoción de viviendas para uso propio deberían haber sido tenidas en cuenta por el legislador estatal al regular la responsabilidad del promotor por daños derivados de vicios constructivos y ofrece una propuesta de *lege ferenda* para paliar estas insuficiencias. Además, se realiza una valoración positiva del cambio de rumbo que la LOE ha tomado respecto de la jurisprudencia anterior, declarando la responsabilidad de las cooperativas de viviendas por vicios o defectos constructivos frente a los socios adquirentes de las viviendas.

Por otro lado, no podría realizarse un estudio completo de la promoción de viviendas para uso propio, sin el análisis de una figura que, en palabras de la LOE, «aparece[...] cada vez con mayor frecuencia en la gestión económica de la edificación»: el gestor de comunidades o de cooperativas de viviendas. En la práctica inmobiliaria, en ocasiones estos gestores llevan a cabo una promoción inmobiliaria encubierta o una falsa-autopromoción. Es decir, utilizan de manera fraudulenta la promoción en régimen de comunidad o de cooperativas para eludir las obligaciones y responsabilidades propias del promotor.

En este contexto, un segundo objetivo del libro ha sido arrojar luz sobre esta cuestión, ofreciendo criterios para identificar en qué casos el gestor actúa como promotor y, en consecuencia, debe asumir las obligaciones y responsabilidades ligadas a la figura. Además, se analiza la naturaleza jurídica del contrato en virtud del cual estos profesionales intervienen en el tráfico.

Por último, si bien la obra analiza fundamentalmente el ordenamiento jurídico español, en las cuestiones más relevantes, se ha realizado un análisis comparado centrado en el ordenamiento jurídico francés, dado que el régimen de responsabilidad de la LOE está inspirado, en parte, en la regulación del contrato de obra del Código Civil francés.

Con anterioridad al análisis de estos temas, este capítulo de carácter introductorio tiene por objeto exponer las especificidades de la promoción de viviendas para uso propio, o autopromoción inmobiliaria, como modo de acceso a la propiedad de la vivienda, así como destacar su importancia, tanto histórica como actual, en el mercado de la vivienda del Estado español. En una segunda parte de este capítulo, se exponen sucintamente los regímenes de responsabilidad por vicios o defectos constructivos del ordenamiento jurídico español aplicables al promotor inmobiliario.

2. PROMOCIÓN DE VIVIENDAS PARA USO PROPIO (AUTOPROMOCIÓN) COMO MODO DE ACCESO A LA PROPIEDAD DE UNA VIVIENDA

La mayor parte de los ciudadanos acceden a la propiedad de una vivienda a manos de promotores profesionales. Habitualmente, los promotores profesionales son empresarios individuales o sociedades mercantiles que transmiten las edificaciones construidas a terceros mediante la celebración de contratos, fundamentalmente, de obra y de compraventa[1]. La jurisprudencia del Tribunal Supremo denomina este tipo de promotor promotor-constructor y promotor-vendedor. Ambos comercializan viviendas en el mercado inmobiliario con ánimo de lucro. Se diferencian en el hecho que, por un lado, el promotor-constructor participa directamente en la eje-

---

1. *Vid.* gráfico 1.

cución material de la obra, mientras que, por el otro, el promotor-vendedor contrata a profesionales que se encargan de su ejecución.

Un segundo modo de acceso a la propiedad de una vivienda es la promoción de viviendas para uso propio o autopromoción inmobiliaria. Se distinguen tres modalidades de promoción de viviendas para uso propio: primero, la autopromoción individual; segundo, la promoción de viviendas en régimen de comunidad de propietarios (comunidad *ad aedificandum*); y tercero, la promoción en régimen de cooperativa de viviendas.

En la autopromoción individual el particular contrata a un arquitecto, a un constructor y a otros profesionales de la edificación, a los que encarga la construcción de una vivienda para destinarla al uso propio.

Las dos últimas modalidades de promoción de viviendas para uso propio, también denominadas autopromoción colectiva, se caracterizan porque en ellas diversas personas físicas o jurídicas se unen en régimen de comunidad de propietarios o de cooperativa de viviendas con el fin de construir una edificación para destinarla, exclusivamente, al uso y disfrute propio.

Dentro de la autopromoción colectiva deben analizarse de manera separada, por un lado, las promociones en las que la gestión de la comunidad o de la cooperativa de viviendas es asumida por los propios comuneros o por los órganos de la cooperativa, estudiada en el capítulo tercero de esta obra. Y, por otro lado, la modalidad más frecuente en la práctica inmobiliaria del mercado español, que es la promoción en régimen de comunidad de propietarios o de cooperativa de viviendas con intervención de un gestor, analizada en el capítulo cuarto.

Además, la promoción de viviendas para uso propio como método de acceso a la propiedad de una vivienda debe diferenciarse del concepto de promotor para uso propio o autopromotor. Así, en la promoción en régimen de cooperativas de viviendas sólo los socios cooperativistas reciben la calificación de promotores de viviendas para uso propio o autopromotores, pero no la cooperativa de viviendas en sí misma, la cual no interviene en la promoción para promover las viviendas para sí, sino con la finalidad de adjudicar las mismas a sus socios[2].

---

2. El artículo 60 de la Ley 9/2010, de 30 de agosto, del derecho de la vivienda de la comunidad de Castilla y León (BO Castilla y León n° 173, de 7.9.2010) reserva la calificación de autopromotor para el autopromotor individual y denomina «promotores para uso propio» a «las personas físicas, agrupadas en cooperativas de vivienda, comunidades de propietarios o cualquier otra entidad cuya naturaleza determine que sus socios o partícipes resulten adjudicatarios o arrendatarios de las viviendas, que decidan, impulsen, programen y financien, con medios propios o ajenos, la construcción de viviendas de protección pública destinadas a satisfacer la necesidad de vivienda de sus socios o partícipes». Por otro lado, el artículo 111-2 de la Ley 22/2010, de 20 de julio, del Código de consumo de Cataluña (DOGC n°

Así, de acuerdo con la SAP Madrid, Civil, Sec. 21ª, 26.2.2013 (JUR 2013, 173253), «cuando se promueve una vivienda en régimen de Cooperativa los socios se constituyen en autopromotores, de forma que son ellos los que asumen el resultado del proyecto y con ello la variación que pueda experimentar el coste de la obra a lo largo del tiempo que dure la construcción y hasta la entrega de las viviendas a los cooperativistas».

3. SITUACIÓN DE LA AUTOPROMOCIÓN EN EL MERCADO INMO-
BILIARIO ESPAÑOL[3]

En España, desde 1992 hasta 2013, el número de viviendas promovidas por sociedades mercantiles es notablemente superior al número de viviendas promovidas por personas físicas, comunidades de propietarios y cooperativas de viviendas. Con todo, la diferencia en el número de viviendas terminadas por uno u otro tipo de promotor se ha ido reduciendo a partir de 2007, con el inicio de la crisis del sector de la construcción y promoción inmobiliaria, tal y como muestra el gráfico 1.

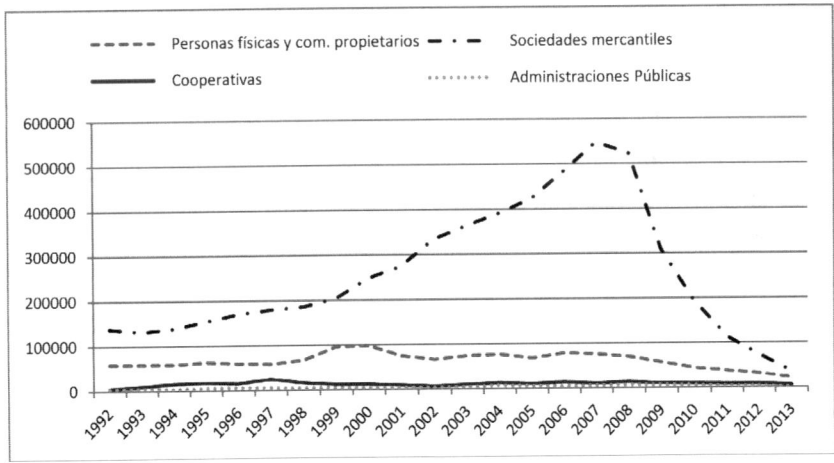

A continuación se describen los datos relativos a las viviendas promo-

---

5677, de 23.7.2011) atribuye la condición de personas consumidoras y usuarias, no a la cooperativa sino a «los socios cooperativistas en las relaciones de consumo con la cooperativa».

3. Todos los datos sobre viviendas terminadas en España citados en este epígrafe han sido obtenidos de la página web del Instituto Nacional de Estadística (*www.ine.es*), organismo que recaba la información de las certificaciones de fin de obra de los Colegios Oficiales de Aparejadores y Arquitectos Técnicos desde el mes de enero de 1992.

vidas, por un lado, por personas físicas y comunidades de propietarios[4] y, por el otro, por cooperativas de viviendas, terminadas en distintos períodos temporales: entre 1992 y 2008; y entre 2009 y 2013.

3.1. Viviendas terminadas entre 1992 y 2008

Entre 1991 y 1996 el mercado inmobiliario español se caracterizó por una reducción del precio de la vivienda, hasta que en 1997 el sector de la construcción inició un ciclo expansivo[5]. Desde 1997 hasta 2007, el mercado de la vivienda en España experimentó un ciclo expansivo que se caracterizó por la combinación de una producción y unos precios extraordinariamente altos[6]. El primer período analizado comprende las viviendas terminadas entre 1992 y 2008[7].

Entre 1992 y 2008, de un total de 6.466.593 viviendas terminadas de nueva construcción, 1.203.730 fueron promovidas por personas físicas y comunidades de propietarios, de modo que estas promociones representaron el 18,6%.

Por otro lado, en el mismo período temporal, las cooperativas de viviendas promovieron la construcción de 212.898 viviendas, el 3,3% de las viviendas terminadas de nueva construcción. El año en el que este tipo de promotor terminó más viviendas de nueva construcción fue el 1997, en el cual las cooperativas de viviendas promovieron 25.068 viviendas, el 9,2% del total.

---

4. Bajo la categoría personas físicas y comunidad de propietarios el INE incluye las comunidades de bienes, las comunidades de propietarios en régimen de propiedad horizontal y las personas físicas. Además, debe tenerse en cuenta que los datos comprenden no sólo las personas físicas y comunidades de propietarios que promovieron las viviendas para uso propio, sino también aquellas otras, que sin ser sociedades mercantiles, llevaron a cabo la promoción en ejercicio de una actividad empresarial.
5. *Vid.* MINISTERIO DE VIVIENDA, *Informe sobre la situación del sector de la vivienda en España*, abril 2010, p. 4. Sin embargo, José GARCÍA MONTALVO, «Algunas consideraciones sobre el problema de la vivienda en España», *Papeles de Economía Española*, 113, 2007, p. 138, sitúa el inicio de este período de expansión en 1998.
6. MINISTERIO DE VIVIENDA, *Informe sobre la situación del sector de la vivienda en España, op. cit.*, pp. 4 y 7.
7. La falta de coincidencia entre el período del ciclo del mercado inmobiliario español y el período analizado en relación con el número de viviendas terminadas se debe al lapso de tiempo que normalmente transcurre desde el inicio de la construcción de las viviendas hasta su terminación.

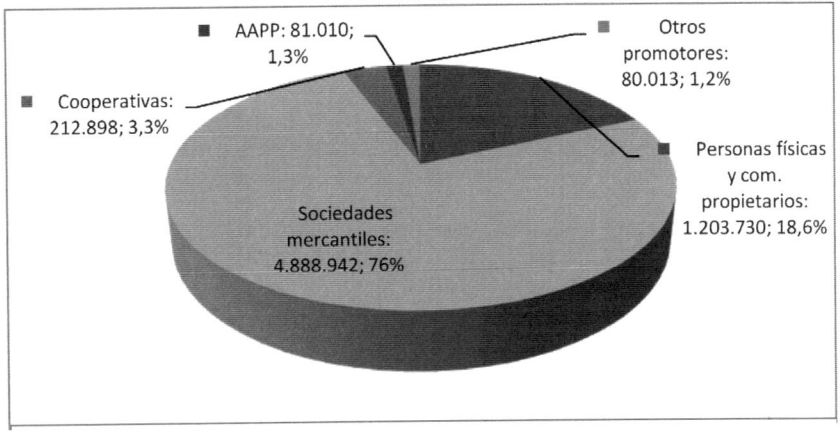

Fuente: INE

Gráfico: elaboración propia

3.2. Viviendas terminadas entre 2009 y 2013

En 2007, el sector de la vivienda sufrió un ajuste en términos de volumen de actividad y precios[8]. En 2008, la crisis financiera internacional agravó el ajuste del sector de la vivienda debido a los problemas de acceso al crédito[9]. En diciembre de 2012, la reducción del crédito a empresas de construcción y promoción inmobiliaria fue del 24,5% en tasa interanual, porcentaje que se reduce a un 10,2% si se excluye del análisis a las entidades que realizaron traspasos a la Sareb en dicho período. De esta manera, el crédito a este tipo de empresas sigue la tendencia decreciente, que en diciembre de 2011 ya era del –7,9%[10].

En este segundo período analizado (2009-2013), el porcentaje que sobre el total de viviendas terminadas representan las viviendas promovidas en cooperativas de viviendas es de un 4,1% y las viviendas promovidas por personas físicas y comunidades de propietarios de un 19%.

---

8. El análisis de este apartado se inicia en el año 2009, porque es a partir de este año cuando se percibe el efecto de la crisis económica en el número de viviendas terminadas.
9. MINISTERIO DE VIVIENDA, *Informe sobre la situación del sector de la vivienda en España, op. cit.*, pp. 4 y 7.
10. *Vid.* BANCO DE ESPAÑA, *Informe de Estabilidad Financiera*, 05/2013, p. 26.

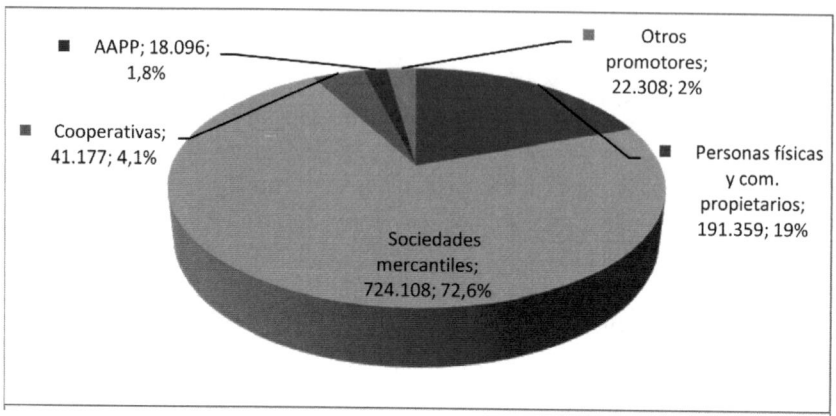

Fuente: INE

Gráfico: elaboración propia

4. VENTAJAS E INCONVENIENTES DE LA AUTOPROMOCIÓN IN-MOBILIARIA

4.1. Ventajas de la autopromoción inmobiliaria

4.1.1. *Ahorro económico del beneficio del promotor profesional*

El principal factor que determina que los particulares opten por el acceso a la propiedad de una vivienda por medio de la autopromoción, ya sea individual o colectiva, es el ahorro económico que supone la obtención de una vivienda a precio de coste. En efecto, en este tipo de promociones se elimina del precio de la vivienda el beneficio industrial del intermediario, el promotor inmobiliario profesional[11].

No obstante, la autopromoción no siempre permite al consumidor de vivienda ahorrarse la totalidad del beneficio empresarial de los intermediarios. En la práctica totalidad de promociones en régimen de comunidad de propietarios y de cooperativas de viviendas interviene un gestor, la remuneración del cual debe sumarse al precio de coste de las viviendas[12].

---

11. *Vid.* Javier MANRIQUE PLAZA, «Construcción en Comunidad», *Academia Sevillana del Notariado*, tomo VI, Edersa, 1992 (versión Vlex), p. 3; y Petronila GARCÍA LÓPEZ, «Construcciones efectuadas en régimen de autopromoción individual y exoneración de la obligación de constituir las garantías previstas en la Ley de Ordenación de la Edificación», *Boletín del Colegio de Registradores*, nº 122, 2006, p. 362.

12. Para un análisis en profundidad de esta cuestión *vid.* el Capítulo Cuarto relativo al gestor de comunidades o de cooperativas de viviendas.

4.1.2. Ayudas públicas a la autopromoción: viviendas protegidas y otras ayudas

De conformidad con el artículo 47.1 de la Constitución Española de 1978, los poderes públicos están obligados a promover la efectividad del derecho a una vivienda digna y adecuada, y deben favorecer las condiciones necesarias y establecer las normas pertinentes para hacer efectivo este derecho.

El fomento de la autopromoción, tanto en el ámbito de la vivienda libre, como de la vivienda la protegida, es uno de los mecanismos de los que disponen los poderes públicos para garantizar este derecho[13]. Por ello, es en la aplicación de la política estatal de ayuda a la construcción de Viviendas de Protección Oficial donde se encuentran las primeras referencias al autopromotor inmobiliario.

En cuanto el fomento de la autopromoción, por un lado, debe estarse a lo establecido en los Planes Estatales de Vivienda[14], y por el otro, a la normativa específica de las Comunidades Autónomas que regulan sus propios Planes de Vivienda. Debido al sistema competencial, el Estado carece de la posibilidad de llevar a cabo el cumplimiento de sus planes de vivienda de forma autónoma[15].

Las ayudas públicas no diferencian entre la autopromoción en régimen de comunidad y la autopromoción en régimen de cooperativas de viviendas, pues los Planes Estatales de Vivienda y la normativa de las Comunidades Autónomas incluyen ambas en la modalidad de autopromoción.

El artículo 7 del Real Decreto 2960/1976, de 12 de noviembre, por el que se aprueba el Texto refundido de la legislación sobre viviendas de protección oficial[16], vigente en la actualidad, prevé que podrán ser promotores de viviendas de protección oficial, entre otros:

«a) Los particulares que individualmente o agrupados construyan viviendas para sí, para cederlas en arrendamiento o para venderlas; b) Las

---

13. En este sentido, *vid.* GONZÁLEZ CARRASCO, *Acceder a una vivienda en tiempos de crisis, op. cit.*, p. 15.
14. Actualmente, está vigente el Plan Estatal de fomento del alquiler de viviendas, la rehabilitación edificatoria, y la regeneración y renovación urbanas, 2013-2016 aprobado por el Real Decreto 233/2013, de 5 de abril (BOE nº 86, de 10.4.2013).
15. Las Comunidades Autónomas han asumido competencias exclusivas en materia de vivienda (artículo 148.1.3ª CE y EEAA). Sin embargo, esta competencia debe ponerse en relación con la atribución al Estado de la competencia exclusiva para promulgar normas de Derecho privado (artículo 149.1.6ª y 8ª CE) y la competencia sobre bases y coordinación de la planificación general de la actividad económica (artículo 149.1.13ª CE).
16. BOE nº 311, de 28.12.1976.

Sociedades inmobiliarias y Empresas constructoras que edifiquen viviendas para arrendarlas o venderlas» y «(...) k) Las Cooperativas de vivienda con destino exclusivo a sus asociados, y las Mutualidades y Montepíos libres».

También se refiere al promotor el artículo 10 del Real Decreto 3148/1978, de 10 de noviembre que desarrolla el Real Decreto-ley 31/1978, de 31 de noviembre, sobre Política de Vivienda de Protección Oficial[17], que establece que

> «... [e]l acceso a la propiedad de una vivienda de protección oficial podrá realizarse por compraventa o mediante la promoción de viviendas que, para asentar en ellas su residencia familiar, los particulares construyan, individualmente por sí o colectivamente a través de comunidades de propietarios, cooperativas, o de cualquier otra asociación con personalidad jurídica».

Cabe destacar que el Plan Estatal de fomento del alquiler de viviendas, la rehabilitación edificatoria y renovación urbanas (2013-2016), aprobado por el Real Decreto 2033/2013, de 5 de abril[18], abandona el modelo seguido por los planes anteriores, que promovían la producción de un volumen creciente de viviendas y estaban basados en la ocupación de nuevos suelos, y opta por un modelo centrado en las ayudas públicas al fomento del alquiler y de la rehabilitación y regeneración urbanas. Este cambio de modelo afecta en especial a las cooperativas de viviendas las cuales, a pesar de que pueden tener por objeto la construcción de viviendas para arrendarlas a sus socios manteniendo la cooperativa la propiedad[19], en la práctica inmobiliaria tienen por objeto exclusivo la construcción y posterior cesión de la propiedad de las viviendas a sus socios.

4.1.3. Beneficios fiscales reconocidos a las cooperativas de viviendas

Las cooperativas de viviendas gozan de un régimen fiscal especial, del que no se benefician otras formas de autopromoción colectiva como la construcción en régimen comunidad de propietarios.

En efecto, los poderes públicos, en cumplimento del mandato consti-

---

17. BOE nº 14, de 16.1.1979.
18. BOE nº 86, de 10.4.2013.
19. De acuerdo con el artículo 89.3 Ley estatal 27/1999, de 16 de julio, de Cooperativas, «[l]a propiedad o el uso y disfrute de las viviendas y locales podrán ser adjudicados o cedidos a los socios mediante cualquier título admitido en derecho. Cuando la cooperativa retenga la propiedad de las viviendas o locales, los Estatutos establecerán las normas a que ha de ajustarse tanto su uso y disfrute por los socios, como los demás derechos y obligaciones de éstos y de la cooperativa, pudiendo prever y regular la posibilidad de cesión o permuta del derecho de uso y disfrute de la vivienda o local con socios de otras cooperativas de viviendas que tengan establecida la misma modalidad».

tucional del artículo 129.2 CE, que impone la promoción de las sociedades cooperativas mediante una legislación adecuada, ha dictado entre otras leyes, la Ley 20/1990, de 19 de diciembre, sobre régimen fiscal de las sociedades cooperativas[20].

La Ley 20/1990 establece un tratamiento tributario especial para las cooperativas de viviendas fiscalmente protegidas[21]. Son consideradas fiscalmente protegidas aquellas cooperativas de viviendas que se ajusten a los principios y disposiciones de la Ley estatal de Cooperativas o de las leyes de cooperativas de las Comunidades Autónomas, si bien pueden perder esta protección si incurren en alguna de las causas establecidas en el artículo 13 de la Ley (artículo 6.1 Ley 20/1990).

Los beneficios tributarios reconocidos a las cooperativas son, de acuerdo con el artículo 33 Ley 20/1990:

«1. En el Impuesto sobre Transmisiones Patrimoniales y Actos Jurídicos Documentados, exención, por cualquiera de los conceptos que puedan ser de aplicación, salvo el gravamen previsto en el artículo 31.1 del texto refundido aprobado por Real Decreto Legislativo 3050/1980, de 30 de diciembre, respecto de los actos, contratos y operaciones siguientes: a) Los actos de constitución, ampliación de capital, fusión y escisión. b) La constitución y cancelación de préstamos incluso los representados por obligaciones. c) Las adquisiciones de bienes y derechos que se integren en el Fondo de Educación y Promoción para el cumplimiento de sus fines.

2. En el Impuesto sobre Sociedades se aplicarán los siguientes tipos de gravamen: a) A la base imponible, positiva o negativa, correspondiente a los resultados cooperativos se le aplicará el tipo del 20%. b) A la base imponible, positiva o negativa, correspondiente a los resultados extracooperativos se le aplicará el tipo general.

3. Asimismo, gozarán, en el Impuesto sobre Sociedades, de libertad de amortización de los elementos de activo fijo nuevo amortizable, adquiridos en el plazo de tres años a partir de la fecha de su inscripción en el Registro de Cooperativas (...).

4. Gozarán de una bonificación del 95% de la cuota, y, en su caso, de los recargos, de los siguientes tributos locales: a) Impuesto sobre Actividades Económicas. b) Impuesto sobre Bienes Inmuebles correspondiente a los bienes de naturaleza rústica de las Cooperativas Agrarias y de Explotación Comunitaria de la Tierra. (...).

(...)»».

---

20. BOE nº 304, de 20.12.1990.
21. Con todo, las cooperativas de viviendas no se benefician del régimen de las cooperativas especialmente protegidas (artículos 7 a 12 de la Ley 20/1990).

4.2. Inconvenientes de la autopromoción inmobiliaria

4.2.1. Asunción del riesgo económico de la promoción

Entre las desventajas de la autopromoción inmobiliaria, respecto de la adquisición de una vivienda a manos de un promotor profesional, destaca la asunción del riesgo económico de la operación por parte del autopromotor individual, pero en especial, por parte de los copropietarios en la construcción en régimen de comunidad o de los socios en la promoción en régimen de cooperativas de viviendas, quienes adquieren la edificación a precio de coste[22].

Al inicio de la promoción, los autopromotores sólo conocen el precio estimado de la edificación. Sin embargo, este precio puede variar y, de hecho, en la práctica suele aumentar a medida que se desarrolla la promoción, puesto que los comuneros o socios de la cooperativa deben asumir todos los costes derivados del proceso de la edificación, incluso los no previstos inicialmente. En consecuencia, el precio final de la edificación puede aumentar, por ejemplo, en caso de variación al alza del precio de los materiales o en caso que sea preciso incurrir en gastos no presupuestados[23].

En este sentido, la SAP Zaragoza, Civil, Sec. 4ª, 8.9.1998 (AC 1998, 1568) destaca que «[a]cometiéndose la construcción del inmueble en régimen de comunidad de propietarios, el precio final de la vivienda tan sólo puede establecerse con carácter aproximado en la cantidad de 22.394.952 pesetas (...). El precio final vendrá fijado en función del nivel de ventas alcanzado por la «Comunidad de Propietarios Residencial Europa, SC», toda vez que los adquirentes de viviendas, locales y garajes del Conjunto Residencial, tienen la obligación de subvenir a los gastos que el proindiviso genere, teniendo en justa contrapartida, derecho a los retornos que la venta de dichos inmuebles genere, circunstancia ésta que tan sólo permite hablar de precio aproximado» (FD 2º).

---

22. Como señala GONZÁLEZ TAUSZ, *La promoción inmobiliaria encubierta: un fraude de ley, op. cit.*, p. 99, aunque ««los precios de coste» son ofrecidos a los futuros interesados a adquirir su vivienda como una ventaja; (...) éstos encierran cierto peligro».

23. En relación con las cooperativas de viviendas, Francisco VICENT CHULIÁ, *Introducción al derecho mercantil*, vol. I, Tirant lo Blanch, 22ª edición, Valencia, 2010, p. 920, destaca que «como característica más importante de la cooperativa, sus socios responden ilimitadamente con todo su patrimonio de la gestión de sus intereses que confían a la cooperativa («masa de gestión de la cooperativa»), asumiendo un riesgo propio (...). [Si es una cooperativa] de consumo (el riesgo del coste de adquisición de los bienes y servicios adquiridos, por ej., la vivienda, en una cooperativa de viviendas)».

4.2.2. *Fraudes cometidos en la promoción en régimen de comunidades de propietarios y de cooperativas de viviendas: la respuesta del legislador*

a. *El caso de la cooperativa de viviendas «Promoción Social de Viviendas, Soc. Coop.»*

En la segunda mitad de la década de los años ochenta, la cooperativa de viviendas «Promoción Social de Viviendas, Soc. Coop.» cometió graves ilegalidades que han generado la posterior desconfianza de los ciudadanos en la promoción en cooperativas de viviendas.

El 1.6.1988, Unión General de Trabajadores (UGT) impulsó la creación de la cooperativa de viviendas «Promoción Social de Viviendas, Soc. Coop.» (PSV), cuyo objeto social era construir viviendas de protección oficial destinadas a familias de renta media y baja. El 15.6.1988, para respaldar el proyecto del sindicato, se creó la sociedad de gestión «Iniciativas y gestión de Servicios Urbanos, S.A.» (IGS).

PSV era una sociedad cooperativa que no podía ser participada o dominada por IGS. Por ello, se ideó un sistema de control consistente en encomendar la gestión integral de la cooperativa a IGS. PSV traspasaba todos los ingresos y fondos que obtenía de los cooperativistas a IGS, de modo que la cooperativa actuaba como una persona jurídica instrumental.

Por su parte, IGS aplicaba los fondos obtenidos de los socios a cubrir las necesidades económico-financieras del grupo, con independencia de quiénes fueran los aportantes y cuál fuera el destino pactado. Ello comportó la confusión económica entre fases y promociones. Además, los fondos de los cooperativistas no sólo se destinaron a la promoción de viviendas sociales, sino también a otras actividades del grupo ajenas a esta finalidad.

Esta mala gestión provocó que, en 1993, PSV e IGS solicitaran la suspensión de pagos. El 27.5.1994, el Consejo de Ministros acordó la intervención administrativa plena de la cooperativa. Con posterioridad, una parte de los cooperativistas solicitaron la baja y firmaron un contrato de cesión de su crédito con el ICO por el 75% de su valor nominal, en el cual renunciaban a la acción de responsabilidad civil derivada de delito. Otra parte de los socios, formaron nuevas cooperativas. Por último, un grupo de promociones, que no disponía de un número suficiente de cooperativistas, fueron entregadas a promotores privados que reconocieron las aportaciones a los socios existentes.

El Juzgado Central de Instrucción n° 3 incoó procedimiento abreviado contra Carlos Miguel, consejero delegado de IGS y otros, y contra UGT, IGS y otros como responsables civiles subsidiarios. La SAN, Sala de lo

Penal, Sec. 1ª, 16.7.2001 (JUR 2001, 205441) condenó a Carlos Miguel como autor de un delito continuado de apropiación indebida, a 2 años, 4 meses y 1 día de prisión menor, así como a indemnizar a los perjudicados en las cantidades que se determinen en ejecución de sentencia. Además, la AN declaró la responsabilidad civil subsidiaria de UGT. La STS, 2ª, 9.10.2003 (RJ 2003, 7233) confirmó la sentencia de la Audiencia Nacional.

b. *Respuesta del legislador a los fraudes cometidos en la promoción en régimen de comunidades de propietarios y de cooperativas de viviendas*

El caso de la cooperativa de viviendas «Promoción Social de Viviendas, Soc. Coop.» motivó algunas reformas legislativas. El legislador estatal introdujo en la Ley 27/1999, de 16 de julio, de Cooperativas[24], la obligación de las cooperativas que realicen más de una promoción o una misma promoción en varias fases de dotar a cada una de ellas de autonomía patrimonial y de gestión (artículo 90 LC)[25].

Las cooperativas de viviendas que realicen más de una promoción o una misma promoción con distintas fases tienen la obligación de constituir una sección para cada una de ellas (artículo 90 LC). Cada sección debe tener una denominación específica que figurará en toda la documentación relativa a la misma, así como en la inscripción en el Registro de la Propiedad de fincas en nombre de la cooperativa.

Los socios de cada gestión forman parte de la Junta especial de socios, regulada en los Estatutos, que tiene competencias para adoptar acuerdos sobre los derechos u obligaciones de los socios de dicha fase.

Las secciones no tienen personalidad jurídica propia, pero sí autonomía patrimonial y de gestión. Es decir, además de la contabilidad general de la cooperativa, ésta debe llevar una contabilidad separada para cada promoción o fase de la promoción, individualizando todos los justificantes de cobros o pagos que no sean generales. Además, la Ley establece que los bienes integrantes de una promoción o fase no responden de las deudas del resto de promociones o fases.

Asimismo, el artículo 91.1 LC impuso a las cooperativas de viviendas la obligación de someter sus cuentas anuales a auditoría de cuentas, en los ejercicios económicos en los que, las viviendas y locales en promoción «correspondan a distintas fases, o cuando se construyan en distintos blo-

---

24. BOE nº 170, de 17.7.1999. La Ley dedica sus artículos 89 a 92 a las cooperativas de viviendas
25. En relación con la influencia del caso en la Ley 27/1999 *vid.* Ana LAMBEA RUEDA, *Cooperativas de viviendas: promoción, construcción y adjudicación de la vivienda al socio cooperativo*, 3ª ed., Comares, Granada, 2012, p. 15.

ques que constituyan, a efectos económicos, promociones diferentes» [artículo 91.1.b) LC]; y cuando «la cooperativa haya otorgado poderes relativos a la gestión empresarial a personas físicas o jurídicas, distintas a los miembros del Consejo rector» [artículo 91.1.c) LC][26].

Por otro lado, el caso de la cooperativa PSV también tuvo repercusión en la Ley 38/1999, de 5 de noviembre, de Ordenación de la Edificación[27], cuyo artículo 17.4 se refiere expresamente al gestor de cooperativas o de comunidades de propietarios y a su responsabilidad por vicios o defectos constructivos cuando actúe como promotor.

Por último, en 2005, la Asociación Nacional de Empresas Gestoras de Cooperativas y Proyectos Inmobiliarios (GECOPI), constituida en 2004, aprobó las normas de buenas prácticas empresariales de las empresas gestoras con la finalidad de:

> «(...) poner freno a la aparición de núcleos empresariales que, aprovechándose de la demanda de servicios de gestión existente, realicen prácticas carentes de la ética y profesionalidad necesarios en el sector».

II. MARCO LEGAL DEL PROCESO DE LA EDIFICACIÓN Y REGÍMENES DE RESPONSABILIDAD POR VICIOS O DEFECTOS CONSTRUCTIVOS

1. CÓDIGO CIVIL

1.1. Artículo 1591.I del Código Civil

Tal como señala la Exposición de Motivos de la LOE[28], hasta la entrada en vigor de la Ley, la tradicional regulación del suelo en España había contrastado con la ausencia de una regulación legal del proceso de construcción de edificios[29], o más correctamente, con su insuficiencia, pues se regía básicamente por los preceptos del Código civil español de 1889 y por una pluralidad de normas cuyo conjunto presentaba lagunas significativas.

---

26. Además, la obligación de auditar las cuentas también se impone a la cooperativa de viviendas cuando en el ejercicio económico correspondiente «la cooperativa tenga en promoción, entre viviendas y locales, un número superior a cincuenta» [artículo 91.1.a) LC]; y «[c]uando lo prevean los Estatutos o lo acuerde la Asamblea general» [artículo 91.1.d) LC].
27. BOE nº 266, de 6.11.1999.
28. Exposición de Motivos, 2º párrafo, LOE.
29. En la legislación estatal, la regulación del suelo se inicia con la Ley del suelo y ordenación urbana de 1956, primera norma que reguló el urbanismo concibiéndolo como una función pública.

En sede de responsabilidad derivada de defectos constructivos, el Código civil prevé, dentro de la regulación general del contrato de obra, la regla de responsabilidad decenal del artículo 1591.I CC, que fue pensada para la tecnología constructiva de finales del siglo XIX, de acuerdo con la cual:

> «El contratista de un edificio que se arruinase por vicios de la construcción, responde de los daños y perjuicios si la ruina tuviere lugar dentro de diez años, contados desde que concluyó la construcción; igual responsabilidad, y por el mismo tiempo, tendrá el arquitecto que la dirigiere, si se debe la ruina a vicio del suelo o de la dirección».

1.2. Jurisprudencia sobre responsabilidad por ruina

Desde inicios de la década de los años sesenta del siglo XX, la regla del artículo 1591.I CC resultó insuficiente e inadecuada para regular la complejidad del proceso de la edificación. Con el fin de adecuar la regulación legal a la satisfacción de los intereses de los propietarios y adquirentes posteriores de viviendas, el Tribunal Supremo desarrolló durante más de treinta años la doctrina jurisprudencial sobre responsabilidad por ruina. Las líneas fundamentales de esta doctrina jurisprudencial son las siguientes[30]:

a) Extensión del concepto de ruina, entendida como ruina física, derrumbamiento total o parcial de la obra. El concepto de ruina alcanza, por un lado, la *ruina potencial*, es decir, los graves defectos constructivos que hagan temer la pérdida del edificio; y, por el otro, la *ruina funcional*, como aquélla que lo hace inútil para la finalidad que le es propia, categoría que equivale a los defectos de habitabilidad regulados en el artículo 17.1.b) LOE.

En la STS, 1ª, 17.7.1987 (RJ 1987, 5805) el Tribunal Supremo reconoce haber «ampliado el concepto de ruina del artículo [1591 CC] haciéndolo comprensivo no solamente del derrumbamiento total o parcial, actual o previsible del edificio por graves defectos afectantes a su estructura o elementos esenciales, sino también a la concurrencia de otros defectos constructivos que por superar a las simples deficiencias o imperfecciones ocurrentes, implican una potencial ruina por pérdida o aparejan su inutilidad

30. Para un análisis más detallado de las líneas fundamentales de la doctrina jurisprudencial sobre responsabilidad por ruina vid. Encarna CORDERO LOBATO, «Capítulo 21. Responsabilidad civil de los agentes que intervienen en el proceso de la edificación», en Ángel CARRASCO PERERA, Encarna CORDERO LOBATO, Mª del Carmen GONZÁLEZ CARRASCO, *Comentarios a la legislación de ordenación de la edificación*, 5ª ed., Aranzadi Thomson Reuters, Cizur Menor (Navarra), 2011, pp. 494-499.

para la finalidad o dedicación para que se efectuó la construcción» (FD 4º)[31].

b) Extensión de la legitimación activa en la acción de responsabilidad por ruina, que corresponde no sólo al comitente de la obra sino también a los sucesivos adquirentes del inmueble, a pesar de que no tengan un vínculo contractual con el agente demandado.

La STS, 1ª, 5.5.1961 (RJ 1961, 2310) declaró que «el comprador o adquirente recibe todas las acciones transmisibles que garantizan su dominio y defienden los derechos inherentes a la propiedad, resultando, por tanto, evidente, que está revestido de la acción que le concede el artículo 1101 CC con carácter general, y específicamente el 1591, al señalar la responsabilidad del Arquitecto y del contratista en caso de ruina del edificio durante el plazo de diez años, sin distinguir si la finca ha cambiado o no de propietario».

c) Ampliación de la legitimación pasiva, que no sólo alcanza a los sujetos mencionados de manera expresa en el artículo 1591.I CC –arquitecto director y contratista– sino también al arquitecto proyectista, al arquitecto técnico, al subcontratista y al promotor, respondiendo este último de todo defecto constructivo con independencia de su origen.

La STS, 1ª, 17.10.1974 (RJ 1974, 3896) declara aplicable el artículo 1591.I CC «a situaciones que guarden analogía con la en dicho precepto contenida y no se hallen reguladas de modo específico por la norma, por haber sobrevenido con posterioridad a su promulgación, como ocurre con la situación del promotor vendedor de pisos».

d) Incorporación de la responsabilidad solidaria de todos los intervinientes cuando no sea posible determinar la causa de la ruina o cuando no se pueda cuantificar el grado de participación de los intervinientes en la causación de la ruina.

La STS, 1ª, 5.12.1981 (RJ 1981, 5046) señala que «cuando no es posible discriminar la específica responsabilidad de cada uno de los que son partícipes en el resultado final dañoso (...) ha de entenderse lo es solidaria, tanto vale cuando existen varios partícipes (...) o como cuando, en el caso de autos, si bien se ha particularizado la responsabilidad de constructor y Aparejador y por ello han sido absueltos, la existencia de dos Arquitectos unidos por una responsabilidad sin posibilidad de determinar el grado en el que lo es la del uno y la del otro (...) [supone que] necesariamente, de

---

31. Respecto el concepto de ruina *vid.* también, entre muchas otras, las SSTS, 1ª, 25.1.1993 (RJ 1993, 356); 23.12.1991 (RJ 1991, 9477); 17.2.1986 (RJ 1986, 683); 16.2.1985 (RJ 1985, 558); 16.6.1984 (RJ 1984, 3245); y 5.5.1984 (RJ 1984, 1200).

conformidad a dicha doctrina debe ser impuesta a dichos arquitectos solidariamente»[32].

2. LEY DE ORDENACIÓN DE LA EDIFICACIÓN

2.1. Régimen de responsabilidad legal del artículo 17 LOE

En la actualidad, en derecho español, los aspectos esenciales del proceso de la edificación se encuentran regulados en la Ley 38/1999, de 5 de noviembre, de Ordenación de la Edificación, la cual define dicho proceso como «la acción y el resultado de construir un edificio de carácter permanente, público o privado (...)» (artículo 2.1 LOE)[33].

El carácter de ley especial comporta que en algunos ámbitos, como en el de la responsabilidad de los agentes de la edificación por defectos constructivos, la LOE constituya el marco legal al que en primer lugar deben acudir los operadores jurídicos para resolver este tipo de casos[34]. Debe advertirse, no obstante, que la Ley no ofrece un régimen jurídico general y completo de todos los aspectos del complejo proceso constructivo, pues excluye expresamente de su contenido determinadas materias reguladas por legislación específica y omite numerosos aspectos de derecho administrativo y civil[35].

2.1.1. Finalidad de la Ley

Las finalidades principales de la LOE son, según su artículo 1.1, «(...) asegurar la calidad de los edificios mediante el cumplimiento de los requisitos básicos y la adecuada protección de los intereses de los usuarios», cometido que la Ley lleva a cabo desde una triple perspectiva:

---

32. En el mismo sentido, sin ánimo exhaustivo, *vid.* las SSTS, 1ª, 21.2.2000 (RJ 2000, 752); 13.10.1999 (RJ 1999, 7426); 4.3.1998 (RJ 1998, 1039); 22.11.1997 (RJ 1997, 8097); 2.2.1996 (RJ 1996, 1082); 27.9.1995 (RJ 1995, 6452); y 1.2.1982 (RJ 1982, 743).

33. La propia LOE en el artículo 1.1 declara que «[e]sta Ley tiene por objeto regular en sus aspectos esenciales el proceso de la edificación», y su Exposición de Motivos afirma que «[e]l objetivo prioritario es regular el proceso de la edificación (...)».

34. En este sentido, Antonio ORTÍ VALLEJO, «La responsabilidad civil en la edificación», Luis Fernando REGLERO CAMPOS (Coord.), *Tratado de Responsabilidad Civil*, tomo II, 4ª ed., Thomson Aranzadi, Navarra, 2008, pp. 1149 y 1150; y Celia MARTÍNEZ ESCRIBANO, *Responsabilidades y garantías de los agentes de la edificación*, 3ª ed., Lex Nova, Valladolid, 2007, p. 359.

35. Así lo ponen de manifiesto, Manuel PONS GONZÁLEZ y Miguel Ángel DEL ARCO TORRES, *Comentarios prácticos a la Ley de Ordenación de la Edificación*, Comares, Granada, 2003, pp. 9 y 10; y ORTÍ VALLEJO, *La responsabilidad civil en la edificación, op. cit.*, p. 1149.

a) Promueve la calidad de las construcciones mediante la exigencia de los requisitos básicos de los edificios. Para alcanzar este objetivo el Capítulo II de la Ley establece las exigencias técnicas y administrativas de la edificación y, en especial, su artículo 3 fija los requisitos básicos de funcionalidad, seguridad y habitabilidad de los edificios. El contenido de este precepto ha sido desarrollado por el Código Técnico de la Edificación, aprobado mediante el Real Decreto 314/2006, de 17 de marzo[36]. El CTE constituye el marco normativo que establece las exigencias básicas de calidad de los edificios de nueva construcción y de sus instalaciones, así como de las intervenciones que se realicen en los edificios existentes (artículo 3.2 LOE).

b) Establece las obligaciones y responsabilidades de los agentes que intervienen en el proceso de la edificación. Los artículos 8 a 16 LOE definen los distintos agentes de la edificación y enumeran sus obligaciones, y el artículo 17 LOE les impone la responsabilidad por vicios y defectos constructivos partiendo de sus obligaciones[37].

c) Fija las garantías suficientes para asegurar el resarcimiento de los daños materiales causados en el edificio por defectos constructivos, con independencia de la solvencia del agente de la edificación responsable[38]. Sin embargo, la Ley establece un sistema de aseguramiento cuya obligatoriedad restringe a la garantía de reparación de defectos estructurales (artículo 19 y disposición adicional 2ª LOE). Para asegurar el cumplimento de esta obligación, la LOE prevé limitaciones a la escrituración e inscripción en el Registro de la Propiedad y en el Registro Mercantil ante la falta de acreditación de la constitución de dicha garantía (artículo 20 LOE).

---

36. BOE nº 74, de 28.3.2006. El Real Decreto 314/2006 ha sido modificado y complementado por distintas normas posteriores: el Real Decreto 1317/2007, de 19 de octubre (BOE nº 254, de 23.10.2007); la Orden VIV/984/2009, de 15 de abril (BOE nº 99, de 23.4.2009); el Real Decreto 173/2010, de 19 de febrero (BOE nº 61, de 10.3.2010); el Real Decreto 410/2010, de 31 de marzo (BOE nº 97, de 22.4.2010); y la Ley 8/2003, de 26 de junio (BOE nº 153, de 27.6.2013).
37. En efecto, la Exposición de Motivos de la LOE afirma que «... [e]l objetivo prioritario es regular el proceso de la edificación actualizando y completando la configuración legal de los agentes que intervienen en el mismo, *fijando sus obligaciones para así establecer las responsabilidades* y cubrir las garantías a los usuarios, en base a una definición de los requisitos básicos que deben satisfacer los edificios» (énfasis añadido). Con todo, como se analiza más adelante, la coordinación entre las obligaciones de los agentes de la edificación establecidas en los artículos 8 a 16 LOE y el régimen de responsabilidad que regula el artículo 17 LOE no es absoluta.
38. En este sentido, *vid.* Mª del Carmen GONZÁLEZ CARRASCO, «Capítulo 1. Objeto del régimen de Ordenación de la Edificación», en CARRASCO PERERA, CORDERO LOBATO, GONZÁLEZ CARRASCO, *Comentarios a la legislación de ordenación de la edificación, op. cit.*, pp. 50-51.

d) Por último, una cuarta finalidad de la LOE, la protección adecuada de los intereses de los usuarios, deriva de su Exposición de Motivos que se define como «una aportación más a la Ley 26/1984, de 19 de julio, General para la Defensa de los Consumidores y Usuarios»[39].

Con todo, el régimen de responsabilidad de la LOE no regula estrictamente una relación de consumo entre un empresario o profesional de la construcción con un consumidor o usuario de edificaciones. Por un lado, porque son sujetos protegidos por el régimen de responsabilidad del artículo 17 LOE, no sólo los consumidores o usuarios, en el sentido del artículo 3 TRLCU, sino también cualquier otro tipo de adquirentes de edificaciones que no reúnan la condición de consumidores[40]. Y, por el otro lado, porque, como se analiza más adelante, son sujetos responsables del régimen de responsabilidad del artículo 17 LOE, no sólo los promotores profesionales, sino también aquellos otros que promueven la edificación para uso propio (artículo 9.1 LOE).

2.1.2. *Artículos 17 y 18 de la LOE*

La Ley de Ordenación de la Edificación configura, en sus artículos 17 y 18, un régimen de responsabilidad de los agentes de la edificación frente a los propietarios perjudicados por daños materiales en los edificios cuya licencia de edificación haya sido solicitada con posterioridad al 6 de mayo de 2000, fecha de entrada en vigor de la Ley[41]. En especial, de acuerdo con el artículo 17.1 LOE:

> «Sin perjuicio de sus responsabilidades contractuales, las personas físicas o jurídicas que intervienen en el proceso de la edificación responderán frente a los propietarios y los terceros adquirentes de los edificios o parte de los mismos, en el caso de que sean objeto de división, de los siguientes

---

39. Actualmente derogada por la disposición derogatoria única, 2, del Real Decreto Legislativo 1/2007, de 16 de noviembre, por el que se aprueba el Texto Refundido de la Ley General para la Defensa de los Consumidores y Usuarios y otras leyes complementarias (BOE nº 287, de 30.11.2007).
40. En parecidos términos *vid.* María Teresa MARÍN GARCÍA DE LEONARDO, *La figura del promotor en la Ley de Ordenación de la Edificación*, Aranzadi, Cizur Menor (Navarra), 2002, p. 133. Por ello, la LOE no sólo protege al consumidor, sino que se enmarca en aquellos sectores de la contratación en los que, en palabras de Ángel CARRASCO PERERA et al., Ángel CARRASCO PERERA (Dir.), *El Derecho de consumo en España: presente y futuro*, Instituto Nacional de Consumo, Madrid, 2002, pp. 27-28, «... la protección que se otorga a la parte más débil no deriva de su condición de destinatario final del producto o servicios o de la finalidad –privada– en la que se pretenden emplear los mismos. Se le protege, más bien, en su condición de contratante, de simple usuario, o de persona relacionada de un determinado modo con el profesional».
41. Disposición transitoria 1ª LOE.

daños materiales ocasionados en el edificio dentro de los plazos indicados, contados desde la fecha de recepción de la obra, sin reservas o desde la subsanación de éstas».

El régimen de responsabilidad de la LOE está inspirado, en parte, en la jurisprudencia del Tribunal Supremo sobre responsabilidad por ruina anterior y, en parte, en la regulación sobre la materia en el *Code Civil* francés[42]. Éste último regula la responsabilidad de los agentes de la construcción dentro del régimen del contrato de obra (artículos 1792, 1792-1 a 1792-6 y 2270 *Code Civil*) y del contrato de promoción inmobiliaria (artículos 1831-1 a 1831-5 *Code Civil*).

En particular, cabe citar el artículo 1792 del *Code Civil* francés de acuerdo con el cual «[t]odo constructor de una obra es responsable de pleno derecho ante el propietario o quien adquirió la obra, de los daños, incluso resultantes de un vicio del suelo, que comprometan la solidez de la obra o que, afectándola en uno de sus elementos constitutivos o uno de sus elementos de equipamiento, la hagan impropia para su destino. Esta responsabilidad no tendrá lugar si el constructor prueba que los daños provienen de una causa ajena»[43].

Además, el artículo 1792-1 del *Code Civil* francés señala que «[s]e considera constructor de la obra a:

1º. Cualquier arquitecto, empresario, técnico u otra persona ligada al propietario por un contrato de obras;

2º. Toda persona que vende, una vez terminada, una obra que ha construido o ha hecho construir;

3º. Toda persona que, aun actuando en calidad de mandatario del propietario de la obra, realiza una misión asimilable a la de un contratista de obras»[44].

---

42. En este sentido *vid.* Antonio CABANILLAS SÁNCHEZ, «La responsabilidad civil por vicios en la construcción en la Ley de Ordenación de la Edificación», *Anuario de Derecho Civil*, vol. 53, nº 2, 2000, p. 412. Para un estudio detallado del derecho francés *vid.* en la doctrina francesa, Philippe MALINVAUD y Philippe JESTAZ, *Droit de la promotion immobilière*, 8ª edición actualizada por Patrice JOURDAIN y Olivier TOURNAFOND, Dalloz, París, 2009; y Jean-Bernard AUBY y Hugues PÉRINET-MARQUET, *Droit de l'urbanisme et de la construction*, 7ª edición, Montchrestien, París, 2004.

43. En su versión original el artículo 1792 modificado por la Ley nº 78-12 del 4 de enero de 1978 (Diario Oficial de 5.1.1978) establece que: «*[t]out constructeur d'un ouvrage est responsable de plein droit, envers le maître ou l'acquéreur de l'ouvrage, des dommages, même résultant d'un vice du sol, qui compromettent la solidité de l'ouvrage ou qui, l'affectant dans l'un de ses éléments constitutifs ou l'un de ses éléments d'équipement, le rendent impropre à sa destination. Une telle responsabilité n'a point lieu si le constructeur prouve que les dommages proviennent d'une cause étrangère*».

44. En su versión original el artículo 1792-1 del *Code Civil* introducido por la Ley nº 78-12 del 4 de enero de 1978 (Diario Oficial de 5.1.1978) señala que: «*Est réputé constructeur de l'ouvrage:*

2.1.3. Ámbito de aplicación temporal (disposición final 4ª)

La entrada en vigor de la LOE, el 6 de mayo de 2000[45], desencadenó un debate doctrinal acerca de la derogación del artículo 1591.I CC. Esta cuestión debe examinarse a la luz de la disposición derogatoria 1ª LOE, según la cual:

«Quedan derogadas todas las disposiciones de igual o inferior rango que se opongan a lo dispuesto en esta Ley».

A efectos analíticos, y siguiendo a Ángel CARRASCO PERERA[46], es preciso diferenciar dos cuestiones jurídicas distintas: por un lado, la derogación del artículo 1591.I CC, en su tenor literal; por el otro, la superación de la doctrina jurisprudencial sobre responsabilidad por ruina desarrollada por el Tribunal Supremo con apoyo en el artículo 1591.I CC, la cual no es susceptible de ser derogada sino sólo de ser superada por leyes posteriores.

a. Derogación tácita del artículo 1591.I CC

En virtud de la disposición derogatoria 1ª LOE el artículo 1591.I CC ha quedado derogado tácitamente en su tenor literal[47]. Sin embargo, la

---

1° *Tout architecte, entrepreneur, technicien ou autre personne liée au maître de l'ouvrage par un contrat de louage d'ouvrage*;

2° *Toute personne qui vend, après achèvement, un ouvrage qu'elle a construit ou fait construire*;

3° *Toute personne qui, bien qu'agissant en qualité de mandataire du propriétaire de l'ouvrage, accomplit une mission assimilable à celle d'un locateur d'ouvrage*».

45. De acuerdo con la disposición final 4ª LOE «[e]sta Ley entrará en vigor a los seis meses de su publicación en el «Boletín Oficial del Estado», salvo sus disposiciones adicional quinta, transitoria segunda, derogatoria primera por lo que se refiere a la legislación en materia de expropiación forzosa, derogatoria segunda y final tercera que entrarán en vigor el día siguiente al de dicha publicación».

46. Ángel CARRASCO PERERA, «La insistente recurrencia de un falso problema: ¿está derogado el artículo 1591 Código civil?», *Actualidad Jurídica Aranzadi*, nº 454, 2000, p. 3 (versión Westlaw).

47. A favor de la derogación tácita del artículo 1591.I por la LOE, *vid.* las SSAP Madrid, Civil, Sec. 10ª, 23.1.2007, FD 5º (JUR 2008, 43831) y Barcelona, Civil, Sec. 4ª, 3.11.2005, FD 2º (JUR 2006, 86785). En la doctrina, *vid.* CARRASCO PERERA, *La insistente recurrencia de un falso problema: ¿está derogado el artículo 1591 Código civil?, op. cit.*, pp. 5 y 6; CABANILLAS SÁNCHEZ, *La responsabilidad civil por vicios en la construcción en la Ley de Ordenación de la Edificación, op. cit.*, pp. 408 y ss.; Pedro J. FEMENÍA LÓPEZ, *Responsabilidad extracontractual por ruina de edificios*, Tirant lo Blanch, Valencia, 2000, p. 15; CORDERO LOBATO, *Capítulo 21. Responsabilidad civil de los agentes que intervienen en el proceso de la edificación, op. cit.* pp. 569-573; MARTÍNEZ ESCRIBANO, *Responsabilidades y garantías de los agentes de la edificación, op. cit.*, p. 352; ORTÍ VALLEJO, *La responsabilidad civil en la edificación, op. cit.*, p. 1175; Pascual SALA SÁNCHEZ, «Capítulo X. El artículo 1591 del Código Civil y la Ley de Ordenación de la Edificación», en Román GARCÍA VARELA (Coord.), *Derecho de la Edificación*, 4ª ed., Bosch, Barcelona, 2008, pp. 565 y ss.; y Fernando DÍAZ BARCO, *Manual de Derecho de*

derogación no alcanza al segundo párrafo del artículo 1591 CC. El artículo 17.1.a) LOE regula de manera incompatible el mismo supuesto de hecho que el primer párrafo del artículo 1591 CC, e incluso puede afirmarse que éste ha quedado ampliamente superado por el del precepto posterior.

En efecto, el artículo 1591.I CC establece la responsabilidad por ruina, bien del contratista bien del arquitecto director de la obra, según cuál sea su origen, cuando aquélla se manifieste en el edificio dentro del plazo de garantía de diez años. En cambio, el artículo 17.1.a) LOE regula no sólo la responsabilidad de los agentes mencionados, sino que se refiere además al resto de agentes de la edificación, quienes responden por el derrumbamiento de la edificación pero también por otros vicios o defectos constructivos de menor importancia que afecten a elementos estructurales, manifestados dentro del plazo de garantía de 10 años.

b. Superación de la doctrina jurisprudencial sobre responsabilidad por ruina

La aprobación de la LOE no sólo supuso la derogación tácita del artículo 1591.I CC sino también la superación de la doctrina jurisprudencial sobre responsabilidad por ruina que el Tribunal Supremo había desarrollado sobre la base de aquél precepto, si bien sólo en los puntos no coincidentes con la nueva regulación. En concreto, la jurisprudencia sobre responsabilidad por ruina del Tribunal Supremo y los artículos 17 y 18 LOE divergen, fundamentalmente, en los siguientes puntos:

a) El *tipo de vicios y defectos indemnizables*, que en el artículo 1591.I CC comprende los vicios estructurales (la ruina total del edificio), a los que la jurisprudencia sobre responsabilidad por ruina sumó los defectos de habitabilidad (la llamada ruina funcional). Mientras que el artículo 17 LOE incluye, además de los anteriores, los defectos de ejecución que afecten a elementos de terminación o acabado de las obras.

b) El *plazo de garantía* dentro del cual deben manifestarse los vicios constructivos, que en el artículo 1591.I CC es de diez años y en el artículo 17.1 LOE es de diez, tres o un año, en función del tipo de vicio o defecto –estructural, funcional o de ejecución que afecte a elementos de terminación o acabado, respectivamente–.

---

la *Construcción*, Thomson Aranzadi, Cizur Menor, Navarra, 2007, p. 202. En contra de la derogación, *vid.* Jesús ESTRUCH ESTRUCH, *Las responsabilidades en la construcción: regímenes jurídicos y jurisprudencia*, 4ª ed., Thomson-Civitas, Cizur Menor, Navarra, 2011, pp. 965-971; y Eduardo SERRANO ALONSO, «Sobre la responsabilidad por «ruina» en el Código Civil y la Ley de la Edificación», en Mª Paz GARCÍA RUBIO (Coord.), en *Estudios Jurídicos en memoria del profesor José Manuel Lete del Río*, Aranzadi, Cizur Menor (Navarra), 2009, p. 856.

c) El *plazo de prescripción* de la acción, que en el régimen del artículo 1591.I CC es el de quince años que el artículo 1964 CC establece para las acciones personales «que no tengan señalado término especial aplicable» y en el régimen de la LOE es de dos años, tal y como establece el artículo 18.1 LOE.

d) El *concepto de edificio*, que es interpretado de manera amplia por la jurisprudencia del Tribunal Supremo sobre responsabilidad *ex* artículo 1591.I CC[48], se limita en el artículo 2.2.a) LOE que excluye del ámbito de aplicación de la Ley las construcciones de escasa entidad constructiva y sencillez técnica que no tengan carácter residencial ni público y se desarrollen en una sola planta.

e) El *tipo de daños indemnizables*, que en el régimen del artículo 1591.I CC alcanza todos los daños y perjuicios causados por la ruina –los daños materiales, incluido el lucro cesante, y los daños corporales y morales–. Mientras que el artículo 17.1 LOE limita los daños indemnizables a los daños materiales causados en el edificio por vicios o defectos constructivos.

En la actualidad, coexisten dos regímenes jurídicos incompatibles y con ámbitos de aplicación temporales diferenciados en materia de responsabilidad por defectos constructivos: el del artículo 1591.I CC y el de los artículos 17 y 18 LOE.

El ámbito de aplicación temporal del artículo 1591.I CC queda limitado a las obras para cuyos proyectos se hubiera solicitado la licencia de edificación antes del 6 de mayo de 2000. Además, la jurisprudencia sobre responsabilidad por ruina que desarrolla el artículo 1591.I CC sólo cabe aplicarla para interpretar la LOE en aquellas cuestiones no divergentes con la nueva regulación.

De conformidad con lo anterior, debe considerarse desacertada la tesis, defendida por parte de la jurisprudencia y de la doctrina, de acuerdo

---

48. Sobre la interpretación del concepto de edificio del artículo 1591.I CC en la jurisprudencia sobre responsabilidad por ruina *vid.* entre otras, la STS, 1ª, 10.2.2010 (RJ 2010, 528) de acuerdo con la cual «[t]anto la doctrina científica como la jurisprudencia se pronuncian por una concepción amplia de este término; así, los juristas lo consideran como «toda obra de albañilería, forjada con materiales de varias clases, adherida de una manera permanente al suelo, ya esté en la superficie, ya en el subsuelo y destinada a un fin de la vida humana», o «si bien el Código Civil habla restringidamente de edificios, habrá que entender referidos sus preceptos a toda obra mural, como diques, puentes, etc., porque hay la misma razón para decidir». Esta concepción amplia se matiza en el sentido de que se trate de construcciones permanentes o duraderas, con exclusión de las construcciones provisionales» (FD 13º). *Vid.* también la STS, 1ª, 17.12.1997, FD 2º (RJ 1997, 9099).

con la cual la jurisprudencia sobre responsabilidad por ruina *ex* artículo 1591.I CC continúa siendo de aplicación a aquellos supuestos no cubiertos por la LOE, pero incluidos dentro de su ámbito de aplicación temporal –esto es, en construcciones con solicitud de licencia de edificación posterior al 6 de mayo de 2000–[49].

En particular, en los casos que se detallan a continuación el artículo 1591.I CC y la jurisprudencia que lo desarrolla no son aplicables si la construcción cuenta con una licencia de edificación solicitada a partir de la entrada en vigor de la LOE[50].

a) Cuando la construcción no es una «edificación» en el sentido del artículo 2.2 LOE[51].

La escasa complejidad de las construcciones excluidas del ámbito objetivo de la LOE no aconseja la aplicación de la doctrina sobre responsabilidad por ruina a este tipo de construcciones por llevar a resultados incoherentes. En efecto, ello implicaría que obras más sencillas estarían protegidas por un régimen más beneficioso (plazos de garantía y prescripción más amp-

---

49. En cambio, a favor de la subsistencia de la jurisprudencia sobre responsabilidad por ruina en estos casos *vid.* Luis Díez-Picazo y Ponce de León, «Ley de Edificación y Código civil», *Anuario de Derecho Civil*, vol. 53, n° 1, 2000, pp. 14 y ss.; Fernando Lacaba Sánchez, «Ley de Ordenación de la Edificación», *Revista jurídica La Ley*, n° 4974, 20 de enero de 2000, p. 4; y Estruch Estruch, *Las responsabilidades en la construcción..., op. cit.*, pp. 965-970.

50. En la misma línea, *vid.* Carrasco Perera, *La insistente recurrencia de un falso problema: ¿está derogado el artículo 1591 Código civil?, op. cit.*, pp. 4-5; Francisco Salinero Román, «La incidencia de la LOE en los criterios jurisprudenciales interpretativos del artículo 1591 del Código Civil», en Arcadi Viñas (Coord.), *Aplicación de la Ley de enjuiciamiento civil y de la Ley de ordenación de la edificación*, Estudios de derecho judicial, n° 47, 2003, pp. 196-197; Martínez Escribano, *Responsabilidades y garantías de los agentes de la edificación, op. cit.*, p. 351; Ortí Vallejo, *La responsabilidad civil en la edificación, op. cit.*, pp. 1174-1175; y Sala Sánchez, *Capítulo X. El artículo 1591 del Código Civil y la Ley de Ordenación de la Edificación, op. cit.*, p. 569.

51. En contra de la subsistencia de la jurisprudencia sobre responsabilidad por ruina en este supuesto *vid.* las SSAP Barcelona, Civil, Sec. 19ª, 18.2.2009, FD 2° (AC 2009, 1208); y Madrid, Civil, Sec. 10ª, 23.1.2007, FD 5° (JUR 2008, 43831). Y en la doctrina *vid.* José Antonio Seijas Quintana, «Ley de Ordenación de la Edificación y Código Técnico», *El desarrollo de la Ley de Ordenación de la Edificación. Código Técnico de la Edificación*, Estudios de Derecho Judicial, n° 148, Consejo General del Poder Judicial, Madrid, 2007, p. 331. Por el contrario, a favor de la subsistencia de la jurisprudencia sobre responsabilidad por ruina en este supuesto, *vid.* las SSAP Barcelona, Civil, Sec. 17ª, 15.12.2011 (JUR 2012, 97730); Castellón, Civil, Sec. 3ª, 22.2.2008 (JUR 2008, 191703); Asturias, Civil, Sec. 6ª, 29.1.2007 (JUR 2007, 133256); Barcelona, Civil, Sec. 13ª, 29.3.2005 (JUR 2005, 124894); y AAP Castellón, Civil, Sec. 3ª, 5.9.2006 (JUR 2007, 228479).

lios que los de la LOE) que obras de mayor envergadura sometidas al régimen establecido en la LOE. Por ello, cuando la construcción no es una «edificación» en el sentido del artículo 2.2 LOE son de aplicación las reglas generales relativas al incumplimiento del contrato de obra.

b) Cuando los daños sufridos no sean indemnizables conforme el artículo 17.1 LOE[52].

La circunstancia de que la LOE limite los daños indemnizables a los daños materiales ocasionados en el edificio no permite considerar vigente el artículo 1591.I CC en relación con el resto de daños, como por ejemplo, los daños materiales derivados de vicios constructivos causados en bienes muebles. Ello supondría que daños a los que el legislador da menos importancia, como los daños patrimoniales a bienes muebles, cuando hubieran sido causados por vicios o defectos de habitabilidad estarían sometidos a unos plazos de garantía y de prescripción (10 y 15 años respectivamente) manifiestamente más beneficiosos que los que la LOE otorga para los daños materiales en el inmueble (3 años de garantía y 2 años de prescripción).

2.1.4. Ámbito de aplicación territorial

La LOE se dicta al amparo, entre otras, de las competencias exclusivas del Estado sobre derecho civil y mercantil y sobre títulos académicos y profesionales (artículo 149.1.6ª, 8ª y 30ª CE)[53], por lo que es de aplica-

---

52. En contra de la subsistencia de la jurisprudencia sobre responsabilidad por ruina en este supuesto *vid.* la STS, 1ª, 15.7.2011, FD 5º (RJ 2011, 5123); y las SSAP Salamanca, Civil, Sec. 1ª, 3.2.2012, FD 3º (JUR 2012, 66349); y Madrid, Civil, Sec. 10ª, 23.1.2007, FD 5º (JUR 2008, 43831). Por el contrario, a favor de la subsistencia de la jurisprudencia sobre responsabilidad por ruina para los daños no cubiertos por la LOE: *vid.* en la jurisprudencia las SSAP Barcelona, Civil, Sec. 17ª, 15.12.2011 (JUR 2012, 97730); Castellón, Civil, Sec. 3ª, 22.2.2008 (JUR 2008, 191703); Asturias, Civil, Sec. 6ª, 29.1.2007 (JUR 2007, 133256); Castellón, Civil, Sec. 3ª, 20.6.2006 (JUR 2006, 253280); Castellón, Civil, Sec. 3ª, 19.1.2006 (JUR 2006, 190214); y Barcelona, Civil, Sec. 13ª, 29.3.2005 (JUR 2005, 124894); y el AAP Castellón, Civil, Sec. 3ª, 5.9.2006 (JUR 2007, 228479); y en la doctrina, Paloma TAPIA GUTIÉRREZ, «La protección de los consumidores y la Ley de Ordenación de la Edificación», *El Consultor Inmobiliario*, nº 8, diciembre de 2000, p. 46; Juan CADARSO PALAU, «La responsabilidad de los constructores en la Ley de Ordenación de la Edificación. Una aproximación a la nueva disciplina», *El consultor inmobiliario*, nº 7, noviembre 2000, pp. 9-10; José Manuel BUSTO LAGO, Natalia ÁLVAREZ LATA y Fernando PEÑA LÓPEZ, «Sección 9ª. Vivienda. Subsección 1ª. Compraventa de vivienda», en *Reclamaciones de consumo. Derecho de consumo desde la perspectiva del consumidor*, 2ª ed., Thomson-Aranzadi, Cizur Menor (Navarra), 2008, pp. 722 y 723.

53. En particular, la disposición final 1ª LOE señala como fundamento constitucional de la Ley: «... a) El artículo 149.1.6ª, 8ª y 30ª en relación con las materias civiles y mercantiles de los capítulos I y II y con las obligaciones de los agentes de la edificación y atribuciones derivadas del ejercicio de las profesiones establecidas en el capítulo III, sin perjuicio de los derechos civiles, forales o especiales existentes en determinadas Comunidades Autónomas; b) El artículo 149.1.16.ª, 21.ª, 23.ª

ción en todo el territorio nacional. No obstante, de acuerdo con la disposición final 1ª LOE, la Ley se impone sin perjuicio de las competencias legislativas y de ejecución que tengan asumidas las Comunidades Autónomas en este ámbito, de manera que permanece vigente la legislación civil especial de determinadas Comunidades Autónomas (artículo 149.1.8º CE) y la legislación autonómica en materia de ordenación del territorio, urbanismo y vivienda (artículo 149.1.3º CE).

2.1.5. *Exclusiones del ámbito de aplicación*

Como se ha señalado, la LOE nace con la pretensión de regular los aspectos esenciales del proceso de la edificación, si bien su artículo 1 excluye de modo expreso de su ámbito de aplicación:

a) «Las obligaciones y responsabilidades relativas a la prevención de riesgos laborales en las obras de edificación [que] se regirán por su legislación específica» (artículo 1.2 LOE)[54].

b) La intervención de «(...) las Administraciones públicas y los organismos y entidades sujetos a la legislación de contratos de las Administraciones públicas [cuando] actúen como agentes del proceso de la edificación se regir[á] por lo dispuesto en la legislación de contratos de las Administraciones públicas y en lo no contemplado en la misma por las disposiciones de esta Ley, a excepción de lo dispuesto sobre garantías de suscripción obligatoria» (artículo 1.3 LOE)[55].

2.2. Presupuestos objetivos

2.2.1. *Daños materiales (artículo 17.1 LOE)*

El propietario perjudicado por vicios en la construcción sólo podrá reclamar, con base en el régimen de responsabilidad de la LOE, los daños materiales que los vicios o defectos que se especifican en el artículo 17.1

---

y 25.ª para el artículo 3; c) El artículo 149.1.6.ª, 8.ª y 11.ª para el capítulo IV; d) El artículo 149.1.18ª para la disposición adicional quinta (...)».

54. La normativa básica en materia de prevención de riesgos laborales está configurada, entre otras, por la Ley 31/1995, de 8 de noviembre, de Prevención de Riesgos Laborales (BOE nº 269, de 10.11.1995); el Real Decreto 39/1997, de 17 de enero, por el que se aprueba el Reglamento de los Servicios de Prevención (BOE nº 27, de 31.1.1997); y el Real Decreto 1627/1997, de 24 de octubre, por el que se establecen las disposiciones mínimas de seguridad y salud en las obras de construcción (BOE nº 256, de 25.10.1997), modificado por el Real Decreto 1109/2007, de 24 de agosto por el que se desarrolla la Ley de subcontratación en la construcción (BOE nº 204, de 25.9.2007).

55. *Vid.* la SAP Madrid, Civil, Sec. 18ª, 26.10.2006 (JUR 2007, 69640), que aplica la LOE al apreciar que la promotora de la obra no tiene el carácter de Administración Pública sino de sociedad mercantil.

ocasionen en un edificio o en parte de él. Esto es, los costes de reparación del defecto y de los desperfectos que éste cause al edificio.

La Ley excluye del ámbito de responsabilidad y, salvo pacto en contrario, del ámbito de cobertura de los seguros contemplados en la Ley (artículo 19.9 LOE):

a) Los daños materiales distintos a los que hubieran podido ocasionarse en el edificio, tales como:

– El daño emergente que afecte a bienes muebles situados en el edificio [artículo 19.9.c)] o a bienes inmuebles contiguos o adyacentes al edificio [artículo 19.9.b)].

– Los gastos en los que ha incurrido el perjudicado con ocasión del daño en los bienes por otros conceptos distintos a la reparación o reposición de la vivienda dañada por vicios o defectos, como los gastos de traslado o alquiler sustitutivo por cambio de domicilio [artículo 19.9.a) *in fine*] .

b) El lucro cesante, como los beneficios dejados de obtener por la interrupción de la actividad económica o las rentas dejadas de percibir.

c) Los daños corporales o morales que el vicio o defecto haya podido causar a los ocupantes de la vivienda o a terceros [artículo 19.9.a)][56].

Los daños no indemnizables conforme al artículo 17.1 LOE, causados en edificios incluidos en el ámbito de aplicación temporal de la Ley, son resarcibles con fundamento en el régimen general de responsabilidad del Código Civil, contractual o extracontractual, según el caso, y en algunos supuestos con base en el artículo 149 TRLCU. En cambio, como se ha señalado, no son indemnizables con base en el régimen de responsabilidad del artículo 1591.I CC que ha sido derogado.

En este sentido se ha pronunciado el Tribunal Supremo, en la STS, 1ª, 15.7.2011 (RJ 2011, 5123) la cual afirma que: «al artículo 17 se refiere exclusivamente a los daños materiales (...); razón por la que a la hora de

---

56. En cambio, en los casos en los que es aplicable el régimen del artículo 1591.I CC, los propietarios afectados pueden reclamar la reparación de los daños morales [*vid.* por ejemplo, la STS, 1ª, Sec. 1ª, 10.10.2012, FD 3º (RJ 2013, 1537), que concede una indemnización por daños morales derivados de vicios constructivos en un caso en que los actores sufrieron las obras de reparación durante más de 200 días y tuvieron que abandonar el hogar familiar]. Sin embargo, de acuerdo con el Tribunal Supremo, en materia de reparación del daño moral derivado de una deficiente construcción de viviendas no «resulta aplicable la doctrina del *in res ipsa loquitur*. El daño moral que se invoca debe ser demostrado y dicha regla no puede ser aplicable a todo incumplimiento, sino solamente a aquel que evidencia por sí mismo la existencia de un menoscabo de esta naturaleza desligado de la esfera económica» [STS, 1ª, 15.7.2011, FD 5º (RJ 2011, 5123)].

reclamar indemnizaciones distintas deberá hacerse por medio de las acciones generales de responsabilidad contractual o extracontractual, en su caso, dado que no existe precepto específico en la LOE que regule su resarcimiento. En la práctica supone combinar un doble régimen jurídico distinto y confuso en cuanto a la acumulación de acciones, legitimación, criterios de imputación y plazos existentes para reclamar indemnizaciones, incluso cómputo de los mismos, lo que sin duda no parece conforme con un sistema que pretende la reparación integral del daño ni beneficia a quien lo sufre» (FD 5°).

Otra cuestión es la relativa al modo en el que los propietarios afectados pueden solicitar la reparación de los daños materiales en la edificación. Es decir, si los demandantes pueden optar entre solicitar la reparación de los daños materiales en forma específica o «in natura» o solicitar una indemnización en metálico que corresponda a la valoración de los mismos. Ni el artículo 1591 CC ni la LOE ofrecen una respuesta, excepto en lo que se refiere a la obligación de reparar los daños del asegurador, pues el artículo 19.6 LOE prevé que:

«El asegurador podrá optar por el pago de la indemnización en metálico que corresponda a la valoración de los daños o por la reparación de los mismos».

La doctrina y la jurisprudencia han debatido ampliamente esta cuestión[57]. La jurisprudencia reciente del Tribunal Supremo se ha pronunciado en el sentido que

«... la clara dicción del artículo 1591 ("responder de los daños y perjuicios"), como del artículo 17 de la LOE, limitado a señalar que los responsables del daño «responderán frente a los propietarios y los terceros adquirentes», no (...) justifican la incertidumbre que tanto ha preocupado a la doctrina y la jurisprudencia en relación a si estamos ante una obligación de hacer o simplemente indemnizatoria, cuyo importe se adecue al coste de las reparaciones que hayan de efectuarse para remediar los males constructivos, *puesto que caben las dos soluciones*, como incluso de una forma expresa dispone en la actualidad el artículo 19.6 de la LOE (...)» (énfasis añadido)[58].

En consecuencia, bajo el régimen de responsabilidad de la LOE, los propietarios afectados pueden optar en la demanda entre: a) reclamar la reparación en forma específica o «in natura» de los daños; b) reclamar el reintegro de las cantidades realmente invertidas en la reparación; o c)

---

57. Para un análisis en profundidad de esta discusión *vid.* Ángel CARRASCO PERERA, «Reparación en forma específica y reparación a costa del deutor en la responsabilidad por ruina», *InDret 1/2006*.

58. En este sentido, *vid.* las SSTS, 1ª, Sec. 1ª, 11.5.2012 (RJ 2012, 6345) (FD 7°); 15.2.2011 (RJ 2011, 446) (FD 3°); y 21.12.2010 (RJ 2011, 144) (FD 7°). En términos parecidos *vid.* la STS, 1ª, Sec. 1ª, 10.10.2012 (RJ 2013, 1537) (FD 3°).

solicitar que se fije una cantidad determinada para que puedan afrontar por sí mismos o por tercero la reparación.

2.2.2. Edificación (artículo 2 LOE)

El régimen de responsabilidad por vicios o defectos constructivos de la LOE es aplicable a las construcciones que tengan el carácter de «edificación», pública o privada, de acuerdo con la definición establecida en el artículo 2.2 LOE.

La definición de «edificación» recogida en el Diccionario de la Lengua Española, Real Academia Española[59], es la siguiente: «edificio o conjunto de edificios», siendo «edificio» definido como una «construcción fija, hecha con materiales resistentes, para habitación humana o para otros usos».

Sin embargo, «edificación» tiene también un sentido jurídico. A los efectos de la LOE tienen la consideración de «edificación» y, en consecuencia, requerirán un proyecto técnico: a) las obras de nueva construcción [artículo 2.2.a) LOE]; b) todas las intervenciones sobre los edificios existentes, siempre y cuando alteren su configuración arquitectónica [artículo 2.2.b) LOE][60]; y c) las intervenciones totales o parciales en edificios catalogados o protegidos [artículo 2.2.c) LOE].

Con todo, la Ley no limita el concepto de «edificación» al propio edificio, sino que adopta un concepto amplio que incluye las instalaciones fijas y el equipamiento propio, así como los elementos de urbanización que permanezcan adscritos al edificio (artículo 2.3 LOE)[61].

---

59. REAL ACADEMIA ESPAÑOLA, Diccionario de la Lengua Española, 22ª edición, 2001.
60. «... entendiendo por tales las que tengan carácter de intervención total o las parciales que produzcan una variación esencial de la composición general exterior, la volumetría, o el conjunto del sistema estructural, o tengan por objeto cambiar los usos característicos del edificio» [artículo 2.2.b) LOE en su redacción dada por la disposición final tercera, primer apartado, de la Ley 8/2013, de 26 de junio, de rehabilitación, regeneración y renovación urbanas (BOE nº 153, de 27.6.2013)]. Se excluyen del ámbito de aplicación de la LOE por no alterar la configuración arquitectónica del edificio, el desmonte y reposición de la cubierta de una casa [SAP Zamora, Civil, Sec. 1ª, 20.9.2012 (AC 2012, 1900)]; la adecuación de un local a un negocio de peluquería [SAP Asturias, Civil, Sec. 6ª, 29.1.2007, FD 2º (JUR 2007, 133256)] o el cambio de un elemento de la cubierta del edificio, en particular, la sustitución de los paneles que la cierran en idéntica disposición y fijación a la estructura original con mantenimiento de su estructura [SAP Pontevedra, Civil, Sec. 3ª, 22.11.2006, FD 2º (JUR 2007, 14310)].
61. Según la STS, 1ª, 10.2.2010 (RJ 2010, 528) «[d]e lo indicado, se desprende que tampoco la Ley de Ordenación de la Edificación contempla la responsabilidad por daños materiales de los vicios y defectos de las obras de urbanización de un polígono, "salvo los elementos de urbanización que permanezcan adscritos al edificio"» (FD 13º).

Así, la SAP Baleares, Civil, Sec. 5ª, Civil, 6.5.2013 (JUR 2013, 203470) condena a los agentes de la edificación demandados a reparar las grietas, el desnivelado e incluso la rotura de la solera ubicada en la zona de retranqueo de la nave comercial. La SAP Alicante, Civil, Sec. 8ª, 1.2.2006 (JUR 2006, 128718) condena con base en el artículo 17 LOE al arquitecto superior y arquitecto técnico por los daños causados por defectos en el muro de contención medianero, la piscina y su pavimento exterior y la acera perimetral de la vivienda. En la misma línea, la SAP Baleares, Sec. 5ª, 18.12.2006 (JUR 2007, 60319) condena al constructor, arquitecto superior y arquitecto técnico por los daños causados por los vicios aparecidos en la piscina construida junto a un chalet.

Se excluyen expresamente de la noción de «edificación» las construcciones provisionales, pues se exige permanencia (artículo 2.1 LOE)[62], así como las nuevas construcciones de escasa entidad constructiva y sencillez técnica que se desarrollen en una sola planta [artículo 2.2.a) LOE][63]. Este último supuesto presenta una excepción fundada en la garantía de seguridad de los usuarios del edificio, de ahí que cuando la construcción tenga, de forma eventual o permanente, carácter residencial o público le será de aplicación el régimen de la LOE.

También se excluyen del ámbito de aplicación de la LOE las obras inmobiliarias que no puedan ser calificadas de edificio como puentes, diques, embalses, pantanos, carreteras, etc.[64].

Como se ha señalado con anterioridad, el resarcimiento de los daños ocasionados por vicios o defectos en otras construcciones que no tengan la consideración de «edificación», pero incluidas en el ámbito de aplicación temporal de la LOE, queda sometido al régimen general de responsabilidad del Código Civil, contractual o extracontractual, pero en ningún caso al régimen de responsabilidad por ruina del artículo 1591.I CC[65].

---

62. Es permanente el bungalow o chalet prefabricado de madera que no es susceptible de separación del suelo sin detrimento, dado su gran tamaño y el anclaje del mismo al suelo (SAP Santa Cruz de Tenerife, Civil, Sec. 1ª, 12.5.2006 (JUR 2006, 212724)].

63. Carece de suficiente entidad constructiva la nave de una sola planta destinada a la cría de animales [SAP Salamanca, Civil, Sec. 1ª, 29.12.2005 (JUR 2006, 79479)], el pavimento de un patio [SAP Pontevedra, Civil, Sec. 1ª, 8.2.2006 (JUR 2006, 82768)], la construcción de muros de piedra [SAP Alicante, Civil, Sec. 8ª, 6.6.2006 (JUR 2006, 259260)] o el hormigonado y pulimentado de un pabellón en un colegio público [SAP Orense, Civil, Sec. 1ª, 11.9.2009 (JUR 2009, 406721)].

64. En este sentido, *vid.* CORDERO LOBATO, *Capítulo 21. Responsabilidad civil de los agentes que intervienen en el proceso de la edificación, op. cit.*, pp. 503-504.

65. A favor *vid.* la SAP Madrid, Civil, Sec. 10ª, 23.1.2007, FD 5º (JUR 2008, 43831), que afirma que «para dichas obras parece preferible la aplicación de las reglas generales relativas al incumplimiento del contrato de obra». En la doctrina, CORDERO LOBATO, *Capítulo 21. Responsabilidad civil de los agentes que intervienen en el proceso de la edificación, op. cit.*, p. 572. Sin embargo, algunas Audiencias

2.2.3. Tipos de vicios y defectos constructivos (artículo 17.1 LOE)

El artículo 17.1 LOE distingue tres regímenes de responsabilidad en función del origen de los daños materiales en el edificio:

a) Vicios o defectos que afecten a elementos estructurales y que comprometan directamente la resistencia mecánica y estabilidad del edificio [artículo 17.1.a)];

b) Vicios o defectos en los elementos constructivos o en las instalaciones que ocasionan el incumplimiento de los requisitos de habitabilidad [artículo 17.1.b)]; y

c) Vicios o defectos de ejecución que afecten a elementos de terminación o acabado de las obras (artículo 17.1.II).

El mencionado precepto otorga tres plazos de garantía diferentes, de diez, tres y un año, respectivamente, dentro de los cuales deben surgir los daños materiales en el edificio para ser resarcibles de conformidad con la LOE.

a. Estructurales: 10 años [artículo 17.1.a) LOE]

El plazo de garantía en los daños por vicios o defectos que afecten a elementos estructurales y que comprometan directamente la resistencia mecánica y la estabilidad del edificio es de diez años a contar desde la fecha de recepción de la obra [artículo 17.1.a) LOE].

Este tipo de daños son los que se producen con menor frecuencia en la práctica. Además, para que el tribunal pueda aplicar la letra a) del artículo 17.1 LOE debe apreciar la concurrencia cumulativa de dos presupuestos[66]:

a) Primero, los daños materiales han de ser consecuencia de vicios o defectos que afecten a elementos estructurales, entre otros, la cimentación, los soportes, las vigas, los forjados o los muros de carga. El precepto no exige que los vicios tengan su origen en los elementos estructurales sino que «afecten» a aquellos[67].

b) Segundo, los vicios o defectos deben comprometer directamente la resistencia mecánica y la estabilidad del edificio. Si no concurre este segundo requisito los daños materiales en el edificio derivados de defectos

---

Provinciales han considerado que en estos casos se sigue aplicando el artículo 1591.I CC.

66. CORDERO LOBATO, *Capítulo 21. Responsabilidad civil de los agentes que intervienen en el proceso de la edificación, op. cit.*, pp. 508-509; y ORTÍ VALLEJO, *La responsabilidad civil en la edificación, op. cit.*, pp. 1153 y 1154.

67. Así lo pone de relieve CORDERO LOBATO, *Capítulo 21. Responsabilidad civil de los agentes que intervienen en el proceso de la edificación, op. cit.*, p. 509.

estructurales no serán resarcibles en virtud del artículo 17.1.a) LOE. Con todo, podrían ser resarcibles conforme el apartado b) del precepto si los vicios suponen un incumplimiento de los requisitos de habitabilidad.

El alcance de esta segunda exigencia ha sido discutido por la doctrina y la jurisprudencia. La cuestión es establecer si la expresión «comprometer directamente» debe interpretarse en sentido estricto y, en consecuencia, exigir el compromiso *presente, actual y real* de la resistencia y estabilidad del edificio[68]; o si debe considerarse suficiente para aplicar el plazo decenal que la afectación sea *futura o potencial*, esto es, que pueda llegar a producirse transcurrido un largo período de tiempo[69].

---

68.   A favor de la interpretación estricta del artículo 17.1.a) LOE se pronuncia la SAP Barcelona, Civil, Sec. 1ª, 18.7.2011 (JUR 2011, 308575). En el caso, Daniel y Alexander compraron dos viviendas unifamiliares. El 22.10.2002, el promotor recepcionó la obra. En primavera de 2006, los propietarios de las viviendas detectaron que cuando llovía en abundancia aparecían manchas de humedad graves y goteras en el techo de la segunda planta. Dichas deficiencias se debían a la insuficiente pendiente de la cubierta y a la falta de fibrocemento impermeabilizante en la misma. Los propietarios demandaron al arquitecto técnico con base en el artículo 17.1.a) LOE y solicitaron la reparación de los daños. El demandado se opuso a la demanda alegando la preclusión del plazo de garantía de tres años de la letra b) del artículo 17.1 LOE. El JPI nº 5 de Mataró (20.11.2009) estimó la demanda y condenó al arquitecto técnico a reparar las deficiencias y en su defecto a pagar 35.979,13 €. El JPI concluyó que «los defectos detectados afectaban a la habitabilidad de las viviendas (...) pero desestimó la alegación de preclusión del plazo de garantía de tres años, por entender que los técnicos de la obra debían responder» [en virtud de la letra a) del artículo 17.1 LOE] puesto que «no es óbice el hecho de que actualmente no exista dicha afectación a la estabilidad por cuanto el propio artículo citado no lo exige (...) aludiendo a casos (...) en que los daños materiales constatados o acreditados de no repararse darán lugar a dicha afectación estructural». La AP revoca la SJPI y absuelve al demandado, puesto que los daños aparecieron fuera del plazo de garantía de tres años de la letra b) del artículo 17.1 LOE aplicable al caso. «Con independencia de la ulterior evolución de la patología, en el caso de no proceder a su reparación, lo relevante y lo que la ley considera, es el defecto de origen, esto es, que para que sea de aplicación el término de garantía de diez años se precisa que el defecto constructivo afecte a alguno de los elementos estructurales del edificio y comprometa directamente la estabilidad del edificio, en el bien entendido que el término comprometer no puede interpretarse como una posibilidad futura sino como una constatación actual, real y efectiva» (FD 3°). En el mismo sentido vid. la posterior SAP Barcelona, Civil, Sec. 1ª, 11.3.2013 (JUR 2013, 166162). En esta línea en la doctrina, *vid.* CORDERO LOBATO, *Capítulo 21. Responsabilidad civil de los agentes que intervienen en el proceso de la edificación, op. cit.,* p. 509.

69.   En este sentido *vid.* ESTRUCH ESTRUCH, *Las responsabilidades en la construcción..., op. cit.,* pp. 589-592 y los autores allí citados. Parece seguir esta tesis la SAP Murcia, Civil, Sec. 1ª, 10.11.2011 (JUR 2011, 422945) que aplica el plazo de garantía de diez años, en lugar del de tres del apartado b) del artículo 17.1 LOE como correspondería, a los daños materiales consistentes en defectos en los pane-

El artículo 10 del Código Técnico de la Edificación establece determinados requisitos relativos a la seguridad estructural de los edificios. En concreto, su artículo 10.1 establece la exigencia básica sobre resistencia y estabilidad en los siguientes términos:

«... la resistencia y la estabilidad serán las *adecuadas* para que no se generen riesgos indebidos, de forma que se mantenga la resistencia y la estabilidad frente a las acciones e influencias previsibles durante las fases de construcción y usos previstos de los edificios, y que un evento extraordinario no produzca consecuencias desproporcionadas respecto a la causa original y se facilite el mantenimiento previsto».

La doctrina se ha cuestionado si el cumplimento de tales requisitos es suficiente para exonerar de responsabilidad a los agentes de la edificación intervinientes. De acuerdo con Encarna CORDERO LOBATO[70], la perfecta determinación en la LOE de los vicios y defectos incluidos en la garantía decenal impide entender, que cuando los daños se produzcan en los términos previstos en el artículo 17.1.a) LOE el agente de la edificación responsable pueda quedar exonerado de responsabilidad, aunque el edificio tuviera un comportamiento estructural adecuado de conformidad con las exigencias del CTE.

b. De habitabilidad: 3 años [artículos 3.1.c) y 17.1.b) LOE y 13 a 15 CTE]

El segundo grupo de vicios o defectos está formado por aquellos que afecten a elementos constructivos o a instalaciones y que ocasionen el incumplimiento de los requisitos de habitabilidad establecidos en el artículo 3.1.c) LOE[71], cuyo plazo de garantía es de tres años [artículo 17.1.b) LOE][72].

En consecuencia, la garantía de la letra b) del artículo 17.1 LOE será de aplicación a los daños materiales derivados de vicios o defectos constructivos que supongan un incumplimiento de los requisitos de habita-

---

les de la fachada que afectaron la habitabilidad del edificio por el peligro que representaban esos materiales al acceso y abandono del edificio (FD 1°).

70. *Vid.* Encarna CORDERO LOBATO, *El Código Técnico de la Edificación como Norma Jurídica. A propósito de la eficacia jurídica y los límites del RD 314/2006*, Thomson-Aranzadi, Cizur Menor (Navarra), 2008, pp. 102-105.

71. La redacción del artículo 3.1 LOE ha sido modificada por la disposición final tercera, dos, de la Ley 8/2013, de 26 de junio, de rehabilitación, regeneración y renovación urbanas.

72. La responsabilidad trienal del artículo 17.1.b) LOE no incluye el incumplimiento de los requisitos relativos a la funcionalidad del edificio establecidos en el artículo 3.1.a) LOE. En este sentido *vid.* la SAP Pontevedra, Civil, Sec. 6ª, 21.12.2007 (JUR 2008, 277442).

bilidad de los edificios, siempre y cuando se manifiesten dentro del plazo trienal de garantía.

Los requisitos básicos de habitabilidad de los edificios y sus instalaciones se encuentran regulados en dos normas:

a) Por un lado, en el artículo 3.1.c) LOE, que establece una enumeración de los requisitos básicos de habitabilidad y contiene una cláusula de cierre que se refiere a «otros aspectos funcionales de los elementos constructivos o de las instalaciones que permitan un uso satisfactorio del edificio» [artículo 3.1.c.4)]. La imprecisión y el carácter genérico de los términos empleados en el precepto no permite una perfecta determinación de los defectos efectivamente incluidos en esta categoría.

b) Por el otro, en el Código Técnico de la Edificación, que es una norma de carácter reglamentario que, entre otras cuestiones, determina el alcance y contenido de los requisitos básicos de los edificios regulados en el artículo 3.1.c) LOE. En particular, sus artículos 13 a 15 establecen las exigencias básicas para cada uno de los requisitos enumerados en el artículo 3.1.c) LOE.

De un estudio conjunto de ambas normas derivan las siguientes exigencias básicas, como aquellas que los edificios deben reunir para que puedan considerarse cumplidos los requisitos de habitabilidad:

1. *Exigencias básicas de salubridad* [artículos 3.1.c.1) LOE y 13 CTE]. Tienen como finalidad «reducir a límites aceptables el riesgo de que los usuarios, dentro de los edificios y en condiciones normales de utilización, padezcan molestias o enfermedades, así como el riesgo de que los edificios se deterioren y de que deterioren el medio ambiente en su entorno inmediato, como consecuencia de las características de su proyecto, construcción, uso y mantenimiento» (artículo 13.1 CTE)[73].

Suponen un incumplimiento de las exigencias de salubridad las filtraciones, humedades, grietas y fisuras [SAP Valencia, Civil, Sec. 8ª, 15.5.2013 (JUR 2013, 255748)]; la defectuosa impermeabilización de la vivienda [SAP Murcia, Civil, Sec. 5ª, 20.3.2009 (JUR 2009, 234452)]; las filtraciones de humedad exterior en el garaje y otras plantas del edificio [SAP Navarra, Civil, Sec. 1ª, 11.7.2008 (JUR 2009, 95732)]; las fuertes humedades ocasionadas por defectos en la realización de los aislamientos [SAP Valladolid, Civil, Sec. 1ª, 3.11.2006 (JUR 2007, 7865)]; el deterioro del solado de la terraza por la colocación de plaquetas no resistentes a las heladas [SAP Lugo, Civil, Sec. 1ª, 26.5.2008 (JUR 2008, 339044)]; y la caída de un termo

---

73. Dentro de esta categoría el CTE incluye las exigencias básicas relativas a: a) Protección frente a la humedad; b) Recogida y evacuación de residuos; c) Calidad del aire interior; d) Suministro de agua; y e) Evacuación de aguas.

como instalación integrada en el sistema de agua caliente y/o en su caso de calefacción [SAP Valencia, Civil, Sec. 11ª, 22.10.2007 (JUR 2008, 78804)].

2. *Exigencias básicas de protección frente al ruido* [artículos 3.1.c.2) LOE y 14 CTE]. «El objetivo de este requisito básico (...) consiste en limitar dentro de los edificios, y en condiciones normales de utilización, el riesgo de molestias o enfermedades que el ruido pueda producir a los usuarios, como consecuencia de las características de su proyecto, construcción, uso y mantenimiento» (artículo 14.1 CTE)[74].

3. *Exigencias básicas de ahorro de energía* [artículos 3.1.c.3) LOE y 15 CTE]. «El objetivo del requisito básico (...) consiste en conseguir un uso racional de la energía necesaria para la utilización de los edificios, reduciendo a límites sostenibles su consumo y conseguir asimismo que una parte de este consumo proceda de fuentes de energía renovable, como consecuencia de las características de su proyecto, construcción, uso y mantenimiento» (artículo 15.1 CTE)[75].

4. Otros aspectos funcionales de los elementos constructivos o de las instalaciones que permitan un uso *satisfactorio del edificio* [artículo 3.1.c).4 LOE]. Se trata de una cláusula de cierre en la que cabe incluir cualquier otra exigencia necesaria para garantizar la adecuada habitabilidad del edificio y sus instalaciones[76]. Por ello, esta segunda categoría de vicios o defectos equivale al conjunto de defectos que la jurisprudencia del Tribunal Supremo denominó ruina funcional[77].

---

74. El Documento «DB-HR Protección frente al Ruido» del CTE fue aprobado por el Real Decreto 1371/2007, de 19 de octubre (BOE nº 23.10.2007, de 23.10.2007), modificado por el posterior Real Decreto 1675/2008, de 17 de octubre (BOE nº 252, de 18.10.2008).

75. Dentro de esta categoría el CTE incluye las exigencias básicas relativas a: a) Limitación de demanda energética; b) Rendimiento de las instalaciones térmicas; c) Eficiencia energética de las instalaciones de iluminación; y d) Contribución solar mínima de agua caliente sanitaria.

76. ESTRUCH ESTRUCH, *Las responsabilidades en la construcción...*, *op. cit.*, p. 601, califica la norma de «cajón de sastre en el que, de modo previsible, se pretenderán incluir todos aquellos defectos constructivos que no se sepa exactamente dónde tienen cabida, incluso se podrían incluir en el precepto los defectos de orden estético»; y CORDERO LOBATO, *Capítulo 21. Responsabilidad civil de los agentes que intervienen en el proceso de la edificación, op. cit.*, p. 511, considera que «deben entenderse incluidas en el artículo 3.1.c.4) LOE todas las utilidades objetivamente predicables de un edificio y de cada una de sus dependencias (...)».

77. Sobre la equivalencia entre defectos de habitabilidad y ruina funcional *vid.* CORDERO LOBATO, *Capítulo 21. Responsabilidad civil de los agentes que intervienen en el proceso de la edificación, op. cit.*, p. 511; ORTÍ VALLEJO, *La responsabilidad civil en la edificación, op. cit.*, p. 1156; y Pedro GONZÁLEZ POVEDA, «Capítulo IV. Responsabilidades y garantías», en GARCÍA VARELA (Coord.), *Derecho de la Edificación, op. cit.*, pp. 334 y 335.

Así, por ejemplo, podría incluirse en el apartado c).4 del artículo 3.1 LOE los vicios consistentes en la falta de «(...) estabilidad de la valla de separación entre las dos fincas. Sin dicha valla las condiciones de uso no serían admisibles, porque no existiría separación entre los inmuebles, ni posibilidad de gozar de intimidad» [SAP Barcelona, Civil, Sec. 16ª, 13.10.2009 (JUR 2009, 489944)].

De acuerdo con lo anterior, cabe concluir que el incumplimiento de los requerimientos impuestos por el Código Técnico (artículos 13 a 15) conlleva el nacimiento de la responsabilidad del artículo 17.1.b) LOE. En concordancia, su cumplimiento excluye tal responsabilidad. No obstante, si a pesar del cumplimiento de los requisitos del CTE el daño se produjese, éste se considerará causado por caso fortuito o fuerza mayor (artículo 17.8 LOE)[78] y deberá repararse conforme las reglas de responsabilidad contractual y extracontractual.

Esta tesis ha sido aplicada por la SAP Alicante, Civil, Sec. 8ª, 13.10.2010 (JUR 2011, 23359) en el siguiente caso. Teodora demandó a «Construcciones Lidón, S.L.» y a la promotora «Lubasa Promociones Inmobiliarias», con base en el artículo 17 LOE, y solicitó la ejecución de obras para la correcta insonorización de la vivienda que consideraba que incumplía el requisito básico de habitabilidad relativo a la protección frente al ruido del art. 3.1.c.2 LOE. La SJPI nº 5 de Alicante (21.2.2010) desestimó la demanda. La AP desestimó el recurso de apelación interpuesto por la demandante. «La constatación del cumplimiento del requisito de protección frente al ruido no puede ser determinado de manera subjetiva ni al margen del cumplimiento de las reglas técnicas de edificación dado que no es jurídicamente exigible. Ello significa que (...) la cuestión radica en determinar si se ha cumplido o no con la norma constructiva de referencia y a falta de cata y, por tanto, de alegación y prueba de que el proyecto fuera, en relación con esa norma, incorrecto (...) ninguna responsabilidad podría imputársele (...)» (FD 3º).

c. *De ejecución que afecten a elementos de terminación o acabado:* *1 año (artículo 17.1, 2º párrafo, LOE)*

El tercer grupo está formado por aquellos vicios o defectos de ejecu-

---

78. En este sentido, *vid.* CORDERO LOBATO, *El Código Técnico de la Edificación como Norma Jurídica..., op. cit.,* pp. 91 y 105 y ss. En contra, MARTÍNEZ ESCRIBANO, *Responsabilidades y garantías de los agentes de la edificación, op. cit.,* pp. 133-134, considera que «la evidencia de la deficiencia constructiva debería tener más peso que los cálculos empíricos en que se apoya la normativa técnica, porque lo contrario podría llevar a convertir la tradicional obligación de resultado del contrato de obra en una obligación de medios». También en contra, ESTRUCH ESTRUCH, *Las responsabilidades en la construcción..., op. cit.,* p. 594, quien afirma que «a nuestro juicio, el cumplimiento de los requisitos reglamentarios, como ha señalado en diversas ocasiones el Tribunal Supremo, no exonera de responsabilidad los agentes partícipes en la edificación».

ción que afecten a elementos de terminación o acabado de las obras en el plazo de garantía un año (artículo 17.1, 2º párrafo, LOE).

De acuerdo con el Diccionario de la Lengua Española de la Real Academia Española[79], «terminación» es la «parte final de una obra o de otra cosa»[80] y «acabado» es el «perfeccionamiento o retoque de una obra o labor»[81]. De lo anterior se deriva que estos vicios o defectos no deben afectar a la seguridad ni a la habitabilidad del edificio[82].

La diferencia sustancial entre esta categoría de vicios o defectos y las dos anteriores es que, en esta tercera categoría, la Ley no sólo señala el tipo de elemento al que ha de afectar el vicio o defecto –los elementos de terminación o acabado–, sino que, además, exige que el vicio o defecto sea consecuencia de una incorrecta ejecución de las obras[83].

Por esta razón, el artículo 17.1, 2º párrafo, LOE impone de manera exclusiva al constructor, que es el agente que ejecuta con medios humanos y materiales las obras, la responsabilidad por esta tipología de vicios o defectos. Con todo, debe tenerse en cuenta que el promotor también responderá de estos defectos en cuanto responsable solidario (artículo 17.3, *in fine*, LOE).

Pueden citarse como ejemplos de vicios o defectos de ejecución que afecten a elementos de terminación o acabado del artículo 17.1, 2º párrafo, LOE: los levantamientos puntales de parte del revestimiento o acabado en madera (parquet) del solado de la vivienda, que no afectan a la solera de dicho inmueble [SAP Madrid, Civil, Sec. 10ª, 9.5.2008 (JUR 2008, 233736)]; la gran cantidad de losas picadas así como la ausencia de automatismos en la puerta del garaje [SAP Murcia, Sec. 1º, Civil, 27.1.2009 (JUR 2009, 287454)]; y la «rotura de piezas cerámicas y ajuste de carpinterías metálicas» [SAP Castellón, Civil, Sec. 3ª, 1.7.2010 (JUR 2010, 345719)].

Esta categoría de vicios y defectos, inspirada en la garantía de perfecto acabado del Derecho francés[84], había sido excluida del concepto de

---

79. REAL ACADEMIA ESPAÑOLA, *Diccionario de la Lengua Española*, 22ª edición, 2001.
80. 2ª acepción del término «terminación».
81. 3ª acepción del término «acabado».
82. En este sentido, *vid.* las SSAP Madrid, Civil, Sec. 10ª, 9.4.2008 (JUR 2008, 233736) y Jaén, Civil, Sec. 2ª, 11.7.2006 (JUR 2007, 40496).
83. En este sentido, MARTÍNEZ ESCRIBANO, *Responsabilidades y garantías de los agentes de la edificación, op. cit.*, p. 117.
84. Si bien, tal como señala CORDERO LOBATO, *Capítulo 21. Responsabilidad civil de los agentes que intervienen en el proceso de la edificación, op. cit.*, p. 512, la garantía anual de la LOE es más limitada que la del derecho francés pues el artículo 1792-6, 2º párrafo, del *Code civil* francés incluye cualquier falta de conformidad con lo pactado.

ruina construido por la doctrina jurisprudencial del Tribunal Supremo, que consideraba que las meras imperfecciones corrientes de la construcción debían resarcirse mediante las acciones por incumplimiento contractual[85].

El artículo 1792-6, 2º párrafo, del *Code civil* francés establece que «(...) la garantía de perfecta terminación, a la que está obligado el contratista durante el plazo de un año, se extiende a la reparación de todas las anomalías señaladas por el propietario de la obra mediante reservas mencionadas en el acta de recepción o por vía de notificación escrita para las reveladas posteriormente a la recepción»[86].

2.2.4. Solicitud de licencia de edificación a partir del 6.5.2000 (disposición transitoria 1ª LOE)

Por último, es necesario como presupuesto objetivo de aplicación de la LOE que la edificación disponga de una licencia de obras solicitada a partir del 6 de mayo de 2000. La disposición transitoria 1ª LOE prevé que:

«Lo dispuesto en esta Ley, salvo en materia de expropiación forzosa en que se estará a lo establecido en la disposición transitoria segunda, será de aplicación a las obras de nueva construcción y a obras en los edificios existentes, para cuyos proyectos se solicite la correspondiente licencia de edificación, a partir de su entrada en vigor».

A pesar de la claridad de la disposición transitoria transcrita, desde la entrada en vigor de la Ley, tribunales y doctrina han discutido la posible aplicación retroactiva de la LOE, si bien el Tribunal Supremo ha resuelto la cuestión en las SSTS, 1ª, 22.3.2010 (RJ 2010, 2410), 19.4.2012 (RJ 2012, 5908) y 4.10.2013 (RJ 2013, 7054) en las que niega la aplicación retroactiva de la misma[87].

---

85. En este sentido *vid.*, entre otras, las SSTS, 1ª, 27.2.2012 (RJ 2012, 4051); 15.11.2005 (RJ 2005, 7631); 27.9.2005 (RJ 2005, 8887); y 30.6.2005 (RJ 2005, 5087).

86. En su versión original el artículo 1792-6 del *Code Civil* francés, introducido por la Ley nº 78-12 de 4 de enero de 1978 (Diario Oficial de 5.1.1978), señala que «... *La garantie de parfait achèvement, à laquelle l'entrepreneur est tenu pendant un délai d'un an, à compter de la réception, s'étend à la réparation de tous les désordres signalés par le maître de l'ouvrage, soit au moyen de réserves mentionnées au procès-verbal de réception, soit par voie de notification écrite pour ceux révélés postérieurement à la réception* (...)».

87. Para un comentario de la STS, 1ª, 22.3.2010 (RJ 2010, 2410) *vid.* Encarna CORDERO LOBATO, «Comentario a la sentencia de 22 de mayo de 2010 (RJ 2010, 2410)», *CCJC*, nº 85, 2011, pp. 339-347; y Rosa MILÀ RAFEL, «Irretroactividad del plazo de prescripción del artículo 18.1 LOE. Comentario a la STS, 1ª, 22.3.2010 (JUR 2010, 123520; MP: José Antonio Seijas Quintana)», *InDret 3/ 2010*.

De acuerdo con la STS, 1ª, 22.3.2010 (RJ 2010, 2410) «(...) existe una norma específica de Derecho transitorio en la LOE –Disposición Transitoria Primera– (...) que acota su aplicación, (...) excluyendo (...) su aplicación retroactiva» (FD 2º).

La posición que mayoritariamente han defendido las Audiencias Provinciales que se han pronunciado sobre esta cuestión[88], y que el Tribunal Supremo confirma en las sentencias citadas es la de la irretroactividad de la LOE. En consecuencia, la LOE únicamente se ocupa, en toda su extensión y aspectos, de las edificaciones con solicitud de licencia de edificación a partir del 6 de mayo de 2000. Por el contrario, el régimen anterior de responsabilidad por ruina del artículo 1591.I CC es aplicable a las obras para cuyos proyectos se hubiere solicitado licencia de edificación con anterioridad a la fecha indicada.

En efecto, el Tribunal Supremo afirma en la STS, 1ª, 22.3.2010 (RJ 2010, 2410) que «[e]ste particular régimen transitorio de la LOE, ha hecho que en la actualidad subsistan dos regímenes diferenciados de responsabilidad: el que se establece a partir de la aplicación del artículo 1.591 del Código Civil, para las obras cuyos proyectos se había solicitado licencia de edificación con anterioridad al día 5 de mayo de 2000, y el posterior a esta fecha» (FD 2º).

Con todo, un sector de la jurisprudencia menor y de la doctrina se había mostrado contrario a la aplicación estricta del régimen transitorio de la LOE, porque comporta que adquirentes de edificaciones construidas en períodos temporales próximos, pero con fecha de solicitud de licencia de edificación distinta, obtengan un grado de protección desigual.

Esta segunda tesis, que puede ser calificada de minoritaria, aboga por la retroactividad de grado medio de ciertos preceptos de la LOE:[89] el artículo 18.1 LOE, que establece un plazo de prescripción de dos años para exigir la responsabilidad prevista en la LOE, y la disposición adicio-

---

88. En este sentido, *vid.*, entre otras, las SSAP Castellón, Civil, Sec. 1ª, 15.3.2010 (AC 2010, 450); Madrid, Civil, Sec. 11ª, 22.3.2010 (JUR 2010, 220665); Asturias, Civil, Sec. 7ª, 3.6.2009 (JUR 2009, 312233); Castellón, Civil, Sec. 3ª, 22.2.2008 (JUR 2008, 191703); Cáceres, Civil, Sec. 1ª, 30.11.2006 (JUR 2007, 45532); Alicante, Civil, Sec. 8ª, 26.5.2006 (JUR 2006, 259492); Barcelona, Civil, Sec. 17ª, 16.5.2006 (JUR 2006, 260223); Pontevedra, Civil, Sec. 6ª, 21.4.2006 (JUR 2006, 203225); Tarragona, Civil, Sec. 3ª, 30.3.2006 (JUR 2006, 249662); Baleares, Civil, Sec. 5ª, 28.10.2005 (AC 2006, 117); y Asturias, Civil, Sec. 7ª, 14.1.2002 (JUR 2002, 110561).

89. De acuerdo con Federico DE CASTRO Y BRAVO, *Derecho Civil de España*, tomo I, Thomson-Civitas, Cizur Menor (Navarra), 2008, p. 724, en la retroactividad de grado medio «la nueva ley se aplica a efectos de una relación jurídica regulada según la legislación anterior, pero sólo a los que nazcan después de estar vigente la nueva ley, sustituyéndose desde entonces la nueva regulación a la antigua».

nal séptima LOE, que regula la intervención provocada en el proceso de otros agentes no demandados inicialmente. Así, ambos preceptos serían aplicables, de acuerdo con esta teoría, a derechos que, aunque nacidos durante la vigencia del artículo 1591.I CC, sean ejercitados en un procedimiento judicial iniciado con posterioridad a la entrada en vigor de la LOE.

A las teorías anteriores se añade una tercera[90],que hasta el momento no ha sido acogida por los tribunales, que defiende la retroactividad en grado máximo de determinados preceptos de la LOE[91]. En consecuencia, con arreglo a esta teoría, tras la entrada en vigor de la LOE sus disposiciones son aplicables a todos los supuestos, excluyendo el artículo 1591.I CC que queda derogado por la nueva legislación.

a.   Irretroactividad del artículo 18.1 LOE

Parte de la doctrina se ha mostrado favorable a la aplicación retroactiva del artículo 18.1 LOE a la acción de responsabilidad por ruina fundada en el artículo 1591.I CC, pero ejercitada después de la entrada en vigor de la Ley, que ha de entenderse, en su opinión, sometida al plazo de prescripción de 2 años de la LOE, en lugar del de 15 años de la responsabilidad por ruina[92].

Estos autores consideran que si no se acogiera esta tesis, es posible encontrarse en supuestos en los que no estuviera prescrito el plazo de 15

---

90. En esta línea, José Manuel Ruiz-Rico Ruiz y Belén Casado Casado, «Defectos constructivos: sobre la plena vigencia de la Ley de Ordenación de la Edificación respecto de todo tipo de obras, sea cual sea la fecha de solicitud de licencia de obra», *La Ley*, Año XXVII, nº 6533, martes, 25 de julio de 2006, pp. 1 y 5, defienden que «el régimen de responsabilidad por defectos constructivos, debe ser aplicable a todos los defectos surgidos tras su entrada en vigor en mayo del año 2000, con independencia de la fecha de solicitud de la licencia de obras». La SAP Huelva, Civil, Sec. 3ª, 25.2.2005 (JUR 2005, 145017) menciona la existencia de esta tercera tesis.

91. De acuerdo con De Castro y Bravo, *Derecho Civil de España*, tomo I, *op. cit.*, pp. 723-724, la retroactividad en grado máximo consiste en que «la nueva ley se aplica a la misma relación jurídica básica y a sus efectos, sin tener en cuenta, para nada o sólo de modo secundario, que aquélla fuera creada o éstos ejecutados bajo el imperio de la ley anterior».

92. A favor de esta tesis, Salinero Román, *La incidencia de la LOE en los criterios jurisprudenciales interpretativos del artículo 1591 del Código Civil, op. cit.*, p. 181; Ángel Carrasco Perera, «Prescripción y retroactividad en la LOE», *Actualidad Jurídica Aranzadi*, nº 710/2006, Parte Tribuna, Editorial Aranzadi, Pamplona, 2006, p. 1 (versión Westlaw); Manuel García Caracuel, «Cuestiones procesales en la LOE», Anna Cañizares Laso (Dir.), *Estudios sobre derecho de la edificación*, Civitas-Thomson Reuters, Cizur Menor (Navarra), 2010, pp. 210-214; y Cordero Lobato, *Comentario a la sentencia de 22 de mayo de 2010 (RJ 2010, 2410), op. cit.*, pp. 339-347.

años de la acción de responsabilidad (artículo 1964 CC) por vicios en un edificio con licencia de edificación solicitada antes de la entrada en vigor de la LOE, mientras que, en cambio, en otros edificios con solicitud de licencia posterior a esa fecha sí estuviera prescrito el plazo de 2 años (artículo 18.1 LOE).

Los argumentos esgrimidos a favor de la aplicación retroactiva de grado medio del artículo 18.1 LOE pueden resumirse en los siguientes:

1. La irretroactividad del artículo 18.1 LOE es contraria a la finalidad del legislador de la LOE, expresada en la Exposición de Motivos de la Ley donde se refiere a «(...) la necesidad (...) de superar (...) la discrepancia existente entre la legislación vigente y la realidad por la insuficiente regulación actual del proceso de la edificación», por suponer un retraso importante en la implementación de la Ley[93].

Con todo, de acuerdo con las SSAP Girona, Civil, Sec. 1ª, 5.4.2009, FD 2º (JUR 2009, 386151) y Álava, Civil, Sec. 2ª, 23.3.2006, FD 1º (JUR 2006, 153452), si esa era la voluntad del legislador:

«... bien fácil le hubiera resultado (...) hacer una salvedad para el ejercicio de acciones en las disposiciones transitorias y no fue así, tan solo ordena que «lo dispuesto en esta Ley» se aplicará a las construcciones posteriores, no a las anteriores».

2. El plazo de dos años previsto en el artículo 18.1 LOE es el «término especial» al que se refiere el artículo 1964 del Código Civil, y no el de quince del artículo 1964 CC, porque «(...) una aplicación subsidiaria de un precepto debe decaer ante una norma concreta y específica (...)» [SAP Huelva, Civil, Sec. 3ª, 25.2.2005, FD 2º (JUR 2005, 145017)].

Sin embargo, este argumento es contrario a la jurisprudencia del Tribunal Supremo, que considera en las SSTS, 1ª, 22.3.2010 (RJ 2010, 2410), 19.4.2012 (RJ 2012, 5908) y 4.10.2013 (RJ 2013, 7054), que el régimen de responsabilidad del artículo 1591.I CC y el de la LOE son distintos e incompatibles, lo que comporta que no sea

«... posible fraccionar para aplicar a la responsabilidad decenal un plazo de prescripción que delimita tales responsabilidades y garantías, entendiendo de una forma simple que este «término especial», a que se refiere el artículo 1964, es el previsto en el artículo 18 de la LOE y que es posible trasladarlo a una acción distinta» (FD 2º)[94].

---

93. En este sentido, *vid.* SALINERO ROMÁN, *La incidencia de la LOE en los criterios jurisprudenciales interpretativos del artículo 1591 del Código Civil, op. cit.,* p. 181.

94. FD 2º de la STS, 1ª, 22.3.2010 (RJ 2010, 2410), FD 3º de la STS, 1ª 19.4.2012 (JUR 2012, 148193) y FD 2º de la STS, 1ª, 4.10.2013 (RJ 2013, 7054). En el mismo sentido, *vid.* la SAP Girona, Civil, Sec. 1ª, 5.4.2009 (JUR 2009, 386151).

3. Por último, los defensores de la retroactividad de grado medio del artículo 18.1 LOE consideran que este precepto no está sometido a la disposición transitoria 1ª LOE, que únicamente regula el derecho transitorio de los aspectos sustantivos de la Ley, sino al régimen transitorio del Código Civil[95].

Efectivamente, el Tribunal Supremo ha reconocido la retroactividad tácita de las normas relativas a la prescripción extintiva y de las estrictamente procesales con base en el derecho transitorio del Código civil (disposición transitoria cuarta y artículo 1939 CC)[96]. Sin embargo, también es cierto que el Tribunal exige para aplicar el régimen transitorio del Código civil que la nueva normativa no cuente con reglas específicas sobre su régimen transitorio[97]. Y la LOE contiene una cláusula de transitoriedad concreta y específica, cuya literalidad es concluyente para negar la aplicación retroactiva del plazo de prescripción mencionado[98].

---

95. En la jurisprudencia, en este sentido, *vid.* las SSAP Huelva, Civil, Sec. 3ª, 15.12.2005 (JUR 2006, 161999) y Huelva, Civil, Sec. 3ª, 25.2.2005 (JUR 2005, 145017). Y en la doctrina, Salinero Román, *La incidencia de la LOE en los criterios jurisprudenciales interpretativos del artículo 1591 del Código Civil, op. cit.,* p. 181; Carrasco Perera, *Prescripción y retroactividad en la LOE, op. cit.,* p. 1; y Ángel Carrasco Perera, y Encarna Cordero Lobato, Carmen González Carrasco, *Derecho de la Construcción y la Vivienda,* 7ª ed., Thomson Reuters Aranzadi., Cizur Menor (Navarra), 2012, pp. 467-471.

96. De Castro Y Bravo, *Derecho Civil de España,* tomo I, *op. cit.,* p. 652; Miguel Coca Payeras, «Comentario al artículo 2 del Código Civil», en Manuel Albaladejo (Dir.), *Comentarios al Código Civil y Compilaciones Forales,* t. I, vol. I, Edersa, Madrid, 1980, pp. 509-511; y Luis Fernando Reglero Campos, (actualizado por Rodrigo Bercovitz Rodríguez-Cano), «Comentario al artículo 2», Rodrigo Bercovitz Rodríguez-Cano (Coord.), *Comentarios al Código Civil,* 3ª ed., Thomson Aranzadi, Cizur Menor (Navarra), 2009, p. 46.

97. *Vid.,* entre otras, las SSTS, 1ª, 16.4.1991 (RJ 1991, 2718) y 16.11.1988 (RJ 1988, 8469).

98. En este sentido, *vid.,* entre otras, las SSAP Pontevedra, Civil, Sec. 1ª, 3.6.2009 (JUR 2009, 302299); Madrid, Civil, Sec. 14ª, 18.3.2009 (JUR 2009, 248929); Burgos, Civil, Sec. 2ª, 16.3.2009 (JUR 2009, 223040); Granada, Civil, Sec. 4ª, 13.3.2009 (JUR 2009, 274943); Baleares, Civil, Sec. 3ª, 6.3.2009 (JUR 2009, 294868); Pontevedra, Civil, Sec. 1ª, 4.2.2009 (JUR 2009, 192077); A Coruña, Civil, Sec. 6ª, 10.11.2008 (JUR 2009, 119651); Sevilla, Civil, Sec. 2ª, 21.7.2008 (JUR 2009, 15329); Baleares, Sec. 5ª, 15.7.2008 (JUR 2009, 95656); Guipúzcoa, Civil, Sec. 3ª, 29.12.2006 (JUR 2007, 102762); Baleares, Civil, Sec. 5ª, 28.10.2005 (AC 2006, 117); Burgos, Civil, Sec. 2ª, 20.9.2005 (JUR 2005, 236917); y Baleares, Civil, Sec. 3ª, 22.2.2005 (JUR 2005, 79069). En general en contra de la aplicación retroactiva del artículo 18.1 LOE *vid.* las SSAP Baleares, Civil, Sec. 4ª, 24.3.2009 (JUR 2009, 248497); Las Palmas, Civil, Sec. 3ª, 30.11.2006 (JUR 2007, 67032); Guadalajara, Civil, Sec. 1ª, 25.10.2006 (JUR 2007, 24054); Castellón, Civil, Sec. 3ª, 3.10.2006 (JUR 2007, 224872); y A Coruña, Civil, Sec. 4ª, 19.1.2005 (JUR 2005, 102185). En contra, Cordero Lobato, *Comentario a la sentencia de 22 de mayo de 2010 (RJ 2010, 2410), op. cit.,* p.

En suma, de acuerdo con la jurisprudencia del Tribunal Supremo el plazo de prescripción del artículo 18.1 LOE no puede aplicarse retroactivamente a la acción de responsabilidad por ruina fundada en el artículo 1591.I CC y ejercitada con posterioridad a la entrada en vigor de la Ley, porque el régimen de responsabilidad por ruina y el de la LOE son distintos e incompatibles; existe una norma de derecho transitorio en la LOE que excluye su aplicación retroactiva; y porque, además, ello conllevaría una situación de indudable inseguridad jurídica.

La jurisprudencia de las Audiencias Provinciales aporta razonamientos adicionales como el principio de irretroactividad de las Leyes, que exige una interpretación restrictiva del instituto de la prescripción[99].

b. Irretroactividad de la disposición adicional 7ª LOE

Parte de la jurisprudencia menor y de la doctrina han defendido la aplicación retroactiva en grado medio no sólo del artículo 18.1 LOE, sino también de la disposición adicional 7ª de la LOE. Esta disposición, junto con los artículos 14.2 y 18 LEC[100], permite a:

> «Quien resulte demandado por ejercitarse contra él acciones de responsabilidad basadas en las obligaciones resultantes de su intervención en el proceso de la edificación (...), solicitar, dentro del plazo que la Ley de Enjuiciamiento Civil concede para contestar a la demanda, que ésta se notifique a otro u otros agentes que también hayan tenido intervención en el referido proceso».

El Tribunal Supremo se ha manifestado en contra de la retroactividad de grado máximo de la disposición adicional 7ª LOE, al señalar que en ningún caso es aplicable en los procesos iniciados con anterioridad a la

---

345, de acuerdo con la cual «para excluir la aplicación del artículo 1939 no basta que la nueva ley contenga un determinado régimen transitorio, sino que, como determina el artículo 1938 CC, la ley especial ha de establecer algo distinto para determinados casos de prescripción. De este modo, la disposición transitoria primera de la LOE no permite excluir la aplicación del artículo 1939, pues no contiene un régimen transitorio para la prescripción comenzada antes de su entrada en vigor».

99. Este principio es mencionado como argumento en contra de la aplicación retroactiva del artículo 18.1 LOE en las SSAP Baleares, Sec. 5ª, 15.7.2008 (JUR 2009, 95656); Castellón, Civil, Sec. 3ª, 3.10.2006 (JUR 2007, 224872); Burgos, Civil, Sec. 2ª, 20.9.2005 (JUR 2005, 236917); y Baleares, Civil, Sec. 3ª, 22.2.2005 (JUR 2005, 79069); que cita entre otras sentencias del Tribunal Supremo en este sentido, la STS, 1ª, 16.3.1981 (RJ 1981, 916).

100. El artículo 18 LEC ha sido modificado por el artículo 15. seis de la Ley 13/2009, de 3 noviembre, de de Reforma de la Legislación Procesal para la implantación de la nueva Oficina Judicial (BOE nº 266, de 4.11.2009).

vigencia de la LOE y por hechos también anteriores[101]. En relación con la retroactividad de grado medio de la norma, algunas Audiencias Provinciales se han manifestado a favor al considerar que resulta aplicable a los procedimientos que se inicien a partir de la entrada en vigor de la nueva Ley, aún cuando hagan referencia a situaciones jurídicas producidas bajo el régimen del artículo 1591.I CC[102].

> Puede citarse como representativa de esta doctrina la SAP Burgos, Civil, Sec. 3ª, 30.4.2009 (JUR 2009, 271384) según la cual «la llamada en garantía de la disposición adicional séptima tiene una naturaleza procesal, y por lo tanto puede defenderse su aplicación a los procesos iniciados con posterioridad a la entrada en vigor de la LOE, aunque la disposición transitoria primera difiera para otro momento, y de acuerdo con otros criterios, la entrada en vigor de las disposiciones de la ley, que deben referirse a las disposiciones de contenido material» (FD 2º).

La cuestión que surge entonces es si la doctrina contenida en las SSTS, 1ª, 22.3.2010 (RJ 2010, 2410); 19.4.2012 (RJ 2012, 5908) y 4.10.2013 (RJ 2013, 7054), analizadas en el apartado anterior, es trasladable a la disposición adicional séptima de la LOE de naturaleza estrictamente procesal. En mi opinión, la respuesta debe ser afirmativa. La retroactividad tácita de las normas procesales sólo es aplicable en defecto de norma que regule el derecho transitorio de la nueva Ley, y la LOE contiene una norma, la disposición transitoria 1ª, que establece de forma clara su ámbito su régimen transitorio.

2.3. Presupuestos temporales: plazos de garantía y prescripción

2.3.1. Plazos de garantía. Dies a quo: recepción de la obra (artículo 6.5 y 17.1 LOE)

El inicio del cómputo de los plazos de garantía de diez, tres y un año se produce en la fecha de recepción de las obras, sin reservas o desde la subsanación de éstas (artículo 6.5 y 17.1 LOE). En este punto la LOE se

---

101. En este sentido, *vid.* las SSTS, 1ª, 22.7.2009 (RJ 2009, 6485); y 3.12.2007 (RJ 2007, 8657).

102. En este sentido, *vid.* las SSAP Burgos, Civil, Sec. 3ª, 30.4.2009 (JUR 2009, 271384); Toledo, Civil, Sec. 2ª, 17.9.2008 (JUR 2008, 367526); Álava, Civil, Sec. 1ª, 14.9.2007 (JUR 2008, 23776); y Alicante, Civil, Sec. 8ª, 26.5.2006 (JUR 2006, 259492). En la doctrina, a favor de la retroactividad de grado medio de la disposición adicional séptima *vid.* José ALMAGRO NOSETE, «Capítulo IX. Algunas cuestiones procesales», en GARCÍA VARELA (Coord.), *Derecho de la Edificación, op. cit.*, pp. 552-553. En contra, *vid.* las SSAP Ávila, Civil, Sec. 1ª, 2.10.2006 (JUR 2007, 245878) y Madrid, Civil, Sec. 14ª, 30.5.2006 (JUR 2006, 288899).

diferencia del artículo 1591.I CC que se refería expresamente al cómputo del plazo «desde que concluyó la construcción»[103].

La recepción de la obra es, según define el artículo 6 LOE, el acto por el cual el constructor, una vez concluida ésta, hace entrega al promotor y éste la acepta. Este acto puede comprender la totalidad de la obra o, en caso de pacto, ciertas fases completas y terminadas de la misma (artículo 6.1 LOE). La recepción admite diversas modalidades:

– *Expresa*, en acta de recepción firmada al menos por el promotor y constructor en la cual consten los extremos establecidos en el artículo 6.2 LOE. La recepción expresa puede ser, a su vez, sin reservas, supuesto que ofrece mayor certidumbre en relación con el inicio del cómputo de los plazos de responsabilidad, o con reservas. El artículo 6.2.d) LOE exige que las reservas sean especificadas de manera objetiva y se fije el plazo en que los defectos deberán quedar subsanados. Una vez subsanados los mismos, se hará constar en un acta aparte, suscrita por los firmantes de la recepción. En virtud del artículo 17.1 LOE, los plazos de responsabilidad legal empiezan a computar desde el momento de la subsanación de los defectos observados.

– *Tácita*, si, salvo pacto expreso en contrario, transcurridos 30 días desde la fecha de terminación de la obra acreditada en el certificado final de obra, plazo que se contará a partir de la notificación efectuada por escrito al promotor, el promotor no hubiera puesto de manifiesto reservas o rechazo motivado por escrito (6.4 LOE)[104].

---

103. El Tribunal Supremo considera que en este punto la LOE diverge del «punto de partida anterior «desde que concluyó la construcción» (...) que tanto dividió a la doctrina a la hora de concretarlo: a) el de la terminación material de la obra; b) el de la entrega o puesta a disposición de la obra, y c) aquel en que la obra ha sido aprobada y recibida por el comitente» [STS, 1ª, 19.7.2010 (RJ 2010, 6559)]. ORTÍ VALLEJO, *La responsabilidad civil en la edificación, op. cit.*, p. 1153, señala que el Tribunal Supremo optó por un cuarto criterio, marcaba el *dies a quo* en el momento de entrega de las viviendas.
104. La STS, 1ª, 14.1.2010, FD 4º (RJ 2010, 156) aprecia la recepción tácita de la nave industrial cuando: a) A pesar de la negativa reiterada del promotor a recibir la obra, no se opuso a las actas de recepción por escrito, como exige el artículo 6 LOE; b) Consta que unos tres meses después de haberse acabado la obra, la nave se encontraba arrendada, lo que determina que si bien no hubo una aceptación expresa, sí se demostró por los hechos la conformidad del promotor, quien procedió a arrendarla. En la jurisprudencia menor, la SAP Baleares, Civil, Sec. 4ª, 9.1.2007 (JUR 2007, 89038) aprecia la recepción tácita transcurridos 30 días desde la suscripción del certificado final de obra pues, no consta que se levantara acta de recepción y los actores tenían noticia, desde el inicio, de la existencia del certificado; y la SAP Castellón, Civil, Sec. 1ª, 11.11.2005 (JUR 2005, 69152) desestima la recepción tácita de la obra porque no se acreditó la notificación por escrito al promotor de la terminación de la obra.

2.3.2. Plazos de prescripción (artículo 18 LOE)

En virtud del artículo 18.1 LOE, si el daño material en el edificio se manifiesta dentro del plazo de garantía, el perjudicado tiene un plazo de prescripción de 2 años para reclamar la reparación del mismo. El cómputo de dicho plazo se inicia en el momento en que se produzca el daño, entendiéndose producido éste a partir del momento en que las acciones pudieron ejercitarse (artículo 1969 CC). Y, específicamente, cuando el propietario o posterior adquirente tuvo o pudo tener conocimiento efectivo del mismo. En el caso de daños continuados el cómputo del plazo de prescripción se inicia a partir del momento en que cesaron o se hubieran estabilizado los daños[105].

Por otro lado, de acuerdo con el artículo 18.2 LOE, el plazo de ejercicio de la acción de repetición también es de dos años a contar desde la fecha de la firmeza de la resolución judicial que condene al responsable a indemnizar los daños, o de la fecha en la que se hubiera procedido a la indemnización de forma extrajudicial.

2.4. Legitimación activa y pasiva

2.4.1. Legitimación activa: propietarios y terceros adquirentes (artículo 17.1 LOE)

Tienen legitimación activa para el ejercicio de las acciones que regula el artículo 17.1 LOE «los propietarios y los terceros adquirentes de los edificios o parte de los mismos». En consecuencia, pueden ejercitar las acciones de responsabilidad por vicios constructivos previstas en la Ley los perjudicados que en el momento del ejercicio de la acción reúnan, además, la condición de propietarios de la edificación o parte de ella, pero se excluyen otros posibles perjudicados como arrendatarios o usufructuarios[106].

---

105. Así lo declara las SAP Segovia, Sec. 1ª, Civil, 10.6.2011 (AC 2011, 1449), de acuerdo con la cual son daños continuados las «humedades y filtraciones producidas por defectos de impermeabilización; las manchas aparecidas sobre la fachada del inmueble por defectos en el mortero monocapa de revestimiento, o por la falta de instalación de un zócalo adecuado que las evite; las grietas, desconchones o desprendimientos del cerramiento exterior de la vivienda motivadas por la falta de adherencia del material de acabado a la capa de enfoscado que recubre los bloques, así como por el basto acabado de las juntas de dilatación (...). No cabe duda que todos estos daños tienden a incrementarse con el tiempo». Sobre daños continuados vid. también las SSAP Burgos, Civil, Sec. 3ª, 10.3.2009, FD 4º (JUR 2009, 301727) y Baleares, Civil, Sec. 5ª, 18.12.2006, FD 2º (JUR 2007, 60319).

106. Con todo, la STS, 1ª, Sec. 1ª, 27.12.2013 (RJ 2014, 1021) reconoce la legitimación activa del arrendatario financiero del terreno y dueño de la obra pues "la legitimación activa corresponde al propietario o dueño de la obra, que ordinaria-

Ello comporta, además, la ausencia de legitimación activa del promotor, para ejercitar las acciones del artículo 17.1 LOE frente al resto de agentes de la edificación, desde el momento en que transmite la totalidad del edificio y pierde, por tanto, la condición de propietario de la obra[107].

Sin embargo, la jurisprudencia sobre responsabilidad por ruina del Tribunal Supremo había admitido la legitimación activa del promotor *ex* artículo 1591.I CC tras la venta de toda la edificación, cuando los posteriores adquirentes le hubieran reclamado, de forma fehaciente, la reparación de los daños sobrevenidos a la construcción, con base en su posible responsabilidad frente a los adquirentes posteriores. Con posterioridad a la LOE, ha continuado aplicando esta jurisprudencia[108], con alguna excepción[109].

Sin embargo, tras la entrada en vigor de la LOE el promotor como comitente de la obra está legitimado activamente para reclamar con base en las normas del Código civil (artículos 1091, 1094, 1095, 1098, 1101, 1124 y 1258) el cumplimiento correcto del contrato de obra frente aquellos agentes con los que está vinculado contractualmente una vez transmitidas la totalidad de las viviendas[110].

---

mente coincidirá con el propietario del inmueble, pero que en ocasiones puede corresponder con quien goza de facultades para promover la edificación y usar o explotar lo construido durante un tiempo significativo, con vocación además de llegar a adquirir la propiedad del inmueble, como es el caso del arrendatario financiero" (FD 9).

107. En este sentido *vid.* la SAP Burgos, Civil, Sec. 2ª, 21.6.2006 (JUR 2006, 228686), la cual afirma que «... de haber cedido la propiedad de las naves a terceras personas, y siempre que estas no le hubieren exigido responsabilidad por defectos de construcción, el promotor que ya no fuera propietario, por no resultar perjudicado, carecería de acción para reclamar» con base en el artículo 17.1 LOE (FD 2º).

108. A favor de la legitimación activa del promotor *ex* artículo 1591.I CC tras la venta de la edificación siempre y cuando hubiera sido requerido fehacientemente por los propietarios para reparar los vicios *vid.* las SSTS, 1ª, Sec. 1ª, 28.2.2011 (RJ 2011, 455); 20.12.2007 (RJ 2007, 8664); 28.6.2006 (RJ 2006, 3550); y 7.11.2005 (RJ 2005, 8068).

109. La STS, 1ª, 10.2.2004 (RJ 2004, 457) niega la legitimación activa para reclamar por defectos constructivos *ex* artículo 1591 CC al promotor que había vendido a terceros la totalidad de los pisos y no había reparado o indemnizado estos defectos tras la venta de las viviendas. Con todo, en el caso se había acumulado en un solo procedimiento la demanda presentada por el promotor contra la constructora, al arquitecto director de la obra y al arquitecto técnico, por la que solicitaba, en base a los artículos 1258 y 1591 CC, la reparación de la obra ruinosa y el pago de 1.496,52 € por las supuestas obras de reparación realizadas; y la demanda de la comunidad de propietarios del edificio y 19 de los copropietarios contra la promotora, la constructora y el arquitecto director de la obra en la que solicitaban en base al art. 1.591 CC la reparación de los vicios, así como el abono de las reparaciones ya satisfechas.

110. En la jurisprudencia *vid.* la STS, 1ª, Sec. 1ª, 27.2.2012 (RJ 2012, 4051) que estima la demanda interpuesta por el promotor contra el contratista por incumpli-

No obstante, el promotor no puede mediante el ejercicio de esta acción contractual contra el constructor o los técnicos perjudicar a los propietarios de las viviendas, quienes continúan estando legitimados para demandar al promotor de la edificación con base en el artículo 17 LOE y el contrato de compraventa.

Para salvaguardar los derechos de los propietarios de la edificación Jesús ESTRUCH ESTRUCH propone que el promotor que ha transmitido la totalidad de la edificación sólo pueda pedir «la reparación *in natura* de los defectos constructivos y no la cantidad dineraria en la que se valore el coste de los trabajos y actividades necesarias para conseguir la reparación». Sin embargo, el promotor podrá reclamar «las cantidades dinerarias que ya hubiera abonado para realizar algunas obras de reparación y los daños y prejuicios de cualquier índole que el incumplimiento de los partícipes en la construcción le hubiera ocasionado»[111].

En los edificios sujetos al régimen de propiedad horizontal, el presidente de la comunidad de propietarios del edificio está legitimado activamente para reclamar la reparación de los daños materiales ocasionados por vicios o defectos en sus elementos comunes (artículo 13.3 Ley 49/1960, de 21 de julio, sobre Propiedad Horizontal)[112], así como en los elementos privativos siempre que no exista la oposición expresa del propietario afectado[113].

2.4.2. *Legitimación pasiva: agentes de la edificación (artículo 17.1 LOE)*

Están legitimados pasivamente para ejercitar la acción de responsabi-

---

miento del contrato de ejecución de obra, con base en el artículo 1101 CC. El promotor había transmitido las viviendas y había sido condenado en un procedimiento anterior con base en el artículo 1591.I CC al concurrir defectos de acabado en el edificio. En la misma línea, *vid.* la SAP Granada, Civil, Sec. 4ª, 22.11.2013 (JUR 2014, 33683). En la doctrina, *vid.* CORDERO LOBATO, *Capítulo 21. Responsabilidad civil de los agentes que intervienen en el proceso de la edificación, op. cit.*, pp. 515-516; MARTÍNEZ ESCRIBANO*Responsabilidades y garantías de los agentes de la edificación, op. cit.*, p. 165; y Jesús ESTRUCH ESTRUCH, «Comentario a la Sentencia de 28 de febrero de 2011», *CCJC*, nº 88, 2012, p. 326.

111. ESTRUCH ESTRUCH, *Comentario a la Sentencia de 28 de febrero de 2011, op. cit.*, pp. 322-323.

112. BOE nº 176, de 23.7.1960. La Ley 49/1960, de 21 de julio, sobre Propiedad Horizontal fue modificada por la Ley 8/1999 de 6 de abril (BOE nº 84, de 8.4.1999).

113. *Vid.*, entre otras, las SSTS, 1ª, 24.10.2013 (RJ 2013, 7859); 23.4.2013 (RJ 2013, 3494); 15.4.2004 (RJ 2004/2626); 16.11.2001 (RJ 2001, 9459); y 16.10.1995 (RJ 1995, 7539).

lidad del artículo 17.1 LOE «las personas físicas o jurídicas que intervienen en el proceso de la edificación», a las cuales el artículo 8 LOE califica de agentes de la edificación.

A pesar de que el Capítulo III de la Ley y el artículo 17 LOE aludan a determinados agentes de la edificación[114], no sólo responden conforme al régimen de responsabilidad del artículo 17.1 LOE los mencionados de modo expreso en la Ley –el promotor, el proyectista, el constructor, el director de la obra, el director de ejecución de la obra, las entidades y los laboratorios de control de calidad de la edificación, y los suministradores de productos– sino también cualesquiera otro agente interviniente en el proceso edificatorio –como el subcontratista de la obra– que con su actuación hubiera causado el vicio o defecto constructivo[115].

2.5. Estándar de responsabilidad del artículo 17.1 LOE: adopción de la tendencia objetiva de la responsabilidad por ruina

2.5.1. Teoría de la objetivación de la responsabilidad

La naturaleza de la responsabilidad de los agentes de la edificación, por culpa u objetiva, no es una cuestión resuelta en la LOE, que no señala de modo expreso la naturaleza de la responsabilidad que establece en el artículo 17[116].

---

114. El Capítulo III de la LOE, dedicado a los agentes de la edificación, ofrece una definición genérica de los agentes de la edificación (artículo 8), pero únicamente define al promotor (artículo 9.1), al proyectista (artículo 10), al constructor (artículo 11), al director de la obra (artículo 12), al director de ejecución de la obra (artículo 13), a las entidades y los laboratorios de control de calidad de la edificación (artículo 14), y a los suministradores de productos (artículo 16). Por su parte, el artículo 17 LOE no enumera los concretos agentes de la edificación que asumen la responsabilidad individual, pero hace referencia a la responsabilidad por hecho ajeno de determinados agentes de la edificación (apartados 5, 6 y 7 del artículo 17 LOE) y a la responsabilidad solidaria del promotor (artículo 17.3 LOE).

115. Esta tesis ha sido defendida por Julián LÓPEZ RICHART, *Responsabilidad personal e individualizada y responsabilidad solidaria en la Ley de Ordenación de la Edificación*, Dykinson, Madrid, 2003, pp. 72 y ss.; CORDERO LOBATO, *Capítulo 21. Responsabilidad civil de los agentes que intervienen en el proceso de la edificación, op. cit.*, pp. 518-521; MARTÍNEZ ESCRIBANO, *Responsabilidades y garantías de los agentes de la edificación, op. cit.*, pp. 172-174; y ORTÍ VALLEJO, *La responsabilidad civil en la edificación, op. cit.*, p. 1167. Sin embargo, en contra de esta tesis *vid.* las SSTS, 1ª, 3.7.2008 (RJ 2008, 4365) y 31.3.2005 (RJ 2005, 2743), y en la doctrina ALMAGRO NOSETE, *Capítulo IX. Algunas cuestiones procesales, op. cit.*, p. 546, de acuerdo con el cual «tratándose de obligaciones impuestas por la ley no cabe una interpretación extensiva de las mismas, incorporando nuevos sujetos al catálogo legal».

116. A diferencia del Anteproyecto de Ley de 21 de septiembre de 1998, que en su artículo 19 se refería expresamente a la responsabilidad objetiva, tal y como

Tampoco lo estaba en el artículo 1591.I CC, si bien, tradicionalmente, la jurisprudencia[117] y la doctrina[118] habían entendido que el artículo 1591.I CC imponía un sistema de responsabilidad por culpa. Con todo, el Tribunal Supremo en aplicación de este precepto adoptó una marcada tendencia a la objetivación mediante la inversión de la carga de la prueba, que aplicó, primero, mediante la presunción *iuris tantum* de culpa y, luego, mediante la presunción *iuris tantum* de relación de causalidad[119].

En efecto, en un principio, el Tribunal Supremo presumía como culposa la actuación del agente de la edificación demandado excepto cuando aquél demostrara que había obrado con la diligencia debida (presunción *iuris tantum* de culpa profesional), supuesto en el que el resultado dañoso no era imputable a su actividad. La jurisprudencia del Tribunal Supremo evolucionó hasta imponer una presunción *iuris tantum* de relación de causalidad. De modo que, consideraba que el agente de la edificación demandado había causado la ruina de la construcción, excepto cuando probara que la misma había sido consecuencia de caso fortuito o fuerza mayor, acto propio del ocupante, o de un tercero, y como la ruina no es más que el resultado de la culpa profesional la causación de la misma presuponía, al mismo tiempo, la culpa del agente causante[120]. En consecuencia, en los pleitos

---

señala CABANILLAS SÁNCHEZ, *La responsabilidad civil por vicios en la construcción en la Ley de Ordenación de la Edificación, op. cit.*, p. 424.

117. En este sentido, *vid.* entre otras la STS, 1ª, 9.12.1993 (RJ 1993, 9890). Excepcionalmente, algunas sentencias han estimado que el artículo 1591.I CC «impone una responsabilidad objetiva pura y durísima» [SSTS, 1ª, 2.6.2005 (RJ 2005, 5308); y 31.10.2002 (RJ 2002, 9736)].

118. Por todos *vid.* Pablo SALVADOR CODERCH, «Comentario a los artículos 1590 y 1591 del Código Civil», Cándido PAZ-ARES RODRÍGUEZ, Rodrigo BERCOVITZ RODRÍGUEZ-CANO, Luis DÍEZ-PICAZOPONCE DE LEÓN y Pablo SALVADOR CODERCH (Dirs.), *Comentario del Código Civil*, tomo I, Ministerio de Justicia, 1991, p. 1192, quien señala que «aunque el art. 1591 no mencione la culpa, no parece cierto que no precise de fundamento culposo pues no hay razón para excluir la aplicabilidad del art. 1104 CC».

119. Análogamente, en el derecho francés, los artículos 1792 y 1792-2 del *Code Civil* establecen una presunción de responsabilidad de los constructores quienes para exonerarse de responsabilidad deberán probar que los daños provienen de una causa ajena. Para un análisis más detallado de la presunción de responsabilidad del artículo 1792 del *Code Civil vid.* MALINVAUD y JESTAZ, *Droit de la promotion immobilière, op. cit.*, p. 134.

120. Sobre ello en la doctrina *vid.* SALVADOR CODERCH, *Comentario a los artículos 1590 y 1591 del Código Civil, op. cit.*, pp. 1192-1193; Carlos Rafael GÓMEZ DE LA ESCALERA, *La Responsabilidad civil de los promotores, constructores, y técnicos por los defectos de construcción: estudio del artículo 1591 del código civil y su problemática actual*, Bosch, Barcelona, 1990, pp. 120-121; CABANILLAS SÁNCHEZ, *La responsabilidad civil por vicios en la construcción en la Ley de Ordenación de la Edificación, op. cit.*, pp. 422 y ss.; ESTRUCH ESTRUCH, *Las responsabilidades en la construcción..., op. cit.*, pp. 248-256; y MARTÍNEZ ESCRIBANO, *Responsabilidades y garantías de los agentes de la edificación, op. cit.*, pp. 65-67.

sobre responsabilidad por ruina los actores debían probar el hecho de la ruina y, una vez probada, incumbía al agente de la edificación demandado demostrar su falta de responsabilidad[121].

El propósito de esta jurisprudencia era la protección de los adquirentes de edificaciones. Así, el Tribunal Supremo señala en la STS, 1ª, 17.2.1982 (RJ 1982, 743) que «el artículo 1591 establece una presunción de culpa dando a aquélla un matiz objetivista, con un *fundamento social encomiable*» (Considerando 4°); y añade en la STS, 1ª, 18.11.1988 (RJ 1988, 8610) que «el artículo 1591 del CC establece una *protección especial* y los actores sólo han de probar el hecho de la ruina, existiendo una presunción *iuris tantum* de que si la obra la padece es debido a los que intervinieron en ella» (FD 3°)[122].

En relación con «la responsabilidad que impone (...) el artículo 17 de la Ley de Ordenación de la Edificación (...)» el Tribunal Supremo ha entendido en la STS, 1ª, 7.6.2011 (RJ 2011, 4391) que es una responsabilidad por culpa pues

«... tiene como presupuesto el incumplimiento de la *lex artis* como criterio valorativo para calibrar la diligencia exigible en el cumplimento de las obligaciones de quienes ponen sus conocimientos técnicos al servicio de la construcción, aplicando a tal fin parámetros adecuados a la naturaleza de la obligación y a las circunstancias de las personas, tiempo y lugar» (FD 2°).

Con todo, añade, en la STS, 1ª, 14.5.2008 (RJ 2008, 3067), que la responsabilidad del 17 LOE

«... sigue la mencionada tendencia objetivadora de la responsabilidad de los intervinientes en el proceso constructivo» (FD 2°)[123].

---

121. En esta línea *vid.*, entre otras, las SSTS, 1ª, 16.7.2009 (RJ 2009, 6472); 14.5.2008 (RJ 2008, 3067); 28.4.2008 (RJ 2008, 2681), 8.10.2004 (RJ 2004, 6695); y 22.7.2004 (RJ 2004, 6629).

122. Puede sumarse entre los fundamentos de la presunción de causalidad, la falta de conocimientos técnicos de los adquirentes, así como de información sobre el desarrollo de las obras, por lo que resultaba muy complejo probar la relación de causalidad entre los vicios y defectos constructivos y la actuación de los profesionales de la edificación, así como la negligencia de aquéllos. Como destaca, Luis Díez Picazo, *Derecho de daños*, Civitas, 1999, p. 238, «cuando se trata de actividades que se encuentran especialmente vinculadas con desarrollos científicos o tecnológicos, resulta extraordinariamente difícil conocer bien la forma en que se han desarrollado los procesos causales. De esta forma el causante puede quedar indefenso si carece de conocimientos suficientes o no dispone de los medios documentales y periciales necesarios al efecto».

123. En términos parecidos, *vid.* las SSTS, 1ª, 16.7.2009 (RJ 2009, 6472) y 28.4.2008 (RJ 2008, 2681). En la jurisprudencia menor, entre otras, *vid.* las SSAP Madrid, Civil, Sec. 14ª, 20.12.2012 (JUR 2013, 89368); y Zaragoza, Civil, Sec. 4ª, 19.11.2001 (JUR 2002, 212711). En este sentido en la doctrina *vid.* MARÍN GARCÍA DE LEONARDO, *La figura del promotor en la Ley de Ordenación de la Edifica-*

En efecto, de modo análogo a la responsabilidad por ruina, en la responsabilidad *ex* artículo 17 LOE, corresponde al demandante, es decir, a los propietarios de los edificios o parte de ellos, la carga de la prueba de la existencia de los daños materiales y de la aparición de éstos antes del transcurso del correspondiente plazo de garantía (artículo 217.2 LEC)[124].

Probados los daños materiales derivados de los vicios o defectos enumerados en el artículo 17.1 LOE, así como el hecho que surgieron dentro de los correspondientes plazos de garantía, la Ley presume la relación de causalidad. En palabras del Tribunal Supremo,

> «... el Legislador presume que son debidos al incumplimiento por aquellos intervinientes de las obligaciones que les impone la propia Ley, las demás disposiciones de aplicación o el contrato que origina su intervención (...)» [STS, 1ª, 14.5.2008, FD 2º (RJ 2008, 3067)][125].

La carga de la prueba de la concurrencia de causas de exoneración corresponde al agente de la edificación demandado (artículo 217.3 LEC)[126]. De acuerdo con el artículo 17.8 LOE, el agente de la edificación demandado logra liberarse de la responsabilidad cuando los daños materiales en el edificio,

> «... fueron ocasionados por caso fortuito, fuerza mayor, acto de tercero o por el propio perjudicado por el daño» (artículo 17.8 LOE).

---

ción, op. cit., p. 143; Juan Manuel ABRIL CAMPOY, «La responsabilidad del promotor en la Ley de Ordenación de la Edificación (Ley 38/1999, de 5 de noviembre)», en Antonio CABANILLAS SÁNCHEZ *et al.* (comité organizador), *Estudios jurídicos en homenaje al profesor Luis Díez-Picazo*, tomo II, Derecho Civil. Derecho de obligaciones, 2003, p. 1246; GONZÁLEZ POVEDA, *Capítulo IV. Responsabilidades y garantías, op. cit.*, p. 350; y SERRANO ALONSO, *Sobre la responsabilidad por «ruina» en el Código Civil y la Ley de la Edificación, op. cit.*, p. 857.

124. El artículo 217.2 Ley 1/2000, de 7 de enero, de enjuiciamiento civil (BOE nº 7, de 8.1.2000) prevé que: «Corresponde al actor y al demandado reconviniente la carga de probar la certeza de los hechos de los que ordinariamente se desprenda, según las normas jurídicas a ellos aplicables, el efecto jurídico correspondiente a las pretensiones de la demanda y de la reconvención».

125. En términos parecidos, *vid.* las SSTS, 1ª, 16.7.2009 (RJ 2009, 6472); y 28.4.2008 (RJ 2008, 2681).

126. De acuerdo con el artículo 217.3 LEC «[i]ncumbe al demandado y al actor reconvenido la carga de probar los hechos que, conforme a las normas que les sean aplicables, impidan, extingan o enerven la eficacia jurídica de los hechos a que se refiere el apartado anterior». En este sentido *vid.* la STS, 1ª, 14.5.2008, FD 2º (RJ 2008, 30679). En la doctrina, CORDERO LOBATO, *Capítulo 21. Responsabilidad civil de los agentes que intervienen en el proceso de la edificación, op. cit.*, pp. 513-514; y José Manuel RUIZ-RICO RUIZ, «Capítulo VII. Los criterios de imputación de los distintos agentes de la edificación: la delimitación de su ámbito de responsabilidad», en José Manuel RUIZ-RICO RUIZ y María Luisa MORENO-TORRES HERRERA (Coords.), *La Responsabilidad civil en la Ley de Ordenación de la Edificación*, Comares, Granada, 2002, p. 106.

De este precepto se desprende que la Ley impone al agente demandado la carga de la *prueba en sentido formal*, esto es la carga de probar la concurrencia de caso fortuito o fuerza mayor ajeno a su esfera de riesgo, o de un acto de tercero o del propio propietario perjudicado. Pero también la carga de la *prueba en sentido material*, esto es, los agentes demandados han de soportar los perjuicios derivados de la falta de acreditación de la concurrencia de las causas de exoneración cuando al resolver el litigio ese hecho permanece dudoso[127].

2.5.2. *Teoría de la responsabilidad objetiva o sin culpa*

Parte de la doctrina defiende que el artículo 17 LOE instaura un sistema de responsabilidad objetiva o sin culpa por daños materiales derivados de vicios o defectos constructivos[128]. Estos autores basan esta tesis en los argumentos que se analizan a continuación.

    a. Ausencia de previsión del cumplimiento de la lex artis como causa de exoneración en el artículo 17.8 LOE

El principal argumento que estos autores ofrecen a favor del carácter

---

127. En este sentido *vid.* la STS, 1ª, 14.5.2008, FD 2º (RJ 2008, 30679). Sobre la distinción entre carga de la prueba en sentido formal y material *vid.* Isabel Tapia Fernández, «Comentario al artículo 217. Carga de la prueba», Faustino Cordón Moreno, Teresa Armenta Deu, Julio L. Muerza Esparza y Isabel Tapia Fernández (Coords.), *Comentarios a la Ley de Enjuiciamiento Civil*, vol. I, Aranzadi Thomson-Reuters, 2ª ed., Cizur Menor (Navarra), 2011, pp. 1067-1072, p. 1068.

128. Defienden esta tesis Isabel Sierra Pérez, «La responsabilidad en la construcción y la Ley de Ordenación de la Edificación», *Revista de Derecho Patrimonial*, nº 3/1999, p. 125; Cabanillas Sánchez, *La responsabilidad civil por vicios en la construcción en la Ley de Ordenación de la Edificación, op. cit.*, pp. 422 y ss.; Ruiz-Rico Ruiz, *Capítulo VII. Los criterios de imputación de los distintos agentes de la edificación..., op. cit.*, pp. 104 y ss.; Pedro J. Femenía López, *La responsabilidad del arquitecto en la Ley de Ordenación de la Edificación*, Dykinson, 2004, Madrid, pp. 96 y ss.; Mariano Yzquierdo Tolsada «Apuntes sobre la responsabilidad civil de los intervinientes en la construcción», *Revista española de seguros*, nº 18, 2006, p. 648; Inmaculada Vargas Benjumea, «La responsabilidad del promotor en el proceso de la edificación», *El Consultor Inmobiliario*, nº 76, febrero 2007, p. 31; Martínez Escribano, *Responsabilidades y garantías de los agentes de la edificación, op. cit.*, pp. 264-269; Ortí Vallejo, *La responsabilidad civil en la edificación, op. cit.*, p. 1167; Federico Arnau Moya, *Los vicios de la construcción. (Su régimen en el Código Civil y en la Ley de Ordenación de la Edificación)*, Tirant lo Blanch, Valencia, 2004, pp. 198-200; López Richart, *Responsabilidad personal e individualizada y responsabilidad solidaria en la Ley de Ordenación de la Edificación, op. cit.*, pp. 113-114; María José Santos Morón, «Artículo 17. Responsabilidad civil de los agentes que intervienen en el proceso de la edificación», Luciano Parejo Alfonso (Dir.) *Comentarios a la Ley de Ordenación de la Edificación*, Tecnos, 2001, Madrid, pp. 323-324. En la jurisprudencia menor, a favor del carácter objetivo de la responsabilidad de la LOE, *vid.* la SAP Murcia, Civil, Sec. 5ª, FD 3º (JUR 2006, 14618).

objetivo de la responsabilidad del artículo 17 LOE es que el precepto no prevé en su apartado 8 la exoneración del agente demandado en caso de prueba de haber actuado de conformidad con la diligencia exigible o *lex artis*.

En consecuencia, los autores citados afirman que el agente no queda exonerado por la prueba de la diligencia exigible si los vicios y defectos fueron originados en su esfera de riesgo y no logra probar que se produjeron por caso fortuito, fuerza mayor, acto de tercero o por el propio perjudicado. Añaden que las causas de exoneración que incluye son las típicas de las leyes que instauran un sistema de responsabilidad objetiva[129].

En sede del contrato de obra, la doctrina ha calificado la obligación del constructor y del arquitecto derivada del contrato de obra como una obligación de resultado. El arquitecto que diseña o dirige de manera incorrecta la obra responde por incumplimiento contractual, tal y como lo hace el constructor si ha ejecutado de manera defectuosa la obra. No resulta necesario, además, proceder a un posterior juicio de imputación subjetiva, puesto que producido el defecto se presume la impericia del agente[130].

Esta teoría también es aplicable en la responsabilidad civil de los agentes de la edificación por vicios constructivos en la medida en que el incumplimiento sea encuadrable en alguno de los vicios o defectos regulados en el artículo 17.1 LOE. Por ello, una vez imputados dichos vicios o defectos a la actuación de un agente de la edificación este responde por los daños causados excepto que pruebe alguna de las causas de exoneración del artículo 17.8 LOE.

Sin embargo, esta teoría requiere alguna matización adicional, pues en ocasiones la prueba del cumplimiento de la *lex artis* por parte del agente de la edificación puede suponer su exoneración. La *lex artis* exigible a los agentes de la edificación se concreta, por un lado, en la LOE y, por el otro, en el Código Técnico de la Edificación[131]. Como ya se ha

---

129. En este sentido, *vid.* Ruiz-Rico Ruiz, *Capítulo VII. Los criterios de imputación de los distintos agentes de la edificación..., op. cit.*, p. 104, quien cita, como ejemplos, el artículo 1.1 de la Texto Refundido de la Ley sobre Responsabilidad Civil y Seguro en la Circulación de Vehículos a Motor aprobado por el Real Decreto Legislativo 8/2004, de 19 de octubre (BOE nº 267, de 5.11.2004); el artículo 140 TRLCU; y el artículo 33.5 de la Ley 1/1970, de 4 de abril, de Caza (BOE nº 82, de 6.4.1970).

130. En este sentido, *vid.* Ángel Carrasco Perera, *Derecho de contratos*, Aranzadi Thomson-Reuters, Cizur Menor (Navarra), 2010, p. 941.

131. *Vid.* Ángel Carrasco Perera y Mª del Carmen González Carrasco, «Una introducción jurídica al Código Técnico de la Edificación», *InDret 3/2006*, p. 14; Rodrigo López González, «El cumplimiento del Código Técnico de la Edificación», *Revista española de seguros*, nº 126, 2006, p. 706; y José Requena Paredes, «El Código Técnico de la edificación (CTE), un nuevo marco para el ejerci-

señalado, el CTE es una norma de carácter reglamentario que establece los requisitos básicos de seguridad y habitabilidad que deben cumplir los edificios, incluidas sus instalaciones. Estos requisitos son de obligado cumplimento por los agentes de la edificación enumerados en la LOE (artículo 5.1 CTE)[132].

La cuestión que surge entonces es si la prueba del cumplimento de esta normativa puede excluir la responsabilidad *ex* artículo 17 LOE del agente demandado. La mayoría de la doctrina está de acuerdo en que el cumplimiento del CTE no siempre excluye la responsabilidad de los agentes de la edificación[133]. Ello tiene que ver con el hecho de si la normativa del CTE es de mínimos o de máximos.

1. En relación con los requisitos de habitabilidad, el CTE debe considerarse una normativa de máximos. Por ello, en este ámbito, el cumplimento del CTE por parte del agente demandado sí que excluye la responsabilidad derivada de los daños por de defectos de habitabilidad [artículo 17.1.b) LOE][134]. El fundamento se encuentra en que la LOE para definir el concepto de defectos de habitabilidad –por medio de los artículos 17.1.b y 3.c.1 y 2– se remite al CTE, que concreta los requisitos de habitabilidad que deben cumplir los edificios, y cuyo incumplimiento conlleva el vicio o defecto[135].

En consecuencia, si a pesar del cumplimiento por parte del agente de-

---

cio de la profesión de arquitecto», *El desarrollo de la Ley de Ordenación de la Edificación. Código Técnico de la Edificación*, Estudios de Derecho Judicial, nº 148, Consejo General del Poder Judicial, Madrid, 2007, p. 51.

132. La SAP Lleida, Civil, Sec. 2ª, 16.12.2009 (JUR 2010, 116854) señala que «... la LOE superando una deficiente regulación del proceso edificatorio, viene a dar contenido a la *lex artis* en la actividad edificatoria y a concretar, al respecto, las obligaciones profesionales y, por tanto, las responsabilidades de cada agente. Las normas básicas de la edificación y las demás reglamentaciones técnicas de obligado cumplimiento, integradas en el Código Técnico, son la materialización esencial de lo que se tiene que entender por *lex artis* de la edificación» (FD 2º).

133. *Vid.* CARRASCO PERERA, CORDERO LOBATO y GONZÁLEZ CARRASCO, *Derecho de la construcción y la vivienda, op. cit.*, p. 452, afirman que «[a] pesar del sentido exoneratorio en que pueden leerse diversas normas del CTE [arts. 1.2, 3.2 b) y 5.1.3 del CTE], lo cierto es que ni el cumplimiento del CTE ni, mucho menos, la utilización de los procedimientos de verificación allí previstos constituyen siempre una causa de exoneración de responsabilidad».

134. En este sentido *vid.* CORDERO LOBATO, *El Código Técnico de la Edificación como Norma Jurídica. A propósito de la eficacia jurídica y los límites del RD 314/2006, op. cit.*, p. 104; de la misma autora, *Capítulo 4. El Código Técnico de la Edificación, op. cit.*, pp. 146-149; y MARTÍNEZ ESCRIBANO, *Responsabilidades y garantías de los agentes de la edificación, op. cit.*, pp. 132-137.

135. Sobre el concepto de defectos de habitabilidad *vid.* epígrafe. 2.2.3., apartado III, de este Capítulo.

mandado de los requisitos del CTE el daño derivado de vicio o defecto funcional se produce, el juez deberá exonerar de responsabilidad al agente[136]. El daño sólo podría repararse entonces conforme las reglas de responsabilidad contractual y extracontractual.

En contra, algunos autores han considerado que si bien la prueba del cumplimento del CTE por parte del agente demandado puede constituir un indicio del cumplimento correcto de su obligación, los tribunales pueden aplicar en este ámbito la regla de acuerdo con la cual el cumplimento de la legalidad reglamentaria no prueba la diligencia. Por ello, podrían considerar insuficiente el cumplimento del CTE para excluir la responsabilidad[137].

2. En relación con los requisitos de seguridad estructural del edificio, el CTE establece una normativa de mínimos, puesto que la LOE regula de una manera más detallada que el CTE este tipo de defectos. En consecuencia, el cumplimiento de los requisitos del CTE no excluye la responsabilidad del agente en caso de que se origine en el edificio un defecto estructural en los términos definidos en el artículo 17.1.a) LOE[138].

b. Previsión de un seguro obligatorio

Un argumento adicional de los partidarios del carácter objetivo de la

---

136. Por caso fortuito o fuerza mayor según CORDERO LOBATO, *El Código Técnico de la Edificación como Norma Jurídica..., op. cit.*, p. 105. También consideran que debe quedar exonerado de responsabilidad, Manuel ALMENAR BELENGUER, César JIMÉNEZ LÓPEZ y Óscar PÉREZ PAZ, «Aspectos generales del Código Técnico de la Edificación: sistemática y aplicación», *El desarrollo de la Ley de Ordenación de la Edificación. Código Técnico de la Edificación*, Estudios de Derecho Judicial, nº 148, Consejo General del Poder Judicial, Madrid, 2007, pp. 123-124; y SEIJAS QUINTANA, *Ley de Ordenación de la Edificación y Código Técnico, op. cit.*, p. 349. En contra, MARTÍNEZ ESCRIBANO, *Responsabilidades y garantías de los agentes de la edificación, op. cit.*, pp. 133-134.

137. En este sentido, *vid.* Pere GONZÁLEZ NEBREDA, Josep SANTDIUMENGE FERRÉ, Manuel TÁBOAS BENTANACHS, «El Código Técnico de la Edificación y las normas urbanísticas. ¿A quiénes obliga el CTE? Criterios de prevalencia», *El desarrollo de la Ley de Ordenación de la Edificación. Código Técnico de la Edificación*, Estudios de Derecho Judicial, nº 148, Consejo General del Poder Judicial, Madrid, 2007, pp. 319-320, afirman que «[e]l CTE no elimina la *lex artis* a golpe de decreto. (...) [E]n muchos casos, la *lex artis* podrá coincidir con el CTE, pero eso no tiene porque ser necesariamente siempre así. En este último caso, los actos que deban ser enjuiciados podrán valorarse conforme a la *lex artis* y con independencia de las disposiciones del CTE. Así las cosas, el arquitecto deberá seguir respondiendo por los daños en la medida en que éstos le sean directamente imputables. (...) La prueba de la negligencia como determinante casual del daño será siempre exigible».

138. Esta tesis es la defendida por Encarna CORDERO LOBATO, «Capítulo 4. El Código Técnico de la Edificación», en CARRASCO PERERA, CORDERO LOBATO, GONZÁLEZ CARRASCO, *Comentarios a la legislación de ordenación de la edificación, op. cit.*, pp. 146-149.

responsabilidad del artículo 17 LOE es la exigencia del seguro decenal obligatorio, como instrumento que acompaña habitualmente los sistemas de responsabilidad objetiva para mitigar el menoscabo patrimonial del sujeto responsable que responde con independencia de que haya actuado diligentemente[139].

Sin embargo, la previsión de un seguro obligatorio no es en todo caso sinónimo de responsabilidad objetiva. Si bien es cierto que muchas de las actividades sometidas a régimen de responsabilidad objetiva incluyen un seguro obligatorio[140], no todas las profesiones cuyo ejercicio está sujeto a un seguro obligatorio están sometidas a un sistema de responsabilidad objetiva. Puede citarse, por ejemplo, el ejercicio de las profesiones sanitarias en el ámbito de la asistencia sanitaria privada sometida a un sistema de responsabilidad por culpa y de aseguramiento obligatorio[141].

c. Ausencia de reconocimiento expreso en la Ley

Adicionalmente a las objeciones señaladas, el inconveniente más notable a la tesis favorable al carácter objetivo de la responsabilidad del artículo 17 es la ausencia de un reconocimiento expreso en este sentido en la LOE. En el sistema jurídico español el criterio tradicional de responsabilidad es el de la culpa, por lo que sólo por Ley podría instaurarse un sistema de responsabilidad objetiva en este ámbito[142].

Sin embargo, en relación con la responsabilidad del promotor inmobi-

---

139. Esgrimen este argumento CABANILLAS SÁNCHEZ, *La responsabilidad civil por vicios en la construcción en la Ley de Ordenación de la Edificación, op. cit.,* p. 424; MARTÍNEZ ESCRIBANO, *Responsabilidades y garantías de los agentes de la edificación, op. cit.,* p. 267; y DÍAZ BARCO, *Manual de Derecho de la Construcción, op. cit.,* p. 130.

140. En el ordenamiento jurídico español, los sistemas de responsabilidad objetiva acompañados por un sistema de aseguramiento obligatorio son, entre otros: el artículo 2 del Texto Refundido de la Ley sobre responsabilidad civil y seguro en la circulación de vehículos a motor; el artículo 56 de la Ley 25/1964, de 29 de abril, de la energía nuclear (BOE nº 107, de 4.5.1964); el artículo 52 de la Ley 1/1970, de 4 de abril, de caza (BOE nº 82, de 6.4.1970); el artículo 131 TRLCU; y los artículos 126 a 128 de la Ley 48/1960, de 21 de julio, sobre navegación aérea (BOE nº 176, de 23.7.1960).

141. El aseguramiento obligatorio en este ámbito está establecido en el artículo 46 de la Ley 44/2003, de 21 de noviembre, de ordenación de las profesiones sanitarias (BOE nº 280, de 22.11.2003).

142. Sobre la exigencia de previsión legal expresa para establecer sistemas de responsabilidad objetiva, *vid.* Encarna ROCA I TRIAS, *Derecho de daños. Textos y materiales,* 5ª ed., Tirant lo Blanch, Valencia, 2007, p. 302; y Luis Fernando REGLERO CAMPOS, «Capítulo II. Los sistemas de responsabilidad civil», Luis Fernando REGLERO CAMPOS (Coord.) *Tratado de Responsabilidad Civil,* tomo I, 4ª ed., Thomson Aranzadi, Cizur Menor (Navarra), 2008, pp. 294-295.

liario puede afirmarse su carácter claramente objetivo, puesto que el propio artículo 17.3, *in fine*, LOE, establece su responsabilidad «en todo caso»[143].

Respecto del resto de agentes de la edificación, y de manera similar a lo que sucedía en la jurisprudencia sobre responsabilidad por ruina anterior, la inversión de la carga de la prueba que opera en la responsabilidad derivada del artículo 17 aproxima este régimen a una responsabilidad cuasi objetiva.

2.6. Compatibilidad del artículo 17 LOE con la responsabilidad contractual

Con independencia de la acción derivada del artículo 17.1 LOE, tanto el comprador de edificios o de partes de los mismos como el comitente de la obra tiene frente al promotor-vendedor, pero también frente al vendedor no promotor, las pretensiones que le reconoce el régimen jurídico aplicable al contrato en cuestión[144]. En especial, la LOE deja a salvo la responsabilidad contractual de los agentes de la edificación derivada del contrato de compraventa (artículos 1445 y ss. CC) y del contrato de obra (artículos 1544, 1588 y ss. CC).

2.6.1. *La LOE reconoce la compatibilidad del artículo 17 con la responsabilidad contractual*

En efecto, la LOE reconoce expresamente la compatibilidad del régimen de responsabilidad del artículo 17 con la responsabilidad por incumplimiento contractual. Así, el artículo 17.1 dispone la responsabilidad civil de los agentes que intervienen en el proceso de la edificación

> «... sin perjuicio de sus responsabilidades contractuales».

Y el apartado 9 del mismo artículo indica que

> «... [l]as responsabilidades a que se refiere este artículo se entienden sin perjuicio de las que alcanzan al vendedor de los edificios o partes edificadas frente al comprador conforme al contrato de compraventa suscrito

---

143. Para un análisis en profundidad del carácter objetivo de la responsabilidad del promotor en la LOE, *vid.* el Capítulo Sexto de este trabajo.

144. En el mismo sentido, Cabanillas Sánchez, *La responsabilidad civil por vicios en la construcción en la Ley de Ordenación de la Edificación, op. cit.*, p. 498; María Luisa Moreno-Torres Herrera, «Capítulo X. Panorama general de las acciones utilizables por los sujetos afectados por vicios o defectos constructivos» (apartados 10.1 y 10.2), Ruiz-Rico Ruiz y Moreno-Torres Herrera (Coord.), *La Responsabilidad civil en la Ley de Ordenación de la Edificación, op. cit.*, pp. 303 y ss.; Estruch Estruch, *Las responsabilidades en la construcción..., op. cit.*, pp. 934 y ss.; y Carrasco Perera, Cordero Lobato y González Carrasco, *Derecho de la construcción y la vivienda, op. cit.*, p. 400.

entre ellos, a los artículos 1484 y siguientes del Código Civil y demás legislación aplicable a la compraventa».

Por último, el artículo 18.1 señala que la prescripción de las acciones que contempla se establece,

«... sin perjuicio de las acciones que puedan subsistir para exigir responsabilidades por incumplimiento contractual».

2.6.2. *En especial, la discutida compatibilidad en la reparación de los daños materiales cubiertos por el artículo 17.1 LOE*

La doctrina discute, no obstante, si cabe exigir responsabilidad contractual para la reparación de los daños materiales cubiertos por el artículo 17.1 LOE.

a. *Tesis contraria a la compatibilidad en la reparación de los daños materiales cubiertos por el artículo 17.1 LOE*

Una parte de la doctrina ha entendido que, con posterioridad a la entrada en vigor de la LOE, sólo quedan a salvo las acciones contractuales para reclamar aquellos daños que resulten de un incumplimiento contractual y que, además, sean distintos de los daños materiales causados en el edificio por los vicios y defectos enumerados en el artículo 17.1 LOE[145].

En primer lugar, el Prof. Luis Díez-Picazo fundamenta esta tesis en que el régimen establecido en la LOE es, generalmente, de naturaleza contractual y que, por tanto, el ámbito material propio del mismo es excluyente de cualquier otro régimen de responsabilidad contractual[146].

Con todo, la responsabilidad del artículo 17 LOE no puede calificarse de contractual en todo caso, pues el precepto no exige la existencia de un vínculo contractual entre el perjudicado y el agente de la edificación responsable del daño. La responsabilidad legal que establece el artículo

---

145.	Esta tesis ha sido defendida por Díez-Picazo y Ponce de León, *Ley de Edificación y Código civil*, op. cit., p. 504; y Marín García de Leonardo, *La figura del promotor en la Ley de Ordenación de la Edificación*, op. cit., p. 86.
146.	En palabras de Díez-Picazo y Ponce de León, *Ley de Edificación y Código civil*, op. cit., pp. 13-14, «las responsabilidades de los agentes intervinientes en el proceso de edificación frente a la persona que era propietaria en el momento en que dicho proceso se inició son generalmente contractuales. Lo mismo ocurre respecto de los subadquirentes si se entiende, como a veces ha entendido el Tribunal Supremo, que en la compraventa de edificios o de parte de ellos hay una especie de cesión de las acciones contra los agentes de edificación. Si esto es así –y así creo que hay que entenderlo– el artículo 17 esta regulando algunas responsabilidades contractuales, de manera que la clausula «sin perjuicio» tiene que referirse a otras responsabilidades diferentes de aquellas que se encuentren específicamente reguladas en la Ley».

17 LOE será contractual si entre el propietario perjudicado y el agente de la edificación responsable media una relación contractual, o extracontractual si no es así[147].

En segundo lugar, a favor de la incompatibilidad, los defensores de esta primera teoría alegan que otra interpretación supondría contradecir uno de los objetivos del legislador de la LOE: limitar la responsabilidad de los agentes intervinientes en el proceso edificatorio mediante un régimen especial que, si bien se caracteriza por ciertos privilegios, como la presunción de causalidad, es, en cambio, más restrictivo en cuanto a los plazos legales de garantía y de prescripción[148].

Sin embargo, debe ponerse de manifiesto que la inaplicación de la responsabilidad contractual en el resarcimiento de los daños cubiertos por la LOE comporta que determinados daños que merecen una menor protección jurídica, de acuerdo con la ponderación realizada por el legislador, como los daños a bienes muebles, estén protegidos con un plazo de prescripción más amplio (de quince años de acuerdo con el artículo 1964 CC) que otros bienes o intereses considerados merecedores de una mayor tutela (sometidos a un plazo de garantía de diez años y de prescripción de dos años de acuerdo con los artículos 17 y 18 LOE, en el mejor de los casos)[149].

Esta diferencia podría mitigarse con una posible futura reforma del plazo para la reclamación de faltas de conformidad en el contrato de compraventa, como proyecta la Propuesta de Anteproyecto de Ley de Modificación del Código civil en materia de contrato de compraventa de 2005[150], la cual propone un plazo de prescripción de cinco años cuando la cosa vendida sea un inmueble construido o edificado[151].

---

147. En este sentido, SIERRA PÉREZ, *La responsabilidad en la construcción y la Ley de Ordenación de la Edificación, op. cit.*, p. 125; y CARRASCO PERERA, CORDERO LOBATO y GONZÁLEZ CARRASCO, *Derecho de la construcción y la vivienda, op. cit.*, p. 399.

148. Defiende esta tesis, CABANILLAS SÁNCHEZ, *La responsabilidad civil por vicios en la construcción en la Ley de Ordenación de la Edificación, op. cit.*, p. 505.

149. Así lo pone de manifiesto, CORDERO LOBATO, *Capítulo 21. Responsabilidad civil de los agentes que intervienen en el proceso de la edificación, op. cit.*, p. 570; y MARTÍNEZ ESCRIBANO, *Responsabilidades y garantías de los agentes de la edificación, op. cit.*, p. 365.

150. Elaborada por la sección de derecho civil de la COMISIÓN GENERAL DE CODIFICACIÓN (Boletín Oficial del Ministerio de Justicia, de mayo de 2005, nº 1988).

151. Sobre regulación de la Propuesta de Anteproyecto de Ley de Modificación del Código civil en materia de contrato de compraventa de 2005, *vid.* Luis DÍEZ-PICAZO Y PONCE DE LEÓN, *Fundamentos del derecho civil patrimonial*, vol. IV, Thomson Reuters Civitas, Cizur Menor (Navarra), 2007, pp. 145-152.

Por último, la tesis de la incompatibilidad plantea problemas en aquellos supuestos en los que el promotor vende la vivienda años después de la finalización de su construcción. En estos casos, en el momento de la venta pueden haber transcurrido los plazos de garantía –de uno, tres o diez años– regulados en el artículo 17.1 LOE, cuyo *dies a quo* no se sitúa en el momento de la entrega del inmueble al comprador, sino el de la recepción de la obra. En estos supuestos no parece razonable dejar al comprador de la edificación sin la acción de responsabilidad por incumplimiento contractual cuando en la vivienda aparezcan vicios que afecten a elementos de terminación o acabado, defectos de habitabilidad o estructurales[152].

b. *Tesis favorable a la compatibilidad en la reparación de los daños materiales cubiertos por el artículo 17.1 LOE*

La segunda tesis, defendida por un segundo grupo de autores[153], así como por el Tribunal Supremo y la mayor parte de las Audiencias Provinciales[154], afirma que la responsabilidad por vicios y defectos constructivos del artículo 17 LOE es un régimen legal imperativo establecido a favor de los propietarios perjudicados por daños materiales en el edificio, que complementa los remedios generales de los que aquellos disponen de acuerdo con las disposiciones del Código civil.

En consecuencia, las acciones reconocidas en el artículo 17.1 LOE

---

152. En la misma línea, MORENO-TORRES HERRERA, *Capítulo X. Panorama general de las acciones utilizables por los sujetos afectados por vicios o defectos constructivos, op. cit.*, p. 334.

153. En la doctrina, los autores favorables a la compatibilidad en este caso son SIERRA PÉREZ, *La responsabilidad en la construcción y la Ley de Ordenación de la Edificación, op. cit.*, p. 121; MORENO-TORRES HERRERA, *Capítulo X. Panorama general de las acciones utilizables por los sujetos afectados por vicios o defectos constructivos, op. cit.*, p. 334; MARTÍNEZ ESCRIBANO, *Responsabilidades y garantías de los agentes de la edificación, op. cit.*, pp. 364-367; y ESTRUCH ESTRUCH, *Las responsabilidades en la construcción..., op. cit.*, pp. 934-935.

154. A favor de esta tesis *vid.* las SSAP Alicante, Civil, Sec. 5ª, 15.3.2012, FD 1º (JUR 2012, 215432); SAP Barcelona, Civil, Sec. 13ª, 14.2.2012, FD 2º (JUR 2012, 144616); Murcia, Civil, Sec. 4ª, 9.9.2010 (JUR 2010, 343779); Barcelona, Civil, Sec. 4ª, 23.12.2009, FD 5º (JUR 2010, 115998); Toledo, Civil, Sec. 1ª, 15.12.2009, FD 4º (JUR 2010, 85110); Valladolid, Civil, Sec. 1ª, 14.12.2009, FD 3º (JUR 2010, 69107); León, Civil, Sec. 2ª, 23.7.2009, FD 10º (JUR 2009, 355232); Barcelona, Civil, Sec. 13ª, 8.5.2009, FD 2º (JUR 2009, 378936); Barcelona, Civil, Sec. 19ª, 6.5.2009, FD 3º (JUR 2009, 401981); Barcelona, Civil, Sec. 19ª, 14.1.2009, FD 2º (JUR 2009, 379884); Guipúzcoa Civil, Sec. 3ª, 17.11.2008, FD 3º (JUR 2009, 91066); Madrid, Civil, Sec. 13ª, 19.9.2008, FD 3º (JUR 2009, 107957); Barcelona, Sec. 13ª, Civil, 7.2.2007, FD 3º (JUR 2007, 205120); Jaén, Sec. 2ª, Civil, 20.11.2006, FD 2º (JUR 2007, 194957); Murcia, Civil, Sec. 1ª, 4.4.2006, FD 2º (JUR 2006, 159762); y Girona, Civil, Sec. 1ª, 23.1.2006, FD 3º (JUR 2006, 90051).

no excluyen las pretensiones que los adquirentes perjudicados puedan tener contra los agentes de la edificación por incumplimiento contractual, incluso en el caso en que el tipo de daño producido coincida con los daños cubiertos por el artículo 17.1 LOE.

El perjudicado por daños materiales en la edificación derivados de vicios o defectos constructivos podrá optar entre reclamar su resarcimiento, bien con base en la acción de responsabilidad del artículo 17 LOE, siempre que se den los presupuestos legales, bien con base en las acciones de responsabilidad contractual del Código civil, si además dispone de un vínculo contractual con el agente responsable.

El carácter compatible de las acciones derivadas del artículo 17 LOE y de las acciones por incumplimiento contractual del Código civil permite al perjudicado acumular en la demanda ambas acciones, en cuyo caso se discutirán en un mismo procedimiento y se resolverán en una sola sentencia[155]. Se trata de un supuesto de acumulación objetiva simple regulado en el artículo 71.2 LEC, que permite al actor ejercitar de manera cumulativa acciones basadas en distintos títulos contra un mismo sujeto[156].

Esta segunda tesis es la más acorde con la jurisprudencia consolidada del Tribunal Supremo que ha señalado respecto el artículo 1591 CC la compatibilidad con la responsabilidad contractual del Código Civil. En efecto, bajo la vigencia del artículo 1591.I CC, el Tribunal Supremo admitió la compatibilidad, e incluso la posible acumulación, de ambas acciones con los argumentos que ningún precepto exige plantear una de ellas con carácter preferente a la otra y que ambas acciones conducen a un mismo resultado: la reparación de los daños derivados de los vicios o defectos constructivos[157].

---

155. A favor de la acumulación de la acción derivada del artículo 17 LOE con las acciones por incumplimiento contractual *vid.*, entre otras, las SSAP Vizcaya, Civil, Sec. 13ª, 14.2.2012 (JUR 2012, 144616); Lleida, Civil, Sec. 2ª, 22.2.2010 (JUR 2010, 155802); Guipúzcoa, Civil, Sec. 3ª, 17.11.2008 (JUR 2009, 91066) según la cual «... es posible la acumulación de dichas acciones como reiteradamente ha venido señalado la Jurisprudencia en relación a las acciones derivadas del art 1.591 del Código Civil, y por ello, ahora del art 17 de la LOE y aquellas que dimanen de la relación contractual entre el comprador y el vendedor» (FD 3°).

156. De acuerdo con el artículo 71.2 LEC, «[e]l actor podrá acumular en la demanda cuantas acciones le competan contra el demandado, aunque provengan de diferentes títulos, siempre que aquéllas no sean incompatibles entre sí». Para un análisis detallado del precepto, *vid.* Isabel Tapia Fernández, «Comentario al artículo 71. Efecto principal de la acumulación. Acumulación objetiva de acciones. Acumulación eventual», en Cordón Moreno, Armenta Deu, Muerza Esparza y Tapia Fernández (Coord.), *Comentarios a la Ley de Enjuiciamiento Civil, op. cit.*, pp. 608-609.

157. En este sentido *vid.*, entre otras, las SSTS, 1ª, 11.2.2008 (RJ 2008, 1697);

Asimismo, en relación con la LOE el Tribunal Supremo ha optado por la tesis de la compatibilidad entre la responsabilidad del artículo 17 LOE y la derivada del incumplimiento contractual en la reparación de los daños materiales en el edificio cubiertos por la LOE. En particular, en la STS, 1ª, Sec. 1ª, 2.3.2012 (RJ 2012, 4635) ha afirmado que:

> «Esta Sala tiene declarado que la responsabilidad de quienes intervienen en el proceso constructivo que impone el artículo 1591 del Código Civil es compatible con el ejercicio de acciones contractuales cuando, entre demandante y demandados, media contrato, de tal forma que la «garantía decenal» no impide al comitente dirigirse contra quienes con él contrataron, a fin de exigir el exacto y fiel cumplimiento de lo estipulado, *tanto si los vicios o defectos de la construcción alcanzan tal envergadura que pueden ser incluidos en el concepto de ruina*, como si suponen deficiencias que conllevan un cumplimiento defectuoso, como de forma expresa se autoriza a partir de la entrada en vigor de la Ley de Ordenación de la Edificación 38/1999, de 5 de noviembre» (FD 2º) (énfasis añadido)[158].

2.6.3. Compatibilidad con el saneamiento por vicios ocultos (artículos 1484 a 1490 CC) y la acción de incumplimiento contractual (artículos 1101 y ss. y 1124 CC)

Independientemente del régimen de responsabilidad legal por vicios constructivos del vigente artículo 17 LOE, así como del anterior artículo 1591.I CC, el Tribunal Supremo ha acudido a una segunda vía, la responsabilidad contractual del promotor, en base a la cual proteger los intereses de los adquirentes de edificaciones afectadas por vicios y defectos constructivos.

De acuerdo con el Código civil, el comprador o arrendatario de un inmueble afectado por daños derivados de vicios o defectos constructivos dispone de distintas posibilidades de reacción frente al promotor: los remedios específicos por defectos ocultos de la cosa vendida previstos en la

---

11.10.2006 (RJ 2006, 6444); 2.10.2003 (RJ 2003, 6451); 27.1.1999 (RJ 1999, 7); 8.6.1998 (RJ 1998, 4279); 22.2.1998 (RJ 1998, 1271); 21.3.1996 (RJ 1996, 2233); 13.7.1987 (RJ 1987, 5461); y 30.9.1986 (RJ 1986, 5228). Sobre ello, en la doctrina, *vid.* Antonio Manuel MORALES MORENO, «El dolo como criterio de imputación de responsabilidad al vendedor por defectos de la cosa», *Anuario de Derecho Civil*, vol. 35, nº 3, 1982, pp. 683-684; Antonio ORTÍ VALLEJO, *La protección del comprador por el defecto de la cosa vendida*, Ediciones TAT, 1987, Granada, p. 151, y del mismo autor, *La responsabilidad civil en la edificación, op. cit.*, p. 1130; MORENO-TORRES HERRERA, *Capítulo X. Panorama general de las acciones utilizables por los sujetos afectados por vicios o defectos constructivos, op. cit.*, p. 317; y ESTRUCH ESTRUCH, *Las responsabilidades en la construcción..., op. cit.*, pp. 409-414.

158. En el mismo sentido, *vid.* las posteriores SSTS, 1ª, Sec. 1ª, 11.10.2012 (RJ 2013, 2270) y 27.12.2013 (RJ 2014, 1021).

regulación del contrato de compraventa (artículos 1484 a 1490 CC) y los remedios generales frente el incumplimiento contractual (artículos 1101 y ss. y 1124 CC).

La aplicación de las acciones edilicias (artículos 1484 a 1490 CC) a la compraventa de inmuebles, así como de cualquier otro tipo de bien, ha sido objeto de matización por el Tribunal Supremo con motivo del breve plazo temporal al cual están sometidas, en particular, al plazo de caducidad de seis meses computado desde la entrega de la cosa vendida (artículo 1490 CC)[159].

El Tribunal Supremo ha declarado en numerosas sentencias la inaplicabilidad de los artículos 1484 a 1490 CC sobre saneamiento por vicios ocultos a los contratos de compraventa de viviendas, cuando aquéllas estuvieran afectadas por defectos constructivos calificables de ruina[160]. La cuestión que plantea esta jurisprudencia es la siguiente: ¿puede el comprador (o arrendador) reclamar la aplicación de los remedios generales frente al incumplimiento contractual cuando los defectos no sean calificables de ruina [o de defectos o vicios constructivos del artículo 17.1.a) y b) LOE]?

La Sala Primera del Tribunal Supremo ha dado respuestas diferenciadas a esta cuestión. En particular, pueden distinguirse dos líneas jurisprudenciales:

Una primera línea jurisprudencial defiende que el ámbito de aplicación de las acciones edilicias queda restringido a los inmuebles con defectos constructivos de escasa entidad, no considerados ruinógenos, sino simples vicios ocultos[161]. En contraposición, los inmuebles afectados por de-

---

159. Sobre las limitaciones de las acciones edilicias para tutelar el comprador de vivienda, *vid.* ORTÍ VALLEJO, *La responsabilidad civil en la edificación, op. cit.,* pp. 1129-1130; y del mismo autor, *Los defectos de la cosa en la compraventa civil y mercantil. El nuevo régimen jurídico de las faltas de conformidad según la Directiva 1999/44/CE*, Editorial Comares, Granada, 2002, pp. 8 y ss.; y Luis DÍEZ-PICAZO Y PONCE DE LEÓN, *Fundamentos del derecho civil patrimonial*, vol. IV, Thomson Reuters Civitas, Cizur Menor (Navarra), 2007, p. 136.

160. Sobre la inaplicabilidad de los artículos 1484 a 1490 CC en supuestos de ruina *vid.*, las SSTS, 1ª, 24.5.2007, FD 4º (RJ 2007, 4008); 24.7.2006, FD 6º (RJ 2006, 5137); 29.11.1999, FD 2º (RJ 1999, 9139); 23.4.1999, FD 4º (RJ 1999, 2591); 10.5.1995, FD 3º (RJ 1995, 4226); 10.10.1994, FD 2º (RJ 1994, 7474); 30.11.1993, FD 2º (RJ 1993, 9186); 12.4.1993, FD 4º (RJ 1993, 2997); 23.4.1990, FD 4º (RJ 1999, 2591); 9.2.1990, FD 4º (RJ 1990, 674); 12.12.1988, FD 3º (RJ 1988, 9436); 25.11.1988, FD 4º (RJ 1988, 8713); 20.6.1986, FD 2º (RJ 1986, 3786); 12.2.1988, FD 5º (RJ 1988, 941); 16.2.1985, Cdo. 2º (RJ 1985, 558); y 12.2.1985, Cdo. 3º (RJ 1985, 546).

161. Sobre ello, en la doctrina, *vid.* Antonio ORTÍ VALLEJO, «Los vicios en la compraventa y su diferencia con el «aliud por alio»: jurisprudencia más reciente», *Aranzadi Civil*, vol. I, 1996, pp. 6 y 7; CARRASCO PERERA, CORDERO LOBATO y GONZÁLEZ CARRASCO, *Derecho de la construcción y la vivienda, op. cit.,* pp. 407-408; MO-

fectos constructivos calificables de ruina constituyen *aliud pro alio* y el comprador dispone frente a su vendedor de los remedios generales frente al incumplimiento contractual durante el plazo de prescripción de 15 años.

En especial, la entrega de un inmueble con defectos en el marco del cumplimento de un contrato de compraventa, conlleva el incumplimiento de la obligación del vendedor o del comitente de entregar la cosa vendida (artículo 1166, 1er párrafo, CC)[162], siempre que pueda considerarse que aquél ha transmitido una cosa distinta a la pactada (doctrina del *aliud pro alio*)[163].

Así, por ejemplo, en esta línea puede verse la STS, 1ª, 17.2.1994 (RJ 1994/1621) que señala que «el incumplimiento pleno radicará cuando se dé la inhabilidad del objeto, y consiguiente insatisfacción total del comprador que posibilita la sanción de los artículos 1101 y 1124 CC, mientras los demás defectos encajan en la calificación más benigna, y hay que concluir en el caso de autos, en que estamos dentro de la técnica de los vicios ocultos» (FD 1º).

En suma, estas sentencias defienden que las acciones edilicias y las acciones generales por incumplimiento contractual presentan un ámbito de aplicación propio, no coincidente[164]. Esta tesis ha recibido importantes críticas doctrinales:

RENO-TORRES HERRERA, *Capítulo X. Panorama general de las acciones utilizables por los sujetos afectados por vicios o defectos constructivos, op. cit.*, p. 317; y MARTÍNEZ ESCRIBANO, *Responsabilidades y garantías de los agentes de la edificación, op. cit.*, p. 373.

162. El artículo 1166, 1, 1er párrafo, CC establece que «[e]l deudor de una cosa no puede obligar a su acreedor a que reciba otra diferente, aun cuando fuere de igual o mayor valor que la debida».

163. Específicamente, tal y como señalan las SSTS, 1ª, 20.11.2008, FD 3º (RJ 2009, 283) y 14.1.2010, FD 2º (RJ 2010, 156) para que el Tribunal Supremo aprecie *aliud pro alio* deben darse dos requisitos: a) «inhabilidad del objeto para el que se ha destinado (...) lo que se pone de manifiesto cuando hay una falta tan grave en las cualidades del bien entregado, sea ontológica o funcionalmente, que permite considerar que se está ante un incumplimiento contractual»; b) «insatisfacción del comprador», en el sentido en que «la prestación ofrecida es inhábil en relación con el objeto o inidónea para cumplir las finalidades o intereses del acreedor cuando éstos han sido conocidos por el deudor». Condenan al promotor-vendedor por *aliud pro alio*, entre otras, las SSTS, 1ª, 31.3.2000, FD 1º (RJ 2000, 2493); 12.2.2000, FD único (RJ 2000, 821); 13.10.1999, FD 1º (RJ 1999, 7426); 10.10.1999, FD 4º (RJ 1999, 8862); 12.3.1999, FD 2º (RJ 1999, 2375); 27.1.1999, FD 1º (RJ 1999, 7); 10.10.1999, FD 4º (RJ 1999, 8862); 30.12.1998, FD 2º (RJ 1998, 10145); 21.10.1998, FD 2º (RJ 1998, 8732); 29.9.1993, FD 3º (RJ 1993, 6659); 10.3.1993, FD 3º (RJ 1993, 1829); 10.10.1992, FD 3º (RJ 1992, 7545); y 13.7.1987, FD 6º (RJ 1987, 5461).

164. En este sentido, *vid.* Nieves FENOY PICÓN, *Falta de conformidad e incumplimiento en la compraventa. (Evolución del ordenamiento español)*, Colegio de Registra-

Primero, como señala Antonio ORTÍ VALLEJO, porque el comprador (arrendador) sigue en una situación de desprotección en caso de defectos no susceptibles de ser calificados de ruinógenos descubiertos una vez transcurrido el plazo de los seis meses desde la entrega de la cosa[165].

Segundo, como ponen de manifiesto autores como Ángel CARRASCO PERERA[166] y Nieves FENOY PICÓN[167], la clara delimitación del ámbito de aplicación de las acciones edilicias y del incumplimiento contractual es incongruente, ya que el Tribunal Supremo define la situación de incumplimiento contractual con los mismos términos que el artículo 1486, 1^{er}párrafo, CC emplea para delimitar el concepto de vicios ocultos. En efecto, hay incumplimiento contractual en caso de «inhabilidad del objeto (...) al ser (...) impropio para el fin al que se destina» [STS, 1ª, 14.1.2010 (RJ 2010, 156)], y hay vicios ocultos cuando «(...) hagan [la cosa] impropia para el uso a que se la destina (...)» (artículo 1486, 1er párrafo, CC).

Actualmente, la jurisprudencia mayoritaria permite salvar las dificultades que presenta la teoría anterior, porque admite la compatibilidad de las acciones edilicias con las normas sobre incumplimiento contractual. De este modo, en caso de vicios constructivos en el inmueble vendido el comprador puede elegir entre los remedios específicos de la compraventa y los remedios generales frente el incumplimiento[168].

En este contexto, las sentencias del Tribunal Supremo que consideran

---

dores de la Propiedad y Mercantiles de España, Centro de Estudios Registrales, 1996, p. 198.

165. Por ello, ORTÍ VALLEJO, *Los vicios en la compraventa y su diferencia con el «aliud por alio»: jurisprudencia más reciente, op. cit.*, p. 7, propone considerar la gravedad del daño «... no para determinar la aplicación de diversos plazos de ejercicio por el comprador de su derechos –deben ser los mismos tanto si los defectos son graves como si no lo son–, sino respecto a las acciones ejercitables. Ante un defecto menos grave, no parece adecuado conceder al comprador el derecho a resolver la venta (...) [p]ero, no puede negársele el derecho a ser indemnizado por los perjuicios que el defecto menos grave le haya causado».

166. Ángel CARRASCO PERERA, «La Jurisprudencia del Tribunal Supremo relativa a la responsabilidad contractual», 1993, *Aranzadi Civil*, vol. I. (versión Westlaw), p. 3; y del mismo autor, *Derecho de contratos, op. cit.*, p. 912.

167. FENOY PICÓN, *Falta de conformidad e incumplimiento en la compraventa..., op. cit.*, p. 206.

168. *Vid.*, en este sentido, entre otras las SSTS, 1ª, 25.2.2010, FD 2º (RJ 2010, 1406); 8.2.2003, FD 9º (RJ 2003, 1523); 30.6.1997, FD 3º (RJ 1997, 5406); y 17.7.1987, FD 2º (RJ 1987, 5805); y, en la jurisprudencia menor, entre otras muchas, las SSAP Valencia, Civil, Sec. 7ª, 1.6.2011 (JUR 2011, 326765) y Barcelona, Civil, Sec. 4ª, 25.3.2010, FD 2º (JUR 2010, 244286). En la doctrina, ponen de relieve la existencia de esta segunda línea jurisprudencial, FENOY PICÓN, *Falta de conformidad e incumplimiento en la compraventa..., op. cit.*, p. 171; y CARRASCO PERERA, *Derecho de contratos, op. cit.*, pp. 909-911.

inaplicables las acciones de saneamiento por vicios ocultos en casos de ruina en el edificio, deben interpretarse en el sentido de señalar que el promotor-vendedor no queda exonerado de responsabilidad en el caso, altamente probable, en el que los vicios o defectos constructivos se manifestaran una vez transcurrido el plazo de caducidad de seis meses. En este supuesto, el comprador dispone de una segunda vía de protección, las acciones generales frente el incumplimiento contractual[169].

Esta teoría parece la más adecuada para proteger los intereses jurídicos del comprador en caso de vicios en la cosa vendida, porque con independencia de la entidad de los mismos, el comprador, una vez transcurrido el plazo de caducidad de seis meses del artículo 1490 del Código civil, estará legitimado para ejercitar las acciones de incumplimiento contractual del Código civil (artículos 1091, 1098, 1099, 1101 y ss. y 1124 CC).

Además, esta segunda teoría simplifica enormemente el problema de la ausencia de una línea divisoria clara entre el concepto de vicios ocultos e incumplimiento contractual. Por último, sigue la línea de lo que, desde hace años, ha defendido la mayoría de la doctrina, que considera que lo más conveniente es situar los problemas de defectos en la cosa vendida en el ámbito de los remedios generales previstos para el caso de incumplimiento contractual[170]; y por la Propuesta de Anteproyecto de Ley de Modificación del Código civil en materia de contrato de compraventa de 2005, que propone sustituir los vicios ocultos por la falta de conformidad y considera la falta de conformidad un incumplimiento del vendedor[171].

---

169. En este sentido, vid. MORENO-TORRES HERRERA, Capítulo X. Panorama general de las acciones utilizables por los sujetos afectados por vicios o defectos constructivos, op. cit., p. 312, quien entiende que en estas sentencias el Tribunal «no está, en realidad, negando la aplicación de las acciones edilicias (...), sino advirtiendo que aquél no podía quedar indefenso por el hecho de no concurrir los presupuestos del saneamiento por vicios ocultos. Lo que todas estas sentencias pretenden destacar (...) es la existencia de una vía específica, distinta de las acciones edilicias para obtener la reparación del daño o una indemnización ante la existencia de vicios constructivos». En la misma línea, CARRASCO PERERA, Derecho de contratos, op. cit., p. 911, afirma que «[c]uando los fundamentos de las sentencias se encuentran declaraciones relativas a la inaplicabilidad de las acciones de saneamiento, es porque el vendedor ha alegado la caducidad del art. 1490 CC, y el tribunal se limita a sostener que la aplicación del precepto no procede».

170. Vid., entre otros muchos, ORTÍ VALLEJO, Los defectos de la cosa en la compraventa civil y mercantil (...), op. cit., p. 52; DÍEZ-PICAZO Y PONCE DE LEÓN, Fundamentos del derecho civil patrimonial, vol. IV, op. cit., p. 136; y Fernando GÓMEZ POMAR, «El incumplimiento contractual en Derecho español», InDret 3/2007, pp. 13-14, quien manifiesta la necesidad de modificar la legislación actual para integrar, el régimen de los defectos ocultos de la cosa vendida en el régimen general de incumplimiento contractual.

171. Vid. la Exposición de Motivos de la Propuesta de compraventa 2005 de acuerdo

En efecto, ante el incumplimiento contractual del promotor-vendedor el comprador de la edificación dispone de los remedios generales previstos en el Código civil frente al incumplimiento contractual[172].

En primer lugar, el comprador o arrendador puede ejercitar la acción de cumplimiento (artículos 1091, 1098 y 1099 CC) durante el plazo de prescripción de quince años (artículo 1964 CC) contados a partir del día en que pudo ejercitar la acción (artículo 1969 CC)[173]. En particular, el comprador puede optar entre: solicitar que se declare la obligación del promotor-vendedor a reparar los defectos constructivos en forma específica; o que se declare su obligación repararlos por equivalente, es decir, deduciendo del precio la reducción de valor de la edificación como consecuencia de los defectos[174]. Si el incumplimiento del promotor le fuera imputable por dolo o culpa el comprador dispone de la acción de indemnización de daños y perjuicios (artículos 1101 y ss. CC).

Asimismo, el comprador de la edificación dispone de los medios de defensa que el Código civil concede a los titulares de obligaciones sinalagmáticas. Así, por un lado, el comprador puede ejercitar, ante quien le reclama el cumplimiento de la contraprestación, la excepción de cumplimiento defectuoso y enervar el pago del precio hasta que los defectos hayan sido corregidos[175]. Y, por otro lado, el comprador dispone de la

---

con la cual «2. (...) La reforma que ahora se acomete viene requerida por una exigencia ineludible de modernización del Código civil (...). Trata de incorporar al Código esos nuevos principios en los que se sustenta la Convención de Viena, la Directiva y la Ley 23/2003 de incorporación de la misma en el Derecho español. Evitará sistemas tan dispares como el tradicional de saneamiento y el nuevo de incumplimiento por falta de conformidad (...). Afecta, pues al saneamiento por defectos ocultos en la cosa vendida, que es el que corresponde en la tradicional regulación del Código civil al principio de conformidad de la Directiva».

172. Conf. el artículo 1190 de la Propuesta de 2009 de Anteproyecto de Ley de modernización de obligaciones y contratos de acuerdo con el cual «[e]n caso de incumplimiento podrá el acreedor, conforme a lo dispuesto en este Capítulo, exigir el cumplimiento de la obligación, reducir el precio o resolver el contrato y, en cualquiera de estos supuestos, podrá además exigir la indemnización de los daños y perjuicios producidos».

173. Luis Díez-Picazo y Ponce de León, *Fundamentos del derecho civil patrimonial*, vol. II, 6ª ed., Thomson Civitas, Cizur Menor, 2008, pp. 704 y 705; Ortí Vallejo, *La responsabilidad civil en la edificación, op. cit.*, p. 1179.

174. En este sentido, Carrasco Perera, Cordero Lobato y González Carrasco, *Derecho de la construcción y la vivienda, op. cit.*, pp. 407-409.

175. De conformidad con el artículo 1191 de la Propuesta de 2009 de Anteproyecto de Ley de modernización de obligaciones y contratos «[e]n las relaciones obligatorias sinalagmáticas, quien esté obligado a ejecutar la prestación al mismo tiempo que la otra parte o después de ella, puede suspender la ejecución de su prestación total o parcialmente hasta que la otra parte ejecute o se allane a

acción de resolución contractual (artículo 1124 CC), si bien esta acción sólo está justificada en supuestos de prestación defectuosa cuando no sea útil para el fin al que se la destina, es decir, cuando el incumplimiento sea esencial[176].

3. REAL DECRETO LEGISLATIVO 1/2007, DE 16 DE NOVIEMBRE, POR EL QUE SE APRUEBA EL TEXTO REFUNDIDO DE LA LEY GENERAL PARA LA DEFENSA DE LOS CONSUMIDORES Y USUARIOS Y OTRAS LEYES COMPLEMENTARIAS

3.1. Régimen de responsabilidad del artículo 149 TRLCU

3.1.1. Artículo 149 TRLCU y remisión al artículo 148 TRLCU

El Texto Refundido de la Ley General para la Defensa de los Consumidores y Usuarios y otras leyes complementarias, aprobado por el Real Decreto Legislativo 1/2007, de 16 de noviembre, incorporó un nuevo artículo, el artículo 149, rubricado «responsabilidad por daños causados por la vivienda».

Este precepto está situado en el Libro tercero TRLC relativo a la responsabilidad civil por bienes o servicios defectuosos[177], y, en particular, forma parte de las disposiciones específicas aplicables a la responsabilidad civil por daños causados por otros bienes[178] y servicios defectuosos (Capítulo II del Título II). En concreto, de conformidad con el artículo 149 TRLCU:

«Será aplicable el régimen de responsabilidad establecido en el artículo

ejecutar la contraprestación. Se exceptúa el caso de suspensión contraria a la buena fe atendido el alcance del incumplimiento». Sobre ello, en la doctrina *vid.* DÍEZ-PICAZO Y PONCE DE LEÓN, *Fundamentos del derecho civil patrimonial*, vol. II, 6ª ed., *op. cit.*, pp. 704 y 705; y ORTÍ VALLEJO, *La responsabilidad civil en la edificación, op. cit.*, p. 1179.
176. *Vid.* el artículo 1199 la Propuesta de 2009 de Anteproyecto de Ley de modernización de obligaciones y contratos de acuerdo con el cual «[c]ualquiera de las partes de un contrato podrá resolverlo cuando la otra haya incurrido en un incumplimiento que, atendida su finalidad, haya de considerarse como esencial».
177. El Libro III del TRLCU relativo al régimen de responsabilidad civil por bienes o servicios defectuosos armoniza la responsabilidad civil por daños causados por productos defectuosos de la Ley 22/1994, de 6 de julio y las disposiciones sobre responsabilidad contenidas en el Capítulo VIII de la Ley 26/1984, de 19 de julio, General para la Defensa de los Consumidores y Usuarios.
178. Con la expresión «otros bienes» el legislador alude a todos aquellos bienes excluidos del concepto de producto del artículo 134 TRLCU, de acuerdo con cuyo tenor literal «... se considera producto cualquier bien mueble, aún cuando esté unido o incorporado a otro bien mueble o inmueble, así como el gas y la electricidad».

anterior a quienes construyan o comercialicen viviendas, en el marco de una actividad empresarial, por los daños ocasionados por defectos de la vivienda que no estén cubiertos por un régimen legal específico».

Y, el artículo anterior, el 148 TRLCU, prevé que

«Se responderá de los daños originados en el correcto uso de los servicios, cuando por su propia naturaleza, o por estar así reglamentariamente establecido, incluyan necesariamente la garantía de niveles determinados de eficacia o seguridad, en condiciones objetivas de determinación, y supongan controles técnicos, profesionales o sistemáticos de calidad, hasta llegar en debidas condiciones al consumidor y usuario.

En todo caso, se consideran sometidos a este régimen de responsabilidad los servicios sanitarios, los de reparación y mantenimiento de electrodomésticos, ascensores y vehículos de motor, *servicios de rehabilitación y reparación de viviendas*, servicios de revisión, instalación o similares de gas y electricidad y los relativos a medios de transporte.

Sin perjuicio de lo establecido en otras disposiciones legales, las responsabilidades derivadas de este artículo tendrán como límite la cuantía de 3.005.060,52 euros» (énfasis añadido).

3.1.2. *¿Vulnera el artículo 149 TRLCU los límites de la delegación legislativa establecidos en la Ley 44/2006?*

La ausencia de un antecedente claro del artículo 149 TRLCU en las leyes refundidas por el TRLCU plantea la posible vulneración del refundidor, por exceso, de los límites de la delegación legislativa establecidos por la Ley 44/2006, de 29 de diciembre, de mejora de protección de los consumidores y usuarios[179], incurriendo, de este modo, en *ultra vires*.

En particular, cumpliendo las exigencias del art. 82.5 CE[180], la disposición final quinta de la Ley 44/2006, de 29 de diciembre, de mejora de protección de los consumidores y usuarios (Ley 44/2006)[181] habilitó al Gobierno para refundir, aclarar y armonizar en un único texto la legisla-

---

179. BOE nº 312, de 30.12.2006.
180. El art. 82.5 CE prevé que «[l]a autorización para refundir textos legales determinará el ámbito normativo a que se refiere el contenido de la delegación, especificando si se circunscribe a la mera formulación de un texto único o si se incluye la de regularizar, aclarar y armonizar los textos legales que han de ser refundidos».
181. BOE nº 312, de 30.12.2006. La disposición final quinta de la Ley 44/2006 «... habilita al Gobierno para que en el plazo de 12 meses proceda a refundir en un único texto la Ley 26/1984, de 19 de julio, General para la Defensa de los Consumidores y Usuarios y las normas de transposición de las directivas comunitarias dictadas en materia de protección de los consumidores y usuarios, que inciden en los aspectos regulados en ella, *regularizando, aclarando y armonizando* los textos legales que tengan que ser refundidos» (énfasis añadido).

ción relativa a la protección de los consumidores y usuarios, en virtud de la cual aprobó el Real Decreto Legislativo 1/2007.

«Regularizar, aclarar y armonizar (...)» son términos que, de acuerdo con la STC 13/1992, Pleno, de 6 de febrero, «(...) permiten, incluso, en la tarea refundidora, introducir normas adicionales y complementarias a las que son estrictamente objeto de refundición, siempre que sea necesario para colmar lagunas, precisar su sentido o, en fin, lograr la coherencia y sistemática del texto único refundido» (FD 16º)[182]. No obstante, dicho mandato no autoriza al Gobierno a realizar modificaciones sustanciales en la legislación objeto de refundición[183].

Puede considerarse que los bienes inmuebles estaban incluidos en el antiguo régimen de responsabilidad del artículo 28 LGDCU[184]. Sin embargo, el refundidor del TRLCU sólo ha incluido en el artículo 149 TRLCU a aquellos estrictamente destinados a vivienda, excluyendo al resto de inmuebles. Esta alteración substancial del régimen anterior pone de manifiesto un exceso del Gobierno en el ejercicio de la delegación legislativa[185].

Es más, la reducción sustancial del ámbito de protección del régimen legal vigente con anterioridad a la aprobación del TRLCU no queda res-

---

182. En la doctrina, *vid.* Eduardo García de Enterría y Tomás Ramón Fernández, *Curso de Derecho Administrativo. I*, Thomson-Civitas, 14ª ed., Cizur Menor, 2008, p. 262, quienes afirman que refundir, aclarar y armonizar no es una tarea mecánica sino «que permite la explicitación de normas subsidiarias allí donde existían lagunas legales». En concreto, según Juan Alfonso Santamaría Pastor, *Principios de derecho administrativo General I*, Centro de Estudios Ramón Areces, 4ª ed., Madrid, 2002, p. 294, el término «aclarar» «supone la posibilidad de introducir normas adicionales a las refundidas que permiten colmar lagunas, precisar su sentido y lograr la coherencia del texto (STC 13/1992)».
183. *Vid.* Miquel Martín Casals y Josep Solé Feliu «¿Refundir o legislar? Algunos problemas de la regulación de la responsabilidad por productos y servicios defectuosos en el texto refundido de la LGDCU», *Revista de Derecho Privado*, septiembre-octubre 2008, pp. 83 y ss.
184. En este sentido, *vid.* Mª Ángeles Parra Lucán, «Comentario a los artículos 132 a 149 del Texto Refundido de la Ley General para la Defensa de los Consumidores y Usuarios y otras leyes complementarias», en Rodrigo Bercovitz Rodríguez-Cano (Coord.), *Comentario del Texto Refundido de la Ley General para la Defensa de los Consumidores y Usuarios y otras leyes complementarias*, Aranzadi, Cizur Menor (Navarra), 2009, pp. 1750-1751. En la jurisprudencia menor *vid.* la SAP Madrid, Civil, Sec. 10ª, 9.5.2008, FD 18º (JUR 2008, 233736).
185. En el mismo sentido, *vid.* Martín Casals y Solé Feliu, *¿Refundir o legislar?...*, *op. cit.*, p. 88; y Isabel Zurita Martín, «La armonización de la normativa reguladora de la responsabilidad civil por daños causados por productos y servicios defectuosos efectuada por la nueva ley general para la defensa de los consumidores y usuarios», *Revista práctica de Derecho de Daños*, nº 66, 2008, pp. 33-34.

tringida a la exclusión de los daños causados por bienes inmuebles no destinados a vivienda, sino que, la aplicación de las disposiciones comunes en materia de responsabilidad al artículo 149 TRLCU, en especial de los artículos 128, 2º párrafo, y 129 TRLCU, limita aún más el régimen jurídico de responsabilidad anterior.

Los artículos 128, 2º párrafo, y 129 TRLCU proceden de la derogada Ley 22/1994, de 6 de julio, de responsabilidad civil por daños causados por productos defectuosos (artículo 10)[186], la cual adaptó el derecho español a la Directiva 85/374/CEE del Consejo, de 25 de julio de 1985, relativa a la aproximación de las disposiciones legales, reglamentarias y administrativas de los estados miembros en materia de responsabilidad por los daños causados por productos defectuosos (artículos 9 y 14)[187].

Por ello, los artículos 128, 2º párrafo, y 129.1 TRLCU con anterioridad a la refundición eran aplicables a la responsabilidad civil por productos defectuosos. Sin embargo, a resultas de la refundición, por su consideración de disposiciones generales que rigen todas las acciones reconocidas en el Libro tercero TRLCU, se aplican no sólo a la responsabilidad civil derivada de producto, sino también a la derivada de otros bienes y servicios[188].

El Tribunal Constitucional y los propios Tribunales ordinarios podrían declarar nula en un futuro la aplicación de estas reglas generales al régimen de responsabilidad civil por servicios y otros bienes[189]. Con todo, a falta de un pronunciamiento judicial al respecto, el ámbito de aplicación del artículo 149 TRLCU se limita a los casos en que se den los presupuestos que se detallan en los apartados siguientes.

3.1.3. *Carácter objetivo y límite cuantitativo de la responsabilidad*

En virtud de los preceptos mencionados, los artículos 149 y 148 TRLCU, los profesionales que construyan, rehabiliten, reparen y/o comercialicen viviendas responden objetivamente de los daños ocasionados a los consumidores y usuarios por defectos de la vivienda. Sólo cabe su

---

186. BOE nº 161, de 7.7.1994.
187. DOCE nº L 210, de 7.8.1985.
188. En el mismo sentido, *vid.* MARTÍN CASALS y SOLÉ FELIU, *¿Refundir o legislar?...,* *op. cit.*, pp. 83 y ss.; y PARRA LUCÁN, *Comentario a los artículos 132 a 149 del Texto Refundido de la Ley General para la Defensa de los Consumidores y Usuarios* (...), *op. cit.*, p. 1624, quien defiende que, en consecuencia, «la previsión del TRLGDCU debe considerarse nula (...)».
189. La fiscalización del *ultra vires*, según declara la STC 159/2001, Pleno, de 5 de julio (MP: Guillermo Jiménez Sánchez; BOE nº 178, de 27.7.2001), «puede corresponder no sólo al Tribunal Constitucional, sino también a la jurisdicción ordinaria (...)».

exoneración cuando el daño haya sido causado por el uso incorrecto de la vivienda por parte del perjudicado, por actos de un tercero[190], por caso fortuito o fuerza mayor.

Su responsabilidad está limitada cuantitativamente, pues el artículo 148, párrafo 3º, TRLCU mantiene el límite indemnizatorio de 3.005.060,52 euros fijado en el derogado artículo 28.3 LGDCU.

3.1.4. Ámbito de aplicación material y temporal

En cuanto a su ámbito de aplicación material, el propio artículo 149 TRLCU señala que sólo es de aplicación al resarcimiento de los «daños ocasionados por defectos de la vivienda que no estén cubiertos por un régimen legal específico». Por ello, no es aplicable cuando estos sean indemnizables en virtud del régimen de responsabilidad legal de la LOE[191].

El ámbito de aplicación temporal del artículo 149 TRLCU coincide con el ámbito de aplicación temporal del artículo 148 TRLCU. En efecto, el TRLCU no contiene una disposición transitoria que establezca un régimen transitorio específico para este artículo, y en términos generales puede afirmarse que el artículo 149 TRLCU no es más que una especificación del antiguo régimen de responsabilidad del artículo 28 LGDCU para un tipo de bien concreto, la vivienda[192].

3.2. Presupuestos objetivos: daños por defectos de la vivienda no cubiertos por una ley específica

El TRLCU no protege un «interés de integridad» de los perjudicados

---

190. Sin embargo, téngase en cuenta que de acuerdo con el artículo 133 TRLCU, la responsabilidad de los profesionales que construyan, rehabiliten, reparen y/o comercialicen viviendas no se reducirá cuando el daño hubiera sido causado conjuntamente por defectos de la vivienda y por la intervención de un tercero, si bien éstos, una vez satisfecha la indemnización, podrán reclamar al tercero la cantidad que corresponda.

191. A pesar de que, a diferencia del artículo 149 TRLCU, el artículo 148 TRLCU no prevea expresamente que sólo es aplicable cuando los daños no sean resarcibles conforme a un régimen legal específico, PARRA LUCÁN, *Comentario a los artículos 132 a 149 del Texto Refundido de la Ley General para la Defensa de los Consumidores y Usuarios y otras leyes complementarias, op. cit.*, pp. 1751-1752, entiende que tal restricción resulta también aplicable a la responsabilidad derivada de los servicios de reparación y rehabilitación de viviendas *ex* artículo 148 TRLCU.

192. PARRA LUCÁN, *Comentario a los artículos 132 a 149 del Texto Refundido de la Ley General para la Defensa de los Consumidores y Usuarios y otras leyes complementarias, op. cit.*, pp. 1750-1751. En la jurisprudencia menor *vid.* la SAP Madrid, Civil, Sec. 10ª, 9.5.2008, FD 18º (JUR 2008, 233736).

por daños derivados de defectos de la vivienda, pues a pesar de que concurran todos los presupuestos del régimen de responsabilidad no todas las consecuencias dañosas que resulten son indemnizables[193].

Es más, si bien el artículo 149 TRLCU permite al perjudicado obtener la indemnización de determinados daños distintos a los incluidos en el artículo 17.1 LOE, ello no debe llevarnos a la conclusión que el precepto pretende restaurar el régimen de responsabilidad por ruina del artículo 1591.I CC anterior. Y ello porque el TRLCU no otorga al perjudicado el derecho al resarcimiento de los mismos daños que el Tribunal Supremo consideró indemnizables en virtud del régimen de responsabilidad por ruina anterior[194].

Los daños resarcibles en virtud del régimen de responsabilidad del artículo 149 TRLCU son los «ocasionados por defectos de la vivienda que no estén cubiertos por un régimen legal específico» que, además, reúnan los requisitos de los artículos 128, 2º párrafo, y 129 TRLCU, que ostentan el carácter de disposiciones generales comunes en materia de responsabilidad civil por bienes o servicios defectuosos.

Por un lado, el artículo 128, 2º párrafo, TRLCU prevé que «[l]as acciones reconocidas en este libro no afectan a otros derechos que el perjudicado pueda tener a ser indemnizado por daños y perjuicios, incluidos los morales, como consecuencia de la responsabilidad contractual, fundada en la falta de conformidad de los bienes o servicios o en cualquier otra causa de incumplimiento o cumplimiento defectuoso del contrato, o de la responsabilidad extracontractual a que hubiere lugar».

Por otro lado, el artículo 129.1 TRLCU establece que «[e]l régimen de responsabilidad previsto en este libro comprende los daños personales, incluida la muerte, y los daños materiales, siempre que éstos afecten a bienes o servicios objetivamente destinados al uso o consumo privado y en tal concepto hayan sido utilizados principalmente por el perjudicado».

La LGDCU no limitaba, a diferencia del actual TRLCU, los tipos de daños indemnizables derivados de servicios defectuosos. Los vigentes

---

193. En el mismo sentido, pero respecto de la responsabilidad por productos defectuosos, Fernando GÓMEZ POMAR, «Capítulo IX. Ámbito de protección de la responsabilidad de producto», Pablo SALVADOR CODERCH y Fernando GÓMEZ POMAR (eds.) *Tratado de responsabilidad civil del fabricante*, Thomson-Civitas, Cizur Menor (Navarra), 2008, p. 664.

194. En contra, Mª del Carmen GONZÁLEZ CARRASCO, «La contratación inmobiliaria con consumidores», *Centro de Estudios de Consumo*, 2008, p. 18; BUSTO LAGO, ÁLVAREZ LATA y PEÑA LÓPEZ, *Sección 9ª. Vivienda. Subsección 1ª. Compraventa de vivienda, op. cit.*, p. 728; y José Manuel MARTÍN OSANTE, «La defensa de los consumidores en la compraventa de viviendas tras la entrada en vigor del Texto Refundido 1/2007», *Revista de Derecho Patrimonial*, nº 24, 2010, pp. 117 y 118.

artículos 128, 2° párrafo, y 129.1 TRLCU, tienen su origen en la legislación sobre productos defectuosos, la Ley 22/1994 y la Directiva 85/374/ CEE del Consejo, de 25 de julio. Sin embargo, en virtud de la refundición, actualmente, son aplicables no sólo a los daños derivados de productos defectuosos, sino también de servicios y otros productos defectuosos[195].

3.2.1. Daños originados por defectos de la vivienda

Los daños indemnizables con base en el régimen de responsabilidad del artículo 149 TRLCU deben tener su origen en defectos constructivos de la vivienda. Con todo, el precepto no especifica, a diferencia del artículo 17 LOE, las clases de defectos constructivos que dan lugar a responsabilidad. Considero que esta laguna debe ser integrada con la LOE, como marco legal del proceso de la edificación que regula los aspectos esenciales del mismo, de modo que los daños resarcibles sean aquellos derivados de vicios y defectos estructurales, de habitabilidad y de ejecución que afecten a elementos de terminación o acabado regulados en el artículo 17.1 LOE.

Además, los vicios o defectos constructivos deben presentarse en una edificación destinada a vivienda, tal y como específica el artículo 149 TRLCU. El precepto excluye los inmuebles destinados a otros fines, pues su propósito es proteger a quienes usen el inmueble como consumidores o usuarios.

3.2.2. Daños no cubiertos por un régimen legal específico

El artículo 149 TRLCU exige que los daños ocasionados por defectos de la vivienda no estén cubiertos por un régimen legal específico. En consecuencia, no son indemnizables conforme a este régimen los daños materiales en el propio edificio o en parte de él por vicios o defectos, porque son daños cubiertos por el régimen legal de la LOE (artículo 17.1 LOE). El artículo 149 TRLCU opera así de modo similar al artículo 142 TRLCU, que en el ámbito de la responsabilidad por productos defectuosos establece que no son indemnizables los daños causados en el propio producto[196].

3.2.3. Daños de naturaleza material o personal, con exclusión de los morales

De conformidad con el régimen de responsabilidad del artículo 149

---

195. En este punto se plantea, tal y como se analiza *supra* epígrafe 3.1.2 del apartado III de este Capítulo, la posible vulneración por exceso de los límites de la delegación establecidos por la Ley 44/2006.

196. En este sentido, *vid.* Ángel CARRASCO PERERA, «Texto refundido de la Ley General para la defensa de los consumidores y usuarios (Real Decreto Legislativo 1/ 2007). Ámbito de aplicación y alcance de la refundición», *Aranzadi Civil*, n° 1, 2008, pp. 6 y 7 (versión Westlaw).

TRLCU, el perjudicado sólo puede obtener responsabilidad del promotor o constructor cuando, como consecuencia de los defectos en la vivienda, se haya producido la muerte o lesiones a personas, o cuando de los mismos deriven daños a bienes distintos al propio inmueble defectuoso (artículo 129.1 TRLCU).

El artículo 128, 2º párrafo, TRLCU, excluye que puedan indemnizarse conforme a este régimen de responsabilidad los daños morales, aunque podrán ser compensados mediante el sistema general de responsabilidad extracontractual o contractual del Código Civil.

Para que proceda la indemnización por daños en los bienes es necesario que concurra un doble requisito. Primero, que los bienes dañados se destinen objetivamente al uso o consumo privados, y segundo, que hayan sido utilizados principalmente en tal concepto por el perjudicado (artículo 129.1 TRLCU). En consecuencia, son indemnizables:

– los gastos en los que ha incurrido el perjudicado con ocasión del daño en la vivienda por conceptos distintos a la reparación o reposición de la misma, como los gastos de traslado o alquiler sustitutivo por cambio de domicilio;

– los daños materiales en bienes muebles de uso privado situados en la vivienda o fuera de ella; y

– los daños ocasionados a inmuebles contiguos al edificio, siempre que se destinen a vivienda.

A pesar de que el artículo 128, 2º párrafo, se refiera a «los daños materiales» que afecten a bienes o servicios, y que el lucro cesante no pueda ser calificado propiamente de daño material, algunos autores lo consideran indemnizable conforme el régimen de responsabilidad del Libro tercero del TRCLU[197]. Sin embargo, es difícil de imaginar el supuesto en el que se pueda dejar de obtener beneficios como consecuencia de los daños en bienes que se destinen objetivamente al uso o consumo privados y que hayan sido utilizados en tal concepto principalmente por el perjudicado[198].

---

197. A favor de la indemnización del lucro cesante en virtud del régimen de responsabilidad del Libro III del TRLCU, *vid.* GÓMEZ POMAR, *Capítulo IX. Ámbito de protección de la responsabilidad de producto, op. cit.*, p. 686, nota al pie 60, quien afirma que «la derogación del principio de reparación integral que supondría la exclusión del lucro cesante de la indemnización de los daños materiales derivados de producto, entiendo, sin embargo, que no puede acogerse con un argumento tan estrechamente literalista».

198. Así lo pone de relieve, PARRA LUCÁN, *Comentario a los artículos 132 a 149 del Texto Refundido de la Ley General para la Defensa de los Consumidores y Usuarios y otras leyes complementarias, op. cit.*, p. 1629.

Por otro lado, la indemnización por lesiones personales y muerte derivados de defectos de la vivienda comprende el resarcimiento de los daños patrimoniales, tales como los gastos de hospitalización, de asistencia sanitaria y farmacia, así como el lucro cesante derivado del evento, entre otros[199]. Con todo, como se ha señalado, en ningún caso se puede obtener con base en el régimen de responsabilidad por productos y servicios defectuosos del Libro III del TRLCU la indemnización de los daños morales derivados de estos hechos.

3.3. Presupuestos temporales: plazo de prescripción

El TRLCU no fija el plazo de prescripción de la acción de responsabilidad por daños causados por la vivienda (artículo 149 TRLCU), así como tampoco el de la acción especial de responsabilidad por daños causados por servicios defectuosos (artículo 148 TRLCU)[200]. Esta laguna legal, que tiene su origen en la LGDCU, ha sido resuelta, tradicionalmente, por la jurisprudencia y la doctrina aplicando diversas soluciones.

La doctrina y la jurisprudencia mayoritaria entienden aplicable el plazo de prescripción de quince años del artículo 1964 CC previsto para las acciones personales que no tengan señalado un plazo especial de prescripción[201]. Otros autores, en cambio, consideran que las acciones de responsabilidad de la LGCU son de naturaleza extracontractual y que, por ello, es de aplicación el plazo de prescripción de un año previsto en el artículo 1968.2 CC[202]. Por último, una tercer grupo de autores opta por una posición intermedia y afirma que son de aplicación ambos plazos de prescripción, el plazo general de quince años del artículo 1964 CC en los

---

199. En este sentido vid. GÓMEZ POMAR, Capítulo IX. Ámbito de protección de la responsabilidad de producto, op. cit., pp. 678 y 680.

200. El texto refundido tampoco ha precisado, a diferencia de la LOE, si la responsabilidad está sometida a un plazo de garantía en el que deben manifestarse los daños causados por defectos en la vivienda.

201. A favor de la aplicación del plazo de prescripción del artículo 1964 CC, vid. PARRA LUCÁN, Comentario a los artículos 132 a 149 del Texto Refundido de la Ley General para la Defensa de los Consumidores y Usuarios y otras leyes complementarias, op. cit., pp. 535-536; Rodrigo BERCOVITZ RODRÍGUEZ-CANO «Comentario al artículo 25», en Rodrigo BERCOVITZ y Javier SALAS (Coords.), Comentarios a la Ley General para la Defensa de los Consumidores y Usuarios, Civitas, Madrid, 1992, p. 688; y María José REYES LÓPEZ, Manual de derecho privado de consumo, La Ley, Madrid, 2009, p. 344. En la jurisprudencia, vid. la STS, 1ª, 25.6.1996 (RJ 1996, 4853); y las SSAP Barcelona, Civil, Sec. 1ª, 7.6.2004 (JUR 2004, 204575); Alicante, Civil, Sec. 7ª, 14.11.2001 (JUR 2002, 24301); Toledo, Civil, Sec. 1ª, 22.6.1995 (AC 1995/1224); y Granada, Civil, Sec. 4º, 17.11.1992 (AC 1992, 1525).

202. A favor de esta tesis, Ricardo DE ÁNGEL YÁGÜEZ, Tratado de responsabilidad civil, Civitas, Madrid, 1993, pp. 658-659.

supuestos de responsabilidad contractual y el de un año fijado en el artículo 1968.2 CC en las acciones de responsabilidad extracontractual[203].

Con posterioridad a la entrada en vigor de la LOE, se ha planteado una cuarta posibilidad. Aplicar a la responsabilidad por daños causados por bienes inmuebles de la LGDCU, y actualmente a la responsabilidad por daños derivados de la vivienda del artículo 149 TRLCU, los plazos de garantía y de prescripción de los artículos 17 y 18 LOE. Esta tesis se basa en que la LOE es una ley especial que regula las acciones que corresponden a los propietarios de viviendas como consumidores y usuarios[204], aunque también protege a los propietarios, personas físicas o jurídicas que actúen en el marco de su actividad empresarial o profesional. Las leyes posteriores pueden introducir límites temporales al régimen de responsabilidad por daños causados por servicios y otros bienes.

En este sentido, se ha pronunciado la SAP Burgos, Civil, Sec. 3ª, 8.7.2005 (JUR 2005, 213636), que resuelve un caso de oxidación del interior de las tuberías de acero galvanizado de un edificio construido en 1987 que provoca la turbidez del agua haciéndola impotable. La comunidad de propietarios del edificio demandó a la promotora y vendedora, y solicitó la sustitución de las tuberías con base en los artículos 1591 y 1101 CC. El JPI nº 6 de Burgos estimó y condenó a la promotora a sustituir las tuberías. La AP confirma. No hubo negligencia profesional pues en la época de construcción del edificio el acero galvanizado se consideraba el más adecuado, sin embargo, el defecto hace a las tuberías impropias para su uso [art. 11, 25 y 27.1.a) LGDCU]. En cuanto al plazo de prescripción aplicable a los preceptos de la LGDCU el tribunal afirma que «(...) no habiéndose fijado el plazo de garantía en la Ley de Consumidores ni en ninguna otra disposición legal para los bienes inmuebles (...) tras la publicación de la LOE, que impone la responsabilidad solidaria del promotor en todo caso, y sin que la responsabilidad del promotor pueda considerarse una obligación fundada en la culpa, habrá que plantearse si lo que viene a hacer la LOE es llenar el vacío legal que existía sobre la regulación del plazo de garantía en el caso de venta de vivienda por un vendedor profesional» (FD 4º).

En mi opinión, es poco probable que el Tribunal Supremo se pronun-

---

203. En este sentido, *vid.* Miquel MARTÍN CASALS y Josep SOLÉ FELIU, «La responsabilidad civil por bienes y servicios en la Ley 26/1984, de 19 de julio, general para la defensa de los consumidores y usuarios», en María José REYES LÓPEZ (Coord.), *Derecho Privado de Consumo*, Tirant lo Blanch, Valencia, 2005, p. 215.

204. En este sentido, Alfonso BARCALA FERNÁNDEZ DE PALENCIA, «La responsabilidad civil de los agentes de la construcción», Javier SEOANE PRADO, Alfonso BARCALA FERNÁNDEZ DE PALENCIA, Juan José COBO PLANA (Coords.), *Garantías y responsabilidades en la Ley de Ordenación de la Edificación*, Sepín, Madrid, 2000, p. 73; y MORENO-TORRES HERRERA, *Capítulo X. Panorama general de las acciones utilizables por los sujetos afectados por vicios o defectos constructivos, op. cit.,* p. 330.

cie a favor de aplicar los plazos de garantía y de prescripción de la LOE a la responsabilidad derivada del artículo 149 TRLCU. Esta tesis es limitativa de los derechos de los consumidores y, de acuerdo con el artículo 51.1 CE, en caso de duda sobre la interpretación de una norma se aplicará el principio que resulte más favorable para el consumidor o el usuario. Es previsible, entonces, que los tribunales exijan para aplicar los plazos de garantía y prescripción de la LOE a la acción del artículo 149 TRLCU una determinación expresa por parte del legislador en este sentido[205].

3.4. Legitimación activa y pasiva

3.4.1. Legitimación activa: «todo perjudicado» (artículo 128.1 TRLCU)

Son sujetos protegidos por el artículo 149 TRLCU los consumidores y usuarios perjudicados por daños derivados de defectos de la vivienda, es decir, el adquirente de la vivienda y quienes utilicen o disfruten de la misma ajenos al ejercicio de una actividad empresarial o profesional[206].

Más controvertido es si, además, están legitimados activamente en la acción de responsabilidad del artículo 149 TRLCU los terceros o *bystanders*. Es decir, aquellas personas que no siendo consumidores o usuarios sufren un daño derivado del bien o del servicio defectuoso, normalmente por razón de la proximidad física[207]. La doctrina ofrece argumentos a favor y en contra de la legitimación activa de los *bystanders*.

En mi opinión, debe prevalecer la interpretación que incluye en la legitimación activa a los *bystanders*. No vemos porque es preciso diferenciar, por ejemplo, entre las lesiones sufridas por una persona que paseaba por la calle y aquellas sufridas por otra que se encontraba dentro de la

---

205. En el mismo sentido, *vid.* Inmaculada SÁNCHEZ RUIZ DE VALDIVIA, «Responsabilidad por daños en la construcción y venta de viviendas con defectos», en Antonio CABANILLAS SÁNCHEZ *et al.* (comité organizador), *Estudios jurídicos en homenaje al profesor Luis Díez-Picazo*, tomo II, Derecho Civil. Derecho de obligaciones, p. 1225, quien considera que «[r]especto del plazo de prescripción aplicable sigue siendo el quinquenal por cuanto a falta de una determinación expresa del legislador al respecto nada justificaría que no nos remitiéramos al precepto previsto para hipótesis como éstas: el artículo 1964 CC (...)».

206. En este sentido, MARTÍN CASALS y SOLÉ FELIU, *¿Refundir o legislar?..., op. cit.,* p. 92; y PARRA LUCÁN, *Comentario a los artículos 132 a 149 del Texto Refundido de la Ley General para la Defensa de los Consumidores y Usuarios y otras leyes complementarias, op. cit.,* p. 1623.

207. Así los define Rodrigo BERCOVITZ RODRÍGUEZ-CANO, «Comentario al artículo 28», en BERCOVITZ y SALAS (Coord.), *Comentarios a la Ley General para la Defensa de los Consumidores y Usuarios, op. cit.,* p. 715, aunque el autor considera, en una interpretación amplia del artículo 28 LGDCU, que éste incluía a los *bystanders*.

vivienda, si en ambos casos los daños personales fueron ocasionados por vicios o defectos en la vivienda.

A favor de la legitimación activa de los *bystanders* para ejercitar la acción derivada del artículo 149 TRLCU puede citarse el artículo 3 TRLCU, que define el concepto de «consumidor y usuario» «sin perjuicio de lo dispuesto expresamente en su[...] libro[...] tercero», relativo a la responsabilidad civil por bienes y servicios defectuosos[208]. Por otro lado, el artículo 128.1 TRLCU, aplicable tanto a la responsabilidad por productos como por servicios defectuosos, establece que «todo perjudicado» tiene derecho a ser indemnizado en los términos establecidos en el Libro tercero.

Por último, la interpretación que incluye a todos los sujetos perjudicados en la legitimación activa del artículo 149 TRLCU permite lograr una mayor coherencia del sistema de responsabilidad civil por servicios defectuosos con el de responsabilidad civil por productos defectuosos. Y más teniendo en cuenta que, en otros ámbitos, como el relativo al tipo de daños indemnizables, el refundidor ha optado de manera expresa por unificar las normas aplicables a ambos regímenes.

En contra de la legitimación activa de los *bystanders*, Mª Ángeles PARRA LUCÁN considera que las referencias de los artículos 3 y 128.1 TRLCU se entienden limitadas al régimen de responsabilidad por productos[209]. Destaca que las disposiciones específicas en materia de responsabilidad por daños causados por otros bienes y servicios, en las que se incluye el artículo 149 TRLCU, mencionan exclusivamente a los «daños y perjuicios causados a los consumidores y usuarios» (artículos 147 y 148 TRLCU)[210].

---

208. De acuerdo con Rodrigo BERCOVITZ RODRÍGUEZ-CANO, «Comentario al artículo 3. Concepto general de consumidor y usuario», en BERCOVITZ RODRÍGUEZ-CANO (Coord.), *Comentario del Texto Refundido de la Ley General para la Defensa de los Consumidores y Usuarios y otras leyes complementarias, op. cit.*, p. 99, «[l]a salvedad que se hace a lo dispuesto expresamente en los Libros III y IV del propio Texto refundido responde a que los mismos establecen la protección de un consumidor cuyo concepto es mucho más amplio, equiparándose a cualquier persona física en el Libro III (...)».

209. En este sentido, PARRA LUCÁN, *Comentario a los artículos 132 a 149 del Texto Refundido de la Ley General para la Defensa de los Consumidores y Usuarios y otras leyes complementarias, op. cit.*, pp. 1614-1615.

210. En concreto, el artículo 147 TRLCU establece que «[l]os prestadores de servicios serán responsables de los daños y perjuicios causados a *los consumidores y usuarios* (...)» y el artículo 148 TRLCU que «[s]e responderá de los daños originados en el correcto uso de los servicios, cuando por su propia naturaleza, o por estar así reglamentariamente establecido, incluyan necesariamente la garantía de niveles determinados de eficacia o seguridad, en condiciones objetivas de determinación, y supongan controles técnicos, profesionales o sistemáticos de calidad, hasta llegar en debidas condiciones *al consumidor y usuario.* (...)» (énfasis añadido).

3.4.2. Legitimación pasiva: constructor y promotor profesionales (149 TRLCU)

Los sujetos responsables en virtud del régimen del artículo 149 TRLCU son «quienes construyan o comercialicen viviendas», típicamente, el constructor y el promotor inmobiliarios, siempre que actúen «en el marco de una actividad empresarial». Con todo, la ausencia de una definición en el TRLCU de los conceptos «constructor» y «comercializador» de viviendas dificulta la tarea de determinar los concretos sujetos con legitimación pasiva en esta acción.

a. Constructor

El concepto de constructor del artículo 149 TRLCU debe interpretarse conforme a la LOE, como ley especial aplicable al proceso de la edificación, cuyo artículo 11.1 lo define como aquél que ejecuta

> «... con medios humanos y materiales, propios o ajenos, las obras o parte de las mismas con sujeción al proyecto y el contrato».

La responsabilidad del artículo 149 TRLCU no incluye en sentido estricto a otros agentes intervinientes en la construcción de la vivienda, como el proyectista, el director de la obra o el director de ejecución de la obra quienes no construyen sino que, respectivamente, redactan el proyecto, dirigen el desarrollo de la obra y dirigen la acción de ejecución material de la misma (artículos 10, 12 y 13 LOE). Sin embargo, aquéllos están sometidos al régimen de responsabilidad del artículo 148 TRLCU.

b. Promotor

La expresión «quienes comercialicen» plantea, en cambio, más dificultades interpretativas por la ausencia de una definición legal de la figura. En particular, se plantea si dicho concepto incluye, además del promotor profesional, al vendedor que con posterioridad transmite la vivienda a un tercero en el marco de una actividad empresarial[211].

Ambos, el promotor de la vivienda y el vendedor posterior de la misma, comercializan la vivienda en el sentido de dar a un bien condiciones y vías de distribución para su venta[212], pero sólo el primero adopta las decisiones fundamentales durante proceso de construcción del edificio.

El promotor es el agente que adopta las decisiones esenciales y quien se presenta ante los futuros adquirentes como garante de la correcta cons-

---

211. En el mismo sentido, PARRA LUCÁN, *Comentario a los artículos 132 a 149 del Texto Refundido de la Ley General para la Defensa de los Consumidores y Usuarios y otras leyes complementarias*, op. cit., p. 1759.
212. REAL ACADEMIA ESPAÑOLA, *Diccionario de la Lengua Española*, 22ª edición, 2001.

trucción de la vivienda. El vendedor no promotor, en cambio, transmite la vivienda ya construida a un tercero una vez finalizado el proceso edificación y no tiene ningún poder de decisión tendente a mejorar la calidad de las viviendas. Por ello, el vendedor no promotor debería quedar excluido del ámbito de responsabilidad del artículo 149 TRLCU.

c. *Requisito de profesionalidad*

El artículo 149 TRLCU exige que quienes construyan y comercialicen las viviendas actúen en un ámbito empresarial o profesional, público o privado, siendo coherente con la finalidad del TRLCU de regular las relaciones entre empresarios y consumidores o usuarios (artículo 2 TRLCU).

Por ello, bajo el régimen del artículo 149 TRLCU sólo están legitimados pasivamente los promotores que decidan, impulsen, programen y financien, con recursos propios o ajenos, la construcción de viviendas con la finalidad de intermediar en el mercado inmobiliario. A diferencia de lo que sucede bajo el régimen del artículo 17 LOE, el cual hace responder por daños materiales en el edificio derivados de vicios y defectos constructivos no sólo al promotor profesional, sino también al que actúa ajeno a una actividad profesional o empresarial (artículo 9 LOE).

d. *Distribución de la responsabilidad: solidaridad y derecho de repetición (artículos 132 TRLCU)*

Cuando sean varios los responsables de un mismo daño derivado de defectos de la vivienda, todos ellos responden solidariamente ante los perjudicados por el daño causado, con independencia de su contribución al mismo y sin perjuicio del derecho a repetir frente al resto de corresponsables solidarios en la relación interna (artículo 132 TRLCU)[213].

Particularmente, este supuesto se dará cuando el promotor y el constructor de la vivienda sean personas distintas o cuando hayan intervenido varios constructores o promotores, y los daños causados por defectos de la vivienda sean imputables a la actuación de varios de ellos.

3.5. Compatibilidad del artículo 149 TRLCU con otros regímenes de responsabilidad

El artículo 149 TRLCU plantea otra cuestión, su relación con las acciones vigentes en nuestro ordenamiento jurídico en las que el perjudi-

---

213. El artículo 132 TRLCU, equivalente al antiguo artículo 27.2 LGDCU, prevé que «[l]as personas responsables del mismo daño por aplicación de este libro lo serán solidariamente ante los perjudicados. El que hubiera respondido ante el perjudicado tendrá derecho a repetir frente a los otros responsables, según su participación en la causación del daño».

cado por daños causados por defectos constructivos puede fundamentar su pretensión de responsabilidad civil.

El único criterio que el artículo 149 TRLCU proporciona para su coordinación con otros regímenes de responsabilidad es aquél conforme al cual sólo es aplicable en defecto de régimen legal específico que cubra los daños ocasionados por defectos de la vivienda.

En concreto, en los apartados que siguen se analiza la coordinación del artículo 149 TRLCU con: a) el régimen de los artículos 17 y 18 LOE; b) el régimen de responsabilidad por productos defectuosos del TRLCU; y c) la responsabilidad contractual y extracontractual del Código civil.

3.5.1. Con el régimen de los artículos 17 y 18 LOE

Claramente, el régimen de responsabilidad de los agentes de la edificación por daños materiales causados en el edificio o en parte de él por vicios y defectos constructivos del artículo 17.1 LOE constituye un régimen de responsabilidad específico. Por ello, como se ha examinado *supra*, cuando el daño ocasionado por un defecto de la vivienda sea resarcible conforme el régimen de responsabilidad de la LOE, no será de aplicación el artículo 149 TRLCU[214].

3.5.2. Con la responsabilidad por productos defectuosos (artículos 135 y ss. TRLCU)

A pesar de que los bienes inmuebles están excluidos de la definición de producto del artículo 136 TRLCU, el precepto incluye expresamente a los bienes muebles unidos o incorporados a un inmueble evitando, de este modo, la aplicación de las normas relativas a la calificación de inmuebles por destino (artículo 334.5º CC) o por incorporación (artículo 334.3º y 4º CC)[215].

Así, son producto, a efectos del TRLCU, todos los materiales utilizados en la construcción del edificio que se incorporan en el inmueble, in-

---

214. En el mismo sentido, *vid.* Fernando GÓMEZ POMAR «Capítulo XIII. Relación con otros regímenes de responsabilidad contractual o extracontractual», SALVADOR CODERCH y GÓMEZ POMAR (eds.), *Tratado de responsabilidad civil del fabricante,* *op. cit.*, p. 861; GONZÁLEZ CARRASCO, *La contratación inmobiliaria con consumidores, op. cit.*, pp. 18-19; PARRA LUCÁN, *Comentario a los artículos 132 a 149 del Texto Refundido de la Ley General para la Defensa de los Consumidores y Usuarios y otras leyes complementarias, op. cit.*, p. 522; y BUSTO LAGO, ÁLVAREZ LATA y PEÑA LÓPEZ, *Sección 9ª. Vivienda. Subsección 1ª. Compraventa de vivienda, op. cit.*, p. 729.

215. En este sentido, *vid.* Joan Carles SEUBA TORREBLANCA, «Capítulo III. Concepto de producto», SALVADOR CODERCH y GÓMEZ POMAR (eds.), *Tratado de responsabilidad civil del fabricante, op. cit.*, pp. 124-125.

cluso aquellos elementos cuya separación del mismo suponga un menoscabo o deterioro de la obra, como ladrillos, baldosas, cemento, vigas, tejas, tuberías, etc.[216].

En efecto, están sujetos al régimen de responsabilidad por daños causados por productos defectuosos los daños derivados de defectos en los materiales de construcción de los que responde el fabricante con independencia de que el inmueble en el que están incorporados sea o no una vivienda[217]. Con todo, en el supuesto en que la edificación se destine a vivienda, el régimen de responsabilidad por productos (artículos 135 a 146 TRLCU) concurre con el de responsabilidad por defectos en la vivienda (artículo 149 TRLCU), pues si el bien mueble incorporado a un inmueble es defectuoso también lo es, por extensión, la vivienda en el que se halla unido.

La regulación de la responsabilidad por producto defectuoso de los artículos 128 a 146 TRLCU, que procede de la Directiva 85/374/CEE del Consejo, de 25 de julio transpuesta en el ordenamiento jurídico español mediante la Ley 22/1994, es de carácter excluyente[218]. Según reiterada jurisprudencia del Tribunal de Justicia de la Unión Europea[219], aunque de conformidad con el artículo 13 de la Directiva 85/374/CEE del Consejo, de 25 de julio, los Estados Miembros podían conservar regímenes especiales de responsabilidad por defectos en los productos existentes en el momento de la notificación de la Directiva[220], con posterioridad, sólo pueden imponer otros regímenes de responsabilidad contractual o extracontractual

---

216. En esta línea, el artículo 15.2 LOE define producto de construcción como «aquel que se fabrica para su incorporación permanente en una obra incluyendo materiales, elementos semielaborados, componentes y obras o parte de las mismas, tanto terminadas como en proceso de ejecución».

217. Un resumen de la jurisprudencia sobre materiales de construcción defectuosos puede verse en GRUPO DE RESPONSABILIDAD DE PRODUCTO, «Anexo III. Guía de jurisprudencia de responsabilidad de producto», SALVADOR CODERCH y GÓMEZ POMAR (eds.) *Tratado de responsabilidad civil del fabricante, op. cit.,* pp. 1034-1040.

218. *Vid.* GÓMEZ POMAR, *Capítulo XIII. Relación con otros regímenes de responsabilidad contractual o extracontractual, op. cit.,* p. 855.

219. *Vid.* SSTCE, todas ellas, Sala Quinta, 25.4.2002, *Comisión de las Comunidades Europeas c. República Francesa* (C-52/00) (TJCE 2002, 142); *Comisión de las Comunidades Europeas c. República Helénica* (C-154/00) (TJCE 2002, 140); y *María Victoria González Sánchez c. Medicina Asturiana, S.A.* (C-183/00) (TJCE 2002, 141).

220. El artículo 13 Directiva 85/374 establece que «[l]a presente Directiva no afectará a los derechos que el perjudicado pueda tener con arreglo a las normas sobre responsabilidad contractual o extracontractual o con arreglo a algún régimen especial de responsabilidad existentes en el momento de la notificación de la presente Directiva».

que se sustenten en fundamentos diferentes de los del régimen comunitario de responsabilidad por productos, como la obligación de saneamiento por vicios ocultos o la culpa.

Por ello, este conflicto de normas debe solucionarse, siguiendo a Fernando Gómez Pomar[221], a favor de la aplicación del régimen de responsabilidad de producto, ya que el artículo 149 TRLCU crea, con posterioridad a la fecha de notificación de la Directiva 85/374/CEE del Consejo, de 25 de julio, un régimen de responsabilidad especial que se basa en el mismo fundamento que la responsabilidad de producto, la existencia de un defecto.

3.5.3. Con la responsabilidad contractual y extracontractual del Código Civil (artículo 128, 2º párrafo, TRLCU)

El artículo 128, 2º párrafo, TRLCU deja a salvo otros derechos que el perjudicado pueda tener a ser indemnizado por daños y perjuicios como consecuencia de la responsabilidad contractual, fundada en la falta de conformidad del comprador o comitente con la vivienda o en cualquier otra causa de incumplimiento o cumplimiento defectuoso del contrato de compraventa o de obra, o de la responsabilidad extracontractual a que hubiere lugar.

Por consiguiente, la acción que reconoce el artículo 149 TRLCU no excluye otras pretensiones que el afectado pueda tener contra el promotor y el constructor por responsabilidad contractual o extracontractual. En especial, la víctima de los daños causados por defectos de la vivienda deberá acudir a los regímenes de responsabilidad contractual y extracontractual si quiere obtener el resarcimiento de los daños excluidos del ámbito de protección de la LOE y del artículo 149 TRLCU, específicamente, los daños morales así como los daños materiales en bienes, distintos a la propia vivienda, destinados por el perjudicado a un uso profesional o empresarial.

---

221. Gómez Pomar, *Capítulo XIII. Relación con otros regímenes de responsabilidad contractual o extracontractual, op. cit.*, pp. 861-862.

SEGUNDO

CONCEPTO DE PROMOTOR

I. ANTECEDENTES LEGISLATIVOS Y JURISPRUDENCIALES AL CONCEPTO DE PROMOTOR DE LA LEY DE ORDENACIÓN DE LA EDIFICACIÓN

Con anterioridad a la LOE, el ordenamiento jurídico español no contenía un precepto legislativo de aplicación general que definiese el concepto de promotor inmobiliario, pues ni el Código civil ni el Código de comercio contemplan la figura.

Con todo, hasta el momento, por un lado, el Tribunal Supremo había perfilado el concepto de promotor y había señalado los elementos determinantes de la figura a los efectos de atribuirle la responsabilidad por ruina del artículo 1591.I CC. Y, por otro, algunas leyes autonómicas y sectoriales habían establecido definiciones de promotor sólo aplicables a sus efectos concretos[1].

En la definición de promotor del vigente artículo 9.1 LOE, el legislador estatal tomó en consideración, no sólo el concepto de promotor fijado en la jurisprudencia sobre responsabilidad por ruina del Tribunal Supremo, sino también algunos de los rasgos de la figura considerados relevantes en la regulación autonómica y sectorial anterior.

1. ANTECEDENTES LEGISLATIVOS: EL PROMOTOR EN LA LEGISLACIÓN SECTORIAL Y AUTONÓMICA

Las primeras referencias legales al promotor inmobiliario se hallan en la legislación sectorial y en la legislación autonómica, en las que se configura el concepto de promotor con efectos limitados al ámbito de

---

1. *Vid.* en este sentido, CARRASCO PERERA, CORDERO LOBATO, GONZÁLEZ CARRASCO, *Derecho de la construcción y la vivienda, op. cit.*, pp. 484-485.

aplicación de la propia ley[2]. En consecuencia, estos preceptos legales no ofrecían una definición de promotor aplicable a los conflictos sobre responsabilidad por ruina del artículo 1591.I CC, para cuya resolución los operadores jurídicos debían acudir al concepto de promotor perfilado por el Tribunal Supremo. La importancia del análisis de los antecedentes legislativos radica en la influencia que han tenido respecto de los actuales artículos 9.1 y 17.4 LOE.

1.1. Legislación sectorial

La legislación sectorial que se refiere a la figura del promotor inmobiliario impone las obligaciones propias de los promotores no sólo a aquellos que construyen con el fin de suministrar la edificación en el mercado inmobiliario, sino también a quienes promueven colectivamente en comunidades de propietarios, en cooperativas de viviendas, en mutualidades o en cualquier otra asociación con personalidad jurídica propia[3].

Con todo, no todas las leyes sectoriales consideran promotor a la persona individual que promueve la construcción de una edificación para uso propio[4].

1.1.1. Legislación sobre Viviendas de Protección Oficial

El término «promotor» se empleó por primera vez en la normativa administrativa reguladora de Vivienda de Protección Oficial de los años cincuenta del siglo XX[5]. Tal y como reconoce la Sala 1ª del Tribunal Supremo, la figura del promotor surgió con la aplicación de las políticas estatales de ayuda a la construcción de Viviendas de Protección Oficial, en las que se atribuía al promotor la función de intermediario entre la

---

2. Miguel Gómez Perals, *Responsabilidad del promotor por daños en la edificación*, Dykinson, Madrid, 2004, p. 16.
3. *Vid.* Encarna Cordero Lobato, «Capítulo 13. El promotor», en Carrasco Perera, Cordero Lobato, González Carrasco, *Comentarios a la Legislación de Ordenación de la Edificación, op. cit.*, pp. 385-386.
4. La regulación sobre seguridad y salud en la construcción, el artículo 2.1.c) del Real Decreto 1627/1997, por el que se establecen las disposiciones mínimas de seguridad y salud en las obras de construcción (BOE nº 256, de 25.10.1997), considera promotor: «... cualquier persona física o jurídica por cuenta de la cual se realice una obra». Con todo, no es promotor a efectos del Real Decreto, el: «... cabeza de familia respecto de su vivienda» (artículo 2.3.II).
5. En particular, según Jesús Estruch Estruch, *Las garantías de las cantidades anticipadas en la compra de viviendas en construcción*, Civitas-Thomson Reuters, Cizur Menor (Navarra), 2009, p. 41, la palabra promotor apareció por primera vez en la Ley, de 15 de julio de 1954, sobre Vivienda de Renta Limitada (BOE nº 197, de 16.7.1954) y en el Decreto de 24 de junio de 1955 (BOE nº 197, 16.7.1955).

ayuda del Estado y la necesidad de vivienda particular[6]. En concreto, en esta legislación el promotor es el sujeto en virtud del cual se inicia un expediente para la obtención de las ayudas públicas[7].

Con anterioridad a la entrada en vigor de la LOE, los preceptos que se señalan a continuación establecían quienes son promotores a los efectos de la promoción de Viviendas de Protección Oficial e incluían en la categoría de promotores de VPO al autopromotor individual y a los particulares que construían viviendas de manera colectiva agrupados en cooperativas de viviendas o comunidades de propietarios.

El artículo 7 del Real Decreto 2960/1976, de 12 de noviembre, por el que se aprueba el Texto refundido de la legislación sobre viviendas de protección oficial[8], vigente en la actualidad, prevé que podrán ser promotores de viviendas de protección oficial, entre otros:

«a) Los particulares que individualmente o agrupados construyan viviendas para sí, para cederlas en arrendamiento o para venderlas; b) Las Sociedades inmobiliarias y Empresas constructoras que edifiquen viviendas para arrendarlas o venderlas» y «(...) k) Las Cooperativas de vivienda con destino exclusivo a sus asociados, y las Mutualidades y Montepíos libres».

También se refiere al promotor el artículo 10 del Real Decreto 3148/1978, de 10 de noviembre que desarrolla el Real Decreto-ley 31/1978, de 31 de noviembre, sobre Política de Vivienda de Protección Oficial[9], que establece que

«... [e]l acceso a la propiedad de una vivienda de protección oficial podrá realizarse por compraventa o mediante la promoción de viviendas que, para asentar en ellas su residencia familiar, los particulares construyan,

---

6. Así lo ponen de relieve la STS, 1ª, 25.2.1985 (RJ 1985, 773) de acuerdo con la cual «el promotor es una figura (...) típica [...] en el actual marco de la construcción y de no muy claros ni delimitados confines, al no aparecer ni siquiera nominalmente en nuestro Código Civil ni estar lo suficientemente perfiladas en otros ámbitos normativos, incluidos los referentes a las Viviendas Sociales y de protección Oficial, en cuyo marco surge por vez primera dicha designación y figura» (Cdo. 4º); y la STS, 1ª, 1.10.1991 (RJ 1991, 7255) que señala que «[e]sta figura del promotor surge principalmente con la aplicación de la política estatal de ayuda a la construcción de Viviendas de Protección Oficial, asumiendo la función de intermediario entre esta ayuda del Estado, y la necesidad de vivienda del particular» (FD 1ª).

7. En este sentido, vid. Pedro GONZÁLEZ POVEDA, «Diferentes formas de promoción de viviendas. Especial mención a las cooperativas de viviendas. Responsabilidad de la cooperativa por defectos constructivos. Promoción y adjudicación de las viviendas. Responsabilidad de los socios adjudicatarios por las deudas sociales», El derecho a una vivienda digna. Planteamiento general y problemas civiles específicos. Acceso a la vivienda, propiedad, arrendamientos, hipotecas, Cuadernos Digitales de Formación, vol. 31, 2008, p. 263.

8. BOE nº 311, de 28.12.1976.

9. BOE nº 14, de 16.1.1979.

individualmente por sí o colectivamente a través de comunidades de propietarios, cooperativas, o de cualquier otra asociación con personalidad jurídica».

Por último, el artículo 13 del derogado Real Decreto 1186/1998, de 12 de junio, sobre medidas de financiación de actuaciones protegidas en materia de vivienda y suelo del Plan 1998-2001[10] preveía que pueden ser promotores de actuaciones protegidas:

«(...) las personas físicas o jurídicas, públicas o privadas» (artículo 13.1), tanto para uso particular como para uso propio, que incluye «exclusivamente, a las personas físicas individualmente consideradas o agrupadas en cooperativas o en comunidades de propietarios» (artículo 13.2).

1.1.2. *Legislación sobre garantías por cantidades anticipadas en la construcción y venta de viviendas*

La Ley 57/1968, de 27 de julio, sobre percepción de cantidades anticipadas en la construcción[11], impone al promotor la obligación de garantizar a los adquirentes de viviendas la devolución de las cantidades anticipadas que le hubieran entregado a cuenta del precio final para el supuesto en que la construcción no se llevara a efecto.

El Decreto 3114/1968, de 12 de diciembre[12] extendió la aplicación de las normas de la Ley 57/1968 a las promociones de viviendas en régimen de comunidad y a las cooperativas de viviendas. En particular, el Decreto 3114/1968 impone las obligaciones típicas del promotor profesional a la empresa gestora en la autopromoción en régimen de comunidad (artículo 2), y al Consejo rector en la autopromoción en cooperativas de viviendas (artículo 4)[13].

De acuerdo con el artículo 2 del Decreto 3114/1968 «[l]a garantía (...) será exigida a la persona física o jurídica que gestione la adquisición del solar y la construcción del edificio, y, en consecuencia, perciba las cantidades anticipadas, ya sea en calidad de propietaria del solar o como mandataria, gestora o representante de aquélla o bien con arreglo a cualquier otra modalidad de hecho o de derecho, directamente o por persona interpuesta».

Y de conformidad con el artículo 4 Decreto 3114/1968 «(...) las Juntas

---

10. BOE nº 152, de 26.6.1998.
11. BOE nº 181, de 29.1.1968.
12. BOE nº 308, de 24.12.1968.
13. Con todo, considerase, tal y como señalan CARRASCO PERERA, CORDERO LOBATO, GONZÁLEZ CARRASCO, *Derecho de la construcción y la vivienda, op. cit.*, p. 598, que a partir de la entrada en vigor de la LOE, ya no es el Consejo rector sino la sociedad gestora de la cooperativa, si concurre, quien, en su caso, está obligada a garantizar las cantidades anticipadas recibidas pues la disposición adicional primera de la LOE se refiere a «la percepción de cantidades anticipadas en la edificación por los *promotores o gestores*».

Rectoras garantizarán a todos y cada uno de los interesados la devolución del importe de sus aportaciones más el seis por ciento de interés anual, mediante aval bancario o contrato de seguro, para el supuesto que la construcción no se inicie o termine en los plazos señalados, debiendo hacer entrega del documento que acredite tal garantía individualizada en el momento que se exijan al socio cooperador cantidades para la adquisición del solar o para la construcción del edificio».

Finalmente, el Real Decreto 2028/1995, de 22 de diciembre[14], amplía la aplicación de la obligación de garantizar la devolución de las cantidades anticipadas a las promociones en comunidad o cooperativa de viviendas de protección oficial.

1.2. Legislación autonómica en materia de vivienda

Con anterioridad a la LOE, Cataluña y la Comunidad de Madrid definieron el concepto de promotor en sus respectivas Leyes de vivienda, en ejercicio de su competencia exclusiva en materia de legislación sobre vivienda que les atribuye el artículo 148.1.3ª CE y sus respectivos Estatutos de Autonomía[15].

1.2.1. Ley 24/1991, de Cataluña, de 29 de noviembre, de la vivienda

La Ley catalana 24/1991, de 29 de noviembre, de la vivienda[16], definía en su artículo 3 al promotor inmobiliario de modo similar al actual artículo 9.1 de la LOE[17]. Así, el mencionado precepto de la Ley 24/1991 de Cataluña preveía que, a sus efectos, es promotor de vivienda:

«la persona física o jurídica que decide, programa e impulsa su construcción o rehabilitación, las suministra, aunque sea ocasionalmente, al mercado inmobiliario y transmite su titularidad dominical o las adjudica o cede mediante cualquier título» (artículo 3.1), así como «quien promueve para satisfacer su necesidad de vivienda, individualmente o asociado con otros con la misma finalidad» (artículo 3.3).

En efecto, el mencionado precepto incluía en el concepto legal de promotor no sólo al agente que llevaba a cabo la promoción como una

---

14. BOE nº 14, de 16.1.1996.
15. El resto de leyes autonómicas de vivienda vigentes antes de la entrada en vigor de la LOE, si bien se referían a la figura no ofrecían una definición de la misma.
16. DOGC nº 1541, de 15.1.1992. Actualmente derogada por la disposición derogatoria de la Ley 18/2007, de 28 de diciembre, del derecho a la vivienda. La nueva Ley define el concepto de promotor en su artículo 50.
17. Ponen de relieve este hecho CORDERO LOBATO, *Capítulo 13. El promotor, op. cit.*, p. 390 y MARÍN GARCÍA DE LEONARDO, *La figura del promotor en la Ley de Ordenación de la Edificación, op. cit.*, p. 44.

actividad profesional (artículo 3.2)[18], sino también al promotor no profesional que ejecuta la promoción en interés propio –el autopromotor individual y la comunidad de propietarios– o en interés de sus socios –la cooperativa de viviendas–. En ambos casos, la Ley exigía a este agente de la edificación el cumplimento de una serie de requisitos previos al inicio de la ejecución de la construcción (artículo 3.4)[19].

La Ley catalana de vivienda configuraba al promotor como el agente principal del proceso de la edificación a quien imponía la necesidad de garantizar la protección del consumidor o el usuario de viviendas respecto de los vicios o defectos de la construcción, sin excluir, no obstante, otras garantías exigibles en vía civil[20].

En particular, el artículo 15 de la Ley 24/1991 de Cataluña exigía al promotor, en la medida en que fuera considerado vendedor de viviendas de nueva construcción o de rehabilitación, la constitución de una garantía a favor de los adquirentes que cubriera la reparación de los defectos de la construcción y de los daños que los defectos causaran en la vivienda (artículo 15.1), de forma similar a lo que establece el actual sistema diseñado en la LOE [artículos 9.d) y 19 LOE].

La Ley reconocía al promotor condenado una acción de repetición contra los agentes responsables del vicio o defecto (artículo 15.2). Con todo, si bien la disposición final tercera de la misma norma remitía a un futuro reglamento para la concreción del tipo de garantía, el plazo para constituirla, las cuantías y los medios para reclamar su ejecución, el desarrollo reglamentario no se efectuó.

1.2.2. Ley 2/1999, de Madrid, de 17 de marzo, de medidas para la calidad de la edificación

La Ley 2/1999, de Madrid, de 17 de marzo, de medidas para la cali-

---

18. De acuerdo con el artículo 3.2 Ley 24/1991 de Cataluña «[l]a promoción de viviendas como actividad profesional puede ser realizada por las personas naturales o jurídicas que cumplan los requisitos que se determinen por reglamento para los diferentes tipos de promociones y que, en su caso, figuren inscritos para esta actividad específica en el registro administrativo que se establezca por reglamento».

19. El artículo 3.4 Ley 24/1991 de Cataluña establecía que «[p]ara iniciar la ejecución de la promoción de un edificio de viviendas es preciso: a) Tener suficientes derechos sobre el suelo que faculten para construir en él; b) Haber solicitado y obtenido de las distintas administraciones públicas las licencias y las autorizaciones que exija la realización de una obra de edificación; y c) Haber designado a los técnicos competentes para la realización del proyecto y la dirección de la obra».

20. Carlos J. MALUQUER DE MOTES BERNET, «Protección de la edificación y protección del consumidor: La Ley catalana 24/1991, de 29 de noviembre, sobre la vivienda», *Derecho Privado y Constitución*, nº 6, Mayo-Agosto, 1995, p. 75.

dad de la edificación[21], dedica su artículo 15 a la definición de la figura. El hecho de que la Ley 2/1999 de Madrid se aprobara meses antes de la LOE impide considerar su artículo 15 fuente de inspiración de la definición de promotor del artículo 9.1 LOE.

De acuerdo con el artículo 15, a efectos de la Ley, se consideran promotores:

«(...) quienes, individualmente o bajo alguna forma societaria legalmente establecida, llevan a cabo, con organización y medios propios o con la colaboración de terceros, la construcción de un edificio para enajenarlo o explotarlo, en todo o en parte, bajo cualquier título jurídico» (artículo 15, 1er párrafo), así como a «las entidades privadas, cualquiera que sea su naturaleza jurídica, que, reuniendo las condiciones antes descritas, actúen en beneficio de sus asociados o de comunidades que ellos mismos promuevan» (artículo 15, 2° párrafo).

La Ley 2/1999 de Madrid configura un concepto de promotor más restringido que el de la Ley 24/1991 de Cataluña. La primera coincide con la segunda en incluir a los empresarios individuales y sociedades mercantiles con ánimo de lucro, así como a las cooperativas de viviendas. No obstante, la Ley 2/1999 de Madrid se diferencia de la Ley catalana, y de la propia LOE, en excluir del concepto al autopromotor individual y a los comuneros que promueven agrupados en régimen de comunidad de propietarios. Además, el precepto transcrito se refiere, aunque no de manera expresa, a las sociedades de gestión de comunidades de propietarios y de cooperativas de viviendas.

2. ANTECEDENTES JURISPRUDENCIALES: EL PROMOTOR EN LA JURISPRUDENCIA SOBRE RESPONSABILIDAD POR RUINA

2.1. Inclusión del promotor en el círculo de responsables del artículo 1591.I CC

La Sala 1ª del Tribunal Supremo incluyó al promotor dentro del círculo de responsables de la acción de responsabilidad por ruina del artículo 1591.I CC[22]. Tradicionalmente, el inicio de esta línea jurisprudencial se sitúa en las SSTS, 1ª, 11.10.1974 (RJ 1974, 3798)[23] y 17.10.1974 (RJ

---

21. BOCM n° 74, de 29.3.1999.
22. Entre las primeras en este sentido *vid.* las SSTS, 1ª, 8.10.1990 (RJ 1990, 7585); 19.12.1989 (RJ 1989, 8843); 9.3.1988 (RJ 1988, 1609); 28.3.1985 (RJ 1985, 1220); 9.3.1981 (RJ 1981, 904); 17.10.1974 (RJ 1974, 3896); y 11.10.1974 (RJ 1974, 3798).
23. La STS, 1ª, 11.10.1974 (RJ 1974, 7398) declara que «es cierto que el término de promotor no fue utilizado por el Código civil por ser desconocido en aquella fecha el carácter de constructor, con la amplitud y características del denominado actualmente promotor (...) por ello la responsabilidad a que se refiere el artículo 1591 del Código civil recae sobre el promotor o constructor del edificio en su

1974, 3896)[24], las cuales se refieren a la equiparación de la figura del promotor a la del contratista del artículo 1591.I CC.

El Tribunal Supremo justificó dicha equiparación en la ausencia en la legislación estatal general de una referencia a la figura del promotor inmobiliario y a su posible responsabilidad. En particular, colmó la laguna legal, bien acudiendo a la aplicación analógica del artículo 1591.I CC (artículo 4.1 CC), bien interpretando dicho precepto acorde con la realidad social del tiempo en que debía ser aplicada, por ser la aparición de la figura del promotor en el mercado inmobiliario posterior a la promulgación del Código civil (artículo 3.1 CC)[25].

Con todo, en puridad, lo que la jurisprudencia hizo fue ampliar la legitimación pasiva de la acción sobre responsabilidad por ruina al promotor inmobiliario, de ahí que la responsabilidad de ambos agentes sea distinta y una no vaya ligada necesariamente a la otra. Así, en numerosos casos los tribunales han condenado solidariamente a los técnicos y al promotor, sin hacer lo propio respecto del constructor[26].

La finalidad de la doctrina jurisprudencial sobre responsabilidad por ruina era otorgar una protección jurídica adecuada a los adquirentes de inmuebles con vicios o defectos. Si bien desde su promulgación el Código civil reconocía a los acreedores de edificaciones acciones frente al promotor del edificio, el Tribunal Supremo consideró insuficiente la tutela que éstas dispensaban[27].

---

totalidad, a lo que no es obstáculo su carácter de propietario que no le puede exculpar o liberar de la responsabilidad (...)» (cdo. 2º).

24. La STS, 1ª, 17.10.1974 (RJ 1974, 3896) declara aplicable el artículo 1591.I CC a «... relaciones jurídicas que con aquella guarden analogía y no se hallen reguladas de modo específico por la norma» (considerando 3º). Este es el caso del «... propietario del terreno, que construye indirectamente por medio de múltiples gremios que él coordina [quien] asume, en realidad, la cualidad de contratista, con las obligaciones y responsabilidad que a éste le impone el mencionado precepto, frente a los que por compra posterior adquieren de él toda o parte de la obra construida (...)» (cdo. 3º).

25. Para un resumen del nacimiento de esta doctrina jurisprudencial vid. la STS, 1ª, 1.10.1991, FD 1º (RJ 1991, 7255).

26. Vid., por ejemplo, la STS, 1ª, 26.6.2008 (RJ 2008, 4272). En la doctrina, ponen de relieve la independencia de la responsabilidad del promotor respecto del contratista LÓPEZ RICHART, Responsabilidad personal e individualizada y responsabilidad solidaria en la Ley de Ordenación de la Edificación, op. cit., pp. 155-161; GÓMEZ PERALS, Responsabilidad del promotor por daños en la edificación, op. cit., p. 27; y MARTÍNEZ ESCRIBANO, Responsabilidades y garantías de los agentes de la edificación, op. cit., p. 51.

27. Tal y como señala CORDERO LOBATO, Capítulo 21. Responsabilidad civil de los agentes que intervienen en el proceso de la edificación, op. cit., pp. 494-495.

Por un lado, en el marco del contrato de obra, la ausencia de una referencia al promotor en el artículo 1591 CC impedía al comitente de la obra reclamar contra éste en caso de ruina, a no ser que además hubiera intervenido en el proceso de edificación como contratista[28]. Por otro lado, en el marco del contrato de compraventa, las acciones que el Código civil reconoce al comprador frente el vendedor otorgaban al comprador del inmueble una protección insuficiente:

– Primero, porque en virtud del contrato de compraventa sólo respondía el promotor-vendedor, pero no el resto de agentes intervinientes en la obra con los que el adquirente no tenía una relación contractual. Ello provocaba la consiguiente insatisfacción del interés del comprador en caso de insolvencia o desaparición del vendedor[29].

– Segundo, porque la acción de saneamiento por vicios ocultos tiene un brevísimo plazo de caducidad de seis meses. Su aplicación en los casos de compraventa de inmuebles con vicios provocaba la insatisfacción de los adquirentes perjudicados si los vicios aparecían una vez transcurrido el plazo mencionado.

2.2. Concepto de promotor en la jurisprudencia sobre responsabilidad por ruina

La declaración de la Sala Primera del Tribunal Supremo de acuerdo con la cual el promotor responde por ruina por su asimilación al contratista, unida a la ausencia de un precepto en la legislación estatal de aplicación general que definiese el promotor inmobiliario, forzó al Alto Tribunal a señalar los elementos definitorios de la figura del promotor a los efectos de extenderle la responsabilidad del artículo 1591.I CC[30]. Por consiguiente, la configuración del promotor en la jurisprudencia sobre responsabilidad por ruina es instrumental[31], es decir, «a los efectos de la responsa-

---

28. En este sentido *vid.* Antonio CABANILLAS SÁNCHEZ, «La configuración jurisprudencial del promotor como garante», *Anuario de Derecho Civil*, vol. 43, nº 1, 1990, pp. 229-230.

29. CORDERO LOBATO, *Capítulo 21. Responsabilidad civil de los agentes que intervienen en el proceso de la edificación*, *op. cit.*, pp. 494-495.

30. Destacan la trascendencia de la definición de promotor del Tribunal Supremo una vez equiparada la figura al contratista de obra, J. Miguel LOBATO GÓMEZ, *Responsabilidad del promotor inmobiliario por vicios de la construcción*, Colección jurisprudencial práctica, nº 66, Tecnos, Madrid, 1994, p. 15; Francisco PERTÍNEZ VÍLCHEZ, «Comentario a la sentencia de 16 de diciembre de 2004 (RJ 2005, 272)», *CCJC*, nº 69, septiembre/diciembre 2005, p. 1275; y ESTRUCH ESTRUCH, *Las responsabilidades en la construcción... op. cit.*, p. 184.

31. GÓMEZ PERALS, *Responsabilidad del promotor por daños en la edificación*, *op. cit.*, p. 27.

bilidad decenal *ex* artículo 1591 del Código Civil» (STS, 1ª, 11.6.1994 (RJ 1994, 5227)].

2.2.1. *Concepto abierto de promotor que incluía el promotor-constructor, el promotor-vendedor y el promotor-gestor*

El Tribunal Supremo adoptó un concepto abierto de promotor, pues a los efectos de la responsabilidad por ruina era promotora toda persona física o jurídica que reunía los elementos definitorios señalados en su jurisprudencia. Sin embargo, en sus sentencias centraba la atención en tres tipos específicos de promotores: el promotor-constructor, el promotor-vendedor y el promotor-gestor[32].

El promotor-constructor es definido en esta jurisprudencia como aquél que interviene en la ejecución material del proyecto de construcción, aunque puede contratar a otros profesionales con los que colabora para llevar a cabo la construcción de los distintos elementos que integran el edificio[33]. En particular, el promotor-constructor reúne, generalmente, las siguientes características: a) propietario del terreno; b) constructor y propietario de la edificación llevada a cabo sobre aquél; c) enajenante o vendedor de los diversos locales o pisos en régimen de propiedad horizontal; y d) beneficiario económico de todo el complejo negocio jurídico constructivo[34].

La jurisprudencia sobre responsabilidad por ruina del Tribunal Supremo también incardinó en el concepto de promotor a la figura del promotor-vendedor. El promotor-vendedor, a diferencia del promotor-constructor, no participa materialmente en el proceso de edificación sino que contrata al constructor, a los técnicos u otros agentes quienes se encargan de la ejecución material de la obra[35]. Con posterioridad, el promotor-vendedor comercializa las viviendas y locales resultantes en el mercado inmobiliario[36].

---

32. La expresión «promotor-gestor» ha sido acuñada por CARRASCO PERERA, CORDERO LOBATO y GONZÁLEZ CARRASCO, *Derecho de la construcción y la vivienda, op. cit.*, pp. 429-430.

33. Así lo pone de manifiesto la STS, 1ª, 1.3.1984 (RJ 1984, 1194).

34. En este sentido, *vid.*, entre muchas otras, las SSTS, 1ª, 31.3.1992 (RJ 1992, 2311); 1.10.1991 (RJ 1991, 7255); 9.3.1988 (RJ 1988, 1609); 30.10.1986 (RJ 1986, 6021); 1.3.1984 (RJ 1984, 1194); y 11.10.1974 (RJ 1974, 3798).

35. *Vid.*, por ejemplo, la SAP Baleares, Civil, Sec. 5ª, 27.7.2011 (JUR 2011, 310432) que señala que «... la figura del promotor-vendedor [...], por el contrario, no se ocupa de construir personalmente el inmueble, sino que encarga a una empresa constructora su realización» (FD 6°).

36. Se refieren al promotor-vendedor, entre otras, las SSTS, 1ª, 13.5.2002 (RJ 2002, 5705); 21.2.2000 (RJ 2000, 752); 10.11.1999 (RJ 1999, 8862); 29.9.1993 (RJ 1993, 6659); 22.2.1988 (RJ 1988, 1271); 13.7.1987 (RJ 1987, 5461); y 20.6.1985 (RJ 1985, 3625).

La STS, 1ª, 30.9.1991 (RJ 1991, 6075) define al promotor-vendedor como aquél que «centra toda la actividad constructora, protagonizándola en primer plano, en razón a sus funciones de ideación, planificación, coordinación, organización, acometida, financiación y control del programa de construcción inmobiliaria que pretende llevar a cabo, de tal manera que su actividad se profesionaliza cada vez más y culmina con la comercialización de lo edificado, en forma de viviendas, locales y toda clase de aprovechamientos espaciales».

En sentencias posteriores el Tribunal Supremo incluyó en el concepto de promotor otros intervinientes en el proceso edificatorio, como el promotor-gestor, quien a pesar de presentarse ante los futuros adquirentes como mero gestor de la promoción, es promotor a todos los efectos cuando durante el proceso constructivo ejerció el control sobre los elementos esenciales[37].

2.2.2. Elementos determinantes de la figura del promotor

La jurisprudencia de la Sala 1ª del Tribunal Supremo sobre responsabilidad por ruina fue consolidándose paulatinamente hasta crear, como sus propias sentencias indican, «un cuerpo de doctrina uniforme y constante» en el que señalaba los rasgos determinantes de la posición típica del promotor[38].

En especial, los elementos determinantes de la figura del promotor eran, de acuerdo con la jurisprudencia mencionada: a) realización de la obra por cuenta y beneficio propio; b) control del promotor sobre el proceso constructivo; c) obtención de un beneficio económico e intención de transmitir las viviendas a terceros; y d) profesionalidad y confianza de los terceros adquirentes en su prestigio comercial.

a. Realización de la obra por cuenta y beneficio propio

El Tribunal Supremo consideraba que era promotor quien por su

---

37. Para un análisis en profundidad de la figura del promotor-gestor vid. el Capítulo Cuarto.
38. De conformidad con la STS, 1ª, 13.12.2007 (RJ 2008, 329) «[e]s doctrina unánime de la Sala 1ª del Tribunal Supremo equiparar la figura del promotor con la del contratista, a efectos de incluirlo en la responsabilidad decenal del art. 1591 CC cuando se den en la persona del promotor las siguientes circunstancias: la obra se realiza en su propio beneficio; se encamina al tráfico de la venta a terceros; los terceros adquirentes han confiado en su prestigio comercial; el promotor eligió y contrató al contratista y a los técnicos; y, por último, adoptar criterio contrario supondría limitar o desamparar a los futuros compradores de pisos frente a la mayor o menor solvencia del resto de los intervinientes de la construcción» (FD 5°).

cuenta y en su beneficio encargaba la realización de la obra a un tercero[39]. En otras palabras, el promotor se caracterizaba por emprender el proceso de edificación en interés propio con el fin de obtener el beneficio económico derivado de la enajenación de lo construido[40].

Específicamente, la aplicación de este criterio permitía rechazar la condición de promotor al mandatario que actuaba en nombre del dueño de la obra –o también llamado promotor-mandatario–. El promotor-mandatario, es aquella persona que, en virtud de un contrato de mandato y a cambio de una remuneración, actúa en interés del mandante. En particular, se ocupa de programar e impulsar la edificación por cuenta y en nombre del dueño de la obra, desempeñando con este fin alguno de las actividades del proceso edificatorio[41].

La STS, 1ª, 23.12.1993 (RJ 1993, 10111) declaraba, en este sentido, que la Caja de Ahorros demandada actuó como promotora-mandataria pues «(...) no efectuó en su nombre gestiones propias de promoción de la vivienda (...) sin intervenir, en propio nombre en la construcción del chalet en el que se han advertido los defectos, el cual se realizó por los ya dueños de la parcela». La Caja de Ahorros no se «(...) incluye en el círculo de responsables –*ex* artículo 1591 del Código Civil– por los defectos de la obra alegados por los actores, ya que según afirma el Tribunal de instancia no efectuó gestiones de promoción de la vivienda propios de este cometido, que son los tendentes «a coordinar las actividades técnicas, jurídicas y de realización material por los profesionales que estima adecuados», actuando en propio nombre, sino «limitándose a cumplir un encargo efectuado por quien, sobre terreno propio, va a edificarse una vivienda»» (FD 2°)[42].

A la figura del promotor-mandatario se contraponía la del promotor-gestor –o también llamado falso-mandatario–, el cual actúa en interés pro-

---

39. Entre otras, *vid.* las SSTS, 1ª, 16.12.2005 (RJ 2006, 1222); 31.3.2005 (RJ 2005, 2743); 3.5.1996 (RJ 1996, 3775); 20.2.1989 (RJ 1989, 1212); 9.3.1988 (RJ 1988, 1609); 30.10.1986 (RJ 1986, 6021); 28.3.1985 (RJ 1985, 1220); 11.2.1985 (RJ 1985, 545); 13.6.1984 (RJ 1984, 3236); y 1.3.1984 (RJ 1984, 1194).

40. PERTÍNEZ VÍLCHEZ, *Comentario a la sentencia de 10 de diciembre de 2004 (RJ 2005, 272), op. cit.*, p. 1275.

41. Sobre el concepto de promotor-mandatario *vid.* LOBATO GÓMEZ, *Responsabilidad del promotor inmobiliario por vicios de la construcción, op. cit.*, p. 14; Pedro J. FEMENÍA LÓPEZ, «Comentario a la STS de 21 de junio de 1999», *CCJC*, 51, 1999, p. 1258; MARÍN GARCÍA DE LEONARDO, *La figura del promotor en la Ley de Ordenación de la Edificación, op. cit.*, pp. 57 y ss.; Carmen GONZÁLEZ LEÓN, «Comentario de la sentencia de 31 de marzo de 2005 (RJ 2005, 2743)», *CCJC*, 70, 2006, pp. 315 y 316; y ESTRUCH ESTRUCH, *Las responsabilidades en la construcción: regímenes jurídicos y jurisprudencia, op. cit.*, p. 196.

42. *Vid.* en términos parecidos la SAP Cádiz, Civil, Sec. 1ª, 27.12.2002 (JUR 2003, 113804).

pio a pesar de intervenir en la promoción en virtud de un mandato otorgado por el dueño de la obra.

La SAP Alicante, Civil, Sec. 4ª, 14.6.2007 (JUR 2008, 8726) pone de manifiesto la necesidad de distinguir entre el promotor-mandatario y el promotor-gestor al definir el concepto de promotor-mandatario como «(...) aquel que se ocupa de programar e impulsar la edificación por cuenta del dueño de la obra, realizando todas o algunas de las actividades necesarias para ello a cambio de una remuneración, habiéndose otorgado, en ocasiones, la condición de promotor a quienes actúan en la condición de «gestores constructivos», pudiendo configurarse, en determinadas circunstancias, las actividades de gestión, administración y dirección del proceso edificativo como propias de los promotores» (FD 2º).

b. *Control del promotor sobre los elementos esenciales del proceso constructivo*

La Sala 1ª del Tribunal Supremo señala como otro de los elementos caracterizadores de la figura del promotor el control que este agente ejerce sobre los elementos esenciales del proceso de la construcción[43]. De modo que es promotora la persona física o jurídica que dirige, decide y controla el programa de construcción de la obra, a pesar de que no reúna la condición de propietaria de la misma.

En este sentido, la STS, 1ª, 8.10.1990 (RJ 1990, 7585) afirma que el promotor «frente a terceros, asume, aparte [de] la responsabilidad por defectuoso cumplimiento del deber de entrega, la derivada del artículo 1591 del Código *por su marcada intervención en la fase constructiva* (...)» (FD 2º); la STS, 1ª, 15.3.2001 (RJ 2001, 3194) considera promotor a quien «había llevado a cabo en el proceso constructivo del edificio, de forma directa y personal, labores de estructuración directivas y de coordinación de la obra, realizando tareas de control técnico (...) así como de publicidad y venta del inmueble, habiendo tomando las decisiones por su cuenta de variación de las obras (...) [puesto que] las actividades de *gestión, administración, y dirección del proceso edificativo son propias de los promotores*» (FD 1º); y la STS, 1ª, 14.12.2007 (RJ 2008, 330) declara que «*[s]u tratamiento como agente de la edificación se justifica por su intervención decisiva*, por el hecho de que la obra se realiza en su beneficio, y por el hecho de que es él quien contrata y elige a los técnicos» (FD 9º) (énfasis añadido).

En especial, de acuerdo con la jurisprudencia sobre responsabilidad por ruina, es promotor quien contrata al constructor, a los técnicos y demás intervinientes en el proceso constructivo y ejerce un control sobre la activi-

---

43. CORDERO LOBATO, *Capítulo 13. El promotor, op. cit.*, pp. 386-387; y MARTÍNEZ ESCRIBANO, *Responsabilidades y garantías de los agentes de la edificación, op. cit.*, p. 49.

dad que estos realizan[44]. Además, algunas sentencias del Tribunal Supremo han imputado la responsabilidad por ruina al promotor con base en la contratación negligente del constructor o de los técnicos que causaron con su actividad los vicios o defectos constructivos –culpa *in eligendo*–[45] y en el abandono de sus funciones de control sobre las actividades de construcción desarrollados por el constructor o técnicos por él contratados –culpa *in vigilando*–[46].

Asimismo, el control o poder de decisión que ejerce el promotor sobre el proceso edificatorio es uno de los argumentos que el Tribunal Supremo ha utilizado para atribuir la condición de promotor al promotor-gestor o falso mandatario de comunidades de propietarios o de cooperativas de viviendas[47].

c. *Obtención de un beneficio económico e intención de transmitir la edificación a terceros*

Otro de los elementos determinantes de la figura del promotor era, según la jurisprudencia sobre responsabilidad por ruina, la obtención de un beneficio económico con la actividad constructiva y la intención de transmitir las edificaciones resultantes a terceros[48]. De este modo, el Tribunal Supremo distinguía a los promotores según tenían o no ánimo de lucro, considerando promotor inmobiliario, a los efectos del artículo 1591.I CC, sólo a los primeros y excluyendo de dicha categoría a las personas físicas o jurídicas que no tenían intención lucrativa[49].

---

44. Así, por ejemplo, la STS, 1ª, 25.1.2000 (RJ 2000, 118) afirma que «es indiscutible la condición de promotora de la Oficina Liquidadora porque se subrogó en los derechos y obligaciones del Patronato de Casas del Ministerio de Obras Públicas que claramente actuó como promotor, contratando la ejecución del inmueble a la empresa constructora codemandada». En la doctrina, pone de relieve esta característica, PERTÍNEZ VÍLCHEZ, *Comentario a la sentencia de 10 de diciembre de 2004 (RJ 2005, 272), op. cit.*, p. 1276.

45. Entre otras, *vid.* las SSTS, 1ª, 8.1.1990 (RJ 1990, 7585); 1.10.1998 (RJ 1998, 8732); 20.11.1998 (RJ 1998, 8413); 30.12.1998 (RJ 1998, 10145); 14.5.2008 (RJ 2008, 3067); y 26.6.2008 (RJ 2008, 4272). En contra de esta línea jurisprudencial, Rodrigo BERCOVITZ RODRÍGUEZ-CANO, «Comentario a la STS de 29 de junio de 1987», *CCJC*, nº 14, 1987, p. 4719, considera que difícilmente puede incurrirse en culpa *in eligendo* cuando se contrata profesionales que ostentan la titulación exigible o con constructoras cuya situación jurídica es totalmente correcta.

46. En este sentido, *vid.* las SSTS, 1ª, 14.5.2008 (RJ 2008, 3067); 13.5.2002 (RJ 2002, 5705); y 29.6.1987 (RJ 1987, 4828).

47. Para un análisis exhaustivo del promotor-gestor *vid.* el Capítulo Cuarto.

48. Aplican este argumento, entre muchas otras sentencias, las SSTS, 1ª, 13.12.1998 (RJ 1998, 10145); 20.11.1998 (RJ 1998, 8413); 4.6.1992 (RJ 1992, 4997); 8.10.1990 (RJ 1990, 7585); 6.3.1990 (RJ 1990, 1672); 28.3.1985 (RJ 1985, 1220); 11.2.1985 (RJ 1985, 545); y 13.6.1984 (RJ 1984, 3236).

49. Pone de relieve este elemento determinante del promotor, ESTRUCH ESTRUCH, *Las responsabilidades en la construcción (...), op. cit.*, pp. 184-187.

Así, la STS, 1ª, 13.12.2007 (RJ 2008, 329) afirma que «[l]a jurisprudencia sentada en aplicación del artículo 1591 CC parte de la caracterización del promotor como beneficiario económico del negocio constructivo (...)», así como de «la caracterización del promotor en función de una actividad encaminada al tráfico inmobiliario mediante la incorporación al mercado y venta a terceros (...)» (FD 5º)[50].

Carecen de ánimo de lucro y, en consecuencia, no eran considerados promotor por el Tribunal Supremo, a efectos del régimen de responsabilidad por ruina, los autopromotores que promovían una edificación de manera individual o los comuneros que promovían agrupados en régimen de comunidad de propietarios para satisfacer su necesidad de vivienda[51]. La jurisprudencia sobre responsabilidad por ruina tampoco incluía en la condición de promotor a las cooperativas de viviendas sin ánimo de lucro, a las que calificaba de promotor-mediador[52].

d. Profesionalidad y confianza de los terceros adquirentes en su prestigio comercial

Un cuarto elemento definitorio de la figura del promotor inmobiliario, en la jurisprudencia del Tribunal Supremo sobre responsabilidad por ruina,

50. Excepcionalmente, la STS, 1ª, 22.6.2001 (RJ 2001, 5074) defendió que el beneficio del promotor no tiene que ser necesariamente de carácter económico, sino que puede ser social. En la sentencia el TS estimó la legitimación pasiva de la Comunidad Autónoma de Castilla y León que se había subrogado en el Instituto de Vivienda, promotor público del edificio afectado pues «... ha de tenerse en cuenta que el beneficio no tiene que ser necesaria e imperativamente económico –sin dejar de lado que la recurrente fue la vendedora de las viviendas– y en su concepto cabe incluir actuaciones de política social o económica protectora y tuteladora de las clases más necesitadas, lo que también resulta actuar beneficioso, y así como que las viviendas del pleito corresponden a las de promoción pública y oficial, no excluidas de modo absoluto del tráfico inmobiliario» (FD 2º). Sobre ello vid. ABRIL CAMPOY, La responsabilidad del promotor en la Ley de Ordenación de la Edificación..., op. cit., p. 1238.
51. Para un análisis en profundidad de la ausencia de condición de promotor del autopromotor individual y de los comuneros que promueven en régimen de comunidad de propietarios en la jurisprudencia sobre responsabilidad por ruina vid. el Capítulo Tercero, apartado I, epígrafe 2.1 y apartado II, epígrafe 2.1.
52. LOBATO GÓMEZ, Responsabilidad del promotor inmobiliario por vicios de la construcción, op. cit., p. 14, define al promotor-mediador como aquéllos que «en principio, no tienen la intención de destinar las viviendas realizadas al tráfico. Es éste el caso de las cooperativas de viviendas (...), de las sociedades civiles de construcción, de las comunidades de propietarios, etc., que promueven y realizan la edificación con el objeto de adjudicar las viviendas construidas a sus asociados, a sus socios, o comuneros». Para un análisis en profundidad sobre la ausencia de condición de promotor de la cooperativa de viviendas en la jurisprudencia sobre responsabilidad por ruina vid. el Capítulo Tercero, apartado III, epígrafe 2.1.

era la profesionalidad del promotor en el ejercicio de su actividad en el mercado inmobiliario, la cual generaba en los terceros adquirentes una expectativa sobre la idoneidad del inmueble resultante. Esto es, el Tribunal Supremo exigía que la actividad de promoción se llevara a cabo en ejercicio de una actividad empresarial. Sin embargo, la habitualidad no era relevante para la calificación de promotor.

> Así, la STS, 1ª, 20.6.1985 (RJ 1985, 3625) afirma que el tercer adquirente «(...) lo que en definitiva ha tenido en consideración para efectuar la adquisición es la garantía de autenticidad de la obra con adaptación a lo que el promotor-vendedor ofrecía, o sea a una construcción correcta en concordancia con su naturaleza y características» (Cdo. 3º). Y la STS, 1ª, 29.6.1987 (RJ 1987, 4828) reconoce que el «promotor crea actividades proyectadas sobre la construcción y como la misma ha de llevarse a cabo, lo cual le vincula en relación a los terceros adquirentes, ya que éstos al realizar la adquisición de los pisos y locales contemplan la garantía que les depara el Promotor» (FD 2º).

II. CONCEPTO DE PROMOTOR EN LA LEY DE ORDENACIÓN DE LA EDIFICACIÓN

1. DEFINICIÓN LEGAL DE PROMOTOR (ARTÍCULOS 9.1 Y 17.4 LOE)

1.1. Extensión del concepto de promotor definido en la jurisprudencia anterior

La LOE ofrece un concepto de promotor de aplicación general en sus artículos 9.1 y 17.4. Con anterioridad, las legislaciones autonómicas, la legislación estatal sectorial y el Tribunal Supremo habían ofrecido diferentes acepciones del término. El legislador de la LOE reacciona frente al panorama descrito ampliando el concepto de promotor con respecto al definido por la jurisprudencia sobre responsabilidad por ruina.

En la nueva concepción legal, el promotor no se caracteriza como beneficiario económico del negocio constructivo. Por ello, la Ley abarca determinados sujetos que el Tribunal Supremo había considerado excluidos del concepto de promotor y del círculo de responsables del artículo 1591.I CC. Así lo ha reconocido, *obiter dicta*, la STS, 1ª, 20.12.2007 (RJ 2007, 8664), de acuerdo con la cual

> «... es evidente que la forma con que se delimita la actividad del promotor en este ordenamiento, así como el destino de la edificación, supone una ampliación del concepto mostrado por la actual doctrina jurisprudencial referente el artículo 1591, al no venir caracterizado como el mero beneficiario económico del negocio constructivo» (FD 4º)[53].

---

53. También reconocen la ampliación del concepto de promotor en la LOE «al no venir ya caracterizado como mero beneficiario del negocio constructivo» las pos-

En particular, la LOE incluye en la definición de promotor rasgos reconocidos en otras nociones de promotor propias de algunas leyes de vivienda autonómicas y de leyes estatales sectoriales anteriores en materia de vivienda de protección oficial y de garantías por cantidades anticipadas en la construcción y venta de viviendas[54], que incluyen al autopromotor individual, a los comuneros que promueven agrupados en régimen de comunidad de propietarios y a las cooperativas de viviendas.

Cabe señalar que a pesar de que la LOE regule la figura del promotor a quien impone ciertas obligaciones y responsabilidades, no establece, a diferencia del ordenamiento jurídico francés, el régimen jurídico del llamado contrato de promoción inmobiliaria[55]. En el ordenamiento jurídico español, no está regulada la figura del contrato de promoción, sino que el promotor se vincula contractualmente con el destinatario final de las edificaciones por medio de un contrato de compraventa, de de obra, de mandato, o de arrendamiento de servicios, según los casos[56].

En los apartados siguientes se presenta el contenido de los artículos 9.1 y 17.4 LOE, así como las referencias que la Exposición de Motivos de la Ley les dedica, con el objeto de extraer a continuación los elementos determinantes de la figura del promotor en la Ley.

1.2. Artículo 9.1 LOE: el promotor

El artículo 9.1 LOE establece, en su Capítulo III dedicado a los «agentes de la edificación», las circunstancias que deben concurrir en una

teriores SSTS, 1ª, Sec. 1ª, 24.5.2013 (RJ 2013, 180778); 4.12.2008 (RJ 2008, 6950); 18.9.2012 (RJ 2012, 9014); y 29.11.2007 (RJ 2007, 8654). En la jurisprudencia menor, vid. entre otras, la SAP Madrid, Civil, Sec. 10ª, 20.2.2012 (JUR 2012, 104419).

54. Coincide GARCÍA LÓPEZ, *Construcciones efectuadas en régimen de autopromoción individual y exoneración de la obligación de constituir las garantías previstas en la Ley de Ordenación de la Edificación, op. cit.*, p. 356.

55. Así lo pone de manifiesto, Encarna CORDERO LOBATO, «Comentario a la sentencia de 3 de octubre de 1996», 1166, *CCJC*, 43, 1997, p. 244; y la misma autora en *Capítulo 13. El promotor, op. cit.*, p. 386, nota al pie 3.

56. Con todo, tal y como señalan MALINVAUD y JESTAZ, *Droit de la promotion immobilière, op. cit.*, pp. 45-46, la *Cour de cassation* francesa ha establecido un sistema de protección que se sustenta en una definición de promotor entendido como «aquél que tiene la iniciativa y la dirección principal de la operación». Esta noción jurisprudencial, económica y amplia de promotor se ha mantenido por el legislador de 1971, que instaura el contrato de promoción inmobiliaria, habiendo creado una noción legal, jurídica y estricta de promotor, definida como aquél que concluye el antedicho contrato. Estas dos nociones se desarrollan independientemente la una de la otra: de manera que la existencia del contrato de promoción inmobiliaria no ocupa la calificación de promotor *lato sensu*.

persona física o jurídica para ser considerada promotor. En particular, el artículo 9.1 LOE prevé que es promotor

«... cualquier persona, física o jurídica, pública o privada, que, individual o colectivamente, decide, impulsa, programa y financia, con recursos propios o ajenos, las obras de edificación para sí o para su posterior enajenación, entrega o cesión a terceros bajo cualquier título».

La Exposición de Motivos de la LOE destaca que el promotor

«... asume la iniciativa de todo el proceso», como una de las características principales del concepto legal, así como que «se obliga a garantizar los daños materiales que el edificio pueda sufrir», de conformidad con el artículo 9.2.d) LOE[57].

La definición del artículo 9.1 LOE ha sido criticada por ser «extraordinariamente amplia, y hasta cierto punto ambigua» (Julián LÓPEZ RICHART)[58] y por utilizar en demasiados elementos «un lenguaje vulgar, en lugar del término jurídico correspondiente» (Encarna CORDERO LOBATO)[59]. Para algunos, «se trataría de un precepto definitorio, descriptivo de cuándo hay actividad de «promoción», antes de que una norma con transcendencia decisiva en materia de responsabilidad cuyo (...) valor real (...) reside (...) en que por primera vez, en una Ley pretendidamente reguladora del fenómeno constructivo en su globalidad, se procede a utilizar y describir la figura, ya tan habitual en la práctica (...)» (José Manuel RUIZ-RICO RUIZ)[60].

1.3. Artículo 17.4 LOE: el promotor-gestor de cooperativas o de comunidades de propietarios

El artículo 17.4 LOE, situado en el Capítulo IV relativo a las «responsabilidades y garantías», extiende la responsabilidad del promotor

«... a las personas físicas o jurídicas que, a tenor del contrato o de su intervención decisoria en la promoción, actúen como tales bajo la forma de promotor o gestor de cooperativas o de comunidades de propietarios u figuras análogas».

Las cuales, de acuerdo con la Exposición de Motivos de la LOE,

«... aparecen cada vez con mayor frecuencia en la gestión económica de la edificación».

---

57. Obsérvese la gran similitud del concepto de promotor de la LOE con la definición de promotor ofrecida por el artículo 3 de la hoy derogada Ley 24/1991 de Cataluña citado en el epígrafe 1.2.1 del apartado I de este capítulo.
58. LÓPEZ RICHART, *Responsabilidad personal e individualizada y responsabilidad solidaria en la Ley de Ordenación de la Edificación, op. cit.,* p. 170.
59. CORDERO LOBATO, *Capítulo 13. El promotor, op. cit.,* p. 390.
60. RUIZ-RICO RUIZ, *Capítulo VII. Los criterios de imputación de los distintos agentes de la edificación..., op. cit.,* p. 133.

La extensión de la responsabilidad del promotor a las personas físicas o jurídicas promotoras o gestoras de cooperativas o de comunidades de propietarios ha llevado a la doctrina a plantearse la cuestión relativa a si la LOE les es aplicable en su integridad, o si únicamente les son aplicables las disposiciones relativas a la responsabilidad del artículo 17.3 LOE.

Coincido con la jurisprudencia y doctrina mayoritarias que defienden que el promotor-gestor de cooperativas o de comunidades de propietarios es promotor a todos los efectos, a pesar de que el artículo 17.4 LOE se refiera estrictamente a la extensión de «la responsabilidad del promotor». Es decir, la Ley configura un concepto único de promotor al cual atribuye tanto las responsabilidades como las obligaciones previstas en los artículos 9.2, 17 y 19 LOE, con entera independencia del contrato en virtud del cual el promotor esté vinculado con los adquirentes de las viviendas[61].

2. ELEMENTOS DETERMINANTES DE LA FIGURA DEL PROMOTOR EN LA LOE

2.1. Intervención decisoria del promotor en el proceso edificatorio

La LOE mantiene como elemento definitorio del promotor un elemento que el Tribunal Supremo ya había considerado relevante a los efectos de definir la figura del promotor en la responsabilidad por ruina del artículo 1591.I CC[62]: la intervención decisoria en el proceso de la edificación[63]. En efecto, en virtud de la LOE es promotor quien «decide» las

---

61. En este sentido, *vid.* la SAP Barcelona, Civil, Sec. 16ª, 31.7.2003, FD 3º (JUR 2003, 256855). En la doctrina, CORDERO LOBATO, *Capítulo 13. El promotor, op. cit.*, p. 392; con quien coincide MARÍN GARCÍA DE LEONARDO, *La figura del promotor en la Ley de Ordenación de la Edificación, op. cit.*, p. 49.

62. En relación con el control sobre los elementos esenciales del proceso de la construcción como elemento determinante de la figura del promotor en la jurisprudencia sobre responsabilidad por ruina *vid.* el epígrafe 2.2.2 del apartado I de este Capítulo.

63. En este sentido, *vid.* Rafael GONZÁLEZ TAUSZ, «El nuevo régimen del promotor inmobiliario tras la Ley de Ordenación de la Edificación», *Revista crítica de derecho inmobiliario*, año nº 76, nº 661, 2000, p. 2694; MARÍN GARCÍA DE LEONARDO, *La figura del promotor en la Ley de Ordenación de la Edificación, op. cit.*, p. 51; LÓPEZ RICHART, *Responsabilidad personal e individualizada y responsabilidad solidaria en la Ley de Ordenación de la Edificación, op. cit.*, p. 170; ABRIL CAMPOY, *La responsabilidad del promotor en la Ley de Ordenación de la Edificación (...), op. cit.*, p. 1241; CORDERO LOBATO, *Capítulo 13. El promotor, op. cit.*, pp. 393-394; y de la misma autora, *Capítulo 21. Responsabilidad civil de los agentes que intervienen en el proceso de la edificación, op. cit.*, p. 524; CARRASCO PERERA, CORDERO LOBATO, GONZÁLEZ CARRASCO, *Derecho de la construcción y la vivienda, op. cit.*, p. 434; ESTRUCH ESTRUCH, *Las responsabilidades en la construcción..., op. cit.*, pp. 762-766; y MARTÍNEZ ESCRIBANO, *Responsabilidades y garantías de los agentes de la edificación, op. cit.*, p. 187.

obras de edificación (artículo 9.1 LOE) y asume una «intervención decisoria en la promoción» (artículo 17.4 LOE).

Con todo, de acuerdo con el artículo 9.1 LOE el promotor no sólo decide sino que, además, «impulsa, programa y financia» las obras edificación. Si bien, en la práctica, lo más habitual es que el promotor inicie, programe y financie la edificación, la referencia del artículo 9.1 LOE a estas actuaciones debe entenderse descriptiva, pero no definitoria de la actividad que realiza, pues un sujeto puede ser calificado como tal con independencia de que lleve a cabo o no todas y cada una de estas actuaciones.

De este modo, es promotor a efectos de la LOE:

a) La empresa gestora de una cooperativa de viviendas, a pesar de que la promoción se hubiera *impulsado* por la propia cooperativa, si el gestor tiene una intervención decisoria en el proceso edificatorio;

b) El propietario de la obra que delega la *programación* de la obra a un *project manager* cuando la complejidad del proyecto lo aconseje, si mantiene el poder de decisión sobre los elementos fundamentales del negocio constructivo;

c) El mandatario con una intervención decisoria en el proceso de la edificación, aunque no sea deudor de las obligaciones contraídas por el dueño de la obra durante el proceso constructivo, es decir, aunque no *financie* la obra[64].

En efecto, la LOE describe al promotor teniendo en cuenta el grado de participación y el poder de decisión de este agente sobre el proceso edificatorio, y prescinde de otros factores como la finalidad de su actividad –ánimo de lucro o satisfacción de las necesidades propias de habitación–[65] o su condición personal –persona física o jurídica, pública o privada, empresario o consumidor–.

La intervención decisoria del promotor equivale, tal y como ha seña-

---

64. *Vid.* CORDERO LOBATO, *Capítulo 13. El promotor, op. cit.*, p. 391, nota al pie 21.

65. Destacan la condición de promotor en la LOE del agente que tiene una intervención decisoria con independencia de su ánimo de lucro, GONZÁLEZ TAUSZ, *El nuevo régimen del promotor inmobiliario tras la Ley de Ordenación de la Edificación, op. cit.*, p. 2697; CARRASCO PERERA, CORDERO LOBATO y GONZÁLEZ CARRASCO, *Derecho de la construcción y la vivienda, op. cit.*, p. 428; MARTÍNEZ ESCRIBANO, *Responsabilidades y garantías de los agentes de la edificación, op. cit.*, p. 187; ABRIL CAMPOY, *La responsabilidad del promotor en la Ley de Ordenación de la Edificación..., op. cit.*, p. 1241; y ESTRUCH ESTRUCH, *Las responsabilidades en la construcción (...), op. cit.*, pp. 766-772.

lado la jurisprudencia[66], así como algún autor[67], a que este agente decida los elementos esenciales del proceso edificatorio. En palabras del Tribunal Supremo, en la STS, 1ª, 6.4.2011 (RJ 2011, 3148), el promotor inmobiliario

> «... como agente que también es de la edificación, según el artículo 9 de la LOE, tiene a estos efectos una eficaz y decisiva intervención en el proceso edificatorio, intervención que es continuada y parte desde la adquisición del solar y cumplimento de trámites administrativos y urbanísticos para la edificación hasta llegar a presentar en el mercado un producto que debe ser correcto» (FD 2º).

En particular, los tribunales han considerado que son decisiones que afectan a elementos fundamentales del proceso edificatorio aquéllas que se refieren a: la selección de los terrenos en los que se construirá; la elección de la dirección facultativa y de la empresa constructora; la aprobación de la cesión del contrato de obra a una nueva empresa constructora; el otorgamiento de la escritura de declaración de obra nueva y división horizontal; entre otras[68].

2.2. Irrelevancia del ánimo de lucro y de la profesionalidad en la actividad de promoción

2.2.1. Irrelevancia del ánimo de lucro del promotor

La LOE no hace referencia en su articulado a la necesidad que la actuación del promotor se realice con ánimo de lucro, a diferencia de la jurisprudencia sobre responsabilidad por ruina, que exigía la concurrencia de tal circunstancia para atribuir la condición de promotor. En consecuencia, y tal como reconoce el Tribunal Supremo, la intención lucrativa como característica indispensable del promotor a efectos de su responsabilidad como agente de la construcción debe entenderse abandonada a partir de la entrada en vigor de la LOE[69].

---

66. La SAP Barcelona, Civil, Sec. 4ª, 3.11.2005 (JUR 2006, 86785) señala que «se considera promotor a aquel interviniente que decide los elementos esenciales del proceso edificatorio» (FD 2º); y la SAP Barcelona, Civil, Sec. 15ª, 9.1.2004 (JUR 2004, 97510) declara que «de tal concepto legal se sigue que será promotor quien decide los elementos esenciales del proceso edificatorio, obligado, además, a una prestación de resultado» (FD 5º).

67. González Tausz, *El nuevo régimen del promotor inmobiliario tras la Ley de Ordenación de la Edificación, op. cit.*, p. 2693.

68. Para un estudio más detallado de los elementos esenciales de la promoción *vid.* el Capítulo Cuarto de este trabajo.

69. En este sentido, *vid.* las SSTS, 1ª, Sec. 1ª, 24.5.2013 (RJ 2013, 180778); 4.12.2008 (RJ 2008, 6950); 18.9.2012 (RJ 2012, 9014); 29.11.2007 (RJ 2007, 8657); 13.12.2007 (RJ 2008, 329); y 20.12.2007 (RJ 2007, 8664); la STSJ de Cataluña, Sala de lo Civil y Penal, Sec. 1ª, 31.3.2011 (RJ 2011, 3834). En la jurisprudencia menor, *vid.* las SSAP Madrid, Civil, Sec. 10ª, 20.2.2012 (JUR 2012, 104419);

Especialmente ilustrativa es la SAP Barcelona, Civil, Sec. 13ª, 8.5.2009 (JUR 2009, 401769) según la cual «el artículo 9.1 de la LOE, que define la figura del promotor, ha ampliado notablemente el concepto, fundiéndose con la figura del dueño de la obra, abandonando así la idea exclusiva del gran promotor inmobiliario de construcciones de entidad e incluyendo ahora en la noción de promotor a todo el que asuma la iniciativa de un proceso edificatorio, cualquiera que sea el ámbito y la finalidad con que actúe» (FD 2º).

Asimismo, el último fragmento del artículo 9.1 de la Ley señala que las obras de edificación pueden realizarse «para sí o para su posterior enajenación, entrega o cesión a terceros bajo cualquier título», lo que incluye a las personas que promueven edificaciones para uso propio y que, por definición, actúan sin ánimo de lucro[70].

Se valora positivamente el abandono del ánimo de lucro como elemento definitorio de la figura del promotor. Fundamentalmente, porque resultaba reprochable, tal como señaló el Prof. Rodrigo BERCOVITZ[71], que en una economía de mercado caracterizada por la libertad de precios, los tribunales imputaran responsabilidad con fundamento en la finalidad de obtener un beneficio económico.

Además, ello es conforme con la evolución que el concepto de empresario ha tenido en la doctrina mercantilista, en la que, actualmente, es doctrina pacífica que es empresario, quien suministra bienes o servicios en el mercado, aunque lo haga sin ánimo de lucro. Con todo, como se analiza en el próximo epígrafe, la eliminación del ánimo de lucro como elemento definitorio del promotor, no ha ido acompañada en la LOE de la exigencia de otro requisito que se considera indispensable, la profesionalidad en la actividad de promoción.

Barcelona, Civil, Sec. 4ª, 17.11.2011 (JUR 2012, 92371); Madrid, Civil, Sec. 13ª, 7.6.2011 (JUR 2011, 311515); Barcelona, Civil, Sec. 16ª, 2.2.2010 (JUR 2010, 158135); Barcelona, Civil, Sec. 4ª, 22.10.2009 (JUR 2010, 46267); Barcelona, Civil, Sec. 13ª, 8.5.2009 (JUR 2009, 401769); Barcelona, Civil, Sec. 14ª, 14.4.2009 (JUR 2009, 493731); y Madrid, Civil, Sec. 18ª, 24.7.2008 (JUR 2008, 376680). En contra, RUIZ-RICO RUIZ, *Capítulo VII. Los criterios de imputación de los distintos agentes de la edificación..., op. cit.*, p. 156, opina que «aunque la LOE no haga alusión a él [al ánimo de lucro], debe entenderse implícito en el criterio de «profesionalidad».

70. Nótese que el CTE, en su Anejo III «Terminología», elimina de la definición que ofrece de «promotor» la última parte del artículo 9.1 LOE, pues únicamente se refiere a «... el agente de la edificación que decide, impulsa, programa y financia las obras de edificación».

71. BERCOVITZ RODRÍGUEZ-CANO, *Comentario a la STS de 29 de junio de 1987, op. cit.*, p. 4719. En el mismo sentido, *vid.* CORDERO LOBATO, *Comentario a la sentencia de 3 de octubre de 1996, op. cit.*, p. 245; y MARTÍNEZ ESCRIBANO, *Responsabilidades y garantías de los agentes de la edificación, op. cit.*, pp. 49 y 50.

2.2.2. Irrelevancia de la profesionalidad en la actividad de promoción

La LOE no exige expresamente, a diferencia de la jurisprudencia sobre responsabilidad por ruina y de los Proyectos de Ley anteriores a la LOE[72], que la promoción se lleve a cabo en ejercicio de una actividad empresarial[73]. Es más, la definición de promotor del artículo 9.1 LOE contiene de modo expreso los que edifican «para sí», en otras palabras, a los que promueven las viviendas para uso propio. En esta categoría, se incluyen el autopromotor individual y los comuneros que promueven agrupados en régimen de comunidad de propietarios los cuales, como se argumenta más adelante, no actúan en ejercicio de una actividad profesional.

En consecuencia, cabe concluir que de acuerdo con el tenor literal de la LOE, ésta amplía el concepto de promotor respecto el definido por la jurisprudencia sobre responsabilidad por ruina anterior y, con ello, impone la responsabilidad por vicios y defectos constructivos a los promotores no profesionales. En este aspecto la definición de promotor de la LOE debe calificarse de excesiva, principalmente, por las consecuencias que ello comporta a efectos de responsabilidad.

En efecto, la trascendencia del carácter empresarial de la actividad realizada por el promotor a efectos de su responsabilidad es una cuestión discutida en la doctrina. En concreto, algunos autores consideran que sólo el promotor profesional debería responder con base en el artículo 17 LOE, porque esta norma fundamenta la responsabilidad del promotor, del mismo modo que la jurisprudencia sobre responsabilidad por ruina anterior, en la confianza de los adquirentes en la idoneidad del inmueble promovido por

---

72. El artículo 1600 del Proyecto de Ley 121/43, de 12 de abril de 1994 por el que se modifica la regulación del Código Civil sobre los contratos de servicios y de obra (BOCG, Congreso, Serie, n° 58-1, de 12 de abril de 1994) y el artículo 15 del Proyecto de Ley de LOE de 1996 se referían al promotor como aquél que «en ejercicio de una actividad empresarial» promoviera una obra inmobiliaria.

73. La ausencia de exigencia de la profesionalidad o de habitualidad del promotor en el mercado por parte de la LOE ha sido puesta de manifiesto por parte de autores como MARÍN GARCÍA DE LEONARDO, *La figura del promotor en la Ley de Ordenación de la Edificación, op. cit.*, p. 53; LÓPEZ RICHART, *Responsabilidad personal e individualizada y responsabilidad solidaria en la Ley de Ordenación de la Edificación, op. cit.*, p. 170; ESTRUCH ESTRUCH, *Las responsabilidades en la construcción..., op. cit.*, pp. 750-754; Anxo TATO PLAZA, «As cooperativas de viviendas e a condición de promotor», en Manuel José BOTANA AGRA y Rafael Álvaro MILLÁN CALENTI (Coords.), *As cooperativas de viviendas no marco da Lei 5/1998 de cooperativas de Galicia*, CECOOP (Centro de Estudios Cooperativos-USC), Santiago, 2007, pp. 67-68; y Gumersindo BURGOS PÉREZ DE ANDRADE, «Capítulo III. Agentes de la Edificación», en GARCÍA VARELA (Coord.), *Derecho de la Edificación, op. cit.*, p. 154.

un profesional en el ejercicio de su actividad[74]. Esta cuestión es estudiada con más detalle en los últimos tres capítulos de esta obra.

3. CLASES DE PROMOTORES INCLUIDOS EN EL CONCEPTO DE LA LOE

El establecimiento de un concepto único de promotor en la LOE contrasta con la realidad de la práctica inmobiliaria en la que la figura del promotor se presenta bajo diferentes formas jurídicas. El artículo 9.1 LOE, al definir el concepto de promotor, introduce criterios que permiten clasificar la figura en diversas categorías: persona física o jurídica; pública o privada; que actúa individual o colectivamente; con recursos propios o ajenos; para sí o para su posterior enajenación, entrega o cesión a terceros.

En este apartado se presentan las categorías que el legislador de la LOE ha incluido en el concepto legal de promotor, tomando en consideración el último de estos criterios. De este modo, se distinguen tres grandes clases de promotores:

1º El promotor que destina la edificación al tráfico con terceros, normalmente a la venta o alquiler, es decir, aquel que promueve viviendas «para su posterior enajenación, entrega o cesión a terceros» (artículo 9.1 LOE).

2º El autopromotor individual o el colectivo agrupado en comunidad de propietarios, quienes promueven las obras para destinar la edificación al uso propio o «para sí» (artículo 9.1 LOE);

3º Y las cooperativas de viviendas, que promueven las obras «para su posterior entrega o cesión» a sus socios (artículo 9.1 LOE).

La segunda y tercera categoría de promotores son objeto de análisis en el próximo capítulo. Dentro de la primera categoría, los promotores

---

74. Esta tesis es defendida por CORDERO LOBATO, *Capítulo 13. El promotor, op. cit.*, p. 393; y de la misma autora, *Capítulo 21. Responsabilidad civil de los agentes que intervienen en el proceso de la edificación, op. cit.*, p. 524; y CARRASCO PERERA, CORDERO LOBATO, GONZÁLEZ CARRASCO, *Derecho de la construcción y la vivienda, op. cit.*, p. 428, de acuerdo con los cuales «el criterio de imputación de responsabilidad al promotor es la intervención decisoria en la edificación como profesional del mercado inmobiliario por lo que, a efectos de la LOE, son estos profesionales quienes deben ser considerados promotores». RUIZ-RICO RUIZ,*Capítulo VII. Los criterios de imputación de los distintos agentes de la edificación..., op. cit.*, pp. 145-157, define al promotor «como profesional de la actividad edificatoria» y considera excluido del concepto de promotor establecido en la LOE al autopromotor. El autor se basa en que el criterio de imputación de responsabilidad al promotor en la LOE se fundamenta en «su condición de artífice de todo el proceso constructivo».

que destinan las obras de edificación al tráfico con terceros, éstos se pueden clasificar en función del título o negocio jurídico en virtud del cual intervienen en el proceso constructivo ya sea[75]:

a) Como constructor (promotor-constructor)[76];

b) Como vendedor (promotor-vendedor)[77];

c) Como mandatario, representante o prestatario de servicios (promotor-gestor, cuando concurren los requisitos del artículo 17.4 LOE)[78];

d) Como cesionario o cedente de solar por edificación futura.

El cesionario de solar por edificación futura es la persona física o jurídica, habitualmente un promotor o un constructor, que recibe del cedente una finca o una determinada edificabilidad incluida en la finca a cambio de la adjudicación de una construcción futura o resultante de rehabilitación[79]. En esta operación, el cesionario que vende la edificación a terceros responde frente a los adquirentes como vendedor (1101, 1124 y 1484 y ss. CC), pero también como promotor por los vicios o defectos que afecten al edificio si puede ser considerado promotor a los efectos de la Ley (artículo 17 LOE). Con todo, en determinados supuestos no es el cesionario sino el cedente del solar por edificación futura quien responde como promotor *ex* artículo 17 LOE[80], además de en virtud de las acciones derivadas del contrato de compraventa en caso de transmisión de las viviendas que le fueron adjudicadas. Bajo el régimen de la LOE, el cedente de solar es considerado promotor cuando por las circunstancias del caso

---

75. Esta clasificación procede de CARRASCO PERERA, CORDERO LOBATO y GONZÁLEZ CARRASCO, *Derecho de la construcción y la vivienda*, op. cit., pp. 485-487.

76. Sobre la definición del promotor-constructor *vid.* el epígrafe 2.2 del apartado I de este capítulo.

77. Sobre la definición del promotor-vendedor en la jurisprudencia sobre responsabilidad por ruina *vid.* el epígrafe 2.2 del apartado I de este capítulo. En la doctrina, *vid.* LOBATO GÓMEZ, *Responsabilidad del promotor inmobiliario por vicios de la construcción, op. cit.*, p. 14; FEMENÍA LÓPEZ, *Comentario a la STS de 21 de junio de 1999, op. cit.*, p. 1258; ABRIL CAMPOY, *La responsabilidad del promotor en la Ley de Ordenación de la Edificación..., op. cit.*, p. 1236; y CARRASCO PERERA, CORDERO LOBATO, GONZÁLEZ CARRASCO, *Derecho de la construcción y la vivienda, op. cit.*, p. 430.

78. Sobre el concepto de promotor-gestor *vid.* el Capítulo Cuarto.

79. Este es el concepto establecido en la regulación del contrato de cesión de solar por edificación futura en la Ley catalana 23/2001, de 31 de diciembre, de cesión de finca o de edificabilidad a cambio de construcción futura (DOGC nº 3556, de 18.1.2002).

80. Sobre la responsabilidad del cedente y el cesionario ante terceros antes de la entrada en vigor de la LOE, *vid.* María Teresa ÁLVAREZ MORENO, «La cesión de solar por pisos o locales en el edificio construido», *Aranzadi Civil*, enero/abril 2003, nº 1, 1995, pp. 96 y 97.

concreto intervenga en el proceso de la edificación decidiendo los elementos esenciales. Esta situación puede darse tanto en el caso en que el cedente reciba a cambio del solar una vivienda o local, como cuando reciba una cuota indivisa del edificio resultante[81].

Además, los promotores que destinan las obras de edificación al tráfico con terceros también pueden clasificarse en función de la naturaleza jurídica del sujeto, particular o Administración Pública. En efecto, la referencia del artículo 9.1 LOE a «cualquier persona, física o jurídica, pública o privada» revela que pueden ser promotores las personas jurídicas que persigan intereses privados, pero también aquéllas que persigan intereses públicos, como las Administraciones Públicas que promuevan la construcción de edificaciones[82]. Con todo, recuérdese que, de acuerdo con el artículo 1.3 LOE, la intervención de las Administraciones Públicas en el proceso de la edificación sólo se regirá por la LOE en lo no contemplado en su legislación específica, pero en ningún caso están obligadas a contratar las garantías del artículo 19 LOE[83].

---

81. En este sentido, vid. CARRASCO PERERA, CORDERO LOBATO, GONZÁLEZ CARRASCO, Derecho de la construcción y la vivienda, op. cit., p. 430. La jurisprudencia sobre responsabilidad por ruina afirmó que el cedente de solar que adquiere la plena propiedad de pisos o locales no responde por ruina al carecer de la condición de constructor y de promotor [SSTS, 1ª, 18.12.1990 (RJ 1990, 10286) y 11.6.1994 (RJ 1990, 5227)]. No obstante, calificó de promotor al cedente de solar cuya contraprestación consistía en la atribución de una cuota indivisa del edificio construido, porque su intervención suponía una coparticipación proindiviso en el negocio y la obtención de un lucro con la venta a terceros de los pisos o locales [STS, 1ª, 11.6.1994 (RJ 1994, 5227)]. Sin embargo, CORDERO LOBATO, Capítulo 13. El promotor, op. cit., p. 388, considera problemático que se aprecie lucro en la adquisición si la contraprestación por el suelo se pacta en la atribución de una cuota indivisa pero, por el contrario, no se estime tal lucro si dicha contraprestación se fija en la adjudicación de una o varias viviendas o locales en el edificio futuro. En opinión de MARÍN GARCÍA DE LEONARDO, La figura del promotor en la Ley de Ordenación de la Edificación, op. cit., p. 54, quizás la solución dada por el Tribunal Supremo, que considera promotor al que recibe a cambio del solar una cuota indivisa del edificio resultante, refleja el interés propio del cedente y su implicación en la operación inmobiliaria.
82. En el mismo sentido, MARÍN GARCÍA DE LEONARDO, La figura del promotor en la Ley de Ordenación de la Edificación, op. cit., p. 52; y GÓMEZ PERALS, Responsabilidad del promotor por daños en la edificación, op. cit., p. 47.
83. CARRASCO PERERA, CORDERO LOBATO, GONZÁLEZ CARRASCO, Derecho de la construcción y la vivienda, op. cit., pp. 403-404, señalan que «[e]n el caso del contrato administrativo de obras, no cabe aplicación supletoria de la LOE, pues la LCSP contiene un régimen de responsabilidad del contratista por ruina de lo edificado (...). Si las obras son ejecutadas por la propia Administración, ésta responderá conforme el art. 17 LOE, pues no existe en la LCSP un régimen de responsabilidad para este caso».

TERCERO

AUTOPROMOTOR INDIVIDUAL, COMUNEROS EN LA PROMOCIÓN EN COMUNIDAD DE PROPIETARIOS Y COOPERATIVAS DE VIVIENDAS

I. AUTOPROMOTOR INDIVIDUAL

1. CONCEPTO: DEFINICIONES Y ELEMENTOS DETERMINANTES DE LA FIGURA

1.1. Definiciones legales, jurisprudenciales y doctrinales

El concepto de autopromotor no se encuentra definido de modo expreso en la LOE, si bien siguiendo su artículo 9.1 puede describirse como

> «... cualquier persona física o jurídica (...) que, individual[mente], decide, impulsa, programa y financia, con recursos propios o ajenos, las obras de edificación para sí (...)», es decir, para ser destinada exclusivamente al uso y disfrute propio y de su unidad familiar. Y no para la «enajenación, entrega o cesión a terceros bajo cualquier título».

Esta definición coincide con las primeras referencias a la figura del autopromotor individual en legislación estatal en materia de vivienda protegida, de acuerdo con las cuales también podían ser promotores de viviendas protegidas «los particulares que individualmente (...) construyeran viviendas para sí (...)»[1].

Las leyes autonómicas en materia de vivienda posteriores a la LOE que definen de modo expreso la figura del «autopromotor», o más concre-

---

1. Sobre el concepto de promotor en la legislación estatal en materia de vivienda protegida *vid.* el epígrafe 1.1.1 del apartado I del Capítulo Segundo de este trabajo.

tamente del «autopromotor de vivienda protegida», siguen el tenor del artículo 9.1, si bien excluyen del concepto a la persona jurídica[2].

De acuerdo con estas leyes autonómicas, «autopromotor de vivienda protegida» es la «persona física»[3] «que de forma individual»[4]/«individualmente considerada»[5] «decide, impulsa, programa y financia, con recursos propios o ajenos»[6], «la construcción, reforma o rehabilitación, directa o indirectamente de una vivienda de protección pública»[7]/«las obras de construcción de una vivienda»[8]/«para ser destinada exclusivamente al uso y disfrute por parte de la misma y de su unidad familiar como residencia habitual»[9]/«destinada a satisfacer su necesidad de vivienda»[10].

La jurisprudencia y la doctrina suelen definir el autopromotor individual como el particular que contrata con profesionales la proyección y ejecución de una edificación con la finalidad exclusiva de destinarla al uso y disfrute propio. Así, la SAP Barcelona, Civil, Sec. 14ª, 22.6.2009 (AC 2009, 1720) se refiere al autopromotor individual como

el «particular no profesional que programa y contrata con los profesionales con el fin de edificar para su propia utilidad y disfrute» (FD 2º).

Por último, en la doctrina, el autopromotor individual ha sido definido como «el particular que eventual o esporádicamente decida asumir los propios riesgos de construir en su propia parcela o solar» (Manuel PONS GONZÁLEZ y Miguel Ángel DEL ARCO TORRES)[11]; «las personas físicas que, individualmente y para satisfacer sus particulares necesidades de vivienda, contraten con una empresa constructora la realización de una edificación individual» (Jesús ESTRUCH ESTRUCH)[12]; o «el que contrata para sí con técnicos y constructora directamente la ejecución del edificio» (Antonio ORTÍ VALLEJO)[13].

---

2. En particular, *vid.* Ley 6/2002, de 27 de junio de medidas de apoyo en materia de autopromoción de viviendas, accesibilidad y suelo de Extremadura (DO Extremadura nº 85, de 23.7.2002); Ley 9/2010 de Castilla y León; y Ley 2/2007, de 1 de marzo de vivienda de La Rioja (BO La Rioja nº 32, de 8.3.2007).
3. Artículo 1.1 Ley 6/2002 de Extremadura; artículo 59 Ley 9/2010 de Castilla y León; y artículo 52.1 Ley 2/2007 de La Rioja. Sin embargo, el artículo 3.16 del mismo texto se refiere también a persona jurídica.
4. Artículo 5.1 Ley 6/2002 Extremadura; y artículo 52.1 Ley 2/2007 La Rioja.
5. Artículo 59 Ley 9/2010 Castilla y León.
6. Artículo 5.1 Ley 6/2002 Extremadura; artículo 52.1 Ley 2/2007 La Rioja; artículo 59 Ley 9/2010 Castilla y León.
7. Artículo 59 Ley 9/2010 Castilla y León.
8. Artículos 5.1 Ley 6/2002 Extremadura y artículo 52.1 Ley 2/2007 La Rioja.
9. Artículo 5.1 Ley 6/2002 Extremadura y artículo 52.1 Ley 2/2007 La Rioja.
10. Artículo 59 de la Ley 9/2010 de Castilla y León.
11. PONS GONZÁLEZ y DEL ARCO TORRES, *Comentarios prácticos a la Ley de Ordenación de la Edificación, op. cit.*, p. 117.
12. ESTRUCH ESTRUCH, *Las responsabilidades en la construcción..., op. cit.*, p. 772.
13. ORTÍ VALLEJO, *La responsabilidad civil en la edificación, op. cit.*, p. 1126.

1.2. Elementos definitorios: decide los elementos esenciales y actúa en un ámbito ajeno a una actividad empresarial o profesional

El término «autopromotor individual» puede entenderse en un sentido amplio e incluir en ella a cualquier persona física o jurídica que promueve la construcción de una edificación para uso propio. Con todo, propongo un concepto limitado de autopromotor individual, que únicamente comprenda el sujeto que: a) decida los elementos esenciales del proceso de la edificación; y b) actúe en un ámbito ajeno a una actividad empresarial o profesional, pues promueve la edificación con el fin de destinarla al uso propio o al de su unidad familiar[14].

El primer elemento, decidir los elementos esenciales del proceso de la edificación, conlleva que en la LOE sea calificado de promotor –a diferencia de lo defendido por la jurisprudencia sobre responsabilidad por ruina–. En este punto, el autopromotor individual se diferencia del resto de consumidores de vivienda, que adquieren mediante compraventa la edificación de manos de un promotor inmobiliario[15].

El segundo elemento definitorio del autopromotor individual, promover la edificación en un ámbito ajeno a una actividad empresarial con el fin de destinarla al uso propio, implica que:

a) Por un lado, durante el proceso constructivo, el autopromotor individual puede ser calificado como consumidor y usuario de los servicios de los profesionales de la construcción conforme el artículo 3 TRLCU[16].

---

14. En términos parecidos González Tausz, *El nuevo régimen del promotor inmobiliario tras la Ley de Ordenación de la Edificación, op. cit.*, p. 2695, afirma que «la autopromoción supone reunir en una misma persona a quien determina los elementos esenciales de la promoción (promotor) con quien será el futuro usuario de la edificación». También Vilasau Solana, *La noció de promotor en la Llei 38/1999 d'Ordenació de l'Edificació..., op. cit.*, p. 99, de acuerdo con la cual «és promotor el subjecte que decideix la construcció i que en serà el destinatari final; l'anomenat autopromotor».

15. En la misma línea, García López, *Construcciones efectuadas en régimen de autopromoción individual y exoneración de la obligación de constituir las garantías previstas en la Ley de Ordenación de la Edificación, op. cit.*, p. 361.

16. Debe tenerse en cuenta que la condición jurídica de promotor y de consumidor y usuario del autopromotor individual produce eficacia jurídica en ámbitos jurídicos distintos. En este sentido, la SAP Zaragoza Civil, Sec. 5ª, 22.1.2007 (JUR 2007, 59731) afirma que «el hecho de que el Sr. Javier pueda calificarse como "promotor" o "autopromotor", según el texto de la Ley de Ordenación de la Edificación 38/99, de 5 de noviembre, no empece a su condición de consumidor, pues las consecuencias de ambas condiciones no se obstaculizan, sino que tienen su eficacia en ámbitos jurídicos diferentes. Ya que el promotor puede ser una persona física que recibe directa y finalmente el producto de la obra (consumidor)» (FD 3º).

b) Por otro lado, si finalizada la obra el autopromotor individual transmite la vivienda, no pierde la condición de consumidor siempre y cuando pueda demostrar que actuó en un ámbito ajeno al ejercicio de una actividad empresarial.

En los apartados que siguen ambos elementos definitorios del concepto de autopromotor individual son objeto de un análisis más detallado.

2. CONDICIÓN DE PROMOTOR DEL AUTOPROMOTOR INDIVIDUAL: JURISPRUDENCIA SOBRE RESPONSABILIDAD POR RUINA Y LOE

2.1. Jurisprudencia sobre responsabilidad por ruina: exclusión del autopromotor individual del concepto de promotor

Con anterioridad a la LOE, la jurisprudencia del Tribunal Supremo sobre responsabilidad por ruina señaló, entre otros, como elementos definitorios de la figura del promotor la obtención de un beneficio económico derivado de la construcción y la intención de transmitir las viviendas a terceros[17]. En consecuencia, circunscribió el concepto de promotor en el agente que promueve las obras con ánimo lucro y con destino al mercado, excluyendo del mismo al autopromotor individual, quien no reúne los requisitos anteriores.

En efecto, las sentencias del Tribunal Supremo y de las Audiencias Provinciales que han examinado la responsabilidad por ruina del autopromotor individual revelan una incuestionable propensión a no atribuirle la condición de promotor y, por consiguiente, a considerarlo excluido del círculo de responsables del artículo 1591.I CC[18]. En particular, la mencionada jurisprudencia señaló que el autopromotor individual no es promotor a los efectos de la responsabilidad por ruina cuando pruebe: a) el uso particular de la edificación con intención de perdurabilidad; y b) la ausencia de intervención material en el proceso de construcción.

a. Uso particular de la edificación con intención de perdurabilidad

El particular que contrata con el constructor y los profesionales técnicos la proyección y ejecución de las obras de construcción de una vivienda

---

17. Sobre la obtención de un beneficio económico y la intención de transmitir las viviendas a terceros, *vid.* el epígrafe 2.2.2 del apartado I del Capítulo Segundo de este trabajo.

18. En este sentido, Fernando PANTALEÓN PRIETO, «Responsabilidades y Garantías en la Ley de Ordenación de la Edificación», *II Congreso Nacional de Responsabilidad Civil y Seguro*, Salamanca, 24 de febrero de 2000, p. 11; y RUIZ-RICO RUIZ, *Capítulo VII. Los criterios de imputación de los distintos agentes de la edificación... op. cit.*, pp. 148-149.

y, además, prueba que ha destinado la misma durante un amplio período temporal a su uso particular, no es considerado promotor a los efectos de la responsabilidad por ruina. En este contexto, el posterior contrato de compraventa de vivienda no puede calificarse como una fase más de la promoción inmobiliaria, sino como un mero acuerdo de voluntades entre particulares [SAP Huelva, Civil, Sec. 1ª, 3.12.2003 (JUR 2004, 64374)].

La SAP Huelva, Civil, Sec. 1ª, 3.12.2003 (JUR 2004, 64374) resuelve un caso cuyos hechos son los siguientes. Salvador y Carla construyeron una vivienda con piscina para destinarla a uso particular como vivienda habitual. El 3.9.1994, declararon la obra nueva y después de cinco años de habitar en la vivienda la vendieron a Luis Antonio. Con posterioridad, aparecieron vicios constructivos en la piscina. Luís Antonio demandó a Salvador y Carla y solicitó una indemnización de 4.133,32 € con base en los artículos 1101, 1214 y 1591 CC. El JPI nº 2 de Ayamonte (27.11.2002) desestimó la demanda. La AP estimó el recurso de apelación interpuesto por el demandante. «No concurren los requisitos que permiten atribuir a los demandados la condición de promotores dado que la vivienda construida estaba destinada, no sólo de modo inmediato y directo, sino con intención de perdurabilidad, al uso particular como vivienda habitual, finalidad totalmente ajena a la figura del promotor que se prolongó durante más de cinco años, por la posterior enajenación de la vivienda, que en ningún caso, constituye una fase de la promoción inmobiliaria, sino el mero concurso de voluntades de particulares sobre el objeto y precio del contrato de compraventa, ajeno al sistema de responsabilidad previsto en el artículo 1591» (FD 2º). No obstante, condena a los autopromotores demandados por incumplimiento del contrato de compraventa por entrega de cosa distinta a la pactada (FD 3º).

En contra, el dueño de la obra que contrata con profesionales la construcción o rehabilitación de una vivienda no elude su condición de promotor y la consiguiente responsabilidad por ruina derivada de tal condición, si al poco tiempo la vende, sin haber habitado en ella y con el objeto de obtener un rendimiento económico con la operación (STS, 1ª, 28.10.1999 (RJ 1999, 7631)][19].

Los hechos que dieron lugar a la STS, 1ª, 28.10.1999 (RJ 1999, 7631) son los siguientes. Miguel Ángel, propietario de una vivienda unifamiliar en Sevilla, contrató a los arquitectos y al constructor para ejecutar obras de reforma y rehabilitación en la misma. En 1990, pocos meses después de la finalización de las obras, Miquel Ángel vendió la vivienda en escritura pública a Luís Carlos, sin haber habitado en ella. En 1999, aparecieron vicios y defectos constructivos en el inmueble. Luís Carlos demandó a Miguel

---

19. En el mismo sentido en la jurisprudencia menor *vid.* la SAP, Barcelona, Civil, Sec. 13ª, 15.4.2008 (JUR 2008, 179540) que condena con base en el artículo 17 LOE por su condición de promotora a la copropietaria del solar que decide construir junto a su cónyuge una vivienda vendiéndola después a los actores, beneficiándose así del negocio jurídico constructivo.

Ángel, a los técnicos y al constructor, y solicitó una indemnización de 55.638,85 € con base en el artículo 1591.I CC. El JPI n° 10 de Sevilla (26.11.1993) estimó la demanda y condenó a los demandados a pagar 43.693,58 €. La AP de Sevilla (Sec. 6ª, 20.12.1994) estimó en parte el recurso de apelación interpuesto por los demandados en el sentido de reducir la condena a 15.271,72 €. El TS desestimó el recurso de casación de Miguel Ángel, quien «organizó la reconstrucción y rehabilitación de la vivienda (...) en su calidad de rehabilitador y reconstructor del mismo; al mismo tiempo que, en los autos no se aprecia indicio alguno que pueda confirmar las afirmaciones del recurrente, de que el mismo hizo las obras de rehabilitación en la casa para vivir en ella, ya que ésta fue vendida a los pocos meses de que las obras fueran concluidas, y sin que la misma fuera habitada, circunstancias estas que corroboran la calificación de promotor vendedor (...)» (FD 1°).

En aplicación del artículo 1591.I CC, alguna sentencia había considerado excluida de la condición de promotor no sólo las personas físicas sino también las personas jurídicas, en particular, una sociedad de responsabilidad limitada que por definición actúa con ánimo de lucro. La SAP consideró que la sociedad contrató la construcción de una edificación sin ser destinada a la finalidad lucrativa de venta a terceros como actividad mercantil, sino como domicilio de una persona física y domicilio social de la propia persona jurídica [SAP Madrid, Civil, Sec. 18ª, 24.7.2008 (JUR 2008, 376680)].

Los hechos que dieron lugar a este pronunciamiento son los siguientes. En 1998, Daniel, en nombre propio, contrató a la dirección facultativa para edificar una vivienda unifamiliar en un solar, propiedad de una sociedad de responsabilidad limitada de la que era partícipe en un 95% del capital social y administrador único. El 24.4.2002, la sociedad limitada, declaró la obra nueva destinada a domicilio particular y a domicilio social de la entidad, que vendió, el 21.11.2003, a Cornelio y Clara. Con posterioridad surgieron vicios constructivos en la vivienda. Los compradores demandaron a la sociedad limitada promotora, a la constructora, y a la dirección facultativa, y solicitaron 22.181,34 € con base en el artículo 1591 CC. El JPI n° 50 de Madrid (2.11.2007) absolvió a la dirección facultativa y estimó la demanda respecto al resto de demandados a quienes condenó a ejecutar las obras de reparación. La AP de Madrid (24.7.2008, Sec. 18ª) estima el recurso de apelación de los demandados. «La vivienda unifamiliar (...) no fue edificada con la finalidad lucrativa de venta a terceros como actividad mercantil propia del objeto social de la citada demandada sino para constituir el domicilio de esa persona física y de la sociedad limitada, es decir, para un uso exclusivo y personal de la misma, de lo que se sigue que su posterior transmisión a los demandantes no lo fue como consecuencia de una actividad mercantil sino de la voluntad, como cualquier persona o entidad privada, de transmitir su dominio a cambio de un precio cierto (...)» (FD 3°).

b. Ausencia de intervención material en el proceso de construcción

De acuerdo con el Tribunal Supremo, el autopromotor individual, no responde con base en el régimen de responsabilidad del artículo 1591.I CC en aquéllos casos en los que promueve la construcción de una edificación para destinarla al uso y disfrute propio, siempre y cuando, no haya intervenido materialmente en la construcción de la obra [STS, 1ª, 25.9.1992 (RJ 1992, 7327)].

En este sentido, se pronuncia la STS, 1ª, 25.9.1992 (RJ 1992, 7327). Los hechos que dieron lugar a la sentencia son los siguientes. Enrique y María Pilar contrataron con la constructora, el arquitecto superior y el arquitecto técnico la construcción de un chalet con jardín y una piscina. Con posterioridad, aparecieron vicios constructivos en la piscina que causaron daños graves en el jardín y el porche de la vivienda debido a un fallo del terreno, defectos de ejecución de la obra, y defectos de diseño y de elección del tipo de estructura. Enrique y María Pilar demandaron a la constructora, al arquitecto superior y al arquitecto técnico, y solicitaron la reparación de los vicios constructivos de la piscina con base en el artículo 1591.I CC. El JPI nº 1 de Madrid (19.9.1988) estimó la demanda. La AP de Madrid (31.3.1990) desestimó el recurso de apelación. El TS desestimó el recurso de casación del arquitecto superior al negar la imputación de parte de la responsabilidad por ruina a Enrique, porque no puede hacerse responsable «a una persona tan sólo por concurrir en ella el carácter de contratista o constructor, sino por haber desempeñado tales funciones en la obra (...), por lo que, acreditado que en el supuesto de autos no asumió tales funciones el actor, quien intervino sólo como dueño de la obra, aun cuando pudiera haber participado en las deliberaciones que procedieron a su ejecución, es visto que no se le puede achacar responsabilidad alguna» (FD 3°).

No obstante, excepcionalmente algunas sentencias, tales como la SAP La Rioja, Civil, Sec. 1ª, 10.5.2006 (JUR 2006, 183615), han considerado que el autopromotor individual que promueve y, además, construye personalmente su vivienda habitual es promotor a los efectos de la responsabilidad por ruina del artículo 1591.I CC. En este caso, el Tribunal parece decidir conforme el concepto de promotor del artículo 9.1 LOE, a pesar de no ser aplicable al caso, pues considera a los autopromotores auténticos promotores de la vivienda. Bajo mi punto de vista, en este caso la justificación habría que buscarla en el hecho de que los demandados intervinieron como constructores, por lo que la ruina les es imputable por su condición de constructores y no de promotores.

Los hechos de la SAP La Rioja, Civil, Sec. 1ª, 10.5.2006 (JUR 2006, 183615) son los siguientes. De 2000 a 2001, Carlos Manuel y Nieves promovieron y construyeron personalmente una vivienda unifamiliar, con la intervención de un arquitecto superior y un arquitecto técnico. El 5.2.2002, después de residir en ella durante un año la vendieron. Con posterioridad, aparecieron vicios y defectos constructivos en la vivienda. Los compradores demandaron al arquitecto superior, al arquitecto técnico, a Carlos Manuel y Nieves, y solicitaron la reparación de los defectos con base en el artículo 1591.I CC. El JPI nº 7 de Logroño (15.4.2005) condenó a los demandados a reparar solidariamente los defectos constructivos. La AP desestima el recurso de apelación interpuesto por Carlos Manuel y Nieves. «La figura del autopromotor, (...) debe ser equiparada a la figura del promotor, pues si éste último, según la jurisprudencia más consolidada, ha de responder no sólo ante quien primeramente adquiere el bien sino ante los sucesivos adquirentes, por lo que cualquier propietario posterior puede reclamar de los responsables la reparación de los daños causados, no se entiende por qué los sucesivos compradores de un edificio promovido inicialmente para sí por un propietario, no podrían reclamar contra quién inicialmente promovió y construyó además el mismo. Tal posibilidad no puede excluirse, además, en los casos en que el autopromotor ha construido personalmente la vivienda» (FD 5º).

2.2. LOE: el autopromotor individual es promotor conforme el artículo 9.1 LOE

El panorama descrito cambia tras la entrada en vigor de la LOE, la cual comprende al autopromotor individual en el concepto de promotor definido en su artículo 9.1.

La redacción original del artículo 9.1 del Proyecto de la Ley de Ordenación de la Edificación de 15 de marzo de 1999 no incluía la referencia a la actuación del promotor «para sí o para su posterior enajenación, entrega o cesión bajo cualquier título»[20]. Esta referencia se incluyó en el Informe de Ponencia[21] tras la aceptación de una enmienda presentada por el Grupo Parlamentario Vasco (EAJ-PNV)[22], cuyo objeto era poner de relieve que la transmisión de la titularidad del edificio no debía ser considerada como una obligación del promotor, como así establecía el artículo 9.2 c) del Proyecto[23].

Las circunstancias en las que se introdujo el autopromotor individual en la Ley podrían revelar por qué en el resto del articulado el legislador de la LOE no tuvo en consideración las características específicas que

---

20. El artículo 9.1 del Proyecto de Ley de la LOE de 15 de marzo de 1999 (BOCG Congreso de los Diputados, serie A, nº 163-1, de 15.3.1999) preveía que «[c]ualquier persona, física o jurídica, pública o privada, que, individual o colectivamente decide, programa y financia, con recursos propios o ajenos, las obras de edificación será considerada promotor».
21. BOCG Congreso de los Diputados, serie A, nº 163-11, de 15.6.1999.
22. Enmienda nº 26, BOCG Congreso de los Diputados, serie A, nº 163-9, de 21.5.1999.
23. *Vid.* CORDERO LOBATO, *Capítulo 13. El promotor, op. cit.*, pp. 394-395.

presenta la figura, como particular no profesional que programa y contrata con profesionales la construcción de una edificación para uso propio[24].

Con todo, la referencia del artículo 9.1 LOE a la posibilidad de realizar las obras de edificación «para sí» ha sido interpretada por la jurisprudencia en el sentido de considerar incluido al autopromotor individual en el amplio concepto de promotor definido en la Ley. Por un lado, el Tribunal Supremo ha afirmado, en la ya citada STS, 1ª, 13.12.2007 (RJ 2008, 329), si bien no refiriéndose al autopromotor individual de modo expreso, que

> «... [l]a intencionalidad lucrativa como característica del promotor a efectos de su responsabilidad como agente de la construcción debe entenderse abandonada a partir de la nueva regulación [por lo que] (...) la LOE amplía el concepto de promotor con respecto al definido por la jurisprudencia sentada en aplicación del art. 1591 CC» (FD 5ª).

Por otro lado, las Audiencias Provinciales que han tenido que aplicar el artículo 9.1 LOE e interpretar la expresión «para sí» afirman:

> «Ha de reputarse promotor también a la persona que asume las funciones de impulso, programación y financiación en el exclusivo ánimo de obtener una edificación para sí» [SAP Huelva, Civil, Sec. 1ª, 3.12.2003, FD 2º (JUR 2004, 64374)]. En consecuencia, «(...) en la amplía noción legal del promotor tiene cabida el supuesto de un particular que contrata la construcción de una vivienda unifamiliar para la satisfacción de sus necesidades permanentes o temporales de morada al que habrá que denominar como autopromotor individual [SAP Madrid, Civil, Sec. 8ª, 13.2.2012, FD 4º (JUR 2012, 97124)] (...) alejándose así del concepto jurisprudencial de promotor elaborado en relación a la responsabilidad decenal, que se restringía al campo de los profesionales del sector inmobiliario (...)» [SAP Barcelona, Civil, Sec. 13ª, 8.5.2009, FD 1º (JUR 2009, 401769)].

Además, la mayoría de la doctrina coincide en calificar al autopromotor individual como promotor de conformidad con la LOE[25]. Sin embargo,

---

24. En este sentido Tapia Gutiérrez, *La protección de los consumidores y la Ley de Ordenación de la Edificación, op. cit.*, p. 41, quien afirma que la LOE «no parece contemplar en el desarrollo de su articulado el supuesto de que la cualidad de "promotor" y "propietario" coincidan en un mismo sujeto, lo que constituye el supuesto usual de promotor individual (...)».

25. Ricardo Francisco Sifre Puig, «Sinopsis de la Ley 38/1999, de 5 de noviembre, de Ordenación de la Edificación en relación con la constitución de las garantías de su artículo 19 y el Registro de la Propiedad», *Revista crítica de derecho inmobiliario*, nº 669, 2002, p. 152; Tapia Gutiérrez, *La protección de los consumidores y la Ley de Ordenación de la Edificación, op. cit.*, p. 41; Vilasau Solana, *La noció de promotor en la Llei 38/1999 d'Ordenació de l'Edificació..., op. cit.*, p. 99; Gómez Perals, *Responsabilidad del promotor por daños en la edificación, op. cit.*, p. 47; López Richart, *Responsabilidad personal e individualizada y responsabilidad solidaria en la Ley de Ordenación de la Edificación, op. cit.*, pp. 170-177; Cordero Lobato, *Capítulo 13. El promotor, op. cit.*, pp. 394-395; Carrasco Pe-

algunos autores opinan que el «para sí» tiene otro sentido[26]. Entre estos últimos destaca José Manuel RUIZ-RICO RUIZ[27], quien opina que,

> «... partiendo de la conexión del artículo 9 con el artículo 17.4 LOE, cabe llegar a la conclusión de que el legislador, al usar el «para sí», más que en el autopromotor, está pensando en las cooperativas de viviendas cuyos socios cooperativistas acaban atribuyéndose ("para sí") las viviendas o locales construidos, y al frente de las cuales es cada vez más frecuente que se halle un "gestor de cooperativas" o un "gestor de comunidades de propietarios", quien según el artículo 17.4 LOE será el único sujeto a quien podría imputársele una responsabilidad en concepto de "promotor", esto es, como promotor "profesional"».

La interpretación propuesta por el Prof. RUIZ-RICO RUIZ aunque es plausible en su finalidad, pues busca evitar que el promotor no profesional esté sujeto a las obligaciones y responsabilidades que la LOE impone a la figura del promotor, resulta forzada por ir en contra del tenor literal de la Ley. Si la expresión «para sí» del artículo 9.1 LOE tuviera como finalidad atribuir al gestor de comunidades de propietarios y de cooperativas de viviendas la condición de promotor, ningún sentido tendría entonces reiterar la misma consideración en el apartado 4 del artículo 17 de la Ley, que específicamente trata de la responsabilidad de tales gestores cuando actúen como verdaderos promotores.

Un argumento adicional a favor de la tesis de acuerdo con la cual el autopromotor individual es promotor conforme la LOE se encuentra en la propia Ley. En particular, en la disposición adicional 2ª, Uno, LOE que exime al autopromotor individual de una única vivienda unifamiliar para uso propio de la suscripción de la garantía de daños materiales a que se refiere el artículo 19.1.c) LOE. En efecto, la obligación de cualquier promotor de suscribir los seguros previstos en el artículo 19 impuesta por el 9.2.d) LOE, unida al hecho que la LOE exima de dicha obligación al autopromotor individual, implica, lógicamente, que el autopromotor individual es promotor a efectos de la Ley.

Uno de los motivos que, según algunos autores, podría explicar el

---

RERA, CORDERO LOBATO, GONZÁLEZ CARRASCO, *Derecho de la construcción y la vivienda, op. cit.*, p. 488 MARÍN GARCÍA DE LEONARDO, *La figura del promotor en la Ley de Ordenación de la Edificación, op. cit.*, p. 63; y ESTRUCH ESTRUCH, *Las responsabilidades en la construcción..., op. cit.*, pp. 772-784.

26. LACABA SÁNCHEZ, *Ley de Ordenación de la Edificación, op. cit.*, p. 3; RUIZ-RICO RUIZ, *Capítulo VII. Los criterios de imputación de los distintos agentes de la edificación..., op. cit.*, p. 147; y DE LA FUENTE NÚÑEZ DE CASTRO, *Responsabilidades y garantías del autopromotor individual y colectivo según la vigente Ley de ordenación de la edificación, op. cit.*, p. 12.

27. RUIZ-RICO RUIZ, *Capítulo VII. Los criterios de imputación de los distintos agentes de la edificación..., op. cit.*, p. 147.

tratamiento que la LOE hace de la figura del autopromotor individual es el carácter parcialmente publicista de la Ley, la cual regula no sólo obligaciones y derechos privados de los agentes de la edificación, sino también públicos[28]. El artículo 9.1 LOE opta por un concepto de promotor originario del derecho público, en particular, de la normativa sobre viviendas de protección oficial, que prescinde de la diferenciación entre la noción de dueño de la obra y de promotor. A diferencia del derecho privado anterior, en particular de la jurisprudencia sobre responsabilidad por ruina, que distinguía el dueño de la obra, como la persona que encarga al contratista la construcción de un edificio, del promotor a quien, además, se le exigía la finalidad de lucrarse mediante la enajenación de la misma a terceros[29].

3. EL AUTOPROMOTOR INDIVIDUAL ACTÚA EN UN ÁMBITO AJENO A UNA ACTIVIDAD EMPRESARIAL O PROFESIONAL

3.1. Durante el proceso edificatorio es consumidor de los servicios de los profesionales de la construcción (artículo 3 TRLCU)

Durante el proceso edificatorio, los autopromotores individuales pueden ser considerados consumidores y usuarios de los servicios de los profesionales de la construcción, siempre y cuando como se trate de «... personas físicas que actúen con un propósito ajeno a su actividad comercial, empresarial, oficio o profesión [o de] ... personas jurídicas y [...] entidades sin personalidad jurídica que actúen sin ánimo de lucro en un ámbito ajeno a una actividad comercial o empresarial» (artículo 3 TRLCU)[30].

---

28. En efecto, la LOE contiene diversos preceptos que regulan cuestiones de derecho público, por lo que, el incumplimiento de dichos preceptos está sujeto a revisión por parte de la Administración pública. Entre otras cuestiones, los requisitos básicos de la edificación de obligado cumplimento a partir de la entrada en vigor de la ley (artículo 3 LOE); o la regulación de los títulos académicos y profesionales exigibles –arquitecto, arquitecto técnico, ingeniero o ingeniero técnico– en función del uso principal de la edificación [artículos 10.2.a), 12.3.a) y 13.2.a)].

29. En este sentido, vid. MEZQUITA GARCÍA-GRANERO, El artículo 1591 CC ante la Ley de Ordenación de la Edificación, op. cit., p. 2306; PANTALEÓN PRIETO, Responsabilidades y Garantías en la Ley de Ordenación de la Edificación, op. cit., p. 11; y MARTÍNEZ ESCRIBANO, Responsabilidades y garantías de los agentes de la edificación, op. cit., p. 189.

30. La definición de consumidor y usuario ha sido modificada en el TRLCU por la Ley 3/2014, de 27 de marzo, por la que se modifica el texto refundido de la Ley General para la Defensa de los Consumidores y Usuarios y otras leyes complementarias, aprobado por el Real Decreto Legislativo 1/2007, de 16 de noviembre (BOE nº 76, de 28.3.2014). Sobre la condición de consumidor del autopromotor, la SAP Zaragoza, Civil, Sec. 5ª, 22.1.2007 (JUR 2007, 59731) afirma que «... el promotor puede ser una persona física que recibe directa y finalmente el producto de la obra (consumidor) (FD 3º)». También califican al autopromotor individual de consumidor las SSAP Barcelona, Civil, Sec. 11ª, 4.6.2009, FD 1º (JUR 2009,

Si concurren los requisitos mencionados, el autopromotor actúa como consumidor en aquellas relaciones jurídicas con empresarios (artículo 4 TRLCU), las cuales están sometidas a las normas del TRLCU en virtud de lo establecido en el artículo 2 TRLCU[31].

En particular, el autopromotor es consumidor en las relaciones jurídicas en virtud de las cuales adquiere del proyectista el servicio de proyección; del director de la obra el servicio de dirección de la obra; del director de ejecución de la obra el servicio de dirección de ejecución de la obra; y del constructor el servicio de ejecución de la obra. Estos empresarios responden frente al autopromotor individual por los daños derivados de los servicios que prestan, no sólo con base en el régimen general de incumplimiento contractual (artículos 1101 y ss. y 1124 CC), sino también con base en el régimen que los artículos 148 –servicios de rehabilitación y reparación de viviendas–, y 149 del TRLCU, –construcción de viviendas–[32].

3.2. En la posterior transmisión de la vivienda actúa con un propósito ajeno a su actividad comercial, empresarial, oficio o profesión

Construida la edificación para uso propio, el autopromotor individual puede haberla transmitido a terceros. Las relaciones jurídicas del autopromotor individual con los adquirentes de la edificación no son relaciones de consumo[33], porque el autopromotor individual que vende la vivienda no es un empresario en el sentido definido en el artículo 4 TRLCU, pues actúa con un propósito ajeno a su actividad comercial, empresarial, oficio o profesión.

Por actividad empresarial o profesional debe entenderse la actividad que implique la ordenación por cuenta propia de factores de producción materiales y humanos o de uno de ellos, con la finalidad de intervenir en la producción o distribución de bienes o servicios en el mercado[34].

420630); Cantabria, Civil, Sec. 1ª, 12.4.2005, FD 3° (JUR 2005, 99379); y Madrid, Civil, Sec. 12ª, 7.4.2003, FD 4° (JUR 2003, 203691).

31. De acuerdo con Alberto BERCOVITZ RODRÍGUEZ-CANO, «El concepto de consumidor», en Agustín AZPARREN LUCAS (Dir.), *Hacia un código del consumidor*, Consejo General del Poder Judicial, Centro de Documentación Judicial, Madrid, 2006, p. 35, «la noción de consumidor en concreto es relevante en relación con operaciones jurídicas determinadas en las que la otra parte sea un empresario o profesional».

32. Sobre el régimen de responsabilidad de los artículos 148 y 149 TRLCU *vid.* el epígrafe 3 del apartado II del Capítulo Primero de este trabajo.

33. Salvo en el supuesto en que el adquirente de la edificación pueda ser calificado de empresario en el sentido del artículo 4 TRLCU.

34. *Vid.* artículo 5 de Ley 37/1992, de 28 de diciembre, del Impuesto sobre el Valor Añadido. Sobre el concepto de empresa y empresario *vid.* Rodrigo URÍA, *Derecho*

La transmisión de la vivienda sin que el particular haya vivido en ella[35], o la sujeción de la posterior enajenación de la vivienda al Impuesto sobre el Valor Añadido, en lugar de al Impuesto de Transmisiones Patrimoniales[36], son indicios suficientes para que los tribunales aprecien que el sujeto ha actuado en el marco de una actividad empresarial o profesional.

En efecto, un criterio orientativo al que los tribunales pueden acudir para determinar cuando el autopromotor actúa ajeno al ejercicio de una actividad empresarial o profesional es el previsto en la Ley 37/1992, de 28 de diciembre, del Impuesto sobre el Valor Añadido[37]. Dicho impuesto grava «[l]as entregas de bienes y prestaciones de servicios efectuadas por empresarios o profesionales» [artículo 1.a) Ley 37/1992]. Según el artículo 4. Uno de la Ley 37/1992,

> «... [e]starán sujetas al impuesto las entregas de bienes y prestaciones de servicios realizadas en el ámbito espacial del impuesto por empresarios o profesionales a título oneroso, con carácter habitual u ocasional, en el desarrollo de su actividad empresarial o profesional, incluso si se efectúan

---

mercantil, 28ª ed. (revisada con la colaboración de Mª Luisa Aparicio), Marcial Pons, 2001, Madrid/Barcelona, pp. 20-33; Cándido PAZ-ARES y Jesús ALFARO ÁGUILA-REAL, «Comentario al artículo 38 CE», María Emilia CASAS BAAMONDE y Miguel RODRÍGUEZ-PIÑERO Y BRAVO FERRER (Coords.), Comentarios a la Constitución Española, XXX aniversario, Fundación Wolters Kluwer, Las Rozas (Madrid), 2008, p. 982; y Fernando SÁNCHEZ CALERO y Juan SÁNCHEZ-CALERO GUILARTE, Instituciones de derecho mercantil, vol. I, 34ª ed., 7ª ed. en Aranzadi, Thomson Reuters Aranzadi, Cizur Menor (Navarra), 2011, pp. 109-111.

35. En este sentido, se ha pronunciado la jurisprudencia del Tribunal Supremo y las Audiencias Provinciales sobre responsabilidad por ruina analizada en el epígrafe 2.1. del apartado I de este Capítulo.

36. En esta línea, vid. la SAP Barcelona, Civil, Sec. 13ª, 15.4.2008 (JUR 2008, 179540), la cual resuelve el caso siguiente. Juan María y Nuria adquirieron en régimen de copropiedad un solar en la Urbanización La Guardia de Calders (Barcelona), por 12.020,24 €. Contrataron a un constructor y a los técnicos para la construcción de una vivienda, que finalizó el 26.9.2002. El 9.9.2002, los cónyuges habían vendido con sujeción al IVA la vivienda a Imanol y Bruno por un precio de 132.222,66 €. Imanol y Bruno demandaron a Juan María y Nuria, al constructor y a los técnicos con base en el artículo 17.1 LOE y los artículos sobre incumplimiento contractual del Código Civil, y solicitaron la reparación de los vicios constructivos. El JPI nº 3 de Terrassa (23.4.2007) estimó la demanda y condenó a los todos demandados, excepto a Nuria, a reparar los vicios en la vivienda. La AP revocó en parte la SJPI para añadir a Nuria en la condena. «La demandada Sra. Nuria ha intervenido en el proceso constructivo, junto con su cónyuge, en la condición de promotora, beneficiándose del negocio jurídico constructivo, debiendo responder, solidariamente, con el codemandado Sr. Juan María» (FD 1º). La sujeción de la transmisión al IVA conlleva que «la enajenación se realizó en el marco de una actividad empresarial o profesional que, en este caso, no puede ser otra que la promoción de viviendas» (FD 1º).

37. BOE nº 312, de 28.12.1992. Redacción según Ley 4/2008, de 23 de diciembre.

en favor de los propios socios, asociados, miembros o partícipes de las entidades que las realicen».

En todo caso, el artículo 5.1.d) de la Ley 37/1992 otorga expresamente la condición de empresario o profesional a

«... quienes efectúen la urbanización de terrenos o la promoción, construcción o rehabilitación de edificaciones destinadas, en todos los casos, a su venta, adjudicación o cesión por cualquier título, aunque sea ocasionalmente».

De acuerdo con reiterada doctrina de la Dirección General de Tributos (DGT), recogida en la RDGT 12.4.2011 (JUR 2011, 193776), a efectos del IVA

«... no debe ser calificado de empresario o profesional el particular que promueve la construcción de una vivienda para uso propio aunque, posteriormente, decida venderla a un tercero[38].

Por el contrario, sí tendrá carácter de empresario o profesional a efectos del Impuesto la persona física que promueve la construcción de una vivienda con destino a su venta aunque sea ocasionalmente»[39].

Una de las cuestiones que plantea la condición de consumidor del autopromotor individual es si cabe atribuir tal condición al particular que construye un edificio con varias viviendas, una para uso propio y otra o otras para sus familiares. A efectos del IVA, la citada RDGT 12.4.2011 (JUR 2011, 193776) resuelve la cuestión a raíz de la consulta de un particular que promovió la construcción de un edificio de tres viviendas, una para uso propio y dos para sus hijas. Una vez finalizada la obra, al haber cambiado las circunstancias por no residir las hijas en el municipio, decide vender las dos viviendas que estaban destinadas a las mismas. El particular plantea la cuestión relativa a si la venta está sujeta a IVA o a ITP y AJD. La DGT contesta que

«... [e]n el caso de la vivienda promovida por el consultante con la intención de destinarla a su uso propio y de su familia, el hecho de que una vez finalizada la construcción se destine a su venta a terceros no le confiere la condición de empresario o profesional a los efectos del Impuesto sobre el

---

38. En este sentido, la RDGT 21.3.2005 (JT 2005, 459) afirma que «sólo en el caso de que [el sujeto] promoviera la construcción del edificio con la intención de destinarla exclusivamente al uso propio, no para la venta ni para la cesión por cualquier título, y no hubiera voluntad de intervenir en la producción o distribución de bienes o servicios, no sería calificado de empresario por dicha operación».

39. Por ello, la RDGT 28.7.2006 (JUR 2006, 224190) afirma que quien «ha construido sobre una parcela de su propiedad una vivienda unifamiliar, con el propósito de transmitirla (...) [y] [d]e hecho, esta transmisión se llevó a cabo a la finalización de las obras de construcción de la citada vivienda (...) tiene la consideración de empresario o profesional a los efectos del Impuesto sobre el Valor Añadido (...)».

Valor Añadido. Por lo tanto, la transmisión objeto de consulta se considerará realizada por un particular y no se sujetará a dicho Impuesto, sino al Impuesto sobre Transmisiones Patrimoniales y Actos Jurídicos Documentados».

De acuerdo con lo anterior, cabe concluir que es autopromotor individual incluso el particular que construye varias viviendas para uso propio y de sus familiares. Sin embargo, como se analiza más adelante, este tipo de autopromotor individual no se beneficia de la exención de contratar el seguro decenal de la disposición adicional 2ª, Uno, 2º párrafo, LOE[40].

3.3. Personas jurídicas y su posible inclusión en el concepto de autopromotor individual

La Dirección General de los Registros y del Notariado ha interpretado el concepto de autopromotor individual con ocasión del análisis de la disposición adicional 2ª, Uno, LOE, que prevé la exención del autopromotor individual de la obligación de contratar el seguro decenal. La doctrina de la Dirección General define el concepto de autopromotor individual de manera amplia, porque incluye en el mismo no sólo a las personas físicas, sino también a las personas jurídicas y, en particular, a las sociedades mercantiles[41].

Con todo, el concepto de autopromotor individual defendido y adoptado en esta obra es más restringido, pues no incluye a todas las personas jurídicas, sino sólo aquellas que actúan sin ánimo de lucro en un ámbito ajeno a una actividad comercial o empresarial. Por ello, a continuación se analizan los supuestos en los que las personas jurídicas pueden actuar sin ánimo de lucro en un ámbito ajeno a una actividad comercial o empresarial, es decir, cuando son susceptibles de ser consideradas consumidoras.

A diferencia del derecho comunitario[42] y del *Draft Common Frame*

---

40. Sobre la exclusión del autopromotor que promueve más de una vivienda de la exoneración prevista en la disposición adicional 2ª, Uno, 2º párrafo, LOE *vid.* el epígrafe 2.2 del apartado II del Capítulo Quinto.

41. Para un estudio más detallado de la doctrina de la DGRN en este punto *vid.* el epígrafe 2.3.1 del apartado II del Capítulo Quinto de este trabajo.

42. *Vid.* artículo 2 de la Directiva 85/577/CEE, del Consejo, de 20 de diciembre de 1985, referente a la protección de los consumidores en el caso de contratos negociados fuera de los establecimientos comerciales; artículo 1.2.a) de la Directiva 87/102/CEE, del Consejo de 22 de diciembre de 1986 relativa a la aproximación de las disposiciones legales, reglamentarias y administrativas de los Estados Miembros en materia de crédito al consumo; el artículo 2 de la Directiva 97/7/CE del Parlamento Europeo y del Consejo, de 20 de mayo de 1997, relativa a la protección de los consumidores en materia de contratos a distancia; el artículo 1.2 de la Directiva 99/44/CE, del Parlamento Europeo y del Consejo, de 25 de mayo de 1999, sobre determinados aspectos de la venta y las garantías de los bienes de consumo; el artículo 2.e) de la Directiva 2000/31/CE del Parlamento Europeo y

of Reference[43], el artículo 3 TRLCU incluye en el concepto legal de consumidor y usuario no sólo las personas físicas sino también a las personas jurídicas, por lo que, desde un punto de vista legal, las personas jurídicas pueden ser consideradas consumidoras y usuarias[44]. No obstante, la atribución de tal condición a las personas jurídicas es muy excepcional, puesto que el consumo privado de bienes y servicios es más propio de las personas físicas y no es sencillo encontrar supuestos en los que una persona jurídica actúe sin ánimo de lucro en un ámbito ajeno a una actividad comercial o empresarial[45].

3.3.1. Sociedades mercantiles

Las sociedades mercantiles por su propia naturaleza siempre actúan «con un propósito relacionado con su actividad comercial, empresarial» (artículo 4 TRLCU) y no actúan «sin ánimo de lucro» (artículo 3 TRLCU)[46], incluso cuando promuevan la construcción de una edificación para uso propio, esto es, sin tener la finalidad de transmitirla a terceros –piénsese por ejemplo, en la promoción de la construcción del inmueble en el que establecerá su domicilio social–[47].

En consecuencia, una sociedad mercantil actúa en ejercicio de su actividad empresarial cuando contrata los servicios de profesionales para construir una edificación para uso propio, así como cuando, con posteriori-

---

del Consejo de 8 de junio de 2000 relativa a determinados aspectos jurídicos del comercio electrónico en el mercado interior.

43. De acuerdo con el anexo del DCFR elaborado por el *Study Group on a European Civil Code* y el *Research Group on EC Private Law* (*Aquis Group*): «A "consumer" means any natural person who is acting primarily for purposes which are not related to his or her trade, business or profession. (I. – 1:106(1)]».

44. Según el apartado III de la Exposición de Motivos del TRLGDCU «... el concepto de consumidor y usuario se adapta a la terminología comunitaria, pero respeta las peculiaridades de nuestro ordenamiento jurídico en relación con las *personas jurídicas*» (énfasis añadido).

45. En este sentido *vid.* Alberto BERCOVITZ RODRÍGUEZ-CANO, *El concepto de consumidor, op. cit.*, pp. 32-33; Rodrigo BERCOVITZ RODRÍGUEZ-CANO, *Comentario al artículo 3. Concepto general de consumidor y usuario, op. cit.*, p. 92; y BUSTO LAGO, ÁLVAREZ LATA y PEÑA LÓPEZ, *Sección 9ª. Vivienda. Subsección 1ª. Compraventa de vivienda, op. cit.*, p. 63.

46. Las definiciones de empresario y consumidor han sido modificadas en el TRLCU por la Ley 3/2014, de 27 de marzo, por la que se modifica el texto refundido de la Ley General para la Defensa de los Consumidores y Usuarios y otras leyes complementarias, aprobado por el Real Decreto Legislativo 1/2007, de 16 de noviembre.

47. Aunque las sociedades cooperativas pueden incluirse en esta categoría, las cooperativas de viviendas son objeto de estudio separado en el apartado III de este Capítulo.

dad, decide transmitir a terceros el inmueble que hasta el momento formaba parte de su patrimonio empresarial[48]. Ello es así, aunque el objeto de la sociedad mercantil no consista en la construcción y promoción inmobiliaria, puesto que las sociedades mercantiles sólo pueden llevar a cabo actividades económicas y empresariales[49].

3.3.2. *Asociaciones y fundaciones*

Más complejo es determinar si las asociaciones y las fundaciones están incluidas, como entidades sin ánimo de lucro, dentro del concepto de autopromotor individual en el hipotético caso en que promuevan la construcción de edificaciones para uso propio o el de sus asociados. Para ello, es necesario determinar si las asociaciones y las fundaciones actúan con un propósito ajeno a su actividad comercial o empresarial, esto es, si pueden ser consideradas consumidoras.

En relación con la posible consideración de consumidoras de las personas jurídicas, la mayor parte de la doctrina interpretó la definición de consumidor y usuario del hoy derogado artículo 1.2 LGDCU[50] en el sentido de considerar comprendido en el mismo a las asociaciones y las fundaciones, como personas jurídicas que carecen de ánimo de lucro cuando no reintroducen en el mercado los bienes y servicios adquiridos[51].

---

48. *Cfr.* con el artículo 4.2 Ley 37/1992 que entiende realizadas en el desarrollo de una actividad empresarial o profesional a efectos del IVA:
«a) Las entregas de bienes y prestaciones de servicios efectuadas por las sociedades mercantiles, cuando tengan la condición de empresario o profesional.
b) Las transmisiones o cesiones de uso a terceros de la totalidad o parte de cualesquiera de los bienes o derechos que integren el patrimonio empresarial o profesional de los sujetos pasivos, incluso las efectuadas con ocasión del cese en el ejercicio de las actividades económicas que determinan la sujeción al Impuesto».

49. Sergio Cámara Lapuente, «El concepto legal de "consumidor" en el Derecho privado europeo y en el Derecho español: aspectos controvertidos o no resueltos», *Cuadernos de Derecho Transnacional*, vol. 3, nº 1, Marzo 2011, p. 101; Carrasco Perera, *Texto refundido de la Ley General para la defensa de los consumidores y usuarios (Real Decreto Legislativo 1/2007). Ámbito de aplicación y alcance de la refundición, op. cit.*, p. 4; Rodrigo Bercovitz Rodríguez-Cano, «Comentario al artículo 4. Concepto de empresario», en Rodrigo Bercovitz Rodríguez-Cano (Coord.), *Comentario del Texto Refundido de la Ley General para la Defensa de los Consumidores y Usuarios y otras leyes complementarias, op. cit.*, p. 103; y María José Reyes López, *Manual de derecho privado de consumo*, La Ley, Madrid, 2009, p. 107.

50. El derogado artículo 1.2 LGDCU establecía que «las personas físicas o jurídicas que adquieren, utilizan o disfrutan como destinatarios finales, bienes muebles o inmuebles, productos, servicios, actividades o funciones, cualquiera que sea la naturaleza pública o privada, individual o colectiva de quienes los producen, facilitan, suministran o expiden».

51. En este sentido, *vid.* Sergio Cámara Lapuente, «El concepto legal de "consumidor" en el Derecho privado europeo y en el Derecho español: aspectos controverti-

Con todo, tras la aprobación del Real Decreto Legislativo 1/2007, el concepto de consumidor definido en el artículo 3 TRLCU fue modificado con el fin de «aproximar la legislación nacional en materia de protección de los consumidores y usuarios a la legislación comunitaria»[52]. El artículo 3 TRLCU comprendía sólo a las personas jurídicas que «actúan en un ámbito ajeno a una actividad empresarial o profesional». Tras la modificación del artículo 3, llevada a cabo por la Ley 3/2014, de 27 de marzo, por la que se modifica el TRLCU, aprobado por el Real Decreto Legislativo 1/2007, de 16 de noviembre, el concepto de consumidor comprende a «... las personas jurídicas y las entidades sin personalidad jurídica que actúen sin ánimo de lucro en un ámbito ajeno a una actividad comercial o empresarial». En consecuencia, no son consumidoras las personas jurídicas que suministren bienes o servicios en el mercado, aunque lo hagan sin ánimo de lucro[53].

Puede afirmarse que la actividad de las asociaciones y las fundaciones es económica, siguiendo al Prof. Ángel ROJO FERNÁNDEZ-RÍO[54], cuando «se realiza con *método* económico, procurando al menos la cobertura de los costes con los ingresos que se obtienen (...). Actividad económica no significa actividad lucrativa». En efecto, la ausencia de ánimo de lucro de las asociaciones y fundaciones no las excluye necesariamente del concepto de empresario, puesto que si bien la doctrina tradicional consideraba indispensable en la definición de empresario la finalidad lucrativa, actualmente es también empresario quien actúa en el mercado sin ánimo de lucro[55].

Las asociaciones y fundaciones forman parte de la economía social entendida como «el conjunto de actividades económicas y empresariales, que en el ámbito llevan a cabo aquellas entidades que (...) persiguen bien el interés colectivo de sus integrantes, bien el interés general económico

---

dos o no resueltos», *Cuadernos de Derecho Transnacional*, vol. 3, nº 1, Marzo 2011, p. 100.

52. Exposición de Motivos del Real Decreto Legislativo 1/2007.

53. En la doctrina mercantilista destacan, entre otros, a favor de esta tesis PAZ-ARES y ALFARO ÁGUILA-REAL, *Comentario al artículo 38 CE, op. cit.*, p. 982, quienes defienden que «[n]o es imprescindible que la actividad esté regida por el ánimo de lucro –subjetivo o meramente objetivo– ni tampoco (...) que se trate de una actividad habitual».

54. Ángel ROJO FERNÁNDEZ-RÍO, «Lección 2. El empresario», Aurelio MENÉNDEZ MENÉNDEZ y Ángel ROJO FERNÁNDEZ-RÍO (Dirs.), *Lecciones de derecho mercantil*, 8ª ed., Civitas Thomson Reuters, Cizur Menor (Navarra), 2010, p. 63.

55. En este sentido, *vid.* Sergio CÁMARA LAPUENTE, «Comentario al artículo 4. Concepto de empresario», Sergio CÁMARA LAPUENTE (Dir.), *Comentarios a las normas de protección de los consumidores. Texto refundido (RDL 1/2007) y otras leyes y reglamentos vigentes en España y en la Unión Europea*, Colex, Madrid, 2011, pp. 166-167.

o social, o ambos» (artículo 2 de la Ley 5/2011, de 20 de marzo, de economía social)[56].

En relación con las fundaciones, en la actualidad, tal y como pone de manifiesto el Prof. Sergio CÁMARA LAPUENTE[57], «cumplen sus fines con actividad y organización claramente profesional», por lo que como organizaciones permanentes que ejercitan con habitualidad actividades económicas (artículos 2.1 y 24.1 Ley 50/2002, de 26 de diciembre, de Fundaciones)[58] «deberían quedar fuera del concepto de consumidores». En relación con las asociaciones, la doctrina ha señalado que cabría considerarlas consumidoras, excepto cuando se trate de asociaciones de empresarios o profesionales[59].

En suma, sólo en el caso en que las asociaciones y las fundaciones actúen ajenas al ejercicio de una actividad comercial o empresarial puede afirmase que son autopromotoras individuales, puesto como se ha señalado uno de los elementos definitorios del autopromotor individual es su actuación ajena al ejercicio de una actividad empresarial.

II. COMUNEROS EN LA PROMOCIÓN EN COMUNIDAD DE PROPIETARIOS

1. CONCEPTO, CLASES Y NATURALEZA JURÍDICA DE LAS COMUNIDADES DE PROPIETARIOS DE CONSTRUCCIÓN

1.1. Concepto de comunidad de propietarios de construcción

En la promoción en régimen de comunidad de bienes, denominada comunidad de construcción o comunidad *ad aedificandum*, diversas personas físicas o jurídicas constituyen una comunidad de propietarios con la finalidad de adquirir en *pro indiviso* un solar, promover en éste la construcción de un edificio y adjudicarse a precio de coste las viviendas resultantes

---

56. BOE nº 76, de 30.3.2011.
57. CÁMARA LAPUENTE, «El concepto legal de "consumidor" en el Derecho privado europeo y en el Derecho español: aspectos controvertidos o no resueltos», *op. cit.*, p. 100.
58. BOE nº 310, de 27.12.2002.
59. En este sentido, Santiago CAVANILLAS MÚGICA, «El Real Decreto Legislativo 1/2007, por el que se aprueba el texto refundido de la Ley General para la Defensa de los Consumidores y Usuarios y otras leyes complementarias», *Aranzadi Civil-Mercantil*, nº 1/2008 (Estudio), p. 20; y CÁMARA LAPUENTE, «El concepto legal de "consumidor" en el Derecho privado europeo y en el Derecho español: aspectos controvertidos o no resueltos», *op. cit.*, p. 100.

de la división en propiedad horizontal, con la intención de destinarlas a uso propio[60].

El Tribunal Supremo, en la STS, 1ª, 5.6.1989 (RJ 1989, 4296), describe la comunidad *ad aedificandum* como «una situación cada día más frecuente en el marco de este tipo de relaciones jurídicas, representada por una Comunidad constructora-promotora integrada por más o menos miembros, con la finalidad de adquirir terrenos en los cuales construir uno o más edificios para su distribución horizontal en pisos y locales» (FD 7º).

Los comuneros realizan aportaciones económicas para formar parte de la comunidad de bienes, obteniendo de este modo la financiación necesaria para adquirir el solar en proindiviso, contratar a los agentes de la edificación y financiar el resto de gastos inherentes a la construcción del edificio[61].

En la práctica, sólo muy excepcionalmente la iniciativa de la promoción surge de los comuneros. En la mayoría de casos, es un gestor de comunidades quien emprende el proceso de promoción del edificio o de la urbanización. Asimismo, aunque la comunidad no se hubiera impulsado por iniciativa de un gestor, es habitual que los comuneros contraten a un tercero para que gestione la promoción, debido a la falta de profesionalidad de los comuneros en el sector inmobiliario[62].

Si bien las comunidades *ad aedificandum* también pueden estar formadas por profesionales que promueven viviendas para comercializarlas en el mercado inmobiliario, este apartado centra su análisis en la autopro-

---

60. En la doctrina, MANRIQUE PLAZA, *Construcción en Comunidad, op. cit.*, p. 3, señala que «hay construcción en comunidad cuando (...) un grupo de personas particulares aúnan sus esfuerzos personales para conseguir la adquisición de una vivienda adecuada (...) a sus necesidades y al alcance de su capacidad económica, con un costo normalmente inferior al de mercado, mediante la compra en común del solar y a su posterior edificación, adquiriendo cada uno una de las viviendas resultantes y en régimen de propiedad horizontal».

61. Por ello alguna sentencia, como la STS, 1ª, 19.12.1997 (RJ 1997, 9108), califica este tipo de comunidades como comunidad de promotores constituida para la construcción en «régimen de autofinanciación».

62. Ya en 1975, Joaquín SAPENA TOMÁS, Jerónimo CERDÁ BAÑULS y Víctor Manuel GARRIDO DE PALMA, «Las garantías de los adquirentes de vivienda frente a promotores y constructores», *Ponencias presentadas por el notariado español a los congresos internacionales del notariado latino, XIII Congreso, Barcelona, 1975*, Junta de Decanos de los Colegios Notariales, Madrid, 1975, p. 38, ponían de manifiesto que «la iniciativa brota unas veces (las menos y en los tiempos de génesis de la figura) de los propios comuneros; otras (hoy casi todas) del promotor que va aunando voluntades». En el mismo sentido vid. MARTÍNEZ ESCRIBANO, *Responsabilidades y garantías de los agentes de la edificación, op. cit.*, pp. 181 y 182.

moción colectiva en régimen de comunidad de propietarios. Es decir, en los supuestos en los que los comuneros actúan con la finalidad de obtener una vivienda para uso propio.

A diferencia del ordenamiento jurídico español, el ordenamiento jurídico francés regula expresamente la construcción en comunidad. En Francia, esta actividad tiene que desarrollarse por medio de las denominadas sociedades de atribución, las cuales están sometidas a un régimen jurídico especial previsto en los artículos L. 212-1 a 212-17 del *Code de la construction et de l'habitation*. Las sociedades de atribución pueden constituirse en las diferentes formas jurídicas previstas en la legislación, ya sea una sociedad civil, una sociedad de responsabilidad limitada, una sociedad anónima, etc. (artículo L. 212.1, al. 1., del *Code de la construction et de l'habitation*)[63].

1.2. Clases y régimen jurídico de las comunidades de propietarios de construcción

La comunidad de construcción puede constituirse como una comunidad ordinaria indivisa o como una comunidad de las previstas en el artículo 8.4 de la Ley Hipotecaria (comunidad de tipo valenciano)[64].

1.2.1. Comunidad ordinaria indivisa

En la comunidad ordinaria indivisa el condominio sobre el solar se extiende sobre el edificio construido y, en consecuencia, la situación de comunidad ordinaria se mantiene durante toda la fase de construcción de la edificación.

El negocio constitutivo de la comunidad no determina las viviendas o locales que corresponderán a cada partícipe, si bien puede establecer un convenio actual de división futura en el que se determina el sistema para la adjudicación de las viviendas y locales (sorteo, elección por antigüedad, entre otros).

Finalizada la obra, los comuneros deben prestar un nuevo consentimiento unánime para extinguir la comunidad ordinaria mediante la adjudicación de una vivienda o local concreto a cada uno de los partícipes[65], y constituir el edificio en régimen de propiedad horizontal[66].

---

63. Sobre el régimen jurídico de las sociedades de atribución *vid.* Malinvaud y Jestaz, *Droit de la promotion immobilière, op. cit.*, pp. 471-504.

64. La SAP Madrid, Civil, Sec. 9ª, 15.9.2005, FD 3º (JUR 2005, 258079) distingue entre estas dos modalidades de comunidades para la construcción de un edificio.

65. De acuerdo con el artículo 401.II CC «[s]i se tratare de un edificio cuyas características lo permitan, a solicitud de cualquiera de los comuneros, la división podrá realizarse mediante la adjudicación de pisos o locales independientes, con sus elementos comunes anejos, en la forma prevista por el artículo 396» (artículo 401.II CC).

66. En este sentido, *vid.* Gerardo Muñoz de Dios, *Aportación de solar y construcción*

1.2.2. Comunidad regulada en el artículo 8.4 de la Ley Hipotecaria (comunidad de tipo valenciano)

Por el contrario, en la comunidad prevista en el artículo 8.4 de la Ley Hipotecaria –llamada por la Dirección General de los Registros y del Notariado y por la doctrina como comunidad de tipo valenciano–[67] los comuneros pactan previamente, en el contrato constitutivo de la comunidad, la división horizontal del edificio proyectado y la determinación de los elementos privativos que corresponden a cada uno de los partícipes. En consecuencia, en este tipo de comunidades, desde el momento en que se inicia la construcción, la edificación está constituida en régimen de propiedad horizontal.

La DGRN define la comunidad de tipo valenciano como aquella en la que «se construy[e]n diversas viviendas por una pluralidad de propietarios, pero siendo dueños cada uno de ellos ”ab initio” de su propia vivienda con carácter independiente» [RDGRN, 26.7.2010 (JUR 2010, 317313)].

Las ventajas de la comunidad de tipo valenciano en relación con la comunidad indivisa ordinaria son fundamentalmente dos. Primero, la comunidad de tipo valenciano excluye la posibilidad de ejercicio de la acción de división de la cosa común durante la construcción del edificio[68]. Segundo, este tipo de comunidad evita el riesgo de la no obtención del consentimiento de todos los comuneros una vez finalizada la construcción para extinguir la comunidad mediante la adjudicación de los pisos y locales[69].

---

en comunidad, Espasa-Calpe, Madrid, 1987, pp. 152-158. El autor señala, en la p. 157, que «[e]sta comunidad simple, [se encuentra] con el gran problema que supone tener que otorgarse un nuevo pacto determinativo a la hora de adjudicación de los pisos y locales (...)».

67. Sapena Tomas, Cerda Bañuls y Garrido de Palma, Las garantías de los adquirentes de vivienda frente a promotores y constructores, op. cit., p. 38, señalan que «es una figura (...) que en España ha sido denominada comunidad valenciana, ya que es en esta Ciudad donde probablemente surgieron los primeros casos, donde cobró más pronto auge y donde se conserva con más pureza (...)».

68. La SAP Barcelona, Civil, Sec. 13ª, 20.12.2013 (JUR 2014, 52493) excluye el ejercicio de la acción de división de la cosa común en una comunidad que califica de comunidad ad aedificandum. Por otro lado, en la comunidad ordinaria indivisa los comuneros pueden haber adoptado un pacto de indivisión. En efecto, el, párrafo 2º, del artículo 400 II CC prevé que «... será válido el pacto de conservar la cosa indivisa por tiempo determinado, que no exceda de diez años. Este plazo podrá prorrogarse por nueva convención». Y el Libro V del Código Civil de Cataluña aprobado por la Ley 5/2006, de 10 de mayo (DOGC nº 4640, de 24.5.2006) también reconoce, en su artículo 552-10.2, la posibilidad que los comuneros pacten por unanimidad la indivisión del bien por un plazo no superior a diez años.

69. En este sentido, vid. Muñoz de Dios, Aportación de solar y construcción en comunidad, op. cit., pp. 152-167; y Roca Sastre, Roca-Sastre Muncunill y Bernà i

El fundamento legal de la comunidad de tipo valenciano se encuentra en el artículo 8.4 de la Ley Hipotecaria (LH)[70]. El precepto, que fue introducido en la LH por el artículo 2 de la Ley 49/1960, de 21 de julio, de Propiedad Horizontal (LPH)[71] modificada por la Ley 8/1999 de 6 de abril[72], regula el supuesto en que

> «... varios propietarios (...) construyan un edificio con ánimo de distribuirlo, *ab initio*, entre ellos mismos transformándose en propietarios singulares de apartamento o fracciones independientes» (Exposición de Motivos LPH).

En estos casos, y con el propósito de simplificar los asientos registrales, el artículo 8.4 LH permite inscribir en el Registro de la Propiedad, por un lado,

> «... como una sola finca bajo un mismo número» «[l]os edificios en régimen de propiedad por pisos cuya construcción esté concluida o, por lo menos, comenzada» (artículo 8.4.I LH)[73].

Y, por otro lado, y una vez inscrito el título de constitución en propiedad horizontal, la inscripción de los pisos o locales del edificio como fincas independientes (artículo 8.5 LH). En particular, la Exposición de motivos de la LPH se refiere a

> «... la adjudicación concreta de los repetidos apartamentos a favor de sus respectivos titulares, siempre que así lo soliciten todos ellos» (Exposición de Motivos LPH).

Antes de iniciar la construcción, o si los comuneros no declararan la propiedad horizontal durante la fase de construcción del edificio, aquéllos pueden disponer, en virtud del principio de la autonomía de la voluntad, de las normas de accesión artificial sobre inmuebles (artículo 353 CC).

En particular, los comuneros pueden pactar la exclusión de la adquisición por accesión de la propiedad de los pisos y locales por parte de la comunidad, a favor de la adquisición por cada uno de los copropietarios

---

XIRGO, *Derecho hipotecario, op. cit.*, p. 54. Si bien en defecto de pacto, cualquier comunero puede ejercitar judicialmente la acción prevista en el artículo 401, 2º párrafo, CC.

70. Aprobada por el Decreto de 8.2.1946 (BOE nº 581, de 27.2.1964).
71. BOE nº 176, de 23.7.1960.
72. BOE nº 84, de 8.4.1999.
73. Manuel CÁMARA ÁLVAREZ, *Estudios de derecho civil*, Montecorvo, Madrid, 1985, p. 292, defiende que «la expresión "comenzada" debe entenderse como el comienzo de la construcción en el sentido técnico, y no en el sentido material, (...), esto es, la fecha de aprobación del proyecto correspondiente». En el mismo sentido, Francisco ECHEVERRÍA SUMMERS, «Comentario al artículo 5», en Rodrigo BERCOVITZ RODRÍGUEZ-CANO (Coord.), *Comentarios a la Ley de Propiedad Horizontal*, 3ª edición, Thomson Aranzadi, Cizur Menor (Navarra), 2007, p. 121.

de la propiedad exclusiva de los pisos y locales previamente adjudicados[74]. Dichos acuerdos son susceptibles de inscripción en el Registro de la Propiedad, si bien en el folio de la finca común como acuerdo modificativo del régimen de la comunidad (RRDGRN 18.4.1988 (RJ 1998, 3358), 24.6.1991 (RJ 1991, 4659) y 17.7.1998 (RJ 1998, 5973)][75].

1.2.3. Régimen jurídico aplicable a la promoción en régimen de comunidad ordinaria indivisa y comunidad del artículo 8.4 de la Ley Hipotecaria

A efectos de determinar el régimen jurídico aplicable a la construcción en régimen de comunidad, ya sea en de comunidad ordinaria indivisa o de comunidad prevista en el artículo 8.4 LH (comunidad de tipo valenciano), es preciso distinguir dos fases o momentos temporales: la fase de construcción del edificio y la fase posterior a la finalización de la obra.

a. Fase de construcción

En la fase de construcción del edificio, la comunidad *ad aedificandum*, se rige preferentemente por las reglas de autonomía privada que hubieran convenido los comuneros o que hubieran aceptado al ingresar en la comunidad (artículo 392, 2º párrafo, CC)[76].

El contrato al que los comuneros se adhieren al ingresar en la comunidad suele incluir el contenido siguiente:

1º Características de la edificación, así como la situación y plano de la vivienda o local y sistema de adjudicación de las mismas.

2º Reglas de organización de la comunidad, tales como el modo de adoptar acuerdos y la ejecución de los mismos, y los órganos de gestión de la comunidad.

---

74. En este sentido, ROCA SASTRE, ROCA-SASTRE MUNCUNILL y BERNÀ I XIRGO, *Derecho hipotecario, op. cit.*, pp. 54 y 55. MANRIQUE PLAZA, *Construcción en comunidad, op. cit.*, p. 16 considera que «esta construcción no es del todo satisfactoria, pues parte de la base de que cada comunero se construye su propio piso, lo que no es exactamente cierto».
75. De acuerdo con la RDGRN 17.7.1998 (RJ 1998, 5973), «en base al principio de autonomía de la voluntad y tal y como ya dijo la Resolución de 18 abril 1988, nada se opone a la inscripción, aun antes de iniciarse la construcción, de los acuerdos entre los comuneros por los cuales cada uno de ellos construirá individualmente su vivienda individualizada y cuya propiedad pertenecía desde un principio al respectivo constructor, pues de este modo se asegura adecuadamente frente a terceros, el interés de cada comunero respecto de las concretas viviendas (...)» (FD 2º).
76. Tal y como señala la RDGRN, 4.12.2004 (RJ 2004, 8155), las reglas de funcionamiento de la comunidad sobre una finca son inscribibles en el Registro de la Propiedad en virtud del artículo 7 del Reglamento Hipotecario aprobado por el Decreto de 14.2.1947 (BOE nº 106, de 16.4.1947).

3° Obligaciones y deberes de los comuneros, entre otros, el deber de aportar determinadas cantidades dinerarias a la comunidad y las sanciones en caso de incumplimiento del mismo. También se incluyen normas sobre la posible transmisión de la cuota.

4° Encargo de la gestión de la promoción a la empresa que en la mayoría de casos ha impulsado la constitución de la comunidad, mediante el otorgamiento de apoderamientos.

5° Obligaciones, derechos y remuneración de la gestora, que, normalmente, consiste en un tanto por ciento sobre el coste final de la edificación, con una cuantía máxima[77].

En defecto de normas pactadas por los comuneros, la comunidad se rige por las normas sobre comunidad ordinaria indivisa del Código civil español (artículos 392 a 406 CC), o por las normas de derecho civil propio de la Comunidad Autónoma en la que esté situado el inmueble, si dispone de legislación en la materia[78].

En efecto, el Tribunal Supremo ha afirmado, en la STS, 1ª, 5.6.1989 (RJ 1989, 4296) que «(...) en defecto de otra normativa, les son en principio aplicables los artículos 392 y ss. del Código Civil y concluida esta primera fase, al convertirse en Comunidades en Régimen de Propiedad Horizontal, vienen sujetas a las reglas de la misma» (FD 7°)[79].

Algunos autores consideran que en la construcción en régimen de comunidad de tipo valenciano hay dos comunidades. La primera, atípica, para la construcción, que se regirá por los pactos establecidos entre los comuneros y supletoriamente por las reglas de los artículos 392 y ss. del Código Civil. Y otra, típica, la comunidad en régimen de propiedad horizontal, que estará en estado latente mientras no se termine el edificio[80]. La segunda teoría defiende la existencia de una sola comunidad, la de propiedad horizontal, sin pasar por la situación de condominio intermedia. En la comunidad de tipo valenciano el condominio sobre el solar no se extiende a cada una de las viviendas o locales individuales, los cuales pertenecen *ab initio* a cada autopromotor[81].

---

77. *Vid.* Sapena Tomas, Cerda Bañuls y Garrido de Palma, *Las garantías de los adquirentes de vivienda frente a promotores y constructores, op. cit.*, pp. 39-40.

78. Este es el caso de Cataluña, que regula la comunidad ordinaria indivisa en los artículos 552-1 a 552-12 del Libro V del Código Civil de Cataluña relativo a los derechos reales, aprobado por la Ley 5/2006, de 10 de mayo.

79. En el mismo sentido, *vid.* la STS, 1ª, 8.7.1997 (RJ 1997, 6013).

80. Defiende esta tesis Muñoz de Dios, *Aportación de solar y construcción en comunidad, op. cit.*, p. 164. Para un análisis detallado de esta posición *vid.* Manrique Plaza, *Construcción en comunidad, op. cit.*, pp. 16-17 y los autores allí citados.

81. Sostienen esta tesis Sapena Tomas, Cerda Bañuls y Garrido de Palma, *Las garantías de los adquirentes de vivienda frente a promotores y constructores, op. cit.*, p. 37; y Roca Sastre, Roca-Sastre Muncunill y Bernà i Xirgo, *Derecho hipotecario, op. cit.*, p. 54. Para un análisis detallado de esta posición *vid.* Manrique Plaza, *Construcción en comunidad, op. cit.*, pp. 16-17 y los autores allí citados.

La aplicación de una u otra teoría conduce a un mismo resultado, pues aunque se opte por la segunda teoría el régimen jurídico de la Ley de Propiedad Horizontal no es aplicable durante la fase de construcción de la edificación. En efecto, el régimen de propiedad horizontal está pensado para ser aplicado al edificio construido[82]. En consecuencia, a pesar de que los comuneros hayan otorgado e inscrito el título constitutivo de la propiedad horizontal, los preceptos de la LPH no rigen las relaciones entre los comuneros en la fase de edificación, durante la cual la propiedad horizontal «se encuentra aletargada»[83].

b. Fase posterior a la conclusión de la obra

Finalizada la obra, la comunidad pasa a regularse por la Ley 49/1960, de 21 de julio, sobre Propiedad Horizontal modificada por la Ley 8/1999 de 6 de abril, o, en su caso, por la norma de derecho civil propio de la Comunidad Autónoma en la que esté situado el inmueble, si dispone de legislación en la materia.

1.3. Especificidades de la comunidad de construcción y relevancia a efectos de su naturaleza jurídica: ¿comunidad de bienes o sociedad civil?

Como toda comunidad de bienes, la comunidad de construcción o comunidad *ad aedificandum* carece de personalidad jurídica propia y está formada por personas físicas o jurídicas con una cuota o parte alícuota sobre una cosa o derecho. No obstante, este tipo de comunidad presenta características específicas en relación con la tradicional comunidad de bienes del Código civil.

En concreto, las particularidades de este tipo de comunidades, analizadas con más detalle en las páginas que siguen, se encuentran, por un lado, en su origen negocial y, por el otro, en la finalidad por la cual se constituyen. Estos elementos acercan la comunidad *ad aedificandum* a la figura a la sociedad civil definida en el artículo 1665 CC como «(...) un

---

82. En este sentido, Carrasco Perera, Cordero Lobato, González Carrasco, *Derecho de la construcción y la vivienda, op. cit.*, pp. 844-845.
83. En este sentido, *vid.* la SAP Madrid, Civil, Sec. 18ª, 3.2.2011 (JUR 2011, 147488) de acuerdo con la cual «... dicha comunidad debe regirse por las normas de la comunidad de bienes (...). Para que exista una comunidad de propietarios en régimen de propiedad horizontal conforme a lo dispuesto en la L.P.H. se exige en primer lugar la existencia de un edificio, la existencia material de diversos departamentos y la existencia de una pluralidad de propietarios de los mismos. Es cierto que con frecuencia en el tráfico jurídico la propiedad horizontal se crea en puridad antes (...) como permite el art. 8 de la LPH (...). En estos casos la propiedad horizontal se encuentra aletargada» (FD 2º).

contrato por el cual dos o más personas se obligan a poner en común dinero, bienes o industria, con ánimo de partir entre sí las ganancias».

En este contexto, se plantea la cuestión de la naturaleza jurídica de la comunidad de construcción: ¿es una verdadera comunidad de bienes o se trata de una sociedad civil? La calificación de la comunidad *ad aedificandum* como mera copropiedad o comunidad de bienes o como una sociedad civil tiene consecuencias jurídicas importantes.

En el primer caso, es decir, si se trata de una comunidad de bienes, la comunidad *ad aedificandum* carece de personalidad jurídica y son los comuneros o copropietarios quienes actúan en nombre propio. En el segundo caso, es decir, si la calificamos de sociedad civil, aquélla gozará de personalidad jurídica distinta a la de sus socios, excepto cuando se trate de una sociedad civil sin personalidad jurídica del artículo 1669 CC. El artículo 1669 CC se aplica a las sociedades cuyos pactos se mantienen en secreto entre los socios. En este caso, la sociedad no tendrá personalidad jurídica propia y «se regirá por las disposiciones relativas a la comunidad de bienes», en lo relativo al patrimonio común, y por las reglas del negocio plurilateral asociativo o de participación, en lo relativo a las relaciones entre los socios[84].

El Tribunal Supremo ya puso de manifiesto la dificultad de calificar la naturaleza jurídica de las comunidades de construcción, al señalar en la STS, 1ª, 14.4.1989 (RJ 1989, 3056) que la

> «... tipificación jurídica por la doctrina no es totalmente pacífica ya que las posiciones suelen oscilar entre los que estiman que se trata de una especie o variedad de sociedad civil, y aquéllos para quienes se trata de una Comunidad de mano común o romana (...)» (FD 3º).

Para determinar la verdadera naturaleza jurídica de las comunidades de construcción se analizan los criterios diferenciadores entre comunidad de bienes y sociedad civil defendidos por la doctrina, así como por la jurisprudencia del Tribunal Supremo.

1.3.1. *Origen negocial o voluntario de la comunidad de construcción*

En primer lugar, la comunidad de construcción se caracteriza por su origen negocial. La formación e integración en esas comunidades no deriva sólo del hecho de ser cotitular de un bien o derecho común –el solar en el que se va a construir–, sino que su constitución tiene un carácter voluntario. Los comuneros pasan a formar parte de la comunidad, incluso antes de la compra del solar, mediante la suscripción de un negocio plurila-

---

84. *Vid.* Díez-Picazo y Ponce de León, *Fundamentos del derecho civil patrimonial*, vol. IV, *op. cit.*, p. 610, quien resume la posición de la jurisprudencia en esta materia.

teral asociativo o de participación. Así lo ha destacado parte de la jurisprudencia menor que señala que

«(...) [l]a formación e integración en esas comunidades funcionales (...) tiene un carácter voluntario, mediante un negocio plurilateral asociativo o de participación, y en virtud del cual se integrarán en una estructura orgánica derivada de la facultad de autorregulación de los comuneros o partícipes, encaminado ese esfuerzo colectivo y esa estructura orgánica a lograr (...) finalizar una determinada promoción inmobiliaria»[85].

En la promoción en régimen de comunidad, los particulares celebran un contrato en el que pactan unirse con la finalidad de adquirir un solar y promover la construcción de un edificio a precio de coste. El contrato detalla las características de la futura edificación, los derechos y obligaciones de los comuneros y, en su caso, de la sociedad gestora de la comunidad. En el caso en que la comunidad se haya creado por iniciativa de una empresa gestora, la comunidad se constituye mediante la suscripción de contratos de adhesión entre la gestora y los futuros miembros de la comunidad[86].

Con todo, de conformidad con el artículo 392 del Código Civil, para que haya comunidad es necesario que «la propiedad de una cosa o de un derecho pertene[zca] pro indiviso a varias personas». Con base a este precepto, parte de la doctrina ha sostenido que en la comunidad de construcción la situación de comunidad, en sentido estricto, sólo nace cuando se da la cotitularidad, esto es, cuando los comuneros adquieren la propiedad en *pro indiviso* del solar o cuando aportan los recursos económicos necesarios a la comunidad. Con anterioridad, señala José María MIQUEL GONZÁLEZ[87], los particulares sólo están vinculados contractualmente mediante el negocio plurilateral asociativo o de participación.

En suma, según esta línea doctrinal la comunidad se presenta como una situación involuntaria e incidental provocada por una disposición legal o como consecuencia de determinados hechos jurídicos, como podría ser la muerte del causante; mientras que la sociedad es el fruto de la voluntad de las partes.

---

85. En estos términos *vid.* las SSAP Jaén, Civil, Sec. 2ª, 14.2.2007, FD 2º (JUR 2007, 175496); Zaragoza, Civil, Sec. 5ª, 16.11.2004, FD 3º (JUR 2004, 3122); Zaragoza, Civil, Sec. 5ª, 29.4.2003, FD 4º (AC 2003, 1289); y Zaragoza, Civil, Sec. 5ª, 14.2.2003, FD 4º (JUR 2003, 67361).

86. SAPENA TOMAS, CERDA BAÑULS y GARRIDO DE PALMA, *Las garantías de los adquirentes de vivienda frente a promotores y constructores, op. cit.*, pp. 38-40.

87. José María MIQUEL GONZÁLEZ, «Comentario a los artículos 392 a 429 del Código Civil y Ley sobre Propiedad Horizontal», en Manuel ALBALADEJO GARCÍA (Coord.), *Comentarios al Código Civil y compilaciones forales*, Edersa, tomo V, vol. 2º, Madrid, 1985, pp. 22-23 (versión Vlex).

Sin embargo, el Tribunal Supremo, en la STS, 1ª, Sec. 1ª, 17.7.2012 (RJ 2012, 9331), ha calificado este criterio de diferenciación entre comunidad de bienes y sociedad civil de excesivamente simple pues

«... el propio artículo 392.2 del Código Civil contempla la posibilidad de la formación de comunidades por voluntad de los interesados, y del mismo modo puede inferirse esta finalidad del acto, sin más concreción, del cual se derive una adquisición pro-indiviso entre los partícipes del mismo» (FD 3º).

1.3.2. Finalidad común de los comuneros: la promoción de una edificación a precio de coste

La segunda singularidad de la comunidad *ad aedificandum*, respecto de la tradicional comunidad de bienes, es la finalidad por la que se constituye. La doctrina[88] y la jurisprudencia[89] se han hecho eco de la dificultad de reconducir la existencia de una agrupación de personas que se organizan para conseguir un fin común, una promoción inmobiliaria, a la regulación de la comunidad bienes del Código Civil.

Un ejemplo de la insuficiencia de la regulación del Código civil respecto de este tipo de comunidades puede hallase en la ausencia de una mención especial en la regulación del Código Civil de un órgano administrador o ejecutivo de la comunidad. Ello puede ser suplido en el contrato de constitución de la comunidad mediante la creación de dos órganos: la Junta o Asamblea general, formada por todos los comuneros, y el órgano ejecutivo de la comunidad, el Consejo o Junta Rectora[90].

Destaca en este sentido la SAP Zaragoza, Civil, Sec. 4ª, 23.3.2007 (JUR 2007, 272402) de acuerdo con la cual: «la comunidad *ad aedificandum* representa una nueva realidad jurídica cuya naturaleza es intensamente discutida en la doctrina (...) con una proyección dinámica, empresarial, que obliga a reinterpretar la normativa que regula la comunidad ordinaria, contemplada en el Código civil de una manera esencialmente estática: su objeto ya no es una mera cotitularidad de derechos, a la que se asocia un régimen jurídico propio de una situación de estaticidad, sino que las comunidades

---

88. Muñoz de Dios, *Aportación de solar y construcción en comunidad, op. cit.* p. 151, considera que «[l]a comunidad que regula nuestro Código Civil (...) se aviene mal con las necesidades dinámicas y creativas de la comunidad que nos ocupa».

89. En la jurisprudencia menor *vid.* las SSAP Zaragoza, Civil, Sec. 5ª, 9.12.2011, FD 6º (JUR 2012, 4076); Jaén, Civil, Sec. 2ª, 14.2.2007, FD 2º (JUR 2007, 175496); Zaragoza, Civil, Sec. 5ª, 16.11.2004, FD 3º (JUR 2004, 3122); Zaragoza, Civil, Sec. 5ª, 29.4.2003, FD 4º (AC 2003, 1289); y Zaragoza, Civil, Sec. 5ª, 14.2.2003, FD 4º (JUR 2003, 67361).

90. Así lo ponen de manifiesto Sapena Tomas, Cerda Bañuls y Garrido de Palma, *Las garantías de los adquirentes de vivienda frente a promotores y constructores, op. cit.*, p. 40.

para constituir su objeto supera esta estaticidad y se proyecta en orden a la consecución de una finalidad, aquí una promoción o autopromoción inmobiliaria» (FD 1°). Así, como la posterior SAP Zaragoza, Civil, Sec. 5ª, 9.12.2011 (JUR 2012, 4076), la cual afirma en relación con la comunidad de propietarios «que no pretende el mantenimiento de las parcelas compradoras (...), sino edificar en ellas (...)», que «cuando se busca una finalidad diferente a la del mantenimiento de los bienes comunes, surge una "afectio societatis" lo que nos acerca al concepto de sociedad irregular o pacto asociativo, bien civil, bien mercantil» (FD 6°).

La doctrina identifica el objeto por el cual se constituyen, como uno de los elementos diferenciadores entre comunidad de bienes y sociedad civil. Así, por un lado, la tradicional comunidad de goce, transitoria y romana del Código civil (artículo 392 CC) tiene como finalidad la administración y conservación de bienes. En cambio, la sociedad civil se caracteriza por su dinamismo, por ordenar una explotación económica con arreglo a una organización económica de sus medios (empresa) y su finalidad es, preferentemente, obtener un beneficio económico para repartirlo entre sus socios.

Las comunidades de construcción tienen el propósito de promover la construcción de un edificio para adjudicar a los comuneros las viviendas resultantes a precio de coste, pero no tienen el «ánimo de partir entre sí las ganancias», que exige el artículo 1665 CC en la sociedad civil[91]. Por ello, la doctrina clásica defiende que la comunidad *ad aedificandum* es una comunidad de bienes y no una sociedad civil al carecer de ánimo de lucro y de habitualidad en su objeto[92].

Esta línea ha sido seguida por algunas sentencias del Tribunal Supremo que distinguen la comunidad de bienes de la sociedad civil teniendo en consideración el criterio siguiente «(...) las comunidades de bienes suponen la existencia de una propiedad común y proindivisa, perteneciente a varias personas (artículo 392 del CC), lo que se traduce en su mantenimiento y simple aprovechamiento plural. En cambio las sociedades civiles, aparte de la existencia de un patrimonio comunitario, este se aporta el tráfico comercial ya que la voluntad societaria se orienta a este fin principal y directo de

---

91. En la doctrina, MUÑOZ DE DIOS, *Aportación de solar y construcción en comunidad, op. cit.* p. 151. Con todo, DÍEZ-PICAZO Y PONCE DE LEÓN, *Fundamentos del derecho civil patrimonial*, vol. IV, *op. cit.*, p. 607, señala que «puede discutirse si lo que el art. 1665 llama "ganancia" puede ser un ahorro de costos o de gastos, aunque no parece existir dificultad en considerar como sociedad las cooperativas que en gran medida tienden a esta finalidad».

92. Ignacio Garrote FERNÁNDEZ-DÍEZ, «Contratos asociativos, II. Comunidad de bienes de origen negocial», Rodrigo BERCOVITZ RODRÍGUEZ-CANO (Dir.) y Nieves MORALEJO IMBERÓN, Susana QUICIOS MOLINA (Coords.), *Tratado de Contratos, tomo* III, Tirant lo Blanch, Valencia, 2009, p. 2846, resume la doctrina clásica o tradicional.

obtener ganancias y lucros comunes, partibles y divisibles y, consecuentemente, lo mismo sucede con las pérdidas» (FD 2°)[93].

Un segundo sector doctrinal ha optado por un concepto amplio de sociedad y cuestiona la necesidad del ánimo de lucro y la habitualidad en el objeto de la sociedad. De acuerdo con estos autores hay sociedad cuando los sujetos que participan en el contrato tienen un fin común de carácter económico[94].

Entre los defensores de esta teoría destaca Cándido PAZ-ARES[95], de acuerdo con el cual cuando diversas personas adquieren un bien y de alguna manera prevén el destino que quieren darle sin ánimo de repartirse las ganancias:«[e]n el plano de la titularidad hay ciertamente comunidad. Pero en el plano obligatorio (...) hay (...) un contrato que desplaza la aplicación de las normas de la comunidad reguladoras de las relaciones entre los cotitulares (v. art. 392 II CC). La existencia de este contrato que se vertebra sobre el fin común perseguido por las partes no puede desconocerse. Otra cosa es que deba calificarse de sociedad o considerarse como un contrato innominado».

A pesar de lo señalado hasta ahora, el Tribunal Supremo ha afirmado, en la STS, 1ª, Sec. 1ª, 17.7.2012 (RJ 2012, 9331), que el criterio de la «explotación económica» como hecho diferencial entre comunidad de bienes y sociedad civil si bien:

---

93. *Vid.* la STS, 1ª, 18.2.2009 (RJ 2009, 1499) que cita y aplica la doctrina de la STS, 1ª, 24.7.1993 (RJ 1993, 6479) que atribuyó la condición de sociedad irregular a «los litigantes (...) [que] se asociaron con la finalidad de llevar a cabo actividades constructivas para su explotación comercial, es decir, venta de viviendas y locales edificados» (FD 2°). En la jurisprudencia menor siguen esta tesis, entre otras, la SAP Madrid, Civil, Sec. 14ª, 23.2.2011 (JUR 2011, 202899), que señala que «la falta de un verdadero ánimo de lucro entre los integrantes de la Comunidad nos aleja del campo de la sociedad, por lo que debemos considerar que la puesta en común de dinero para realizar actividades que se agotan en sí mismas –como aquí sucede pues simplemente se busca la construcción de unas viviendas para uso particular de cada uno de los copropietarios– se debe encuadrar dentro de la figura de la comunidad de bienes (...)» (FD 3°); y la SAP Zaragoza, Civil, Sec. 4ª, 23.3.2007 (JUR 2007, 272402), la cual señala que «la calificación de sociedad es más aceptada allí donde la finalidad es la venta en todo o parte y distribución de beneficios» (FD 1°).

94. En este sentido, *vid.* MIQUEL GONZÁLEZ, *Comentario a los artículos 392 a 429 del Código Civil y Ley sobre Propiedad Horizontal, op. cit.*, p. 23. Para un resumen de esta postura revisionista *vid.* FERNÁNDEZ-DÍEZ, *Contratos asociativos, II. Comunidad de bienes de origen negocial, op. cit.*, p. 2846.

95. Cándido PAZ-ARES RODRÍGUEZ, «Ánimo de lucro y concepto de sociedad (Breves consideraciones a propósito del artículo 2.2 LAIE)», *Derecho mercantil de la Comunidad Económica Europea: estudios en homenaje a José Girón Tena*, Civitas, Consejo General de los Colegios Oficiales de Corredores de Comercio, 1991, pp. 747-748.

«... puede [...] informar o favorecer las perspectivas generales de la posible diferenciación de las figuras en liza, no obstante; por sí solo [...] carece[...] de valor determinante para su respectiva aplicación (...)» (FD 3º).

1.3.3. Voluntad de las partes y criterio pro-communio

De acuerdo con el Tribunal Supremo, los criterios de diferenciación entre comunidad de bienes y sociedad civil señalados en los epígrafes anteriores –origen voluntario o involuntario o finalidad por la cual se constituye– deben ser complementados con el resto de criterios hermenéuticos, aplicables al negocio jurídico que creó la situación o a los actos y comportamientos concluyentes del caso[96].

Asimismo, el Alto Tribunal otorga al criterio de la voluntad de las partes el carácter de preferente para diferenciar entre la comunidad de bienes de la sociedad civil[97]. Así, la STS, 1ª, Sec. 1ª, 17.7.2012 (RJ 2012, 9331) establece que:

«Respecto a la incidencia de la voluntad de las partes en el desenvolvimiento de la situación, y particularmente en relación con la denominada "afectio societatis", como criterio diferencial, debe señalarse que su aplicación como criterio interpretativo va más allá de la constatación del mero ánimo o disposición de estar en una situación de sociedad, requiriéndose a los partícipes la realización de actos de configuración potestativa que inequívocamente tiendan a la creación de una situación real y efectiva de sociedad civil» (FD 3º).

En consecuencia, tal y como afirma María Isabel GRIMALDOS GARCÍA[98], «sólo si hay voluntad nítida de los contratantes de querer constituir una sociedad, habrá sociedad. A contrario de haber voluntad de constituir una comunidad, será el régimen de la comunidad el aplicable». La aplicación de la anterior doctrina a las comunidades de construcción comporta que éstas son comunidades de bienes, puesto que tanto del negocio de constitución de la comunidad, como de los actos de los partícipes en la promoción se infiere que su voluntad es constituir una situación de condominio.

Además, a favor de la calificación de las comunidades de construcción como comunidades de bienes hay que sumar el último criterio ofre-

---

96. STS, 1ª, Sec. 1ª, 17.7.2012 (RJ 2012, 9331), FD 3º.
97. En este sentido, vid. María Isabel GRIMALDOS GARCÍA, «¿Sociedad interna o comunidad de bienes?: de los criterios de distinción en nuestra jurisprudencia. A propósito de la STS de 17 de julio de 2012», Diario La Ley, nº 8056, Sección Doctrina, 5 de abril de 2013, p. 10.
98. GRIMALDOS GARCÍA, ¿Sociedad interna o comunidad de bienes?: de los criterios de distinción en nuestra jurisprudencia. A propósito de la STS de 17 de julio de 2012, op. cit., p. 10.

cido por el Tribunal Supremo en la ya citada STS, 1ª, Sec. 1ª, 17.7.2012 (RJ 2012, 9331). Si tras la aplicación de los criterios diferenciales anteriores todavía quedaran dudas sobre la calificación de la situación objeto de análisis

«... entonces se deberá aplicar el criterio "pro-communio" que se deriva de la mayor fuerza expansiva y sistemática que implícitamente viene en la generalidad del concepto de comunidad» (FD 3º).

Por todo lo anterior, en el debate doctrinal y jurisprudencial sobre la naturaleza jurídica de las comunidades *ad aedificandum* cabe concluir que son comunidades de bienes.

1.3.4. Consecuencias de la calificación de la comunidad de construcción como comunidad de bienes

La ausencia de personalidad jurídica de la comunidad *ad aedificandum* comporta que no pueda ser titular de derechos y obligaciones, ni ser parte en los procesos ante los tribunales civiles. El interesado debe demandar a todos los miembros de la comunidad, bajo pena de apreciar litisconsorcio pasivo necesario[99]. Asimismo, en aplicación del artículo 393.I del Código civil[100], la responsabilidad de los comuneros es parciaria, o mancomunada en el sentido utilizado en el artículo 1138 CC, en relación con su cuota de participación[101].

---

99. En este sentido, *vid.* STS, 1ª, 2.12.1994, FD 5º (RJ 1994, 9394) y las SSAP Madrid, Civil, Sec. 14ª, 30.3.2011, FD 3º (JUR 2011, 200864); y Madrid, Civil, Sec. 14ª, 23.2.2011, FD 4º (JUR 2011, 202899). En contra, *vid.* las SSAP Zaragoza, Civil, Sec. 5ª, 9.12.2011 (JUR 2012, 4076) y Jaén, Civil, Sec. 2ª, 14.2.2007 (JUR 2001, 175496) que aprecian la capacidad de la comunidad de propietarios que adquiere un solar o parcela para edificar para ser parte en el proceso a pesar de carecer de personalidad jurídica propia con base en el artículo 6.1.2 LEC, pues entienden que se trata de «... una pluralidad de elementos personales y patrimoniales puestos al servicio de un fin determinado». En la doctrina *vid.* GONZÁLEZ POVEDA, *Diferentes formas de promoción de viviendas. Especial mención a las cooperativas de viviendas..., op. cit.,* p. 263, pone de manifiesto que «diversas resoluciones del Tribunal Supremo se han ocupado de la responsabilidad por vicios ruinógenos teniendo en cuenta su falta de personalidad jurídica».

100. El artículo 393.I del Código civil establece que «[e]l concurso de los partícipes, tanto en los beneficios como en las cargas, será proporcional a sus respectivas cuotas».

101. *Vid.* en la jurisprudencia, entre otras, la STS, 1ª, Sec. 1ª, 8.7.2009 (RJ 2009, 7248) que señala que «es correcta la calificación de la obligación como mancomunada (...) examinando los distintos elementos que concurren dado que no se pactó la solidaridad; que cada comunero promovía la construcción de su vivienda, siendo propietario de una concreta, y aunque hubo una sola obligación, la del pago de la obra, no fue solidaria, sino dividida en tantas partes como comuneros existían, aunque de acuerdo con el art. 1138 CC» (FD 5º); y la SAP Zaragoza, Civil, Sec. 5ª, 9.12.2011, FD 7º (JUR 2012, 4076). En la doctrina, en este sentido, CORDERO LOBATO, *Capítulo 13. El promotor, op. cit.,* p. 397.

Este trabajo centra su análisis en las comunidades de construcción que se llevan a cabo mediante comunidades de bienes por ser las más frecuentes en la práctica y cuya responsabilidad por vicios y defectos constructivos plantea más problemas jurídicos. Con todo, no puede desconocerse la posibilidad de que la construcción en comunidad se realice por medio de una sociedad civil cuando así se derive de la aplicación de los criterios hermenéuticos, señalados más arriba, al negocio jurídico que creó la situación[102]. La sociedad civil gozará de personalidad jurídica propia, excepto cuando se trate de una sociedad civil sin personalidad jurídica del artículo 1669 CC. En efecto, las sociedades civiles adquieren personalidad jurídica cuando los pactos se manifiesten en el exterior –cuando no «se mantengan en secreto entre los socios» (art. 1669 CC)– y los socios contraten en nombre de la sociedad –en lugar de «que cada uno de éstos contrate en su propio nombre con los terceros» (art. 1669 CC)–.

Sin embargo, la DGRN defiende que las sociedades contempladas en el artículo 1670 del Código Civil sólo adquieren personalidad jurídica propia cuando son constituidas en escritura pública e inscritas en el Registro Mercantil [RDGRN 31.3.1997 (RJ 1997, 2049)]. Esta postura, fuertemente criticada por la doctrina, fue posteriormente rectificada por la DGRN en su resolución de 14.2.2001 (RJ 2002, 2154)[103]. Sin embargo, la DGRN ha vuelto a señalar en la RDGRN de 26.6.2012 (RJ 2012, 8825) que «las sociedades civiles cuyos pactos se mantienen secretos entre los socios (y por tanto carecen de personalidad) son precisamente las que no se inscriben en el registro mercantil» (FD 5°).

1.4. Rehabilitación de un edificio existente en régimen de propiedad horizontal

Una última modalidad de promoción en régimen en comunidad es la rehabilitación por la comunidad de propietarios de una edificación sometida al régimen de propiedad horizontal. En este caso, la actuación de la comunidad de propietarios no se rige por los artículos del Código civil sobre comunidad ordinaria indivisa, sino por las disposiciones de la Ley 49/1960, de 21 de julio, de Propiedad horizontal o de la norma de derecho

---

102. Un ejemplo de comunidad de construcción constituida como sociedad civil con personalidad jurídica propia puede verse en la SAP Valencia, Civil, Sec. 8ª, 24.11.2010 (JUR 2011, 108655), que resuelve un caso sobre la sociedad civil «Complejo Residencial Santa Marta II» constituida el 4.4.2000 en escritura pública con el objeto de construir una urbanización de 41 viviendas en Cullera (Valencia).
103. Para un análisis en profundidad de esta cuestión vid. DÍEZ-PICAZO Y PONCE DE LEÓN, *Fundamentos del derecho civil patrimonial*, vol. IV, op. cit., pp. 611-612; y VICENT CHULIÁ, *Introducción al derecho mercantil*, vol. I, op. cit., pp. 378-379.

civil propio de la Comunidad Autónoma en la que esté situado el inmueble, si dispone de legislación en la materia.

La rehabilitación de edificios existentes va ganando importancia en el Estado español, entre otros motivos, debido al fomento de la misma por parte de los poderes públicos por medio de distintos instrumentos[104].

Todas las intervenciones sobre los edificios existentes, siempre y cuando alteren su configuración arquitectónica, están incluidas en el ámbito de aplicación material de la LOE [artículo 2.2.b) LOE], por lo que en caso de vicios constructivos en el edificio los propietarios podrían llegar a responder frente a los futuros adquirentes por su condición de promotores.

En cambio, la SAP Valladolid, Civil, Sec. 1ª, 14.12.2009 (JUR 2010, 69107) ha entendido que no es aplicable el régimen del artículo 17 LOE a la responsabilidad de la comunidad frente uno de los comuneros perjudicados por vicios y defectos constructivos. En el caso, la comunidad de propietarios encargó a un arquitecto y a una constructora la realización de unas obras que tenían por objeto una variación esencial de la composición exterior de la fachada, sustituyéndose el azulejo existente por la aplicación de otro material, además de la colocación de un cobremuros. Como consecuencia de las obras, uno de los comuneros sufrió daños derivados de vicios constructivos en su piso. El comunero afectado demandó a la comunidad y a la constructora, en situación de rebeldía, y solicitó 1.989,86 € con base en los artículos 1902 y ss. y 1591 CC. El JPI nº 11 de Bilbao desestimó la demanda. La AP calificó a la comunidad de promotora pues «es la Comunidad quien lleva a cabo el contrato de obra con la contrata (...) dichas obras se realizaron para sí, y (...) es la Comunidad quien eligió y contrató al contratista y al técnico, asumiendo con ello la condición de promotor de la obra» (FD 3º). No obstante, concluye que «la parte actora es comunera de la referida comunidad [y] ello implica que la reclamación que de los daños

---

104. Por un lado, el Real Decreto-ley 8/2011 de medidas de apoyo a los deudores hipotecarios, de control del gasto público y cancelación de deudas con empresas y autónomos contraídas por las entidades locales, de fomento de la actividad empresarial e impulso de la rehabilitación y de simplificación administrativa (BOE nº 161, de 7.7.2011), cuyo artículo 201 establece que «Las comunidades y las agrupaciones de comunidades de propietarios podrán, previo acuerdo válidamente adoptado conforme a la legislación de propiedad horizontal: a) Actuar en el mercado inmobiliario con plena capacidad jurídica para todas las operaciones, incluidas las crediticias, relacionadas con el cumplimiento de los deberes de conservación, mejora y regeneración, así como con la participación en la ejecución de actuaciones aisladas o conjuntas, continuas o discontinuas, que correspondan (...). c) Ser beneficiarias directas de cualesquiera medidas de fomento establecidas por los poderes públicos, así como perceptoras y gestoras de las ayudas otorgadas a los propietarios de fincas». Por el otro lado, la Ley 8/2013, de 26 de junio, de rehabilitación, regeneración y renovación urbanas, que ha modificado parcialmente la anterior.

efectúa en la presente demanda cara a la Comunidad de la que forma parte no puede articularse por la vía (...) de la LOE (...) [pues] la (...) acción a ejercitar (...) es la (...) del art. 1902, art. 1903 del CC la cual fue desestimada en la sentencia de instancia» (FD 4º).

2. CONDICIÓN DE PROMOTORES DE LOS COMUNEROS: JURISPRU-DENCIA SOBRE RESPONSABILIDAD POR RUINA Y LOE

La jurisprudencia sobre responsabilidad por ruina, primero, y la LOE, después, han tratado de manera diversa la condición de promotor de los comuneros de este tipo de promociones en el caso excepcional en que en la promoción no intervenga una sociedad gestora.

2.1. Jurisprudencia sobre responsabilidad por ruina: exclusión de los comuneros del concepto de promotor

La jurisprudencia sobre responsabilidad por ruina del Tribunal Supremo señalada respecto del autopromotor individual es aplicable a la autopromoción colectiva en régimen de comunidad de propietarios, cuyos comuneros no tienen la condición de profesionales del mercado inmobiliario y cuya finalidad es promover la construcción de viviendas para uso propio.

En efecto, la ausencia de ánimo de lucro en la actividad de los comuneros y de intención de transmitir las viviendas a terceros tiene como consecuencia que el Tribunal Supremo no les atribuya la condición de promotores y que los excluya del círculo de responsables del artículo 1591.I CC.

Por el contrario, de acuerdo con el Tribunal Supremo, STS, 1ª, 31.1.2003 (RJ 2003, 647) son promotores a efectos de la responsabilidad por ruina los copropietarios que «aportaron el solar y también se hicieron partícipes del negocio constructivo, adquiriendo cada uno una participación proindivisa equivalente a la tercera parte, lo que les permitía participar con tal porcentaje en el beneficio de las ventas de los diversos elementos de la edificación» (FD 1º).

Los hechos que dieron lugar a la STS, 1ª, 31.1.2003 (RJ 2003, 647) son los siguientes. Bartolomé, Cristóbal y Bernardo constituyeron una comunidad de propietarios mediante la aportación de un solar con el objeto de promover la construcción del edificio de viviendas y locales «Es Pins», en Andratx (Mallorca), para su posterior enajenación onerosa a terceros. La cuota de participación de cada uno de ellos en la comunidad era de un 33,33%. Sólo uno de los comuneros, Bernardo, asumió la gestión de la ejecución de la obra. Los comuneros vendieron las viviendas y locales a terceros. Con posterioridad, aparecieron vicios y defectos constructivos. La Comunidad de Propietarios del edificio demandó a los técnicos y a los tres comuneros, y solicitó una indemnización de 16.253,31 € por los vicios y defectos constructivos, con base en el artículo 1591.I CC. El JPI n° 6 de Palma de Mallorca (15.10.1994) estimó en parte la demanda, condenó a Bernardo a pagar 216.253,31 €, así como a realizar las obras indicadas en el FD 5° de la sentencia y absolvió al resto de demandados. La AP de Palma de Mallorca (Sec. 4ª, 10.4.1997) estimó en parte el recurso de apelación interpuesto por la demandante, en el sentido de ampliar la condena a Bartolomé y a Cristóbal en su condición de promotores del edificio. El TS desestimó el recurso de casación interpuesto por Bartolomé y Cristóbal, al considerar que los tres comuneros fueron promotores de la edificación. «[N]inguna normativa legal impide que pueda actuar en el proceso constructivo los que resultan copropietarios del solar al asumir las actividades de una propia comunidad civil promotora. No estamos ante el supuesto de aportación de solar a cambio de pisos o viviendas a edificar (...) sino que, y siguiendo la doctrina de la sentencia de 28 de enero de 1994, los recurrentes aportaron el solar y también se hicieron partícipes del negocio constructivo, adquiriendo cada uno una participación proindivisa equivalente a la tercera parte, lo que les permitía participar con tal porcentaje en el beneficio de las ventas de los diversos elementos de la edificación, y cabe la presunción lógica consecuente de que también la financiaron, bien con recursos propios o ajenos» (FD 1°).

En la jurisprudencia se ha planteado un segundo supuesto, aquel en el que la comunidad *ad aedificandum* está formada por comuneros que intervienen con la finalidad de obtener una vivienda para uso propio, junto con comuneros profesionales del sector de la construcción cuyo objetivo es obtener un beneficio económico con la transmisión de las viviendas y locales. En estos casos, el comunero profesional del sector de la construcción que actúa con ánimo de lucro es el único que puede ser calificado de promotor. No por su calidad de comunero de la comunidad de construcción, sino en su condición de gestor profesional con una intervención decisoria en la promoción, en los casos en que sus conocimientos del sector conlleven que *de facto* adopte las decisiones fundamentales del proceso constructivo.

Esta es la solución por la cual optó la SAP Córdoba, Civil, Sec. 3ª, 28.7.2003 (JUR 2003, 220299), que atribuyó la condición de promotor a uno de los miembros de la comunidad de propietarios, una empresa dedicada a la gestión de comunidades, no por su condición de comunera, sino por la particular posición que aquélla asumió en la gestión de la comunidad. El resto de comuneros habían celebrado un contrato de mandato con el comunero profesional y habían otorgado poderes irrevocables a su favor. De acuerdo con la SAP:

«[s]i bien formalmente Proicosa era un autopromotor más, materialmente era la auténtica promotora del inmueble, y desde este punto de vista no solo eligió y contrató los técnicos intervinientes en el proceso constructivo, (...) sino que además, en definitiva, era la mandataria de todos los demás autopromotores para gestionar y solucionar todas las cuestiones que suscitara el proceso constructivo que gestionaba y por el que cumplidamente se lucraba» (FD 3º)[105].

2.2. LOE: es promotor quien promueve «colectivamente (...) para sí (...)», en ausencia de gestor con intervención decisoria (artículo 9.1 LOE)

La LOE incluye, a diferencia de la responsabilidad por ruina anterior, al autopromotor colectivo agrupado en comunidad de propietarios en el concepto de promotor, puesto que conforme su artículo 9.1 LOE promotor es

«... cualquier persona, física o jurídica (...) que, (...) colectivamente, decide, impulsa, programa y financia, con recursos propios o ajenos, las obras de edificación para sí (...)».

Como se ha señalado, a diferencia del artículo 9.1 del Proyecto de la LOE, la versión final de dicho precepto incluyó al que promueve «para sí». Esta mención ha sido interpretada por la jurisprudencia[106] y la doctrina en el sentido de considerar incluido en el concepto de promotor al particular no profesional que actúa sin ánimo de lucro. En concreto, el artículo 9.1 LOE contiene el autopromotor colectivo agrupado en comunidad de

---

105. En particular, la SAP Córdoba, Civil, Sec. 3ª, 28.7.2003 (JUR 2003, 220299) resuelve el caso siguiente: «Proicosa», cuyo objeto social era promover, gestionar, constituir y administrar reuniones de autopromotores, promovió la construcción de un inmueble de 24 viviendas en Córdoba. Para ello, constituyó una comunidad de propietarios, la cual gestionó en virtud de un contrato de mandato y poderes irrevocables concedido por el resto de comuneros, a cambio de una remuneración del 10% de las liquidaciones practicadas. La empresa participaba en un 23,4% en la comunidad. Con posteridad a la entrega de las viviendas, aparecieron vicios y defectos constructivos. La comunidad de propietarios demandó a «Proicosa», a la constructora y a los técnicos, y solicitó la reparación de los vicios y defectos constructivos, o en su defecto, una indemnización, con base en el artículo 1591.I CC. El JPI nº 2 de Córdoba (7.10.2002) condenó a los demandados a pagar 118.046,54 €. La AP desestimó el recurso de apelación interpuesto por «Proicosa».

106. En esta línea *vid.* la SAP Madrid, Civil, Sec. 21ª, 18.9.2012 (JUR 2012, 340568) que calificó de promotores a los comuneros de la comunidad de bienes que adquirió el solar, promovió la construcción del edificio y con posteridad adjudicó las viviendas. De acuerdo con la SAP los comuneros responden por los vicios constructivos frente a los propietarios actuales de la edificación con base en el régimen de responsabilidad del artículo 17 LOE, pues «la intencionalidad lucrativa como característica del promotor a efectos de su responsabilidad como agente de la construcción debe entenderse abandonada a partir de la nueva regulación» (FD 3º). *Vid.* también la STSJ de Cataluña, Sala de lo Civil y Penal, Sec. 1ª, 31.3.2011 (RJ 2011, 3834).

propietarios porque, si bien la Ley no determina el significado la expresión «colectivamente (...) para sí», la doctrina señala que parece indiscutible que se refiere a promover agrupado en comunidades de propietarios[107], tal y como resulta de la legislación de Viviendas de Protección Oficial[108].

Por consiguiente, en la promoción en comunidad de propietarios, y en defecto de gestor de la comunidad que actúe como promotor a tenor del contrato o de su intervención decisoria en la promoción, cada uno de los comuneros que intervino durante la fase de construcción de la edificación recibirá la calificación de promotor, puesto que no concurre un ente con personalidad jurídica distinta a la de los socios que tome las decisiones relevantes del proceso de la edificación[109].

La calificación de copromotor alcanza a la persona que adquiera una cuota de participación en la comunidad una vez iniciada la promoción[110]. Pero no incluye a las personas que con posterioridad a la finalización de las obras y a la declaración de propiedad horizontal adquirieron una vivienda en la edificación. En efecto, no se produce una sucesión de identidad entre la comunidad *ad aedificandum* y la posterior comunidad de propietarios, puesto que no siempre se producirá una identidad entre los miembros de una y otra[111].

---

107. En este sentido, CORDERO LOBATO, *Capítulo 13. El promotor, op. cit.*, p. 391, nota al pie 22. En la misma línea, GÓMEZ PERALS, *Responsabilidad del promotor por daños en la edificación, op. cit.*, pp. 49 y 50; CASTRO BOBILLO, *Del artículo 1591 del CC a la Ley de Ordenación de la Edificación, op. cit.*, p. 9; y GONZÁLEZ POVEDA, *Diferentes formas de promoción de viviendas. Especial mención a las cooperativas de viviendas..., op. cit.*, p. 278.

108. *Vid.* los artículos 7 del Real Decreto 2960/1976, de 12 de noviembre; 13 del derogado Real Decreto 1186/1998, de 12 de junio y 10 del Real Decreto 3148/1978, de 10 de noviembre citados en el epígrafe 1.1, del apartado I, del Capítulo Segundo de este trabajo. Con todo, téngase en cuenta que la DGRN incluye en determinados casos a la denominada «comunidad valenciana» para la construcción de edificios en el concepto de autopromotor individual a los efectos de aplicar la exención de la obligación de contratar el seguro obligatorio de la disposición adicional 2ª, Uno, 2° párrafo, LOE.

109. En este sentido, CORDERO LOBATO, *Capítulo 13. El promotor, op. cit.*, p. 396.

110. En este sentido *vid.* la ya citada SAP Madrid, Civil, Sec. 21ª, 18.9.2012 (JUR 2012, 340568) que incluye en la condición de promotora y en la responsabilidad derivada del artículo 17.3 LOE a la Agrupación de Interés Económico que se incorporó a la comunidad de bienes promotora tras su constitución.

111. En este sentido, *vid.* la STS, 1ª, 4.6.2004 (RJ 2004, 3983) que ha afirmado que «[n]o cabe la identificación de la Comunidad de Bienes, constituida para la ejecución de un conjunto residencial, con la Comunidad recurrente [la comunidad de propietarios], toda vez de sus distintas naturalezas y normativas de aplicación –la primera, se rige por las normas de los artículos 392 y siguientes del Código Civil; y la segunda, por las de la Ley de Propiedad Horizontal–; asimismo, no fueron los actuales miembros de la Comunidad demandada quienes otorgaron

Sin embargo, en la mayoría de casos los autopromotores colectivos agrupados en comunidad de propietarios no serán considerados promotores a efectos de la LOE. En caso de concurrencia de una entidad gestora de la comunidad de propietarios y cuando, además, se cumplan los requisitos del artículo 17.4 LOE, analizados en el Capítulo Cuarto, la calificación de promotor recaerá sobre dicha entidad gestora, y no sobre los comuneros.

3. LOS COMUNEROS ACTÚAN EN UN ÁMBITO AJENO A UNA ACTIVIDAD EMPRESARIAL O PROFESIONAL

En la autopromoción colectiva en régimen de comunidad de propietarios, cada comunero actúa de forma análoga al autopromotor individual aunque conjuntamente con los demás. Así, tal y como se afirmó al analizar la figura del autopromotor individual[112], los comuneros no realizan una actividad empresarial porque no desarrollan una actividad económica organizada que tiene por objeto o finalidad ofertar productos o servicios para el mercado, para terceros.

No existe en estos casos, salvo aquellos en los que intervenga un promotor-gestor, una persona jurídica con personalidad distinta a la de los comuneros que proporcione bienes o servicios a los copropietarios. Los comuneros son los propietarios de las viviendas que promueven y la adjudicación de las mismas con la disolución de la comunidad no supone una transmisión de bienes a terceros. Por ello, todo lo señalado respecto del autopromotor individual que actúa en un ámbito ajeno a una actividad empresarial o profesional es aplicable también a los autopromotores colectivos en comunidad de propietarios.

En efecto, los comuneros reúnen la condición de consumidores en las relaciones con los profesionales que contratan pues cumplen los requisitos del artículo 3 TRLCU[113]. Si con posterioridad a la construcción de la

---

poderes a los actores para que las representaran en el acto de aceptación de la letra de cambio, sino los miembros de la comunidad de bienes» (FD 2°).

112. Sobre la actuación con un propósito ajeno a su actividad comercial, empresarial, oficio o profesión del autopromotor individual *vid.* el epígrafe 3 del apartado I de este capítulo.

113. A favor de la condición de consumidor de las comunidades de bienes no dedicadas a una actividad empresarial, entendida como suministrar bienes o servicios al mercado con ánimo de lucro, *vid.* Rodrigo BERCOVITZ RODRÍGUEZ-CANO, «Comentario al artículo 3. Concepto general de consumidor y usuario», en Rodrigo BERCOVITZ RODRÍGUEZ-CANO (Coord.), *Comentario del Texto Refundido de la Ley General para la Defensa de los Consumidores y Usuarios y otras leyes complementarias*, Aranzadi, Cizur Menor (Navarra), 2009, p. 94. Este autor considera que «[n]o parece que pueda existir inconveniente en considerarlas como consumidores, puesto que, careciendo de personalidad jurídica, constituyen un colec-

edificación transmiten la edificación a terceros actúan con un propósito ajeno a su actividad comercial, empresarial, oficio o profesión, con las salvedades hechas más arriba respecto de los supuestos en que los comuneros promuevan la construcción de una vivienda con destino a su venta, aunque sea ocasionalmente.

A diferencia del ordenamiento privado, el ordenamiento jurídico tributario ha optado por una «personificación fiscal» de las comunidades de bienes de origen negocial a los efectos de algunos impuestos[114].

En efecto, de acuerdo con el artículo 35.4 de la Ley 58/2003, de 17 de diciembre, General Tributaria «[t]endrán la consideración de obligados tributarios, en las Leyes en que así se establezca, las herencias yacentes, *comunidades de bienes* y demás entidades que, carentes de personalidad jurídica, constituyan una unidad económica o un patrimonio separado susceptibles de imposición» (énfasis añadido).

Por regla general, a efectos fiscales, la actividad de las comunidades de bienes de autopromoción inmobiliaria se considera ajena al ejercicio de una actividad profesional o empresarial[115].

En efecto, la Sala Tercera del Tribunal Supremo, en sentencia de 19.6.2009 (RJ 2009, 6753) ha afirmado que «salvo que de manera expresa el legislador establezca otra cosa, tal y como lo hace en el art. 5.1.d) de la Ley 37/1992, del 28 de diciembre, del Impuesto sobre el Valor Añadido, (...) la forma de organización y actuación de las citadas comunidades de bienes así como el análisis de la finalidad que las mismas persiguen no permiten afirmar, de manera concluyente, que realicen una actividad empresarial en sentido estricto, pues no disponen de modo general de una organización interna propia (...), pues los destinatarios de sus operaciones no son terceras personas sino exclusivamente los propios comuneros, que reciben sus viviendas por adjudicación al disolverse la comunidad, careciendo de ánimo de lucro (...)» (FD 2º).

Sin embargo, a los efectos del IVA, las comunidades *ad aedificandum* están incluidas en el concepto de empresario o profesional de la Ley 37/1992. Por un lado, el artículo 5.1.d) de la Ley adopta un concepto amplio de empresario que incluye «quienes efectúen la promoción, construcción o rehabilitación de edificaciones destinadas (...) a adjudicación o cesión

---

tivo de sujetos constituido en torno a la titularidad de un bien, y que se dedica a la gestión del mismo».

114. En estos términos, *vid.* Ignacio Garrote Fernández-Díez, *Contratos asociativos. La comunidad de bienes de origen negocial, op. cit.*, p. 2837.

115. En este sentido, *vid.* la STS, 3ª, 19.6.2009 (RJ 2009, 6753) la cual se pronuncia sobre el Impuesto sobre Transmisiones Patrimoniales y Actos Jurídicos Documentados.

por cualquier título, aunque sea ocasionalmente»[116]. Por el otro, tiene la consideración de entrega de bienes, según el artículo 8.2.2 Ley 37/1992, «la adjudicación de las viviendas, trasteros y plazas de garaje por parte de la comunidad de bienes, a favor de los comuneros de acuerdo con el título de participación de éstos»[117].

Estas consideraciones no son trasladables al ámbito civil, puesto que la disolución de la comunidad de bienes no supone un acto traslativo ni verdadera transmisión de la propiedad, debido a la consideración de propietario que tiene el comunero, tanto cuando se mantiene la indivisión como cuando pasa a ser adjudicatario a título de propietario de una parte del bien común[118].

En efecto, la Ley 37/1992 del IVA no parte del concepto de transmisión propio del derecho civil español, sino del concepto económico de transmisión al que se refiere la Sexta Directiva 77/388/CEE del Consejo en materia de armonización de las legislaciones de los Estados miembros relativas a los impuestos sobre el volumen de negocios[119].

Así, de acuerdo con la STJCE, Sala Sexta, 8.2.1990 (TJCE 1990, 98), asunto C-320/88 (*Financiën/Shipping and Forwarding Enterprise Safe BV*): «7. (...) el concepto de bienes no se refiere a la transmisión de la propiedad en las formas establecidas por el Derecho nacional aplicable, sino que incluye toda operación de transmisión de un bien corporal efectuada por una parte que faculta a la otra parte a disponer de hecho, como si ésta fuera la propietaria de dicho bien. (...). 9. (...) el apartado 1 del artículo 5 de la Sexta Directiva debe interpretarse en el sentido de que se considera entrega de bienes la transmisión del poder de disposición sobre un bien corporal con las facultades atribuidas a su propietario, aunque no haya transmisión de la propiedad jurídica del bien».

III. COOPERATIVAS DE VIVIENDAS

1. COOPERATIVAS DE VIVIENDAS: RÉGIMEN JURÍDICO, CONCEPTO Y NATURALEZA JURÍDICA

1.1. Régimen jurídico de las cooperativas de viviendas

En el ámbito estatal, el régimen jurídico de las cooperativas está regu-

---

116. Las comunidades de bienes son sujeto pasivo del IVA en virtud de lo establecido en el artículo 84.Tres Ley 37/1992.
117. En este sentido, *vid.* la Resolución del Tribunal Económico-Administrativo Central, 11.10.2011, FD 5° (JUR 2011, 386924). También, *vid.* la RDGT 1329, 2009 (JT 2009, 1086), de carácter vinculante, que considera que la adjudicación por una comunidad de bienes de las viviendas a los comuneros tiene la consideración como primera entrega de edificaciones y, por tanto, están sujetas a IVA. En la doctrina, Jesús RODRÍGUEZ MÁRQUEZ, *El Impuesto sobre el valor añadido en las operaciones inmobiliarias*, Aranzadi, Cizur Menor (Navarra), 2002, p. 37.
118. En este sentido, *vid.* la Resolución del Tribunal Económico-Administrativo Central, 11.10.2011, FD 5° (JUR 2011, 386924).
119. DO L 145, de 13.6.1977.

lado en la Ley 27/1999, de 16 de julio, de Cooperativas, y en el Real Decreto 136/2002, de 1 de febrero, por el que se aprueba el Reglamento del Registro de Sociedades Cooperativas[120]. Además, el legislador estatal ha aprobado la Ley 5/2011, de 20 de marzo, de economía social, con el objetivo de establecer un marco jurídico para fomentar la economía social y aumentar su reconocimiento y visibilidad, sin sustituir la normativa vigente de cada una de las entidades que forman el sector, entre las que se encuentran las cooperativas de viviendas.

En el ámbito autonómico, y en aplicación del artículo 149.3 CE, todas las Comunidades Autónomas han asumido competencias exclusivas en materia de cooperativas en sus Estatutos de Autonomía, y la mayoría de ellas han aprobado su Ley de Cooperativas en la que dedican artículos específicos a las cooperativas de viviendas[121]. La Ley estatal se aplica excepcionalmente[122], cuando una cooperativa desarrolla su actividad en el territorio de varias Comunidades Autónomas, excepto cuando en una de ellas se desarrolle con carácter principal [artículo 2.a) LC] y en Ceuta y Melilla [artículo 2.b) LC].

---

120. BOE n° 40, de 15.2.2002. También a nivel estatal, la Ley 20/1990, de 19 de diciembre, sobre régimen fiscal de las sociedades cooperativas establece un tratamiento fiscal especial para este tipo de entidades (BOE n° 304, de 20.12.1990).

121. Los artículos específicos de cada una de las leyes autonómicas relativos a las cooperativas de viviendas son los siguientes: artículos 114 a 118 de la Ley 4/1993, de 24 de junio, de cooperativas del País Vasco (BOPV n° 135, de 19.7.1993); artículos 134 a 138 de la Ley 2/1998, de 26 de marzo, de sociedades cooperativas de Extremadura (DOE n° 49, de 2.5.1998); artículos 120 a 123 de la Ley 5/1998, de 18 de diciembre, de Galicia (DOG n° 251, de 30.12.1998); artículos 84 y 85 de la Ley 9/1998, de 22 de diciembre, de cooperativas de Aragón (BOA n° 151, de 31.12.1998); artículos 133 a 139 de la Ley 2/1999, de 31 de marzo, de cooperativas andaluzas (BOJA n° 46, de 20.4.1999); artículos 114 a 118 de la Ley 4/1999, de 30 de marzo, de Cooperativas de Madrid (BOCM n° 87, de 14.4.1999); artículos 119 a 122 de la Ley 4/2001, de 2 de julio, de cooperativas de La Rioja (BOLR n° 82, de 10.7.2001); artículos 117 a 121 de la Ley 4/2002, de 11 de abril, de cooperativas de Castilla y León (BOCL n° 79-suplemento, de 26.4.2002); artículos 105 a 112 de la Ley 18/2002, de 5 de julio, de cooperativas de Cataluña (BOGC n° 3679, de 17.7.2002); artículo 91 de la Ley 8/2003, de 24 de marzo, de Cooperativas de la Comunidad Valenciana (BOGV n° 4468, de 27.3.2003); artículos 115 a 119 de la Ley 1/2003, de 20 de marzo, de cooperativas de las Illes Balears (BOIB n° 42, de 29.3.2003); artículos 112 a 115 de la Ley 8/2006, de 16 de noviembre, de sociedades cooperativas de la región de Murcia (BORM n° 282, 7.12.2006); y artículo 68 de la Ley Foral 4/2006, de 11 de diciembre, de cooperativas de Navarra (BON n° 149, de 13.12.2006); artículos 135 a145 de la Ley 11/2010, de 4 de noviembre, de cooperativas de Castilla-La Mancha (DOCM n° 221, de 16.11.2010).

122. VICENT CHULIÁ, *Introducción al derecho mercantil*, vol. I, *op. cit.*, p. 915, habla de «mero texto legal supletorio» o de una especie de «Derecho Romano de las Cooperativas».

Además, en el ámbito comunitario, el Consejo adoptó el Reglamento (CE) n° 1435/2003 del Consejo, de 22 de julio de 2003, relativo al Estatuto de la Sociedad Cooperativa Europea (SCE) (DO L n° 207, de 18.8.2003), que tiene como objeto permitir la constitución de SCE por particulares residentes en distintos Estados miembros o por entidades jurídicas sujetas a las legislaciones de Estados miembros distintos. Si bien la aplicación del reglamento comunitario es directa, el Reglamento (CE) n° 1435/2003 remite en varios aspectos al desarrollo legislativo por los Estados miembros. En el ordenamiento español el Reglamento ha sido desarrollado por la Ley 3/2011, de 4 de marzo, por la que se regula la Sociedad Cooperativa Europea con domicilio en España (BOE n° 57, de 8.3.2011).

La existencia de una regulación específica sobre cooperativas de viviendas ofrece mayor seguridad jurídica a los socios cooperativistas que se unen a ella con el fin de obtener una vivienda[123]. A diferencia de lo que sucede con los comuneros en las comunidades *ad aedificandum*, los cuales no están protegidos por una regulación específica más allá de la regulación sobre comunidad de bienes[124], los socios cooperativistas son titulares de los derechos reconocidos a los socios en la Ley de cooperativas aplicable al caso.

1.2. Concepto y naturaleza jurídica de las cooperativas de viviendas

1.2.1.   Concepto de cooperativa de viviendas y ánimo de lucro

De acuerdo con el artículo 89.1 de la Ley 27/1999, de 16 de julio, las cooperativas de viviendas son una clase concreta de cooperativas que

«... asocian a personas físicas que precisen alojamiento y/o locales para sí y las personas que con ellas convivan.

También podrán ser socios los entes públicos y las entidades sin ánimo de lucro, que precisen alojamiento para aquellas personas que dependientes de ellos (...) o que precisen locales para desarrollar sus actividades (...)».

Las cooperativas de viviendas pueden tener por objeto, entre otros, la construcción y posterior adjudicación de las viviendas y locales en régi-

---

123.   En este sentido, *vid.* Agustín REDONDO APARICIO, «Capítulo 5. Construcción en comunidad», *Memento práctico inmobiliario 2007-2008*, Ediciones Francis Lefebvre, apartado 2359, p. 2.

124.   Como se analiza *supra*, las comunidades de construcción o *ad aedificandum* se rigen por el régimen de la comunidad de bienes del Código civil o del derecho civil propio de algunas comunidades autónomas, en defecto de reglas de autonomía privada que hubieran convenido los comuneros o que hubieran aceptado al ingresar en la comunidad.

men de propiedad individual (artículo 89.1 LC). En la práctica inmobiliaria de nuestro país esta es la modalidad de cooperativa más frecuente[125].

Con todo, de acuerdo con el artículo 89.1 y 3 LC las cooperativas de viviendas también pueden tener por objeto:

a) La construcción y posterior cesión del uso y disfrute de viviendas y locales a los socios o sus familiares mediante cualquier título admitido en derecho, reteniendo la cooperativa la propiedad de las viviendas.

b) La edificación de instalaciones complementarias para el uso de viviendas y locales de los socios;

c) La conservación y administración de las viviendas y locales;

d) La rehabilitación de viviendas, locales y edificaciones e instalaciones complementarias.

Las cooperativas de viviendas se constituyen para satisfacer las necesidades de habitación de sus socios mediante el desarrollando en común de la actividad constructiva, y no para obtener una ganancia económica y repartirla entre los socios. En otras palabras, las cooperativas procuran a sus socios viviendas, servicios o edificaciones complementarias a precio de coste[126]. En consecuencia, no tienen ánimo de lucro si aplicamos una interpretación estricta de la noción «ánimo de lucro», entendida como la obtención de un beneficio directamente repartible entre los socios[127].

Con todo, la cooperativa puede «retornar» a los socios una parte de los excedentes y beneficios extracooperativos y extraordinarios una vez deducidos los conceptos señalados en el artículo 58 LC, si así lo prevén los Estatutos[128]. Los beneficios extracooperativos están constituidos por

---

125. Así lo ponen de manifiesto Rafael GONZÁLEZ TAUSZ, «Las cooperativas de viviendas de responsabilidad limitada no existen», *REVESCO. Revista de Estudios Cooperativos*, n° 67, 1999, p. 92; LAMBEA RUEDA, *Cooperativas de viviendas: promoción, construcción y adjudicación de la vivienda al socio cooperativo, op. cit.*, pp. 93-97; y CARRASCO PERERA, CORDERO LOBATO, GONZÁLEZ CARRASCO, *Derecho de la construcción y la vivienda, op. cit.*, p. 1077.

126. De acuerdo con el artículo 106 de la Ley 18/2002, de cooperativas de Cataluña (DOGC n° 3679, de 17.7.2002) son cooperativas de viviendas: «... las que tienen el objeto de procurar a precio de coste viviendas, servicios o edificaciones complementarias a sus socios, organizar su uso en lo referente a los elementos comunes y regular su administración, conservación y mejora».

127. Sobre las distintas acepciones técnico-jurídicas del término «ánimo de lucro» *vid.* VICENT CHULIÁ, *Introducción al derecho mercantil*, vol. I, *op. cit.* p. 369, y PANIAGUA ZURERA, *La sociedad cooperativa. Las sociedades mutuas y las entidades mutuales...*, vol. 1, *op. cit.*, pp. 88-94.

128. La aplicación de los excedentes debe realizarse: a) «al menos, el 20% al fondo de reserva obligatorio y el 5% al fondo de educación y promoción» (art. 58.1 LC); b) «De los beneficios extracooperativos y extraordinarios, (...) deducidas las pérdidas (...) y antes de la consideración del Impuesto de Sociedades, se destinará al menos un 50% al fondo de reserva obligatorio» (art. 58.2 LC; y c)

los derivados de la actividad cooperativizada realizada con terceros no socios, típicamente, la venta de los locales comerciales[129]; y los extraordinarios por los procedentes de plusvalías que resulten de operaciones de enajenación de los elementos del activo inmovilizado disponibles del ejercicio (artículos 57.3 y 4 LC).

Así, la SAP Burgos, Civil, Sec. 2ª, 29.12.2009 (JUR 2010, 75215) señala que «[u]na cosa es que no tenga un específico ánimo de lucro y otra que no tenga la función de promover la construcción a los efectos del art. 9 LOE y con la finalidad de adjudicar a sus socios conforme al art. 4 de los Estatutos de la Cooperativa y en su escritura fundacional». Añade que «[e]l hecho de que no tenga ánimo de lucro específico en la venta a terceros no quiere decir que no pueda "retornar" beneficios a sus socios-cooperativistas, conforme al art. 24 de los estatutos» (FD 2º).

Con todo, la noción «ánimo de lucro» tiene otras acepciones, por lo que la ausencia de intención lucrativa de las cooperativas de viviendas es relativa. Algunos autores adoptan una interpretación amplia del concepto «ánimo de lucro», que no sólo incluye la obtención de un beneficio económico, sino también el ahorro económico de los socios que se unen a la cooperativa con el fin de obtener una vivienda más económica de la que obtendrían adquiriéndola directamente en el mercado[130].

Por último, a efectos tributarios, la noción «ánimo de lucro» tiene un significado específico. La Ley estatal de cooperativas reserva a una clase o tipo especial de cooperativa la calificación de «sociedades cooperativas

---

«Los excedentes y beneficios extracooperativos y extraordinarios disponibles, una vez satisfechos los impuestos exigibles, se aplicarán, conforme establezcan los Estatutos o acuerde la Asamblea general en cada ejercicio, *a retorno cooperativo a los socios*, a dotación a fondos de reserva voluntarios con carácter irrepartible o repartible, o a incrementar los fondos obligatorios que se contemplan en los artículos 55 y 58 de esta Ley» (art. 58.3 LC) (énfasis añadido).

129. Tal como pone de relieve GONZÁLEZ TAUSZ, *La promoción inmobiliaria encubierta: un fraude de ley, op. cit.*, p. 109, las cooperativas tienen la posibilidad de obtener un lucro mediante la enajenación de pisos y locales comerciales a terceros no socios.

130. En este sentido, SALINERO ROMÁN, *La incidencia de la LOE en los criterios jurisprudenciales interpretativos del artículo 1591 del Código Civil, op. cit.*, p. 191; PANIAGUA ZURERA, *La sociedad cooperativa. Las sociedades mutuas y las entidades mutuales...*, vol. 1, *op. cit.*, pp. 90-91; y Carlos VARGAS VASSEROT, *La actividad cooperativizada y las relaciones de la cooperativa con sus socios y con terceros*, Thomson-Aranzadi, Cizur Menor (Navarra), 2006, pp. 52-56. En contra, SÁNCHEZ CALERO y SÁNCHEZ-CALERO GUILARTE, *Instituciones de derecho mercantil*, vol. 1, *op. cit.*, p. 110, quienes señalan que en las cooperativas de consumo son los socios quienes se benefician del ahorro y no la propia cooperativa, cuyo ánimo de lucro sería incompatible con el ahorro económico del que se benefician los cooperativistas.

sin ánimo de lucro» (artículos 45.6, 57.5, 106.1 y disposición adicional 1ª y 9ª LC), a las cuales aplica el régimen de cooperativas fiscalmente protegidas (disposición adicional 9ª)[131]. En particular, la Ley incluye en la categoría de «sociedades cooperativas sin ánimo de lucro» a las que cumplan una serie de requisitos referentes:

a) A la actividad económica que realizan.

«... que gestionen servicios de interés colectivo o de titularidad pública, así como las que realicen actividades económicas que conduzcan a la integración laboral de las personas que sufran cualquier clase de exclusión social» (disposición adicional 1ª LC).

b) Al reparto de resultados.

Sus Estatutos deben recoger expresamente «[q]ue los resultados positivos que se produzcan en un ejercicio económico no podrán ser distribuidos entre sus socios» (disposición adicional 1ª. a) LC].

c) Al interés devengado por las aportaciones.

«Las aportaciones de los socios al capital social, tanto obligatorias como voluntarias, no podrán devengar un interés superior al interés legal del dinero, sin perjuicio de la posible actualización de las mismas» [disposición adicional 1ª.b) LC].

d) Al carácter gratuito de los cargos del Consejo rector[132].

El carácter gratuito del desempeño de los cargos del Consejo rector, sin perjuicio de las compensaciones económicas procedentes por los gastos en los que puedan incurrir los consejeros en el desempeño de sus funciones [disposición adicional 1ª.c) LC].

e) A las retribuciones de los socios.

---

131. La disposición adicional 9ª LC prevé que «[e]l régimen tributario aplicable a las sociedades cooperativas calificadas como entidades sin ánimo de lucro será el establecido en la Ley 20/1990, de 19 de diciembre, de Régimen Fiscal de Cooperativas». Sobre los beneficios fiscales de las cooperativas de viviendas *vid.* el epígrafe 4.1.3 del apartado I del Capítulo Primero.

132. El Consejo rector, órgano colegiado de gobierno de la cooperativa, tiene por objeto la alta gestión, la supervisión de los directivos y la representación de la sociedad cooperativa, con sujeción a la Ley, a los Estatutos y a la política general fijada por la Asamblea general (artículo 32 LC). El artículo 89.6 LC prescribe que «[n]inguna persona podrá desempeñar simultáneamente el cargo de miembro del Consejo rector en más de una cooperativa de viviendas. Los miembros del Consejo rector en ningún caso podrán percibir remuneraciones o compensaciones por el desempeño del cargo, sin perjuicio de su derecho a ser resarcidos por los gastos que se les origine». Además, si la cooperativa de viviendas promueve VPO «[l]os miembros del Consejo rector de la cooperativa deberán reunir los requisitos exigidos para acceder a la financiación cualificada de las viviendas» [artículo 1.1.e) del Real Decreto 2028/1995, de 22 de diciembre].

«Las retribuciones de los socios trabajadores o, en su caso, de los socios de trabajo y de los trabajadores por cuenta ajena no podrán superar el 150% de las retribuciones que en función de la actividad y categoría profesional, establezca el convenio colectivo aplicable al personal asalariado del sector» [disposición adicional 1ª.d) LC].

1.2.2. Posiciones doctrinales y legales sobre la naturaleza jurídica de las cooperativas de viviendas

La consideración de las cooperativas en general, y las cooperativas de viviendas en particular, como sociedades mercantiles es una cuestión controvertida en la doctrina y la jurisprudencia[133]. Fundamentalmente, porque uno de los requisitos tradicionalmente ligados al concepto de sociedad, el ánimo de lucro al que se refiere el artículo 116 del Código de Comercio, entendido como la obtención de un beneficio repartible entre los socios, no se da en todas las cooperativas.

a. La cooperativa como empresa o agrupación mutualística

De acuerdo con el *concepto de sociedad en sentido estricto*, defendido por Francisco VICENT CHULIÁ, las cooperativas no son entidades mercantiles, sino empresas o agrupaciones mutualísticas, pues al carecer de ánimo de lucro «no responden a la definición positiva o legal de sociedad» del artículo 116 del Código de Comercio[134]. Asimismo, a favor de su tesis Francisco VICENT CHULIÁ cita el artículo 124 del Código de Comercio de acuerdo con el cual

> «... las cooperativas de producción, de crédito o de consumo, sólo se considerarán mercantiles, y quedarán sujetas a las disposiciones de este Código, cuando se dedicaren a actos de comercio extraños a la mutualidad o se convirtieren en sociedades a prima fija».

Para este autor, las agrupaciones mutualísticas no son ni una sociedad ni una asociación, aunque poseen elementos de ambas[135] pues las define como

> «... la agrupación voluntaria de una pluralidad de personas (...) sin

---

133. La jurisprudencia del Tribunal Supremo tampoco es unánime en esta cuestión: *vid.*, por ejemplo, a favor del carácter mercantil de las cooperativas, la STS, 1ª, 10.11.2000, FD 2º (RJ 2000, 9212) y, en contra, la STS, 3ª, Sec. 6ª, 25.3.1991, FD 3º (RJ 1991, 3097).

134. VICENT CHULIÁ, *Introducción al derecho mercantil*, vol. I, *op. cit.*, pp. 359 y 360 y p. 913. *Vid.* también del mismo autor, «Las empresas mutualísticas y el Derecho mercantil en el Ordenamiento español», *Revista Crítica de Derecho Inmobiliario*, nº 512, 1976 (versión Vlex), p. 2.

135. VICENT CHULIÁ, *Introducción al derecho mercantil*, vol. I, *op. cit.*, p. 372.

finalidad de obtener beneficios repartibles, sino de desarrollar una actividad económica al servicio de las necesidades de sus socios»[136].

b. La cooperativa como sociedad mercantil

Un segundo sector de la doctrina mercantilista –encabezado por José GIRÓN TENA y, con posterioridad, por Cándido PAZ-ARES RODRÍGUEZ–[137] al que se adhiere esta tesis, ha defendido un *concepto amplio de sociedad*, en el que incluyen las cooperativas. Estos autores relativizan el lucro como elemento esencial del concepto de sociedad puesto que, aún cuando suele concurrir en las sociedades mercantiles, no debe considerarse el elemento fundamental de las mismas. Así, Fernando SÁNCHEZ CALERO y Juan SÁN-CHEZ-CALERO GUILARTE[138] ofrecen el siguiente concepto amplio de sociedad:

«el contrato de sociedad (...) es una asociación de personas que, mediante la constitución de un tipo o clase de organización prevista por la Ley, pretende conseguir un interés particular para sus socios».

Además, las cooperativas de viviendas tienen ánimo de lucro si aplicamos la noción amplia del concepto de lucro explicada más arriba. A favor del carácter societario de las cooperativas puede citarse el artículo 129.2 CE que se refiere expresamente a las «sociedades cooperativas». También la Ley 27/1999 estatal de Cooperativas, y gran parte de las leyes autonómicas de cooperativas[139] definen las cooperativas como sociedades.

---

136. VICENT CHULIÁ, *Introducción al derecho mercantil*, vol. I, *op. cit.*, p. 913.
137. A favor que las cooperativas son sociedades mercantiles, *vid.* PAZ-ARES RODRÍ-GUEZ, *Ánimo de lucro y concepto de sociedad...*, *op. cit.*, pp. 731-756; Cándido PAZ-ARES RODRÍGUEZ, Rodrigo URÍA, Aurelio MENÉNDEZ (Dirs.), *Curso de derecho mercantil*, vol. 1, 2ª ed., Civitas, Madrid, 2006, pp. 469-475; Rodrigo URÍA, *Derecho mercantil*, 28ª ed. (revisada con la colaboración de Mª Luisa APARICIO), Marcial Pons, 2001, Madrid/Barcelona, pp. 581-582; Alberto BERCOVITZ RODRÍ-GUEZ-CANO, *Apuntes de derecho mercantil*, 10ª ed., Thomson-Aranzadi, Cizur Menor (Navarra), 2009, pp. 171-172.; SÁNCHEZ CALERO y SÁNCHEZ-CALERO GUI-LARTE, *Instituciones de derecho mercantil*, vol. 1, *op. cit.*, pp. 315-316; y PANIA-GUA ZURERA, *La sociedad cooperativa. Las sociedades mutuas y las entidades mutuales...*, vol. 1, *op. cit.*, pp. 115-118.
138. SÁNCHEZ CALERO y SÁNCHEZ-CALERO GUILARTE, *Instituciones de derecho mercantil*, vol. 1, *op. cit.*, p. 316.
139. Excepto la Ley 2/1998, de Cooperativas de Extremadura que prevé que «[l]a sociedad cooperativa es aquella *asociación autónoma de personas* (...)» (artículo 2.1); la Ley de 4/1999, de Cooperativas de la Comunidad de Madrid que establece que «[l]a cooperativa es una *asociación autónoma de personas* (...)» (artículo 1.1); la Ley 8/2003, de Cooperativas de la Comunidad Valenciana que prevé que «... es cooperativa la *agrupación voluntaria de personas* físicas y, en las condiciones de la ley, jurídicas (...)» (artículo 2.1); y la Ley 1/2003, de Cooperativas de las Islas Baleares, que afirma que «[l] a sociedad cooperativa es aquella *asociación autónoma de personas* (...)» (artículo 2.1) (énfasis añadido).

En efecto, de acuerdo con el artículo 1.1 de la Ley estatal 27/1999 de Cooperativas

> «*La cooperativa es una sociedad* constituida por personas que se asocian, en régimen de libre adhesión y baja voluntaria, para la realización de actividades empresariales, encaminadas a satisfacer sus necesidades y aspiraciones económicas y sociales, con estructura y funcionamiento democrático, conforme a los principios formulados por la alianza cooperativa internacional en los términos resultantes de la presente Ley» (énfasis añadido).

Con todo, el legislador ha puesto de relieve en la Ley 5/2011, de 29 de marzo, de Economía Social, el «carácter diferencial y específico» de las entidades que integran la economía social –entre las que se encuentran las cooperativas– «respecto a otro tipo de sociedades y entidades del ámbito mercantil». Dicho carácter diferencial reside, según el artículo 2 de la citada Ley, en que llevan a cabo

> «... actividades económicas y empresariales (...) en el ámbito privado (...), de conformidad con los principios recogidos en el artículo 4[140] [que] persiguen bien el interés colectivo de sus integrantes, bien el interés general económico o social, o ambos».

c. La cooperativa como asociación

Un último grupo de autores defiende que las cooperativas son asociaciones de derecho privado de interés particular[141]. Sin embargo, la Ley Orgánica 1/2002, de 22 de marzo, reguladora del Derecho de Asociación[142] excluye expresamente, en su artículo 1.4, a las cooperativas de su ámbito de aplicación.

2. CONDICIÓN DE PROMOTORA DE LA COOPERATIVA DE VIVIENDAS: JURISPRUDENCIA SOBRE RESPONSABILIDAD POR RUINA Y LOE

2.1. Jurisprudencia sobre responsabilidad por ruina: exclusión de la cooperativa de viviendas sin ánimo de lucro del concepto de promotor

Bajo la vigencia del artículo 1591.I CC, la Sala Primera del Tribunal

---

140. En particular, de acuerdo con el artículo 4 Ley 5/2011 «[l]as entidades de la economía social actúan en base a los siguientes principios orientadores:
    a) Primacía de las personas y del fin social sobre el capital (...)
    b) Aplicación de los resultados obtenidos de la actividad económica principalmente en función del trabajo aportado y servicio o actividad realizada (...).
    c) Promoción de la solidaridad interna y con la sociedad (...)
    e) Independencia respecto a los poderes públicos».

141. En este sentido, *vid.* LAMBEA RUEDA, *Cooperativas de viviendas: promoción, construcción y adjudicación de la vivienda al socio cooperativo, op. cit.*, pp. 3-7, y los autores allí citados.

142. BOE nº 73, de 26.3.2002.

Supremo[143], así como parte de la jurisprudencia menor[144], tomó en consideración la inexistencia de ánimo de lucro en la actividad de determinadas cooperativas de viviendas, para negar su condición de promotoras y, en consecuencia, su legitimación pasiva a los efectos de la acción de responsabilidad por ruina del artículo 1591.I CC.

El Tribunal Supremo incluía a ciertas cooperativas de viviendas y empresas mutualistas dentro de la figura del promotor-mediador, que contraponía a la del promotor-constructor o promotor-vendedor. De acuerdo con la jurisprudencia de la Sala Primera, el promotor-mediador se caracterizaba no por vender pisos o locales a terceros con la finalidad de obtener un beneficio económico, sino por reducir los costes de la edificación en beneficio de sus asociados. Por ello, excluía a este tipo de entidades del círculo de responsables por ruina del artículo 1591.I CC.

En particular, el Tribunal Supremo exigía para considerar a la cooperativa excluida de la condición de promotora la concurrencia de determinados requisitos:

a) Dedicación «exclusiva [...] a procurar viviendas a sus socios, constituyendo la aportación de cantidades por sus componentes, una derrama del costo de la construcción»[145].

b) Y «ausencia de intención lucrativa en su mediación»[146]. Entendida

---

143. Esta posición jurisprudencial ha sido fijada en las SSTS, 1ª, 28.4.2008, FD 2º (RJ 2008, 2681); 13.12.2007, FD 5º (RJ 2008, 329); 23.9.1999, FD 2º (RJ 1999, 7266); 5.2.1993 (RJ 1993, 829); 8.6.1992, FD 1º (RJ 1992, 5168); 6.3.1990, FD 1º (RJ 1990, 1672); y 20.2.1989, FD 2º (RJ 1989, 1212).

144. En la jurisprudencia menor, se han pronunciado en este sentido las SSAP Madrid, Civil, Sec. 8ª, 27.9.2010 (JUR 2010, 361832); Barcelona, Civil, Sec. 16ª, 2.2.2010 (JUR 2010, 158135); Jaén, Civil, Sec. 1ª, 20.1.2010 (JUR 2010, 136895), *obiter dicta*; Madrid, Civil, Sec. 19ª, 25.2.2009 (JUR 2009, 250903); Valencia, Civil, Sec. 7ª, 28.5.2007 (JUR 2007, 260305); A Coruña, Civil, Sec. 5ª, 29.1.2007 (JUR 2007, 297646); Granada, Civil, Sec. 3ª, 15.7.2003 (JUR 2003, 219521); y Valencia, Civil, Sec. 8ª, 26.9.1996 (AC 1996, 1708).

145. En este sentido *vid.*, entre otras, la STS, 1ª, 1.10.1991 (RJ 1991, 7255) que afirma que a la figura del promotor-constructor «[...] se le ha contrapuesto la del simple promotor-mediador, cuya intervención no viene guiada por la intención de destinar las viviendas al tráfico, transmitiéndolas a terceros compradores para obtener beneficios económicos, supuesto en el que podrían estar incluidas ciertas Cooperativas dedicadas exclusivamente a procurar viviendas a sus socios, constituyendo la aportación de cantidades por sus componentes, una derrama del costo de la construcción» (FD 1º).

146. Las SSTS, 1ª, 23.9.1999 (RJ 1999, 7266) y 8.6.1992 (RJ 1992, 5168) ponen de relieve que «[e]sta absoluta equiparación [entre promotor y contratista] sólo quiebra en aquellos supuestos de la existencia de la figura que hemos llamado promotor-mediador, en la que la ausencia de intención lucrativa en su mediación, lo aparta del concepto general de la figura que estudiamos del promotor-constructor, sustrayéndolo del ámbito de aplicación del artículo 1591 CC» (FD 2º).

como intervención de la cooperativa únicamente con la finalidad de reducir los costes de la edificación en beneficio de los socios. Por ello, las aportaciones de cantidades por parte de los socios, resultantes de la distribución y derrama del coste de la construcción, no debían incluir beneficio empresarial.

En particular, el Tribunal Supremo atribuyó la condición de promotor-mediador a:

– La «Sociedad Cooperativa de Responsabilidad Limitada de Viviendas "Los Millares", (...) cuyo objeto, (...) era "la promoción de viviendas para ser adjudicadas exclusivamente a sus asociados y familiares", (...) siendo la adjudicación de las viviendas a los socios cooperativistas y la aportación de las cantidades resultantes de la distribución y derrama del costo de la construcción, operaciones a todas luces diferenciables de la idea de venta a persona ajena a la constructora» (STS, 1ª, 20.2.1989, FD 2º (RJ 1989, 1212)].

– La «Sociedad Cooperativa de Viviendas COVISEM», en la que la «intención de destinar las viviendas y locales construidos al tráfico con terceros compradores para obtener beneficio económico (...) no aparece acreditado (...) siendo la adjudicación de las viviendas a los socios cooperativistas y la aportación de las cantidades resultantes de la distribución y derrama del costo de la construcción, operaciones a todas luces diferenciables de la idea de venta a persona ajena a la constructora, que lo ha sido la misma Cooperativa; por todo ello carece la Cooperativa de Viviendas COVISEM del carácter de promotor-constructor a los efectos del artículo 1591 del Código Civil frente a los socios cooperativistas (...)» [STS, 1ª, 6.3.1990, FD 1º, (RJ 1990, 1672)].

– La «Cooperativa de Viviendas Pablo Iglesias», «por cuanto que las Cooperativas de viviendas no persiguen fin de lucro y que su objetivo es la promoción de viviendas para ser adjudicadas a sus asociados (...)» [STS, 1ª, 8.6.1992, FD 1º (RJ 1992, 5168)].

Las Audiencias Provinciales incluyeron en la categoría de promotor-mediador a la cooperativa:

– Cuyo «(...) objeto social (...) es la docencia y para cuyo fin se encargó la construcción del colegio, propósito de este, alejado por entero del puramente especulativo y de tráfico (...)» [SAP Valencia, Civil, Sec. 8ª, 26.9.1996, FD 2º (AC 1996, 1708)].

– «(...) [Q]ue promovió y concertó la construcción, pero sin que lo hiciera en el ejercicio de actividad promotora con oferta y ánimo de venta a terceros, como fin de la edificación» [SAP Granada, Civil, Sec. 3ª, 15.7.2003, FD 1º (JUR 2003, 219521)].

Tercero. Autopromotor individual, comuneros en la promoción...

- En la que «no concurren (...) los requisitos que permiten atribuir[le] (...) la condición de promotor (...) dado que, las viviendas construidas estaban destinadas, no sólo de modo inmediato y directo, sino con intención de perdurabilidad, al uso particular como vivienda habitual de los últimos» [SAP Valencia, Civil, Sec. 7ª, 28.5.2007, FD 3º (JUR 2007, 260305)].

- Cuya «(...) actividad no fue en calidad de tal promotora en sentido estricto, sin ánimo de lucro por la venta a terceros, sino que fue constituida Vician S.C.A. única y exclusivamente para promover las viviendas de los que integraron dicha Cooperativa, extinguiéndose posteriormente sin existencia de ganancias» [SAP Jaén, Civil, Sec. 1ª, 20.1.2010, FD 2º (JUR 2010, 136895)].

- «Suma SCCL» que tiene «por objeto procurar viviendas, servicios o edificaciones complementarias a sus socios exclusivamente (...) a precio de coste», y respecto la cual «de ninguna manera han acreditado los actores el ánimo de lucro [puesto que] en el ejercicio 2000 el beneficio fue "cero" y en el ejercicio 2001 de 129.000 ptas. (...) antes de impuestos, exiguo beneficio éste que se aplicó al fondo de reserva obligatorio y al de educación y promoción» [SAP Barcelona, Civil, Sec. 16ª, 2.2.2010, FD 3º (JUR 2010, 158135)].

- «La Rosa de los Vientos, Soc. Coop.» que «no se constituyó con ningún ánimo de lucro, ya que según el artículo 2 de sus Estatutos lo fue con el objeto de procurar a sus socios viviendas sociales, protegidas, promoviendo y construyendo las mismas, así como comprar el suelo necesario para su ubicación (...)» [SAP Madrid, Civil, Sec. 8ª, 27.9.2010, FD 4º (JUR 2010, 361832)].

Con posterioridad a la entrada en vigor de la LOE, el Alto Tribunal ha ratificado, en la STS, 1ª, 13.12.2007 (RJ 2008, 329)[147], la aplicación

---

147. La STS, 1ª, 13.12.2007 (RJ 2008, 329) resuelve el siguiente caso: «Mutualidad General Previsión del Hogar Divina Pastora, Mutualidad de Previsión Social, a Prima Fija» tenía entre sus fines estatutarios «... la realización de obras sociales y la promoción humana, social y familiar (...)». En ejercicio de estas funciones, «la Mutualidad» gestionó, sin ánimo de lucro y mediante la adjudicación a precio de coste, la edificación de viviendas sociales. Con posterioridad a la adjudicación de las viviendas, se manifestaron vicios constructivos debidos a la defectuosa proyección y ejecución de la obra. La Comunidad de Propietarios demandó a «la Mutualidad», al arquitecto director de la obra y al arquitecto director de la ejecución de la obra, así como a su aseguradora, en ejercicio de la acción del artículo 1591.I CC, y solicitó una indemnización por los gastos de reparación de los defectos y vicios en los elementos comunes y privativos del inmueble. El JPI nº 4 de Santa Cruz de Tenerife (14.7.1999) desestimó la demanda, absolvió a «la Mutualidad» por falta de legitimación pasiva y al resto de demandados porque los defectos existentes en el inmueble no eran constitutivos de ruina. La AP de Santa Cruz de Tenerife (Sec. 3ª, 15.1.2000) estimó el recurso de apelación de

191

de esta doctrina jurisprudencial a las edificaciones preexistentes en el momento de la entrada en vigor de la Ley, a pesar de que la LOE incluye a estas entidades dentro del concepto de promotor. La sentencia citada declara que

> «... la exclusión de la condición jurídica de promotor, a efectos de la responsabilidad decenal (por aparecer su actividad como exenta de ánimo de lucro y realizada en beneficio exclusivo de los socios) es aplicable a la Mutualidad [de Previsión del Hogar Divina Pastora] recurrente» (FD 5º). Destaca, no obstante, que «[l]a conclusión obtenida no sería aplicable tras la entrada en vigor de la Ley 38/1999, de 5 de noviembre, de Ordenación de la Edificación» (FD 5º)[148].

Con todo, el Tribunal Supremo había admitido la legitimación activa de las cooperativas de viviendas en su condición de *dominus operis* (dueño de la obra) para reclamar frente al contratista, arquitecto y aparejador la reparación de los vicios constructivos *ex* artículo 1591.I CC, y en su condición de comitente para exigir el cumplimiento de los contratos con ellos

---

la Comunidad y condenó a todos los demandados a ejecutar solidariamente a su costa las obras de reparación. El TS estimó el recurso de «La Mutualidad», casó la SAP en el sentido de absolver a «la Mutualidad» y mantuvo el resto de pronunciamientos.

148. Aplica esta doctrina la SAP Barcelona, Civil, Sec. 16ª, 8.2.2011 (JUR 2011, 146838) que se pronuncia sobre el siguiente caso. La cooperativa de viviendas «Habitatge Entorn, S.C.C.L». promovió la construcción de un edificio en Cerdanyola del Vallès (Barcelona). Con posterioridad a la adjudicación de las viviendas, aparecieron vicios constructivos estructurales y de habitabilidad en el edificio. La comunidad de propietarios demandó a la cooperativa, y solicitó con base en el régimen de responsabilidad del artículo 1591.I CC la reparación de los defectos en el edificio. El JPI nº 39 de Barcelona (13.7.2009) estimó la demanda, y condenó a la cooperativa a reparar los vicios y defectos cuyo importe asciende a 45.630 €, más IVA y el coste del permiso municipal de obras. La AP absolvió a la cooperativa al estimar su recurso de apelación fundado en su falta de legitimación pasiva por carecer del carácter de promotora. El régimen de responsabilidad aplicable al caso era el del artículo 1591.I CC. La Audiencia se plantea dos cuestiones: «Por un lado, si en el caso concreto que se enjuicia podemos afirmar que existe en la cooperativa formalmente promotora un ánimo de lucro que impida la aplicación de la doctrina jurisprudencial antes comentada». «Respecto de la primera cuestión (...) no se ha discutido esa circunstancia». «[Y], por otro lado, si ya vigente la LOE, se puede seguir manteniendo el concepto de promotor que la jurisprudencia había atribuido a las cooperativas, aunque estemos hablando de promociones realizadas bajo licencia concedida con anterioridad a la vigencia de la citada Ley». «Respecto de la segunda cuestión, la jurisprudencia del Tribunal Supremo es que a las promociones levantadas bajo licencia anterior a la entrada en vigor de la LOE se le sigue aplicando el mismo marco normativo y jurisprudencial –incluido el concepto jurisprudencial de promotor referente a cooperativas– que existía en la legislación anterior (...)» (FD 3º).

suscritos, con base en las reglas generales por incumplimiento contractual, incluso una vez adjudicadas las viviendas a los socios[149].

Es más, con el único objeto de justificar esta legitimación activa, la jurisprudencia declaró que la cooperativa es promotora pues como tal puede ser objeto de las reclamaciones de los adquirentes si no ejerce anticipadamente la acción prevista en el artículo 1591.I CC frente al agente de la edificación responsable de los defectos[150].

Para ello, el Tribunal partía de una premisa contradictoria con la tesis que estamos analizando: la cooperativa podía ser demandada por los adquirentes de las viviendas y locales por los vicios y defectos constructivos con base en el artículo 1591.I CC. Sin embargo, tal como pone de relieve Mª del Carmen GONZÁLEZ CARRASCO[151], esta doctrina sólo sería congruente si se complementara con aquella otra que haga responsables a las cooperativas de viviendas de los vicios y defectos constructivos ocasionados en las viviendas y locales adjudicados con base en el artículo 1591.I CC o por las acciones de incumplimiento contractual.

Actualmente, en las casos en que la cooperativa haya transmitido la totalidad de las viviendas, el Tribunal Supremo exige para reconocer su legitimación activa a los efectos de ejercitar la acción de responsabilidad del artículo 1591.I CC que, además, la cooperativa «haya reparado los desperfectos, o bien, se hubiera comprometido a abonarlos, es decir, es necesario la existencia de un perjuicio patrimonial real y efectivo» [STS, 1ª, Sec. 1ª, 11.10.2011, FD 3º (RJ 2012, 1102)].

Con todo, una vez transmitidas las viviendas, la cooperativa puede estar legitimada activamente para demandar al resto de agentes de la construcción, con base en las normas generales sobre incumplimiento contractual (arts. 1101 y ss. CC), siempre que tenga un vínculo contractual con aquéllos[152]; y incluso, con base en el régimen de responsabilidad del artículo 17 LOE, si «ejercita[...] cualquier acción en defensa de los intereses

---

149. En este sentido, *vid.* las SSTS 1ª, 8.5.1995 (RJ 1995, 3942); 22.9.1994 (RJ 1994, 6982); 8.6.1992 (RJ 1992, 5168); 1.10.1991 (RJ 1991, 7254); 29.1.1991 (RJ 1991, 345); 17.7.1990 (RJ 1990, 5890); 7.6.1989 (RJ 1989, 4347); y 20.2.1989 (RJ 1989, 1212). En la jurisprudencia menor, *vid.* entre otras la SAP Huesca, Civil, 3.2.1992, FD 2º (AC 1992, 293).

150. Sobre ello, *vid.* Mª del Carmen GONZÁLEZ CARRASCO, «Comentario a la sentencia de 9 de abril de 1996», *CCJC*, nº 42, septiembre/diciembre 1996, p. 982; y VILASAU SOLANA, *La noció de promotor en la Llei 38/1999 d'Ordenació de l'Edificació..., op. cit.*, p. 108.

151. GONZÁLEZ CARRASCO, *Comentario a la sentencia de 9 de abril de 1996, op. cit.*, pp. 982 y ss.

152. En este sentido, puede citarse, entre otras, la SAP Segovia, Civil, 28.6.2013 (JUR 2013, 277478).

concertados con los miembros a quien representa bajo el mandato que le había sido conferido al Consejo Rector por la Asamblea, para exigir la responsabilidad por vicios constructivos y defectos de la obra en interés de los socios cooperativistas» [STS, 1ª, Sec. 1ª, 28.2.2013, FD 2º (JUR 2013, 77753)].

2.2. LOE: condición de promotora de la cooperativa de viviendas, en ausencia de gestor con intervención decisoria (artículo 9.1 LOE)

La figura de la cooperativa de viviendas como promotora tiene encaje legal en los términos del artículo 9.1 LOE que se refiere a la «persona (...) jurídica (...) privada, que individual[mente] (...) decide, impulsa, programa y financia, con recursos (...) ajenos[153] las obras de edificación para su posterior (...) entrega o cesión a terceros bajo cualquier título».

En ausencia de un gestor de la cooperativa con intervención decisoria en la promoción, es la cooperativa de viviendas quien reúne la condición de promotora, tanto frente a los socios cooperativistas, como frente a terceros no socios, con todas las consecuencias que ello comporta a efectos de la LOE[154].

Así, por ejemplo, la SAP Barcelona, Civil, Sec. 14ª, 17.1.2008 (JUR 2008 , 107035) condenó a la cooperativa a responder en virtud del artículo 17 LOE por reunir la condición de promotora. Los hechos del caso son los siguientes. La cooperativa «Habitatge Entorn S.C.C.L.» llevó a cabo la promoción de un edificio de viviendas y locales, cuya gestión encargó a «Habitatge Social, S.A.» a cambio de un 8% del presupuesto del proyecto. Con posterioridad a la adjudicación de las viviendas a los socios y la venta de los locales a terceros, aparecieron defectos en los elementos comunes y privativos del inmueble. La comunidad de propietarios del edificio demandó a la cooperativa y a la constructora, y solicitó con base en el artículo 17

---

153. En efecto, Isabel-Gemma FAJARDO GARCÍA, *La gestión económica de la cooperativa: responsabilidad de los socios*, Tecnos, Madrid, 1997, pp. 93-94, señala que «en las cooperativas de viviendas la masa de gestión económica está formada por los pagos que los socios hacen a la cooperativa, a cuenta de la vivienda que ésta construye para ellos. Estas cantidades (...) no integran el patrimonio de la cooperativa, ni son embargables, en principio, por los acreedores sociales».

154. En este sentido *vid.* la STS, 1ª, 13.12.2007 (RJ 2008, 329); y las SSAP Barcelona, Civil, Sec. 13ª, 19.6.2012 (JUR 2012, 257995); Madrid, Civil, Sec. 10ª, 20.2.2012 (JUR 2012, 104419); Madrid, Civil, Sec. 13ª, 7.6.2011 (JUR 2011, 311515); Barcelona, Civil, Sec. 4ª, 22.10.2009 (JUR 2010, 46267); Barcelona, Civil, Sec. 14ª, 17.1.2008 (JUR 2008 , 107035); y Barcelona, Civil, Sec. 16ª, 31.7.2003 (JUR 2003, 256855). Entre los autores que defienden esta tesis destacan, CORDERO LOBATO, *Capítulo 13. El promotor, op. cit.*, pp. 395-396; y GONZÁLEZ POVEDA, *Diferentes formas de promoción de viviendas. Especial mención a las cooperativas de viviendas..., op. cit.*, p. 290.

LOE 57.535,34 € por los daños materiales en el edificio. El JPI nº 8 de Barcelona (12.1.2007) estimó la demanda y condenó a las demandadas a pagar 56.001,16 €. La AP desestimó el recurso de apelación interpuesto por la cooperativa. En primer lugar, no ha probado que la cooperativa no tenga ánimo de lucro, «[l]a demandada obtiene lucro, al menos, en relación con la libre disposición de los locales comerciales que construye y no cede (...)» (FD 1º). «A todo ello se une que en el presente caso ya no es de aplicación el art. 1591 C.c., sino el régimen de la Ley 38/1999, de 5 de noviembre, de Ordenación de la Edificación, que incluye entre los promotores a las personas jurídicas colectivas que, con recursos ajenos, deciden, impulsan, programan y financian las obras de edificación para su cesión a tercero bajo cualquier título (art. 9.1)» (FD 2º).

Otro ejemplo de la responsabilidad de una cooperativa de viviendas en virtud del artículo 17 LOE puede verse en el caso resuelto por la SAP Madrid, Civil, Sec. 13ª, 7.6.2011 (JUR 2011, 311515). El 20.3.2002, se inició la construcción de un edificio de 28 viviendas en Madrid promovida por «Gran Madrid Sociedad Cooperativa de Viviendas». Tras la recepción de las obras el 20.3.2002, los propietarios detectaron defectos constructivos en las zonas comunes del edificio. La comunidad de propietarios demandó a la constructora «Ferrovial-Agroman, S.A.», a la promotora «Gran Madrid Sociedad Cooperativa de Viviendas» y al arquitecto superior y al técnico, y solicitó la reparación de los vicios constructivos con base en el art. 17 LOE. El JPI nº 35 de Madrid (17.2.2010) estimó la demanda. La AP desestima el recurso de apelación de la cooperativa que alegaba falta de legitimación *ad causam*. «La cooperativa de viviendas «Gran Madrid» ha ostentado formalmente y materialmente ha realizado las funciones de promotor de la construcción, como ya ha efectuado en otros bloques de viviendas, desarrollando con tal actividad su objeto social (...). Gran Madrid, cuya personalidad no se extinguió con la conclusión de la edificación, (...), encaja en el concepto de promotor y, por tanto, le es exigible la responsabilidad que es inherente a tal función o condición dentro del proceso de la construcción por los destinatarios o adjudicatarios finales de las viviendas, cuya personalidad jurídica e interés es distinto al de aquélla» (FD 3º).

2.3. Los socios no son promotores a efectos de la LOE: irrelevancia de la titularidad dominical de los recursos con los que la cooperativa construye o de la edificación resultante

Bajo el régimen de responsabilidad del artículo 17 LOE, algunos autores han planteado la cuestión relativa a si la responsabilidad por vicios constructivos debe recaer sobre los socios cooperativistas –como propietarios de los pagos a cuenta y de las viviendas en construcción– en lugar de sobre la propia cooperativa de viviendas.

En un primer momento podría pensarse que, de acuerdo con la definición amplia que el artículo 9.1 LOE ofrece, tanto la cooperativa de viviendas como los socios cooperativistas podrían ser considerados promotor a efectos de la Ley. El artículo 9.1 LOE se refiere a la «persona, física o jurídica» que «colectivamente» promueve «las obras de edificación para sí», dentro de cuyos términos, en opinión de algunos autores, podrían circunscribirse los socios cooperativistas[155].

El argumento que estos autores han esgrimido a favor de la condición de promotores de los socios cooperativistas en la LOE, se refiere a que son los socios, y no la propia cooperativa, los que en todo caso conservan la propiedad de los pagos a cuenta que realizan y de las viviendas en construcción y que, en consecuencia, son éstos quienes arriesgan su patrimonio personal.

En contra de esta tesis, debe recordarse que el elemento determinante para recibir la condición de promotor a efectos de la LOE no es la titularidad dominical de los recursos con los que se construye o de la edificación resultante, que pueden ser, según la propia Ley, «propios o ajenos». Como ha puesto de relieve la jurisprudencia y la doctrina, el elemento relevante para atribuir tal condición es la intervención decisoria en el proceso de la edificación[156].

En la promoción en cooperativa de viviendas, cuya gestión se realiza por los propios órganos de la cooperativa, es la cooperativa quien adopta las decisiones fundamentales del proceso constructivo[157]. Debe tenerse en cuenta que, como se analiza en el último capítulo del libro[158], las coopera-

---

155. Defienden esta tesis, GONZÁLEZ TAUSZ, *El nuevo régimen del promotor inmobiliario tras la Ley de Ordenación de la Edificación, op. cit.*, pp. 2695-2696; y TATO PLAZA, *As cooperativas de viviendas e a condición de promotor, op. cit.*, p. 71; y del mismo autor «Cooperativas de vivendas, sociedades de xestión, e a atribución da condición de promotor. (Comentario á sentencia da audiencia provincial de Valencia de 28 de maio de 2007)», *Cooperativismo e Economía Social*, nº 30, 2007-2008, pp. 149-150.

156. Para las referencias jurisprudenciales y doctrinales *vid.* el apartado II del Capítulo Segundo relativo al concepto de promotor en la LOE.

157. MARTÍNEZ ESCRIBANO, *Responsabilidades y garantías de los agentes de la edificación, op. cit.*, p. 185, puntualiza que «[e]n los casos en que durante el proceso edificatorio se determine mediante un acuerdo interno entre los cooperativistas el concreto piso o local que se va a adjudicar a cada uno de ellos concluida la edificación, es posible y frecuente que entonces los cooperativistas adopten ciertas decisiones sobre la vivienda o local que está edificando y se les va a atribuir. Al igual que en la venta de edificios, no se puede entender que sea entonces el cooperativista el promotor de su vivienda, sino la cooperativa. Pero habrá de atenderse a quien adoptó las concretas decisiones que den lugar a los daños del artículo 17.1 de la LOE para determinar si debe responder la cooperativa o si debe el cooperativista soportar esos daños producidos por su propia decisión adoptada en el proceso edificatorio».

158. Para un análisis en profundidad sobre la responsabilidad por vicios o defectos constructivos en la promoción en cooperativas de viviendas, en defecto de gestora con intervención decisoria *vid.* el Capítulo Séptimo, apartado II.

tivas de viviendas se diferencian de las comunidades de propietarios en que las primeras tienen personalidad jurídica propia y ejercen una interposición gestora que conlleva que sea esta entidad, y no los socios directamente, la que mediante sus órganos realiza las actuaciones necesarias con la finalidad de cumplir su objeto social[159].

En consecuencia, en defecto de gestor de la cooperativa con intervención decisoria en la promoción, la condición de promotor no se predica en ningún caso de los socios de la cooperativa, sino de la cooperativa de viviendas. Con todo, debe tenerse en cuenta que los socios cooperativistas pueden llegar a responder, en caso de insolvencia o disolución de la cooperativa de viviendas, del pago de las cantidades debidas por la cooperativa para costear la construcción de las viviendas adquiridas por los socios. Cuestión que es objeto de un estudio más detallado en el Capítulo Octavo.

3. LA COOPERATIVA ACTÚA EN EL MARCO DE SU ACTIVIDAD EMPRESARIAL

La doctrina coincide en señalar que las cooperativas son una forma jurídica de empresa porque desarrollan actividades económicas[160]. Sin embargo, como se ha apuntado, los autores divergen en la naturaleza jurídica de éstas, ya sea como sociedades mercantiles, ya sea como otras formas jurídicas de empresa.

En efecto, el propio artículo 1.1 de la Ley 27/1999 de Cooperativas estatal afirma que «[l]a cooperativa es una sociedad constituida por personas que se asocian (...) para la realización de *actividades empresariales* (...)»[161]. Asimismo, el ya citado artículo 2 de la Ley 5/2011, de 29 de marzo, de Economía Social, señala que la economía social es el «conjunto de las *actividades económicas y empresariales*, que en el ámbito privado llevan a cabo aquellas entidades de conformidad con los principios recogi-

---

159. En relación con la interposición gestora de la cooperativa de viviendas *vid.* Iván Jesús Trujillo Díez, «Interposición gestora de las cooperativas de viviendas», *Aranzadi Civil*, vol. III, Parte Estudio, 1999, p. 1 (versión Westlaw); y Carrasco Perera, Cordero Lobato y González Carrasco, *Derecho de la construcción y la vivienda, op. cit.*, pp. 1070-1071.

160. Para Vicent Chuliá, *Introducción al derecho mercantil*, vol. I, *op. cit.*, pp. 359-360 y p. 913, las empresas mutualísticas desarrollan «una actividad económica *al servicio de las necesidades de sus socios*».

161. La Exposición de motivos de la LC también se refiere en, su párrafo 2º, al carácter empresarial de la actividad cooperativa: «Para las sociedades cooperativas, en un mundo cada vez más competitivo y riguroso en las reglas del mercado, la competitividad se ha convertido en su valor consustancial a su naturaleza cooperativa, pues en vano podría mantener sus valores sociales si fallasen la eficacia y rentabilidad propias de su *carácter empresarial*» (énfasis añadido).

dos en el artículo 4, persiguen bien el interés colectivo de sus integrantes, bien el interés general económico o social, o ambos».

De conformidad con lo anterior, las cooperativas de viviendas pueden ser calificadas de empresarios, pues desarrollan una actividad económica organizada que tiene por objeto o finalidad ofertar productos –viviendas– para el mercado[162]. No es requisito indispensable para que sean consideradas empresarios que su actividad persiga una finalidad lucrativa[163].

De acuerdo con el *Draft Common Frame of Reference* la ausencia de ánimo de lucro no es obstáculo para el desarrollo de una actividad económica. «(2) A "business" means any natural or legal person, irrespective of whether publicly or privately owned, who is acting for purposes relating to the person's self-employed trade, work or profession, *even if the person does not intend to make a profit in the course of the activity*» (Book 1, I.–1:105:) (énfasis añadido).

En consecuencia, a efectos del TRLCU, las cooperativas son empresarias pues responden a la definición que el artículo 4 TRLCU hace del concepto como «(...) toda persona física o jurídica, ya sea privada o pública, que actúe directamente o a través de otra persona en su nombre o siguiendo sus instrucciones, con un propósito relacionado con su actividad comercial, empresarial, oficio o profesión»[164].

---

162. En este sentido en relación con las cooperativas de viviendas *vid.* Juan CADARSO PALAU, «Riesgo y responsabilidad en el contrato de obra», *Contratos de servicios y de obra. Proyecto de Ley y Ponencias sobre la reforma del Código civil en materia de contratos de servicios y de obra*, ed. Adhara, S.L., Jaén, 1996, p. 125; CORDERO LOBATO, *Capítulo 13. El promotor, op. cit.*, p. 394; ABRIL CAMPOY, *La responsabilidad del promotor en la Ley de Ordenación de la Edificación...*, *op. cit.*, pp. 1241-1242. En relación con las cooperativas en general, María José MORILLAS JARILLO, *Las sociedades cooperativas*, Iustel, Madrid, 2008, pp. 34-35; y PANIAGUA ZURERA, *La sociedad cooperativa. Las sociedades mutuas y las entidades mutuales...*, vol. 1, *op. cit.*, p. 116, quien señala que «[l]a cooperativa no se limita a eliminar los intermediarios, sino que sustituye esa intermediación capitalista por un nuevo sistema de organización empresarial».

163. PAZ-ARES RODRÍGUEZ y ALFARO ÁGUILA-REAL, *Comentario al artículo 38 CE, op. cit.*, p. 982, definen empresa como «cualquier actividad organizada que tenga por objeto o finalidad la oferta de productos o servicios en el mercado (...). No es imprescindible que la actividad esté regida por el ánimo de lucro –subjetivo o meramente objetivo– ni tampoco, contra lo que frecuentemente se sostiene (...) que se trate de una actividad habitual (...) siempre y cuando requiera planificación u organización de factores productivos». En la misma línea, SÁNCHEZ CALERO y SÁNCHEZ-CALERO GUILARTE, *Instituciones de derecho mercantil*, vol. 1, *op. cit.*, pp. 109-110.

164. *Vid.* CÁMARA LAPUENTE, *Comentario al artículo 4. Concepto de empresario, op. cit.*, pp. 166-167, quien incluye dentro del concepto de empresario del artículo 4 TRLCU a las llamadas empresas de la economía social (cooperativas). Sin embargo, BERCOVITZ RODRÍGUEZ-CANO, *Comentario al artículo 4. Concepto de empresario, op. cit.*, p. 102, defiende que «[l]as comunidades de bienes, las

Destaca el carácter profesionalizado de la cooperativa de viviendas la SAP Barcelona, Civil, Sec. 4ª, 17.11.2011 (JUR 2012, 92371) que señala respecto de la cooperativa de viviendas «Suma SCCL»: «según se desprende del artículo 1° y 2° de sus estatutos, es una cooperativa dedicada a la promoción de viviendas. Se constituyó en 1996 y desde entonces ha promovido sucesivamente numerosos conjuntos inmobiliarios. Su estructura se aleja de la concepción bucólica del grupo de personas que se asocian en forma de cooperativa para construir su vivienda, y su conceptualización se acerca peligrosamente a la profesionalización de la promoción a través de una estructura organizativa cuya única finalidad es la promoción y que, de una manera o de otra, ha de generar recursos para ello (...). La demandada está dentro del concepto del artículo 9 LOE y, por lo tanto está legitimada pasivamente para responder como promotora» (FD 3°).

---

cooperativas, las fundaciones y las asociaciones pueden quedar excluidas del concepto de este artículo 4 si no proveen de bienes o servicios a terceros y/o no persiguen obtener lucro alguno mediante el suministro de bienes o servicios a terceros. Y ello a pesar de que puedan tener una organización empresarial, esto es, de elementos personales, materiales e inmateriales».

CUARTO

EL GESTOR DE COMUNIDADES O DE COOPERATIVAS DE VIVIENDAS

I. CONCEPTO, FUNCIONAMIENTO Y DISTINCIÓN CON FIGURAS AFINES

1. CONCEPTO DE GESTOR DE COMUNIDADES O DE COOPERATIVAS DE VIVIENDAS

El gestor de comunidades o de cooperativas de viviendas es una persona física o jurídica que gestiona y asesora a las comunidades de propietarios o a las cooperativas de viviendas en el marco de las promociones inmobiliarias que llevan a cabo, a cambio de una remuneración[1]. Si bien el gestor de cooperativas de viviendas o de comunidades de propietarios no se encuentra definido en la LOE, la Exposición de Motivos de la Ley pone de manifiesto que éstos.

> «... aparecen cada vez con mayor frecuencia en la gestión económica de la edificación».

Una definición de la figura puede encontrarse en el Decreto 3114/1968, de 12 de diciembre, sobre aplicación de la Ley 57/1968 a las comunidades y cooperativas de viviendas[2]. Su artículo 2 se refiere al gestor de la construcción de viviendas por medio del «régimen de comunidad» como la

> «... persona física o jurídica que gestion[a] la adquisición del solar y la construcción del edificio, y, en consecuencia, perciba las cantidades

---

1. La Confederación de Cooperativas de Viviendas de España (CONCOVI), *Guía del socio cooperativista de viviendas*, define la gestora de cooperativas como «una sociedad mercantil que presta sus servicios de gestión y asesoramiento a la cooperativa, a cambio de un precio pactado entre ambas partes».
2. BOE nº 308, de 24.12.1968.

anticipadas, ya sea en calidad de propietaria del solar o como mandataria, gestora o representante de aquélla o bien con arreglo a cualquier otra modalidad de hecho o de derecho, directamente o por persona interpuesta».

Por otro lado, la Exposición de Motivos del Real Decreto 2028/1995, de 22 de diciembre, que establece las condiciones de acceso a la financiación estatal de las viviendas de protección oficial promovidas por cooperativas de viviendas y comunidades de propietarios al amparo de Planes Estatales de vivienda[3], se refiere a las gestoras como

«... empresas cuyo objeto social es precisamente la gestión profesionalizada de tales cooperativas y comunidades de propietarios, que, aun siendo positivo para estructurar la demanda, puede conllevar el riesgo de desvirtuar el sentido solidario que caracteriza a estos tipos de asociación y a estas promociones de viviendas».

Por último, el Tribunal Supremo define, en la STS, 1ª, 27.4.2009 (RJ 2009, 2899), al «promotor de comunidades»

«... como aquella persona física o jurídica, pública o privada, que facilita a sus asociados la edificación de todo tipo de viviendas; de ordinario, es un profesional de la gestión inmobiliaria, que ostenta el dominio o una opción de compra sobre un determinado terreno y ofrece y gestiona la construcción en comunidad de todo o parte del suelo edificable, esperando encontrar asociados o comuneros que cooperen; pertenece, pues, al espacio de la gestión y asume y organiza la edificación por cuenta de la comunidad, como un apoderado en posesión de poder irrevocable, que en principio exige que se le otorgue [STS de 25 de febrero de 1985 (RJ 1985, 773)]» (FD 2º).

2. FUNCIONAMIENTO DE LA PROMOCIÓN EN RÉGIMEN DE CO-MUNIDAD O DE COOPERATIVA DE VIVIENDAS CON INTERVEN-CIÓN DE UN GESTOR

En toda promoción en régimen de comunidad o de cooperativa de viviendas con intervención de un gestor es preciso distinguir dos fases o momentos temporales: la fase previa a la formación del colectivo; y la fase de gestión de la comunidad o de la cooperativa en virtud de título otorgado por aquéllas[4].

2.1. Fase de constitución de la comunidad o de la cooperativa de viviendas

En la mayor parte de promociones colectivas es la propia empresa gestora quien emprende el proceso edificatorio, realizando una serie de

---

3. BOE nº 14, de 16.1.1996.
4. La distinción entre estas dos fases procede de GONZÁLEZ TAUSZ, *La promoción inmobiliaria encubierta: un fraude de ley, op. cit.*, pp. 102-107.

trámites encaminados a formar la comunidad de propietarios o la cooperativa de viviendas[5]. Sin embargo, no puede afirmarse, sin faltar a la verdad, que en todas las promociones en régimen de comunidad o de cooperativa de viviendas la empresa gestora lleve a cabo esta fase previa. Es posible que la comunidad o la cooperativa se hubieran creado por iniciativa de colectivos como sindicatos, colegios profesionales o asociaciones vecinales[6].

La SAP Cantabria, Civil, Sec. 4ª, 5.6.2008 (JUR 2008, 355543) destaca la excepcionalidad de la creación del colectivo por iniciativa de sus miembros y afirma que «hemos de presumir que cuando (...) diez personas carecen de relación previa entre sí, y no son –en su mayoría– empresarios, y acaban reuniéndose para participar en un cualificado proyecto de naturaleza empresarial (cual sería la construcción de un edificio que contiene diez pisos, con sus correspondientes trasteros y garajes), lo hacen por iniciativa de alguien, esto es, invitados por el que tiene la primera idea de edificar, y ve la posibilidad de hacerlo en determinado solar, que previamente ha encontrado, y del que conoce sus posibilidades urbanísticas» (FD 2º).

En particular, cuando el gestor interviene en esta primera fase lleva a cabo las gestiones necesarias para seleccionar el solar en el que se va a construir y, en ocasiones, adquiere un derecho de opción de compra sobre el mismo. Además, el gestor idea un proyecto de edificación y lo publicita con la finalidad de reunir las personas necesarias para formar parte de la futura comunidad o de la cooperativa de viviendas, las cuales selecciona. Durante esta fase, también puede haber iniciado los trámites para obtener las licencias municipales perceptivas, así como, si la edificación es de viviendas de protección oficial, para que la cooperativa o la comunidad resulten adjudicatarias de las ayudas públicas que correspondan.

---

5. Ponen de relieve este hecho SAPENA TOMÁS, CERDÁ BAÑULS y GARRIDO DE PALMA, *Las garantías de los adquirentes de vivienda frente a promotores y constructores, op. cit.*, p. 38; CARRASCO PERERA, CORDERO LOBATO y GONZÁLEZ CARRASCO, *Derecho de la construcción y la vivienda, op. cit.*, p. 1071; MARTÍNEZ ESCRIBANO, *Responsabilidades y garantías de los agentes de la edificación, op. cit.*, p. 182; y LAMBEA RUEDA, *Cooperativas de viviendas: promoción, construcción y adjudicación de la vivienda al socio cooperativo, op. cit.*, p. 151.

6. De acuerdo con la Confederación de Cooperativas de Viviendas de España (CONCOVI), *Guía del socio cooperativista de viviendas*, «en la práctica, viene siendo habitual que la iniciativa de constituir una cooperativa de viviendas esté impulsada por otra entidad, siendo los casos más frecuentes los siguientes: 1. Cooperativas creadas por colectivos (...) [como] empresas, sindicatos, colegios profesionales, asociaciones vecinales (...); y 2. Cooperativas creadas por gestoras: (...) [s]urgen mediante la captación de socios por una empresa dedicada a prestar servicios de gestión inmobiliaria (normalmente S.L. o S.A), con posibilidades de disponer de suelo para construir viviendas y que a tal objeto promueve la constitución de la cooperativa a la que se irán incorporando las personas interesadas (...)».

Con todo, se trata sólo de ejemplos, pues los actos materiales o jurídicos que el gestor efectúa en este período varían en cada promoción, pudiendo ser más o menos decisivos en relación con los elementos esenciales de la promoción.

2.2. Fase de gestión de la promoción en virtud de título otorgado por la comunidad o la cooperativa

Constituida la comunidad o la cooperativa de viviendas, la segunda fase en la que la empresa gestora interviene es aquélla dirigida a la gestión de la comunidad o de la cooperativa en el marco del desarrollo de una promoción inmobiliaria. A diferencia de lo que sucede en la primera fase, en esta etapa el gestor lleva a cabo su actividad en virtud de un título jurídico concedido por los propios comuneros o la cooperativa de viviendas.

Incluso en aquellos casos en que el gestor no hubiera intervenido en la fase de formación del colectivo, es probable que éstos contraten a un profesional para que gestione la promoción. De hecho, la falta de capacidad de administración o de recursos de los asociados o comuneros, aconseja y, hasta hace obligado, el asesoramiento de expertos para llevar a buen término las autopromociones colectivas[7].

2.2.1. *Contrato de mandato o poder otorgado por los comuneros*

Un estudio de la jurisprudencia sobre la materia revela que en la promoción en régimen de comunidad de propietarios, la mayor parte de gestores agrupan a los interesados en adquirir una vivienda mediante contratos de adhesión, que cada uno de ellos suscribe de manera individual como condición indispensable para ingresar en la comunidad[8].

En la mayoría de casos, en el mencionado contrato de adhesión los

---

7. En estos términos *vid.* el Decreto 2028/1995, de 22 de diciembre, cuya Exposición de Motivos señala que «... el caso de las promociones de viviendas llevadas a cabo por personas físicas que se agrupan en cooperativas de viviendas o en comunidades de propietarios para construir su propia vivienda, (...) en no pocos casos la falta de capacidad de gestión o de recursos de los asociados o comuneros, aconseja y, hasta hace obligado, el asesoramiento de expertos para llevar a buen término la promoción (...)».

8. Siguen este patrón de actuación las gestoras cuya intervención se analiza en las SSTS, 1ª, 16.12.2004 (RJ 2005, 272); 25.2.2004 (RJ 2004, 1635); y 15.10.1996 (RJ 1996, 7111). En la jurisprudencia menor, *vid.* las SSAP Madrid, Civil, Sec. 11ª, 19.1.2010 (JUR 2010, 127140); Cádiz, Civil, Sec. 2ª, 1.12.2009 (JUR 2010, 211234); Cantabria, Civil, Sec. 2ª, 18.3.2009 (JUR 2009, 234799); Madrid, Civil, Sec. 20ª, 17.6.2009 (JUR 2009, 343732); Madrid, Civil, Sec. 19ª, 10.11.2008 (JUR 2009, 75829); Córdoba, Civil, Sec. 3ª, 28.7.2003 (JUR 2003, 220299); y Tarragona, Civil, 9.3.1993 (EDJ 1993/12208).

comuneros consienten conferir un mandato representativo[9], que en ocasiones es de carácter irrevocable. Mediante la firma de este contrato los comuneros ratifican las actuaciones llevadas a cabo hasta la fecha por la gestora. Son muy escasas las promociones en las que tras la formación de la comunidad de construcción todos los comuneros reunidos en Junta General acuerdan aprobar o ratificar el contrato de gestión que suscribieron individualmente al ingresar en la comunidad[10].

Sin embargo, también se encuentran supuestos en los que la gestora interviene en la promoción en virtud de un contrato de arrendamiento de servicios[11]; o un contrato mixto de mandato y arrendamiento de servicios[12]. Ello no obsta a que los comuneros otorguen, además, poderes a favor de la gestora. A cambio, los comuneros se obligan a pagar un tanto por ciento sobre el coste final de la edificación en concepto de remuneración por la gestión.

2.2.2. *Contrato de arrendamiento de servicios, mandato o poder otorgado por el Consejo rector de la cooperativa*

De acuerdo con la jurisprudencia analizada, la mayoría de empresas gestoras que intervienen en la gestión de cooperativas de viviendas califican el contrato en cuya virtud gestionan la actividad de la cooperativa de contrato de arrendamiento de servicios[13]. La actividad contratada puede referirse a la elaboración de la documentación social, a la llevanza de la contabilidad, al asesoramiento jurídico o técnico, entre otros servicios[14].

---

9. Aunque no siempre va acompañado de poder. De acuerdo con la SAP Madrid, Civil, Sec. 14ª, 30.3.2011 (JUR 2011, 200864) «... la participación del concurso en la gestión y administración ordinaria de la comunidad es un derecho disponible, que puede ser objeto de delegación y sustitución, y que se adapta perfectamente, y sin necesidad de poder notarial, a los términos del mandato concebido en términos generales del art. 1713 CC» (FD 4º).

10. Así lo pone de relieve GONZÁLEZ TAUSZ, *La promoción inmobiliaria encubierta: un fraude de ley, op. cit.*, p. 104, nota al pie 16, quien añade que, no obstante, «... normalmente el comunero con sus actos posteriores ratificará de forma tácita su elección (...)».

11. *Vid.* la SAP Madrid, Civil, Sec. 14ª, 21.11.2006 (JUR 2007, 67880).

12. *Vid.* la SAP Madrid, Civil, Sec. 13ª, 4.3.2009 (JUR 2010, 271171).

13. Así, por ejemplo, la relación entre gestora y cooperativa de viviendas es calificada por las partes como arrendamiento de servicios en la STS, 1ª, 27.4.2009 (RJ 2009, 2899); y las SSAP Madrid, Civil, Sec. 8ª, 27.9.2010 (JUR 2010, 361832); Valencia, Civil, Sec. 7ª, 28.5.2007 (JUR 2007, 260305); Ciudad Real, Civil, Sec. 1ª, 12.3.2007 (JUR 2007, 248981); y Madrid, Civil, Sec. 9ª, 14.3.2003 (JUR 2004, 157300).

14. *Vid.* en este sentido GONZÁLEZ TAUSZ, *La promoción inmobiliaria encubierta: un fraude de ley, op. cit.*, p. 105.

Si bien con menos frecuencia, también se encuentran ejemplos de cooperativas gestionadas en virtud de un contrato de mandato[15].

Con independencia del contrato que vincule el gestor con la cooperativa, el Consejo rector puede, como órgano social de representación de la misma, apoderar al gestor [artículos 32.3[16] y 91.1.c) LC[17]], manteniendo aquél las facultades conferidas al gestor[18]. La Ley estatal de Cooperativas no limita las facultades delegables por el Consejo rector, pero si el poder de gestión o dirección es de carácter permanente debe ser inscrito en el Registro de Sociedades Cooperativas (artículo 32.3 LC)[19]. En virtud del apoderamiento, el gestor no deviene un órgano social de la cooperativa[20],

---

15. La relación entre gestora y cooperativa de viviendas es calificada por las partes como contrato de mandato en la SAP Cantabria, Civil, Sec. 3ª, 4.5.2005 (JUR 2005, 137819); y de contrato de mandato y arrendamiento de servicios en la SAP Madrid, Civil, Sec. 13ª, 31.5.2011 (JUR 2011, 292478).
16. El artículo 32.3 LC faculta al «Consejo rector [para] conferir apoderamientos, así como proceder a su revocación, a cualquier persona, cuyas facultades representativas de gestión o dirección se establecerán en la escritura de poder, y en especial nombrar y revocar al gerente, director general o cargo equivalente, como apoderado principal de la cooperativa. El otorgamiento, modificación o revocación de los poderes de gestión o dirección con carácter permanente se inscribirá en el Registro de Sociedades Cooperativas».
17. El artículo 91.1.c) LC establece que «[l]as cooperativas de viviendas, antes de presentar las cuentas anuales, para su aprobación a la Asamblea general, deberán someterlas a auditoria, en los ejercicios económicos en que (...) la cooperativa haya otorgado poderes relativos a la gestión empresarial a personas físicas o jurídicas, distintas de los miembros del Consejo rector».
18. En este sentido, Francisco VICENT CHULIÁ, «Comentario al artículo 54», en Narciso PAZ CANALEJO y Francisco VICENT CHULIÁ, *Ley General de Cooperativas*, en *Comentarios al Código de Comercio y legislación mercantil especial* (Dir. Fernando SÁNCHEZ CALERO y Manuel ALBALADEJO), Edersa, tomo XX, vol. 2, Madrid, 1990, p. 658.
19. Algunas leyes autonómicas como la Ley 11/2010, de 4 de noviembre, de cooperativas de Castilla-La Mancha establecen limitaciones al otorgamiento de dichos poderes. De acuerdo con el artículo 138.4 de la Ley mencionada «[l]as cooperativas de viviendas no podrán otorgar poderes relativos a la gestión empresarial a personas físicas que tengan una relación laboral o de servicios o sean parientes de los miembros del consejo rector, hasta el cuarto grado de consanguinidad o segundo de afinidad, o sean cónyuges o persona unida por análoga relación de afectividad de los mismos, ni a personas jurídicas de las que sea socio o participe alguno de los miembros del consejo rector, su cónyuge, o un pariente de estos comprendido en los grados antes mencionados, así como tampoco a quienes tuvieran una relación laboral o de servicios con las personas jurídicas en las que concurriera dicha circunstancia».
20. Sobre la ausencia de condición de órgano social del gestor, *vid.* María José MORILLAS JARILLO y Manuel Ignacio FELIÚ REY, *Curso de cooperativas*, Tecnos, Madrid, 2000, p. 325; y CARRASCO PERERA, CORDERO LOBATO y GONZÁLEZ CARRASCO, *Derecho de la construcción y la vivienda, op. cit.*, p. 1072.

sino un representante voluntario de la misma que vincula a la Cooperativa con los actos que realice dentro de los términos del apoderamiento.

3. DISTINCIÓN DEL GESTOR DE COMUNIDADES Y DE COOPERA-TIVAS DE VIVIENDAS CON FIGURAS AFINES: EL PROJECT MA-NAGER

El gestor de comunidades o de cooperativas de viviendas debe distin-guirse del *project manager* –en español, gestor del proyecto o dirección integrada del proyecto–[21], si bien ambos pertenecen al ámbito de la gestión inmobiliaria y pueden llegar ser calificados de promotor cuando se cum-plan los requisitos del artículo 17.4 LOE.

La principal diferencia entre ambas figuras no son las funciones que asumen en el proceso edificatorio, que pueden coincidir, sino el tipo de proyectos inmobiliarios en los que habitualmente intervienen en la prác-tica. El gestor de comunidades o de cooperativas restringe su actividad a la gestión de proyectos de carácter residencial y es contratado por la propia comunidad de bienes o por la cooperativa de viviendas. En cambio, la intervención del *project manager* suele realizarse en la gestión de proyec-tos inmobiliarios complejos y por cuenta de un empresario.

El *project manager* es una figura de origen anglosajón, que no ha sido objeto de una regulación expresa en nuestro ordenamiento jurídico, a pesar de que cada vez aparece con mayor frecuencia en el mercado inmo-biliario español. No es sencillo ofrecer una definición cerrada de este agente de la edificación, pues puede ocupar dentro del proceso construc-tivo diversos roles o posiciones.

En efecto, con carácter general, el *project manager* no tiene asignadas unas funciones propias y concretas en del proceso edificatorio, sino que sus obligaciones vienen determinadas por el contrato de prestación de ser-vicios que celebra con el dueño de la obra y por el proyecto que se haya obligado a dirigir[22].

El *project manager* puede desempeñar un rol aislado dentro del pro-

---

21. La Asociación Española de Dirección Integrada de Proyecto (*http://direccion-integrada.aedip-project-management.com/*) define la dirección integrada del pro-yecto como «el arte de dirigir los recursos humanos y materiales, a lo largo del ciclo de vida completo del proyecto, y mediante el uso de técnicas adecuadas, conseguir los objetivos prefijados de configuración, alcance, coste, plazo y cali-dad, así como la satisfacción de los participantes y partes interesadas en el proyec-to».

22. En este sentido, *vid.* John UFF, *Construction Law. Law and practice relating to the construction industry*, 9th edition, Sweet&Maxwell, London, 2005, pp. 132-133.

ceso constructivo, dedicado a cumplir unos determinados objetivos de costes, tiempo y calidad, utilizando técnicas complejas de organización, coordinación y supervisión de los medios humanos y materiales que participan en el mismo[23]. También es posible que el resto de agentes de la edificación intervinientes en la obra, como el constructor, el proyectista o el director de la obra, asuman contractualmente, además de sus propias funciones, las de dirección integrada del proyecto.

En cualquier caso, el *project manager* suele asumir en virtud del contrato de prestación de servicios funciones y obligaciones que la LOE atribuye a otros agentes de la edificación[24] –habitualmente, al promotor, constructor, proyectista o arquitecto director de la obra–[25].

Así, por ejemplo, en el caso resuelto por la SAP Girona, Civil, Sec. 2ª, 3.10.2003 (JUR 2004, 25961) «Setego, S.L.» intervino como *project manager* en la construcción de una nave y se obligó frente a la promotora «Rumillet, S.A.» a la realización de los proyectos técnicos y la dirección de las obras, a la contratación de los profesionales y los suministros, así como al control de la facturación y el pago. Por otro lado, en el caso resuelto por la SAP Barcelona, Civil, Sec. 1ª, 27.3.2012 (JUR 2012, 167981) un estudio de arquitectura había asumido funciones de *project manager*, esto es, las de encargarse de planificar, controlar y supervisar todo el proceso, interviniendo incluso en la selección de contratistas y redacción de contratos (FD 2º).

La responsabilidad que este agente asume en el proceso edificatorio va directamente ligada al tenor del contrato en virtud del cual interviene en la obra, así como a su efectiva intervención en la misma. Frente al dueño de la obra, el *project manager* responde contractualmente por el incumplimiento del contrato de prestación de servicios que le vincula.

Así, la SAP Madrid, Civil, Sec. 9ª, 16.4.2010 (JUR 2010, 233491) resuelve el un caso en el que «Pomueve Cero-Less, S.L.» se obligó frente a los propietarios de la obra a la «gestión, coordinación, control y asesoramiento de la ejecución de las obras», por lo que el tribunal lo califica de

---

23. *Vid.* UFF, *Construction Law. Law and practice relating to the construction industry*, op. cit, pp. 132-133; y Manuel José SOLER SEVERINO, *Introducción a la Dirección Integrada de Proyecto («Project management»)*, en Antonio Eduardo HUMERO MARTÍN (Dir.), *Tratado técnico-jurídico de la edificación y del urbanismo*, tomo III, Aranzadi Thomson Reuters, Cizur Menor (Navarra), 2009, p. 248.

24. En este sentido, *vid.* CARRASCO PERERA, CORDERO LOBATO y GONZÁLEZ CARRASCO, *Derecho de la construcción y la vivienda, op. cit.*, p. 486; y SOLER SEVERINO, *Introducción a la Dirección Integrada de Proyecto («Project management»), op. cit.*, p. 265.

25. SOLER SEVERINO, *Introducción a la Dirección Integrada de Proyecto («Project management»), op. cit.*, p. 264, enumera las funciones que con más frecuencia desempeña el *project manager* en el proceso constructivo.

project manager «(...) si bien compatibilizando ésta con la de constructora». El *project manager* subcontrató la totalidad de la ejecución de la obra. Con posterioridad a la entrega de la obra, los propietarios detectaron defectos de ejecución en la edificación. Juan Ramón y María demandaron a «Pomueve Cero-Less, S.L.», a la dirección facultativa, y solicitaron una indemnización por los daños y perjuicios derivados del incumplimiento contractual. El JPI nº 21 de Madrid (10.7.2008) estimó la demanda y condenó a todos los demandados a pagar solidariamente 148.589,26 €, y a «Pomueve Cero-Less, S.L.» de forma exclusiva a pagar 21.485,355 €. La AP desestima el motivo del recurso de «Pomueve Cero-Less, S.L.» que fundaba en su ausencia de responsabilidad contractual por los defectos de ejecución en la obra. «La pretensión de la apelante de ser considerada como mera encargada de la coordinación, gestión y control de los subcontratistas, mano de obra, materiales, medios auxiliares, etc., no puede ser estimada pues si bien en el contrato se expresa que se encarga a la constructora la gestión, coordinación y control de la ejecución de las obras (...), también se expresa que la constructora es "en todo caso responsable frente al cliente de que los contratistas realicen los trabajos de acuerdo con los contratos firmados; respondiendo incluso del retraso injustificado de la obra" (...). Es decir, también la labor de "gestión" de toda la obra, comprometido un resultado, máxime respondiendo de la diligencia de los subcontratistas, implicaría venir legitimado a soportar la responsabilidad que se reclama» (FD 2º).

Frente al propietario y los posteriores adquirentes de la edificación, el *project manager* responde con base en el artículo 17 LOE, cuando en virtud del contrato de prestación de servicios asuma funciones propias de otros agentes de la edificación –promotor[26], director de obra, etc.– y los daños le fueran imputables. Las cláusulas de exoneración de responsabilidad que el gestor del proyecto hubiere pactado con la propiedad en el contrato no afectan a los posteriores adquirentes de la edificación.

En este sentido se ha pronunciado la ya citada SAP Girona, Civil, Sec. 2ª, 3.10.2003 (JUR 2004, 25961) en la que «Setego, S.L.» intervino como *project manager*. Clemente, ingeniero de la obra, fue escogido por «Setego, S.L.». La proyección inadecuada y la posterior ejecución defectuosa de la obra causaron, entre otros vicios, la colocación incorrecta de la cubierta de la nave. «Rumillet, S.A.» demandó a Clemente y «Setego, S.L.» y solicitó la reparación de los defectos. El JPI nº 3 de Figueres absolvió a Clemente

---

26. En relación con la posible condición de promotor del *project manager* y su fundamento en la LOE téngase en consideración lo señalado respecto el artículo 17.4 LOE en el apartado II, epígrafe 2, de este capítulo. La SAP Madrid, Civil, Sec. 13ª, 16.9.2004 (JUR 2005, 19565) fundamenta la responsabilidad de los gestores del proyecto en dicho artículo al señalar que «... dentro de las figuras análogas referidas en el art. 17.4 de la ley encaja, sin duda, la actividad de "gestión" de la sociedad demandada (cuando no a título propio dentro de la dicción "gestor de comunidades de propietarios" lo que no excluye la gestión en nombre un solo propietario)» (FD 5º).

y condenó a «Setego, S.L.» a pagar 27.664,53 € por los defectos, más el coste que supuso la construcción de la cubierta dos veces. La AP estimó en parte el recurso de apelación de la demandante en el sentido de incluir en la condena a Clemente, pero desestimó el de «Setego, S.L.». «[L]a alegada excepción de legitimación *ad causam* de la codemandada Setego, S.L. tampoco puede ser acogida, puesto que es clara la intervención de la mercantil, por cuanto aun cuando sea el facultativo Sr. Celemente quien firme los proyectos de construcción y el estudio de seguridad, así como los planos, quien factura por la redacción del proyecto y por la dirección y supervisión de las obras (...) [es Setego, S.L.] por lo que no puede entenderse que no intervenga en la relación material u objeto del presente pleito» (FD 3°).

En la misma línea puede verse el caso resuelto por la SAP Barcelona, Civil, Sec. 1ª, 22.4.2013 (JUR 2013, 195890). El gestor de una comunidad de propietarios promovió la construcción de un edificio de viviendas en Santa Eulàlia de Rançana (Barcelona). El gestor celebró un contrato de prestación de servicios con «Tedos Habitat, S.L.» para que esta última realizara funciones de *project manager*. En particular, se comprometió a la prestación de los siguientes servicios: a) coordinación de los industriales; b) revisión y control de ejecución de los trabajos de cada industrial contratado; c) revisión de los trabajos finalizados para su recepción provisional; y d) control de los repasos que fuesen necesarios después de la recepción provisional. Tras la entrega de las viviendas, aparecieron defectos constructivos derivados de defectos de ejecución. Algunos de los propietarios demandaron entre otras a «Tedos Habitat, S.L» y solicitaron la reparación de los defectos con base en el artículo 17 LOE. El JPI n° 4 de Granollers (10.9.2010) condenó a «Tedos Habitat, S.L.» La AP desestimó el recurso de apelación de «Tedos Habitat, S.L», pues «se trata de analizar cuáles son las obligaciones asumidas por T2 en el proceso constructivo de autos, sin que resulte suficiente para eximirse de responsabilidad (...) la mera referencia [a la figura del *project manager*] (...), no puede ahora la recurrente pretender que su función es meramente administrativa y económica cuando expresamente asumió funciones de control de la ejecución de la obra, y de hecho así actuó (...); por lo que bien cabe considerarla agente de la edificación encargada de controlar la correcta ejecución de la obra» (FD 3°).

II. CLASES DE GESTOR DE COMUNIDADES O DE COOPERATIVAS DE VIVIENDAS: GESTOR MANDATARIO, REPRESENTANTE O PRESTATARIO DE SERVICIOS Y PROMOTOR-GESTOR

En la práctica inmobiliaria, en ocasiones los gestores de comunidades o de cooperativas de viviendas llevan a cabo una promoción inmobiliaria encubierta o una falsa-autopromoción. Es decir, utilizan de manera fraudulenta la promoción en régimen de comunidad o de cooperativas para eludir las responsabilidades propias del promotor. Como es sabido, el promotor inmobiliario responde frente a los adquirentes de la edificación con base en la responsabilidad del artículo 17 LOE, pero también por incumplimiento del contrato de obra o de compraventa si la edificación entregada presenta faltas de conformidad o no es entregada en el plazo pactado.

La principal cuestión a resolver es pues, en qué casos el gestor actúa como promotor y, en consecuencia, debe asumir las responsabilidades ligadas a la figura. Para responder a esta cuestión es preciso diferenciar dos clases de gestores de comunidades o de cooperativas de viviendas: el gestor mandatario, representante o prestatario de servicios, por un lado, y el promotor-gestor, por el otro. El elemento determinante para distinguir entre estas dos clases de gestor es el poder de decisión de éste sobre el proceso edificatorio.

La distinción entre estas dos grandes categorías de gestor no es sólo relevante a los efectos de determinar su posible condición de promotor, y consecuentemente atribuirle las obligaciones y responsabilidades propias de la figura. Además, estas dos categorías deben tenerse en cuenta a los efectos de calificar la verdadera naturaleza jurídica del contrato que une al gestor con los comuneros o la cooperativa de viviendas, así como el alcance de su responsabilidad contractual.

Como se analiza en este capítulo, el régimen jurídico aplicable a las relaciones contractuales entre la primera clase de gestor analizado y los comuneros o la cooperativa vendrá determinado por el contrato que hubieren celebrado: un contrato de mandato, con o sin representación, o un contrato de arrendamiento de servicios. En cambio, se propone calificar el negocio jurídico que vincula la segunda categoría de gestor, el promotor-gestor con los comuneros o la cooperativa, de contrato atípico complejo de promoción, pues reúne caracteres del contrato de mandato representativo con facultades de disposición y del contrato de obra.

1. GESTOR MANDATARIO, REPRESENTANTE O PRESTATARIO DE SERVICIOS

El gestor mandatario, representante o prestatario de servicios de comunidades o de cooperativas de viviendas son gestores en sentido estricto, esto es, personas físicas o jurídicas que intervienen en el proceso constructivo realizando una labor de asesoramiento, gestión y/o representación de la comunidad de propietarios o de la cooperativa de viviendas. Su intervención en la promoción no desvirtúa el carácter solidario de la autopromoción colectiva.

1.1. Finalidad de los contratos de mandato, de arrendamiento de servicios y de la representación

Los gestores de cooperativas o de comunidades suelen calificar el contrato en virtud del cual intervienen en la promoción de contrato de mandato o de arrendamiento servicios. Ambos contratos de servicios se caracterizan por la ajenidad del interés gestionado por el mandatario o el representante[27]. Se diferencian, no obstante, en el objeto del contrato, que en el mandato consiste en la celebración de negocios jurídicos y en el arrendamiento de servicios en la realización de un trabajo material o intelectual[28].

En particular, en el contrato de mandato, la finalidad es la cooperación entre dos personas en la cual el mandatario desarrolla en interés del mandante una actividad con trascendencia jurídica en la esfera del mandante[29]. Por otro lado, en el contrato de arrendamiento de servicios, el resultado perseguido por las partes es la realización de una actividad, en contraposición a la obtención de un resultado, a cambio de una remuneración[30].

Con independencia del tipo de contrato que une al gestor con la cooperativa de viviendas o los comuneros, entre ellos puede haber una relación representativa si conceden a favor del gestor un poder de representación. En defecto de una normativa especial aplicable a la relación representativa, ésta debe regirse por la regulación del mandato, a pesar de que el apoderamiento se fundara en un contrato distinto como, por ejemplo, un contrato de arrendamiento de servicios (artículo 1283 de la Propuesta de 2009 de Anteproyecto de Ley de modernización del Código civil en materia de obligaciones y contratos)[31].

Además, la actuación del representante, que siempre es en interés del representado, tiene efectos jurídicos directos en la esfera del representado si actúa en su nombre, e indirectos si actúa en nombre propio[32]. La repre-

27. Vid. María José VAQUERO PINTO, El arrendamiento de servicios. Propuesta de modelo general para la contratación de servicios, Comares, Granada, 2005, p. 239.
28. Vid. Manuel ALBALADEJO, Derecho Civil, II, Derecho de Obligaciones, 13ª ed., Edisofer, Madrid, 2008, p. 738.
29. En este sentido, vid. José Luis LACRUZ BERDEJO et al., Elementos de Derecho Civil II, Derecho de Obligaciones. Contratos y cuasicontratos. Delito y cuasidelito, vol. 2, 3ª ed., edición revisada y puesta al día por Francisco RIVERO HERNÁNDEZ, Dykinson, Madrid, 2005, pp. 209-210.
30. DÍEZ-PICAZO y PONCE DE LEÓN, Fundamentos del derecho civil patrimonial, vol. IV, op. cit., pp. 459-460.
31. Según el artículo 1283 de la Propuesta elaborada por la Comisión General de Codificación, y publicada en el Boletín de Información del Ministerio de Justicia (Gobierno de España), año LXIII, enero de 2009, «[l]a relación entre representante y representado se rige por las normas de este Capítulo, por aquéllas que les sean aplicables según su naturaleza y subsidiariamente por las establecidas en este Código para el contrato de mandato». Este precepto sigue la tesis propuesta por el Luis DÍEZ-PICAZO y PONCE DE LEÓN, La representación en el derecho privado, Civitas, Madrid, 1979, reimpresión 1992, p. 66.
32. En este sentido, vid. José Luis LACRUZ BERDEJO et al., Elementos de Derecho Civil I, Parte General, Derecho Subjetivo. Negocio Jurídico, vol. 3, 3ª ed., edición

sentación como el mandato tiene como finalidad la gestión de asuntos jurídicos ajenos. La ajenidad del interés gestionado por el mandatario o representante, no se predica del negocio jurídico celebrado, sino del interés que las partes quieren satisfacer con el mismo. La primera categoría de gestor, que incluye al gestor mandatario, prestatario de servicios y representante, cumple este requisito, a pesar del carácter retribuido de la gestión[33].

1.2. Exclusión de la condición de promotor del gestor mandatario, representante y prestador de servicios y alcance de su responsabilidad contractual

El gestor no es promotor, a los efectos de la LOE, cuando de conformidad con los términos de su contrato no goce de facultades suficientes para adoptar las decisiones esenciales de la promoción. En particular, como se analiza a continuación, no son promotores el mandatario o representante con facultades de administración propias de la gestión ordinaria de la promoción y el gestor prestador de servicios.

1.2.1. Gestor mandatario o representante con facultades de administración propias de la gestión ordinaria

No es promotor a efectos de la LOE el agente que se encarga de programar e impulsar la edificación por cuenta y nombre del dueño de la obra en virtud de un contrato de mandato, o un poder de representación, con facultades de administración propias de la gestión ordinaria de la promoción, pues carece de las facultades suficientes para decidir los elementos esenciales de la promoción[34]. En tal caso, el dueño de la obra conserva el poder de decisión sobre la promoción mediante las instrucciones con las que determina el encargo y sus modificaciones.

Por actos de administración debe entenderse:

a) Los actos de ejecución de las decisiones o instrucciones dadas por los comuneros, el Consejo rector o la Asamblea general de la cooperativa de viviendas.

b) La toma de decisiones por el gestor, siempre que no tengan un

---

revisada y puesta al día por Jesús Delgado Echeverría, Dykinson, Madrid, 2005, p. 274.

33. Díez-Picazo y Ponce de León, *La representación en el derecho privado, op. cit.*, pp. 51-53, señala que el carácter retribuido de la gestión no excluye la ajenidad del interés gestionado.

34. Excluyen la condición de promotor al gestor que actúa como mero mandatario las SSAP Barcelona, Civil, Sec. 16ª, 2.2.2010 (JUR 2010, 158135); y Jaén, Civil, Sec. 1ª, 10.3.1997 (AC 1997, 459).

carácter significativo y pertenezcan a la gestión ordinaria de la promoción[35].

La actuación de los gestores en nombre y cuenta de la cooperativa o de los comuneros, y de acuerdo con las instrucciones de éstos, ha sido exigida por el regulador como requisito indispensable para la intervención de gestores en promociones de VPO [artículo 1.b), párrafo primero, Real Decreto 2028/1995]. Además, el párrafo segundo del mismo artículo establece que «[l]as facultades establecidas en los mencionados mandatos, poderes o contratos deberán referirse sólo a los actos de administración propios de la gestión de la promoción (...)».

Además, el gestor mandatario o representante no responde por incumplimiento del contrato de mandato si finalizada la promoción la edificación presenta vicios o defectos constructivos o cualquier otra falta de conformidad[36]. En efecto, si bien en virtud del 1718 del Código civil el mandatario «queda obligado por la aceptación a cumplir el mandato y responde de los daños y perjuicios que, de no ejecutarlo, se ocasionen al mandante», aquél no garantiza el cumplimento de la obligación que contrae en nombre del mandante.

Así, por ejemplo, el gestor mandatario o representante que contrata al arquitecto proyectista en nombre y cuenta de la cooperativa de viviendas o de los comuneros, de acuerdo con las instrucciones proporcionadas por

---

35. Sobre el concepto de actos de administración vid. Antoni MIRAMBELL I ABANCÓ, «La administración de bienes o patrimonios ajenos: un proyecto de regulación en el derecho civil de Cataluña», en Martín GARRIDO MELERO y Josep María FUGARDO ESTIVILL (Coords.), El patrimonio familiar, profesional y empresarial. Sus protocolos, vol. 1, Bosch, Barcelona, 2005, pp. 172-184, quien señala (p. 173) que «en sentido económico, la administración ordinaria permite también la realización de algunos y limitados actos de disposición, exclusivamente relativos a los frutos y a aquellos bienes que puedan perderse o los relativos a la financiación de gastos ordinarios (...)»; DÍEZ-PICAZO y PONCE DE LEÓN, La representación en el derecho privado, op. cit., pp. 176-177; José LEÓN ALONSO, «Comentario a los artículos 1.709 a 1.715 del Código Civil», PAZ-ARES RODRÍGUEZ, BERCOVITZ RODRÍGUEZ-CANO, DÍEZ-PICAZO y PONCE DE LEÓN y SALVADOR CODERCH (Dirs.), Comentario del Código Civil, op. cit, tomo II, p. 1532; y Ana COLÁS ESCANDÓN, «Comentario a los artículos 1709 a 1739 del Código Civil», en BERCOVITZ RODRÍGUEZ-CANO (Coord.), Comentarios al Código Civil, op. cit., pp. 1963-1964.

36. En este sentido en la doctrina, CORDERO LOBATO, Comentario a la sentencia de 3 de octubre de 1996, op. cit., p. 249, afirma que «[e]l mandatario no asume el riesgo de que resulte incumplida la obligación que contrae para el mandante (esto es, no incumple el mandato cuando la vivienda se arruina), salvo que el incumplimiento del tercero fuera altamente probable por tratarse de alguien notoriamente incapaz (art. 1721.2 CC)». En términos parecidos, vid. MARÍN GARCÍA DE LEONARDO, La figura del promotor en la Ley de Ordenación de la Edificación, op. cit., p. 61.

aquellos, no responde por incumplimiento contractual si finalizada la obra la edificación presenta defectos debidos a la defectuosa proyección de la misma.

1.2.2. Gestor prestador de servicios

Tampoco puede ser calificado de promotor a efectos de la LOE el gestor que interviene como prestador de servicios en virtud de un contrato de arrendamiento de servicios, si éste no le otorga facultades suficientes para decidir los elementos esenciales de la promoción[37].

La obligación del gestor prestador de servicios consiste en ejecutar los servicios contratados de acuerdo con las instrucciones de la otra parte contractual. Aunque no puede hablarse de relación de dependencia en sentido estricto, el prestador tiene la obligación de actuar de acuerdo con las instrucciones de la otra parte del contrato, excepto cuando aquellas supongan una intromisión en el ámbito profesional del prestador[38].

En este sentido se pronuncia, la SAP Murcia, Civil, Sec. 4ª, 31.1.2013 (JUR 2013, 90643), que señala que: «De los (...) hechos declarados probados, así como de las diversas actas de la Sociedad Cooperativa La Glorieta aportados a los autos, resulta que las entidades Euroland y Ecovia actuaron como meros gestores y asesores de la promoción de las viviendas, no constando que adoptaren acuerdos de contratación en el proceso constructivo con autonomía o al margen de las decisiones adoptadas por los órganos de la Sociedad Cooperativa, de forma tal que fue ésta la que actuó como verdadera promotora, por lo que la responsabilidad que se imputa a las entidades referidas no se puede basar en su condición de promotoras, pues su actuación fue en el ámbito del contrato de arrendamiento concertado el 28 de mayo de 1997» (FD 7º)[39].

---

37. Sin embargo, tal y como afirma González Tausz, La promoción inmobiliaria encubierta: un fraude de ley, op. cit., p. 105, hay casos en los que «el amplio espectro de servicios que presta unido a una escasa supervisión y decisión de los órganos rectores invita al gestor a decidir por la cooperativa».

38. En este sentido, Díez-Picazo y Ponce de León, Fundamentos del derecho civil patrimonial, vol. IV, op. cit., p. 463.

39. Otro ejemplo en que el tribunal excluye la condición de promotor del gestor prestatario de servicios puede verse en la SAP Valencia, Civil, Sec. 7ª, 6.5.2011 (JUR 2011, 301661). Constituida una cooperativa de viviendas aquella adquirió una parcela en Puerto de Sagunto (Valencia) con el objeto de construir 14 viviendas unifamiliares con elementos comunes. La cooperativa nombró al presidente y al secretario los cuales contrataron a «Plocad Gestión, S.L.» para gestionar la promoción. En las reuniones semanales si bien en muchos casos asistía «Plocad Gestiones, S.L.» en nombre de la propiedad, otras veces acudían el consejo rector y la comisión de la obra. Los socios contrataron a un arquitecto para vigilar la ejecución de la obra. Con posterioridad a la adjudicación de las viviendas aparecieron vicios constructivos, en los garajes y en los elementos comunes. La comunidad de propietarios demandó al arquitecto director de la obra, a los arquitectos técnicos, a «Plocad Gestión S.L.» como promotora, y a la constructora, y solicitó

En la misma línea puede citarse la SAP Cádiz, Civil, Sec. 1ª, 27.12.2002 (JUR 2003, 113804), la cual excluye expresamente de la condición de promotor al gestor de la cooperativa de viviendas el contrato del cual[40]: «(...) no es de construcción, ni siquiera es el encargo de promover un edificio; sino de asesoramiento. Es normal que una cooperativa formada por trabajadores, algunos parados, ignore los problemas burocráticos, técnicos y legales inherentes al proceso constructivo, y que se busque la colaboración de una empresa, especializada para ello. Pero esto no convierte al asesor en promotor, pues no sustituye al interesado ni toma decisiones por él ni le dirige» (FD 6º)[41].

El gestor prestatario de servicios no responde por incumplimiento del contrato si finalizada la promoción la edificación presenta vicios o defectos constructivos o cualquier otra falta de conformidad. El gestor que se obligó a prestar los servicios de llevanza de la contabilidad, de asesoramiento en asuntos jurídicos o técnicos, responde por incumplimiento contractual

---

la reparación de los defectos con base el artículo 17 LOE, y en relación con la promotora, además con base en los artículos 1101 y ss., y 1124 CC. El JPI nº 16 de Valencia (25.5.2010) estimó en parte la demanda y condenó a la constructora y al arquitecto director de la obra, y absolvió al resto de demandados. La AP desestimó el recurso de apelación de la comunidad, pues consideró que el hecho de gestionar la promoción a cambio de una retribución mensual «sin asumir los riesgos de la construcción ni, por tanto, sus beneficios» excluye al gestor de la condición de promotor (FD 3º).

40. En el mismo sentido, *vid.* la SAP Cádiz, Civil, 25.7.1996 (AC 1996, 2549) la cual absuelve la entidad gestora «Rochdale, Gabinete Asesor de Cooperativas», cuyos servicios profesionales fueron arrendados por la cooperativa para que realizara gestiones exclusivamente de asesoramiento.

41. La SAP Cádiz, Civil, Sec. 1ª, 27.12.2002 (JUR 2003, 113804) resuelve el siguiente caso. «VITRA-Andalucía, Sociedad Cooperativa Andaluza» proyectó la construcción de un edificio de 123 viviendas VPO en Puerto Real (Cádiz). La cooperativa celebró un contrato de asesoramiento con «G.P.S. Gestión S.A.». «La gestora no firmó el contrato de construcción, no era dueña del solar, ni siquiera lo eligió, así como tampoco a la compañía que construyó sobre él, sino que lo hicieron los cooperativistas. Tampoco participó en la ejecución de la obras y además no estaba autorizada para decir en qué tenían que consistir aquellas, ni a modificarlas; (...) no ofreció las viviendas a los posibles interesados, ni designó a los adjudicatarios, ni intervino en su integración en la cooperativa ni en la escritura de adquisición. Por último, no recibió poderes de los cooperativistas, que en cambio sí los otorgó y muy amplios a favor de VITRA (...)». Con posterioridad a la adjudicación de las viviendas a los socios, aparecieron filtraciones en el garaje, humedades en las viviendas y zonas comunes, así como eflorescencia en el revestimiento de las fachadas y fisuras en éstas, y defectos de calidades. La comunidad de propietarios demandó a la gestora, la constructora y los técnicos, y solicitó la reparación de los vicios y defectos constructivos con base en los artículos 1591.I y 1101 CC. El JPI nº 1 de Puerto Real (19.11.2001) estimó la demanda. La AP estimó el recurso de apelación de la gestora a quien absuelve, pues no reúne las características de la figura del promotor.

siempre que no cumpla o cumpla defectuosamente el trabajo material o intelectual contratado por los comuneros o la cooperativa de viviendas[42], incurriendo en dolo (artículo 1107 CC) o culpa (artículo 1104 CC) de acuerdo con el estándar de diligencia aplicable a este tipo de profesionales.

2. PROMOTOR-GESTOR

En contraposición con el gestor mandatario, representante o prestatario de servicios, el promotor-gestor de comunidades o de cooperativas de viviendas es el gestor que actúa en el proceso constructivo como promotor. Cuando en la promoción interviene un promotor-gestor, ésta no puede ser calificada de autopromoción en sentido estricto[43], sino de promoción inmobiliaria encubierta o de falsa autopromoción[44].

Algunos autores han calificado al promotor-gestor de falso-gestor. El calificativo «falso» da razón del hecho que el gestor es una promotor profesional que utiliza la estructura típica de la autopromoción colectiva, la comunidad de propietarios o la cooperativa de viviendas, para llevar a cabo su actividad empresarial o profesional. En efecto, la actividad del promotor-gestor va más allá del mero asesoramiento legal, financiero o técnico del colectivo, o de la representación de los intereses de los comuneros o socios. El promotor-gestor adopta el papel protagonista de la promoción y toma las decisiones sobre los elementos esenciales de la misma[45].

La jurisprudencia del Tribunal Supremo sobre responsabilidad por

---

42. En este sentido, Lacruz Berdejo et al., *Elementos de Derecho Civil II, Derecho de Obligaciones. Contratos y cuasicontratos. Delito y cuasidelito*, vol. 2, *op. cit.*, p. 207; y Díez-Picazo y Ponce de León, *Fundamentos del derecho civil patrimonial*, vol. IV, *op. cit.*, p. 463.

43. En términos parecidos, *vid.* Lambea Rueda, *Cooperativas de viviendas: promoción, construcción y adjudicación de la vivienda al socio cooperativo, op. cit.*, p. XXI, de acuerdo con la cual la promoción en cooperativas de viviendas se practica «en la actualidad en términos muy similares a la promoción inmobiliaria más "pura", debido principalmente a la intervención "de facto" de algunos sujetos de reciente aparición»; y Martínez Escribano, *Responsabilidades y garantías de los agentes de la edificación, op. cit.*, p. 185.

44. Emplean la expresión «promoción inmobiliaria encubierta» González Tausz, *La promoción inmobiliaria encubierta: un fraude de ley, op. cit.*, p. 95 y la SAP Madrid, Civil, Sec. 14ª, 21.3.2010 (JUR 2010, 234090).

45. De acuerdo con la Confederación de Cooperativas de Viviendas de España (CON-COVI), *Guía del socio cooperativista de viviendas*, «[e]ste modelo, muy implantado en la actualidad, puede entrar en contradicción con los principios básicos del cooperativismo si la gestora exagera su protagonismo y "aprisiona", en la práctica, a la cooperativa (...) [por lo que] cabe el peligro de caer en una especie de seudocooperativismo».

ruina y el artículo 17.4 LOE atribuyen a los gestores incluidos en la segunda categoría mencionada, el promotor-gestor de comunidades o de cooperativa de viviendas, la condición de promotor.

2.1. Fraude de ley como fundamento jurídico de la condición de promotor del promotor-gestor bajo la vigencia del artículo 1591.I CC

2.1.1. Jurisprudencia del Tribunal Supremo bajo la vigencia del artículo 1591.I CC

Bajo la vigencia del régimen de responsabilidad del artículo 1591.I CC el Tribunal Supremo atribuyó la condición de promotor al promotor-gestor de comunidades de propietarios[46] y de cooperativas de viviendas[47]. En las primeras sentencias sobre la materia, el Tribunal Supremo fundamentó la aplicación de la responsabilidad del artículo 1591.I del Código Civil al gestor que actúa como promotor con base en la doctrina del fraude de ley del artículo 6.4 CC. Añadía como fundamentos a favor de esta tesis, el principio de buena fe en el ejercicio de los derechos del artículo 7.1 del Código Civil y la prohibición de cláusulas abusivas en los contratos con consumidores y usuarios del hoy derogado artículo 10.c) de la LGDCU[48].

En una de las primeras sentencias sobre la materia, en particular en

---

46. A los efectos del artículo 1591.I CC, atribuyen la condición de promotor al gestor de la comunidad de propietarios las SSTS, 1ª, 31.3.2005 (RJ 2005, 2743); 16.12.2004 (RJ 2005, 272); 25.2.2004 (RJ 2004, 1635); 15.3.2001 (RJ 2001, 3194); 26.6.1997 (RJ 1997, 5149); 15.10.1996 (RJ 1996, 7111); y 3.10.1996 (RJ 1996, 7006). En la jurisprudencia menor, *vid.* las SSAP Madrid, Civil, Sec. 12ª, 18.4.2013 (JUR 2013, 209502); Madrid, 10.2.2013, Civil, Sec. 14ª, 10.2.2013 (JUR 2013, 173358); Cantabria, Civil, Sec. 4ª, 21.9.2011 (JUR 2012, 390762); Madrid, Civil, Sec. 19ª, 6.5.2011 (JUR 2011, 312611); Madrid, Civil, Sec. 20ª, 17.6.2009 (JUR 2009, 343732); Cantabria, Civil, Sec. 2ª, 18.3.2009 (JUR 2009, 234799); Cantabria, Civil, Sec. 4ª, 5.6.2008 (JUR 2008, 355543); Madrid, Civil, Sec. 14ª, 21.11.2006 (JUR 2007, 67880); Córdoba, Civil, Sec. 3ª, 28.7.2003 (JUR 2003, 220299); y Tarragona, Civil, 9.3.1993 (EDJ 1993/12208).
47. A los efectos del artículo 1591.I CC, atribuyen la condición de promotor al gestor de la cooperativa de viviendas las SSTS, 1ª, 27.4.2009 (RJ 2009, 2899); y 24.9.1991 (RJ 1991, 6279). En la jurisprudencia menor *vid.* las SSAP Madrid, Civil, Sec. 8ª, 27.9.2010 (JUR 2010, 361832); Madrid, Civil, Sec. 11ª, 8.2.2010 (JUR 2010, 124546); Madrid, Civil, Sec. 11ª, 15.4.2008 (JUR 2008, 179487); Madrid, Civil, Sec. 9ª, 17.3.2008 (JUR 2008, 151929); Valencia, Civil, Sec. 7ª, 28.5.2007 (JUR 2007, 260305); Madrid, Civil, Sec. 14ª, 24.5.2007 (JUR 2007, 268810); Asturias, Civil, Sec. 6ª, 21.11.2006 (JUR 2007/45895); Madrid, Civil, Sec. 9ª, 14.3.2003 (JUR 2004, 157300); y Álava, Civil, Sec. 2ª, 29.9.1999 (AC 1999, 2128).
48. Equivalente al vigente artículo 80.1.c) TRLGDCU.

la STS, 1ª, 3.10.1996 (RJ 1996, 7006), el Tribunal Supremo consideró que las sociedades de gestión

«... cuando de hecho son auténticas promotoras, según el sentido jurisprudencial, no pueden quedar excluidas de la responsabilidad decenal por el hecho de interponer, mediante un contrato de adhesión, la figura de una Comunidad de Propietarios, si ello además reviste la finalidad fraudulenta de evitar que se les aplique el artículo 1591 del Código Civil» (FD 3º)[49].

Y la posterior STS, 1ª, 15.10.1996 (RJ 1996, 7111) añade que

«... [n]o es posible admitir que por medio de artificiosidades jurídicas se pueda eludir la Jurisprudencia que extiende al promotor-vendedor las responsabilidades por vicios ruinógenos con la creación de figuras interpuestas, sea en forma de gestoras inmobiliarias u otras semejantes, cuyo propósito, pese a formar parte de una operación diseñada con la finalidad última de vender una casa construida, sea impedir o traspasar aquellas responsabilidades» (FD 2º)[50].

---

49. La STS, 1ª, 3.10.1996 (RJ 1996, 7006) resuelve el caso siguiente. «Renosa» publicitó la promoción de un edificio de 66 viviendas en Durango (Vizcaya). Los particulares interesados tenían que suscribir con el gestor un contrato de adhesión confeccionado previamente por aquél, en virtud del cual los particulares pasaban a formar parte de una comunidad de propietarios, la cual se constituía con la finalidad de comprar un solar y construir la edificación. En el contrato de adhesión se determinaban, entre otros elementos, el precio de la vivienda, que no excedería del fijado más un 15%; las parcelas en las que se construirían las viviendas; el tipo de vivienda que sería adjudicada; y el arquitecto que redactaría el proyecto del edificio. Además, el cliente se obligaba a otorgar a favor del gestor un amplísimo poder, con carácter irrevocable, hasta la terminación de las obra; y a remunerar al gestor por sus servicios con un 12% del total de los gastos de la promoción, más el 12% del importe que se obtendría con las ventas de los locales comerciales. Con posterioridad a la adjudicación de las viviendas, aparecieron vicios constructivos en las mismas. La Comunidad de Propietarios demandó a los técnicos, la gestora y la constructora, y solicitó la reparación de los vicios con base en el artículo 1591.I CC. El JPI nº 1 de Durango (19.2.1991) estimó en parte la demanda, absolvió a los arquitectos y a la gestora al considerar que no podría encuadrársela en el concepto de promotora, sino de mandataria de la Comunidad, y condenó al resto de demandados. La AP de Bilbao (Sec. 3ª, 10.6.1992) estimó el recurso de apelación de la comunidad de propietarios, en el sentido de ampliar la condena a los arquitectos superiores y a «Renosa» la cual actuaba como verdadera promotora. El TS desestimó el recurso de casación interpuesto por «Renosa» y confirmó la SAP. Aunque la gestora «figure en los contratos como representante o mandataria de la misma, es lo cierto que todo lo tenía planeado y que ha impuesto su voluntad en todo lo relativo a la edificación y personas físicas o jurídicas en ella intervinientes, lo que la configura como promotora (...)» (FD 3º).

50. Los hechos que dieron lugar a la STS, 1ª, 15.10.1996 (RJ 1996, 7111) son los siguientes. La sociedad «Tinsa» vendió a Santiago, Gregorio y otros un solar y se obligó con ellos a participar en la ordenación de la ejecución de la obra que se llevaría a cabo en el mismo. Con posterioridad a la finalización de la obra, aparecieron defectos constructivos en las viviendas de Santiago y Gregorio. Estos de-

2.1.2. Interpretación teleológica del artículo 1591.1 CC y de la jurisprudencia que lo desarrolla

Son en fraude de ley, según el artículo 6.4 del Código Civil, «[l]os actos realizados al amparo del texto de una norma que persigan un resultado prohibido por el ordenamiento jurídico, o contrario a él». El negocio en fraude de ley, explica Federico DE CASTRO y BRAVO[51], constituye un supuesto especial de fraude de ley que consiste

> «... en utilizar un tipo de negocio o un procedimiento negocial con el que se busca evitar las normas dictadas para regular otro negocio; aquel, precisamente, cuya regulación es la que corresponde al resultado que se pretende conseguir con la actividad puesta en práctica».

Más recientemente, Pablo SALVADOR CODERCH señala que[52]

> «... en los negocios en fraude de ley, la libertad de configuración propia de la autonomía privada se ejercita para alcanzar un resultado incompatible con el establecido por las leyes o al que las leyes asocian imperativamente consecuencias que las partes pretenden rehuir».

En consecuencia, el elemento característico del negocio en fraude de ley es el uso de rodeos para evitar la aplicación de una norma imperativa[53]. Tradicionalmente, la doctrina había discutido la independencia de la figura del fraude de ley respecto de la interpretación de las normas jurídicas. En la actualidad, la mejor doctrina acepta que el fraude de ley es un instrumento mediante el cual se alcanza una interpretación teleológica de la ley (artículo 3.1, *in fine*, CC), o una aplicación por analogía (artículo 4.1 CC) a supuestos inicialmente no previstos[54].

---

mandaron a «Inosa», a «Tinsa», a Eduardo y a Carlos, y solicitaron una indemnización de 57.523,58 € con base en el artículo 1591.I CC. El JPI nº 12 de Madrid (20.3.1991) estimó la demanda. La AP de Madrid (Sec. 14ª, 3.12.1992) confirmó la SJPI. El TS desestimó el recurso de casación interpuesto por «Tinsa». «El contrato denota que las obligaciones y derechos derivados del mismo, exceden de las propias de un simple contrato de compraventa [del solar] y participan en la ordenación de la ejecución de obra siguiente cronológicamente» (FD 2º). Además, aplican expresamente la doctrina del fraude de ley del artículo 6.4 del Código Civil a la actuación del gestor de comunidades de propietarios o de cooperativas de viviendas las SSTS, 1ª, 31.3.2005 (RJ 2005, 2743); 16.12.2004 (RJ 2005, 272) y la SAP Álava, Civil, Sec. 2ª, 29.9.1999 (AC 1999, 2128).

51. Federico de CASTRO y BRAVO, *Derecho Civil de España*, tomo III, Thomson-Civitas, Cizur Menor (Navarra), 2008, p. 370.

52. Pablo SALVADOR CODERCH, «Simulación negocial, deberes de veracidad y autonomía privada», en Jesús María SILVA SÁNCHEZ y Pablo SALVADOR CODERCH, *Simulación y deberes de veracidad. Derecho civil y derecho penal: dos estudios de dogmática jurídica*, Civitas, 1999, p. 64.

53. Vid. CASTRO y BRAVO, *Derecho Civil de España*, tomo III, *op. cit.*, p. 370.

54. En este sentido, *vid.* CASTRO y BRAVO, *Derecho Civil de España*, tomo III, *op. cit.*, p. 371; Pablo SALVADOR CODERCH, Albert AZAGRA MALO y Antonio FERNÁNDEZ CRENDE, «Autonomía privada, fraude de ley e interpretación de los negocios jurídi-

Para calificar jurídicamente un negocio de fraude es preciso interpretar la ley imperativa cuya aplicación las partes pretendían eludir mediante el uso de rodeos. Si la norma interpretada atendiendo a su espíritu y finalidad incluye el negocio realizado por las partes en su ámbito de aplicación hay fraude de ley[55].

La apreciación de fraude de ley puede realizarse mediante la aplicación por analogía de la ley imperativa al negocio jurídico en cuestión si aquél carece de una regulación concreta. La norma imperativa que «no contempl[a] [el] supuesto específico, pero regul[a] otro semejante entre los que se aprecie identidad de razón» (artículo 4.1 CC), se aplicará por analogía. Con todo, debe tenerse en cuenta los límites de establecidos por el artículo 25.1 CE y el artículo 4.2 CC que impiden la aplicación analógica de normas sancionadoras[56].

De acuerdo con la doctrina anterior, para calificar el contrato que el gestor celebra, con la comunidad o la cooperativa, de negocio en fraude de ley, es preciso interpretar teleológicamente la norma cuya aplicación se pretende rehuir, es decir, el artículo 1591.I CC.

Sin embargo, no es correcto hablar de interpretación finalista o analógica del artículo 1591.I CC en sentido estricto, puesto que el precepto no menciona de manera expresa la legitimación pasiva del promotor. Por ello, la interpretación finalista debe hacerse en relación con la doctrina que la jurisprudencia reiterada del Tribunal Supremo creó en desarrollo de dicho precepto[57].

La jurisprudencia del Tribunal Supremo aplicable, con anterioridad a la STS, 1ª, 3.10.1996 (RJ 1996, 7006), era la siguiente: el promotor que ha construido o ha hecho construir una edificación y con posterioridad la enajena a terceros con fines de lucro responde frente a éstos y ante los

---

cos», *InDret 3/2004*, pp. 8-12; y Fernando GÓMEZ POMAR, «Fraude de ley, teoría de la interpretación y regulación de precios mínimos», *InDret 3/2004*, pp. 2 y 21.

55. En este sentido, *vid.* CASTRO y BRAVO, *Derecho Civil de España*, tomo III, *op. cit.*, p. 371.

56. José MARÍA PENA LÓPEZ, «Comentario al artículo 4 del Código Civil», en BERCOVITZ RODRÍGUEZ-CANO (Coord.) *Comentarios al Código Civil, op. cit.*, p. 53, pone de relieve que «si bien es cierto el artículo 25 [CE] no es aplicable a las normas sancionadoras del "ordenamiento privado" directamente, como afirma la doctrina del TC (S. 26 de julio 1983 [RTC 1983, 69]; (...) a mi juicio (...) allí donde encontremos sanciones civiles informadas por el principio de tipicidad, se producirán todas sus consecuencias y, entre ellas, la imposibilidad de aplicación analógica (a este respecto se entendió que la enumeración del art. 116 CC era típica por STS 28 noviembre 1989 [RJ 1989, 7915])».

57. En particular, la jurisprudencia del Tribunal Supremo sobre la materia con anterioridad a la STS, 1ª, 3.10.1996 (RJ 1996, 7006).

futuros adquirentes de los daños y perjuicios derivados de la ruina del edificio, durante el plazo de garantía de diez años.

La interpretación de la regla jurisprudencial anterior de acuerdo con «el sentido propio de sus palabras» (artículo 3.1, *ab initio*, CC) excluía al gestor que interviene en la promoción en virtud de un contrato de mandato o de arrendamiento de servicios. El gestor no construye ni hace construir la edificación, sino que su intervención en la obra se limita a la actuación en nombre y por cuenta de los comuneros o de la cooperativa.

Sin embargo, el propio Tribunal Supremo hace una interpretación finalista de su propia jurisprudencia y llega a la conclusión que su propósito es proteger a los adquirentes de viviendas frente a aquellos que intervienen en el mercado inmobiliario y reúnen los siguientes requisitos, con independencia del título en virtud del cual actúen: a) Realización de la obra por cuenta y beneficio propio; b) control sobre el proceso constructivo; c) obtención de un beneficio económico e intención de transmitir las viviendas a terceros; d) profesionalidad y confianza de los terceros adquirentes en su prestigio comercial[58].

En síntesis, también son promotores aquellos profesionales, que con un interés propio en la explotación económica de la edificación, intervienen como mandatarios o prestatarios de servicios con la finalidad fraudulenta de eludir la responsabilidad derivada de la promoción inmobiliaria. En consecuencia, debe aplicarse a estos gestores la norma que han intentado eludir, que no es otra que la responsabilidad por ruina derivada del artículo 1591.I CC.

2.2. Artículo 17.4 LOE como fundamento jurídico de la condición de promotor del promotor-gestor bajo la vigencia de la LOE

2.2.1. El artículo 17.4 LOE recoge la jurisprudencia anterior

Tras la entrada en vigor de la Ley de Ordenación de la Edificación, el fundamento jurídico relevante a los efectos de atribuir la condición de promotor al gestor que actúa como tal es el artículo 17.4 LOE. El precepto recoge de manera expresa la regla jurisprudencial que desarrolló el Tribunal Supremo en aplicación del artículo 1591.I CC al señalar que

«... la responsabilidad del promotor que se establece en esta Ley se extenderá a las personas físicas o jurídicas que, a tenor del contrato o de su intervención decisoria en la promoción, actúen como tales promotores bajo

---

58. Para un análisis en profundidad del concepto de promotor en la jurisprudencia sobre responsabilidad por ruina *vid.* el epígrafe 2.2, apartado I, Capítulo Segundo.

la forma de promotor o gestor de cooperativas o de comunidades de propietarios u otras figuras análogas»[59].

Como ya se ha señalado, a pesar de que el artículo 17.4 LOE únicamente se refiere a la extensión de la responsabilidad del promotor al gestor de comunidades o de cooperativas de viviendas cuando actúa como tal, el gestor es promotor a todos los efectos, siempre que se cumplan los requisitos legales.[60] De modo que, en estos casos, el gestor no sólo responde con base en el régimen de responsabilidad del artículo 17.3, *in fine*, LOE, sino que también está sujeto al cumplimiento de las obligaciones que la Ley impone a todo promotor.

Esta es la interpretación que ha acogido el artículo 15.2 de la Ley de Madrid 2/1999, de acuerdo con el cual «(...) son también [promotores], *a los mismos efectos*, las entidades privadas, cualquiera que sea su naturaleza jurídica, que, reuniendo las condiciones antes descritas, actúen en beneficio de sus asociados o de comunidades que ellos mismos promuevan» (énfasis añadido).

Por último, es relevante precisar que la previsión del artículo 17.4 LOE no equivale a que, en todo caso, el gestor de cooperativas o de comunidades de propietarios asuma las responsabilidades propias de esta figura. El precepto exige que el demandante pruebe que el gestor efectivamente ha actuado como un auténtico promotor, con independencia del nombre que se haya dado a sí mismo[61].

---

59. A los efectos del artículo 17.4 LOE, atribuyen la condición de promotor al gestor de la comunidad de propietarios o de la cooperativa de viviendas las SSAP Valladolid, Civil, Sec. 3ª, 5.6.2013 (JUR 2013, 246511); Barcelona, Civil, Sec. 1ª, 22.4.2013 (JUR 2013, 195890); Madrid, Civil, Sec. 18ª, 8.4.2013 (JUR 2013, 195766); Madrid, Civil, Sec. 13ª, 4.3.2013 (JUR 2013, 156404); Santa Cruz de Tenerife, Civil, Sec. 3ª, 24.10.2011 (JUR 2012, 81577); Madrid, Civil, Sec. 14ª, 23.12.2011 (JUR 2012, 108850); Madrid, Civil, Sec. 21ª, 27.1.2009 (JUR 2009, 15959); y Madrid, Civil, Sec. 14ª, 30.7.2008 (JUR 2008, 383268). Esta última sentencia, por ejemplo, atribuyó con base en el artículo 17.4 LOE la condición de promotor al gestor de la sociedad cooperativa de viviendas «La Codorniz». Por medio de la cooperativa, el gestor había iniciado la construcción de viviendas unifamiliares pareadas en el conjunto urbanístico «El Jardín del Deleite» de Aranjuez (Madrid). Con posterioridad a la adjudicación de las viviendas, aparecieron vicios y defectos constructivos en la vivienda de César, quien demandó al gestor, a la constructora, a los técnicos y solicitó 16.775,21 € con base en el art. 17 LOE. El JPI nº 5 de Getafe (12.12.2006) absolvió al arquitecto superior, y condenó al resto de demandados a pagar 2.031,41 €. La empresa gestora «organizó como empresaria la construcción y el negocio inmobiliario, realizándolo en su beneficio en una operación encaminada a tal fin» (FD 1º de la SAP). La AP eleva la indemnización a 12.711,59 €.

60. En la doctrina, en este sentido, *vid.* CORDERO LOBATO, *Capítulo 13. El promotor*, *op. cit.*, p. 392. En contra, MARTÍNEZ ESCRIBANO, *Responsabilidades y garantías de los agentes de la edificación, op. cit.*, p. 188.

61. GONZÁLEZ TAUSZ, *La promoción inmobiliaria encubierta: un fraude de ley, op. cit.*,

Un ejemplo relativo a la exigencia de prueba sobre tal extremo puede verse en la SAP Barcelona, Civil, Sec. 16ª, 2.2.2010 (JUR 2010, 158135). La SAP desestimó el recurso de apelación interpuesto por la Comunidad de Propietarios contra la SJPI que había absuelto a la gestora de la promoción a pagar una indemnización por vicios con base en el artículo 1591.I CC, porque la comunidad demandante no probó en juicio que la gestora había actuado como promotora. La SAP reconoce que si bien «[l]as denominadas "sociedades gestoras" como las cooperativas de viviendas pueden actuar como auténticas promotoras inmobiliarias (...) *para ello es preciso que hayan actuado como tales* (...), bien obteniendo el directo beneficio de la promoción, bien porque la cooperativa y la gestora estén interconectadas de manera que la primera sea puramente instrumental de la segunda (...) [y] [l]as consideraciones que se efectuaban en la demanda a los fines de justificar la postulada condena de las codemandadas eran puramente genéricas» (FD 3º) (énfasis añadido).

En consecuencia, la determinación de quién es promotor en la promoción en régimen de comunidad de propietarios o de cooperativa de viviendas con intervención de un gestor es una labor a realizar caso por caso. En aquellas promociones en las que el gestor haya actuado como promotor, el artículo 17.4 LOE atribuye a éste la condición de promotor. En el resto de casos, tal condición recaerá sobre la cooperativa de viviendas o sobre los comuneros[62].

2.2.2. «Actúen como tales promotores bajo la forma de (...) gestor» equivale a intervención decisoria en la promoción

Una de las primeras cuestiones que plantea el artículo 17.4 LOE es determinar cuándo las personas físicas o jurídicas

«... actú[a]n como tales promotores bajo la forma de promotor o gestor de cooperativas o de comunidades de propietarios u otras figuras análogas».

Tal y como se señala al analizar el concepto promotor en la LOE[63],

---

p. 122, propone, con el objeto de facilitar la prueba, «establecer una presunción *iuris tantum* a favor del consumidor por la que se presuma, salvo prueba en contrario, que el gestor del proyecto inmobiliario ha tenido una intervención decisiva y, por tanto, es promotor inmobiliario».

62. Sin embargo, en los casos en que sea de aplicación el régimen de responsabilidad por ruina del artículo 1591.I CC, tampoco serán considerados promotores la cooperativa de viviendas o los comuneros, pues como se analiza *supra* el Tribunal Supremo los excluyó del concepto de promotor por su ausencia de ánimo de lucro. En este sentido vid., por ejemplo, la SAP Barcelona, Civil, Sec. 16ª, 2.2.2010, FD 3º (JUR 2010, 158135), en la que la Audiencia absuelve a la empresa gestora de la cooperativa de viviendas, pues la demandante no acreditó la intervención decisoria. Por otro lado, la sentencia declara la falta de legitimación pasiva de la cooperativa *ex* artículo 1591.I CC que actuó sin ánimo de lucro.

63. *Vid.* el epígrafe 2.1 del apartado II del Capítulo Segundo.

el elemento definitorio de la figura es su intervención decisoria en el proceso de la edificación. En consecuencia, actúa como promotor aquél sujeto que haya decidido en cada caso los elementos esenciales del proceso edificatorio[64].

En particular, el artículo 17.4 LOE indica dos medios mediante a los cuales se pone de manifiesto la capacidad decisoria de la gestora sobre los elementos esenciales de la edificación:

– Por un lado, el «tenor del contrato», que une al promotor-gestor con la comunidad de propietarios o la cooperativa de viviendas. Es decir, el promotor-gestor puede adoptar las decisiones esenciales de la promoción porque determinadas cláusulas del contrato le facultan para tomar este tipo de decisiones. Esta primera categoría de casos es analizada en el apartado III de este capítulo.

– Por el otro, otras actuaciones del gestor que, más allá de lo contemplado en el contrato, supongan «su intervención decisoria en la promoción». Es decir, porque determinadas circunstancias le permiten de hecho controlar las decisiones de la cooperativa o de la comunidad. Esta segunda constelación de casos es examinada en el apartado IV de este capítulo.

2.3. Posible carácter orientativo de los requisitos exigidos por el Real Decreto 2028/1995, de 22 de diciembre

Uno de los instrumentos que puede emplearse, como guía para determinar quién tiene la condición de promotor en los supuestos de intervención de una gestor en la autopromoción colectiva, es el Real Decreto 2028/1995, de 22 de diciembre, que establece las condiciones de acceso a la financiación estatal de las viviendas de protección oficial promovidas por cooperativas de viviendas y comunidades de propietarios al amparo de Planes Estatales de vivienda[65].

La finalidad de la regulación mencionada es la protección del interés

---

64. De acuerdo con la SAP Barcelona, Civil, Sec. 16ª, 2.2.2010 (JUR 2010, 158135) «... que actúen como verdaderas promotoras [significa], en definitiva, que lleven a cabo toda la gestión, tanto constructiva como económica de la operación, eligiendo y contratando a técnicos y constructora, de manera que la obra se realice en su beneficio y vaya encaminada a la venta a terceros aunque para ello se utilicen subterfugios tales como la imposición a los adquirentes de un contrato de adhesión o el otorgamiento de amplísimo poder» (FD 3º). También, la SAP Cádiz, Civil, Sec. 1ª, 27.12.2002 (JUR 2003, 113804) afirma que a efectos de determinar la condición de promotor de la empresa gestora no «es relevante la extensa labor de asesoramiento (...) *lo que permitiría considerarla promotora es la capacidad de decisión*, que es otra cosa» (FD 6º) (énfasis añadido).
65. BOE nº 14, de 16.1.1996.

general en los casos en que un gestor profesional interviene en las promociones de viviendas protegidas ejecutadas por cooperativas de viviendas o comunidades de propietarios y, más concretamente, evitar que falsee el carácter solidario que caracteriza este tipo de promociones. Para lograr este objetivo, el Real Decreto 2028/1995 exige al gestor ciertas condiciones, cuyo incumplimiento supone la denegación del derecho a obtener la financiación cualificada.

En particular, son relevantes los requisitos exigidos por el artículo 1.b)[66] y c)[67] del Real Decreto 2028/1995 para el otorgamiento de mandatos, poderes de representación a favor del gestor, así como para la celebración de contratos de arrendamiento de servicios u otros análogos.

Si bien los requisitos que esta norma impone a los gestores son a los solos efectos del acceso a la financiación cualificada estatal de VPO, éstos pueden servir de criterios orientativos en el resto de promociones. Por ello, aunque el objeto de análisis no sea un supuesto de autopromoción colectiva de viviendas de VPO, la falta de cumplimento de los requisitos

---

66. De conformidad con el artículo 1.b) Real Decreto 2028/1995, «[e]n el supuesto de que las cooperativas otorguen mandatos o poderes de representación para el desarrollo de la gestión de la promoción, tales mandatos o poderes deberán ser expresos y conferidos por escrito, los mandatarios o apoderados actuarán siempre en nombre y por cuenta de la cooperativa y de acuerdo con las instrucciones de ésta, deberá constar expresamente en el contrato la prohibición del mandante de que el mandatario nombre sustituto y no podrán admitirse cláusulas de irrevocabilidad del mandato o poder, ni de exoneración de la responsabilidad del mandatario o apoderado. Si se suscriben contratos de arrendamiento de servicios u otros análogos con la misma finalidad expresada en el párrafo anterior, la indemnización que, en su caso, proceda por resolución de los contratos a instancia de la cooperativa, se limitará únicamente a los perjuicios que se hubieren ocasionado al prestador de los servicios, sin que sea admisible en los contratos cláusula penal alguna. Las facultades establecidas en los mencionados mandatos, poderes o contratos deberán referirse sólo a los actos de administración propios de la gestión de la promoción, sin que, en ningún caso, puedan extenderse a actos de dominio o a aquellos en los que sea preceptivo el acuerdo del Consejo rector o de la Asamblea general de la cooperativa».

67. La letra c) del anterior precepto establece que «[e]n los casos en que los estatutos de la cooperativa no atribuyan a su Asamblea general las facultades para su adopción, deberán ser ratificados por ésta los actos de aprobación y revocación o resolución, en su caso, de los contratos con la gestora, la adquisición del suelo, el encargo y aprobación del proyecto de obras, la elección de la constructora, la aprobación del contrato de ejecución de obras y la recepción de las obras. De existir en la fase de constitución de la cooperativa, y antes de la inscripción de ésta en el Registro de Cooperativas, contrato para la gestión empresarial de la promoción, el acuerdo de aprobación o ratificación a que se refiere el párrafo anterior será adoptado en la primera Asamblea de la cooperativa posterior a la inscripción de la misma en el citado Registro».

del mencionado precepto constituye un importante indicio a tener en cuenta a la hora de atribuir al gestor la condición de promotor[68].

III. CONTRATO DEL PROMOTOR-GESTOR: NEGOCIO EN FRAUDE DE LEY CALIFICABLE DE CONTRATO ATÍPICO COMPLEJO DE PROMOCIÓN

De acuerdo con el 17.4 LOE, el primer modo mediante el cual se pone de manifiesto la capacidad decisoria del gestor sobre los elementos esenciales de la edificación es el «tenor del contrato» que une al promotor-gestor con la comunidad de propietarios o la cooperativa de viviendas. En este caso la LOE atribuye al gestor la responsabilidad por vicios constructivos frente a los socios o los comuneros.

Como se expone al inicio de este capítulo, el promotor-gestor califica el contrato en virtud del cual interviene en la promoción de contrato de mandato, de arrendamiento de servicios o de representación, los cuales por definición consisten en una actuación en interés de otro. Sin embargo, el promotor-gestor no interviene en la promoción en interés ajeno –de los comuneros o cooperativistas–, sino que participa en la misma, esencialmente, en interés propio.

La ausencia de ajenidad en el interés gestionado por el mandatario o el representante es incompatible con el contrato de mandato y con la representación, incluso con la arrendamiento de servicios. Si el interés gestionado por el mandatario o representante es propio, el mandato o la representación es una vestidura jurídica utilizada para conseguir otras finalidades.

> Por ello, según Jose Luis LACRUZ BERDEJO et al., «[e]n tales situaciones estamos ante algo diferente de una verdadera representación, de la cual sólo persisten la apariencia y la vestidura formal»[69]. Se trata, de acuerdo con Luis DÍEZ-PICAZO[70], de un «mecanismo de simulación relativa (...) o bien un mecanismo fiduciario al cual el poder de representación sirve de cauce (...) o de contrapeso».

En este contexto, es ineludible el planteamiento de las siguientes cuestiones que son analizadas en este capítulo:

---

68. También consideran relevante el Real Decreto 2028/1995 como indicio significativo de la actuación de la gestora como promotora, TATO PLAZA, *As cooperativas de viviendas e a condición de promotor, op. cit.*, pp. 71-73; y LAMBEA RUEDA, *Cooperativas de viviendas: promoción, construcción y adjudicación de la vivienda al socio cooperativo, op. cit.*, pp. 479-486.

69. LACRUZ BERDEJO et al., *Elementos de Derecho Civil I, Parte General, Derecho Subjetivo. Negocio Jurídico*, vol. 3, *op. cit.*, pp. 273-274.

70. DÍEZ-PICAZO y PONCE DE LEÓN, *La representación en el derecho privado, op. cit.*, p. 52.

1° Por un lado, nos cuestionamos si el contrato del promotor-gestor es realmente un negocio jurídico celebrado en fraude de ley, tal y como entendió la jurisprudencia del Tribunal Supremo o si, por el contrario, aquél debe incluirse dentro de la categoría de negocios simulados.

2° En segundo lugar, se analiza la verdadera naturaleza jurídica del contrato del promotor-gestor y el alcance de su responsabilidad contractual frente a los socios o comuneros en casos de vicios constructivos en las viviendas adjudicadas o de cualquier otra falta de conformidad en las mismas, así como en los supuestos de entrega tardía o falta de entrega de la edificación.

1. RECHAZO DE OTRAS CALIFICACIONES COMO LA DE CONTRATO SIMULADO

El Código civil español no se refiere expresamente a la simulación. La doctrina tradicional explica la simulación como un supuesto de contrato sin causa (simulación absoluta) o un contrato con causa falsa (simulación relativa) (artículos 1276 y 1301.2 CC)[71]. Para un segundo sector doctrinal, la simulación es un caso de divergencia entre declaración y voluntad de las partes (artículo 1281.2 CC), en el que la divergencia es querida por ambas[72].

Tanto el negocio en fraude de ley como el negocio simulado se incluyen dentro de una categoría general de contratos llamados negocios anómalos, en los cuales las partes deforman la figura negocial con la finalidad de evitar la regulación normal del negocio[73]. Ambas figuras se diferencian

---

71. Así, de conformidad con de CASTRO y BRAVO, *Derecho Civil de España*, tomo III, *op. cit.*, p. 334, la simulación negocial se produce: «... cuando se oculta bajo la apariencia de un negocio jurídico normal otro propósito negocial; ya sea éste contrario a la existencia misma (simulación absoluta), ya sea el propio de otro tipo de negocio (simulación relativa)». En el mismo sentido, Luis Humberto CLAVERÍA GOSÁLVEZ, «Comentario al artículo 1276 del Código Civil», en Manuel ALBALADEJO GARCÍA (Coord.), *Comentarios al Código Civil y compilaciones forales*, Edersa, tomo XVII, vol. 1° B, Madrid, 1993, p. 3 (versión V-Lex).

72. Destaca SALVADOR CODERCH, *Simulación negocial, deberes de veracidad y autonomía privada, op. cit.*, p. 20, quien defiende que: «[l]a simulación negocial es uno de los casos en que "las palabras" son "contrarias a la intención evidente" de los autores del negocio (art. 1281.2 CC), precisamente aquél en el cual la discrepancia es querida por ellos (o por acuerdo de quien expresa fingidamente su voluntad y el destinatario de la declaración)». En el mismo sentido, CARRASCO PERERA, *Derecho de contratos, op. cit.*, pp. 142-143, quien afirma que «[l]a simulación es una discrepancia consciente y bilateral entre la voluntad de las partes y la que éstos declaran expresamente».

73. En este sentido, *vid.* CASTRO y BRAVO, *Derecho Civil de España*, tomo III, p. 329, define los negocios anómalos como «una deformación de una figura negocial,

en que, por un lado, el negocio en fraude es real y querido por las partes, aunque con finalidad indirectamente buscada. Por el otro, el negocio simulado es ficticio, inexistente y no querido por las partes en sus efectos jurídicos[74]. Sin embargo, la distinción entre ambas figuras se complica en la simulación de tipo relativo, en la que si bien las partes no desean los efectos jurídicos del negocio simulado, sí quieren los del negocio disimulado.

Una parte de la doctrina ha afirmado que fraude de ley y simulación pueden concurrir en un mismo negocio jurídico, en el *negocio en fraude simulado*, puesto que no son figuras que se excluyan entre sí[75]. De acuerdo con estos autores, el *negocio simulado no fraudulento* se produce cuando las partes simulan la celebración de un negocio sin la finalidad de evitar la aplicación de una norma imperativa; y el *negocio en fraude simulado* cuando, además del intento de evitar la aplicación de la ley defraudada, hay un negocio no querido por las partes.

Sin embargo, para otra parte de la doctrina, la tesis anterior parte de un concepto de fraude de ley amplio, que incluye toda maniobra que busca eludir la aplicación de una norma jurídica. En opinión de estos autores, negocio simulado y negocio en fraude de ley son dos figuras incompatibles. El negocio simulado que persigue eludir la aplicación de normas imperativas no es un caso de fraude de ley, sino de simulación[76].

Para poder calificar el contrato de promotor-gestor de simulación relativa deberían concurrir los siguientes requisitos:

---

querida por quienes lo crean y hecha para escapar de la regulación normal de los negocios, de la prevista y ordenada por las leyes». En términos parecidos, Mª Dolores MEZQUITA GARCÍA-GRANERO, *El fraude de Ley en la Jurisprudencia*, Thomson-Aranzadi, Cizur Menor (Navarra), 2003, p. 55.

74. En este sentido, *vid.* CASTRO y BRAVO, *Derecho Civil de España*, tomo III, p. 375; María CARCABA FERNÁNDEZ, *La simulación en los negocios jurídicos*, Bosch, Barcelona, 1986, pp. 58-59; SALVADOR CODERCH, *Simulación negocial, deberes de veracidad y autonomía privada, op. cit.*, p. 65; José Luis LACRUZ BERDEJO *et al.*, *Elementos de Derecho Civil I, Parte General, Introducción*, vol. 1, 4ª ed., edición revisada y puesta al día por Jesús DELGADO ECHEVERRÍA, Dykinson, Madrid, 2006, p. 203.

75. CASTRO y BRAVO, *El negocio jurídico, op. cit.*, pp. 330 y 375; SALVADOR CODERCH, *Simulación negocial, deberes de veracidad y autonomía privada, op. cit.*, p. 69; y Pablo SALVADOR CODERCH, Carlos GÓMEZ LIGÜERRE, Sonia RAMOS GONZÁLEZ, «Simulación civil y tributaria: sobre la distinción entre fraude de ley en sentido propio e impropio», *Actualidad civil*, nº 6, 2012, p. 6 (versión La Ley Digital).

76. En este sentido, CARCABA FERNÁNDEZ, *La simulación en los negocios jurídicos, op. cit.*, pp. 58-59; y Jorge CAFARENA LAPORTA, «Comentario al artículo 6.4 del Código Civil», Manuel ALBALADEJO GARCÍA (Coord.), *Comentarios al Código Civil y compilaciones forales*, Edersa, tomo I, vol. 1º, Madrid, 1985 (versión V-lex), p. 4.

En primer lugar, una divergencia consciente y bilateral entre la declaración y la voluntad real de las partes. Para considerar cumplido este primer requisito en el caso analizado, por un lado, de acuerdo con la declaración de voluntad manifestada por las partes estas deberían haber celebrado un contrato de mandato o de arrendamiento de servicios, con o sin facultades de representación. Este sería el negocio simulado. Por otro lado, la voluntad real de las partes debería haber sido concluir otro negocio totalmente diferente al contrato de mandato. Por ejemplo, un contrato de compraventa o de obra, el cual constituiría el negocio disimulado.

En segundo lugar, es necesaria la concurrencia de un acuerdo simulatorio bilateral. El promotor-gestor y los comuneros o la cooperativa de viviendas deberían haberse puesto de acuerdo en celebrar, por un lado, una declaración de voluntad ficticia y, por el otro, una declaración diferente que tuviera por objeto celebrar el contrato disimulado[77].

El principal obstáculo para calificar el contrato del promotor-gestor de contrato simulado es, precisamente, la inexistencia de un acuerdo simulatorio bilateral. En efecto, es poco probable que el gestor de a conocer su intención simulatoria a los comuneros o a la cooperativa de viviendas y aquéllos consientan tal intención. Fundamentalmente, porque el principal sujeto perjudicado por la simulación del negocio sería una de las partes del contrato, el comunero o cooperativista, que renunciaría de este modo a los derechos que le corresponderían como comprador o comitente de la obra.

2. CONTRATO DEL PROMOTOR-GESTOR COMO UN SUPUESTO DE FRAUDE DE LEY

Con posterioridad a la entrada en vigor de la LOE, ya no es preciso acudir a la figura del fraude de ley para atribuir la condición de promotor al promotor-gestor, porque el artículo 17.4 de la Ley ha recogido esta regla en su tenor literal. Sin embargo, la doctrina del fraude de ley continúa siendo aplicable a los efectos de impedir que el promotor-gestor evite, mediante rodeos, responder por incumplimiento contractual en virtud de los artículos 1101 y ss., y 1124 CC, en casos de vicios constructivos en

---

77. Sobre la exigencia de este requisito vid. CARRASCO PERERA, *Derecho de contratos, op. cit.*, p. 142; CARCABA FERNÁNDEZ, *La simulación en los negocios jurídicos, op. cit.*, pp. 30-31; DÍEZ-PICAZO y PONCE DE LEÓN, *La representación en el derecho privado, op. cit.*, p. 168; y José Luis LACRUZ BERDEJO *et al., Elementos de Derecho Civil II, Derecho de Obligaciones. Parte general. Teoría General del Contrato*, vol. 1, 5ª ed., edición revisada y puesta al día por Francisco RIVERO HERNÁNDEZ, Dykinson, Madrid, 2011, p. 401. En la jurisprudencia menor vid. por ejemplo las SSAP Tarragona, Civil, Sec. 1ª, 23.2.2005 (JUR 2005, 131746) y Almería, Civil, Sec. 1ª, 2.5.2000, FD 2º (AC 2000, 3537).

las viviendas adjudicadas o de cualquier otra falta de conformidad en las mismas, así como en los supuestos de entrega tardía o falta de entrega de la edificación.

En particular, el contrato del promotor-gestor debe ser calificado de contrato celebrado en fraude de ley si sigue la estructura siguiente[78]:

– El promotor-gestor celebra su contrato con los comuneros o la cooperativa con la finalidad de comercializar viviendas en el mercado obteniendo un lucro a cambio. Con todo, no celebra el negocio jurídico habitual para alcanzar la finalidad económica perseguida, es decir, un contrato de obra o de compraventa, porque el ordenamiento jurídico contiene una norma imperativa asociada a este tipo de contratos cuya aplicación pretende eludir.

– En su lugar, el promotor-gestor configura el contrato en virtud del cual interviene en la promoción –el contrato de mandato, de arrendamiento de servicios o el poder– de tal manera, que consigue el mismo resultado económico que obtendría con la celebración de un contrato de obra o de compraventa, sin asumir las consecuencias que el ordenamiento asocia a este tipo de contratos. Y, en especial, eludiendo la responsabilidad derivada de incumplimiento contractual regulada en los artículos 1101 y ss., y 1124 CC[79].

En las páginas que siguen se analizan de manera detallada cada uno de los elementos del contrato del promotor-gestor celebrado en fraude de ley.

---

78. Sobre la estructura del negocio en fraude de ley, *vid.* CASTRO y BRAVO, *Derecho Civil de España*, tomo III, p. 370; y SALVADOR CODERCH, *Simulación negocial, deberes de veracidad y autonomía privada, op. cit.*, p. 64.

79. Así lo ha reconocido la SAP Madrid, Civil, Sec. 13ª, 4.3.2013 (JUR 2013, 156404), que afirma que «[e]s perfectamente posible –y ocurre con frecuencia, como se constata en la exposición de motivos de la Ley de Ordenación de la Edificación, apartado cuarto, tercer párrafo– que una entidad ejerza toda la iniciativa, impulso, dirección y financiación –con recursos de los futuros adquirentes o de terceros que se piden en nombre de los futuros adquirentes– del proceso constructivo, aparentando ser simplemente gestora o mandataria de los integrantes de una comunidad de bienes –creada por la gestora– o de una cooperativa –controlada por la gestora–, a fin de llevar a cabo las funciones de promotor y obtener los beneficios esperados por este, pero sin asumir las responsabilidades que los artículos 1591 del Código Civil y 17 de la Ley de Ordenación de la Edificación atribuyen al promotor, haciendo pasar a los compradores de las viviendas por autopromotores, mientras que quien realmente controla las obras de edificación para su entrega a terceros, por cualquier título, y obtención del lucro que al promotor corresponde, es la gestora» (FD 3º). En el mismo sentido, *vid.* la SAP Valladolid, Civil, Sec. 3ª, 5.6.2013 (JUR 2013, 246511).

2.1. Resultado económico perseguido por el contrato del promotor-gestor. Negocio jurídico habitual para alcanzarlo

El resultado económico perseguido por el negocio jurídico celebrado entre el promotor-gestor y los comuneros o la cooperativa de viviendas es el siguiente: el promotor-gestor, a diferencia del gestor mandatario, representante o prestatario de servicios, no interviene en la promoción con la finalidad de gestionar intereses ajenos, sino que gestiona y decide la promoción en interés propio[80]. Esto es, el promotor-gestor lleva a cabo una actividad económica consistente en gestionar la construcción de viviendas y enajenarlas a terceros con la finalidad de obtener un beneficio económico.

Así lo ha reconocido la STS, 1ª, 31.3.2005 (RJ 2005, 2743) que afirma que las sociedades gestoras inmobiliarias «(...) forma[n] parte de una operación diseñada con la finalidad última de vender una casa construida (...)» (FD 3º)[81].

Por ello, puede afirmarse que el promotor-gestor actúa como *dominus negotii*, pues es él quien decide todos los elementos esenciales de la promoción y toma las decisiones económicas de la operación.

En este sentido, la STS, 1ª, 25.2.2004 (RJ 2004, 1635) pone de relieve que ««Iniciatives d'Arquitectura, S.A.» se situó en una posición de auténtica promotora: *«lejos de asumir en los contratos la posición de simple gestora de intereses ajenos, establecía un férreo control sobre la obra, antes y durante su ejecución,* lo que la situaba en una posición de auténtica promotora a los efectos de la jurisprudencia de esta Sala sobre su equiparación al

---

80. De acuerdo con MANRIQUE PLAZA, *Construcción en Comunidad, op. cit.*, p. 149, el contrato de mandato del promotor-gestor de comunidades es «... una especie de administración en provecho y por cuenta propia del que administra, sobreponiéndose y comprometiendo la voluntad colectiva de la comunidad».

81. La STS, 1ª, 31.3.2005 (RJ 2005, 2743) resuelve el caso siguiente. En 1982, «Lugarce, S.A.» concertó con «Construcciones Risca, S.A.» la construcción de un inmueble en un solar sito en Madrid, propiedad de la orden religiosa de los Padres Trinitarios. En 1990, aparecieron grietas en el edificio como consecuencia de la incorrecta disposición de las armaduras, el tratamiento inadecuado del hormigón y la inexactitud en la ejecución del proyecto. La comunidad de propietarios demandó a «Lugarce, S.A.», a la constructora y a los técnicos, y solicitó 10.659 €, así como la ejecución de las obras necesarias. El JPI nº 14 de Madrid (8.7.1996) estimó la demanda. La AP de Madrid (Sec. 13ª, 10.9.1998) confirmó la SJPI. El TS desestimó el recurso de casación interpuesto por «Lugarce, S.A.». En el recurso de casación el TS se plantea si debe responder *ex* art. 1591 CC, en concepto de promotora, una sociedad que actúa en nombre y representación de la propietaria del solar. Concluye que «Lugarce, S.A.» tiene la consideración de promotora aunque actuara en nombre y representación de la orden religiosa, al haber realizado todas las actuaciones propias de la figura del promotor, en particular, la gestión constructiva y económica de la operación.

contratista en orden a la responsabilidad establecida en el art. 1591 CC» (FD 2°) (énfasis añadido).

Por otro lado, los comuneros y los socios cooperativistas se unen a la cooperativa o a la comunidad de bienes con la finalidad última de obtener una vivienda en las condiciones ofertadas por el gestor y pagar un precio a cambio.

> Pone de manifiesto esta idea la SAP Madrid, Civil, Sec. 14ª, 21.11.2006 (JUR 2007, 67880), que afirma que «(...) la finalidad de los comuneros no era la de ser promotores, sino la de adquirir una vivienda en las condiciones ofertadas por GV4 S.L., y cuya participación en la promoción se limitó a aceptar las propuestas, actos, negocios y gestiones realizadas por la verdadera promotora, GV4 S.L., como única forma de ver concluidas las viviendas que adquirían» (FD 4°).

El negocio jurídico típico que permite alcanzar el resultado económico perseguido por las partes es el contrato de obra o contrato de compraventa de vivienda en construcción, pues el Código Civil español no contiene precepto alguno que regule el contrato de promoción inmobiliaria. Con todo, el promotor-gestor pretende evitar la aplicación del régimen jurídico de los contratos mencionados y, en particular, eludir la posible responsabilidad derivada de un posible incumplimiento del contrato de obra o compraventa.

2.2. Configuración negocial del contrato del promotor-gestor: cláusulas contractuales habituales que muestran el interés propio del gestor en la promoción

En el negocio en fraude de ley, las partes en uso de su autonomía privada configuran un negocio jurídico distinto al contrato de compraventa o de obra para conseguir la misma finalidad económica. Concretamente, en el caso analizado, es una de las partes del contrato, el promotor-gestor, quien configura el contrato, pues aquél impone a los interesados en formar parte de la comunidad o de la cooperativa la adhesión a una serie de cláusulas predispuestas que, en su mayoría, no han sido negociadas individualmente.

De este modo, el gestor configura el negocio de tal manera que consigue el mismo resultado económico que obtendría con la celebración de un contrato de compraventa o de obra, comercializar viviendas en el mercado obteniendo un beneficio económico a cambio, sin asumir las obligaciones y responsabilidades que el ordenamiento jurídico impone al constructor o vendedor de viviendas en construcción.

Es preciso puntualizar que la figura del promotor-gestor tiene una tipicidad social, por lo que no todos los contratos de gestión del promotor-gestor son contratos celebrados en fraude de ley. No puede ser calificado de negocio celebrado en fraude de ley el contrato del gestor que no pretende eludir la aplicación de las normas jurídicas que regulan su negocio. Es decir, cuando las partes deciden abiertamente que el gestor asume en virtud del contrato una obligación de resultado frente al dueño de la obra.

A continuación se analizan algunas de las cláusulas contractuales que habitualmente se incluyen en el contrato del promotor-gestor celebrado en fraude de ley y que, en mayor o menor medida, muestran el interés propio de aquél en la promoción. Con todo, cabe señalar que no todas las cláusulas que se mencionan a continuación se sitúan a un mismo nivel. Algunas de ellas son más determinantes que otras en la calificación del contrato del promotor-gestor como negocio jurídico celebrado en fraude de ley.

2.2.1. Retribución equivalente a un porcentaje sobre el coste de la obra

En la mayoría de promociones encubiertas, los socios o comuneros acuerdan retribuir al gestor con el pago de un porcentaje sobre el coste final de la obra, que incluye el precio del solar más el coste de construcción de la edificación. En ocasiones, la cuantía sobre la que se aplica el porcentaje incorpora, además, el resto de gastos inherentes a la promoción, tales como honorarios de los técnicos, gastos derivados de licencias, gastos notariales y registrales, impuestos y contribuciones, entre otros.

La STS, 1ª, 16.12.2004 (RJ 2005, 272) tiene en consideración, entre otras circunstancias, el modo de fijación de la retribución a efectos de atribuir la condición de promotor al gestor «Comunidades Castellanas, S.A.», el cual pactó con los comuneros «[c]omo remuneración de los servicios [...] una percepción del quince por ciento del coste total de la operación económica incluido el coste del solar, el de la construcción de los pisos, plazas de garaje, urbanización e instalaciones comunes, honorarios de Arquitectos, Aparejadores y Licencias, Notarías, Registro, Acometidas, Arbitrios, Impuestos, Contribuciones y cualquier otro gasto inherente a la promoción». El TS afirma que «de lo expuesto se deduce la concurrencia, harto palmaria, de las condiciones que conforman la figura del promotor, (...) pues tanto desde el punto de vista de la actividad desplegada y funciones atribuidas con carácter irrevocable, *como de la forma en que se fija la retribución económica, es claro que no se trata de un mero gestor –apoderado– sino de un promotor*» (FD 2º) (énfasis añadido)[82].

Por otro lado, la SAP Madrid, Civil, Sec. 11ª, 8.2.2010 (JUR 2010, 124546) también atribuye la condición de promotor al gestor que estaba vinculado a la «Cooperativa Funcovi, Soc. Coop. Funcionarios» en virtud de un contrato de arrendamiento de servicios gerenciales y la retribución pactada equivalía al 10% sobre el total devengado en la actuación promocional. De acuerdo con la SAP la empresa gestora «tuvo una actuación que la

---

82. Para un resumen del caso *vid. infra.*

sitúa en el ámbito de la promoción, con la extensión de responsabilidad al amparo del artículo 1591 que ello supone» (FD 5º)[83].

Un último ejemplo de la relevancia de la cláusula de retribución del gestor puede verse en la SAP Madrid, Civil, Sec. 11ª, 15.4.2008 (JUR 2008, 179487). La cooperativa de viviendas «PSV» celebró con la empresa gestora «IGS» un contrato en el que le encargaba la gestión de su actividad a cambio de unos honorarios equivalentes a la diferencia entre el coste del proceso constructivo y el precio máximo de venta de las VPO. Sin embargo, tras sufrir pérdidas cuantiosas en la promoción del primer edificio cambió el sistema de determinación por el 8% y después por el 12,5% de los costes presupuestados[84].

En ocasiones, la retribución de la gestora incluye, además, la totalidad del precio obtenido con la venta de los locales o un porcentaje sobre el mismo.

Así, por ejemplo, la STS, 1ª, 3.10.1996 (RJ 1996, 7006)[85] atribuye la condición de promotor a la gestora «Renosa». De acuerdo con la sentencia «antes de la firma del contrato por cada cliente captado están determinados el solar, proyecto, arquitectos etc., de manera que se pueden calcular ingresos, gastos y beneficios para la propia "Renosa"» concretados en un beneficio de un 12% del coste total de la promoción, más el 12% del importe al que ascienden las ventas de los locales comerciales (FD 3º)[86].

83. La SAP Madrid, Civil, Sec. 11ª, 8.2.2010 (JUR 2010, 124546) resuelve el siguiente caso. La Cooperativa «Funcovi, Soc. Coop. Funcionarios» promovió la construcción de un edificio de 79 viviendas en Majadahonda. «Funcovi, S.L.», que era propietaria del terreno en el que se realizó la promoción, gestionó la misma en virtud de un contrato de arrendamiento de servicios a cambio de una retribución de un 10% sobre el total devengado en la actuación promocional, incluyendo el importe de los terrenos, la urbanización material y los gastos indirectos de construcción. Con posterioridad a la entrega de las viviendas, aparecieron defectos constructivos en un local y en el garaje. La Comunidad de Propietarios demandó al gestor, en concepto de promotor, a la constructora, a los arquitectos, y solicitó la reparación de los defectos así como 6.502,54 € por las reparaciones realizadas con base en el artículo 1591.I CC. El JPI nº 7 de Majadahonda (19.3.2008) condenó a la constructora y al arquitecto y absolvió al resto de demandados. La AP estimó en parte el recurso de apelación de la actora, en el sentido de incluir al gestor de la Cooperativa en la condena.

84. Para un resumen del caso resuelto por la SAP Madrid, Civil, Sec. 11ª, 15.4.2008 (JUR 2008, 179487) vid. infra.

85. Para un resumen de los hechos que dieron lugar a la STS, 1ª, 3.10.1996 (RJ 1996, 7006) vid. supra.

86. Por último, en la práctica hay casos en los que la retribución del gestor es una cantidad fija. En estos supuestos esta cláusula no es determinante de la condición de promotor del gestor. En esta línea se pronuncia la SAP Valencia, Civil, Sec. 7ª, 6.5.2011 (JUR 2011, 301661), resumida supra, la cual desestimó el recurso de apelación interpuesto por la comunidad que solicitaba la condena del gestor por su condición de promotor, puesto que para gestionar la promoción percibía una

De acuerdo con la Confederación de Cooperativas de Viviendas de España, el beneficio industrial del gestor se sitúa entre el 8 y el 10% del coste total de la promoción[87], si bien la jurisprudencia muestra ejemplos en los que el gestor percibe en concepto de retribución hasta el 15%[88]. En consecuencia, el promotor-gestor se lucra con la promoción, en palabras del Tribunal Supremo, «de un modo equivalente en la práctica al lucro por venta de las viviendas» [STS, 1ª, 25.2.2004 (RJ 2004, 1635) (FD 2°)][89]. Si bien debe tenerse en cuenta que el beneficio del promotor-vendedor o del promotor-constructor suele ser más elevado que el del promotor-gestor[90].

Paralelamente, los adquirentes de vivienda en comunidad de propietarios o en cooperativa de viviendas pierden o ven reducido el principal atractivo de este tipo de promociones que es, precisamente, la disminución del precio de las viviendas por el efecto de eliminar el beneficio empresarial del promotor. Además, la fijación de la remuneración de la gestora sobre un porcentaje del coste final de la obra conlleva que sean los comuneros o los socios quienes asuman el riesgo de variación del precio de la obra. En efecto, como señalan Ángel CARRASCO PERERA, Encarna CORDERO LOBATO y Mª del Carmen GONZÁLEZ CARRASCO, ello permite a la empresa gestora trasladar a los socios o comuneros «los riesgos económicos de su gestión empresarial»[91].

---

retribución mensual «sin asumir los riesgos de la construcción ni, por tanto, sus beneficios» (FD 3°).

87. Confederación de Cooperativas de Viviendas de España (CONCOVI), *Guía del socio cooperativista de viviendas*.

88. Con todo, GONZÁLEZ TAUSZ, *La promoción inmobiliaria encubierta: un fraude de ley, op. cit.*, p. 108, señala que el porcentaje sobre el coste total de la promoción inmobiliaria suele oscilar entre el 5 y el 15%.

89. En la jurisprudencia menor, la SAP Madrid, Civil, Sec. 14ª, 21.11.2006 (JUR 2007, 67880) identifica la retribución del gestor con el beneficio empresarial del vendedor de viviendas, al señalar que «la remuneración de los ”servicios” fijó una percepción del 10% del coste real total de la operación económica, que no era más que el beneficio de la promoción» (FD 4°).

90. Así, por ejemplo, el Tribunal Supremo sitúa el beneficio del promotor-constructor en un porcentaje entre el 15 y el 17% del coste de la obra, cuando las partes no lo hayan pactado en el contrato de obra. En este sentido, CARRASCO PERERA, CORDERO LOBATO y GONZÁLEZ CARRASCO, *Derecho de la construcción y la vivienda, op. cit.*, pp. 324-325.

91. CARRASCO PERERA, CORDERO LOBATO y GONZÁLEZ CARRASCO, *Derecho de la construcción y la vivienda, op. cit.*, p. 1071. También, GONZÁLEZ TAUSZ, *La promoción inmobiliaria encubierta: un fraude de ley, op. cit.*, p. 94, señala que «la fórmula ”cooperativa” o ”comunidad” presenta muchos más riesgos en comparación con la promoción inmobiliaria, pues las oscilaciones del coste se repercuten en el destinatario final». El autor añade (p. 108) que este método de fijación de la retribución «llevada al absurdo favorece incluso la mala gestión».

De este modo, puede afirmarse que esta cláusula, combinada con otras, permite a la empresa gestora obtener un beneficio económico derivado de su actividad empresarial sin asumir los riesgos, responsabilidades y obligaciones de la figura del promotor, ya que formalmente quien actúa como tal es la cooperativa de viviendas o los comuneros de la comunidad de propietarios. Sin embargo, la cláusula de retribución por sí sola no se estima suficiente para atribuir la condición de promotor al gestor, por lo que se requieren otros indicios que muestren que la actuación del gestor en la promoción ha sido en interés propio.

2.2.2. Irrevocabilidad del poder o del mandato

Otra de las cláusulas que habitualmente contienen los contratos entre el promotor-gestor y los comuneros de la comunidad de construcción o la cooperativa de viviendas es aquella que establece la irrevocabilidad del mandato o el apoderamiento concedido a favor del gestor.

> Entre los múltiples ejemplos de cláusulas de irrevocabilidad del poder o del mandato que podemos encontrar en la jurisprudencia destacamos el de la ya citada STS, 1ª, 3.10.1996 (RJ 1996, 7006), que resuelve un caso en el que «el cliente se obliga a otorgar a favor de Renosa un amplísimo poder, con carácter irrevocable, hasta la terminación de las obras, calificación definitiva y venta de locales» (FD 3º); y el de la STS, 1ª, 16.12.2004 (RJ 2005, 272), la cual analiza el contrato en el que «Comunidades Castellanas, S.A.» «[s]e reserva la directa gestión, administración y supervisión con carácter irrevocable» (FD 2º).

De acuerdo con el artículo 1733 del Código Civil, una de las singularidades del contrato de mandato es que «el mandante puede revocar[lo] (...) a su voluntad». La revocabilidad del mandato se funda en el interés exclusivo del mandante en el negocio, quien en ejercicio de su autonomía privada puede gestionarlo como mejor le convenga[92].

Con todo, tanto la jurisprudencia como la doctrina han admitido la cláusula de irrevocabilidad cuando el poder o el mandato encuentren justificación en otros intereses distintos a los del propio representado o mandante, así como cuando concurre, junto con el interés del representado o mandante, el interés del representante, del mandatario o de un tercero[93].

---

92. En este sentido, vid. Díez-Picazo y Ponce de León, La representación en el derecho privado, op. cit., p. 298; y Antonio Gordillo Cañas, «Comentario al artículo 1.733 CC», Paz-Ares Rodríguez, Bercovitz Rodríguez-Cano, Díez-Picazo y Ponce de León y Salvador Coderch (Dirs.), Comentario del Código Civil, tomo II, op. cit., p. 1583.

93. Respecto de la admisibilidad del poder o mandato irrevocable vid., en la jurisprudencia, las SSTS 1ª, 26.11.1991 (RJ 1991, 8508); 27.4.1989 (RJ 1989, 3269); 31.10.1987 (RJ 1987, 7492); y 20.4.1981 (RJ 1981, 1658); y en la doctrina, Díez-Picazo y Ponce de León, La representación en el derecho privado, op. cit., pp. 305-306; Gordillo Cañas, Comentario al artículo 1.733 CC, op. cit., p. 1585;

Además, el artículo 1293.2 de la Propuesta de 2009 de Anteproyecto de Ley de modernización del Código civil en materia de obligaciones y contratos admite la irrevocabilidad del poder o del mandato[94].

El Tribunal Supremo se ha pronunciado expresamente a favor de la validez de la cláusula de irrevocabilidad de los poderes otorgados por una comunidad *ad aedificandum* a favor de la empresa gestora que, además, había impulsado su constitución en la STS, 1ª, 11.5.1993 (RJ 1993, 3539). El Alto Tribunal consideró que la irrevocabilidad del mandato no infringe el artículo 1733 del Código Civil cuando

«... no es simple expresión de confianza o del simple interés del mandante, (...) es decir, cuando el mandato es, en definitiva, mero instrumento formal en la relación jurídica bilateral o plurilateral que sirve de causa o razón de ser y cuya ejecución o cumplimento exige aconseja la irrevocabilidad para evitar la frustración del fin perseguido por dicho contrato subyacente por la voluntad de uno solo de los interesados» (FD 2º).

Si bien el poder o mandato irrevocable están admitidos en nuestro derecho, no concurre en ellos una genuina representación. En estos casos falta uno de los caracteres esenciales del mandato, la ajenidad del interés gestionado por el mandatario, en otras palabras, es necesario que la persona del mandatario actúe «por cuenta o encargo de otra» (artículo 1709 CC)[95].

De acuerdo con lo anterior, cuando la cooperativa de viviendas o los comuneros otorgan a favor del gestor un mandato o poder irrevocable, el

---

LACRUZ BERDEJO et al., *Elementos de Derecho Civil I, Parte General. Derecho Subjetivo. Negocio Jurídico*, vol. 3, op. cit., pp. 297-298; y LACRUZ BERDEJO et al., *Elementos de Derecho Civil II, Derecho de Obligaciones. Contratos y cuasicontratos. Delito y cuasidelito*, vol. 2, op. cit., pp. 229-231.

94. De acuerdo con el artículo 1293.2 de la Propuesta de 2009 «[s]i en un poder especial se establece su irrevocabilidad por haber sido conferido para el cumplimiento de una obligación del representado con el representante o con un tercero, no podrá ser revocado sin consentimiento del acreedor, salvo que exista justa causa».

95. En esta línea, *vid*. DÍEZ-PICAZO y PONCE DE LEÓN, *La representación en el derecho privado, op. cit.*, pp. 305-306, de acuerdo con el cual «[s]ería (...) un caso de representación en interés del representante o *procuratio in rem suam*. (...) Si esto es así, habrá en el caso examinado otra cosa, pero no verdadera y auténtica representación (...)»; LACRUZ BERDEJO et al., *Elementos de Derecho Civil II, Derecho de Obligaciones. Contratos y cuasicontratos. Delito y cuasidelito*, vol. 2, *op. cit.*, pp. 297-298, quienes manifiestan que «... [e]n estas situaciones el sujeto representado ha desparecido como tal, salvo formalmente y en apariencia: ya no es el *dominus negotii*, ni el interés gestionado es suyo. No hay verdadera representación»; y GORDILLO CAÑAS, *Comentario al artículo 1.733 CC, op. cit.*, p. 1585, quien afirma que «[l]a irrevocabilidad en tal caso es clara; lo que ya no resultaría tan claro es que nos mantengamos en el campo puro y peculiar del mandato (...)».

gestor no sólo está representando el interés de aquellos, sino también el propio[96]. La irrevocabilidad evita que el ejercicio del derecho de revocación por parte de los comuneros o de la cooperativa de viviendas impida al gestor llevar a término el negocio constructivo.

Por este motivo, el artículo 1.1.b) Real Decreto 2028/1995 prevé expresamente que en los mandatos o poderes de representación otorgados por las cooperativas o comunidades para la gestión de promociones de VPO «no podrán admitirse cláusulas de irrevocabilidad (...)». Además, la parte final del mencionado precepto señala que tampoco podrán establecerse cláusulas «(...) de exoneración de la responsabilidad del mandatario o apoderado»[97].

Además, la previsión en el contrato del gestor de una cláusula penal, para el supuesto en el que la cooperativa de viviendas o los comuneros decidan rescindirlo, puede producir efectos parecidos a los derivados de la introducción de una cláusula de irrevocabilidad[98]. En efecto, si bien la cláusula penal no evita la rescisión del contrato por parte de los comuneros o la cooperativa de viviendas, ésta puede imponer importantes trabas a tal rescisión si la indemnización pactada es elevada, de modo que favorece que el promotor-gestor no vea frustrado su negocio constructivo. Por ello,

---

96. En este sentido, CORDERO LOBATO, *Comentario a la sentencia de 3 de octubre de 1996, op. cit.*, p. 249, afirma que «si el poder para promover es irrevocable, el negocio puede entenderse celebrado en interés del apoderado (...), por lo que no hay propiamente mandato, ni deben aplicarse las normas que rigen este contrato».

97. La STS, 1ª, 25.2.2004 (RJ 2004, 1635) considera relevante, a efectos de considerar el gestor promotor, la existencia de cláusulas de exoneración de responsabilidad. «Iniciatives d'Arquitectura, S.A.» se situó en una posición de auténtica promotora pues «lejos de asumir en los contratos la posición de simple gestora de intereses ajenos, establecía un férreo control sobre la obra, antes y durante su ejecución, lo que la situaba en una posición de auténtica promotora (...), sin otra atenuación, a los mismos efectos, que la posibilidad de prescindir de sus servicios reconocida a la comunidad de propietarios en el pacto decimocuarto ya referido. Es más, la indeterminación real del momento para iniciar la ejecución de la obra, patente en el pacto quinto igualmente referido, *y la total exoneración de responsabilidad de la recurrente para el caso de no poder llevarse a cabo la escrituración de los solares, "ya dimane de causa imputable a los distintos propietarios del total solar o de cualquier otra causa", revela claramente que los contratos predispuestos en su día por la hoy recurrente no tenían más finalidad que la de atribuirle todos los derechos y facultades del promotor pero eximiéndola de las correlativas obligaciones y responsabilidades»* (FD 2º) (énfasis añadido).

98. Por ejemplo, *vid.* el caso resuelto por la STS, 1ª, 25.2.2004 (RJ 2004, 1635), en el que el gestor de la comunidad de propietarios, que actuó en virtud de un contrato de mandato, había establecido en el contrato una cláusula penal del «5% del coste de la obra que quede por concluir para el caso de que la comunidad de propietarios decidiera prescindir de sus servicios antes de la finalización de las obras» (FD 2º).

el segundo párrafo del artículo 1.1.b) Real Decreto 2028/1995 limita, en las promociones de VPO, el establecimiento de cláusulas penales en caso de resolución del contrato.

En particular, el mencionado precepto prevé que «[s]i se suscriben contratos de arrendamiento de servicios u otros análogos con la misma finalidad expresada en el párrafo anterior, la indemnización que, en su caso, proceda por resolución de los contratos a instancia de la cooperativa, se limitará únicamente a los perjuicios que se hubieren ocasionado al prestador de los servicios, sin que sea admisible en los contratos cláusula penal alguna».

2.2.3. Amplitud de facultades de disposición otorgadas a favor del promotor-gestor

El conjunto de cláusulas que, de una manera más significativa, permite al gestor intervenir en el proceso edificatorio actuando como promotor son aquéllas que otorgan a su favor un amplio abanico de facultades que le permiten adoptar las decisiones sobre los elementos esenciales de la promoción.

En efecto, la amplitud de facultades que el mandato, el poder u otro contrato otorga al gestor –incluso cuando el poder o el mandato sean de carácter revocable–, es el elemento más determinante para concluir que el gestor no actúa como mero mandatario o representante de los intereses de los cooperativistas o de los comuneros, sino en interés propio[99]. En consecuencia, cuando los comuneros, en la promoción en régimen de comunidad, o el Consejo rector, en la promoción en cooperativa de viviendas, otorguen a favor del gestor facultades suficientes para adoptar las decisiones fundamentales del proceso constructivo, la condición de promotor recaerá sobre aquél[100].

Para determinar cuando la cooperativa de viviendas o la comunidad de propietarios concede al gestor facultades para adoptar las decisiones esenciales del proceso edificatorio es de utilidad lo previsto en el Real Decreto 2028/1995. El regulador impone ciertos límites a las facultades que la cooperativa de viviendas de VPO puede conceder al gestor me-

---

99. En términos similares, GONZÁLEZ LEÓN, *Comentario de la sentencia de 31 de marzo de 2005 (RJ 2005, 2743), op. cit.*, p. 317, afirma que «aunque no se especifica el carácter revocable o irrevocable del poder, parece claro que incluso en el caso de ser revocable, dada la amplitud del mismo y las claras tareas de promoción que ha desarrollado la sociedad Lugarce, es razonable considerarla promotor a los efectos del art. 1591-1 CC».

100. En este sentido, se pronuncia CORDERO LOBATO, *Capítulo 13. El promotor, op. cit.*, pp. 395 y 396; GÓMEZ PERALS, *Responsabilidad del promotor por daños en la edificación, op. cit.*, p. 55 y ss.; y MARTÍNEZ ESCRIBANO, *Responsabilidades y garantías de los agentes de la edificación, op. cit.*, p. 183.

diante poder, mandato o contrato de arrendamiento de servicios u análogos [artículo 1.1.b) RD 2028/1995]. Estas condiciones también son exigibles a las comunidades de propietarios excepto «aquellas que por su especial naturaleza no puedan serles de aplicación» (artículo 1.1.2 RD 2028/1995).

En particular, el Real Decreto 2028/1995 establece que las facultades que los comuneros o las cooperativas de viviendas pueden conceder al gestor en ningún caso pueden extenderse a: a) actos «en los que sea preceptivo el acuerdo del Consejo rector o de la Asamblea general de la cooperativa»; y b) «actos de dominio» [artículo 1.1.b)][101]. El incumplimiento de cualquiera de estos dos límites constituye un indicio significativo de la intervención decisoria del gestor en los elementos esenciales de la promoción y, en consecuencia, de su condición de promotor.

a. Actos en los que es perceptivo el acuerdo de la Asamblea general o el Consejo rector de la cooperativa para que su válida ejecución o realización

El primer límite que el Real Decreto 2028/1995 establece a las facultades que las cooperativas de viviendas pueden conceder a favor del gestor son aquellas relativas a actos «en los que sea preceptivo el acuerdo del Consejo rector o de la Asamblea general de la cooperativa» [artículo 1.1.b)].

De conformidad con la Ley estatal de cooperativas, corresponde en exclusiva a la Asamblea general de la cooperativa de viviendas deliberar y tomar acuerdos sobre los asuntos mencionados en su artículo 21.2:

a) «Examen de la gestión social, aprobación de las cuentas anuales, del informe de gestión y de la aplicación de los excedentes disponibles o imputación de las pérdidas.

b) Nombramiento y revocación de los miembros del Consejo rector, de los interventores, de los auditores de cuentas, de los liquidadores (...).

c) Modificación de los Estatutos y aprobación o modificación, en su caso, del Reglamento de régimen interno de la cooperativa.

d) Aprobación de nuevas aportaciones obligatorias, admisión de aportaciones voluntarias, actualización del valor de las aportaciones al capital social, fijación de las aportaciones de los nuevos socios, establecimiento de cuotas de ingreso o periódicas, así como el tipo de interés a abonar por las aportaciones al capital social.

---

101. En el mismo sentido se pronuncian CARRASCO PERERA, CORDERO LOBATO, GONZÁLEZ CARRASCO, *Derecho de la construcción y la vivienda, op. cit.*, p. 1072.

e) Emisión de obligaciones, títulos participativos, participaciones especiales (...).

f) Fusión, escisión, transformación y disolución de la sociedad.

g) Toda decisión que suponga una modificación sustancial, según los Estatutos, de la estructura económica, social, organizativa o funcional de la cooperativa.

h) Constitución de cooperativas de segundo grado y de grupos cooperativos (...).

i) El ejercicio de la acción social de responsabilidad contra los miembros del Consejo rector, los auditores de cuentas y liquidadores.

j) Los derivados de una norma legal o estatutaria».

Además, deberán ser ratificados por la Asamblea general los actos mencionados en el artículo 1.1.c) del Real Decreto 2028/1995, cuando los estatutos de la cooperativa de viviendas o de la comunidad de propietarios que promueva VPO no atribuyan a la Asamblea general su adopción. En especial, el precepto mencionado, incluye «los actos de aprobación y revocación o resolución, en su caso:

a) de los contratos con la gestora[102],

b) la adquisición del suelo,

c) el encargo y aprobación del proyecto de obras,

d) la elección de la constructora,

e) la aprobación del contrato de ejecución de obras y

f) la recepción de las obras».

Por otro lado, de acuerdo con el Real Decreto 2028/1995, la cooperativa de viviendas tampoco puede conceder al gestor, mediante poder, mandato o contrato de arrendamiento de servicios u análogos, facultades para adoptar actos o contratos concretos reservados al Consejo rector de la cooperativa en la ley o en los estatutos.

---

102. Si bien la norma del artículo 1.1.c) del Real Decreto 2028/1995 no es aplicable a promociones que no sean de VPO ello sería recomendable, pues en las cooperativas de viviendas constituidas por fases, es decir, en aquellas cooperativas en las que se lleva a cabo más de una promoción, como pone de relieve GONZÁLEZ TAUSZ, *La promoción inmobiliaria encubierta: un fraude de ley, op. cit.*, p. 109, «suele ocurrir (...) que los miembros de los Consejos o Juntas Rectoras continúen en sus cargos tras la primera promoción. Esta continuidad crea un vínculo de confianza con los gestores que puede suponer un alejamiento de los socios adjudicatarios de las viviendas en curso (...)».

La Ley estatal de cooperativas señala en su artículo 32.1 que: «(...) Corresponde al Consejo Rector cuantas facultades no estén reservadas por Ley o por los Estatutos a otros órganos sociales y, en su caso, acordar la modificación de los Estatutos cuando consista en el cambio de domicilio social dentro del mismo término municipal».

El incumpliendo de los límites impuestos por el Real Decreto 2028/1995 en el poder, mandato o contrato de arrendamiento de servicios otorgado a favor del gestor de la comunidad o de la cooperativa, constituye un indicio significativo de la intervención decisoria del gestor en la promoción y, en consecuencia, de su condición de promotor.

b. *Actos de domino, incluidos los actos de disposición*

El segundo límite establecido en el Real Decreto 2028/1995 a las facultades que los comuneros o las cooperativas de viviendas pueden conceder al gestor son los «actos de dominio» [artículo 1.1.b)]. De acuerdo con en el artículo 1713.II del Código Civil, por actos de domino debe entenderse «transigir, enajenar, hipotecar [pero también] cualquier otro acto de riguroso dominio». En aquella categoría se incluyen también los actos de disposición[103], es decir, todos aquellos actos relativos a la extinción o modificación de un derecho subjetivo[104].

Esta es la línea que sigue el artículo 1286.I CC de la Propuesta de 2009 de Anteproyecto de Ley de modernización del Código civil en materia de obligaciones y contratos, que exige mandato expreso no sólo para los actos de riguroso dominio, sino también para los actos de disposición[105].

De acuerdo con lo señalado, en las promociones de viviendas en las que el gestor de la comunidad de propietarios o de la cooperativa de viviendas esté facultado, en virtud de un contrato o de un poder, para adoptar decisiones sobre un amplio abanico de actos de riguroso domino o de

---

103. Sobre la distinción entre actos de riguroso domino y actos de disposición *vid.* MIRAMBELL I ABANCÓ, *La administración de bienes o patrimonios ajenos: un proyecto de regulación en el derecho civil de Cataluña, op. cit.,* p. 165, de acuerdo con el cual «hay que distinguir entre acto de riguroso dominio y acto de disposición, según se deduce del art. 1713.2 CCEspañol (...) un acto de riguroso dominio, (...) incluye tanto los actos de disposición jurídica como los de disposición material».

104. En este sentido, *vid.* DÍEZ-PICAZO Y PONCE DE LEÓN, *La representación en el derecho privado, op. cit.,* p. 179; LEÓN ALONSO, *Comentario a los artículos 1.709 a 1.715 del Código Civil, op. cit.,* p. 1535; y MIRAMBELL I ABANCÓ, *La administración de bienes o patrimonios ajenos: un proyecto de regulación en el derecho civil de Cataluña, op. cit.,* p. 164.

105. De acuerdo con el artículo 1286.I de la Propuesta 2009 «[s]e requerirá la concesión expresa de facultades para realizar negocios gratuitos, así como para los que impongan al representado prestaciones personales y para transigir, enajenar, gravar o realizar cualquier otro acto de disposición o de riguroso dominio».

disposición en nombre y por cuenta del colectivo aquél deberá ser calificado de promotor[106].

De un análisis de la jurisprudencia del Tribunal Supremo y de las Audiencias Provisionales relativa a la atribución de la condición de promotor al gestor, pueden enumerarse, entre otros, los siguientes actos de disposición realizados en nombre y por cuenta de la comunidad de propietarios o de la cooperativa, como aquellos relevantes a los efectos de diferenciar la figura del promotor-gestor de la del gestor que actúa como simple mandatario, representante o prestatario de servicios[107]:

a) Obtener la calificación definitiva de VPO.

b) Abrir y cerrar cuentas corrientes y de crédito.

c) Librar órdenes de pago.

d) Constituir y cancelar préstamos con garantía hipotecaria del solar y de la construcción.

e) Otorgar escrituras de obra nueva.

f) Constituir la comunidad en régimen de propiedad horizontal.

g) Establecer cuotas de participación en el régimen de propiedad horizontal.

---

106. En opinión de LAMBEA RUEDA, *Cooperativas de viviendas: promoción, construcción y adjudicación de la vivienda al socio cooperativo, op. cit.*, p. 485, «se puede ir más allá, al considerar que, en el caso de los actos de dominio o que precisen acuerdos de Asamblea o Consejo, puede admitirse la contratación de una actividad de mediación técnica o material, y en los actos de administración puede acudirse a un mandato con o sin representación o a un contrato de servicios (...). Esta regla completaría la LC, que ha suprimido las referencias a los límites y contenido de la gestión cuya exclusión podría dar lugar a la promoción inmobiliaria encubierta».

107. La SAP Cádiz, Civil, Sec. 1ª, 27.12.2002 (JUR 2003, 113804) destaca las siguientes características que permiten diferenciar la figura del promotor de la del gestor: «1°. Dirige la publicidad y la venta del inmueble. 2°. Interviene en la ejecución de las obras y está autorizado para modificarlas. 3°. Gestiona, dirige y administra el proceso edificativo. 4°. Contrata con la constructora. 5°. Confecciona el proyecto, la memoria y el presupuesto; o al menos designa los arquitectos que los elaborarán. 6°. Adquiere el solar sobre el que se va a construir. 7°. Otorga las escrituras de obra nueva y división horizontal apareciendo como propietario. 8°. Aparece como propietario en las escrituras de venta de los pisos. 9°. Recibe amplios poderes de los adquirentes de las viviendas para la dirección de las obras, compra y venta del solar, otorgar los contratos necesarios para la construcción (...). 10°. Impone a los adquirentes unos contratos de adhesión en que se recogen las facultades del número anterior (...). 11°. Capta a los clientes destinatarios de las viviendas» (FD 3°).

h) Adjudicar a cada comunero o socio de la cooperativa el departamento que le corresponda.

i) Vender los locales comerciales en el precio y condiciones que estime conveniente.

j) Disolver la comunidad o la cooperativa de viviendas una vez finalizada la construcción.

3. CALIFICACIÓN JURÍDICA DEL CONTRATO DEL PROMOTOR-GESTOR COMO UN CONTRATO ATÍPICO COMPLEJO DE PROMOCIÓN

La única consecuencia que el artículo 6.4 CC establece para los casos de fraude de ley es «la debida aplicación de la norma que se hubiere tratado eludir». En los casos analizados, serán de aplicación al promotor-gestor los artículos 1591.I, 1101 y 1124 CC o el artículo 17 LOE, según corresponda. Además, el negocio celebrado en fraude de ley debe ser examinado considerando el resto de normas del ordenamiento jurídico.

Por un lado, es aplicable la regulación sobre validez y eficacia de los contratos del Código Civil. Así procederá la declaración de nulidad del contrato o parte de él cuando, tras la aplicación de la norma imperativa defraudada, aquél sea contario a la ley (artículo 6.3 CC)[108]. Ello sólo sucederá cuando la norma defraudada sea una norma prohibitiva, por ejemplo cuando el contrato contenga cláusulas abusivas (artículos 82 y ss. TRLCU).

Así, por ejemplo, la SAP Madrid, Civil, Sec. 11ª, 19.1.2010 (JUR 2010, 127140) declaró la nulidad por abusiva de la cláusula de exoneración de responsabilidad del gestor de una comunidad de construcción. Varios particulares se adhirieron a la comunidad de bienes mediante la firma de un contrato de adhesión con el gestor «Chamartín P.I.S.A» con la creencia que la finca iba a contar con piscina comunitaria, pues así se ofertaba y se hacía constar en la memoria de calidades y en la publicidad. El contrato incluía una cláusula de exoneración de responsabilidad del gestor. Sin embargo, finalmente se construyó la finca sin piscina. Los comuneros de la comunidad de propietarios demandaron al gestor «Chamartín P.I.S.A.» por incumplimiento contractual y solicitaron la declaración de nulidad por abusiva de la cláusula de exoneración de responsabilidad y el pago de 26.819,46 € por los daños y perjuicios sufridos. El gestor se opuso a la demanda alegando que no había negocio jurídico de transmisión de la propiedad sino un mandato de gestión. El JPI nº 5 de Madrid (20.2.2006) estimó la demanda, declaró abusiva la cláusula mencionada y condenó al gestor a pagar una indemnización (*no consta cuantía*). La AP de Madrid confirmó la SJPI.

---

108. En este sentido, *vid.* LACRUZ BERDEJO *et al.*, *Elementos de Derecho Civil I, Parte General. Introducción*, vol. 1, *op. cit.*, p. 206.

> «(...) [P]or más que la apelante insista en que solo intervino como gestora, los hechos acreditados en las actuaciones son buena muestra de que en las relaciones entabladas con los demandantes intervino como promotora e incluso, dando un paso más, observó una conducta propia o consustancial de la de parte vendedora». (FD 2º). Además «insistimos en que no podemos sino concluir en la forma que lo ha hecho la Juzgadora de Instancia en lo que atañe a la nulidad de la estipulación décima, y decimocuarta, dado que la responsabilidad de la Gestora no es limitable ni en cuanto a su contenido, ni en cuanto al plazo al que se extiende que lo marca la propia Ley» (FD 3º) (énfasis añadido).

Por otro lado, cuando las normas defraudadas sean las reglas ordenadoras de la eficacia de los distintos negocios, no cabe la nulidad del contrato sino la aplicación de las normas que regulan la finalidad real del mismo[109]. A los efectos de determinar la verdadera naturaleza jurídica del contrato del promotor-gestor es necesario acudir a las normas sobre interpretación de los contratos.

3.1. Interpretación del contrato del promotor-gestor de acuerdo con la intención común de las partes

Los gestores de cooperativas de viviendas o de comunidades de propietarios suelen calificar el contrato en virtud del cual intervienen en la promoción de contrato de arrendamiento de servicios o de contrato de mandato[110]. Sin embargo, ello no equivale a que esta sea su verdadera naturaleza jurídica, pues es doctrina reiterada del Tribunal Supremo que

> «... la inclusión del [contrato] en un tipo determinado, la averiguación de su naturaleza y de la normativa que le es aplicable, [...] está por encima de las declaraciones y de la voluntad de los sujetos» (SSTS, 1ª, 26.5.2005, FD 1º (RJ 2005, 6084)[111]; y 11.12.2002, FD 3º (RJ 2002, 10737)][112].

Para calificar correctamente el contrato del promotor-gestor es precisa la previa interpretación del mismo y, en particular, el análisis de los efectos jurídicos realmente pretendidos por las partes[113]. Esta labor está reservada

---

109. En este sentido, vid. CASTRO y BRAVO, *Derecho Civil de España*, tomo III, *op. cit.*, p. 374.
110. Sobre ello vid. el epígrafe 2.2. del apartado I de este Capítulo.
111. Cita y aplica la doctrina de las SSTS, 1ª, 11.12.2002 (RJ 2002, 10737); 7.7.1987 (RJ 1987, 5184); 10.11.1986 (RJ 1986, 6245); y 22.10.1986 (RJ 1986, 5950).
112. Cita y aplica la doctrina de las SSTS, 1ª, 9.4.1997 (RJ 1997, 2875); y 18.2.1997 (RJ 1997, 1004). En particular, respecto de la aplicación de esta doctrina al contrato del promotor-gestor, vid. la SAP Baleares, Civil, Sec. 3ª, 4.6.2007 FD 2º (AC 2007, 1802).
113. En este sentido, vid. la STS, 1ª, 26.5.2005, (RJ 2005, 6084) de acuerdo con la cual «la determinación de la conceptuación jurídica relativa a un contrato constituye una cuestión de interpretación del mismo en orden a su calificación, que está atribuida al juzgador de instancia» (FD 1º) (cita y aplica la doctrina de la STS, 1ª, 30.12.2003 (RJ 2004, 426)]. En términos parecidos vid. la STS, 1ª,

a los tribunales de primera y segunda instancia, y el Tribunal Supremo sólo puede revisar tal interpretación en supuestos de error patente o interpretación arbitraria o absurda del contrato.

A los efectos de determinar la naturaleza jurídica del contrato que une al gestor con los comuneros o la cooperativa de viviendas es preciso considerar el criterio hermenéutico establecido en el artículo 1281 del Código civil. El primer párrafo del precepto prevé una especie de presunción *iuris tantum* favorable al sentido literal de las declaraciones de voluntad de las partes[114]. Sin embargo, esta especie de presunción se romperá en los supuestos en los que los términos claros del contrato no representen la intención común de los contratantes. De acuerdo con lo previsto en el segundo párrafo del artículo 1281 CC, «[s]i las palabras parecieren contrarias a la intención evidente de los contratantes, prevalecerá ésta sobre aquéllas».

La interpretación subjetiva del contrato, aquélla que busca la voluntad o intención común de los contratantes, ha sido señalada como prioritaria por la doctrina[115] y por el artículo 1278 de la Propuesta de 2009 de Anteproyecto de Ley de modernización del Código civil en materia de obligaciones y contratos, de acuerdo con el cual

«Los contratos se interpretarán según la intención común de las partes la cual prevalecerá sobre el sentido literal de las palabras».

El Código Civil español (artículos 1282 a 1289) y la Propuesta de 2009 de Anteproyecto de Ley de modernización del Código civil en materia de obligaciones y contratos (artículo 1279)[116] ofrecen reglas para indagar la intención común de las partes. A continuación se muestran algunos

28.9.1998 (RJ 1998, 7287), que afirma que «la calificación jurídica de todo contrato responde a una labor de interpretación y ésta es facultad privativa de los Tribunales de instancia y su criterio ha de prevalecer en casación aun en caso de duda, a no ser que el resultado fuese notarialmente ilógico» (FD 2º).

114. *Vid.* Calixto Díaz-Regañón García-Alcalá, «Comentario al artículo 1281 a 1289 del Código Civil», en Bercovitz Rodríguez-Cano (Coord.), *Comentarios al Código Civil, op. cit.*, p. 1523, quien cita a Luis Rojo Ajuria, «Interpretación de los contratos (Derecho Civil)», en *Enciclopedia Jurídica Básica*, vol. III, Civitas, Madrid, 1995, p. 3694.

115. *Vid.* Lacruz Berdejo *et al.*, *Elementos de Derecho Civil I, Parte General, Derecho Subjetivo. Negocio Jurídico*, vol. 3, *op. cit.*, p. 239.

116. De acuerdo con el artículo 1279 de la Propuesta de 2009: «[p]ara interpretar el contrato se tendrán en cuenta: 1. Las circunstancias concurrentes en el momento de su conclusión, así como los actos de los contratantes, anteriores, coetáneos o posteriores. 2. La naturaleza y el objeto del contrato. 3. La interpretación que las partes hubieran ya dado a cláusulas análogas y las prácticas establecidas entre ellas. 4. Los usos de los negocios. 5. Las exigencias de la buena fe».

ejemplos de sentencias que han aplicado estas reglas en los supuestos objeto de análisis.

En primer lugar, el criterio relativo a la letra del contrato (artículo 1281.I CC). En el contrato de mandato o de arrendamiento de servicios celebrado entre el promotor-gestor y la cooperativa de viviendas o los comuneros, las cláusulas son completamente expresivas de la verdadera voluntad de las partes. Más que discrepancia entre lo declarado y lo querido, hay una falta de correspondencia entre la calificación del contrato y la verdadera naturaleza de este. En este sentido, la STS, 1ª, 16.12.2004 (RJ 2005, 272) señala que

> «El Contrato de adhesión «es completamente expresivo de la verdadera intención de los contratantes y de las respectivas posiciones jurídicas en el proceso constructivo, de tal modo que resulta incuestionable que la actividad de Comunidades Castellanas fue la de promotora de la construcción» (FD 2º).

En segundo lugar, el criterio relativo a la interpretación sistemática del contrato (artículo 1285 CC) también tiene una gran trascendencia en el tipo de contratos analizados, pues es la interconexión de unas cláusulas con las otras lo que permite averiguar la verdadera intención de las partes contratantes. El Tribunal Supremo aplica esta regla interpretativa en la STS, 1ª, 25.2.2004 (RJ 2004, 1635) según la cual

> «Así planteado, el motivo ha de ser desestimado porque tiene como punto de partida una interpretación fragmentaria e interesada de los referidos contratos que la totalidad de sus cláusulas se encarga de desmentir. (...) [B]asta con destacar varios antecedentes y cláusulas de los muy prolijos contratos predispuestos por la recurrente, contemplándolos en su conjunto, para comprobar que, como con acierto entendió el tribunal sentenciador, en ella concurre la condición de promotor (...)» (FD 2º).

En términos parecidos puede verse la ya citada STS, 1ª, 16.12.2004 (RJ 2005, 272), la cual señala que

> «... más allá de determinadas expresiones, locuciones o calificaciones, el conjunto de estipulaciones contenidas en el documento revelan de modo inconcuso que la referida entidad, en consonancia con su prestigio en el mercado inmobiliario que afirma, actuó como una promotora y por ende queda sujeta a la responsabilidad civil regulada en el art. 1591 del Código Civil, por serle de plena aplicación la consolidada doctrina de esta Sala (...)» (FD 2º).

En tercer lugar, uno de los criterios a considerar para indagar la intención común de los contratantes son los actos de las partes anteriores, coetáneos o posteriores a la celebración del contrato (artículos 1282 CC y 1279 Propuesta de 2009). El intérprete debe valorar las circunstancias jurídicas, económicas y sociales en que se encontraban las partes, el promotor-gestor y los comuneros o los cooperativistas antes[117], durante y después el contrato[118]. La mayoría de sentencias hacen referencia a la actuación del gestor durante todo el proceso constructivo como uno de los elementos relevantes para interpretar la voluntad de los contratantes. Entre otras muchas, aplica este criterio hermenéutico la STS, 1ª, 27.4.2009 (RJ 2009, 2899), que condenó a la empresa gestora de la cooperativa de viviendas, que se había anunciado como promotora ante los futuros socios cooperativistas, por los vicios o defectos resultantes con base en el artículo 1591.I CC:

> «[d]adas sus funciones y participación en el proceso constructivo y en la posterior venta de lo edificado (...)» (FD 2º)[119].

3.2. Contrato del promotor-gestor como un posible contrato de compraventa

Una primera línea jurisprudencial califica el contrato que vincula al promotor-gestor con los comuneros o la cooperativa de viviendas de con-

---

117. Así, PERTÍNEZ VÍLCHEZ, *Comentario a la sentencia de 10 de diciembre de 2004 (RJ 2005, 272), op. cit.*, p. 1277 pone como ejemplo «[e]l hecho de que fuera la sociedad demandada la que gestionara la formación de la comunidad de propietarios, lo que pone de manifiesto que no actúa a requerimiento de la comunidad de propietarios, sino que al contrario aquélla constituye la comunidad de propietarios, como parte de una estrategia comercial encaminada a la obtención de un beneficio por la venta de pisos y locales en que divida horizontalmente».

118. DÍEZ-PICAZO y PONCE DE LEÓN, *Fundamentos del derecho civil patrimonial*, vol. I, *op. cit.*, pp. 502-503.

119. En el caso resuelto por la STS, 1ª, 27.4.2009 (RJ 2009, 2899), el 15.2.1993, la «cooperativa de viviendas COVILEGA» celebró con «Fomento y Gestión, S.A» un contrato de prestación de servicios para la gestión y administración del proceso de construcción de 32 viviendas unifamiliares. La gestora se encargó de la adquisición de los terrenos y se anunció como promotora ante los futuros socios. Con posterioridad a la adjudicación de las viviendas, aparecieron vicios y defectos constructivos en las mismas. Los propietarios demandaron a la cooperativa por incumplimiento contractual, a la constructora, a la gestora, al arquitecto superior y al arquitecto técnico con base en el artículo 1591.I CC. El JPI nº 2 de Leganés (31.7.2000) condenó solidariamente a los demandados, excepto a la cooperativa a la cual absolvió por carecer de ánimo de lucro, a subsanar los defectos de terminación y vicios ocultos, entre ellos a la gestora en concepto de promotora. La AP de Madrid (Sec. 21ª, 28.1.2004) estimó en parte el recurso de apelación de los demandantes, en el sentido de sumar a la condena de la SJPI la de la constructora y la gestora a abonar solidariamente 777.407,10 € (*no consta en qué concepto*). El TS estimó el recurso de casación del arquitecto técnico y el arquitecto superior, a quienes absolvió, y desestimó los recursos de la constructora y de la gestora. «"Fomento y Gestión, S.A.", en la mencionada condición, es responsable solidaria con la constructora, respecto de la mala ejecución material de la obra, ya que, en virtud de contrato, celebrado con la Cooperativa, responde de los defectos denunciados» (FD 2º).

trato de compraventa. El principal argumento a favor de la calificación de este contrato como compraventa es el siguiente: una parte, el gestor, actúa como vendedor, pues en virtud del contrato se obliga a entregar una vivienda o local concreto. La otra parte del contrato, el comunero o el cooperativista, actúa como comprador, pues se compromete a pagar un precio cierto a cambio de una vivienda o local. En particular, se obliga a proveer de fondos al gestor o a la cooperativa de viviendas para financiar la construcción, así como a pagar un tanto por ciento sobre el coste final de la edificación en concepto de remuneración por la gestión[120].

El Tribunal Supremo defendió esta tesis en la STS, 1ª, 26.6.1997 (RJ 1997, 5149) en la que afirmó que

> «el contrato (...) que los señores P. y B. suscribieron con don Antonio S.S. en relación con el piso situado en la planta ático (...) es revelador de tratarse de una verdadera compraventa, aunque en él se confiera al comprador (...) la denominación de «promotor» y se hable de «participar en el costo de la construcción» (FD 3º)[121].

---

120. En este sentido, *vid.* PERTÍNEZ VÍLCHEZ, *Comentario a la sentencia de 10 de diciembre de 2004 (RJ 2005, 272), op. cit.,* p. 1278, quien califica este tipo de contratos como contratos de compraventa.
121. En el caso, el 6.7.1979, José y Martín contrataron con una constructora la ejecución de un edificio en Barcelona, con base en el proyecto, memoria y presupuesto que aquéllos habían encargado previamente a los arquitectos. El 6.2.1980, José y Martín adquirieron el solar. El 18.2.1980, Antonio suscribió con José y Martín un contrato en relación con el piso situado en la planta ático en el que se hacía referencia al primero como «promotor» y se hablaba de «participar en el costo de la construcción». El 3.7.1981, José y Martín en unión de otros, otorgaron escritura de declaración de obra nueva, constitución en propiedad horizontal y división material, apareciendo como propietarios del edificio en proporción a sus respectivas cuotas de participación. Con posterioridad a la entrega de las viviendas aparecieron humedades y fisuras en las paredes medianeras y en la tabiquería interior de la vivienda, desnivel en el vado del garaje y filtraciones en la azotea. Antonio, en su nombre y en el de la comunidad de propietarios, demandó a José y Martín, como promotores, a los técnicos y a la constructora, y solicitó una indemnización por el coste de las obras de la reparación con base en los artículos 1591 y 1101 CC. El JPI nº 11 de Barcelona (6.2.1991) condenó a los arquitectos a pagar 58.798,59 € y absolvió al resto de demandados. La AP de Barcelona (Sec. 12ª, 22.2.1993) revocó la SJPI en el sentido de incluir en la condena al resto de desmandados. El TS desestimó el recurso de casación al considerar que José y Martín actuaron como promotores. También califica de compraventa este tipo de contratos, la STS, 1ª, 3.3.2011 (RJ 2011, 3132) de acuerdo con la cual «[e]n modo alguno puede tacharse de ilógica la calificación de los contratos celebrados como de compraventa, así como la interpretación que de los mismos ha efectuado la Audiencia recurrida, pues (...) se trata de obligaciones efectivamente contraídas entre ambas partes y buena prueba de ello es que en el pacto segundo cada uno de los demandantes se compromete "a la compra de la citada vivienda" como, lógica y correlativamente, la promotora se obligaba a su venta

También la STS, 1ª, 16.12.2004 (RJ 2005, 272) se refiere a que

«... [n]o obsta a lo razonado la fórmula jurídica utilizada para la venta de las unidades constructivas, pues, con independencia de que, de ser previsto como montaje jurídico para excluir la responsabilidad incidiría en fraude de Ley (art. 6.4 CC)» (FD 2º)[122].

---

por el precio fijado para ella y para las demás elementos incluidos en el contrato (garaje y trastero), al modo previsto en el artículo 1450, párrafo primero, del Código Civil» (FD 2º).

122. La STS, 1ª, 16.12.2004 (RJ 2005, 272) resuelve el siguiente caso. En 1987, «Comunidades Castellanas, S.A.», que era titular de un derecho de opción de compra sobre un solar sito en una urbanización de Madrid, encargó un proyecto de edificación sobre el mismo y eligió y contrató a los técnicos. Además, gestionó la formación de una comunidad de propietarios que adquirió en *pro indiviso* el solar. Dicha comunidad celebró un contrato con «Comunidades Castellanas, S.A.» por el que le conferían, a cambio de una remuneración equivalente al 15% del coste total de la promoción, el encargo de gestionar, administrar y supervisar las obras de la urbanización, otorgándole los oportunos apoderamientos. Finalizada la construcción, se manifestaron graves defectos en las viviendas y en los elementos comunes de la urbanización como consecuencia de la inadecuada ejecución de la obra. La comunidad de propietarios demandó a «Comunidades Castellanas, S.A.», a la constructora, a la constructora de los viales, a los arquitectos superiores y técnicos y solicitó una indemnización por el valor de las obras de reparación; 23.771 € por la reparación de la zona peatonal; y una indemnización por la demora en la terminación de las obras, con base en los artículos 1101 y 1591 CC. A los efectos que aquí interesan, el JPI nº 56 de Madrid (24.6.1996) absolvió a «Comunidades Castellanas, S.A.». La AP de Madrid (Sec. 11ª, 30.6.1998) desestimó el recurso de apelación interpuesto por la comunidad de propietarios. El TS estimó el recurso de casación de la comunidad de propietarios, en el sentido de condenar a «Comunidades Castellanas, S.A.», junto a la constructora condenada en instancia, al pago solidario de 142.485 €. En la misma línea *vid.* la STS, 1ª, 24.9.1991 (RJ 1991, 6279) que condenó a la asociación que gestionó el proceso constructivo, se presentó ante los socios cooperativistas como promotora, y les vendió en su propio nombre las viviendas. En la STS, 1ª, 24.9.1991 (RJ 1991, 6279) la «Asociación Nuestra Señora la Virgen Blanca» cedió a la «Cooperativa San Cristóbal de viviendas» un solar de su propiedad situado en Vitoria, en el que la empresa constructora contratada edificó un bloque de 89 viviendas de VPO. Dicha asociación gestionó la construcción, obtuvo la calificación definitiva de VPO, y liquidó a la cooperativa los saldos resultantes de la subvención. Finalmente, la asociación vendió en su propio nombre las viviendas a los socios cooperativistas. Con posterioridad, aparecieron vicios y defectos constructivos en el edificio. La comunidad de propietarios demandó a la «Asociación Nuestra Señora la Virgen Blanca», a la constructora, a los arquitectos y al aparejador y solicitó 54.091,09 €, en concepto de gastos de reparación. El JPI nº 2 de Vitoria (20.5.1986) estimó la demanda y condenó a los demandados a reparar los vicios y defectos constructivos. La AP de Bilbao (Sec. 3ª, 3.5.1989) desestimó el recurso. El TS desestimó el recurso de casación de «Asociación Nuestra Señora la Virgen Blanca» que es la promotora real de las viviendas. «Esa "promoción legal" en la que se escuda la recu-

A favor de este tesis en la jurisprudencia menor destaca la SAP Ciudad Real, Civil, Sec. 1ª, 12.3.2007 (JUR 2007, 248981) que concluye que

«... Gedeco, S.A y Aumay, S.L. [son] (...) verdaderas y auténticas promotoras (...) de la construcción de las 140 viviendas (...), que los socios cooperativistas adquirieron por título de compra. Y siendo esto así, las tan repetidas mercantiles resultan obligadas a pechar con la responsabilidad que aquí se les reclama, (...) queda dicho con lo expuesto que la operación "adjudicación" que se documenta en los contratos celebrados, no es ajena, más al contrario es la propia de la idea de venta (...)» (FD 4º)[123].

3.3. Propuesta de calificación del contrato del promotor-gestor como un contrato atípico complejo de promoción

3.3.1. Jurisprudencia menor que califica el contrato de atípico complejo de promoción

Una segunda línea jurisprudencial ha optado por no incluir el contrato

---

rrente para su exclusión del círculo de responsables no se ajusta exactamente a los hechos incontrovertibles que se infieren de las documentaciones de venta de las viviendas que se hicieron a su propio nombre y la calificación oficial definitiva de las Viviendas de Protección Oficial, así como los expedientes administrativos por las deficiencias constructivas que se intitularon a nombre de la Asociación (...)» (FD 2º).

123. En el caso, el 19.1.1999, «Gedeco, S.A.» compró un solar y encargó un proyecto básico para edificar en el mismo. El 26.4.1999, 5 empleados de «Gedeco, S.A.» constituyeron la cooperativa de viviendas «Teneza», para construir 140 viviendas de VPO. La cooperativa celebró un contrato de arrendamiento de servicios con «Aumay, S.L.», sociedad que pertenecía, del mismo modo que «Gedeco, S.A.», en un 99% al mismo accionista, compartiendo ambas empleados, administrador único y domicilio social. El 19.10.1999, «Gedeco, S.A» obtuvo la calificación provisional de VPO en la que figuraba como promotor. El 25.2.2000, «Gedeco, S.A.» vendió el solar a la cooperativa. Con posterioridad, la empresa gestora comunicó a los cooperativistas que tenían que pagar un sobreprecio por las viviendas. Jesús Miguel y 26 propietarios más demandaron a «Gedeco, S.A.» y a «Aumay, S.L.» y solicitaron una indemnización por los costes de la edificación no previstos inicialmente. El JPI nº 1 de Ciudad Real (6.10.2006) estimó la demanda y condenó a las demandadas a pagar el sobreprecio. La AP desestimó los recursos de apelación de las demandadas las cuales alegaban falta de legitimación pasiva *ad procesum*, al ser la cooperativa quien ostentaba la condición de promotora. La AP afirma que hay una «sucesión de ambas empresas para lograr el fin común de construir una serie de viviendas bajo el ropaje de la creación de una cooperativa» (FD 2º). También califican al gestor de vendedor las SSAP Madrid, Civil, Sec. 11ª, 19.1.2010 (JUR 2010, 127140) resumida *supra*; y Madrid, Civil, Sec. 20ª, 17.6.2009, FD 2º (JUR 2009, 343732). En contra de la consideración de estos contratos como compraventa puede verse la SAP Jaén, Civil, Sec. 1ª, 10.3.1997 (AC 1997, 459) que considera que «... del tenor literal de los términos del contrato que vincula a las partes puede deducirse que no se trata de una compraventa de vivienda [puesto que] (...) aunque el deman-

del promotor-gestor dentro de los contratos típicos regulados en el Código Civil[124]. Estas sentencias califican el contrato del promotor-gestor de atípico complejo, es decir, consideran que se trata de un negocio que presenta elementos de distintos contratos típicos para conseguir el resultado buscado[125].

En particular, de acuerdo con esta teoría el contrato del promotor-gestor es un contrato de gestión que se instrumenta mediante elementos de dos contratos típicos:

a) Por un lado, el contrato de mandato representativo con facultades de disposición, «que es el que garantiza la actuación frente a terceros, y permite contratar todos los aspectos de la obra (...)»[126]. Se trata, en consecuencia, de un contrato de mandato en interés común. En efecto, una de las cláusulas del mandato o del poder del representación que revelan que el gestor interviene en interés propio en la promoción es precisamente aquélla que le faculta para adoptar una amplitud de actos de disposición o de actos reservados legal o estatuariamente a la Asamblea general o al Consejo rector de la cooperativa o a la comunidad de propietarios.

b) Por otro lado, el contrato de obra. El promotor-gestor se obliga frente a los comuneros o a los cooperativistas a realizar «cuantas actuaciones sean precisas para poner a disposición de sus clientes una vivienda en los términos pactados». En consecuencia, «[l]a responsabilidad del gestor excede de las del mandato representativo, para introducirse en las del contrato de obra»[127].

Los tribunales han calificado el contrato del promotor-gestor de contrato atípico de promoción, no sólo para fundar su responsabilidad como

---

dado fuese el dueño del solar y el Arquitecto ya estuviera contratado, lo cierto es que se adquiere el coeficiente correspondiente al piso a construir en régimen de comunidad con otras personas» (FD 2º).

124. La Audiencia Provincial de Madrid ha defendido esta teoría en las SSAP Madrid, Civil, Sec. 21ª, 12.7.2012 (JUR 2012, 265080); Madrid, Civil, Sec. 14ª, 30.3.2011, FD 4º (JUR 2011, 200864); Madrid, Civil, Sec. 14ª, 31.3.2010, FD 2º (JUR 2010, 234090); Madrid, Civil, Sec. 19ª, 10.11.2008, FD 3º (JUR 2009, 75829); Madrid, Civil, Sec. 14ª, 24.5.2007, FD 5º (JUR 2007, 268810); y Madrid, Civil, Sec. 14ª, 21.11.2006, FD 5º (JUR 2007, 67880).

125. Sobre el concepto de contrato atípico complejo, vid. DÍEZ-PICAZO y PONCE DE LEÓN, *Fundamentos del derecho civil patrimonial*, vol. I, op. cit., pp. 490-491.

126. En este sentido vid. las SSAP Madrid, Civil, Sec. 14ª, 30.3.2011, FD 4º (JUR 2011, 200864); Madrid, Civil, Sec. 14ª, 31.3.2010, FD 2º (JUR 2010, 234090); Madrid, Civil, Sec. 14ª, 24.5.2007, FD 5º (JUR 2007, 268810); y Madrid, Civil, Sec. 14ª, 21.11.2006, FD 5º (JUR 2007, 67880).

127. *Ibidem.*

promotor derivada del artículo 17 LOE, sino también para justificar su responsabilidad por incumplimiento contractual derivada de los artículos 1101 y ss. y 1124 CC. El promotor-gestor se obliga frente a la cooperativa o la comunidad de propietarios a cumplir el encargo de acuerdo con sus instrucciones, pero también a entregar una vivienda en las condiciones y plazo pactados[128].

> En efecto, de acuerdo con la SAP Madrid, Civil, Sec. 14ª, 21.11.2006 (JUR 2007, 67880), «(...) las obligaciones del gestor están imbuidas por el rasgo de la profesionalidad y confianza, y por la *obligación de resultado*, respondiendo de la ejecución de la obra, y de que se haga bien de acuerdo con la diligencia de un buen profesional del ramo, según plano, proyecto y memoria de calidades etc., y se entregue en el plazo previsto en el contrato» (FD 5°) (énfasis añadido).

3.3.2. Contrato de promoción inmobiliaria en el ordenamiento jurídico francés

Además, el contrato de promoción propuesto por la jurisprudencia menor analizada, definido como un contrato atípico complejo que combina elementos del contrato de mandato en interés común y del contrato de arrendamiento de obra, coincide con la definición del contrato de promoción inmobiliaria de los artículos 1831-1 a 1831-5 del *Code Civil* francés. En efecto, la naturaleza jurídica del contrato de promoción inmobiliaria francés es mixta, pues toma elementos en parte del contrato de mandato y en parte del contrato de obra[129].

En particular, el *Code Civil* francés define en su artículo 1831-1 el contrato de promoción inmobiliaria como[130]:

---

128. A favor de la responsabilidad por incumplimiento contractual del promotor-gestor por no proporcionar a los adquirentes viviendas aptas al fin que han de ser destinadas, *vid.* las SSAP Madrid, Civil, Sec. 8ª, 27.9.2010 (JUR 2010, 361832); Madrid, Civil, Sec. 14ª, 31.3.2010 (JUR 2010, 234090); Barcelona, Civil, Sec. 4ª, 21.11.2009 (JUR 2009, 145176); Madrid, Civil, Sec. 19ª, 13.5.2009 (JUR 2010, 269243); Madrid, Civil, Sec. 19ª, 10.11.2008 (JUR 2009, 75829); Ciudad Real, Civil, Sec. 1ª, 12.3.2007 (JUR 2007, 248981); Madrid, Civil, Sec. 14ª, 21.11.2006 (JUR 2007, 67880); y Barcelona, Civil, Sec. 16ª, 15.4.2005 (JUR 2005, 122912).
129. MALINVAUD y JESTAZ, *Droit de la promotion immobilière, op. cit.*, p. 687.
130. De acuerdo con la versión original del artículo 1831-1 del *Code Civil* francés, introducido por la Ley n° 78-12 de 4.1.1978 (Diario Oficial 5.1.1978; en vigor desde el 1.1.1979): «*Le contrat de promotion immobilière est un mandat d'intérêt commun par lequel une personne dite " promoteur immobilier " s'oblige envers le maître d'un ouvrage à faire procéder, pour un prix convenu, au moyen de contrats de louage d'ouvrage, à la réalisation d'un programme de construction d'un ou de plusieurs édifices ainsi qu'à procéder elle-même ou à faire procéder, moyennant une rémunération convenue, à tout ou partie des opérations juridiques, administratives et financières concourant au même objet. Ce promoteur est*

> «... un mandato de interés común por el que una persona llamada "promotor inmobiliario" se obliga ante el propietario de una obra a proceder, por un precio convenido y mediante contratos de arrendamiento de obras, a realizar un programa de construcción de uno o varios edificios y a proceder por sí mismo o hacer que se proceda, por medio de una remuneración convenida, a la totalidad o parte de las operaciones jurídicas, administrativas y financieras que concurran al mismo objeto. Este promotor es garante de la ejecución de las obligaciones puestas a cargo de las personas con las que ha tratado en nombre del propietario de la obra. Es principalmente responsable de las obligaciones derivadas de los artículos 1792, 1792-1, 1792-2 y 1792-3 del presente código (...)».

En virtud del contrato de promoción, el promotor se obliga a «cumplir, por el total del precio global convenido, en nombre del propietario de la obra, todos los actos que sirvan a la realización del programa» (artículo 1831-2 *Code Civil*). Además, debe gestionar la promoción, esto es, «proceder por sí mismo o hacer que se proceda (...) a la totalidad o parte de las operaciones jurídicas, administrativas y financieras (...)» (artículo 1831-1 *Code Civil*). El promotor debe rendir cuentas de la gestión frente al dueño de la obra. Por último, en el contrato de promoción no es el dueño de la obra, sino el promotor quien debe contratar el seguro de responsabilidad obligatoria (artículo L. 242-2 *Code des assurances*[131]).

El promotor asume en virtud del contrato una obligación de resultado y, en consecuencia, es garante del correcto cumplimento de las obligaciones del arquitecto, del contratista y otros profesionales, a los cuales contrató en nombre del dueño de la obra[132]. En particular, responde en virtud del régimen de responsabilidad por vicios o defectos constructivos del artículo 1792 del *Code Civil*. En efecto, el artículo 1792-1.3° del *Code Civil* lo considera constructor a los efectos de atribuirle la responsabilidad por vicios constructivos del artículo 1792, pues incluye:

> «A toda persona que, aun actuando en calidad de mandatario del propietario de la obra, realiza una misión asimilable a la de un contratista de obras».

De acuerdo con Philippe MALINVAUD y Philippe JESTAZ, el citado

---

garant de l'exécution des obligations mises à la charge des personnes avec lesquelles il a traité au nom du maître de l'ouvrage. Il est notamment tenu des obligations résultant des articles 1792, 1792-1, 1792-2 et 1792-3 du présent code. (...)».

131. De acuerdo con la versión original del artículo L242-2 *Code des assurances* «*Dans les cas prévus par les articles 1831-1 à 1831-5 du code civil relatifs au contrat de promotion immobilière, ainsi que par les articles L. 222-1 à L. 222-5 du code de la construction et de l'habitation les obligations définies aux articles L. 241-2 et L. 242-1 incombent au promoteur immobilier*».

132. *Vid.* MALINVAUD y JESTAZ, *Droit de la promotion immobilière, op. cit.*, p. 690.

apartado tercero del artículo 1792-1 del *Code Civil* debe interpretarse en el sentido de que son constructores aquellos prestadores de servicios, promotores o asimilados, que bajo la apariencia de actuar como simples mandatarios, asuman una obligación equiparable al arrendador de obra[133].

El *Code de la construction et de l'habitation* obliga a celebrar un contrato de promoción inmobiliaria cuando una persona se obliga frente al dueño de la obra a hacer construir un inmueble destinado a vivienda en virtud de un título distinto a venta o arrendamiento de obra (artículo L. 222-1 CCH)[134]. Además también establece esta obligación respecto a las sociedades de atribución de viviendas (artículo L. 212-10, al. 1, CCH)[135] y a las cooperativas de viviendas (artículo L. 213-3 CCH)[136], cuando confíen a un tercero la realización de su programa de construcción. Asimismo, en estos casos son de aplicación las previsiones de los artículos L. 221-1 a L. 221-5 CCH que contienen normas imperativas aplicables a la formación, al contenido y a la ejecución del contrato.

3.3.3. Propuesta de calificación del contrato del promotor-gestor como un contrato atípico complejo de promoción

Coincido con la posición mantenida por una parte de la jurisprudencia menor, así como por los artículos 1831-1 a 1831-5 del *Code Civil* francés, en calificar el contrato del promotor-gestor de contrato atípico complejo de promoción, con elementos del contrato de mandato y del contrato de obra, pues entiendo que esta tesis es más acertada que la que opta por calificarlo de contrato de compraventa.

Ciertamente, la elección de uno u otro contrato no tiene trascendencia

---

133. MALINVAUD y JESTAZ, *Droit de la promotion immobilière, op. cit.*, p. 170, de acuerdo con los cuales *«Le texte signifierait alors que ces différents prestataires, promoteurs ou assimilés, sont réputés de simples mandataires, pourvu qu'ils assument une « mission assimilable à celle d'un locateur d'ouvrage».*

134. Según el artículo L222-1 CCH *«Tout contrat par lequel une personne s'oblige envers le maître de l'ouvrage à faire procéder à la construction d'un immeuble d'habitation ou d'un immeuble à usage professionnel et d'habitation, en une qualité autre que celle de vendeur ou que celles qui sont indiquées au 3° de l'article 1779 du Code civil, est soumis aux règles des articles 1831-1 à 1831-5 du même code, reproduits aux articles L. 221-1 à L. 221-5 du présent code, ainsi qu'à celles du présent chapitre».*

135. De conformidad con el artículo L212-10, al. 1, CCH *«Les sociétés qui ont pour objet la construction d'un immeuble à usage d'habitation ou à usage professionnel et d'habitation sont tenues: Soit de conclure un contrat de promotion immobilière».*

136. De acuerdo con el artículo L213-3 CCH *«Une société coopérative de construction ne peut confier à un tiers la réalisation de son programme de construction qu'en vertu d'un contrat de promotion immobilière conforme au titre II du présent livre».*

en las relaciones jurídicas internas entre el promotor-gestor y los comuneros o la cooperativa de viviendas. En éstas, las consecuencias prácticas de calificar el contrato del gestor de compraventa o de obra son las mismas. El promotor-gestor asume en virtud del contrato una obligación de resultado, en particular, la obligación de entregar a los comuneros o los cooperativistas una edificación sin vicios constructivos y que se ajuste a lo pactado.

Con todo, la elección de una u otra calificación sí tiene consecuencias legales en las relaciones de la cooperativa de viviendas y los comuneros con terceros.

La calificación del contrato del promotor-gestor no debería afectar las obligaciones que el gestor asumió frente terceros por cuenta y en nombre de la cooperativa de viviendas o de los comuneros. Estos terceros actuaron ajenos a las relaciones internas entre el gestor y el colectivo y a la hora de contratar confiaron en que el gestor actuaba como representante de los intereses de los cooperativistas o comuneros[137].

Con todo, si considéramos que el contrato del promotor-gestor es una compraventa tendríamos el problema de determinar qué sucede con aquellos contratos que el promotor-gestor celebró con terceros durante el proceso edificatorio en nombre de la cooperativa de viviendas o de los comuneros.

Desde mi punto de vista, este problema queda resuelto con la segunda línea jurisprudencial, que incluye en el contrato del promotor-gestor elementos del contrato de mandato con facultades de disposición. La calificación del contrato como un contrato atípico complejo de promoción resuelve mejor la cuestión de la naturaleza jurídica del contrato del promotor-gestor, porque al incorporar elementos del contrato de mandato los comuneros o la cooperativa de viviendas continúan obligados frente a terceros a cumplir el negocio representativo que el promotor-gestor celebró en su nombre.

IV. CIRCUNSTANCIAS QUE, MÁS ALLÁ DE LO CONTEMPLADO EN EL CONTRATO, PERMITEN AL PROMOTOR-GESTOR CONTROLAR DE HECHO LAS DECISIONES DEL COLECTIVO

Lo habitual en la práctica es que el gestor celebre un contrato de

---

137. En esta línea se ha pronunciado la SAP Barcelona, Civil, Sec. 4ª, 21.11.2009 (JUR 2009, 145176) que califica de compraventa el contrato por el cual «... los actores adquirían una vivienda concreta por un precio cerrado y que LAR 2000 S.L. [gestora] garantizaba las cantidades abonadas por los actores» (FD 5º). Sin embargo, la SAP Barcelona considera que esta calificación no tiene efecto frente a terceros. «[E]n las relaciones con terceros, Lar 2000 S.L., usando los poderes conferidos por los adquirentes de las viviendas, como mandataria, contrató en

mandato o de arrendamiento de servicios con un poder de representación con facultades de disposición que le faculta para decidir los elementos esenciales de la edificación. No obstante, incluso en las promociones en las que el gestor no tenga atribuidas facultades de disposición o facultades reservadas a la Asamblea general o al Consejo rector de la cooperativa de viviendas aquél puede haber tenido una intervención decisoria en la promoción.

La capacidad decisoria del promotor-gestor sobre los elementos esenciales de la edificación y, en consecuencia, su condición de promotor puede derivar, de acuerdo con el artículo 17.4 LOE, no sólo del tenor del contrato sino también de otras circunstancias que más allá de lo contemplado en el mismo permitan «su intervención decisoria en la promoción».

Tras un estudio de la jurisprudencia sobre la materia, se han identificado dos constelaciones de casos en las que el gestor actúa *de facto* como promotor: a) promociones en las que los órganos de la cooperativa de viviendas o los comuneros ratifican sistemáticamente las decisiones tomadas por el gestor; y b) casos en los que se produce una confusión entre la persona jurídica de la empresa gestora y de la cooperativa, que permite a la primera controlar indirectamente las decisiones que toman las órganos de la segunda.

1. RATIFICACIÓN SISTEMÁTICA DE LAS DECISIONES TOMADAS POR EL GESTOR

Puede afirmarse que el gestor actúa como promotor en los casos en los que los demandantes prueben que el gestor ejerció una influencia tal en la adopción de los acuerdos por parte de los órganos de los comunidad *ad aedificandum* o de la cooperativa de viviendas, que sus propuestas eran las que los comuneros o los cooperativistas ratificaban, de modo que la comunidad o la cooperativa se conviertan en ratificantes formales de la voluntad del gestor[138].

En este sentido se pronuncia la SAP Asturias, Civil, Sec. 6ª, 21.11.2006 (JUR 2007, 45895) que señala que la responsabilidad del gestor de la cooperativa de viviendas:

---

nombre de las direccion000; por tanto, frente a terceros, la direccion000 actuó como promotora, y frente a dichos terceros, Lar 2000 S.L. actuó como gestora o mandataria de dicha comunidad de bienes» (FD 5°).

138. *Vid.* en esta línea MANRIQUE PLAZA, *Construcción en Comunidad, op. cit.*, p. 148, quien afirma que «[e]l promotor-administrador de las comunidades (...) si bien aparenta que es un mero ejecutor de los acuerdos de la comunidad, sin embargo, sus propuestas suelen ser las aceptadas, con lo que aquélla se convierte sólo en ratificante formal de la voluntad del promotor (...)».

«... no puede ser excluida por el mero hecho de intermediar en esas funciones, mediante un contrato de adhesión firmado por los interesados en la adquisición de las viviendas que se promueven, una cooperativa en este caso, que *lejos de llevar la promoción, se limitó a dar cobertura formal a las decisiones de la sociedad de gestión*, entre otras razones porque sus miembros no son expertos en el complejo proceso constructivo» (FD 4°) (énfasis añadido)[139].

También puede verse en esta línea la SAP Madrid, Civil, Sec. 14ª, 21.11.2006 (JUR 2007, 67880), la cual señala que

«... los comuneros eran desde el principio meros convidados de piedra quienes, salvo dejar en un punto muerto la promoción, sólo podían aprobar las propuestas, actos y gestiones llevadas a cabo por G.V.4, S.L., que era la real promotora de la edificación» (FD 4°)[140].

2. CONFUSIÓN ENTRE LA PERSONA JURÍDICA DE LA GESTORA Y DE LA COOPERATIVA QUE LE PERMITE UN CONTROL INDIRECTO

La segunda constelación de casos, en los que el promotor-gestor

---

139. En el caso resuelto por la SAP Asturias, Civil, Sec. 6ª, 21.11.2006 (JUR 2007, 45895), una cooperativa de viviendas, gestionada por «Procoventur, S.L», llevó a cabo la construcción de un conjunto residencial de 14 chalets adosados unifamiliares. La gestora realizó, entre otras, las siguientes actuaciones, la búsqueda del suelo; reunió a los propietarios interesados; encargó los proyectos; seleccionó la constructora y a la dirección facultativa; y facilitó la financiación a través de una selección bancaria. Juan Ramón y Camila demandaron al constructor, a la dirección facultativa y al gestor y solicitaron la reparación de los vicios constructivos que se estimaron por un valor de 1.922,12 € con base en el artículo 1591.I CC. El JPI n° 3 de Oviedo (20.4.2006) condenó a todos los demandados a ejecutar las obras de reparación. La AP desestimó el recurso de apelación del gestor al considerar que actuó como promotor.

140. Los hechos que dieron lugar a la SAP Madrid, Civil, Sec. 14ª, 21.11.2006 (JUR 2007, 67880) son los siguientes. «G.V.4, S.L.», cuyo objeto social era la construcción de edificios, inició la promoción de un edificio a construir en un solar y con un proyecto técnico determinados previamente. «G.V.4, S.L.» y dos más constituyeron una comunidad de bienes y, un día después, los comuneros suscribieron un contrato de prestación de servicios para la gestión de toda la promoción con la misma «G.V.4, S.L.». El contrato incluía desde actos ya ejecutados antes de la constitución, hasta la entrega de las viviendas a los comuneros iniciales y a los que posteriormente pasarían a integrar la comunidad mediante un contrato de adhesión. Con posterioridad a la entrega de las viviendas, aparecieron vicios constructivos en las mismas. La comunidad de propietarios demandó a la constructora, al arquitecto proyectista, al director de la obra, y a «G.V.4, S.L.», y solicitó la reparación de los vicios con base en los artículos 1591.I y 1101 CC, así como una indemnización por el importe de las obras de reparación ya realizadas. El JPI n° 17 de Madrid (24.10.2005) estimó la demanda, y condenó a todos los demandados, en particular, calificó a «G.V.4, S.L.» de auténtica promotora. La AP desestimó el recurso de apelación de «G.V.4, S.L.».

puede adoptar las decisiones esenciales de la promoción porque las circunstancias le permiten de hecho controlar las decisiones de la cooperativa, es aquella en la que se produce la confusión entre la persona jurídica de la empresa gestora y la de la propia cooperativa de viviendas.

La interconexión existente entre ambas entidades permite al gestor controlar indirectamente las decisiones que toman los órganos de la cooperativa de viviendas, a la cual utiliza como instrumento para eludir su responsabilidad como promotora. En este caso, es aplicable la teoría del levantamiento del velo societario fundamentalmente dirigida a impedir los supuestos de abuso de derecho derivados del uso de personalidades jurídicas interpuestas[141].

Uno de los casos más relevantes fue el de la cooperativa PSV, gestionada por la sociedad anónima IGS. Como la cooperativa no podía ser participada por su gestora, ésta ideó un sistema de control, en virtud del cual la cooperativa le transfería todos los ingresos y fondos que obtenía de los cooperativistas. La coincidencia de patrimonios permitía a la gestora controlar indirectamente las decisiones que tomaban los órganos de la cooperativa, que se convirtió, de este modo, en una persona jurídica instrumental. Con independencia de las consecuencias penales de estos hechos, que fueron examinados por la Sala Segunda del Tribunal Supremo[142], en el ámbito civil la SAP Madrid, Civil, Sec. 11ª, 15.4.2008 (JUR 2008, 179487) atribuyó a la gestora IGS la condición de promotora «atendiendo a la interconexión existente entre ambas entidades (...)» (FD 3º)[143].

---

141. Aplica la doctrina del levantamiento del velo para atribuir la condición de promotora la STS, 1ª, Sec. 1ª, 16.5.2013 (RJ 2013, 13701), si bien en este caso se refiere a una sociedad que había solicitado la licencia de obras en calidad de propietaria del solar y promotora de la obra y que con posterioridad transfirió a una empresa filial esta condición con la intención de eludir su responsabilidad.

142. El Juzgado Central de Instrucción nº 3 incoó procedimiento abreviado contra el consejero delegado de IGS y otros, y contra UGT, IGS y otros como responsables civiles subsidiarios. La SAN, Sala de lo Penal, Sec. 1ª, 16.7.2001 (JUR 2001, 205441) condenó al consejero delegado de IGS como autor de un delito continuado de apropiación indebida, a 2 años, 4 meses y 1 día de prisión menor, así como a indemnizar a los perjudicados en las cantidades que se determinen en ejecución de sentencia. Además, la AN declaró la responsabilidad civil subsidiaria de UGT. La STS, 2ª, 9.10.2003 (RJ 2003, 7233) confirmó.

143. El caso que resuelve la SAP Madrid, Civil, Sec. 11ª, 15.4.2008 (JUR 2008, 179487) se refiere al proyecto de construcción de dos edificios de 144 de VPO y locales comerciales en Tres Cantos (Madrid). «PSV» celebró con la empresa gestora «IGS» un contrato en el que le encargaba la gestión de su actividad a cambio de unos honorarios equivalentes a la diferencia entre el coste del proceso constructivo y el precio máximo de venta de las VPO. Sin embargo, tras sufrir pérdidas cuantiosas en la promoción del primer edificio cambió el sistema de determinación por el 8% y después por el 12,5% de los costes presupuestados. Tras la adjudicación de las viviendas a los socios, aparecieron vicios y defectos

Además de la confusión de patrimonios entre la empresa gestora y la cooperativa de viviendas, otros factores que revelan esta dependencia son la concurrencia de miembros y la coincidencia de domicilios sociales. Así, la SAP Álava, Civil, Sec. 2ª, 29.9.1999 (AC 1999, 2128) condenó con base en el artículo 1591.I CC y en virtud de su condición de promotora, a la sociedad gestora de una cooperativa de viviendas que tenía como objeto social la edificación de inmuebles; cuyo administrador único era, a su vez, el arquitecto técnico que desempeñó las tareas de dirección de las obras; y cuyo domicilio coincidía con el de la cooperativa de viviendas[144].

---

constructivos. Las comunidades de propietarios de los dos edificios demandaron a «PSV», a «IGS», a «Unión de empresas fomento de obras y construcciones, S.A.», a «Ferrovial Agroman, S.A.» y a los arquitectos superiores y técnicos, y solicitaron la reparación de los vicios con base en el artículo 1591 CC. El JPI nº 2 Colmenar Viejo (21.7.2005) estimó en parte la demanda, absolvió a la cooperativa, y condenó al resto de demandados a pagar la cantidad a determinar en ejecución de sentencia, más 597,97 € a la primera comunidad y 2.070,60 € a la segunda; y, en particular, a «IGS» a pagar 7.562,48 € a los demandantes. La AP desestimó los recursos de apelación interpuestos por «PSV», relativo a las costas, y el de «IGS» quien actuó como la auténtica promotora de los edificios.

144. Los hechos que dieron lugar al pronunciamiento de la AP Álava, Civil, Sec. 2ª, 29.9.1999 (AC 1999, 2128) son los siguientes. La cooperativa de viviendas «Covivi» contrató a «Forma» para gestionar la construcción de un edificio de viviendas en Vitoria. «Forma» intervino efectivamente en el proceso constructivo: la gestora obtuvo las licencias municipales y contrató a la constructora y a los técnicos; el arquitecto técnico que desempeñó las tareas de dirección de la obra era, a su vez, administrador único de la sociedad gestora; el objeto social de la gestora era la adquisición, urbanización, parcelación, construcción y edificación de inmuebles; y, por último, el domicilio social de «Covivi» y «Forma» y el estudio del arquitecto técnico coincidían. Con posterioridad a la adjudicación de las viviendas, aparecieron vicios y defectos constructivos en las mismas. La comunidad de propietarios del edificio demandó a «Forma», y solicitó la reparación de los vicios y defectos constructivos. El JPI nº 3 de Vitoria (23.6.1999) estimó la demanda. La SAP desestimó el recurso de apelación de la empresa gestora, quien alegó su falta de legitimación pasiva con base en el artículo 1591.I CC. «Ante un contrato de adhesión que impone e interpone un poder omnímodo e irrevocable y una comunidad de tipo civil, con el fin de excluirse de la responsabilidad decenal, ha de aplicarse el artículo 6.4 del propio Texto Sustantivo (...), en igual medida que el principio de la exigible buena fe, plasmados ambos en el artículo 11.2 LOPJ (...). Y aun podría citarse el artículo 10 c) 3º Ley de Consumidores y Usuarios (...)» (FD 3º) (cita y aplica la STS, 1ª, 3.10.1996 (RJ 1996, 7006)]. Sin embargo, la SAP Cádiz, Civil, Sec. 1ª, 27.12.2002 (JUR 2003, 113804), resumida *supra*, considera que no es aplicable la doctrina del levantamiento del velo en el supuesto en el que: «... no sólo no se ha probado en este caso, sino que ni siquiera nadie lo ha invocado como base de la responsabilidad de Grupo de Proyectos Sociales de Gestión. La confusión de personalidad habría de producirse entre esta sociedad y VITRA, pero no hay ninguna circunstancia de donde deducirla: ni identidad de administradores ni actividades concurrentes ni unidad de poder decisorio; sino actuación independiente y separada».

Por último, la SAP Madrid, Civil, Sec. 13ª, 4.3.2013 (JUR 2013, 156404) señala como indicios razonables de la identidad entre cooperativa y gestora, que ambas compartieran domicilio social, unido al hecho que la cooperativa se hubiera constituido 14 años después de la constitución de la sociedad gestora «lo que sugiere que la cooperativa no parece que buscase una gestora, para todo tipo de trámites administrativos y captación de clientes, sino que la gestora precisaba de una cooperativa para efectuar, a su abrigo, una labor de promoción de construcción» (FD 3º); y que el solar donde se construyó la edificación fuera adquirido por la cooperativa por compra a la gestora y a la constructora[145].

De la jurisprudencia analizada puede concluirse que en algunos casos no es suficiente para considerar que el gestor no ha actuado como promotor que ello no derive del «tenor del contrato» (artículo 17.4 LOE). En aquellas promociones en los que exista confusión entre la persona jurídica de la empresa gestora y de la cooperativa de viviendas que evidencie el control de la primera sobre la segunda, la amplitud de las facultades atribuidas al gestor pierde relevancia, porque la conexión existente entre ambas entidades hace que los actos de una y otra tengan el mismo efecto.

---

145. La SAP Madrid, Civil, Sec. 13ª, 4.3.2013 (JUR 2013, 156404) resuelve el siguiente caso. Tau Promociones, gestora de la Sociedad Cooperativa Madrileña Viviendas Jardín del Norte, promovió un complejo inmobiliario formado de 144 viviendas y 259 plazas de garaje, con piscina comunitaria con pradera lateral ajardinada, pista de pádel y zona de juegos infantiles. A finales del 2005, la cooperativa adjudicó las viviendas a los socios. En el primer semestre de 2006, se causaron daños a la propietaria de una de las viviendas por la contaminación acústica derivada del ruido producido por la apertura y cierre de la puerta metálica de acceso al garaje, elementos metálicos en el solado y falta de aislamiento que evitase la inmisión de ruidos. La comunidad de propietarios demandó a la gestora de la cooperativa en concepto de promotora, a los arquitectos superiores directores de la obra y a los arquitectos técnicos directores de ejecución de la obra con base en el artículo 17 LOE, y solicitan la reparación de los vicios constructivos. El JPI nº 42 de Madrid (3.2.2012) desestimó la demanda. La AP estima en parte la demanda y condena a los demandados a hacer las reparaciones necesarias. «Obran en autos elementos probados que permiten acceder a una convicción razonable y bastante de que en todo momento Tau Construcciones tuvo el efectivo control de la construcción y que su posición no fue la de gerente, administradora o agente de la cooperativa, sino de auténtica promotora, al abrigo de la pantalla que le proporcionaba la cooperativa como promotora formal o aparente» (FD 3º).

QUINTO

OBLIGACIONES DEL PROMOTOR Y ESPECIALIDADES EN LA AUTOPROMOCIÓN, LAS COMUNIDADES DE PROPIETARIOS Y LAS COOPERATIVAS DE VIVIENDAS

I. OBLIGACIONES DEL PROMOTOR EN LA LOE Y ESPECIALIDADES EN AQUELLAS QUE EL AUTOPROMOTOR DEBE CUMPLIR FRENTE A LOS POSTERIORES ADQUIRENTES

El artículo 9.2 LOE enumera las siguientes obligaciones del promotor inmobiliario[1]:

1º «Ostentar sobre el solar la titularidad de un derecho que le faculte para construir en él.

2º Facilitar la documentación e información previa necesaria para la redacción del proyecto, así como autorizar al director de obra las posteriores modificaciones del mismo.

3º Gestionar y obtener las preceptivas licencias y autorizaciones administrativas, así como suscribir el acta de recepción de la obra.

4º Suscribir los seguros previstos en el artículo 19.

5º Entregar al adquirente, en su caso, la documentación de obra ejecutada, o cualquier otro documento exigible por las Administraciones competentes».

La lista de obligaciones del promotor inmobiliario del artículo 9.2

---

1. *Cfr.* con el artículo 3.4 de la derogada Ley catalana 24/1991 de vivienda que establecía, de modo análogo a este precepto, las obligaciones del promotor inmobiliario.

LOE no es exhaustiva y debe complementarse, de acuerdo con el artículo 8 LOE[2]:

a) Por lo dispuesto en otras disposiciones de la LOE. En especial, con la disposición adicional 1ª, que impone al promotor o gestores la obligación de garantizar las cantidades percibidas a cuenta durante la construcción por venta de viviendas.

b) Con las demás disposiciones que le sean de aplicación, como la normativa sectorial específica o la normativa en materia de prevención de riesgos laborales[3].

c) Y con el contenido del contrato que origina su intervención en la obra. A las obligaciones legales del promotor, hay que sumar aquéllas que haya asumido contractualmente frente al resto de agentes de la edificación, así como frente a las adquirentes de las viviendas (artículos 8, 17.1, 17.9 y 18.1 LOE).

El artículo 9.2 LOE ha sido fuertemente criticado por diversas razones:

En primer lugar, porque se refiere a las «obligaciones» del promotor, a pesar de que no todas las enunciadas son verdaderas obligaciones. Algunas de ellas pueden ser consideradas facultades, como la de autorizar al director de obra las posteriores modificaciones del proyecto [artículo 9.2.b), *in fine*, LOE][4]. Otras descripciones de situaciones que se dan habitualmente en la promoción inmobiliaria, como ostentar sobre el solar la titularidad de un derecho que le faculte para construir en él [artículo 9.2.a) LOE][5].

Además, algunas de las obligaciones que contiene el artículo 9.2 LOE tienen carácter dispositivo, por lo que pueden ser modificadas en virtud de la autonomía de voluntad de las partes en el contrato de obra. Este es el caso de la facultad de autorizar al director de obra las posteriores modificaciones del proyecto [artículo 9.2.b LOE) y de la obligación de gestionar y obtener las preceptivas licencias y autorizaciones administrativas [artículo 9.2.c) LOE], que puede reservarse el dueño de la obra[6].

---

2. El artículo 8 LOE al definir las funciones de los agentes en general, señala que «sus obligaciones vendrán determinadas por lo dispuesto en esta Ley y demás disposiciones que sean de aplicación y por el contrato que origina su intervención».
3. *Vid.* en este sentido el artículo 49.2 de la Ley 18/2007, de 28 de diciembre, del derecho a la vivienda de Cataluña. En relación con las demás disposiciones que sean de aplicación, CORDERO LOBATO, *Capítulo 13. El promotor, op. cit.*, p. 398, hace referencia a las normas sobre salud y seguridad en la construcción y a las obligaciones relacionadas con el control de calidad de la edificación.
4. En este sentido, *vid.* VILASAU SOLANA, *La noció de promotor en la Llei 38/1999 d'Ordenació de l'Edificació..., op. cit.*, p. 95.
5. *Vid.* CORDERO LOBATO, *Capítulo 13. El promotor, op. cit.*, p. 399, quien señala que lo relevante no es si el promotor es titular de un derecho sobre el solar, sino si el promotor tiene facultades para construir en el solar en cuestión.
6. En este sentido, *vid.* CORDERO LOBATO, *Capítulo 13. El promotor, op. cit.*, pp. 397-398.

Por último, algunos autores han destacado la escasa utilidad práctica de las obligaciones enunciadas, puesto que la LOE no prevé consecuencias jurídicas para el caso de incumplimiento de las obligaciones del artículo 9.2, excepto para la de concertar los seguros del artículo 19 LOE [artículo 9.2.d) LOE][7].

La Ley de Ordenación de la Edificación no contempla las especialidades que presenta la figura del autopromotor inmobiliario, o promotor para uso propio, y le impone las mismas obligaciones que a cualquier otro tipo de promotor, excepto en lo que se refiere al autopromotor individual en la obligación de contratar el seguro decenal del artículo 19.1.c) LOE. En el resto de obligaciones la LOE equipara el autopromotor al promotor profesional. No obstante, la exigibilidad de estas obligaciones al autopromotor es desigual según deban ser cumplidas frente a los adquirentes posteriores de la edificación o frente al resto de agentes intervinientes en la construcción.

En el primer grupo de obligaciones, las que el autopromotor debe cumplir frente a los posteriores adquirentes de la edificación, se encuentran, además de la obligación de contratar el seguro decenal, la de entregar el Libro del Edificio [artículos 7 y 9.2.e) LOE] y la obligación de asegurar las cantidades percibidas a cuenta (Ley 54/1968 y disposición adicional 1ª LOE). La Ley y, en algunos casos la jurisprudencia, prevén para estas obligaciones algunas especialidades cuando el sujeto obligado a cumplirlas es un promotor para uso propio.

En relación con la obligación de contratar el seguro decenal, el segundo párrafo de la disposición adicional 2ª, Uno, de la LOE exonera al autopromotor individual de acreditar la contratación del seguro decenal en la escritura de declaración de obra nueva, siempre y cuando se trate de una única vivienda unifamiliar para uso propio. La Dirección General de los Registros y del Notariado, con base en la aplicación analógica de la disposición adicional 2ª citada, también ha exonerado al autopromotor individual de la obligación de depositar el Libro del Edificio.

A pesar de lo anterior ni la disposición adicional 2ª LOE citada, ni la doctrina de la Dirección General eximen por completo al autopromotor del cumplimiento de sus obligaciones. Éstas sólo posponen la exigibilidad de su cumplimiento a un momento posterior, aquél en el que el autopromotor, tras habitar en la vivienda durante un determinado período de tiempo, transmite la misma a terceros dentro del período de garantía.

Pero incluso en este segundo momento temporal, en el que interviene

---

7. *Vid.* Vilasau Solana, *La noció de promotor en la Llei 38/1999 d'Ordenació de l'Edificació...*, *op. cit.*, p. 95; y Estruch Estruch, *Las responsabilidades en la construcción...*, *op. cit.*, p. 791.

un tercer adquirente al que proteger, la exigibilidad de las obligaciones del autopromotor es mucho más débil que las del promotor profesional. Probado el uso efectivo de la vivienda por parte del autopromotor en la escritura de transmisión, el comprador tiene la facultad de exonerar a aquél de la contratación del seguro decenal o de la entrega del Libro del Edificio. El reconocimiento por parte del legislador de un régimen dispositivo en las obligaciones del autopromotor cuando concurre un tercer adquirente al que proteger, podría poner en evidencia que aquél estima que, en estos casos, la situación de equilibrio entre las partes permite establecer normas de carácter dispositivo.

En el segundo grupo de obligaciones del autopromotor, se hallan las obligaciones que éste debe cumplir frente al resto de agentes de la edificación. Se trata de aquellas obligaciones que debe respetar cualquier comitente de una obra y, en particular, las ligadas a un deber de cooperación (artículo 1258 CC)[8]. En consecuencia, en este tipo de obligaciones, el autopromotor no presenta ninguna particularidad. Éste tiene un deber de cooperación y, por ello, está obligado a facilitar la documentación e información previa necesaria para la redacción del proyecto; autorizar, si lo considera conveniente, al director de obra las posteriores modificaciones del proyecto [artículo 9.2.b) LOE]; y a gestionar y a obtener las preceptivas licencias y autorizaciones administrativas; así como suscribir el acta de recepción de la obra [artículo 9.2.c) LOE].

II. OBLIGACIÓN DEL PROMOTOR DE CONTRATAR EL SEGURO DECENAL Y EXONERACIÓN DEL AUTOPROMOTOR INDIVIDUAL DE UNA ÚNICA VIVIENDA UNIFAMILIAR

1. OBLIGACIÓN DEL PROMOTOR DE CONTRATAR EL SEGURO DECENAL

1.1. Seguro decenal y suscripción obligatoria en edificios destinados principalmente a vivienda [artículos 9.2.d) y 19 y disposición adicional 2ª LOE]

La LOE establece tres tipos de seguro de daños o de caución para asegurar los tres tipos de daños descritos en el artículo 17.1 LOE. En particular, los seguros de daños o de caución regulados en el artículo 19.1 LOE garantizan[9]:

---

8. En este sentido, vid. Carrasco Perera, Cordero Lobato y González Carrasco, *Derecho de la construcción y la vivienda, op. cit.*, p. 351.
9. Si bien el artículo 19 LOE se refiere al seguro de daños o de caución, este apartado se centra en el estudio del seguro de daños, por ser el tipo de seguro que se da más en la práctica aseguradora, tal y como afirma Mª Ángeles Parra Lucán, «El aseguramiento de la vivienda», *Nul. Estudios sobre invalidez e ineficacia*, nº 1, 2009, p. 14.

a) «... durante un año, el resarcimiento de los daños materiales por vicios o defectos de ejecución que afecten a elementos de terminación o acabado de las obras que podrá ser sustituido por la retención por el promotor de un 5% del importe de la ejecución material de la obra.

b) (...) durante tres años, el resarcimiento de los daños causados por vicios o defectos de los elementos constructivos o de las instalaciones que ocasionen el incumplimiento de los requisitos de habitabilidad del apartado 1, letra c), del artículo 3.

c) (...) durante diez años, el resarcimiento de los daños materiales causados en el edificio por vicios o defectos que tengan su origen o afecten a la cimentación, los soportes, las vigas, los forjados, los muros de carga u otros elementos estructurales, y que comprometan directamente la resistencia mecánica y estabilidad del edificio».

El artículo 9.2.d) LOE impone al promotor la obligación de suscribir los seguros del artículo 19 LOE[10]. Sin embargo, en primer lugar, el promotor sólo es el tomador en los seguros trienal y decenal. Y, en segundo lugar, el único seguro de suscripción obligatoria es el decenal si, además, el edificio tiene como destino principal el de vivienda (apartado Uno, 1er párrafo, de la disposición adicional 2ª).

En otras palabras, el promotor sólo está obligado a contratar la garantía que asegura, durante diez años, el resarcimiento de los daños materiales causados por vicios o defectos estructurales y sólo en edificios cuyo destino principal sea el de vivienda. Cumplen este requisito las edificaciones que cuenten con alguna dependencia destinada a vivienda, aun cuando el número de éstas fuere minoritario en relación con la superficie total del inmueble[11].

Con todo, la disposición adicional 2ª, Dos, LOE faculta al gobierno para establecer en un futuro, mediante Real Decreto, la obligatoriedad de la suscripción de las garantías trienal y anual para edificios cuyo destino principal sea el de vivienda, así como para establecer la obligatoriedad de cualquiera de las garantías en edificios destinados a cualquier otro uso distinto del de vivienda.

El seguro decenal no es un seguro de responsabilidad civil del promo-

---

10. El artículo 15 de la derogada Ley 24/1991, de Cataluña, constituye el antecedente directo de los artículos 9.2.d) y 19 LOE. Dicho precepto establecía que «1. Los promotores, en su calidad de vendedores de viviendas de nueva construcción o resultantes de obras de gran rehabilitación, antes de enajenarlos otorgarán una garantía suficiente a favor de los adquirentes que cubra la reparación de los defectos de la construcción y de los que de ellos se deriven directamente sobre la vivienda, sin perjuicio de lo que establece la legislación civil en esta materia (...)».
11. En estos términos se pronuncia la Resolución-Circular de la DGRN de 3.12.2003.

tor, o de otros agentes de la edificación, sino un seguro de daños[12]. Por ello, no es presupuesto necesario para que el propietario perjudicado cobre la indemnización de la aseguradora que haya demandado previamente al agente de la edificación responsable y que éste haya sido condenado.

El propio promotor y los sucesivos adquirentes del edificio o de parte del mismo [artículo 19.2.a) LOE], como sujetos asegurados, pueden reclamar frente a la compañía aseguradora el resarcimiento de los daños materiales derivados de los vicios estructurales que se produzcan dentro del período de vigencia de la póliza. El plazo de prescripción de la acción para reclamar el resarcimiento es el plazo de dos años, señalado en el artículo 23 Ley 50/1980, de 8 de octubre, de Contrato de Seguro[13].

El asegurador puede optar entre reparar *in natura* los daños materiales o pagar una indemnización en metálico (artículo 19.6 LOE). La suma asegurada, es decir, el límite de la indemnización a pagar por el asegurador, es como mínimo, del 100% del coste final de la ejecución material de la obra, incluidos los honorarios profesionales [artículo 19.5.c) LOE].

Una vez reparados los daños materiales en el edificio o pagada la indemnización, el asegurador podrá ejercitar los derechos y las acciones que por razón de los vicios o defectos correspondieran al asegurado frente a las personas responsables del mismo, hasta el límite de la indemnización (artículo 43, párrafo 1°, Ley 50/1980), excepto cuando en la póliza se hubiera pactado la renuncia de la aseguradora a ejercitar la acción de regreso[14].

1.2. Control del cumplimento de la obligación de contratar el seguro decenal y consecuencias de su incumplimiento (artículos 19.7 y 20 LOE)

Los notarios y los registradores de la propiedad y mercantiles son los

---

12. *Vid.* Ángel CARRASCO PERERA, «Capítulo 22. Garantías por daños materiales ocasionados por vicios y defectos de la construcción», en CARRASCO PERERA, CORDERO LOBATO, GONZÁLEZ CARRASCO, *Comentarios a la Legislación de Ordenación de la Edificación, op. cit.*, p. 594; y PARRA LUCÁN, *El aseguramiento de la vivienda, op. cit.*, p. 12.
13. BOE n° 250, de 17.10.1980. Sobre ello *vid.* CARRASCO PERERA, *Capítulo 22. Garantías por daños materiales ocasionados por vicios y defectos de la construcción, op. cit.*, p. 642, quien pone de manifiesto que «el sistema asegurativo diseñado por la LOE no es un sistema «claim made» (...). No es preciso que la reclamación del asegurado se produzca durante los años en que está vigente la garantía».
14. Como señala CARRASCO PERERA, *Capítulo 22. Garantías por daños materiales ocasionados por vicios y defectos de la construcción, op. cit.*, p. 597 «es normal ofrecer como opcional la posibilidad de exclusión del regreso».

encargados, de acuerdo con el artículo 20 LOE, de controlar el cumplimiento de la obligación del promotor de suscribir el seguro decenal[15].

El incumplimiento de la obligación del promotor de suscribir el seguro decenal conlleva tres consecuencias. En primer lugar, la imposibilidad de autorizar o inscribir en el Registro de la Propiedad escrituras públicas de declaración de obra nueva de edificaciones a las que sea de aplicación la LOE (artículo 20.1 LOE)[16]. En segundo lugar, la imposibilidad de cerrar la hoja abierta al promotor individual y a inscribir la liquidación de las sociedades promotoras en el Registro Mercantil sin que se acredite la constitución del seguro (artículo 20.2 LOE)[17]. Y, por último, la obligación del promotor de responder personalmente (artículo 19.7 LOE).

Con todo, en relación con esta última consecuencia cabe señalar que a pesar de que el precepto esté redactado como una efecto excepcional para los casos en que el promotor incumpla la obligación de suscribir los seguros, el promotor responde en todo caso «[d]el cumplimiento de [sus obligaciones] (...) con todos sus bienes, presentes y futuros», en virtud del artículo 1911 del Código Civil[18].

---

15. Sobre la forma de acreditar y testimoniar la constitución y vigencia de las garantías previstas *vid.* la Instrucción de DGRN 11.9.2000. En cuanto al momento en que es exigible la constitución del seguro, de acuerdo con la Resolución-Circular DGRN 3.12.2003, los notarios y los registradores de la propiedad tan sólo exigirán la constitución de las garantías a que se refiere el artículo 19 LOE al autorizar o inscribir, respectivamente, las escrituras de declaración de obra nueva terminada o las actas de finalización de obras, y no en caso de escrituras de declaración de obra nueva en construcción.

16. Según el artículo 20.1 LOE «[n]o se autorizarán ni se inscribirán en el Registro de la Propiedad escrituras públicas de declaración de obra nueva de edificaciones a las que sea de aplicación esta Ley, sin que se acredite y testimonie la constitución de las garantías a que se refiere el artículo 19».

17. El artículo 20.2 LOE establece que «[c]uando no hayan transcurrido los plazos de prescripción de las acciones a que se refiere el artículo 18, no se cerrará en el Registro Mercantil la hoja abierta al promotor individual ni se inscribirá la liquidación de las sociedades promotoras sin que se acredite previamente al Registrador la constitución de las garantías establecidas por esta Ley, en relación con todas y cada una de las edificaciones que hubieran promovido».

18. CARRASCO PERERA, *Capítulo 22. Garantías por daños materiales ocasionados por vicios y defectos de la construcción, op. cit.*, p. 614, señala que «el propósito del legislador era el de hacer responder a las *personas físicas o jurídicas* que constituían el substrato social de las empresas promotoras constituidas como sociedades, o, al menos a los administradores sociales (...). Pero es manifiesto que esta interpretación no puede ser la que corresponde hoy al texto legal». En el mismo sentido, *vid.* ESTRUCH ESTRUCH, *Las responsabilidades en la construcción..., op. cit.*, pp. 907-912. Con todo, PARRA LUCÁN, *El aseguramiento de la vivienda, op. cit.*, p. 13, no ve «... dificultad en entender que el incumplimiento de la obligación legal de concertar el seguro es negligencia imputable al administrador que puede

2. EXONERACIÓN DEL AUTOPROMOTOR INDIVIDUAL DE UNA ÚNICA VIVIENDA UNIFAMILIAR PARA USO PROPIO

2.1. Disposición adicional 2ª, Uno, LOE y su interpretación por la Dirección General de los Registros y del Notariado

2.1.1. Disposición adicional 2ª, Uno, LOE: versión original y régimen vigente

En el momento de la entrada en vigor de la LOE, la disposición adicional 2ª de la Ley contaba únicamente con el primer párrafo que establecía la obligatoriedad de contratar el seguro decenal para cualquier promotor de una edificación destinada a vivienda.

La imposición de la obligación de suscribir el seguro decenal a un particular que construye una vivienda para sí fue fuertemente criticada por la doctrina[19]. Fundamentalmente porque suponía el encarecimiento del coste de la vivienda del autopromotor y, en especial, de las viviendas unifamiliares autopromovidas cuyo aseguramiento resultaba mucho más costoso[20]. El autopromotor debía asumir no sólo el coste de la prima frente a la compañía aseguradora, sino también el de los estudios de las oficinas de control técnico que las aseguradoras exigen para conocer el riesgo que asumen al asegurar la vivienda[21].

La finalidad del seguro, que el promotor de la construcción ofreciera una garantía a los terceros adquirentes de las viviendas por los daños materiales causados por vicios o defectos estructurales, perdía su fundamento cuando el sujeto obligado a la contratación del seguro y el asegurado coincidan. En opinión de Ángel CARRASCO PERERA[22],

---

dar lugar a una acción de responsabilidad por los terceros perjudicados por la ausencia de esa garantía (...)».

19. No obstante, a favor de la obligatoriedad del seguro decenal respecto al autopromotor individual, *vid.* GÓMEZ PERALS, *Responsabilidad del promotor por daños en la edificación, op. cit.*, p. 2720; y Ernesto GARCÍA-TREVIJANO GARNICA, «Régimen jurídico de la responsabilidad civil de los agentes de la edificación», *Revista de Derecho Urbanístico y Medio Ambiente*, nº 177, abril, 2000, p. 25 (versión Vlex), quien afirma que «[a]unque en principio pueda parecer absurdo e innecesario exigir en tales casos (...), lo cierto es que admitir sin más su exclusión podría provocar evidentes fraudes, lo que me lleva a sostener su necesaria constitución (...)».

20. En este sentido, *vid.* CARRASCO PERERA, *Capítulo 22. Garantías por daños materiales ocasionados por vicios y defectos de la construcción, op. cit.*, p. 604.

21. Así lo ponen de manifiesto Eugenio LLAMAS POMBO, «Actualidad Profesional», *El consultor Inmobiliario*, marzo, 2003, p. 53; y ESTRUCH ESTRUCH, *Las responsabilidades en la construcción..., op. cit.*, p. 871.

22. *Vid.* CARRASCO PERERA, *Capítulo 22. Garantías por daños materiales ocasionados por vicios y defectos de la construcción, op. cit.*, p. 604. También *vid.* del mismo

«... [q]uien construye la vivienda para sí mismo no necesitaría que el legislador se preocupase de protegerlo frente a sí mismo, ni cabe adivinar un conflicto de intereses que exija la intervención protectora de la ley».

Por otro lado, Fernando PANTALEÓN PRIETO[23] criticó el intervencionismo desproporcionado que suponía la medida en la autonomía privada del autopromotor, que calificó de inconstitucional

«... por violar, sin razón alguna que pueda justificarlo, el principio de autonomía de la voluntad, componente esencial de la dignidad de la persona humana que garantiza el artículo 10 de nuestra Ley Fundamental».

Como solución alternativa, algunos autores propusieron, como regla habitual en estos casos, el acuerdo por el cual el autopromotor pactara con el constructor que éste fuera tomador del seguro por cuenta de aquél, tal y como permite el artículo 19.2.a), *in fine*, LOE[24]. Otros defendieron un modelo similar al vigente, en el que el autopromotor individual sólo debería aportar el seguro obligatorio si en un momento posterior transmitía la vivienda y por el período de tiempo que restase para completar los diez primeros años[25].

En este contexto, mediante el artículo 105 de la Ley 53/2002, de 30 de diciembre, de Medidas Fiscales, Administrativas y del Orden Social (Ley 53/2002)[26] y con efectos a partir del 1 de enero de 2003[27], fue introducido el segundo párrafo de la disposición adicional 2ª, Uno, LOE, que exonera al autopromotor individual de una única vivienda unifamiliar para uso propio de suscribir el seguro decenal.

En particular, el segundo párrafo de la disposición adicional 2ª LOE prevé que el seguro decenal

«... no será exigible en el supuesto del autopromotor individual de una

---

autor, «Comentario a la Resolución DGRN de 8 de febrero de 2003 (RJ 2003, 2606)», *CCJC*, nº 62, 2003, pp. 707 y 708.

23. PANTALEÓN PRIETO, *Responsabilidades y Garantías en la Ley de Ordenación de la Edificación, op. cit.*, p. 9.

24. En este sentido, *vid.* Carmen BOLDÓ RODA, «Régimen de garantías por daños materiales ocasionados por vicios o defectos en la construcción», *Revista Española de Seguros*, julio-septiembre 2000, nº 103, 2000, p. 550; VILASAU SOLANA, *La noció de promotor en la Llei 38/1999 d'Ordenació de l'Edificació..., op. cit.*, p. 108; y Antonio J. JIMÉNEZ CLAR, «El sistema de seguros de la Ley de Ordenación de la Edificación», *Revista de derecho patrimonial*, nº 6, 2001, p. 46.

25. Esta propuesta fue defendida por PANTALEÓN PRIETO, *Responsabilidades y Garantías en la Ley de Ordenación de la Edificación, op. cit.*, p. 9; y RUIZ-RICO RUIZ, *Capítulo VII. Los criterios de imputación de los distintos agentes de la edificación..., op. cit.*, p. 151.

26. BOE nº 313, de 31.12.2002.

27. Disposición final 9ª de la Ley 53/2002.

única vivienda unifamiliar para uso propio. Sin embargo, en el caso de producirse la transmisión «inter vivos» dentro del plazo previsto en la letra a, del artículo 17.1 el autopromotor, salvo pacto en contrario, quedará obligado a la contratación de la garantía a que se refiere el apartado anterior por el tiempo que reste para completar los diez años. A estos efectos, no se autorizarán ni inscribirán en el Registro de la Propiedad escrituras públicas de transmisión «inter vivos» sin que se acredite y testimonie la constitución de la referida garantía, salvo que el autopromotor, que deberá acreditar haber utilizado la vivienda, fuese expresamente exonerado por el adquirente de la constitución de la misma».

Asimismo, el tercer párrafo de la de disposición adicional 2ª LOE excluye de la necesidad de seguro decenal

«... los supuestos de rehabilitación de edificios destinados principalmente a viviendas para cuyos proyectos de nueva construcción se solicitaron las correspondientes licencias de edificación con anterioridad a la entrada en vigor de la presente Ley»[28].

2.1.2. *Evolución de la interpretación de la disposición adicional 2ª Uno, LOE por la Dirección General de los Registros y del Notariado*

El control que la LOE impone a notarios y registradores sobre el cumplimiento de la obligación del promotor de suscribir el seguro decenal ha llevado a la Dirección General de los Registros y del Notariado a pronunciarse sobre el sentido en el que debe interpretarse la disposición adicional 2ª LOE.

La doctrina de la Dirección General de los Registros y del Notariado exige un doble requisito para que proceda la exoneración de la obligación de contratar el seguro decenal. Por un lado, un requisito subjetivo, que consiste en que el sujeto revista la condición de autopromotor individual. Por otro lado, un requisito objetivo, que requiere que el objeto de la edificación sea «una única vivienda unifamiliar para uso propio». Ambos requisitos son acumulativos[29].

Como paso previo al análisis de los requisitos objetivos y subjetivos de la exoneración prevista en la disposición adicional 2ª, Uno, LOE, y a los efectos de determinar el verdadero alcance de la misma, es preciso

---

28. PARRA LUCÁN, *El aseguramiento de la vivienda, op. cit.*, p. 12, califica de razonable esta previsión «si se piensa que estas obras se realizan sobre elementos estructurales anteriores, cuya construcción puede ser antigua y sin haber estado sometida a control por los organismos de control requeridos por las aseguradoras».

29. En este sentido, *vid.* la RDGRN 26.9.2011 (RJ 2011, 7299) de acuerdo con la cual «la concurrencia de uno de los elementos del requisito objetivo (vivienda unifamiliar) no dispensa del requisito subjetivo (autopromotor), por lo que no es suficiente que la vivienda sea unifamiliar sin mención alguna respecto al uso propio o ajeno a que se destina» (FD 8º).

señalar que la doctrina de la Dirección General de los Registros y el Notariado en esta materia ha evolucionado. De una interpretación flexible de la disposición adicional 2ª, Uno, LOE, defendida en las primeras resoluciones sobre la materia, se ha pasado a una interpretación estricta de la misma, en las resoluciones más actuales. El cambio de interpretación ha venido fundamentado en un cambio en el criterio sobre el sujeto al cual la LOE pretende proteger con la contratación del seguro obligatorio.

    a.   Interpretación flexible de la disposición adicional 2ª, Uno, LOE: protección del propietario de la vivienda

Las primeras resoluciones de la Dirección General de los Registros y del Notariado que aplicaron la exención de la disposición adicional 2ª, Uno, LOE defendían que son sujetos protegidos por el seguro decenal, exclusivamente, el propietario de la vivienda y los posteriores adquirentes de la misma.

Esta primera línea interpretativa optaba por una interpretación flexible de los requisitos de la disposición adicional 2ª, Uno, LOE, que comportaba la no exigibilidad del seguro decenal en aquellas viviendas que se construían sin estar encaminadas de modo directo al tráfico jurídico y en las que, por tanto, no existía un tercer adquirente a quien debía protegerse ante los perjuicios económicos derivados de los defectos de la construcción[30].

En este sentido, destaca la RDGRN 17.3.2007 (RJ 2007, 1966) que afirma que «la ratio o espíritu del artículo 19.1.c) de la Ley 38/1999, de 5 de noviembre, de Ordenación de la Edificación es la de proteger al adquirente de una vivienda a través del seguro establecido en tal disposición; dicha finalidad proteccionista carece de sentido en el supuesto concreto que se recurre, pues no existe un tercer adquirente a quien deba protegerse ante los perjuicios económicos derivados de los defectos de construcción; (...) el concepto de autopromotor individual (...) no debe llevar a interpretaciones excesivamente rigoristas, sino que ha de interpretarse en forma amplia; de

---

30.   A favor de la interpretación flexible de la DA 2ª, Uno, LOE *vid.*, ESTRUCH ESTRUCH, *Las responsabilidades en la construcción..., op. cit.*, p. 874, quien considera que «[t]odas estas exigencias deben ser interpretadas de conformidad con la finalidad de la norma, que es excluir de la obligación de concertar el seguro decenal a aquellas viviendas que se construyen sin estar encaminadas de modo directo al tráfico jurídico (...)»; y MARTÍNEZ ESCRIBANO, *Responsabilidades y garantías de los agentes de la edificación, op. cit.*, p. 306, quien afirma que «... la no exigencia del seguro decenal a través de una interpretación flexible de la reforma de la LOE que si bien tal vez discrepe del verdadero sentir de la modificación, se nos antoja conveniente en términos generales en cuanto al fin pretendido, habida cuenta de que (...) las garantías obligatorias (...) encarecen la vivienda pero no ofrecen correlativamente una mayor garantía para los propietarios».

la misma manera, el concepto de vivienda unifamiliar también debería interpretarse en forma razonablemente amplia (...)» (FD 3°)[31].

Uno de los problemas de la interpretación extensiva de la disposición adicional segunda LOE es que llevada al extremo podía dar lugar a situaciones fraudulentas como, por ejemplo, la exoneración de la obligación respecto a sociedades mercantiles dedicadas a la promoción inmobiliaria[32].

b. *Interpretación estricta de la disposición adicional 2ª, Uno, LOE: protección del propietario, el usuario de la vivienda y los terceros con un interés legítimo*

En los últimos años, la Dirección General de los Registros y del Notariado ha adoptado una segunda línea interpretativa, de acuerdo con la cual el sujeto protegido por el seguro decenal es, además del propietario de la vivienda, cualquier usuario de la misma y otros terceros con un interés legítimo. En consecuencia, la Dirección General opta por una interpretación estricta de los requisitos de la disposición adicional 2ª, Uno, LOE. Aunque la vivienda se construya sin estar encaminada de modo directo a la transmisión a terceros en el mercado, si no se cumplen los requisitos subjetivos y objetivos de la exoneración, el promotor debe contratar el seguro decenal[33].

En palabras de la DGRN, «resulta necesario evitar la aplicación de la excepción más allá del estricto ámbito para el que la ha habilitado la Ley, pues su aplicación extensiva a otros supuestos supone desnaturalizar la garantía fijada por la Ley en beneficio de usuarios y terceros, a través del control notarial y registral, al sustituirla por la mera manifestación del declarante de la obra nueva» [RDGRN 22.7.2010, FD 7° (RJ 2010, 4878)].

El artículo 1.1 LOE afirma que una de las finalidades de la Ley es «(...) asegurar (...) la adecuada protección de los intereses de los usuarios». De acuerdo con la Dirección General, la protección pretendida por la LOE no se lograría con una interpretación amplia de los requisitos de la disposición adicional 2ª, Uno, LOE. La exención en estos casos conllevaría la ausencia del seguro decenal en viviendas que no han sido transmitidas a terceros, pero que son utilizadas por personas distintas al propietario, en

---

31. También aplican esta línea interpretativa las RRDGRN 11.11.2008 (BOE n° 304, de 18.12.2008); 9.5.2007 (RJ 2007, 3777); 17.3.2007 (RJ 2007, 1966); 6.4.2005 (RJ 2005, 3485); 28.10.2004 (RJ 2004, 7808); y 8.2.2003 (RJ 2003, 2606).
32. *Vid.* el epígrafe 2.1.3 del apartado II de este capítulo.
33. En este sentido, *vid.* las RRDGRN 13.12.2012 (JUR 2013, 23579); 3.7.2012 (RJ 2012, 10069); 3.7.2012 (RJ 2012, 8835); 25.3.2011 (RJ 2011, 2865); 26.7.2010 (JUR 2010, 317313); 23.7.2010 (JUR 2010, 317311); y 22.7.2010 (RJ 2010, 4878).

virtud de un derecho real de uso o de un derecho personal, habitualmente, derivado de un contrato de arrendamiento de vivienda[34].

A mi modo de ver, si bien la LOE señala entre sus finalidades la protección de los usuarios de viviendas, no hay que perder de vista que en lo que respecta al seguro decenal el único sujeto directamente protegido es el propietario de la edificación, puesto que se trata de un seguro de daños materiales.

En efecto, el artículo 19.1.c) señala que el seguro de daños materiales o de caución tiene como finalidad garantizar el resarcimiento de los «daños materiales causados en el edificio» por vicios estructurales; y el apartado 2.b) del mismo artículo establece como sujetos asegurados «el propio promotor y los sucesivos adquirentes del edificio o de parte del mismo». Por consiguiente, la póliza del seguro de daños decenal, salvo pacto en contrario, no cubre los daños corporales u otros perjuicios económicos que puedan sufrir los usuarios no propietarios de la vivienda como consecuencia de los vicios o defectos estructurales [artículo 19.9.a) LOE][35]. Con todo, tal y como señala Ángel CARRASCO PERERA, los usuarios no propietarios tienen un interés asegurable cuando sean titulares de «un derecho sobre la cosa que sea resistente a la ruina física del edificio»[36], como el titular de un derecho de usufructo (artículo 518.I CC)[37] o de un derecho real de superficie.

Otro argumento ofrecido por las resoluciones de la Dirección General de los Registros y del Notariado a favor de esta segunda línea interpretativa es que la contratación del seguro decenal tiene como objeto proteger, no sólo a los propietarios o usuarios de la viviendas, sino también a terce-

---

34. *Vid.*, entre otras, la RDGRN 22.7.2010 (RJ 2010, 4878).

35. En este sentido, CARRASCO PERERA, CORDERO LOBATO y GONZÁLEZ CARRASCO, *Derecho de la construcción y la vivienda, op. cit.*, p. 458, afirman que «el seguro decenal tiene como objetivo la cobertura de un riesgo patrimonial de tipo material, que sólo puede sufrir el propietario; no es su función cubrir daños personales, que son los únicos que podrán sufrir personas como las consideradas [arrendatarios]».

36. En este sentido, CARRASCO PERERA, *Comentario a la Resolución DGRN de 8 de febrero de 2003 (RJ 2003, 2606), op. cit.*, p. 708, precisa que «[t]itular de un interés asegurable es todo aquel que tenga un derecho sobre la cosa que sea resistente a la ruina física del edificio. Obsérvese que no decimos titular de un derecho real, pues el arrendatario u otros usuarios podrían hallarse en la condición de asegurados si tuvieran un derecho sobre la cosa que no fuera condicional a la subsistencia del inmueble».

37. De acuerdo con el artículo 518.I CC «[s]i el usufructuario concurriere con el propietario al seguro de un predio dado en usufructo, continuará aquél, en caso de siniestro, en el goce del nuevo edificio si se construyere, o percibirá los intereses del precio del seguro si la reedificación no conviniera al propietario».

ras personas no usuarias pero con un interés legítimo, tales como el resto de agentes de la edificación o los acreedores hipotecarios[38].

En efecto, que la LOE circunscriba al sujeto asegurado por el seguro decenal al propietario de la edificación, no significa que no puedan concurrir terceros que tengan un interés legítimo en el cumplimiento de tal obligación por el promotor inmobiliario en los casos legalmente requeridos. Sin embargo, en mi opinión, los agentes de la edificación no se ven perjudicados por la ausencia de seguro decenal. Incluso en los casos en que los daños materiales por vicios estructurales fueran resarcidos por el asegurador, éste conservaría la acción de regreso contra los agentes responsables, excepto cuando las partes hubieran pactado lo contrario en el contrato de seguro.

En cuanto al acreedor hipotecario de la edificación, sí que puede afirmarse que tiene un interés legítimo en la contratación del seguro decenal. Pues de acuerdo con el artículo 40 de la Ley 50/1980, el derecho de los acreedores hipotecarios «(...) se extenderá a las indemnizaciones que correspondan al propietario por razón de los bienes hipotecados, (...) si el siniestro acaeciere después de la constitución de la garantía real o del nacimiento del privilegio (...)»[39].

Por último, un tercer motivo en el que la Dirección General de los Registros y del Notariado ha fundado la interpretación estricta de la exención de la disposición adicional 2ª, Uno, LOE es el carácter excepcional de la norma[40], que deroga el régimen general de obligación de contratación del seguro decenal.

A pesar de que, como se ha señalado en este apartado, no comparto todos los argumentos que ha esgrimido la Dirección General para defender la interpretación estricta de la disposición adicional 2ª, Uno, LOE, esta segunda línea interpretativa es más respetuosa con el principio de seguridad jurídica que rige en nuestro ordenamiento jurídico. Además, evita que la exoneración se acabe aplicando a sujetos que no pueden ser considerados autopromotores individuales, como las sociedades mercantiles.

Con todo, en algunos puntos de este trabajo defiendo una interpreta-

---

38. Vid., entre otras, la RDGRN de 23.7.2010, FD 6º (JUR 2010, 317311).
39. Continúa el artículo 40 Ley 50/1980 estableciendo que «[e]l asegurador a quien se haya notificado la existencia de estos derechos no podrá pagar la indemnización debida sin el consentimiento del titular del derecho real o del privilegio. En caso de contienda entre los interesados, o si la indemnización hubiera de hacerse efectiva antes del vencimiento de la obligación garantizada, se depositará su importe en la forma que convenga a los interesados, y en defecto de convenio en la establecida en los artículos 1176 y siguientes del Código Civil».
40. Vid. la RDGRN de 23.7.2010, FD 6º (JUR 2010, 317311).

ción flexible de la norma, en particular, en relación con la exoneración de los autopromotores colectivos que promueven en régimen de comunidad de tipo valenciano viviendas con estructuras independientes, pues en estos casos la exención es respetuosa con el espíritu de la norma.

2.2. Requisitos objetivos: en la escritura de declaración de obra nueva y en la escritura de transmisión inter vivos

2.2.1. Escritura de declaración de obra nueva: «una única vivienda unifamiliar para uso propio»

a. «Vivienda unifamiliar»

Vivienda es toda edificación destinada a que residan en ellas personas físicas[41]. De acuerdo con la Dirección General de los Registros y del Notariado se destinan a vivienda los edificios de viviendas de alquiler, los edificios en régimen de aprovechamiento por turnos, ya sean como segunda o tercera residencia, así como los edificios de viviendas y oficinas, si el destino principal del edificio es el de vivienda, incluso en aquellos supuestos en que el número de oficinas sea superior al de viviendas[42].

Además, la LOE exige que la vivienda sea unifamiliar, es decir, que se trate de una unidad arquitectónica susceptible de acoger una sola vivienda, autónoma, separada y que se destine a uso individual, ya sea aislada, pareada o adosada[43]. En la declaración de obra nueva, la Dirección General entiende cumplido este requisito con la mera manifestación del promotor en tal sentido, siempre y cuando de la licencia de obras no se derive lo contrario[44].

---

41. En la legislación estatal, el artículo 2.1 de la Ley 29/1994, de 24 de noviembre, de arrendamientos urbanos considera vivienda «una edificación habitable cuyo destino primordial sea satisfacer la necesidad permanente de vivienda del arrendatario». En la legislación autonómica, una buena definición se encuentra en la Ley 18/2007, de 28 de diciembre, de derecho a la vivienda de Cataluña, cuyo artículo 3.a), se refiere a «toda edificación fija destinada a que residan en ella personas físicas o utilizada con este fin, incluidos los espacios y servicios comunes del inmueble (...)».

42. Resolución-Circular DGRN 3.12.2003. En cambio, no tienen la consideración de vivienda: las residencias sanitarias, los alojamientos hoteleros, las residencias de estudiantes, de la tercera edad y otras de carácter residencial.

43. Esta definición de vivienda unifamiliar proviene de las RRDGRN de 3.7.2012 (RJ 2012, 10069) y 3.7.2012 (RJ 2012, 8835) y del artículo 21.2 de la Ley 3/2001, de 26 de abril, de Extremadura (DO Extremadura, nº 61, de 25.5.2001). Otra definición de vivienda unifamiliar puede verse en la RDGRN 8.2.2003 (RJ 2003, 2606) de acuerdo con la cual es «el bien constituido por una edificación habitable destinada a servir de soporte residencial a una familia».

44. Sobre la necesidad de que la licencia de obras no contradiga la calificación de la vivienda como unifamiliar vid., entre otras, las RRDGRN 26.7.2010 (JUR 2010,

b. *«Destinada a uso propio»*

La disposición adicional 2ª, Uno, 2° párrafo, LOE establece como requisito de aplicación de la exoneración de la obligación de contratar el seguro decenal que el autopromotor individual destine la vivienda a «uso propio». La vivienda es destinada a tal uso cuando el autopromotor individual no la promueva para «su posterior enajenación, entrega o cesión a terceros por cualquier título» (artículo 9.1 LOE).

En concreto, la Dirección General entiende que el concepto de «terceros» no sólo comprende a los posteriores titulares del derecho de propiedad, sino también a los que, coetáneamente a la titularidad por parte del autopromotor del derecho de propiedad, sean titulares de cualquier derecho real limitado de uso y disfrute sobre el inmueble, así como a los arrendatarios de la vivienda[45]. En otras palabras, no se beneficia de la exoneración el autopromotor individual que construye una única vivienda unifamiliar, por ejemplo, para cederla a su hijo en donación, para constituir un derecho de usufructo a favor de un tercero, o para alquilarla.

La exigencia de la suscripción del seguro decenal más allá de los casos de transmisión de la propiedad de la vivienda a terceros se basa en la segunda línea interpretativa examinada con anterioridad, que se fundamenta en que la finalidad de la Ley es la «adecuada protección de los intereses de los usuarios» y no sólo de los propietarios de vivienda (artículo 1.1 LOE). *A sensu contrario*, debe entenderse que el autopromotor utiliza la vivienda para «uso propio», cuando sus familiares u otros habitan la vivienda por tolerancia, es decir, sin que medie un contrato de arrendamiento o derecho real limitado que les faculte a utilizar la vivienda[46].

En relación con la acreditación del uso propio, la Dirección General

---

317313); 23.7.2010 (JUR 2010, 317311); 22.7.2010 (RJ 2010, 4878); y 9.5.2007 (RJ 2007, 3777).

45. Entre otras, las RRDGRN 25.3.2011, FD 7° (RJ 2011, 2865); 26.7.2010, FD 7° (JUR 2010, 317313) 23.7.2010, FD 6° (JUR 2010, 317311); y 22.7.2010, FD 7° (RJ 2010, 4878) señalan que «[e]l concepto de uso propio debe ser excluyente de otras titularidades de disfrute sobre el mismo bien coetáneas a las del autopromotor».

46. En esta línea, CARRASCO PERERA, *Capítulo 22. Garantías por daños materiales ocasionados por vicios y defectos de la construcción, op. cit.*, pp. 605 y 606, considera que «uso propio» «deberá entenderse como uso familiar, dando este término el significado amplio del art. 7 LAU; por tanto, también el uso para familiares y, en general, para personas respecto a las cuales el promotor no se relacione mediante contratos de mercado». También JIMÉNEZ CLAR, *El sistema de seguros de la Ley de Ordenación de la Edificación, op. cit.*, pp. 54-55, afirma que el uso propio «hay que entender[lo] como uso de la vivienda por el autopromotor y su familia».

de los Registros y del Notariado ha considerado que al tratarse de un hecho futuro el autopromotor no debe probarlo en la escritura de declaración de obra nueva. Entiende cumplido este requisito con la mera manifestación expresa del dueño de la construcción en este sentido[47], sin que pueda pretenderse que tal declaración se supla por las deducciones o interpretaciones del Registrador al calificar[48]. Además, la declaración debe constar en la hoja registral de la finca para que los futuros adquirentes conozcan la ausencia de aseguramiento[49].

c. «Una única»

La LOE exige para la aplicación de la exoneración de la obligación de contratar el seguro decenal que la declaración de obra nueva sea de una única vivienda unifamiliar, lo que equivale a excluir de la exoneración a los edificios integrados por más de una vivienda[50].

Con todo, la Dirección General de los Registros y del Notariado en algunas resoluciones anteriores había admitido la falta de acreditación de la suscripción del seguro decenal en sendas escrituras de declaración de obra nueva, de tres viviendas destinadas al uso del autopromotor y sus dos hijos [RDGRN 17.3.2007 (RJ 2007, 1966)][51], en el primer caso, y de dos vivien-

47. En este sentido, *vid.* la Resolución-Circular DGRN 3.12.2003.
48. Entre otras, *vid.* las RRDGRN 6.4.2005 (RJ 2005, 3485) y 5.4.2005 (RJ 2005, 3484).
49. Sobre ello, *vid.* las RRDGRN 9.5.2007 (RJ 2007, 3777) y 28.10.2004 (RJ 2004, 7808). En la doctrina, en esta línea *vid.* JIMÉNEZ CLAR, *El sistema de seguros de la Ley de Ordenación de la Edificación, op. cit.*, p. 58; y MARTÍNEZ ESCRIBANO, *Responsabilidades y garantías de los agentes de la edificación, op. cit.*, p. 307.
50. Así, la RDGRN 23.7.2010 (JUR 2010, 317311) considera que no «concurre el requisito objetivo de la exoneración de la obligación legal de constitución del seguro decenal, pues no estamos en presencia de una edificación integrada por una única vivienda unifamiliar, sino de un edificio plurifamiliar integrado, aparte de otros elementos, por dos viviendas». Asimismo, la RDGRN 25.3.2011 (RJ 2011, 2865) afirma que «... no concurre el requisito objetivo de la exoneración de la obligación legal de constitución del seguro decenal, (...) [en] «un conjunto de edificación compuesto de dos viviendas unifamiliares adosadas»». *Vid.* también la SAP Sevilla, Civil, Sec. 5ª, 28.10.2011 (JUR 2012, 30044).
51. Los hechos sobre los que se pronuncia la RDGRN de 17.3.2007 (RJ 2007, 1966) son los siguientes: un propietario solicitó la inscripción del acta de acreditación de final de obra de un edificio de tres pisos, uno de ellos para uso del matrimonio y los otros dos para uso de cada uno de sus hijos. El inmueble no se había constituido en régimen de propiedad horizontal. El propietario interpuso recurso gubernativo contra la negativa de la Registradora de la Propiedad de Ripoll a inscribir el acta de declaración de final de obra por falta de acreditación de la constitución del seguro decenal. La DGRN estimó el recurso. «El hecho que la licencia se otorgue para tres viviendas no significa que se tenga el propósito de enajenar alguna o algunas de ellas. A nadie perjudica que se demore la contratación del seguro al momento en que se produzca la enajenación» (FD 1º).

das, destinadas al uso del autopromotor [RDGRN 11.11.2008 (BOE nº 304, de 18.12.2008)][52], en el segundo. Ambas resoluciones se enmarcan en la posición de la Dirección General, descrita más arriba, favorable a la interpretación flexible de la exención, fundada en el argumento de que «a nadie perjudica que se demore la contratación del seguro al momento en que se produzca la enajenación, si la misma, de hecho, se produce»[53].

El requisito de «una única» vivienda «no constriñe el número de viviendas de las que el autopromotor pueda ser titular, ni su carácter de residencia habitual, temporal o esporádica, principal o secundaria»[54]. Es decir, un autopromotor individual puede quedar exonerado de la contratación del seguro decenal, por ejemplo, en la declaración de obra nueva de una vivienda unifamiliar destinada a segunda residencia, a pesar de ser propietario de otra vivienda unifamiliar en la que tenga establecida su residencia habitual. En efecto, la Dirección General de los Registros y del Notariado reconoce la posibilidad de que el autopromotor individual quede exonerado de la contratación del seguro decenal no sólo respecto de su vivienda habitual sino también de una segunda residencia[55].

No obstante, de acuerdo con la Dirección General de los Registros y del Notariado, un autopromotor sólo tiene una oportunidad de autopromover una vivienda:

---

52. Los hechos que dieron lugar a la RDGRN de 11.11.2008 (BOE nº 304, de 18.12.2008) son los siguientes. Pastora declaró una obra nueva de ampliación de una edificación que dividió en dos viviendas independientes en régimen de propiedad horizontal. Pastora interpuso recurso contra la negativa del Registrador de la Propiedad de Sevilla (nº 12) a inscribir la escritura de declaración de obra nueva y constitución en régimen de propiedad horizontal por falta de acreditación de la constitución del seguro decenal. La DGRN estimó el recurso. «El hecho de que la finca se divida horizontalmente de dos viviendas no es contradictorio con el uso propio de ambas. Por lo demás, como ha dicho anteriormente este Centro Directivo (...), a nadie perjudica el que se demore la contratación del seguro al momento en que se produzca la enajenación, si la misma, de hecho, se produce (...)» (FD 2º).

53. En contra de los argumentos dados por la RDGRN 17.3.2007 (RJ 2007, 1966) *vid.* Luis MUÑOZ DE DIOS, «La verticalidad de varias viviendas no importa: la exención del seguro decenal», *El notario del siglo XXI, revista on line del Colegio Notarial de Madrid*, Mayo-Junio 2008, p. 1.

54. FD 7º de las RRDGRN de 3.7.2012 (RJ 2012, 10069) y 3.7.2012 (RJ 2012, 8835). Sin embargo, la SAP Barcelona, Civil, Sec. 14ª, 22.6.2009 (AC 2009, 1720) considera que el término «única» tiene otro sentido. No es única la vivienda unifamiliar cuando la sociedad mercantil promotora que declara la obra nueva ya es propietaria de otra vivienda unifamiliar. En mi opinión, en este caso el obstáculo para aplicar la exoneración de la DA 2ª LOE provenía de la condición de sociedad mercantil de la promotora.

55. En el mismo sentido, JIMÉNEZ CLAR, *El sistema de seguros de la Ley de Ordenación de la Edificación, op. cit.*, pp. 55-56; y ESTRUCH ESTRUCH, *Las responsabilidades en la construcción..., op. cit.*, p. 876.

«... la excepción se contrae a una sola (única) edificación (con destino a vivienda) por autopromotor, de modo que lo que trata de evitar el legislador mediante este requisito es que el promotor pueda excluir del seguro decenal un número indefinido e ilimitado de viviendas unifamiliares (edificaciones separadas) con la mera declaración de que va a destinarlas a uso propio»[56].

En consecuencia, una persona física o jurídica que ya hubiera declarado con anterioridad la obra nueva de una primera vivienda unifamiliar para uso propio beneficiándose de la exoneración prevista en la disposición adicional segunda LOE, no puede acogerse de nuevo a ésta respecto a una segunda vivienda unifamiliar, a pesar de destinarla al uso propio –por ejemplo como segunda residencia– y estar situadas ambas viviendas en fincas registrales independientes.

2.2.2. Escritura de transmisión *inter vivos* dentro del período de garantía: obligación de contratar el seguro y requisitos para la exoneración

La disposición adicional 2ª LOE citada no exime por completo al autopromotor del cumplimiento de su obligación, sino que pospone la exigibilidad de su cumplimiento a un momento posterior: la escritura pública de transmisión *inter vivos* de la vivienda a terceros dentro del período de garantía. Sin embargo, como se analiza a continuación, incluso en este segundo momento temporal, en la que interviene un tercero adquirente al que proteger, la exigibilidad de la obligación del autopromotor individual es mucho más débil.

a. Obligación de contratar el seguro decenal por el tiempo que reste para completar los diez años

La segunda parte de la disposición adicional 2ª, Uno, 2º párrafo, LOE prevé un mecanismo para evitar que el promotor que manifestó en la declaración de obra nueva, con el objeto de quedar exonerado de contratar el seguro, que iba a destinar la vivienda al uso propio, la transmita a terceros antes del transcurso del plazo de diez años de garantía, sin acreditar la contratación del seguro decenal. En tal caso, el autopromotor individual está obligado a contratar el seguro por el tiempo que reste para completar los diez años.

Una de las cuestiones que plantea la interpretación de la mencionada disposición adicional es si los notarios y los registradores deben exigir la contratación del seguro decenal, en la escritura de constitución de un derecho real de uso sobre la vivienda, o un derecho de arrendamiento, sobre la vivienda autopromovida. Como se ha analizado, la Dirección General de los Registros y del Notariado considera que el autopromotor no destina

---

56. FD 7º de las RRDGRN de 3.7.2012 (RJ 2012, 10069) y 3.7.2012 (RJ 2012, 8835).

la vivienda al «uso propio» cuando enajena, entrega o cede el derecho de propiedad a terceros, pero también cuando cede derechos de uso sobre la vivienda, ya sea en virtud de un derecho real limitado de goce y disfrute o de un derecho de arrendamiento.

Sin embargo, el tenor literal de la disposición adicional 2ª, Uno, 2º párrafo, LOE sólo faculta a los notarios y los registradores a exigir al promotor que contrate el seguro decenal en «caso de transmisión inter vivos» de la vivienda, es decir, sólo en caso de enajenación del derecho de propiedad. Por ello, a mi modo de ver, la exigencia de contratación en caso de transmisión *inter vivos* de la vivienda debe interpretarse de manera restrictiva y, por ello, la suscripción del seguro decenal no es exigible más allá de los supuestos de transmisión del derecho de propiedad.

b. *Requisitos para la exoneración en la escritura de transmisión: acreditación del uso propio y exoneración expresa del adquirente*

El autopromotor individual está exento de la contratación de la garantía decenal si se cumplen cumulativamente dos requisitos: a) si prueba que ha destinado la vivienda al uso propio; y b) el adquirente de la misma exonera expresamente a aquél de la constitución de la garantía en la escritura de transmisión. El incumplimiento de cualquiera de estos dos requisitos, sin la acreditación de la suscripción de la garantía por parte del transmitente, comporta la no autorización e inscripción en el Registro de la Propiedad de la escritura pública de transmisión.

b.1.   Acreditación del uso propio en la escritura de transmisión «inter vivos» de la vivienda

El primer requisito que la disposición adicional 2ª, Uno, LOE exige para que el autopromotor quede exonerado de contratar el seguro decenal, en caso de enajenación de la misma antes del transcurso del período de garantía de los diez años, es la acreditación en la escritura de transmisión que la vivienda fue usada para uso propio.

A diferencia de la acreditación del uso propio en la escritura de declaración de obra nueva, en la escritura de transmisión de la vivienda

> «La mera manifestación del promotor-vendedor (...) resulta insuficiente (...), debiendo acreditarse entonces tal extremo mediante prueba documental adecuada, ya sea a través de un acta de notoriedad, certificado de empadronamiento, o cualquier otro medio de prueba equivalente admitido en Derecho» [RDGRN 11.11.2010, FD 8º (JUR 2010, 400842)][57].

---

57.   Para un comentario de la misma *vid.* Mª Nieves PACHECO JIMÉNEZ, «Comentario de la Resolución de la DGRN de 11 de noviembre de 2010 (RJ 2011, 689)», *CCJC*, nº 86, mayo-agosto 2011, pp. 1275-1299. No es prueba del uso propio, según la RDGRN de 13.12.2012 (JUR 2013, 23579), la simple solicitud de licencia de primera ocupación, pues nada acredita, ni la declaración del adquirente

La exigencia de este requisito plantea diversos interrogantes y, en especial, si hay un período temporal mínimo para entender cumplido el requisito del uso propio. La interpretación literal de la norma nos lleva a considerar probada la utilización propia siempre que el autopromotor haya utilizado para sí la vivienda con independencia de la duración temporal del uso[58]. Considero que lo adecuado es valorar las circunstancias del caso concreto, en lugar de fijar un período de tiempo mínimo como proponen algunos autores. Así, Antonio RIPOLL SOLER[59] sugiere establecer un tiempo mínimo de uso superior a dos años, período señalado en el artículo 20.Uno.22 de la Ley 37/1992, de 28 de diciembre, del IVA para considerar la entrega de vivienda como segunda entrega[60].

b.2. Exoneración expresa por el adquirente de la obligación de contratar la garantía

En la escritura pública de transmisión *inter vivos* de la vivienda dentro del período de garantía, el segundo de los requisitos que necesariamente debe concurrir para que proceda la exoneración es que el adquirente manifieste expresamente que exonera al transmitente de contratar dicha garantía.

La doctrina ha puesto de manifiesto que, en la práctica, esta cláusula de exoneración por parte del adquirente se establece, como una regla de defecto, en la mayoría de escrituras de transmisión de viviendas autopromovidas. El motivo es la dificultad que el transmitente tendrá para concertar el seguro decenal una vez construida la vivienda. Además, el adquirente de la vivienda también tiene razones de peso para manifestarse a favor de la exoneración. En caso contrario, debería soportar la repercusión del elevado coste del seguro en el precio de compra. Y en el caso que el transmitente no consiguiera asegurar la vivienda, debería renunciar a la seguridad jurídica que comporta la documentación en escritura pública e inscripción de la transmisión en el Registro de la Propiedad[61].

relativa al destino para uso propio que carece de trascendencia alguna a los efectos de exonerar la constitución del seguro» (FD 8º).

58. *Vid.* Antonio J. JIMÉNEZ CLAR, «El autopromotor y las obras de rehabilitación», *El Consultor Inmobiliario*, Junio, 2003, pp. 50-65; y ESTRUCH ESTRUCH, *Las responsabilidades en la construcción..., op. cit.*, p. 882.

59. Antonio RIPOLL SOLER, «Comentarios *a vuela pluma* sobre el seguro decenal: el supuesto de la RDG de 9 de Mayo de 2007. Concepto de comunidad valenciana no asegurable», 2007, en *www.notariosyregistradores.com.*

60. De acuerdo con el artículo 20.Uno.22 de la Ley del IVA «... [n]o obstante, no tendrá la consideración de primera entrega la realizada por el promotor después de la utilización ininterrumpida del inmueble por un plazo igual o superior a dos años por su propietario o por titulares de derechos reales de goce o disfrute o en virtud de contratos de arrendamiento sin opción de compra, salvo que el adquirente sea quien utilizó la edificación durante el referido plazo (...)».

61. En este sentido, *vid.* CARRASCO PERERA, *Capítulo 22. Garantías por daños materia-*

c. Operatividad limitada de la segunda parte de la disposición adicional 2ª, Uno, 2º párrafo, LOE

El mecanismo previsto en la segunda parte de la disposición adicional 2ª, Uno, 2º párrafo, LOE, con el objeto de impedir un uso fraudulento de la exoneración de la contratación del seguro decenal, tiene una operatividad limitada. Principalmente, tal y como ha puesto de relieve la mejor doctrina, por la dificultad del obligado a encontrar una compañía que asegure la vivienda ya construida[62].

Las compañías aseguradoras incorporan en las pólizas de seguro decenal la obligación del tomador del seguro, el promotor, de contratar los servicios de un Organismo de Control Técnico. La contratación del seguro decenal queda supeditada, en consecuencia, a la intervención de un Organismo de Control Técnico en el proceso constructivo, que deberá ser contratado antes del inicio de la construcción y ser aceptado por la compañía aseguradora[63].

Los Organismos de Control Técnico no están regulados en la LOE ni son considerados agentes de la edificación[64]. Se trata de empresas especiali-

---

les ocasionados por vicios y defectos de la construcción, op. cit., pp. 606 y 607; y ESTRUCH ESTRUCH, *Las responsabilidades en la construcción...*, op. cit., pp. 879-880.

62. Así lo han puesto de manifiesto, JIMÉNEZ CLAR, *El sistema de seguros de la Ley de Ordenación de la Edificación*, op. cit., p. 56; Ángel CARRASCO PERERA, «Capítulo 24. Escrituración de obra nueva y asientos del Registro Mercantil», en CARRASCO PERERA, CORDERO LOBATO, GONZÁLEZ CARRASCO, *Comentarios a la Legislación de Ordenación de la Edificación, op. cit.*, p. 746, señala que «no es sensato pensar hoy que el asegurador estará dispuesto a prestar seguro por una obra terminada cuya evolución no ha podido conocer ni vigilar»; CARRASCO PERERA, CORDERO LOBATO y GONZÁLEZ CARRASCO, *Derecho de la construcción y la vivienda, op. cit.*, p. 459; MARTÍNEZ ESCRIBANO, *Responsabilidades y garantías de los agentes de la edificación, op. cit.*, pp. 305-306; y ESTRUCH ESTRUCH, *Las responsabilidades en la construcción...*, op. cit., pp. 878-879.

63. Tal y como pone de relieve VEGA SÁNCHEZ, *Control de calidad y análisis de riesgos técnicos en la edificación, op. cit.*, p. 182, «[e]l control que realizan los OCT durante el desarrollo del proyecto y ejecución de la obra, es, aunque esté contratado por el promotor, un trabajo que va dirigido a analizar los riesgos técnicos de cada edificio para que las compañías de seguros estén en condiciones de aceptar y a valorar el riesgo de cada edificio».

64. Encarna CORDERO LOBATO, «Capítulo 18. Las entidades y los laboratorios de control de calidad de la edificación», en CARRASCO PERERA, CORDERO LOBATO, GONZÁLEZ CARRASCO, *Comentarios a la legislación de ordenación de la edificación, op. cit.*, p. 462, pone de relieve que «las AA PP han decidido que no tiene la condición de agente del art. 14 LOE la oficina de control técnico (la llamada OCT) contratada, incluso por el promotor, para prestar asistencia técnica de control a la entidad aseguradora del seguro decenal, pues realmente esta entidad no es contratada para prestar asistencia técnica a ningún agente de la edificación (...). La decisión es correcta (...)».

zadas en el análisis de riesgos, independientes del resto de agentes de la edificación, que ofrecen a las compañías aseguradoras información sobre el grado de cumplimiento de determinados niveles de calidad en el proyecto y en la ejecución de las obras[65]. Las aseguradoras utilizan esta información para calcular el riesgo asegurado y, en definitiva, para elaborar la póliza del seguro y determinar la prima.

Pueden distinguirse dos fases del proceso constructivo en las que interviene un Organismo de Control Técnico[66]:

1. *La fase de proyecto*, en la que el Organismo de Control Técnico verifica el proyecto básico y el proyecto de ejecución que elabora el proyectista, además de analizar los posibles riesgos que pueden derivar en el futuro edificio. Si el Organismo de Control Técnico concluye en su informe que el riesgo es normal, la compañía de seguros aceptará el riesgo y determinará el importe de la prima. La concesión del seguro, no obstante, está condicionado a la inexistencia de reservas técnicas durante la fase de ejecución.

2. *La fase de ejecución*, en la que el Organismo de Control Técnico analiza los riesgos de la construcción por medio del seguimiento de la ejecución de la obra por parte del constructor y los demás agentes de la construcción. La intervención del Organismo de Control Técnico finaliza con la emisión de una serie de informes que si no presentan reservas técnicas, suponen la entrada en vigor de la cobertura del seguro decenal.

En la construcción de las viviendas unifamiliares promovidas para uso propio exentas de la contratación del seguro decenal no interviene el Organismo de Control Técnico, ni durante la fase de proyecto, ni en la posterior fase de ejecución. Por ello, si con posterioridad el autopromotor decide transmitir la vivienda a terceros tendrá dificultades para contratar el seguro decenal en cumplimento de lo previsto en la segunda parte de la disposición adicional 2ª, Uno, 2º párrafo, LOE.

En efecto, finalizada la obra, la falta de la información necesaria para calcular el riesgo asegurado derivada de la ausencia de intervención de un Organismo de Control Técnico, conlleva la negativa de la gran mayoría de compañías de seguros a asegurar los daños derivados de los defectos estructurales, e incluso, si las compañías conceden el seguro, lo hacen por un precio más elevado.

65. *Vid.* CARRASCO PERERA, *Capítulo 22. Garantías por daños materiales ocasionados por vicios y defectos de la construcción, op. cit.,* pp. 595-596; y Sergio VEGA SÁNCHEZ, «Control de calidad y análisis de riesgos técnicos en la edificación», en HUMERO MARTÍN (Dir.), *Tratado técnico-jurídico de la edificación y del urbanismo, op. cit.,* pp. 171 y 183.
66. En este sentido *vid.* VEGA SÁNCHEZ, *Control de calidad y análisis de riesgos técnicos en la edificación, op. cit.,* pp. 182-183.

2.3. Requisito subjetivo: «autopromotor individual»

La LOE, en su disposición adicional 2ª, Uno, 2° párrafo, señala al autopromotor individual como único beneficiario de la exoneración. El concepto de «autopromotor individual» ha sido interpretado por la Dirección General de los Registros y del Notariado de manera amplia.

En efecto, la doctrina registral considera personas incluidas en la exoneración no sólo las personas físicas, sino también las personas jurídicas, incluso si se trata de sociedades mercantiles que tienen como finalidad la realización de actividades empresariales, extremo que se considera criticable. Con todo, se valora positivamente que, bajo ciertas circunstancias, la doctrina registral haya aplicado la exención al autopromotor agrupado en régimen comunidad de propietarios de tipo valenciano.

2.3.1. Sociedad mercantil como sujeto incluido en la exoneración

De acuerdo con la Dirección General de los Registros y del Notariado[67], «autopromotor individual» puede ser tanto una persona física como una persona jurídica –incluso una sociedad mercantil–, porque ambas son una sola entidad, son «individuales» siguiendo un criterio numérico[68]. La primera resolución que se manifestó en este sentido fue la RDGRN de 9.7.2003 (RJ 2003, 6083), de acuerdo con la cual

> «... [e]ntender que el término «individual» es equivalente a persona física supone restringir excesivamente el campo de aplicación de la exención de la obligación del seguro. Por otra parte, si se tiene en cuenta la finalidad última de dicha obligación, consistente esencialmente en evitar los riesgos de los adquirentes de viviendas, se llega a la conclusión de la no exigibilidad, en el presente caso, de la obligación del seguro» (FD 3°)[69].

---

67. *Vid.* la Resolución-Circular DGRN 3.12.2003, relativa a la interpretación que notarios y registradores deben dar a las modificaciones introducidas en la disposición adicional segunda de la LOE; y las RRDGRN 6.4.2005 (RJ 2005, 3485); 28.10.2004 (RJ 2004, 7808); y 9.7.2003 (RJ 2003, 6083).

68. En contra de la inclusión de las personas jurídicas en el concepto de autopromotor individual, JIMÉNEZ CLAR, *El sistema de seguros de la Ley de Ordenación de la Edificación, op. cit.*, p. 54, señala que «[l]a extensión del [concepto de autopromotor individual] a las personas jurídicas queda excluida por la calificación de individual que el citado precepto hace del autopromotor». Vicente GUILARTE GUTIÉRREZ, «Seguro decenal, autopromotor individual y Registro de la Propiedad: la Rs. de la DGRN de 11 de noviembre de 2008 o la identidad conceptual entre «una única vivienda unifamiliar» y «dos únicas viviendas unifamiliares»», *Comunicación presentada en el I Congreso Internacional «Perspectivas del derecho inmobiliario y de la edificación»*, 11 y 22 de Marzo de 2009, Universidad de Málaga, p. 2, afirma que «el precepto habla de individuo y no de persona siendo cuestionable su extensión analógica: la persona puede ser física o jurídica pero el individuo difícilmente puede ser «jurídico»».

69. Los hechos que dieron lugar a la RDGRN de 9.7.2003 (RJ 2003, 6083) se detallan a continuación. El 27.11.2001, el administrador único de la sociedad «D.J., S.L.»

Es más, la Dirección General de los Registros y del Notariado ha reconocido que concurre el requisito subjetivo de la exoneración incluso en una sociedad mercantil cuyo objeto social sea la promoción inmobiliaria, con la única exigencia que la sociedad mercantil manifieste en la escritura de declaración de obra nueva que la vivienda unifamiliar va a destinarse al uso propio, sin necesidad de acreditarlo. Además, el uso propio no queda restringido a los supuestos en los que la sociedad tenga su domicilio social en la vivienda unifamiliar (RRDGRN 28.10.2004 (RJ 2004, 7008) y 6.4.2005 (RJ 2005, 3485)].

La RDGRN 28.10.2004 (RJ 2004, 7808) resuelve el caso siguiente. El 25.2.2004, el administrador único de la sociedad «Busex, S.L.» declaró la obra nueva de una vivienda unifamiliar. El objeto social de «Busex, S.L.» era la promoción, venta y alquiler de inmuebles, y tenía su domicilio social en una finca distinta. Presentada la escritura al Registro de la Propiedad de Sant Cugat del Vallès (Barcelona), el registrador suspendió la inscripción de la misma por no haber acreditado la contratación del seguro del artículo 19.1.c) LOE. «Busex, S.L.» interpuso recurso gubernativo contra la negativa del Registrador a inscribir el acta de final de obra. La DGRN estimó el recurso y revocó la nota de calificación recurrida. «Dada la amplitud de la dicción legal que no limita la exoneración del seguro decenal a los supuestos en que el autopromotor tenga en la vivienda su domicilio, sino que admite cualquier uso para sí (...). Ni puede inferirse por razón del objeto social una presunción de fraude (...)». Finalmente, «la constancia registral de esta manifestación (...) [es] ya suficiente garantía a favor de los terceros adquirentes» (FD 5º).

Por otro lado, la RDGRN 6.4.2005 (RJ 2005, 3485) decide los siguientes hechos. El 14.1.2003, la sociedad «Laonma, S.L.» declaró la obra nueva de una vivienda unifamiliar. En la escritura no constaba manifestación sobre el uso privativo que la sociedad pretendía dar a la vivienda. Presentada la escritura en el Registro de la Propiedad nº 1 de Valladolid, el Registradora tras calificar el documento, suspendió la inscripción par falta de acreditación de la contratación del seguro decenal. El Notario interpuso recurso gubernativo contra la negativa del registrador de inscribir la escritura de declaración de obra nueva. La DGRN desestimó el recurso. «Para autorizar e inscribir una escritura de declaración de obra nueva (...) deberá contener la debida referencia al uso propio a que se pretende destinar, en tanto en cuanto es ese elemento finalista el que, según la regulación legal, exime de la obligación de constituir y acreditar en ese momento la garantía debatida. A tal

declaró la obra nueva de una vivienda unifamiliar sobre una finca situada en Marugán (Segovia). Presentada la escritura al Registro de la Propiedad de Cuéllar, la Registradora tras calificar el documento, suspendió la inscripción por falta de acreditación de la contratación del seguro del 19.1.c) LOE. El Notario interpuso recurso gubernativo contra la negativa de la registradora a inscribir la escritura de declaración de obra nueva. La DGRN estimó el recurso al considerar a la sociedad exenta de suscribir el seguro decenal, pues actuó como autopromotora individual.

efecto, debe entenderse que dicho requisito queda suficientemente cumplido mediante la mera manifestación relativa a dicho destino en cuanto no sea contradicho por el contenido de la licencia municipal» (FD 3º).

Las resoluciones mencionadas deben situarse en la primera doctrina sostenida por la Dirección General de los Registros y del Notariado que abogaba por una interpretación amplia de la disposición adicional 2ª LOE, que consideraba que el sujeto protegido por el seguro decenal era el propietario de la vivienda y que mientras el propietario no trasmitiera la vivienda a terceros no era necesaria la constitución de la garantía decenal. Con posterioridad, esta doctrina ha evolucionado y ha sido matizada por la SAP Barcelona, Civil, Sec. 14ª, 22.6.2009 (AC 2009, 1720). De acuerdo con esta sentencia, las sociedades mercantiles que pretendan eximirse de la contratación de la garantía, en su condición de autopromotor individual, deben manifestar en la escritura de obra nueva

«... a qué uso se refiere, de quién es ese uso y acreditar el uso propio». En caso contrario «tendrían un camino para excluir el seguro (...) [l]as garantías fijadas en la ley se vendrán abajo y lo que la (...) disposición adicional 2ª de la LOE contempla como una excepción se habría convertido en una regla general indiscriminada e incontrolable» (FD 4º)[70].

Considero que la doctrina de la Dirección General de los Registros y del Notariado, según la cual las sociedades mercantiles pueden estar incluidas en el concepto de autopromotor individual, es criticable. No sólo porque estas resoluciones han ido mucho más allá del tenor literal de la disposición adicional 2ª, Uno, LOE, y han abierto la puerta al fraude[71],

---

70. El pronunciamiento de la SAP Barcelona, Civil, Sec. 14ª, 22.6.2009 (AC 2009, 1720) se basa en los siguientes hechos. El Registrador de la Propiedad de Sant Cugat del Vallès recurrió ante la jurisdicción civil la RDGRN de 28.10.1004 (resumida *supra*), y solicitó la declaración de nulidad. El JPI nº 10 de Barcelona (*no consta fecha*) desestimó la demanda. La AP estimó el recuso de apelación y declaró procedente la denegación de la inscripción. El hecho que Busex, S.L. sea una sociedad no impide considerarla autopromotor individual, pues «deben hallarse comprendidas en dicha noción tanto las personas físicas como las jurídicas» (FD 2º). «[S]in embargo, no se trata de una «única» vivienda unifamiliar (...) [porque] se aportó certificado del Registro de Propiedad de Puigcerdà (...) en el que consta que hay [otra] vivienda unifamiliar inscrita en pleno dominio a favor de Busex (...)» (FD 3º). Finalmente, en relación con el destino a «uso propio» de la vivienda por parte de la sociedad «... [e]n el presente supuesto no se ha acreditado tal uso por lo que tampoco este requisito puede entenderse cumplido (...)» (FD 4º).

71. En la misma línea, Jorge López Navarro, «25. Comentario a la R. 28 de octubre de 2004, DGRN. BOE del 28 de diciembre de 2004», 2004, en *http://www.notariosyregistradores.com/RESOLUCIONES/2004-DICIEMBRE.htm*, opina que «se está dando, (...) carta de naturaleza a la exclusión del seguro decenal a las viviendas unifamiliares, y aunque, desde un punto de vista constructivo, puede existir alguna justificación (es realmente muy difícil que en el curso de diez años, se

sino también porque uno de los elementos esenciales de la figura del auto-promotor individual es que aquel destine la edificación al uso privado, en el sentido que actúe ajeno a una actividad empresarial.

Algún autor ha manifestado su conformidad con la doctrina de la Dirección General de los Registros y del Notariado en los supuestos en los que las sociedades mercantiles promuevan la construcción de una vivienda para establecer en ella su domicilio social[72]. Con todo, no comparto esta tesis pues, como se defendió al analizar el concepto de autopromotor individual[73], las sociedades mercantiles por su propia naturaleza siempre actúan en el marco de su actividad empresarial o profesional. Incluso cuando la sociedad contrata los servicios de profesionales para construir una vivienda unifamiliar en la que establecerá su domicilio social, pues el domicilio social es bien el lugar en el que lleva a cabo la administración y dirección de su actividad empresarial, bien el lugar en el que radique su principal establecimiento o explotación (artículo 9 TRLSC)[74].

Por otro lado, las resoluciones de la Dirección General de los Registros y del Notariado citadas afirman que constituye suficiente mecanismo de defensa del posterior adquirente de la edificación, el derecho que la segunda parte de la disposición adicional segunda, Uno, LOE otorga al comprador a exigir la constitución del seguro decenal en caso de transmisión de la vivienda antes del transcurso del período de garantía de diez años.

Sin embargo, tal y como se ha puesto de relieve más arriba, en la práctica la previsión de la disposición adicional 2ª, Uno, párrafo 2°, LOE para los casos de transmisión *inter vivos* de la vivienda no siempre salvaguarda los derechos de los adquirentes posteriores. Las sociedades mercantiles que, en la escritura de declaración de obra nueva, declararon ser autopromotoras individuales quedarán exentas de constituir el seguro si,

---

venga abajo la estructura de un chalet unifamiliar) desde el punto de vista legal, es (...) injustificable».

72. En este sentido, María Isabel DE LA IGLESIA MONJE, «A vueltas con la exoneración de contratación del seguro decenal por el autopromotor individual en el caso de una personas jurídica (sentencia de la Audiencia Provincial de Barcelona de 22 de junio de 2009)», *Diario La Ley*, n° 7239, Sección Tribuna, 11 Sep. 2009.

73. Sobre la posible consideración de las sociedades mercantiles como autopromotor individual *vid.* el epígrafe 3.3.1 del apartado I del Capítulo Tercero.

74. A favor de esta tesis *vid.* JIMÉNEZ CLAR, *El sistema de seguros de la Ley de Ordenación de la Edificación, op. cit.*, p. 54, quien señala que «[a]unque efectivamente el uso a que se destina la edificación se puede definir como propio parece excesivo ampliar el concepto de vivienda al domicilio social o sede de las personas jurídicas, habida cuenta sobre todo el carácter excepcional que tiene el art. 105 de la Ley 53/2002».

en el momento de otorgar la escritura de transmisión *inter vivos*, obtienen la exención expresa del adquirente y consiguen acreditar que han usado la vivienda, ni que tan sólo sea durante un período temporal muy breve.

2.3.2. Comunero que construye agrupado en comunidad prevista en el artículo 8.4 LH como sujeto incluido en la exoneración

En el contexto de interpretación amplia del concepto de autopromotor individual, la Dirección General de los Registros y del Notariado incluye en el mismo a los comuneros que promueven agrupados en régimen de comunidad de propietarios siempre que concurran dos requisitos[75]:

– Primero, que las viviendas unifamiliares autopromovidas cuenten con estructuras independientes[76].

– Segundo, que se trate de una comunidad de tipo valenciano, es decir, que se trate de una comunidad de las previstas en el artículo 8.4 LH. Por tanto, que los comuneros «construyan un edificio con ánimo de distribuirlo, *ab initio*, entre ellos mismos, transformándose en propietarios singulares de apartamento o fracciones independientes».

En los supuestos en que se cumplan los requisitos anteriores, la exención de contratación del seguro obligatorio se aplica respecto de cada uno de los comuneros que se asocien en cuanto a su propia vivienda unifamiliar para cuya construcción se han constituido en comunidad[77].

Si bien, en sentido estricto, el concepto de autopromotor individual se contrapone con el de autopromotor colectivo[78], esta doctrina debe ser valorada de manera positiva, pues el autopromotor colectivo agrupado en comunidad de tipo valenciano actúa de manera análoga al autopromotor individual.

---

75. Sobre la autopromoción colectiva en comunidad de tipo valenciano *vid.* epígrafe 1.2.2, del apartado II, del Capítulo Tercero de este trabajo.
76. En este sentido se pronuncian la Resolución-Circular DGRN 3.12.2003; y las RRDGRN 26.7.2010 (JUR 2010, 317313); 23.7.2010 (JUR 2010, 317311); y 22.7.2010 (RJ 2010, 4878).
77. En este sentido se pronuncian la Resolución-Circular DGRN de 3.12.2003 y las RRDGRN 17.3.2007 (RJ 2007, 1966) y 9.5.2007 (RJ 2007, 3777).
78. Por ello, Cordero Lobato, *Capítulo 13. El promotor*, p. 397, considera que los condóminos (...) se les obligará a contratar el seguro del artículo 19 LOE, (...) ya que estos autopromotores no están incluidos en la exención regulada en el artículo 105 de la Ley 53/2002». También, Jiménez Clar, *El sistema de seguros de la Ley de Ordenación de la Edificación, op. cit.*, p. 54, señala que «el carácter individual que se predica del autopromotor deja fuera también del ámbito de aplicación de la Ley a todas aquellas figuras jurídicas de promoción colectiva».

a. *Estructuras independientes de las viviendas unifamiliares auto-promovidas*

El primer requisito para que los comuneros, que promueven en régimen de comunidad de tipo valenciano, queden exonerados de la obligación de contratar el seguro decenal es que las viviendas unifamiliares cuenten con elementos estructurales independientes, lo que exige que las viviendas estén situadas en parcelas separadas[79].

El requisito de la independencia estructural de las viviendas se cumple en la autopromoción en comunidad de tipo valenciano de urbanizaciones privadas, constituidas en régimen de propiedad horizontal tumbada o por parcelas. En esta clase de urbanizaciones los propietarios de las viviendas, construidas en parcelas físicamente independientes, únicamente son copropietarios de elementos comunes tales como viales, instalaciones o servicios[80].

En cambio, la exoneración no se aplica a la edificación promovida en régimen de comunidad de tipo valenciano si aquélla cuenta con varias viviendas que comparten la misma estructura. Fundamentalmente, edificaciones sometidas al régimen de propiedad horizontal. El motivo es que, en este caso, los eventuales daños materiales que afectaran las viviendas a los que se refiere el artículo 17.1.a) LOE no serían imputables a los vicios o defectos existentes en la propia vivienda autopromovida, sino a la estructura del conjunto de la edificación[81].

---

79. En particular, las resoluciones en las que la DGRN ha exigido la independencia estructural de las viviendas unifamiliares autopromovidas en comunidad son las RRDGRN 23.7.2010 (JUR 2010, 317311) y 26.7.2010 (JUR 2010, 317313).

80. Una vez construidos, el régimen jurídico aplicable a los complejos inmobiliarios privados es el de la Ley 49/1960, de 21 de julio, sobre propiedad horizontal, de acuerdo con el artículo 24 de la Ley; o la norma de derecho civil propio de la Comunidad en la que se encuentre el inmueble. En Cataluña, son de aplicación los artículos 553-53 a 553-59 del Libro V del Código Civil de Cataluña, los cuales se refieren a este tipo de propiedad horizontal como propiedad horizontal por parcelas. Con todo, como pone de relieve Antoni MIRAMBELL I ABANCÓ, «La regulació dels drets reals en el llibre cinquè del codi civil de Catalunya», *La codificació dels drets reals a Catalunya (materials de les Catorzenes Jornades de Dret Català a Tossa)*, 2007, p. 50, «aquesta regulació civil serà sempre d'aplicació residual i supletòria a les urbanitzacions, quan deixin d'estar regulades per la legislació urbanística, especialment en aquells supòsits en què els propietaris vulguin mantenir les normes relatives als serveis comuns».

81. En palabras de la DGRN la exención de la disposición adicional 2ª, Uno, LOE es aplicable «cuando (...) se constituyen diversas viviendas por una pluralidad de propietarios, siendo dueños cada uno de ellos de su propia vivienda con carácter independiente; de tal manera que los vicios o defectos de que adolezca cada vivienda unifamiliar únicamente fueren imputables a sus propios elementos estructurales y no a los derivados de la estructura de los elementos comunes del

En la primera de las resoluciones en este sentido, la RDGRN 23.7.2010 (JUR 2010, 317311), la Dirección General considera que no concurre el requisito subjetivo de la exención de la disposición adicional 2ª, Uno, LOE, en un caso en que la construcción se promovió por ambos propietarios del edificio en régimen de comunidad de bienes ordinaria, con posterior división horizontal y disolución de la comunidad mediante adjudicación de elementos independientes, si bien con elementos estructurales conjuntos[82].

En la misma línea se pronuncia la RDGRN 26.7.2010 (JUR 2010, 317313), que rechaza la exoneración de la contratación del seguro decenal de los autopromotores colectivos que construyeron en régimen de comunidad de tipo valenciano un edificio con dos viviendas, porque

«... no concurre esta independencia estructural de las dos viviendas, situadas respectivamente en las plantas primera y segunda del edificio, e integradas en un mismo régimen de propiedad horizontal (...)» (FD 8º)[83].

---

total conjunto, generalmente sitos en parcela independiente» (Resolución-Circular DGRN 3.12.2003).

82. Los hechos que motivaron la RDGRN 23.7.2010 (JUR 2010, 317311) son los siguientes. El 8.2.2007, los dos propietarios de una finca formalizaron en escritura pública la declaración de una obra nueva «en construcción», y la división en propiedad horizontal de la misma en 14 departamentos (9 plazas de aparcamiento, 2 locales y 2 viviendas, y un trastero). Por último, disolvieron la comunidad de bienes y se adjudican una vivienda y un local cada uno de ellos, además de varias plazas de aparcamiento y la mitad del local destinado a trasteros. En escritura de 3.4.2009, los propietarios declararon la ampliación de la obra nueva, consistente en dos nuevas plantas, un sótano y una buhardilla, modificaron la división horizontal, y rectificaron y complementaron la disolución de la comunidad *pro indiviso* adjudicándose los nuevos elementos privativos. El Notario interpuso recurso gubernativo contra la negativa del Registrador de la Propiedad de Ripoll (Girona) a inscribir la declaración de obra nueva y división horizontal por falta de acreditación de la constitución del seguro decenal. La DGRN desestimó el recurso. «[D]ado que la ampliación de la obra se lleva a cabo sobre elementos comunes de la propiedad horizontal, como son el suelo y la cubierta (creando las plantas sótano y buhardilla, respectivamente), elementos que, por ser necesarios para el adecuado uso y disfrute del edificio, están sujetos a un régimen estatutario de copropiedad entre todos los titulares de los elementos privativos (...), la constitución no puede predicarse individual, sino que, por su propia naturaleza es un acto colectivo (*cfr.* artículo 398 del Código Civil)» (FD 8º).
83. En particular, la RDGRN 26.7.2010 (JUR 2010, 317313) resuelve el siguiente caso. En 1987, los cónyuges copropietarios de un solar declararon en el mismo la obra nueva terminada de un edificio compuesto de una planta baja (almacén) y planta primera (desván). El 2.3.2007 declararon ampliación del edificio, obra nueva en construcción y constitución en régimen de propiedad horizontal, resultando un edificio de planta baja (almacén) y dos plantas altas destinadas a vivienda. El 19.5.2009, los cónyuges donaron en escritura pública los tres departamentos a sus hijos. El mismo día, los dos titulares de los dos departamentos

A pesar de lo expuesto hasta ahora, la Dirección General había mantenido con anterioridad, en la RDGRN 9.5.2007 (RJ 2007, 3777), una posición distinta. En ésta, la Dirección General de los Registros y del Notariado admitió la exoneración de la contratación del seguro decenal de los autopromotores colectivos de sendas viviendas unifamiliares situadas en un mismo edificio y, por lo tanto, con elementos estructurales comunes. A diferencia de la doctrina mayoritaria de la Dirección General, en la resolución citada no consideró relevante el hecho que las viviendas carecieran de independencia estructural y afirmó que

«... lo esencial es que estamos ante dos autopromotores individuales, cada uno de los cuales ha declarado la obra nueva sobre su vivienda para destinarla a uso propio y sin ningún ánimo de lucro, que no tienen intención de transmitirla en un primer momento» (FD 6º)[84].

La RDGRN 9.5.2007 (RJ 2007, 3777) resuelve un caso en el que unos padres donaron a sus hijos sendas partes indivisas de un solar y a continuación sobre éste, unos y otros declararon la obra nueva terminada de un edificio formado por un local y dos viviendas, las cuales surgieron como fincas independientes de la división horizontal del edificio, seguida de la extinción del condominio; procediéndose a continuación a atribuirse *ab initio* a cada uno de los hijos una vivienda, que declararon que destinarían a uso propio. El notario interpuso recurso contra la negativa de la Registradora de la Propiedad de Daimiel (Ciudad Real) a inscribir la escritura de donación, planteándose el problema de si en este caso es necesaria la contratación del seguro decenal del artículo 19 LOE. La DGRN estimó el recurso. En este caso no es exigible el seguro decenal porque el edificio fue promovido por diversos comuneros «... siendo dueños cada uno de ellos *ab initio* de su propia vivienda con carácter independiente, es decir, (...) existe autopromoción individual de sus respectivos elementos independientes (...)» (FD 5º).

---

destinados a vivienda declararon la terminación de obra. Presentada la escritura en el Registro la Registradora de la Propiedad de Albaida (Valencia) denegó la inscripción por la falta de acreditación de la constitución del seguro decenal. El Notario que autorizó el acta de finalización de obra interpuso recurso contra la decisión de la registradora, que fue desestimado por la DGRN. «Es cierto que en este caso (...) vendría a suponer una situación similar a la denominada «comunidad valenciana». (...) Ahora bien, la asimilación al concepto de autopromotor individual de la «comunidad valenciana» (...) se admite «si bien únicamente cuando las circunstancias arquitectónicas de la promoción de viviendas así lo permitan (...) [y en particular] cuando no rigen las normas de propiedad horizontal, sino que se constituyen diversas viviendas por una pluralidad de propietarios, siendo dueños cada uno de ellos de su propia vivienda con carácter independiente» (FD 8º).

84. Eugenio-Pacelli LANZAS MARTÍN, «La declaración de obra nueva hecha por autopromotor: el seguro decenal. Resolución de 9 de mayo de 2007, de la Dirección General de los Registros y del Notariado», *Revista Crítica de Derecho Inmobiliario*, nº 724, pp. 1207-1208, critica que la RDGRN 9.5.2007 (RJ 2007, 3777) aplicara al caso la exención.

La RDGRN 9.5.2007 (RJ 2007, 3777) justificó la no exigibilidad del seguro decenal en estos casos en que

«... no parece que el espíritu de la Ley persiga la contratación del seguro decenal en este supuesto, (...) sin perjuicio de que, si alguno de los hijos pretende transmitir la vivienda dentro de los diez años siguientes a la conclusión de la obra sin probar que la ha destinado a uso propio, o cuando, aun probándolo, no sea exonerado de esta obligación por el adquirente, será necesario la contratación de un seguro decenal único sobre la totalidad del edificio».

En la práctica, como ya ha sido puesto de relieve con anterioridad, esta solución es inoperable. En el momento de transmisión posterior de la vivienda es altamente improbable que una aseguradora conceda el seguro decenal. Además, aún en el caso en que la compañía aseguradora concediera el seguro decenal, el propietario que transmitiera una de las viviendas del edificio debería asumir la totalidad del precio del seguro, sin derecho a reclamar al resto de copropietarios la parte correspondiente, quienes estarían exonerados por haber destinado su vivienda al uso propio[85].

En definitiva, cabe concluir que la doctrina mayoritaria de la Dirección General de los Registros y del Notariado no admite la exoneración de los comuneros a contratar el seguro decenal en la construcción en comunidad de un edificio en régimen de propiedad horizontal ordinaria y, por tanto, los notarios y los registradores deben exigir la constitución del seguro decenal en estos casos.

b.   *Comunidad de tipo valenciano del artículo 8.4 LH: construcción de un edificio con ánimo de distribuirlo, ab initio, entre ellos mismos*

El segundo requisito que la Dirección General de los Registros y del Notariado exige para la aplicación de la exoneración de la contratación del seguro decenal en los supuestos de construcción en comunidad de propietarios es que esta sea de tipo valenciano –comunidad prevista en el artículo 8.4 LH–[86]. Esto es, que los comuneros de la comunidad *ad aedificandum* construyan las viviendas unifamiliares con ánimo de distribuirlas, *ab initio*, entre ellos mismos, transformándose en propietarios singulares de cada una de ellas. Por consiguiente, excluye de la consideración de autopromotor individual al autopromotor que construye agrupado en una comunidad de bienes ordinaria.

En este sentido, la RDGRN de 22.7.2010 (RJ 2010, 4878) excluyó de

---

85.   En este sentido, *vid.* MUÑOZ DE DIOS, *La verticalidad de varias viviendas no importa: la exención del seguro decenal, op. cit.*, p. 2.
86.   Sobre las diferencias entre la construcción en comunidad ordinaria y en comunidad de tipo valenciano, *vid.* el epígrafe 1.2 del apartado II del Capítulo Tercero de este trabajo.

la exoneración a la pluralidad de personas titulares que promovieron como propietarias en régimen de comunidad ordinaria dos viviendas situadas en una misma finca, pero que contaban con estructuras independientes. La resolución afirma que «en estos casos de comunidad ordinaria la construcción no puede predicarse individual, sino que por su propia naturaleza es un acto colectivo (*cfr.* artículo 398 del Código Civil)»[87].

2.3.3. Sujeción de las cooperativas de viviendas a la obligación de contratar el seguro decenal

Las cooperativas de viviendas no cumplen el requisito subjetivo exigido por la disposición adicional 2ª, Uno, LOE, por lo que estas entidades no se benefician de la exoneración[88]. En consecuencia, en ausencia de promotor-gestor con intervención decisoria en la promoción, la cooperativa de viviendas tiene la obligación de contratar el seguro obligatorio del artículo 19.1.c) LOE[89].

La falta de acreditación de la constitución del seguro decenal, en todas y cada una de las edificaciones promovidas por la cooperativa de viviendas promotora, no impedirá el cierre de la hoja registral abierta a la cooperativa en el Registro de Sociedades Cooperativas en caso de extin-

---

87. Los hechos que dieron lugar a la RDGRN 22.7.2010 (RJ 2010, 4878) son los siguientes. Dos matrimonios eran propietarios en comunidad indivisa de un solar en Almuñécar (Granada) (en una proporción de 60,33% el primer matrimonio y de 39,67% el segundo). El 31.9.2005, declararon en escritura pública la obra nueva de una vivienda sobre la finca siendo propietarios en la misma proporción, que se inscribió en el Registro de la Propiedad. El 3.4.2009, otorgaron una segunda escritura pública en la que declararon la obra nueva de una segunda vivienda en la misma finca, pero en una porción de la parcela distinta, siendo propietarios en la misma proporción. Las viviendas no estaban constituidas en régimen de propiedad horizontal. La Registradora de la Propiedad de Almuñécar denegó la inscripción de la escritura por falta de constitución del seguro decenal, por no tratarse de una única vivienda unifamiliar y tampoco de un autopromotor individual. El notario interpuso recurso contra esta decisión, pues consideraba que aunque se tratara de dos viviendas, cada una de ellas estaba destinada al uso propio de cada uno de los matrimonios. La DGRN desestimó el recurso. No concurren los requisitos de la excepción legal al régimen general de exigencia del seguro decenal «al no tratarse de una vivienda unifamiliar, al haberse declarado e inscrito la obra nueva de otra vivienda sobre la misma finca registral y por los mismos comuneros (...), ni existir autopromotor individual, sino una pluralidad de titulares en régimen de propiedad ordinaria, y no concurrir, finalmente, el requisitos de uso propio y diferenciado sobre cada vivienda (...)» (FD 8°).

88. En contra, De la Fuente Núñez de Castro, *Responsabilidades y garantías del autopromotor individual y colectivo según la vigente Ley de ordenación de la edificación, op. cit.,* p. 24.

89. En este sentido, Carrasco Perera, Cordero Lobato y González Carrasco, *Derecho de la construcción y la vivienda, op. cit.,* pp. 1083-1084.

ción de la misma. Por ello, coincido con la opinión mantenida por Ángel CARRASCO PERERA, Encarna CORDERO LOBATO y Carmen GONZÁLEZ CARRASCO, en el sentido de considerar que hubiera sido más razonable incluir en el artículo 20.2 LOE, además de los promotores individuales y las sociedades promotoras inscritas en el Registro Mercantil, a las cooperativas de viviendas[90].

III. OBLIGACIÓN DE ENTREGAR AL ADQUIRENTE EL LIBRO DEL EDIFICIO Y EXONERACIÓN DEL AUTOPROMOTOR INDIVIDUAL DE UNA ÚNICA VIVIENDA UNIFAMILIAR

1. OBLIGACIÓN DE ENTREGAR AL ADQUIRENTE EL LLBRO DEL EDIFICIO

1.1. Contenido del Libro del Edificio (artículo 7 LOE) y obligación del promotor de entregarlo al adquirente [artículo 9.2.e) LOE]

El artículo 9.2.e) LOE impone al promotor la obligación de «entregar al adquirente, en su caso, la documentación de la obra ejecutada, o cualquier otro documento exigible por las Administraciones competentes». A la misma obligación hace referencia el artículo 7, 3er párrafo, LOE que prevé que «el Libro del Edificio será entregado a los usuarios finales del edificio». Así, la documentación a la que se refiere el primero de los preceptos mencionados no es otra que el Libro del Edificio[91].

Para entender cumplida esta obligación, la Dirección General de los Registros y del Notariado exige que el promotor deposite ante notario el Libro del Edificio, así como la certificación del arquitecto director de la obra en la que se acredite que la documentación que entregó al promotor corresponde al edificio. El depósito será documentado en un acta de depósito (artículos 216 y 217 del Reglamento Notarial)[92]. Además, el Notario debe hacer constar en la escritura de declaración de obra nueva la existencia del Libro del Edificio y su disponibilidad[93].

---

90. En este sentido, *vid.* CARRASCO PERERA, CORDERO LOBATO y GONZÁLEZ CARRASCO, *Derecho de la construcción y la vivienda, op. cit.,* p. 1084, quienes critican que el artículo 20 LOE «no haya previsto un control del cumplimiento de dicho artículo en el momento de inscribir la extinción de la cooperativa en el Registro de Entidades cooperativas (artículo 76 LC)».
91. En este sentido, *vid.* la Resolución-Circular DGRN 26.7.2007.
92. Aprobado por el Decreto de 2 de junio de 1944 (BOE nº 189, de 7.7.1944). Sendos preceptos han sido modificados por los artículos 1.128 y 1.129 del Real Decreto 45/2007, de 19 de enero, por el que se modifica el Reglamento de la organización y régimen del Notariado (BOE nº 25, de 29.1.2007).
93. En este sentido, *vid.* la Resolución-Circular DGRN 26.7.2007.

El Libro del Edificio debe constar en cualquier tipo de edificación incluida en el ámbito de aplicación de la Ley, cuya licencia se hubiera solicitado a partir de la entrada en vigor de la misma, el 6 de mayo de 2000. Este documento está formado, de acuerdo con el artículo 7 LOE, al menos, por el proyecto y las modificaciones debidamente aprobadas; el acta de recepción de la obra; la relación identificativa de los agentes que han intervenido durante el proceso de edificación; y las instrucciones de uso y mantenimiento del edificio y sus instalaciones[94].

Aunque la obligación de entregar el Libro del Edificio recaiga sobre el promotor, algunos de los documentos que lo componen son elaborados por otros agentes de la edificación. El proyecto y las modificaciones debidamente aprobadas, el certificado final de obra y las instrucciones de uso y mantenimiento del edificio son elaborados y entregados al promotor por el director de la obra. Por otro lado, el acta de recepción de la obra se produce conjuntamente por el constructor y el promotor.

El contenido mínimo del Libro del Edificio señalado en la LOE debe complementarse, además, con los documentos previstos en la legislación autonómica[95], así como en el Código Técnico de la Edificación (artículo 8.1.1 CTE)[96].

1.2. Control del cumplimiento de la obligación de entregar el Libro del Edificio y consecuencias de su incumplimiento

En la LOE no existe precepto alguno que imponga a los notarios y a los registradores de la propiedad el control del cumplimiento de la obligación de entregar el Libro del Edificio en la autorización e inscripción de

---

94. En particular, el artículo 7 LOE establece que «[u]na vez finalizada la obra, el proyecto, con la incorporación, en su caso, de las modificaciones debidamente aprobadas, será facilitado al promotor por el director de obra para la formalización de los correspondientes trámites administrativos. A dicha documentación se adjuntará, al menos, el acta de recepción, la relación identificativa de los agentes que han intervenido durante el proceso de edificación, así como la relativa a las instrucciones de uso y mantenimiento del edificio y sus instalaciones, de conformidad con la normativa que le sea de aplicación. Toda la documentación a que hace referencia los apartados anteriores, que constituirá el Libro del Edificio, será entregada a los usuarios finales del edificio».

95. En este sentido *vid.*, entre otras, la Resolución-Circular DGRN 26.7.2007.En la doctrina, Mª del Carmen González Carrasco, «Capítulo 11. Documentación de la obra ejecutada», en Carrasco Perera, Cordero Lobato, González Carrasco, *Comentarios a la legislación de ordenación de la edificación, op. cit.*, p. 375.

96. De acuerdo con el artículo 8.1.1 CTE «[e]l contenido del Libro del Edificio establecido en la LOE y por las Administraciones Públicas competentes, se completará con lo que se establezca, en su caso, en los DB para el cumplimiento de las exigencias básicas del CTE».

escrituras públicas de declaración de obra nueva, análogamente a lo que el artículo 20.1 LOE establece para asegurar la observancia de la obligación del promotor de suscribir las garantías del artículo 19 LOE.

Con todo, con posterioridad al 1 de julio de 2007, y en virtud el artículo 19 de la Ley 8/2007, de 28 de mayo, del suelo (LS)[97], equivalente al vigente artículo 20 del Real Decreto Legislativo 2/2008, de 20 de julio, por el que se aprueba el texto refundido de la Ley del suelo (TRLS)[98], para autorizar escrituras de obra nueva terminada los notarios deberán exigir «la acreditación documental del cumplimiento de todos los requisitos impuestos por la legislación reguladora de la edificación para la entrega de ésta a sus usuarios» [artículo 20.a) TRLS], y los registradores deberán comprobar que se han cumplido estos requisitos para practicar las inscripciones de declaración de obra nueva.

La Dirección General de los Registros y del Notariado ha interpretado el apartado a) del primer párrafo del artículo 20 TRLS en el sentido de exigir al promotor declarante, no sólo la acreditación de la contratación del seguro decenal, sino también la de los demás requisitos documentales exigidos por la LOE para la entrega de la edificación al usuario, que no es otra que el Libro del Edificio del artículo 7 LOE (Resolución-Circular DGRN 26.7.2007)[99].

Adicionalmente, el apartado b) del primer párrafo del artículo 20 TRLS –introducido posteriormente por el Real Decreto-ley 8/2011– exige para formalizar e inscribir la escritura de declaración de obra nueva en el Registro de la Propiedad, el otorgamiento de la licencia municipal de primera ocupación[100]. El legislador ha modificado así el criterio sostenido hasta la fecha por la Dirección General de los Registros y del Notariado, que con anterioridad había negado la exigencia de la acreditación del otor-

---

97. BOE n° 128, de 29.5.2007.
98. BOE n° 154, de 26.6.2008.
99. Para un estudio más detallado de las implicaciones del artículo 20 TRLS, vid. Juan María Díaz Fraile, «El tratamiento registral de la obra nueva en la Ley 8/2007, de 28 de mayo, de suelo», Diario La Ley, n° 6824, 20 de noviembre de 2007; y Antonio Cabanillas Sánchez, «La declaración de obra nueva tras la Ley del Suelo de 28 de mayo de 2007», en Javier Gómez Gálligo (Coord.), Homenaje al profesor Manuel Cuadrado Iglesias, tomo II, Thomson-Civitas, Cizur Menor (Navarra), 2008, pp. 1089-1111.
100. Vid., por ejemplo, la RDGRN de 21.1.2012 (RJ 2012, 3252), que exige el otorgamiento de la licencia municipal de primera ocupación en la declaración de obra nueva terminada por parte de un autopromotor individual de única vivienda unifamiliar para uso propio. En contra de la exigencia de este requisito vid. Ángel Carrasco Perera, «Tipo para subastas hipotecarias, rehabilitaciones, declaraciones de obra nueva y otras regulaciones inmobiliarias en el Real Decreto-ley 8/2011», Diario la Ley, n° 7676, de 18 de julio de 2011.

gamiento de la licencia municipal de primera ocupación para la formalización e inscripción de la declaración de obra nueva[101].

2. EXONERACIÓN DEL AUTOPROMOTOR DE UNA ÚNICA VIVIENDA UNIFAMILIAR DE LA OBLIGACIÓN DE DEPOSITAR EL LIBRO DEL EDIFICIO

2.1. Aplicación analógica de la disposición adicional 2ª LOE a la obligación de depositar el Libro del Edificio

2.1.1. En la escritura de declaración de obra nueva

La LOE no contempla en su articulado un precepto análogo a la disposición adicional 2ª LOE que exonere al autopromotor individual de una única vivienda unifamiliar de la obligación de entregar el Libro del Edificio.

Sin embargo, la interpretación conjunta de los artículos 20 TRLS, 7 LOE y de la disposición adicional 2ª LOE, ha llevado a la Dirección General de los Registros y del Notariado a aplicar analógicamente esta última norma a la obligación de depositar el Libro del Edificio. En efecto, la Dirección General ha reconocido en numerosas resoluciones la exoneración del autopromotor individual de una única vivienda unifamiliar de depositar el Libro del Edificio en la declaración de obra nueva terminada.

De acuerdo con la doctrina registral, la finalidad de esta obligación no es tutelar al promotor, sino a los ulteriores usuarios de la edificación. En el caso de autopromoción individual de una única vivienda unifamiliar no se da el supuesto de hecho de la norma, la entrega de la vivienda a los usuarios finales de la misma, por lo que carece de justificación exigir al autopromotor que acredite que ha depositado del Libro del Edificio[102].

Los requisitos objetivos y subjetivos que el autopromotor debe reunir a los efectos de beneficiarse de esta exoneración, en la escritura de declaración de obra nueva terminada, son los mismos que los señalados en el análisis de la disposición adicional 2ª LOE.

Sin embargo, la DGRN no siempre ha sido estricta en la exigibilidad de estos requisitos. En alguna resolución ha ido más allá aplicando la exone-

---

101. *Vid.*, entre otras, la Resolución Circular de 26.7.2007.
102. En este sentido, *vid.* las RRDGRN 2.4.2013 (RJ 2013, 3666); 21.1.2012 (RJ 2012, 3252); 25.5.2009 (RJ 2009, 4022); 14.1.2009 (RJ 2009, 1082); 12.1.2009 (RJ 2009, 1603); 9.1.2009 (RJ 2009, 277); 8.1.2009 (RJ 2009, 276); 8.1.2009 (RJ 2009, 275); 19.12.2008 (RJ 2009, 2769); 17.12.2008 (RJ 2009, 1317); 15.12.2008 (RJ 2009, 314); 15.12.2008 (RJ 2009, 313); 13.12.2008 (RJ 2009/ 312); 12.12.2008 (RJ 2009, 311); y 10.12.2008 (RJ 2009, 1467).

ración a autopromotores que construyeron en comunidad un edificio con dos viviendas destinadas al uso propio de los otorgantes [RDGRN 15.12.2008 (RJ 2009, 313)].

2.1.2. En la escritura de transmisión de la vivienda

Ahora bien, lo anteriormente expuesto no comporta que en caso de transmisión posterior de la vivienda unifamiliar el autopromotor no deba entregar a los adquirentes el Libro del Edificio. Análogamente a lo que prevé la disposición adicional 2ª LOE, el autopromotor individual tiene la obligación de formar el Libro del Edificio y entregarlo a los futuros adquirentes en caso de transmisión posterior de la vivienda [artículos 9.2.e) y 16.1 LOE y 64 TRLCU].

2.2. Propuesta de introducción de la solución del artículo 50.2.c) de la Ley 18/2007, de 28 de diciembre, del derecho de la vivienda de Cataluña

El legislador catalán ha considerado las especificidades que presenta este tipo de promotor en la obligación de entregar el Libro del Edificio, en el artículo 50.2.c) de la Ley 18/2007, de 28 de diciembre, del derecho a la vivienda de Cataluña. Este precepto establece entre las obligaciones del promotor la de

> «... [e]ntregar a los adquirentes de las viviendas la documentación e información exigibles, en los términos establecidos por la presente Ley. En el caso de los autopromotores, la obligación corresponde a los constructores».

La solución que ofrece la Ley catalana 18/2007 en supuestos de autopromoción, consistente en imponer al constructor la obligación de depositar el Libro del Edificio en la declaración de obra nueva terminada, es más acertada que la doctrina de la Dirección General de los Registros y del Notariado que se acaba de analizar.

La doctrina de la Dirección General sólo impone al autopromotor la obligación de constituir el Libro del Edificio en caso de transmisión posterior de la vivienda. Sin embargo, el Libro del Edificio contiene información, en especial, la relativa a las instrucciones de uso y mantenimiento de la vivienda a la cual debe tener acceso cualquier propietario, también el autopromotor. En particular, el autopromotor debe tener acceso a la información relativa a las instrucciones de uso y mantenimiento del edificio y sus instalaciones, con el fin de poder cumplir adecuadamente las obligaciones que el artículo 16 LOE impone a los propietarios y usuarios de la edificación.

> Así, por un lado, dicho precepto impone al propietario la obligación «de conservar en buen estado la edificación mediante un adecuado uso y

mantenimiento» (artículo 16.1 LOE); y, por el otro, la obligación relativa a «la utilización adecuada de los edificios o de parte de los mismos de conformidad con las instrucciones de uso y mantenimiento, contenidas en la documentación de la obra ejecutada» (artículo 16.2 LOE).

Por ello, propongo una modificación de la solución adoptada por la doctrina de la Dirección General, mediante la introducción en el artículo 9.2.e) LOE de una previsión especial en la que se imponga al constructor la obligación de constituir y depositar el Libro del Edificio en las declaraciones de obra nueva de viviendas autopromovidas. La introducción de la solución que ofrece la ley de vivienda de Cataluña permitiría liberar al promotor no profesional de la obligación de reunir y depositar toda la documentación que forma parte del Libro del Edificio y, al mismo tiempo, proteger al consumidor de vivienda autopromotor, que dispondría desde la declaración de obra nueva de toda la información necesaria para el adecuado mantenimiento del inmueble.

IV. OBLIGACIÓN DE GARANTIZAR LA DEVOLUCIÓN DE LAS CANTIDADES ANTICIPADAS Y ESPECIALIDADES EN LAS COMUNIDADES DE PROPIETARIOS Y COOPERATIVAS DE VIVIENDAS

1. OBLIGACIÓN DEL PROMOTOR DE GARANTIZAR LA DEVOLUCIÓN DE LAS CANTIDADES PERCIBIDAS A CUENTA DEL PRECIO DURANTE LA CONSTRUCCIÓN Y ESPECIALIDADES

La Ley 57/1968, de 27 de julio, sobre percepción de cantidades anticipadas en la construcción y venta de viviendas[103], cuya vigencia mantiene la disposición adicional 1ª LOE con algunas modificaciones, impone la obligación de garantizar la devolución de las cantidades anticipadas a cualquier promotor que pretenda obtener entregas de dinero de los consumidores adquirentes de viviendas de renta libre[104], ya sea antes de iniciar la construcción o durante la misma.

En particular, la garantía de la devolución del importe de las cantidades percibidas, más los intereses legales correspondientes[105], debe reali-

---

103. BOE nº 181, de 29.1.1968. *Vid.* también la Orden del Ministerio de Hacienda de 29.11.1968 sobre seguro de afianzamiento de cantidades anticipadas para su construcción (BOE nº 292, de 5.12.1968).

104. La Ley se refiere a viviendas destinadas a «domicilio o residencia familiar, con carácter permanente o bien a residencia de temporada, accidental o circunstancial» (artículo 1 Ley 57/1968).

105. La devolución garantizada alcanza las cantidades entregadas, también a las entregadas en efectivo o mediante cualquier efecto cambiario [disposición adicional 1ª b) LOE], así como los intereses legales del dinero vigentes en el momento en que se haga efectiva la devolución [disposición adicional 1ª c) LOE].

zarse mediante aval bancario solidario[106] o seguro [artículo 1.a) Ley 57/1968], y para los casos en los que el promotor: a) no inicie la construcción; b) no termine la misma en los plazos pactados en el contrato; así como c) cuando no obtenga la cédula de habitabilidad [artículo 2.a) Ley 57/1968].

Además, la percepción de las «cantidades anticipadas por los adquirentes debe hacerse a través de una Entidad bancaria o Caja de Ahorros en las que habrán de depositarse en cuenta especial, con separación de cualquier otra clase de fondos pertenecientes al promotor y de las que únicamente podrá disponer para las atenciones derivadas de la construcción de las viviendas. Para la apertura de estas cuentas o depósitos la Entidad bancaria o Caja de Ahorros, bajo su responsabilidad, exigirá la garantía a que se refiere la condición anterior» [artículo 2.b) Ley 57/1968]. En la jurisprudencia menor, varias sentencias han atribuido responsabilidad a las entidades bancarias por no haber exigido en el momento de apertura de la cuenta especial la constitución del aval o seguro, si con posterioridad, ejercitado por el comprador su derecho a la devolución, ésta no puede hacerse por falta de garantía[107].

Si el promotor promueve viviendas de protección oficial, la obligación de garantizar las cantidades recibidas a cuenta se rige por el artículo 114 del Decreto 2114/1968, de 24 de julio[108]. En este caso, la garantía de la devolución del importe de las cantidades percibidas más los intereses legales correspondientes tiene que efectuarse mediante aval bancario o contrato de seguro para los casos en los que el promotor: a) no obtenga la calificación definitiva; o b) no termine las obras dentro del plazo fijado en la calificación provisional o en la prórroga reglamentariamente concedida (artículo 114 del Decreto 2114/1968).

Esta obligación también es exigible en las promociones en régimen de comunidad y de cooperativas de viviendas, en virtud del Decreto 3114/

---

106. Tal y como señala ESTRUCH ESTRUCH, *Las garantías de las cantidades anticipadas en la compra de viviendas en construcción, op. cit.*, «lo normal (...) es que se otorgue un aval ordinario (una fianza) de carácter solidario» (p. 162), que «en realidad, es un contrato de fianza» porque asegura el cumplimiento de obligaciones civiles (p. 159).

107. *Vid.* entre otras, la SAP Burgos, Civil, Sec. 3ª, 15.1.2014 (JUR 2014, 40677), de acuerdo con la cual «la entidad financiera debe exigir en el momento de la apertura de la cuenta o depósito la existencia del aval. Si no lo exige, o si abre la cuenta a pesar de constarle su falta de existencia, habrá de responder de las consecuencias perjudiciales que se siguen para la persona que hizo el ingreso, y que en definitiva hubiera sido el beneficiario de la garantía Esta ha sido la interpretación de la sentencia de la sección segunda de esta Audiencia Provincial en la sentencias de 20 de junio y 25 de octubre de 2012» (FD 6º).

108. Por el que se aprueba el Reglamento para la aplicación del Texto Refundido de Viviendas de Protección Oficial (BOE nº 216, de 7.9.1968).

1968, de 12 de diciembre[109] (vivienda libre) y los artículos 1.1.d) y 2 del Real Decreto 2028/1995, de 22 de diciembre[110] (vivienda protegida). Por ello, la disposición adicional 1ª LOE no modificó el régimen anterior al afirmar que la Ley 57/1968, de 27 de julio, sobre percepción de cantidades anticipadas en la construcción «(...) será de aplicación a la promoción de toda clase de viviendas, incluso a las que se realicen en régimen de comunidad de propietarios o sociedad cooperativa».

Una de las especialidades de la garantía de cantidades anticipadas entregadas en las promociones en comunidad y cooperativa de viviendas es el momento de la promoción a partir del cual es exigible la mencionada garantía. El Tribunal Supremo, ha afirmado en la STS, 1ª, Pleno, 13.9.2013 (RJ 2013, 5931) que

> «... el Decreto 3114/1968 (...) somete a la Ley 57/1968 el anticipo de cantidades previo incluso a la adquisición del solar, es decir en «fase embrionaria (...).
>
> [L]a promoción en régimen de cooperativa tiene sus propias peculiaridades y entre estas se encuentra el de la unión de esfuerzos desde un principio para adquirir los terrenos y, por tanto, el anticipo inicial de sumas muy importantes de dinero, mucho más elevadas que las habitualmente entregadas cuando la promoción se ajusta a otro régimen distinto, que la ley también quiere garantizar. Es desde este punto de vista como debe interpretarse la disposición adicional primera de la mucho más reciente LOE de 1999 (...), y no como propone la aseguradora demandada argumentando que al tratarse de una ley sobre edificación la garantía de los anticipos sería exigible una vez comenzada la construcción. En definitiva, el riesgo asegurado por el seguro de caución en estos casos es el fracaso del proyecto (...)» (FD 10º)[111].

---

109. Sobre aplicación de la Ley 57/1968, de 27 de julio, a las comunidades y cooperativas de viviendas (BOE nº 308, de 24.12.1968).

110. Por el que se establece las condiciones de acceso a la financiación cualificada estatal de viviendas de protección oficial promovidas por cooperativas de viviendas y comunidades de propietarios al amparo de los Planes Estatales de Vivienda (BOE nº 14, de 16.1.1996). De acuerdo con el artículo 1.1.d) del Real Decreto 2028/1995 «[c]uando la cooperativa perciba de los socios, a partir de la calificación provisional de viviendas de protección oficial, durante la construcción, cantidades anticipadas a cuenta del coste de la vivienda deberá garantizar las citadas cantidades». Dicha obligación es extensible a las comunidades de propietarios en virtud del artículo 2 del Real Decreto 2028/1995.

111. La STS, 1ª, Pleno, 13.9.2013 (RJ 2013, 5931) resuelve el siguiente caso. El 11.6.2007 tres socios fundaron la cooperativa de viviendas «Jardines de Valdebebas, Sociedad Cooperativa Madrileña» y el mismo día, uno de ellos celebró, como presidente del Consejo rector y en nombre de la cooperativa, un contrato de arrendamiento de servicios con «Getesco Estudios y Promociones S.L.» para los servicios de gestión de la cooperativa. El 22.11.2007, la cooperativa contrató con Asefa una póliza global en la modalidad de seguro de caución, con vencimiento el 31.3.2011. Las condiciones particulares de la misma describían el tipo

2. SUJETO OBLIGADO A CONTRATAR LA GARANTÍA EN LAS PRO-MOCIONES EN COMUNIDAD Y COOPERATIVA DE VIVIENDAS

2.1. Gestor como sujeto obligado en las promociones en comunidad de propietarios

En la promoción en régimen de comunidad, el artículo 2 del Decreto 3114/1968 impone la obligación de garantizar las cantidades entregadas a cuenta al gestor de la comunidad de propietarios –tanto el gestor que interviene en el proceso edificatorio verdaderamente como un mandatario, representante o prestatario de servicios de los comuneros, como el promotor-gestor, que actúa como promotor–, siempre y cuando:

a) «Gestione la adquisición del solar y la construcción del edificio», y

b) «Perciba las cantidades anticipadas, ya sea en calidad de propietaria del solar o como mandataria, gestora o representante de aquélla o bien con arreglo a cualquier otra modalidad de hecho o de derecho, directamente o por persona interpuesta».

Tras la entrada en vigor de la LOE, la disposición adicional 1ª LOE no modifica el sujeto obligado a contratar la garantía, pues incluye entre los obligados tanto a los promotores (promotor-gestor) como a los gestores propiamente dichos (gestor mandatario, representante o prestatario de ser-

de riesgo como «seguros de caución en garantía del buen fin de los anticipos de los cooperativistas de la promoción, 120VRL + 50VPP ámbito urbanístico Valdedebas US 4.01». Los demandantes se incorporaron a la cooperativa mediante contratos de adhesión y adjudicación provisional con derechos de suelo para construcción de viviendas y garaje de jardines de «Valdebebas S. Coop. Md». Los terrenos en los que estaba proyectado construir las viviendas estaban en fase de reparcelación. Transcurridos más de dos años desde la constitución de la cooperativa, quedó manifiesta la inviabilidad del proyecto y el 13.5.2010 se presentó la solicitud de declaración de concurso de la cooperativa. El 30.7.2010, 52 cooperativistas demandaron a Asefa y solicitaron el pago de las cantidades anticipadas, la mayoría de 114.690,30 €, más los intereses legales del art. 20 LCS. Asefa alegó que el contrato celebrado era un seguro voluntario que únicamente garantizaba que las cantidades aportadas se destinaran a sufragar los gastos del proyecto promotor en sus fases iniciales, pero que no era el seguro obligatorio previsto en la Ley 58/1968. El JPI nº 96 de Madrid (31.10.2011) estimó en parte la demanda, pero no consideró aplicables los intereses del art. 20 LCS. La AP de Madrid (Sec. 14ª, 31.10.2012) desestimó íntegramente la demanda. El TS casa la sentencia recurrida, confirma la SJPI en las cantidades que Asefa debe pagar a cada demandante y la revoca en el punto de no considerar aplicable el art. 20 LCS. En el mismo sentido, *vid.* la SAP Madrid, Civil, Sec. 14ª, 14.1.2014 (JUR 2014, 63627).

vicios) que perciban las cantidades a cuenta del precio final de las viviendas durante su construcción[112].

2.2. Promotor-gestor o cooperativa como sujetos obligados en las promociones en cooperativa

Para determinar el sujeto obligado a contratar la garantía de cantidades anticipadas en las promociones en régimen de cooperativas de viviendas debe tenerse en cuenta la legislación siguiente. Por un lado, el artículo 4 del Decreto 3114/1968, que señala que

> «... las Juntas Rectoras garantizarán a todos y cada uno de los interesados la devolución del importe de sus aportaciones (...)».

Y, por el otro, la disposición adicional 1ª LOE, que hace referencia a la

> «... percepción de cantidades anticipadas en la edificación por los promotores o gestores».

Además, la referencia a los gestores de la disposición adicional 1ª LOE debe interpretarse de conformidad con el artículo 17.4 LOE y, en consecuencia, en el sentido que dicha norma no incluye a todo tipo de gestor, sino únicamente a aquel que actúa como promotor bajo la forma de promotor o gestor de cooperativas. Así, el gestor de la disposición adicional 1ª es el promotor-gestor[113].

De una interpretación conjunta de la legislación citada, se deriva que el sujeto obligado a contratar la garantía de cantidades anticipadas en la promoción en cooperativa de viviendas varía en función de si en la promoción interviene o no un gestor que actúa como promotor (promotor-gestor)[114].

---

112. En este sentido, *vid.* la SAP Zaragoza, Civil, Sec. 5ª, 25.6.2013 (JUR 2013, 257834), de acuerdo con la cual «la Disposición Adicional de la LOE le impone tal obligación como gestor, y ello estima la Sala que con independencia de que las cantidades se hayan depositado a disposición de la comunidad o del gestor, también en el primer supuesto, el gestor tiene facilidades a través de los poderes conferidos y para la ejecución de sus funciones para constituir el aval y, por ello, la obligación legal de hacerlo» (FD 4º).

113. *Vid.* CARRASCO PERERA, CORDERO LOBATO, GONZÁLEZ CARRASCO, *Derecho de la construcción y la vivienda, op. cit.*, p. 597, de acuerdo con los cuales «el concepto de «gestor» que utiliza la DA 1ª LOE tiene que ser puesto en relación con el de «gestor de cooperativas o de comunidades» del art. 17.4 LOE. En realidad, no existe propiamente una diferencia técnica entre promotor y gestor, si se atiende a los términos generales que utiliza el art. 9 para definir al promotor inmobiliario».

114. *Vid.* CARRASCO PERERA, CORDERO LOBATO, GONZÁLEZ CARRASCO, *Derecho de la construcción y la vivienda, op. cit.*, p. 598; y Jesús ESTRUCH ESTRUCH, *Las garantías de las cantidades anticipadas en la compra de viviendas en construcción, op. cit.*, p. 53.

a. *Promoción en régimen de cooperativas de viviendas, con intervención decisoria de un gestor*

Tras la entrada en vigor de la LOE, en los supuestos en los que el gestor de la cooperativa de viviendas actúe como verdadero promotor por su intervención decisoria en la promoción, será éste el sujeto obligado a contratar la garantía y no la propia cooperativa de viviendas.

En estos casos no es de aplicación el artículo 4 del Decreto 3114/ 1968 que atribuye esta obligación al Consejo Rector de la cooperativa, sino la disposición adicional 1ª LOE y la propia Ley 57/1968, esta última aplicable a las promociones en las que el promotor cede la propiedad de la vivienda a los adquirentes por medio, entre otros, de un contrato de obra o de compraventa.

En efecto, para determinar el sujeto obligado a garantizar las cantidades anticipadas, debe tenerse en cuenta la verdadera naturaleza jurídica del contrato del promotor-gestor. Como se concluyó en el Capítulo Cuarto de este trabajo, el contrato del promotor-gestor es un contrato atípico complejo de promoción, en virtud de la cual el promotor-gestor asume en las relaciones internas con los cooperativistas las mismas obligaciones contractuales que un vendedor o contratista[115]. Si partimos de esta conclusión, entonces el promotor-gestor está obligado a contratar la garantía en las promociones en las que intervenga pues la Ley 57/1968 señala como sujetos obligados a garantizar las cantidades las «(...) personas físicas y jurídicas que promuevan la construcción de viviendas (...)», y precisamente, el promotor-gestor es quien promueve la construcción en las cooperativas de viviendas.

b. *Promoción en régimen de cooperativas de viviendas, sin intervención decisoria de un gestor*

En las promociones en régimen de cooperativas sin intervención decisoria de un gestor, la obligación de contratar la garantía corresponde a la cooperativa. La referencia que el artículo 4 Decreto 3114/1968 hace al Consejo rector de la cooperativa[116], debe entenderse en el sentido que el

---

115. Sobre la calificación jurídica del contrato del promotor-gestor y sus consecuencias jurídicas *vid.* el apartado III del Capítulo Cuatro de este trabajo.

116. De conformidad con el artículo 4 Decreto 3114/1968 «... las Juntas Rectoras garantizarán a todos y cada uno de los interesados la devolución del importe de sus aportaciones más el seis por ciento de interés anual, mediante aval bancario o contrato de seguro, para el supuesto que la construcción no se inicie o termine en los plazos señalados, debiendo hacer entrega del documento que acredite tal garantía individualizada en el momento que se exijan al socio cooperador cantidades para la adquisición del solar o para la construcción del edificio».

sujeto obligado es la cooperativa y no el Consejo rector, que actúa como órgano de representación de aquella[117].

3. CONSECUENCIAS DEL INCUMPLIMIENTO DE LA OBLIGACIÓN DE CONTRATAR LAS GARANTÍAS Y ESPECIALIDADES EN LAS COMUNIDADES DE PROPIETARIOS Y COOPERATIVAS DE VI-VIENDAS

3.1. Obligación de restituir las cantidades entregadas no aseguradas

En el ámbito civil, el incumplimiento de la obligación del promotor de garantizar las cantidades percibidas a cuenta, tanto en las viviendas de renta libre como de protección oficial, no tiene consecuencias específicas más allá de la aplicación de los remedios generales frente el incumplimiento contractual (artículos 1091, 1098, 1099, 1101 y ss. y 1124 CC)[118]. El comprador de la vivienda puede negarse a pagar las cantidades a cuenta mientras el promotor no garantice su devolución con base en la excepción de contrato cumplido defectuosamente (*exceptio non rite adimpleti contractus*)[119].

Además, la jurisprudencia del Tribunal Supremo considera que el incumplimiento por parte del promotor de la obligación de garantizar las cantidades anticipadas es un incumplimiento esencial del contrato de compraventa, que permite al comprador resolver el contrato (artículo 1124 CC) y obliga al promotor a devolver las cantidades entregadas[120]. Con todo, el incumplimiento de esta obligación no es causa de resolución cuando la construcción de la edificación está muy avanzada o ya ha terminado, puesto que en este caso ya se ha cumplido la función que la garantía persigue, que no es otra que el buen fin de la construcción[121].

En el derecho español, como se analiza más abajo, la relación entre

---

117. *Vid.* CARRASCO PERERA, CORDERO LOBATO, GONZÁLEZ CARRASCO, *Derecho de la construcción y la vivienda, op. cit.*, pp. 1080-1081.

118. *Vid.* Luis Fernando REGLERO CAMPOS, «Comentario a la Sentencia del Tribunal Supremo de 27 de mayo de 2004 (RJ 2004, 4264)», *CCJC*, n° 67, enero/abril 2005, p. 331.

119. *Vid.* ESTRUCH ESTRUCH, *Las garantías de las cantidades anticipadas en la compra de viviendas en construcción, op. cit.*, pp. 221-222.

120. En este sentido, *vid.* las SSTS, 1ª, Sec. 1ª, 5.2.2013 (RJ 2013, 1995); 10.12.2012 (RJ 2013, 914); y 25.10.2011 (RJ 2012, 433). En la jurisprudencia menor *vid.*, entre otras, las SSAP Alicante, Civil, Sec. 9ª, 5.10.2009 (AC 2009, 2259) y Valencia, Civil, Sec. 8ª, 4.2.2005 (JUR 2005, 85844).

121. En este sentido, *vid.*, entre otras, las SSAP Valencia, Civil, Sec. 11ª, 9.3.2012 (AC 2012, 755); Rioja, Civil, Sec. 1ª, 9.12.2011 (JUR 2012, 3294); Alicante, Civil, Sec. 9ª, 24.11.2011 (AC 2012, 153); y las sentencias allí citadas.

la cooperativa de viviendas y el socio cooperativista no puede calificarse de contrato de compraventa, sino que la adjudicación de la vivienda al socio es una consecuencia del contrato de tipo asociativo que el socio suscribe cuando se da de alta en la cooperativa. En consecuencia, el incumplimiento de la cooperativa o de su gestora de la obligación de asegurar las cantidades percibidas a cuenta no puede conllevar la resolución de un contrato de compraventa. A pesar de lo anterior, la jurisprudencia menor ha considerado en estos casos que

> «[E]l carácter en principio esencial de constituir fianza sobre estas cantidades autoriza a fundar la obligación de restitución, si no en la resolución del contrato, que no existe, sí en la subordinación de la entrega de las cantidades a la constitución del aval, como si de una obligación condicional se tratara, de forma que, no cumplida la condición (la constitución del aval), surge la obligación de devolver» [SAP Burgos, Civil, Sec. 3ª, 3.5.2011, FD 6º (JUR 2011, 196151)].

La misma tesis puede sostenerse respecto de las promociones en régimen de comunidad de propietarios. Si la gestora incumple su obligación de asegurar las cantidades percibidas a cuenta, los comuneros pueden exigir la restitución de las cantidades entregadas en las condiciones señaladas.

3.2. Responsabilidad solidaria de los miembros del Consejo rector en la promoción en cooperativa (artículo 241 TRLSC)

En la promoción en régimen de cooperativa de viviendas, los socios cooperativistas pueden acudir a una segunda vía en caso de incumplimiento de la cooperativa de la obligación de asegurar las cantidades percibidas. De acuerdo con el artículo 43 LC[122], los miembros del Consejo rector están sometidos a las mismas responsabilidades que los administradores de las sociedades de capital, cuya regulación se contiene en los artículos 236 a 241 del Texto Refundido de la Ley de Sociedades de Capital (en adelante, TRLSC)[123]. En consecuencia, en estos casos los socios están legitimados para ejercitar la acción individual de responsabilidad contra los miembros del Consejo rector (artículo 241 TRLSC)[124].

La obligación de la cooperativa de restituir las cantidades no asegura-

---

122. De acuerdo con el artículo 43 LC «[l]a responsabilidad de los consejeros e interventores por daños causados, se regirá por lo dispuesto para los administradores de las sociedades anónimas, si bien, los interventores no tendrán responsabilidad solidaria».

123. Aprobado por el Real Decreto Legislativo 1/2010, de 2 de julio (BOE nº 161, de 3.7.2010).

124. El artículo 241 TRLSC prevé que «[q]uedan a salvo las acciones de indemnización que puedan corresponder a los socios y a los terceros por actos de administradores que lesionen directamente los intereses de aquéllos».

das no excluye la responsabilidad de los miembros del Consejo rector, quienes pueden llegar a responder solidariamente junto a la cooperativa de viviendas cuando concurran los requisitos exigidos por la Ley[125]. En efecto, los miembros del Consejo rector de las cooperativas de viviendas responden frente a los socios por los daños causados «por actos u omisiones contrarios a la ley o a los estatutos o por los realizados incumpliendo los deberes inherentes al desempeño del cargo» (artículo 236.1 TRLSC), supuestos en el que se incluye la no contratación de la garantía prevista en la Ley 57/1968, de 27 de julio, sobre percepción de cantidades anticipadas en la construcción y venta de viviendas[126].

Así, por ejemplo, condenan a los miembros del Consejo rector por los daños causados de manera negligente a los socios de la cooperativa por incumplimiento de la obligación de asegurar las cantidades entregadas a cuenta, la SAP Burgos, Civil, Sec. 3ª, 31.7.2012 (JUR 2012, 316255) de acuerdo con la cual: «En el caso presente, la omisión por los demandados de una obligación legal, cual era la que le imponía garantizar mediante aval bancario o contrato de seguro la devolución de las cantidades anticipadas por los cooperativistas, ha causado a éstos un daño evidente derivado de la pérdida de dichas cantidades, por lo que la cuantía de la indemnización ha de fijarse en el importe de dichas cantidades incrementadas en el interés legal como establece la Disposición Adicional 1ª de la LOE. Y en su caso, incurriendo en negligencia grave al no ejercer control y vigilancia alguna sobre la actuación de la entidad gestora de la cooperativa, y en su caso, sobre la Presidenta del Consejo rector (...)» (FD 4º). Un segundo ejemplo puede verse en la SAP A Coruña, Civil, Sec. 5ª, 12.6.2006 (JUR 2007, 141236), que declara que «(...) la ausencia de la concertación del contrato de seguro para garantizar, en su caso, la restitución de las cantidades entregadas a cuenta por los cooperativistas, que evitaría el perjuicio patrimonial sufrido por la actora, sobre la que se construye la imputación de responsabilidad civil a los miembros del Consejo rector codemandados (...). Siendo obvio que infringieron una norma de rango legal, al recibir las cantidades entregadas en concepto de pagos anticipados para la construcción de viviendas, sin concertar los correspondientes contratos de seguro, que garantizasen la integridad económica de los cooperativistas aportantes (...)» (FD 4º).

---

125. En este sentido *vid.* la ya citada STS, 1ª, 14.4.2009 (RJ 2009, 4724), según la cual «... en este caso, existe un régimen legal que junto al sujeto contractualmente obligado, la cooperativa, contemple la posible responsabilidad solidaria, en garantía de los acreedores, de otros sujetos, los miembros del Consejo rector (...)» (FD 4º). *Vid.* también la SAP Cáceres, Civil, Sec. 1ª, 19.10.2010 (AC 2010, 19895).

126. En este sentido, *vid.* CARRASCO PERERA, CORDERO LOBATO y GONZÁLEZ CARRASCO, *Derecho de la Construcción y la Vivienda, op. cit.*, p. 1081, quienes añaden que debe aplicarse en la responsabilidad de los miembros del Consejo rector «la moderación que impone el art. 1.726 CC en el caso del mandatario no retribuido».

3.3. Responsabilidades administrativas y penales

En el ámbito administrativo, el primer párrafo del hoy derogado artículo 6 de la Ley 57/1968 hacía referencia a que el incumplimiento del promotor de las obligaciones impuestas en la Ley sería sancionado con una multa por cada infracción[127]. La responsabilidad administrativa recaerá, en la promoción en régimen de cooperativas, sobre la propia cooperativa o sobre la gestora de la misma, si ha intervenido de manera decisoria en la promoción[128]. En la promoción en régimen de comunidad recaerá sobre la gestora, en todo caso. La disposición adicional 1ª LOE, apartado d), ha previsto que dichas multas:

> «(...) se impondrán por las Comunidades Autónomas, en cuantía, por cada infracción, de hasta el 25% de las cantidades cuya devolución deba ser asegurada o por lo dispuesto en la normativa propia de las Comunidades Autónomas»[129].

En el ámbito penal, el promotor que no asegura las cantidades percibidas a cuenta puede incurrir en un delito de apropiación indebida (artículo 252 CP), si las cantidades no aseguradas fueron empleadas para otros fines distintos a la construcción de las viviendas, o un delito de estafa (artículo 248 CP) si se percibieron las cantidades mediando engaño[130].

---

127. El artículo 6, primer párrafo, de la Ley 57/1968, derogado por la disposición derogatoria única.1.f) de la Ley Orgánica 10/1995, de 23 de noviembre, del Código Penal (BOE nº 281, de 24.11.1995), establecía que: «[e]l incumplimiento por el promotor de lo dispuesto en esta Ley será sancionado con una multa por cada infracción, que será impuesta conforme a las normas previstas en la Ley 49/1959, de 30 de julio, de Orden Público, sin perjuicio de la competencia de los Tribunales de Justicia».
128. En la jurisprudencia administrativa, la STSJ de Madrid, Sala de lo contencioso-administrativo, 7.2.2007 (JUR 2007, 154415) sanciona a la empresa gestora de una cooperativa de viviendas por incumplimiento de la obligación de garantizar las cantidades percibidas a cuenta.
129. Con todo, algunos autores, como CARRASCO PERERA, CORDERO LOBATO y GONZÁLEZ CARRASCO, *Derecho de la construcción y la vivienda, op. cit.*, p. 595, han puesto de manifiesto que las Comunidades Autónomas que tengan competencia en materia de vivienda no están vinculadas por la previsión de la disposición adicional 1ª LOE.
130. *Vid.*, por ejemplo, la STS, 2ª, Sec. 1ª, 29.10.2013 (RJ 2013, 7126), que condena a Íñigo , Secundino y Moises –Presidente, Vicepresidente y Secretario de la Sociedad Cooperativa de Viviendas Almilla, siendo a su vez, administradores mancomunados de la Sociedad «Alogra G7 S.L.» que, a su vez, gestionaba la expresada Sociedad Cooperativa de Viviendas Almilla– como autores de un delito de apropiación indebida continuado agravado por la cuantía. Los condenados recibieron 50.000 € de los cinco perjudicados quienes los entregaron en concepto de depósito de reserva y señal para la adquisición de las viviendas, destinando los condenados dicho dinero a otros usos, como viajes y propaganda. Sobre la responsabilidad penal en estos casos *vid.* en la doctrina Ángel CARRASCO

4. EJECUCIÓN DE LA GARANTÍA. EN ESPECIAL, COMPATIBILIDAD DE LA RESTITUCIÓN CON LO PREVISTO EN EL ARTÍCULO 88.5 DE LA LEY ESTATAL DE COOPERATIVAS

Para la ejecución de la garantía de cantidades aseguradas frente el otorgante del aval o el seguro, el Tribunal Supremo exige que el adquirente de la edificación ejercite al mismo tiempo, o con anterioridad, la resolución por incumplimiento del contrato de obra o de compraventa de vivienda frente al promotor (artículo 1124 CC)[131]. Además, de probar que el promotor no ha terminado la obra en los plazos convenidos o que no ha obtenido la cédula de habitabilidad[132].

En el caso del aval solidario, su ejecución se rige por las reglas de la fianza solidaria, para cuya regulación el artículo 1822, apartado 2, CC se remite a las reglas de las obligaciones solidarias[133]. En consecuencia, el adquirente de la vivienda puede ejecutar el aval directamente contra la entidad de crédito que concedió el aval (artículo 1144 CC), pudiendo ésta oponer contra el comprador «todas las excepciones que se deriven de la naturaleza de la obligación y las que le sean personales (...)» (artículo 1148)[134]. Por lo que hace al contrato de seguro, si bien la Ley 57/1968 no establece su carácter solidario, la Sala Primera del Tribunal Supremo y la mayoría de la doctrina defienden que la obligación de la compañía aseguradora es también solidaria, pues de lo contrario el comprador recibiría un trato desigual según el promotor hubiera optado por contratar un aval o un seguro[135].

PERERA, Encarna CORDERO LOBATO y Carmen GONZÁLEZ CARRASCO, *op. cit.*, pp. 604 y 605.

131. STS, 1ª, 27.5.2004 (RJ 2004, 4264). Con todo, Ángel CARRASCO PERERA, Encarna CORDERO LOBATO y Carmen GONZÁLEZ CARRASCO, *Derecho de la Construcción y la Vivienda, op. cit.*, p. 609, consideran «que no debe ser ésta la solución. Es decir, no es preciso identificar la acción como resolutoria, bastando con pedir la restitución, que (*iura novit curia*) sólo puede ser interpretada como el contenido de una acción resolutoria».

132. *Vid.* ESTRUCH ESTRUCH, *Las garantías de las cantidades anticipadas en la compra de viviendas en construcción, op. cit.*, p. 162.

133. *Vid.* artículo 1822, apartado 2, CC: «Si el fiador se obligare solidariamente con el deudor principal, se observará lo dispuesto en la sección cuarta, capítulo III, título I de este libro».

134. *Vid.* ESTRUCH ESTRUCH, *Las garantías de las cantidades anticipadas en la compra de viviendas en construcción, op. cit.*, p. 162.

135. Califican de solidaria la obligación del asegurador que otorga el seguro de la Ley 57/1968, la STS, 1ª, Sec. 1ª, 3.7.2013 (RJ 2013, 5913), en la jurisprudencia menor, entre otras, las SSAP Huesca, Civil, Sec. 1ª, 27.7.2012 (JUR 2012, 289575) y Madrid, Civil, Sec. 12ª, 23.2.2012 (AC 2012, 1406) y en la doctrina, ESTRUCH ESTRUCH, *Las garantías de las cantidades anticipadas en la compra de viviendas en construcción, op. cit.*, pp. 190-191.

En el marco concreto de las cooperativas de viviendas, una de las situaciones en las que, con frecuencia, se encuentran los socios es que la cooperativa no inicie los trabajos de construcción de la edificación, o que habiéndolos iniciado no los haya terminado en el plazo previsto. Con todo, debe tenerse en cuenta, que desde su adhesión a la cooperativa los socios habrán ido entregando a la misma o a su gestora cantidades de dinero a cuenta del precio final de su vivienda.

En este caso, expirado el plazo de iniciación de las obras o de entrega de la vivienda sin que una u otra hubiesen tenido lugar, los socios de la cooperativa tienen derecho a reclamar a la cooperativa de viviendas o a su gestora la devolución de éstas más los intereses legales del dinero vigentes hasta el momento en que se haga efectiva la devolución (artículo 3 Ley 57/1968 y disposición adicional primera LOE).

> En efecto, el artículo 3 Ley 57/1968, de 27 de julio, señala que: «[e]x-pirado el plazo de iniciación de las obras o de entrega de la vivienda sin que una u otra hubiesen tenido lugar, el cesionario podrá optar entre la rescisión del contrato con devolución de las cantidades entregadas a cuenta, incrementadas [con intereses legales del dinero vigentes hasta el momento en que se haga efectiva la devolución][136], o conceder al cedente prórroga, (...)».

Además, los socios podrán ejecutar directamente dicha garantía frente al garante –entidad bancaria o compañía aseguradora con la que la cooperativa o su gestora hubieran contratado el aval o seguro de caución–, siempre que, con anterioridad o simultáneamente, reclamen a la cooperativa la restitución de las cantidades por incumplimiento de su obligación de entregar la vivienda en el plazo convenido o sin cédula de habitabilidad y prueben dichas circunstancias.

En este contexto, los cooperativistas que pretenden ejecutar la garantía frente al garante, pueden encontrarse con el problema consistente en que los socios no pueden resolver con anterioridad ningún contrato de compraventa con el promotor, pues su vinculación con la cooperativa proviene de un contrato de tipo asociativo y sólo pueden desvincularse de la cooperativa dándose de baja de la misma. Por este motivo, en muchas

---

136. Nótese que se ha modificado en este punto la redacción del artículo 3 Ley 57/ 1968, de 27 de por la disposición adicional primera LOE, apartado c), de acuerdo con el cual «La devolución garantizada comprenderá las cantidades entregadas más los intereses legales del dinero vigentes hasta el momento en que se haga efectiva la devolución». De acuerdo con la STS, 1ª, Pleno, 18.7.2013 (Cendoj: 28079119912013100020), «la letra c) de la disposición adicional primera de la LOE como norma que, por ser posterior a la Ley 57/68, debe considerarse aplicable en este punto con prevalencia sobre el art. 1 de esta última, que establecía un interés del seis por ciento anual» (FD 11º).

promociones en régimen de cooperativas, el obligado a la restitución de las cantidades alega el artículo 88.5 de la Ley 27/1999, de 16 de julio, de Cooperativas[137], como fundamento para evitar la devolución de las cantidades aseguradas. De acuerdo con este precepto en caso de baja del socio, las cantidades entregadas para financiar el pago de las viviendas deberán reembolsarse al socio en el momento en que sea sustituido en sus derechos y obligaciones por otro socio. Sin embargo, en un contexto de crisis económica, el socio difícilmente hallará a una tercera persona interesada en substituirle en una promoción que, además se encuentra paralizada y, que muy probablemente, no será terminada.

Contra este argumento, cabe sostener que la ejecución de la garantía prevista en la Ley 57/1968, de 27 de julio, frente el otorgante del aval o el seguro es compatible con lo previsto en el artículo 89.5 de la Ley estatal de Cooperativas[138], por lo que es preciso diferenciar dos supuestos. Por un lado, aquel en el que el socio reclama la devolución de las cantidades como consecuencia de su baja de la cooperativa. Y, por el otro lado, aquel en el que socio que solicita la devolución de las cantidades lo hace tras constatar el incumplimiento de la cooperativa de su obligación de entregar la vivienda en el plazo convenido e, incluso, la imposibilidad de la misma de llevar a cabo su objeto social.

Así, se defiende que cuando el socio reclama la ejecución de la garantía, expirado el plazo de iniciación de las obras o de entrega de la vivienda sin que una u otra hubiesen tenido lugar, no estamos ante un supuesto de baja, voluntaria o justificada, del socio, sino ante un caso de incumplimiento de la Cooperativa de una de sus obligaciones: la obligación de entregar la vivienda en el plazo pactado. En consecuencia, en estos supuestos no es de aplicación el artículo 88.5 LC, sino lo previsto en la Ley 57/1968 y, por ello, no es preciso esperar a que el socio sea sustituido en sus

---

137. De conformidad con el artículo 88.5 de la Ley 27/1999, de 16 de julio, de Cooperativas: «Los Estatutos podrán prever en qué casos la baja de un socio es justificada y para los restantes, la aplicación, en la devolución de las cantidades entregadas por el mismo para financiar el pago de las viviendas y locales, de las deducciones a que se refiere el apartado 3 del artículo 51, hasta un máximo del 50% de los porcentajes que en el mismo se establecen.

    Las cantidades a que se refiere el párrafo anterior, así como las aportaciones del socio al capital social, deberán reembolsarse a éste en el momento en que sea sustituido en sus derechos y obligaciones por otro socio».

138. En este sentido, vid. CARRASCO PERERA, CORDERO LOBATO y GONZÁLEZ CARRASCO, Derecho de la Construcción y la Vivienda, op. cit., p. 1081. En la jurisprudencia vid. las SSAP Burgos, Civil, Sec. 3ª, 21.1.2013 (JUR 2013, 60245) y Burgos, Civil, Sec. 3ª, 3.5.2011 (JUR 2011, 196151). Sin embargo, en contra vid. las SSAP Las Palmas, Civil, Sec. 5ª, 19.7.2010 (JUR 2011, 7082) y 7.9.2012 (JUR 2012, 363562).

derechos y obligaciones por otro socio para que el otorgante del aval o el seguro resulten obligados a devolverle las cantidades entregadas a cuenta.

En esta línea, la SAP Burgos, Civil, Sec. 3ª, 21.1.2013 (JUR 2013, 60245) desestima el recurso de apelación interpuesto por Caja Rural de Burgos, que fundaba en la infracción, por inaplicación, del artículo 89.5 de la Ley General de Cooperativas de 1999. De acuerdo con la Audiencia: «Sin embargo, la inaplicación es debida, porque la sentencia estima y declara la imposibilidad de la Sociedad Cooperativa demandada de cumplir con el fin societario. Considera acreditado que la Cooperativa no ha iniciado la construcción, ni previsión de que se realice, en base a los hechos que se expresan (...); de manera que, mal puede pretenderse, la sustitución de un socio en unos derechos constructivos o de edificación, que la Cooperativa no va a cumplir (...). Además, la acción ejercitada no es la de reembolso frente a la Cooperativa, sino la acción de recuperar las entregas efectuadas conforme al contrato de compraventa convenido, y de acuerdo con la Ley 57/1968; integrando la causa de pedir, determinante de las pretensiones actoras» (FD 1º)[139].

---

139. *Vid.* también la SAP Burgos, Civil, Sec. 3ª, 3.5.2011 (JUR 2011, 196151) que ha señalado que «... en este caso no se pide la devolución como consecuencia de la baja sino por el incumplimiento de la Cooperativa de una de sus obligaciones, como es la de constituir un aval. La devolución no puede estar sujeta pues a que entre en la Cooperativa otro socio que sustituya al que se va, lo que además se antoja extremadamente difícil cuando la devolución se pide precisamente en un caso en el que la cooperativa no ha iniciado la construcción o la tiene muy retrasada, y cuando además la Caja se niega sistemáticamente a prestar nuevos avales, por lo que la entrada de un nuevo socio en esas condiciones se antoja una tarea imposible» (FD 7º).

SEXTO

RESPONSABILIDAD DEL PROMOTOR INMOBILIARIO POR VICIOS O DEFECTOS CONSTRUCTIVOS EN LA LEY DE ORDENACIÓN DE LA EDIFICACIÓN

I. IMPUTACIÓN DE RESPONSABILIDAD AL PROMOTOR EN LAS RELACIONES EXTERNAS CON LOS PROPIETARIOS DEL EDIFICIO

La LOE establece un régimen de responsabilidad del promotor por vicios y defectos constructivos similar al desarrollado, con anterioridad a la vigencia de la LOE, por la jurisprudencia del Tribunal Supremo con base en el artículo 1591.I CC. Con todo, existen diferencias substanciales entre ambos regímenes y, en especial, en los presupuestos objetivos y temporales de la responsabilidad[1].

En los sistemas de responsabilidad del promotor inmobiliario, tanto el de responsabilidad por ruina (artículo 1591.I CC) como el diseñado por la LOE (artículo 17.3 LOE), pueden distinguirse dos ámbitos de imputación de responsabilidad del promotor[2]: a) la imputación de responsabilidad al promotor en las relaciones externas entre éste y los propietarios y terce-

---

1. Sobre las diferencias entre ambos regímenes de responsabilidad *vid.* el apartado II del Capítulo Primero de este trabajo, relativo al marco legal del proceso de la edificación y los regímenes de responsabilidad por vicios o defectos constructivos.

2. En relación con la responsabilidad *ex* artículo 1591.I CC, BERCOVITZ RODRÍGUEZ-CANO, *Comentario a la STS de 29 de junio de 1987, op. cit.*, p. 4720, advertía sobre la necesidad de distinguir el tratamiento del promotor en la relación interna con respecto a su tratamiento en la relación externa, una vez admitida su responsabilidad en esta última. En relación con el régimen de responsabilidad del artículo 17 LOE, *vid.* CORDERO LOBATO, *Capítulo 21. Responsabilidad civil de los agentes que intervienen en el proceso de la edificación, op. cit.*, pp. 522-524; y DÍEZ-PICAZO Y PONCE DE LEÓN, *Ley de Edificación y Código civil, op. cit.*, p. 13.

ros adquirentes de la edificación; y b) la imputación de responsabilidad al promotor en las relaciones internas ente el promotor condenado a resarcir el daño y el resto de agentes intervinientes en la obra, objeto de análisis en el apartado II de este capítulo.

En las relaciones externas el promotor responde solidariamente frente los propietarios y terceros adquirentes de la edificación por los vicios u defectos derivados: a) de actos u omisiones propios (artículo 17.2 LOE); b) de la actuación del resto de agentes de la edificación (artículo 17.3, *in fine*, LOE); y c) de aquellos cuya causa no se ha podido determinar o causados por varios agentes sin prueba del grado de intervención (artículo 17.3, *ab initio*, LOE).

1. POR VICIOS DERIVADOS DE ACTOS U OMISIONES PROPIOS DEL PROMOTOR (ARTÍCULO 17.2 LOE)

1.1. Principio de responsabilidad individualizada (artículo 17.2 LOE) y esferas de riesgo atribuibles a los agentes de la edificación

Por regla general, la responsabilidad de los agentes de la edificación frente a los propietarios y terceros adquirentes por vicios y defectos constructivos es exigible por «actos u omisiones propios» (artículo 17.2 LOE). En consecuencia, aquéllos son responsables de los daños causados por vicios derivados de su propia intervención en el proceso de construcción. En el caso en que los daños sean imputables a más de un agente, cada uno de ellos deberá responder en función de su grado de intervención en la causación de los mismos, por lo que su responsabilidad es parciaria, o mancomunada en el sentido utilizado en el artículo 1138 del Código Civil.

La LOE regula en sus artículos 10 a 15, así como algunos apartados del artículo 17, las obligaciones de los agentes de la edificación, las cuales permiten concretar la esfera de riesgo atribuible a cada uno de los agentes[3]. Así, estos preceptos actúan como criterios de imputación de responsabilidad para cada uno de los agentes de la edificación, pues producido el daño derivado de un vicio o defecto constructivo encuadrable en la esfera de riesgo de un agente de la edificación se presume su responsabilidad[4]. En

---

3. No se incluye el artículo 9 LOE porque la imputación de responsabilidad al promotor presenta características propias que son objeto de análisis *infra*.

4. En este sentido se pronuncian CORDERO LOBATO, *Capítulo 21. Responsabilidad civil de los agentes que intervienen en el proceso de la edificación, op. cit.*, p. 522; ABRIL CAMPOY, *La responsabilidad del promotor en la Ley de Ordenación de la Edificación..., op. cit.*, pp. 1243-1244; y ORTÍ VALLEJO, *La responsabilidad civil en la edificación, op. cit.*, pp. 1167 y ss. En contra, RUIZ-RICO RUIZ, *Capítulo VII. Los criterios de imputación de los distintos agentes de la edificación..., op. cit.*, p. 123, quien opina que «frente a los propietarios o adquirentes sólo hay un único criterio

este sentido, la Exposición de Motivos de la LOE declara, en dos ocasiones, que la Ley fija las obligaciones que corresponden a cada uno de los agentes intervinientes en la edificación de las que derivan sus responsabilidades.

> El punto primero de la Exposición de Motivos de la LOE reconoce que su «objetivo prioritario es regular el proceso de la edificación actualizando y completando la configuración legal de los agentes que intervienen en el mismo, fijando sus obligaciones para así establecer las responsabilidades y cubrir las garantías a los usuarios (...)». Asimismo, el punto tercero repite la misma idea cuando explica que «[p]ara los distintos agentes que participan a lo largo del proceso de la edificación se enumeran las obligaciones que corresponden a cada uno de ellos, de las que se derivan sus responsabilidades (...)».

En la misma línea, el Tribunal Supremo ha declarado, si bien en relación con la responsabilidad por ruina del artículo 1591.I CC que

> «... es menester tratar de indagar siempre cual sea el factor desencadenante de la deficiencia constructiva, a fin de someter a la consiguiente responsabilidad exclusivamente a aquel de los sujetos intervinientes en la construcción a quién deban ser imputados» [STS, 1ª, 30.7.2008, FD 4º (RJ 2008, 4639)].

Sin embargo, debe considerarse que la pretendida coordinación entre las obligaciones de los agentes de la edificación establecidas en los artículos 10 a 15 LOE y el régimen de responsabilidad por hechos propios que regula el artículo 17 LOE, no es ni mucho menos perfecta. A ello se añade, tal y como señala José Manuel RUIZ-RICO RUIZ[5], un factor que dificulta la distinción entre el ámbito de riesgo atribuible a cada uno de ellos. La complejidad de las tareas de edificación en muchas ocasiones requiere la intervención de distintos profesionales cuyas funciones se superponen.

1.2. Excepcionalidad de la responsabilidad del promotor fundada en hechos o omisiones propios

A diferencia de lo señalado respecto del resto de agentes de la edificación, el artículo 9.2 LOE, relativo a las obligaciones del promotor inmobiliario, no permite definir una esfera de riesgo concreta atribuible al promotor inmobiliario. Las obligaciones que este precepto impone al promotor no tienen una transcendencia directa en su responsabilidad por vicios

---

de imputación de las responsabilidades (el de su participación en la actividad constructiva del edificio dañado)».

5. RUIZ-RICO RUIZ, *Capítulo VII. Los criterios de imputación de los distintos agentes de la edificación..., op. cit.*, p. 133.

y defectos constructivos[6]. Así, por ejemplo, el incumplimiento por parte del promotor de su obligación de «gestionar y obtener las preceptivas licencias y autorizaciones administrativas» [artículo 9.2.c) LOE] no permite imputar al mismo los vicios constructivos que, con posterioridad, puedan aparecer en la edificación sin licencia.

Por otro lado, la LOE no contiene precepto alguno que especifique los supuestos en los que el promotor (no constructor) responde individualmente por su propia intervención el proceso edificatorio (por actos u omisiones propios).

En este contexto, se ha suscitado un debate doctrinal que cuestiona si el promotor debe responder por actos u omisiones propios y, en caso afirmativo, en qué casos, teniendo en consideración el hecho que este agente no interviene materialmente en el proceso constructivo –ni diseña, ni construye ni dirige la obra–.

En otras palabras, si hay algún supuesto en el que los daños materiales puedan imputarse a la propia intervención del promotor en la obra (responsabilidad por hechos o omisiones propios); o, en cambio, el promotor sólo responde de lo mal hecho por el resto de agentes de la edificación, debido a la especial posición que ocupa en el proceso constructivo (responsabilidad por hecho ajeno)[7].

La cuestión puede parecer irrelevante en las relaciones externas, en las que el promotor responde frente a los propietarios «en todo caso» solidariamente junto con el resto de agentes de la edificación (artículo 17.3, *in fine*, LOE). No obstante, esta pregunta deviene esencial en las relaciones internas, en las que el promotor sólo debe asumir la responsabilidad por daños derivados de su propia actuación en la obra. En efecto, el

---

6. En este sentido, CORDERO LOBATO, *Capítulo 13. El promotor, op. cit.*, p. 391; y CORDERO LOBATO, *Capítulo 21. Responsabilidad civil de los agentes que intervienen en el proceso de la edificación, op. cit.*, p. 524; RUIZ-RICO RUIZ, *Capítulo VII. Los criterios de imputación de los distintos agentes de la edificación..., op. cit.*, pp. 145-146; y ABRIL CAMPOY, *La responsabilidad del promotor en la Ley de Ordenación de la Edificación..., op. cit.*, pp. 1243-1245.
7. Lo mismo sucedía en la responsabilidad por ruina anterior. De acuerdo con el artículo 1591.I CC, la responsabilidad por ruina era imputable al contratista del edificio por vicios de la construcción, y al arquitecto director por vicios del suelo o de la dirección. La cuestión que se suscitaba entonces era ¿cuál era el ámbito de imputación de responsabilidad del promotor. La ausencia de la intervención material del promotor en el proceso de la edificación dificultó a los tribunales la tarea de fundamentar la imputación de responsabilidad en acciones u omisiones propias de este agente. Sin embargo, en algunos casos la jurisprudencia imputó la responsabilidad por ruina al promotor en la culpa propia en la que incurrió al vigilar, elegir o dirigir a los agentes de la edificación que causaron los vicios o defectos constructivos (*culpa in vigilando y culpa in eligendo*).

promotor que respondió solidariamente en las relaciones externas puede repetir en vía de regreso, en las relaciones internas, contra el agente autor del daño por el total de los costes invertidos en la reparación, o por la parte que le corresponda si los vicios le son parcialmente imputables.

Tal y como el Tribunal Supremo ha puesto de relieve en diversas sentencias, el promotor

> «... no lleva a cabo por sí actos de edificación»[8]; «ni diseña ni ejecuta o vigila la obra, al ser funciones propias de los demás agentes que intervienen en el proceso constructivo, si bien lo idea, lo controla, administra y dirige a fin de incorporar al mercado la obra hecha»[9].

En consecuencia, por regla general, excepto en aquellos supuestos en los que el promotor actúe además como constructor –en cuyo caso se le imputa responsabilidad conforme a los mismos criterios que al constructor [artículos 11.2.a) y 17.6 LOE]–[10] la responsabilidad del promotor no se fundamenta en su propia actuación, pues la ausencia de intervención material en la obra impide que de su actuación derive el vicio o defecto constructivo[11].

---

8. *Vid.* STS, 1ª, 13.5.2002, FD único (RJ 2002, 5705).

9. En este sentido, *vid.*, entre otras, las SSTS, 1ª, Sec. 1ª, 24.5.2013 (RJ 2013, 180778); 14.12.2007, FD 9º (RJ 2008, 330) y 29.11.2007, FD 4º (RJ 2007, 8654). En la jurisprudencia menor, *vid.* entre otras las SSAP Valencia, Civil, Sec. 7º, 20.9.2006 (AC 2007, 143); y Huesca, Civil, Sec. Única, 11.3.1999 (AC 1999, 7177).

10. Un ejemplo de la responsabilidad por hecho propio del promotor-constructor puede verse en la STS, 1ª, 23.2.1983 (RJ 1983, 1068) que resuelve el caso siguiente. José María y su esposa promovieron y construyeron dos edificios en Irún (Guipúzcoa). En la ejecución de la obra el promotor-constructor se apartó de lo previsto en el proyecto. Con posterioridad a la entrega de las viviendas, los propietarios detectaron, entre otros vicios, que la cubierta de los edificios no se ajustaba a lo convenido, así como grietas y humedades en varios pisos. Las comunidades de propietarios de los dos edificios demandaron a José María, a su esposa, y a los directores de la obra con base en los artículos 1101 y 1591.I CC. El JPI nº 1 de San Sebastián estimó la demanda y condenó a los demandados a reparar solidariamente los defectos. La AP absolvió a los arquitectos, y confirmó en lo esencial el resto de pronunciamientos la SJPI. El TS desestimó el recurso de casación interpuesto por el promotor. Aquél no puede «escudarse en las supuestas responsabilidades de los técnicos cuando se trate de deficiencias imputables a su voluntaria desviación del proyecto, obviamente para lograr un mayor lucro» (considerando 3º).

11. En este sentido *vid.* la SAP Tarragona, Civil, Sec. 3ª, 5.5.2011 (JUR 2011, 366372) de acuerdo con la cual «[s]urge pues la responsabilidad del promotor más por hechos ajenos que propios, toda vez que él no toma parte directa en la ejecución material de la obra, pero sí el que selecciona quién ejecutará la misma (...)». También *vid.* en la doctrina, CORDERO LOBATO, *Capítulo 21. Responsabilidad civil de los agentes que intervienen en el proceso de la edificación, op. cit.*, p. 544; MARÍN GARCÍA DE LEONARDO, *La figura del promotor en la Ley de Ordenación de*

Excepcionalmente, y a pesar de que el promotor no interviene materialmente en la obra, los daños materiales en el edificio pueden ser parcialmente imputables a sus propios actos u omisiones. En particular, en aquellos casos en los que como consecuencia de una decisión adoptada por el promotor, pero ejecutada por otro agente de la edificación, se causen daños materiales en el edificio derivados de los vicios y defectos señalados en el artículo 17.1 LOE[12].

En especial, las decisiones del promotor pueden tener una trascendencia directa en la causación de los vicios y defectos en los siguientes grupos de casos:

En primer lugar, cuando los agentes de la edificación realizan la obra, siguiendo órdenes expresas del promotor, contraviniendo las normas básicas de edificación, generalmente, con la finalidad de ahorrar costes o tiempo en la ejecución de la misma[13]. Pueden diferenciarse dos supuestos. Aquel en el que el promotor ordena una modificación en el proyecto originario, pese a la advertencia del director de la obra de que es contraria a las normas constructivas. Y aquel en el que ordena la ejecución del proyecto originario, pese la advertencia del director de la obra de la necesidad de introducir en él ciertas modificaciones que harían aumentar los costes de ejecución[14].

---

la Edificación, op. cit., p. 135; y Carlos GÓMEZ DE LA ESCALERA, «El promotor de edificios en régimen de comunidad. La responsabilidad ex artículo 1.591 C.C. de las llamadas sociedades de gestión inmobiliaria, Comentario a la Sentencia del Tribunal Supremo (Sala 1ª) de 3 de octubre de 1996. Ponencia de don Eduardo Fernández-Cid de Termes», *Cuadernos de Propiedad Horizontal Sepín*, abril, 1997, p. 54.

12. A favor de la posibilidad de imputar responsabilidad individualizada al promotor por hecho propio *vid.* MARTÍNEZ ESCRIBANO, *Responsabilidades y garantías de los agentes de la edificación, op. cit.*, p. 197; RUIZ-RICO RUIZ, *Capítulo VII. Los criterios de imputación de los distintos agentes de la edificación..., op. cit.*, p. 152; María Pilar ÁLVAREZ OLALLA, *La Responsabilidad por defectos en la edificación: (el Código civil y la Ley 38/1999, de 5 de noviembre, de Ordenación de la edificación)*, Aranzadi, 2002, Cizur Menor (Navarra), p. 93, y de la misma autora, «Comentario a la sentencia de 11 de junio de 2002», CCJC, nº 61, 2003, p. 114; y LÓPEZ RICHART, *Responsabilidad personal e individualizada y responsabilidad solidaria en la Ley de Ordenación de la Edificación, op. cit.*, p. 181.

13. A favor de la responsabilidad del promotor por hecho propio en estos casos, *vid.* ÁLVAREZ OLALLA, *La Responsabilidad por defectos en la edificación..., op. cit.*, pp. 93-95; y MARÍN GARCÍA DE LEONARDO, *La figura del promotor en la Ley de Ordenación de la Edificación, op. cit.*, p. 2453. En el derecho francés, tal y como ponen de relieve, MALINVAUD y JESTAZ, *Droit de la promotion immobilière, op. cit.*, pp. 144-145, la culpa del dueño de la obra notoriamente competente es tenida en cuenta cuando acepta deliberadamente riesgos y cuando da instrucciones técnicas erróneas a los agentes de la edificación.

14. Por el contrario, señala MARTÍNEZ ESCRIBANO, *Responsabilidades y garantías de*

Un buen ejemplo puede verse en la SAP Castellón, Civil, Sec. 1ª, 20.10.2010 (AC 2010, 2036) que resuelve un caso en el que una promotora contrató a un arquitecto superior para la elaboración de un proyecto de rehabilitación de un edificio en Valencia, así como para la dirección de las obras. Tanto el proyecto básico, como el proyecto de ejecución preveían la demolición de la escalera del edificio. La promotora comunicó al arquitecto la decisión de conservar la antigua escalera por motivos económicos. Los técnicos cumplieron la orden, pero indicaron en el Libro de Órdenes que aquella incumplía normas obligatorias. Finalizada la obra, el Ayuntamiento de Valencia denegó la licencia de primera ocupación y de habitabilidad. La promotora pagó 232.766,87 € en concepto de trabajos de reparación del edificio, penalizaciones y alquileres satisfechos a los compradores por retraso en la finalización de las obras y otros gastos del edificio. La promotora repitió contra el arquitecto superior la suma de 232.766,87 por defectos en el proyecto y en la ejecución. El JPI nº 3 de Castellón (4.11.2009) desestimó la demanda. La SAP confirmó la SJPI. «Resulta indiscutible que la no concesión de las licencias (...) a los propietarios de las viviendas y locales (...) sólo a la promotora puede resultar achacable, pues sólo a ella correspondió la decisión de no derribar la escalera principal del edificio» (FD 4º)[15].

Un segundo grupo de casos en los que el promotor interviene con sus propias decisiones en la causación de los daños en el edificio, está compuesto por aquellas promociones en las que el promotor pacta con el constructor que la obra se realizará sin proyecto o sin dirección técnica y, como consecuencia de ello, con posterioridad aparecen vicios o defectos constructivos en la edificación[16].

En las dos constelaciones de casos descritas, en las relaciones externas frente a los posteriores adquirentes de la edificación, la dificultad para determinar el grado de intervención de cada uno de ellos en el resultado dañoso conllevará, en la mayoría de supuestos, que el promotor responda

---

los agentes de la edificación, op. cit., pp. 199-201, «... cuando la modificación del proyecto no se realice a instancia del promotor aunque la autorice, creemos que en principio no debería dar lugar a la responsabilidad de éste por hecho propio, ya que al carecer de los conocimientos técnicos del director de la obra, generalmente accederá a la modificación por estimarla conveniente para el correcto desarrollo del proceso edificatorio».

15. Vid. también la STS, 1ª, 16.12.2005 (RJ 2006, 1222), que atribuye responsabilidad solidaria al promotor-constructor y a los arquitectos derivada del artículo 1591.I CC por los daños derivados de vicios estructurales en un edificio causados por el uso de vigas y viguetas prefabricadas. El promotor-constructor había ordenando al arquitecto la modificación del proyecto de ejecución que no preveía el uso de ese tipo de vigas.

16. Vid. CORDERO LOBATO, Capítulo 21. Responsabilidad civil de los agentes que intervienen en el proceso de la edificación, op. cit., pp. 556-557; y CARRASCO PERERA, CORDERO LOBATO y GONZÁLEZ CARRASCO, Derecho de la construcción y la vivienda, op. cit., p. 450.

de manera solidaria con el resto de agentes de la edificación que llevaron a cabo su orden (artículo 17.3, *in fine*, LOE)[17].

El hecho que aquéllos advirtieran al promotor de la incorrección de sus decisiones, antes de llevarlas a cabo, no es jurídicamente relevante en las relaciones externas. En efecto, frente a los propietarios posteriores de la edificación –distintos al comitente de la obra– el agente que ejecutó las órdenes del promotor no puede oponer dicha causa de exoneración, pues se trata de cláusulas contractuales no oponibles frente a terceros[18].

En cambio, en las relaciones internas entre el promotor y el agente de la edificación que ejecutó las órdenes del promotor, éste último puede quedar completamente exonerado de responsabilidad si prueba que advirtió al promotor de la incorrección de sus decisiones antes de ejecutarlas[19]. Con todo, como se analiza en el Capítulo Séptimo[20], la solución no es la misma si el promotor de la edificación no es un profesional –es un autopromotor– y el agente que ejecutó su orden no le advirtió de la incorrección de sus decisiones. En este caso, quien debe asumir la totalidad de la responsabilidad en las relaciones internas es el agente de la edificación que ejecutó la orden, que a la postre causó los daños en la edificación.

2. POR DAÑOS CUYA CAUSA NO SE HA PODIDO DETERMINAR O CAUSADOS POR VARIOS AGENTES SIN PRUEBA DEL GRADO DE INTERVENCIÓN (ARTÍCULO 17.3, AB INITIO, LOE)

El artículo 17.3, *ab initio*, LOE excepciona el principio general, de

---

17. En el mismo sentido, *vid.* MARTÍNEZ ESCRIBANO, *Responsabilidades y garantías de los agentes de la edificación, op. cit.,* p. 199. Sobre la regla del artículo 17.3, *ab initio*, LOE *vid. infra* el epígrafe 3.1 de este apartado.

18. En la doctrina *vid.* SALVADOR CODERCH, *Comentario a los artículos 1590 y 1591 del Código Civil, op. cit.,* p. 1188, quien señala que «el contratista ejecuta la obra bajo su responsabilidad y, por ello, la sumisión a las instrucciones del comitente (...) no libera de responsabilidad contractual al contratista que, al cumplirlas, vulnera la *lex artis* salvo que haya manifestado expresamente sus objeciones al dueño. Por supuesto, la formulación de objeciones no elimina la responsabilidad en relación a terceros». También *vid.* CARRASCO PERERA, CORDERO LOBATO y GONZÁLEZ CARRASCO, *Derecho de la construcción y la vivienda, op. cit.,* p. 451; y LÓPEZ RICHART, *Responsabilidad personal e individualizada y responsabilidad solidaria en la Ley de Ordenación de la Edificación, op. cit.,* 2003, pp. 184 y 185.

19. Aplica este criterio la STS, 1ª, 6.4.2011 (RJ 2011, 3148) la cual absuelve al director de la obra y el director de la ejecución de responsabilidad por la imposibilidad de legalización de la obra, pues la promotora, que además actuó como contratista, había consentido la ejecución de la obra discordante con el proyecto y la licencia.

20. Sobre la ausencia de responsabilidad del promotor no profesional en estos casos *vid.* el epígrafe 1.2 del apartado I del Capítulo Séptimo.

acuerdo con el cual la responsabilidad de los agentes de la edificación por defectos constructivos es exigible de manera personal e individualizada (artículo 17.2 LOE). La LOE recoge en este punto la doctrina que el Tribunal Supremo instauró bajo la vigencia del artículo 1591.I CC, de acuerdo con la cual todos los agentes intervinientes en el proceso constructivo respondían solidariamente cuando en el proceso no fuera posible determinar la causa de la ruina o cuantificar el grado de participación de los intervinientes en la causación de la ruina[21].

En particular, el artículo 17.3, *ab initio*, LOE prevé la responsabilidad solidaria impropia de todos los agentes intervinientes en el proceso de edificación, entre ellos del promotor:

a) «Cuando no pudiera individualizarse la causa de los daños materiales (...)». La Ley presume la relación de causalidad entre la participación de los agentes de la edificación en el proceso constructivo y el daño, de manera que cuando no puede identificarse la causa de los daños responden todos ellos solidariamente. Con todo, esta responsabilidad no alcanza a aquellos agentes que prueben que el defecto se debió a un hecho que no les es imputable[22]. Como se señala más adelante, esta posibilidad está vedada al promotor, respecto al cual los artículos 9 y 17 no señalan un ámbito de riesgo concreto[23].

b) Cuando «(...) quedase debidamente probada la concurrencia de culpas sin que pudiera precisarse el grado de intervención de cada agente en el daño producido» (artículo 17.3, *ab initio*, LOE)[24].

---

21. *Vid.* en la jurisprudencia reciente, la STS, 1ª, 30.7.2008 (RJ 2008, 4639), de acuerdo con la cual «si cuando concurren varios sujetos responsables, no es posible determinar la participación de cada uno de ellos en la causación del resultado, la doctrina y la jurisprudencia se inclinan por aplicar el principio de solidaridad, con seguimiento de la tendencia de aplicar con mayor rigor la responsabilidad de los profesionales de la construcción y de conseguir la adecuada reparación a favor del perjudicado» (FD 4º).

22. El artículo 1600, párrafo 3º, del Proyecto de Ley 121/43, de 12 de abril de 1994 por el que se modifica la regulación del Código Civil sobre los contratos de servicios y de obra (BOCG, Congreso, Serie, nº 58-1, de 12 de abril de 1994) proponía que «[l]a responsabilidad será solidaria si no fuese posible individualizar la causa, pero no alcanzará a quienes prueben que la ruina se debió a un hecho que no les es imputable». En este sentido en la doctrina, *vid.* LÓPEZ RICHART, *Responsabilidad personal e individualizada y responsabilidad solidaria en la Ley de Ordenación de la Edificación, op. cit.*, pp. 104 a 115; y MARTÍNEZ ESCRIBANO, *Responsabilidades y garantías de los agentes de la edificación, op. cit.*, p. 271.

23. *Vid.* CORDERO LOBATO, *Capítulo 21. Responsabilidad civil de los agentes que intervienen en el proceso de la edificación, op. cit.*, p. 524.

24. A favor de que el artículo 17.3, *ab initio*, LOE debería haberse referido a «concurrencia de causas», porque la responsabilidad que la LOE impone a los agentes de la edificación es de naturaleza objetiva, *vid.* SIERRA PÉREZ, *La responsabilidad*

Por ello, frente a los propietarios de la edificación, el promotor también responderá solidariamente por aquellos daños derivados de vicios o defectos causados por varios agentes de la edificación cuando no pudiera determinarse el grado de contribución de los mismos en el daño.

3. POR VICIOS DERIVADOS DE ACTOS U OMISIONES DEL RESTO DE AGENTES DE LA EDIFICACIÓN (ARTÍCULO 17.3, IN FINE, LOE)

3.1. Frente a los adquirentes de la edificación, el promotor responde fundamentalmente por hecho ajeno

El artículo 17.2 LOE prevé, además de la responsabilidad de los agentes de la edificación «por actos u omisiones propios», su responsabilidad «(...) por actos u omisiones de personas por las que, con arreglo a esta Ley, se deba responder». En el caso concreto del promotor inmobiliario, su responsabilidad por actos u omisiones ajenos se encuentra regulada en el artículo 17.3, *in fine*, LOE, según el cual

> «En todo caso, el promotor responderá solidariamente con los demás agentes intervinientes ante los posibles adquirentes de los daños materiales en el edificio ocasionados por vicios o defectos de la construcción».

Por consiguiente, la responsabilidad del promotor frente a los propietarios de la edificación por vicios y defectos constructivos no sólo puede deberse a la imputación de la misma a sus propios actos u omisiones –que como hemos visto es excepcional– sino también –y así sucede en la mayoría de casos– a la imputación de responsabilidad por la actuación de otro agente de la edificación que con su actuación haya originado los daños. En palabras del Tribunal Supremo:

> «... no se trata de una responsabilidad individualizada, derivada del incumplimiento de unas específicas obligaciones establecidas en la Ley, sino de una responsabilidad solidaria que surge desde el momento en que cualquiera de los agentes de la edificación sea declarado responsable en los términos legalmente establecidos (...)»[25].

En consecuencia, la causa de exoneración relativa a los daños causados por acto de tercero, prevista en el artículo 17.8 LOE, tiene un alcance

---

en la construcción y la Ley de Ordenación de la Edificación, op. cit., p. 125; LÓPEZ RICHART, *Responsabilidad personal e individualizada y responsabilidad solidaria en la Ley de Ordenación de la Edificación, op. cit.*, pp. 113 y ss.; y MARTÍNEZ ESCRIBANO, *Responsabilidades y garantías de los agentes de la edificación, op. cit.*, p. 266.

25. SSTS, 1ª, 14.5.2008, FD 4º (RJ 2008, 3067); y 20.12.2007, FD 2º (RJ 2007, 8664).

restringido cuando el sujeto que la alega es el promotor inmobiliario. El promotor no puede quedar liberado de responsabilidad frente al propietario perjudicado si demuestra que el daño derivado de vicios o defectos constructivos es imputable a otro agente de la edificación. Aquél sólo queda exonerado por esta causa si demuestra que los vicios o defectos son imputables a la actuación de un sujeto que ha intervenido con posterioridad a la finalización de la construcción, como por ejemplo, otros profesionales contratados por el propietario de la vivienda para realizar obras de reforma tras la entrega de la edificación.

En cambio, para el resto de agentes de la edificación la causa de exoneración «acto de tercero» tiene un alcance mucho más amplio, pues incluye no sólo al tercero anteriormente mencionado, sino también a cualquier otro agente de la edificación a cuya actividad puedan ser imputados los daños materiales en el edificio[26]. Por consiguiente, los agentes de la edificación demandados, distintos al promotor, pueden quedar exonerados de responsabilidad si demuestran que la causa del defecto se encuentra fuera de su ámbito funcional u esfera de riesgo. Esto incluye la prueba de que el daño no fue causado por alguna de las personas por las que el agente debe responder según la Ley. Con todo, excepcionalmente, el agente responderá cuando se den les supuestos de responsabilidad solidaria del artículo 17.3, *ab initio*, LOE, a no ser que pruebe que el defecto se debió a un hecho que no les es imputable.

De este modo, el legislador de la LOE siguió, en el artículo 17.3, *in fine*, la jurisprudencia del Tribunal Supremo que bajo la vigencia del régimen de responsabilidad del artículo 1591.I CC había declarado que el promotor respondía solidariamente con el resto de intervinientes en la construcción, aunque la ruina fuera imputable a la conducta de alguno de ellos, es decir, que no podía liberarse de responsabilidad alegando la de los terceros ligados contractualmente con él[27].

Sin embargo, como señalan algunos autores[28], la jurisprudencia des-

---

26. En este sentido, *vid.* Ruiz-Rico Ruiz, *Capítulo VII. Los criterios de imputación de los distintos agentes de la edificación...*, *op. cit.*, p. 108; Álvarez Olalla, *La Responsabilidad por defectos en la edificación...*, *op. cit.*, p. 93; y López Richart, *Responsabilidad personal e individualizada y responsabilidad solidaria en la Ley de Ordenación de la Edificación*, *op. cit.*, pp. 180-181.

27. En este sentido, entre otras, *vid.* las SSTS, 18.9.2012 (RJ 2012, 9014); 1ª, 4.12.2008 (RJ 2008, 6950); 30.4.2008 (RJ 2008, 2690); 24.5.2007 (RJ 2007, 4008); 27.9.2004 (RJ 2004, 6187); 29.11.2004 (RJ 2004, 7562); 11.12.2003 (RJ 2004, 6187); 13.5.2002 (RJ 2002, 5705); 10.10.1999 (RJ 1999, 8862); 12.3.1999 (RJ 1999, 2375); 30.12.1998 (RJ 1998, 10145); y 10.10.1992 (RJ 1992, 7545). En la jurisprudencia menor *vid.* la SAP Sevilla, Civil, Sec. 2ª, 16.6.2009, FD 5º (JUR 2009, 420008).

28. González Tausz, *El nuevo régimen del promotor inmobiliario tras la Ley de Ordenación de la Edificación*, *op. cit.*, p. 2704; y López Richart, *Responsabilidad personal e individualizada y responsabilidad solidaria en la Ley de Ordenación de la Edificación*, *op. cit.*, p. 165.

crita no fue aplicada de manera uniforme. Algunas sentencias absolvieron al promotor demandado junto con otros agentes de la edificación en casos en los que la ruina había sido causada por la actividad de estos últimos, con el argumento de que el artículo 1591.I CC se basa en el principio de individualización de la responsabilidad. Así, por ejemplo, en algunas sentencias el Tribunal Supremo apreció que en el caso era posible individualizar la causa de la ruina en la defectuosa dirección de la obra, y por ello, exoneró al promotor y condenó exclusivamente a arquitectos técnicos y arquitectos superiores[29].

3.2. Alcance de la responsabilidad solidaria y directa del promotor por hecho ajeno

La responsabilidad por hecho ajeno que el artículo 17.3, *in fine*, LOE impone al promotor es de carácter solidario y directa. En consecuencia, a diferencia del resto de agentes de la edificación, el promotor responde solidariamente más allá de los casos en que la causa de los daños derivados de vicios o defectos no se ha podido determinar, o cuando los daños fueron causados por varios agentes sin que se probara el grado de intervención de cada uno de ellos en el resultado dañoso (artículo 17.3, *ab initio*, LOE).

En efecto, el promotor también responde de manera solidaria cuando en el juicio se determine la causa de los daños, éstos se imputen a la actuación de uno o varios agentes de la edificación y se fije el grado de intervención de cada uno de ellos en la causación del daño[30]. En palabras del Tribunal Supremo, el promotor

«... responde aun cuando estén perfectamente delimitadas las responsabilidades y la causa de los daños sea imputable a otro de los agentes del proceso constructivo, pues otra interpretación no resulta de esas palabras "en todo caso" con la que se pretende unir a responsables contractuales con extracontractuales o legales y con la que se establece la irrenunciabilidad de la misma»[31].

---

29. En esta línea *vid.* las SSTS, 1ª, 9.3.2000 (RJ 2000, 1515); 28.1.1994 (RJ 1994, 575); 2.12.1994 (RJ 1994, 9394); y 31.3.1992 (RJ 1992, 2311).
30. En este sentido, en la doctrina *vid.* CORDERO LOBATO, *Capítulo 13. El promotor, op. cit.*, p. 393; CADARSO PALAU, *La responsabilidad de los constructores en la Ley de Ordenación de la Edificación (...), op. cit.*, p. 7; CABANILLAS SÁNCHEZ, *La responsabilidad civil por vicios en la construcción en la Ley de Ordenación de la Edificación, op. cit.*, p. 467; RUIZ-RICO RUIZ, *Capítulo VII. Los criterios de imputación de los distintos agentes de la edificación..., op. cit.*, p. 141; ÁLVAREZ OLALLA, *La Responsabilidad por defectos en la edificación..., op. cit.*, p. 94; LÓPEZ RICHART, *Responsabilidad personal e individualizada y responsabilidad solidaria en la Ley de Ordenación de la Edificación, op. cit.*, p. 179; y YZQUIERDO TOLSADA, *Apuntes sobre la responsabilidad civil de los intervinientes en la construcción, op. cit.*, pp. 641 y 642.
31. En estos términos *vid.* las SSTS, 1ª, Sec. 1ª, 24.5.2013 (RJ 2013, 180778); 18.9.2012 (RJ 2012, 9014); 19.7.2010 (RJ 2010, 6559); 4.12.2008 (RJ 2008, 6950); 13.3.2008 (RJ 2008, 4050); 29.11.2007 (RJ 2007, 8657); y 24.5.2007 (RJ

La responsabilidad solidaria del promotor derivada del artículo 17.3, *in fine*, LOE es una solidaridad *ex lege*, esto es, nace de la propia Ley, a diferencia de la solidaridad del resto de agentes de la edificación cuyo origen es la sentencia que la declara[32]. Esta última es una solidaridad impropia, pues el juez o tribunal sólo la declarará cuando en el proceso no queden probadas las causas de los daños o no fuere posible determinar el grado de intervención de cada uno de los agentes en su causación (artículo 17.3, *ab initio*, LOE)[33]. Algunos autores consideran que ya no es posible hablar de solidaridad impropia en estos casos[34], sino de solidaridad legal *ex post facto*[35], pues la responsabilidad solidaria en los casos tasados en el 17.3, *ab initio*, LOE también está prevista en la Ley.

El promotor responde solidariamente junto con el agente o los agentes de la edificación a los cuales les sea imputable el daño, con independencia de la forma de distribución de la responsabilidad entre el resto de agentes de la edificación condenados. Estos últimos, por el contrario, responden de forma solidaria o parciaria –mancomunada en el sentido utilizado en el artículo 1138 CC– entre sí, en función de si en el proceso

---

2007, 4008). En la jurisprudencia menor, *vid.* las SSAP Alicante, Civil, Sec. 8ª, 17.7.2009 (JUR 2009, 368353); Madrid, Civil, Sec. 21ª, 1.6.2009 (JUR 2009, 364096); Murcia, Civil, Sec. 1ª, 18.12.2006 (JUR 2007, 75068); y Barcelona, Civil, Sec. 14ª, 15.11.2006 (JUR 2007, 110177).

32. Sin embargo, también nace de la ley la responsabilidad solidaria de los proyectistas «[c]uando el proyecto haya sido contratado conjuntamente con más de un proyectista (...)» (artículo 17.5 LOE); y de los directores de obra por los daños imputables a la actuación conjunta con aquellos con quien fueron contratados «[c]uando la dirección de obra se contrate de manera conjunta a más de un técnico (...)» (artículo 17.7, *in fine*, LOE). Por ello, ALMAGRO NOSETE, *Capítulo IX. Algunas cuestiones procesales, op. cit.*, p. 545, señala que la LOE «ha establecido un régimen legal de responsabilidad solidaria, que, a diferencia de la anterior no es de solidaridad impropia, sino plena (...)».

33. En la misma línea, *vid.* Raquel CASTILLEJO MANZANARES, «La legitimación en el proceso civil según la ley de ordenación de la edificación», *El consultor inmobiliario*, La Ley, nº 70, julio-agosto 2006, pp. 8 y 9; y ORTÍ VALLEJO, *La responsabilidad civil en la edificación, op. cit.*, p. 1196.

34. La jurisprudencia sobre responsabilidad por ruina calificó la solidaridad de impropia en estos casos pues, según la STS, 1ª, 5.5.2010, (RJ 2010, 5025), «la responsabilidad decenal de los agentes que intervienen en una construcción mal hecha genera entre éstos vínculos de solidaridad que no tienen su origen ni en la Ley ni en el contrato sino en la sentencia que la declara» (FD 3º).

35. En este sentido, Alejandro DÍAZ MORENO, «La solidaridad impropia en el ámbito de la edificación. Comentario a la Sentencia del TS de 5 de mayo de 2010 (RJ 2010, 5025)», *Revista de Derecho Patrimonial*, nº 27, 2011, p. 222, quien cita a Francisco de Paula BLASCO GASCÓ, «Cuestiones propias de una relación solidaria impropia», *SEJUTECA*, 2006, p. 3.

ha quedado o no probada la causa de los daños y el grado de intervención de cada uno de los agentes en el resultado dañoso[36].

La función que cumple una y otra solidaridad es también distinta. Mientras que, como se analiza más adelante, la solidaridad del promotor cumple una función de garantía frente a los perjudicados por la actuación de los agentes implicados en esa misma labor (artículo 17.3, *in fine*, LOE)[37]; la solidaridad del resto de agentes de la edificación se impone con la finalidad de trasladar a los agentes demandados los costes de determinación de la causa y de identificación de los sujetos causantes del mismo, en los casos en que es muy complicado identificar la causa o las respectivas contribuciones en el daño causado (artículo 17.3, *ab initio*, LOE)[38].

Por último, la responsabilidad solidaria del promotor por «los daños materiales en el edificio ocasionados por vicios o defectos de la construcción» (artículo 17.3, *in fine*, LOE) comprende los daños materiales causados por cualquier tipo de vicio o defecto de los enumerados en el artículo 17.1 LOE: defectos estructurales, de habitabilidad o de ejecución que afecten a elementos de terminación y acabado[39]. Por ello, a pesar de que el artículo 17.1, 2º párrafo, LOE mencione únicamente al constructor como responsable de los daños materiales derivados de vicios de ejecución que afecten a elementos de terminación y acabado de las obras, el promotor también resulta obligado en virtud de la responsabilidad solidaria que le impone el artículo 17.3, *in fine*, LOE.

En la jurisprudencia del Tribunal Supremo, destaca la STS, 1ª, 20.12.2007 (RJ 2007, 8664) que reconoce «(...) que el promotor se obliga a garantizar los daños materiales que el edificio pueda sufrir, cualquiera que sea el interviniente en la edificación a quién sean imputables los daños y la

---

36. Así lo pone de relieve Martínez Escribano, *Responsabilidades y garantías de los agentes de la edificación, op. cit.*, p. 196.
37. Sobre la solidaridad del promotor en función de garantía en el artículo 17.3 LOE *vid.* epígrafe 1.1. del apartado III de este capítulo.
38. Sobre las distintas funciones a las que puede responder la solidaridad *vid.* Carlos Gómez Ligüerre, *Solidaridad y derecho de daños. Los límites de la responsabilidad colectiva*, Thomson-Civitas, Cizur Menor (Navarra), 2007, pp. 154 y ss.
39. Se manifiestan en este sentido, Cadarso Palau, *La responsabilidad de los constructores en la Ley de Ordenación de la Edificación (...), op. cit.*, p. 7; González Tausz, *El nuevo régimen del promotor inmobiliario tras la Ley de Ordenación de la Edificación, op. cit.*, p. 2705; Álvarez Olalla, *La Responsabilidad por defectos en la edificación..., op. cit.*, p. 94; Marín García de Leonardo, *La figura del promotor en la Ley de Ordenación de la Edificación, op. cit.*, p. 136; López Richart, *Responsabilidad personal e individualizada y responsabilidad solidaria en la Ley de Ordenación de la Edificación, op. cit.*, p. 178; y Ortí Vallejo, *La responsabilidad civil en la edificación, op. cit.*, p. 1169.

entidad de éstos, *siempre que estén comprendidos en los supuestos de su artículo 17*» (FD 2º) (énfasis añadido)[40].

3.3. Implicaciones procesales de la solidaridad del promotor

3.3.1. Ausencia de litisconsorcio pasivo necesario

La deuda solidaria del promotor con el resto de agentes a quienes les son imputables los vicios tiene una primera implicación procesal: la ausencia de litisconsorcio pasivo necesario (artículo 12.2 LEC). En virtud del artículo 1144 del Código Civil, el propietario afectado por los daños materiales en el edificio puede

> «... dirigirse contra cualquiera de los deudores solidarios o contra todos ellos simultáneamente. Las reclamaciones entabladas contra uno no serán obstáculo para las que posteriormente se dirijan contra los demás, mientras no resulte cobrada la deuda por completo»[41].

Además, incluso cuando el propietario no demande al promotor, la eventual solidaridad impropia entre el resto de agentes de la edificación conlleva que, la ausencia de alguno de ellos en el proceso sobre responsabilidad por vicios constructivos no comporta la constitución defectuosa de la relación jurídico procesal por ausencia del debido litisconsorcio pasivo necesario, según ha entendido la jurisprudencia mayoritaria del Tribunal Supremo[42].

En consecuencia, el propietario de la edificación con vicios está legitimado para demandar al promotor de la edificación, junto con el causante

---

40. En la jurisprudencia menor, entre otras, las sentencias siguientes condenan al promotor por vicios y defectos constructivos de ejecución que afectan a elementos de terminación y acabado con base en el artículo 17.3, *in fine*, LOE: las SSAP León, Civil, Sec. 1ª, 21.5.2009, FD 2º (JUR 2009, 281475); Las Palmas, Civil, Sec. 5ª, 5.5.2009, FD 2º (JUR 2009, 320800); Las Palmas, Civil, Sec. 5ª, 10.3.2009 (JUR 2009, 249812); Granada, Civil, Sec. 3ª, 21.11.2008 (JUR 2009, 60517); Girona, Civil, Sec. 2ª, 6.6.2008, FD 6º (JUR 2008, 329908); Pontevedra, Civil, Sec. 6ª, 21.12.2007, FD 2º (JUR 2008, 277442); Granada, Civil, Sec. 5ª, 9.2.2007, FD 4º (JUR 2007, 175840); y Baleares, Sec. 3ª, 22.11.2006, FD 2º (JUR 2007, 38463). Sin embargo, en contra de la responsabilidad solidaria del promotor por defectos de acabado *vid.* la SAP Barcelona, Civil, Sec. 16ª, 2.9.2009, FD 3º (JUR 2009, 463383).
41. *Vid.* también el artículo 1125.II de la Propuesta 2009 de acuerdo con el cual: «[e]l acreedor puede exigir el pago a cualquiera de los deudores solidarios, a varios de ellos o a todos simultáneamente. Las reclamaciones judiciales entabladas contra uno o varios de los deudores solidarios no serán obstáculo para las que posteriormente se dirijan contra los demás, mientras no resulte cobrada la deuda por completo».
42. Entre las más recientes, *vid.* las STSS, 1ª, Sec. 1ª, 21.12.2011 (RJ 2011, 144) y 22.7.2009 (RJ 2009, 6485).

material de los vicios y defectos, o bien dirigirse únicamente contra alguno de los agentes anteriores, sin que en este último caso el demandado pueda oponer la excepción de litisconsorcio pasivo necesario[43].

Por todo lo anterior, cabe concluir que la responsabilidad del promotor es directa, es decir, no responde subsidiariamente respecto el autor material del hecho dañoso, pudiéndose hacer valer la acción de responsabilidad contra el primero, sin necesidad de actuar antes o al mismo tiempo frente al segundo.

Desde esta óptica, la responsabilidad solidaria del promotor refuerza la posición de los propietarios de edificios, quienes no se ven obligados a optar entre demandar a algunos de los agentes intervinientes en la construcción y dejar fuera del proceso al causante del daño, o demandar a todos y después cargar con las costas de quienes fueron absueltos de responsabilidad[44].

En la práctica, lo previsible es que el perjudicado demande al promotor, así como el sujeto que considere responsable de los vicios cuando tenga plena certeza sobre a quién le son imputables. La finalidad del demandante será la de evitar una posible condena en costas en los casos en que el juez desestime sus pretensiones contra alguno de los sujetos demandados y aprecie que el proceso no era necesario porque no presentaba serias dudas de hecho o de derecho (artículo 394.1 LEC)[45].

---

43. En esta línea, *vid.* MEZQUITA GARCÍA-GRANERO, *El artículo 1591 CC ante la Ley de Ordenación de la Edificación, op. cit.*, p. 10; CARRASCO PERERA, CORDERO LOBATO y GONZÁLEZ CARRASCO, *Derecho de la construcción y la vivienda, op. cit.*, pp. 443-445; CORDERO LOBATO, *Capítulo 21. Responsabilidad civil de los agentes que intervienen en el proceso de la edificación, op. cit.*, pp. 552-554; y GARCÍA CARACUEL, *Cuestiones procesales en la LOE, op. cit.*, p. 198.
44. La SAP Barcelona, Civil, Sec. 13ª, 17.3.2009 (JUR 2009, 379150) reconoce que «conocida la causa (el vicio constructivo) y por ello, el agente conforme a cuyas atribuciones pueda imputarse aquella, solo cabe dirigirse frente a éste (y no contra otros, cuya absolución conllevará la imposición de las costas), ello ha de entenderse sin perjuicio de los supuestos de responsabilidad solidaria establecidos en la ley (...). Así la responsabilidad del promotor es una «responsabilidad directa o solidaria previa y *ex lege*» (FD 5º). En la doctrina, *vid.* GONZÁLEZ TAUSZ, *El nuevo régimen del promotor inmobiliario tras la Ley de Ordenación de la Edificación, op. cit.*, p. 2704; RUIZ-RICO RUIZ, *Capítulo VII. Los criterios de imputación de los distintos agentes de la edificación..., op. cit.*, p. 141; y LÓPEZ RICHART, *Responsabilidad personal e individualizada y responsabilidad solidaria en la Ley de Ordenación de la Edificación, op. cit.*, p. 179.
45. En el mismo sentido, *vid.* Carlos GÓMEZ MARTÍNEZ, «Algunos aspectos procesales en la aplicación del régimen de responsabilidad del artículo 1.591 del Código Civil y de la Ley de Ordenación de la Edificación», *Cuestiones prácticas sobre la aplicación del artículo 1.591 CC y la LOE de 1999*, Estudios de Derecho Judicial, Consejo General del Poder Judicial, 122, 2008, Madrid, p. 119.

De forma que una de las consecuencias de la responsabilidad solidaria del promotor es que sitúa a este agente en la posición de responsable principal y prioritario en cualquier reclamación judicial basada en el artículo 17.1 LOE[46]. Por ello, el Tribunal Supremo ha reconocido que

> «... si no fuera por la declaración inicial contenida en el artículo 17, relativo a que "las personas físicas o jurídicas que intervienen en el proceso de edificación responderán frente a los propietarios y adquirentes de los edificios...", se podría decir que la Ley constituye al Promotor en responsable exclusivo de los defectos constructivos (...)»[47].

3.3.2. *Intervención provocada de otros agentes: disposición adicional séptima LOE y artículos 14 y 18 LEC*

Si bien el promotor puede aparecer como demandado exclusivo en un gran número de demandas de responsabilidad por vicios y defectos constructivos, como agente de la edificación demandado dispone de un mecanismo procesal para traer al proceso a aquellos otros intervinientes en el proceso constructivo a quienes considere responsables de los vicios constructivos[48]. Este mecanismo está previsto en la disposición adicional séptima de la LOE, de acuerdo con la cual

> «... [q]uien resulte demandado por ejercitarse contra él acciones de responsabilidad basadas en las obligaciones resultantes de su intervención en el proceso de la edificación (...), podrá solicitar, dentro del plazo que la Ley de Enjuiciamiento Civil concede para contestar a la demanda, que ésta se notifique a otro u otros agentes que también hayan tenido intervención en el referido proceso. La notificación se hará conforme a lo establecido para el emplazamiento de los demandados e incluirá la advertencia expresa a aquellos otros agentes llamados al proceso de que, en el supuesto de que no comparecieren, la sentencia que se dicte será oponible y ejecutable frente a ellos».

La llamada al tercero no demandado, prevista en la disposición citada, únicamente es aplicable en procedimientos en los que el actor ejercite frente a los agentes de la edificación la acción de responsabilidad regulada en el artículo 17 LOE. Por consiguiente, no procede en los pleitos en los

---

46. En este sentido, *vid.* LÓPEZ RICHART, *Responsabilidad personal e individualizada y responsabilidad solidaria en la Ley de Ordenación de la Edificación, op. cit.*, p. 179; y RUIZ-RICO RUIZ, *Capítulo VII. Los criterios de imputación de los distintos agentes de la edificación..., op. cit.*, p. 139.

47. En estos términos, *vid.* las SSTS, 1ª, 19.7.2010 (RJ 2010, 6559); 4.12.2008 (RJ 2008, 6950); 26.6.2008 (RJ 2008, 4272); 13.3.2008 (RJ 2008, 4050); 29.11.2007 (RJ 2007, 8657); 24.5.2007 (RJ 2007, 4008); y 24.3.2007 (RJ 2007, 4008).

48. Pueden ser llamados al proceso los agentes que hayan tenido intervención en la obra aunque se hallen en situación legal de concurso, según afirma el AAP Barcelona, Civil, Sec. 16ª, 30.3.2007, FD 3º (AC 2007, 1669).

que el actor basa su demanda en la responsabilidad contractual del demandado (artículos 1101 y ss. y 1124 CC)[49] o en su responsabilidad extracontractual (artículo 1902 CC)[50]. Tampoco procede la llamada de agentes no demandados a instancias del demandado si la LOE no es de aplicación temporal al caso. La disposición adicional séptima LOE no es aplicable retroactivamente a procesos relativos a edificaciones con solicitud de licencia anterior a la entrada en vigor de la LOE, a pesar de que la acción de responsabilidad se ejercite con posterioridad a dicho momento[51].

El cauce procesal por el que se hace efectiva la notificación de la demanda a otros agentes de la edificación es el previsto en el artículo 14 LEC, relativo a la intervención provocada. El apartado 2 de este precepto prevé los trámites a seguir en aquellos casos en los que una Ley permita expresamente al demandado llamar a un tercero para que intervenga en el proceso. De acuerdo con el tenor literal del artículo 14.2 LEC:

«... se procederá conforme a las siguientes reglas:

1º El demandado solicitará del Tribunal que sea notificada al tercero la pendencia del juicio. La solicitud deberá presentarse dentro del plazo otorgado para contestar a la demanda o, cuando se trate de juicio verbal, al menos cinco días antes de la vista.

2º El Secretario judicial ordenará la interrupción del plazo para contestar a la demanda o la suspensión del acto de juicio caso de que fuera verbal y acordará oír al demandante en el plazo de diez días, resolviendo el Tribunal mediante auto lo que proceda.

3º El plazo concedido al demandado para contestar a la demanda se reanudará con la notificación al demandado de la desestimación de su petición o, si es estimada, con el traslado del escrito de contestación presentado por el tercero y, en todo caso, al expirar el plazo concedido a este último para contestar a la demanda. Si se tratase de un juicio verbal y el Tribunal hubiera estimado la solicitud, el Secretario judicial hará nuevo señalamiento para la vista, citando a las partes y al tercero llamado al proceso.

4º Si comparecido el tercero, el demandado considerase que su lugar en el proceso debe ser ocupado por aquél, se procederá conforme a lo dispuesto en el artículo 18.

5º Caso de que en la sentencia resultase absuelto el tercero, las costas se

---

49. CORDERO LOBATO, *Capítulo 21. Responsabilidad civil de los agentes que intervienen en el proceso de la edificación*, op. cit., p. 547.
50. STS, 1ª, Sec. 1ª, 25.1.2012 (RJ 2012, 1902).
51. Sobre la aplicación temporal de la disposición séptima de la LOE *vid.* el epígrafe 2.2.4 del apartado II del Capítulo Primero de este libro.

podrán imponer a quien solicitó su intervención con arreglo a los criterios generales del artículo 394 de esta Ley»[52].

Doctrina y jurisprudencia coinciden en señalar que la heterogeneidad de supuestos en los que se admite la intervención provocada –entre otros, la llamada en garantía en el proceso de evicción (artículos 1481 y 1482 CC) o la llamada de los coherederos no demandados (artículo 1084, II CC–, dificulta la tarea de identificar un único fundamento o razón de ser de esta institución[53]. Con todo, la mayor parte de normas que admiten la intervención provocada responden a dos finalidades básicas: por un lado, el ejercicio más adecuado del derecho de defensa, ya sea del demandado que llama al tercero al proceso o del propio tercero llamado y, por otro lado, evitar que puedan dictarse sentencias contradictorias[54].

El artículo 14.2 LEC mantiene silencio sobre cuál es el estatuto procesal que asume el tercero interviniente, es decir, si es o no parte del procedimiento, o cuáles son los efectos de su intervención[55]. La ausencia de un pronunciamiento expreso en el artículo 14.2 LEC sobre estas cuestiones, unida a los oscuros términos en los que se pronuncia la disposición adicional séptima LOE, «*ha dividido*», tal y como afirma el Tribunal Supremo, «*tanto a las Audiencias Provinciales como a la doctrina*»[56].

Se defienden dos tesis contrapuestas en relación con los efectos de la llamada del tercero en los procesos sobre responsabilidad por vicios constructivos: una primera teoría sostiene que el tercero llamado adquiere la condición de demandado y la sentencia le puede condenar o absolver; y una segunda teoría afirma que el tercero no tiene la condición de demandado y la sentencia no le puede condenar ni absolver[57].

---

52. La LEC, aprobada con posterioridad a la LOE, introdujo en la legislación procesal civil el régimen procesal de la intervención provocada, si bien la figura ya había sido reconocida a nivel jurisprudencial. Ello explicaría alguna diferencia entre ambas normas en relación con la tramitación de la intervención provocada. La disposición adicional séptima LOE prevé que la notificación de la demanda al tercero no demandado no suspende el plazo del demandado para contestar a la demanda, a diferencia de lo previsto en el artículo 14.2 LEC. *Vid.* al respecto la SAP Burgos, Civil, Sec. 2ª, 18.1.2011 (AC 2011, 252).

53. Esther GONZÁLEZ PILLADO y Pablo GRANDE SEARA, «Comentarios prácticos a la LEC. Arts. 13, 14 y 15», *InDret 1/2005*, p. 12.

54. SAP Barcelona, Civil, Sec. 4ª, 11.3.2009 (JUR 2009, 385528).

55. SAP Barcelona, Civil, Sec. 4ª, 11.3.2009 (JUR 2009, 385528); GONZÁLEZ PILLADO y GRANDE SEARA, *Comentarios prácticos a la LEC. Arts. 13, 14 y 15, op. cit.*, p. 13; y Faustino CORDÓN MORENO, «Capítulo II. De la pluralidad de partes. Artículos 12 a 15 LEC», Faustino CORDÓN MORENO, Teresa ARMENTA DEU, Julio J. MUERZA ESPARZA, Isabel TAPIA FERNÁNDEZ (coords.) *Comentarios a la Ley de Enjuiciamiento Civil*, Vol. I, 2ª ed., Aranzadi Thomson Reuters, Cizur Menor (Navarra), 2011, pp. 284-285.

56. STS, 1ª, Pleno, 26.9.2012 (RJ 2012, 9337).

57. Con todo, de este debate cabe excluir el supuesto, poco probable en este tipo de

El Pleno de la Sala Primera del Tribunal Supremo se ha pronunciado sobre esta cuestión en la STS, 1ª, Pleno, 26.9.2012 (RJ 2012, 9337)[58], que sostiene la tesis favorable a que el tercero interviniente sólo adquiere la condición de parte demandada si el actor solicita de manera expresa su condena. Por consiguiente, la sentencia no le puede condenar ni absolver. Con todo, el tercero quedará vinculado, en un eventual procedimiento posterior, por los pronunciamientos sobre los hechos y los fundamentos jurídicos de la sentencia.

El régimen jurídico del interviniente es, de acuerdo con el Tribunal Supremo, el siguiente:

a) Desde un punto de vista formal el tercero interviniente dispone de las mismas facultades de actuación que la LEC concede a las partes. En especial, tiene las mismas oportunidades de alegación y defensa que la tramitación del proceso permite a las partes.

b) Y, desde un punto de vista material, el tercero no es parte. Su posición es, en palabras del Alto Tribunal, la «de quien está al cuidado del litigio, como sujeto interesado al que, sin soportar la acción, la LEC le permite una actividad en el proceso dirigida a conseguir que este tenga un resultado lo menos adverso posible para [sus] (...) intereses (...) que pueden verse afectados de forma refleja, con la función de precaverse de la gestión procesal de la parte correspondiente» [FD 2ª de la STS, 1ª, Pleno, 26.9.2012 (RJ 2012, 9337)].

El argumento más relevante que el Tribunal Supremo ofrece a favor de esta interpretación es que el respeto a los principios de justicia rogada y dispositivo (artículo 216 LEC) y el principio de congruencia de la sentencia (artículo 218 LEC) –en relación con los artículos 5.2 y 10 LEC–, impiden que el emplazamiento del tercero equivalga a la ampliación forzosa de la demanda, si el actor no ha ejercitado acción alguna frente al tercero.

En este contexto, cabe preguntarse cómo debe interpretarse la referencia de la disposición adicional séptima a que «la sentencia que se dicte será oponible y ejecutable frente al [tercer interviniente]». El Alto Tribunal interpreta esta expresión en el sentido que aquél no podrá alegar en un eventual y posterior proceso, en el que el condenado ejercite una acción de regreso frente a él, que resulta ajeno a las declaraciones que la sentencia haga en relación con su actuación en el proceso constructivo (*res inter*

---

procedimientos, en el que el demandado llame al tercero para que ocupe su lugar y el Tribunal estime la sucesión en el proceso (artículo 14.4 y 18 LEC), pues en este caso la condición de parte del tercero que sucede al demandado no es controvertida.

58. En el mismo sentido, *vid.* también las posteriores SSTS, 1ª, Sec. 1ª, 27.12.2013 (RJ 2014, 1021); 25.11.2013 (RJ 2013, 7872) y 24.10.2013 (RJ 2013, 7859).

alios iudicata). En efecto, que la sentencia que ponga fin al proceso no condene ni absuelva al tercero interviniente no significa necesariamente que aquélla no pueda producir efectos frente al tercero. En virtud de la intervención procesal, que ha permitido al tercero llamado defender sus propios intereses, aquél queda vinculado por las declaraciones que se hagan en la sentencia[59].

En mi opinión, la eficacia positiva de la cosa juzgada para el tercero permite afirmar que la disposición adicional séptima LOE cumple la función de evitar posteriores sentencias contradictorias. Con todo, esta segunda interpretación de la disposición adiciona séptima LOE comporta que esta norma no cumpla una de las funciones atribuidas a la misma por una parte de la doctrina: ventilar en un sólo procedimiento las responsabilidades de todos los agentes intervinientes en el proceso constructivo[60].

La jurisprudencia del Tribunal Supremo sobre la relevancia de la actitud procesal de la parte actora en el estatuto procesal del tercero por intervención provocada plantea una cuestión, que parecía haber quedado resuelta tras la introducción de la regla 5ª en el artículo 14.2 LEC, por la Ley 13/2009, de 3 de noviembre: ¿quién debe asumir las costas del tercero interviniente y en qué supuestos? Cabe distinguir dos situaciones: aquella en la que la parte actora no amplía la demanda frente el tercero interviniente y aquella otra en la que solicita de manera expresa su condena.

Por un lado, en los procesos en los que la actora no amplía la demanda frente al tercero interviniente, la regla 5ª del artículo 14.2 LEC no es directamente aplicable, pues no concurrirá uno de sus presupuestos: "que en la sentencia resultase absuelto el tercero". Sin embargo, el Tribunal Supremo ha estimado que, en estos casos, si:

"... de la sentencia no se desprende [la] responsabilidad [del tercero], ... no estaría justificada su llamada al proceso y tendría sentido que se

59. SSAP Badajoz, Civil, Sec. 2ª, 6.9.2012 (JUR 2012, 318806); Burgos, Civil, Sec. 2ª, 18.1.2011 (AC 2011, 252) y Valladolid, Civil, Sec. 3ª, 18.9.2002 (JUR 2002, 264188).
60. Por ello, algunos autores han propuesto una tercera interpretación de la disposición adicional séptima LOE. Encarna CORDERO LOBATO, *Capítulo 21. Responsabilidad civil de los agentes que intervienen en el proceso de la edificación, op. cit.*, p. 551, afirma esta norma, no sólo permite al demandado solicitar la intervención provocada de un tercero no demandado (*litisdenuntiatio*), sino que, además, faculta al demandado para solicitar la acumulación en el mismo procedimiento de una acción de regreso frente al tercero. Con posterioridad, esta tesis ha sido defendida por Guillermo ORMAZÁBAL SÁNCHEZ, «La notificación de la demanda a terceros prevista en la DA 7ª de la LOE: análisis del precepto y tentativa de aclarar un embrollo que ya viene durando demasiado», *Actualidad civil*, nº 2, Sección A Fondo, Febrero 2013, tomo 1, La Ley.

impusieran las costas al demandado que hubiera interesado su llamada al proceso" [STS, 1ª, Sec. 1ª, 27.12.2013 (RJ 2014, 1021), FD 22].

Además, en los procedimientos en los que el actor no amplíe la demanda frente al agente llamado, debería descartarse la aplicación del criterio del vencimiento en la imposición de costas, pues ni el actor, ni el demandado que ha solicitado la intervención provocada del tercero, ejercitan acción o pretensión alguna frente al mismo. Por ello, el Tribunal Supremo ha estimado aplicable otro criterio que tiene en consideración la justificación o no de la intervención del tercero en el proceso:

– La intervención del tercero solicitada por el demandado estará justificada y, en consecuencia, el tercero deberá asumir sus propias costas, "si la sentencia, a pesar de no contener un pronunciamiento de condena respecto de él, reconoce que por su actuación en el proceso constructivo hubiera sido responsable respecto de los vicios o defectos en los que se basa la acción ejercitada" [STS, 1ª, Sec. 1ª, 27.12.2013 (RJ 2014, 1021), FD 22].

– En cambio, la intervención provocada del tercero no estará justificada y, por consiguiente, el juez podrá imponer las costas del tercero al demandado que solicitó su intervención al proceso "si de la sentencia no se desprende su responsabilidad" [STS, 1ª, Sec. 1ª, 27.12.2013 (RJ 2014, 1021), FD 22]. Con todo, considero que, en este último caso, excepcionalmente y con la debida motivación, el juez podrá estimar que en el momento en el que el demandado solicitó la intervención del tercero la responsabilidad del mismo presentaba "serias dudas de hecho o de derecho" (artículo 394.1 LEC), en cuyo caso el tercero deberá soportar sus propias costas.

Por otro lado, si la parte actora amplía la demanda frente al llamado y éste es absuelto por la sentencia de instancia se plantea la siguiente cuestión: ¿quién deberá asumir sus costas, el actor, en virtud del artículo 394 LEC, o el demandado que solicitó su intervención, de conformidad con la regla 5ª del art. 14.2 LEC? Según el Tribunal Supremo, en estos casos ambos pueden ser condenados al pago de las costas del tercero, pues el pronunciamiento sobre costas:

"se sujetará al criterio del vencimiento, conforme lo prescrito en el art. 394 LEC, con la particularidad de que la absolución del tercero interviniente permitirá la imposición de las costas a quien solicitó su intervención conforme a lo dispuesto en el ordinal 5º del art. 14.2 LEC" [STS, 1ª, Sec. 1ª, 27.12.2013 (RJ 2014, 1021), FD 22].

En efecto, si el llamado es absuelto en la sentencia de primera instancia, aquella puede contener tres tipos de pronunciamientos distintos en materia de imposición de las costas del llamado. En primer lugar, la sen-

tencia puede condenar en costas tanto a la parte actora, que ha visto recha-
zadas todas las pretensiones que dirigió contra el llamado (artículo 394.1
LEC), como al demandado que solicitó la intervención de aquel, por considerar injustificada su llamada al proceso (regla 5ª del artículo 14.2 LEC),
en cuyo caso las costas se repartirán entre ambos. En segundo lugar, la
sentencia puede imponer las costas del llamado únicamente a uno de ellos.
Pues el juez puede estimar que, a pesar de haber absuelto al llamado,
bien la ampliación de la demanda por parte del actor, bien la solicitud de
intervención provocada por parte del codemandado, estaba justificada y
presentaba "serias dudas de hecho o de derecho" (artículo 394.1 LEC).
Por último, otra posibilidad consiste en que el juez opte por la no imposición de costas, al estimar justificadas tanto la ampliación de la demanda
por parte del actor como la solicitud de intervención provocada por parte
del codemandado.

II. IMPUTACIÓN DE RESPONSABILIDAD AL PROMOTOR EN LAS RELACIONES INTERNAS: LA ACCIÓN DE REGRESO FRENTE AL RESTO DE AGENTES DE LA EDIFICACIÓN

1. FUNDAMENTO LEGAL DE LA ACCIÓN DE REGRESO: ARTÍCU-LOS 1145.1, 2º PÁRRAFO, CC Y 18.2 LOE

Como se ha señalado, el sistema diseñado en la LOE permite distinguir un segundo ámbito de imputación en la responsabilidad del promotor:
las relaciones internas del promotor inmobiliario con el resto de agentes
intervinientes en el proceso de edificación, en las cuales el promotor puede
reclamar en vía de regreso lo que corresponda a los agentes de la edificación causantes del vicio o defecto.

La LOE no regula de manera expresa la acción de regreso del promotor frente al resto de agentes de la edificación[61]. Con todo, la legitimación

---

61. A diferencia del artículo 15 de la derogada Ley 24/1991, de Cataluña, que reconocía expresamente, en su apartado 2, que «[e]l promotor o el garante pueden repetir
contra constructores, técnicos responsables, fabricantes, industriales y otros agentes que intervengan en la construcción, de acuerdo con las disposiciones legales
o las obligaciones contractuales». Y el artículo 1600, párrafo 3º, del Proyecto de
Ley 121/43, de 12 de abril de 1994 por el que se modifica la regulación del
Código Civil sobre los contratos de servicios y de obra que proponía establecer
que «en las relaciones internas de los responsables solidarios la obligación se
distribuirá en la medida en que cada uno hubiera contribuido a causar la ruina, y,
si esta distribución no fuere posible, en la medida en que sea objetivamente imputable a las respectivas intervenciones». Además determinados preceptos de la LOE
reconocen la acción de regreso de otros agentes de la edificación que responden
directamente por actos u omisiones ajenas. En concreto, el artículo 17.5, 2º párrafo, LOE respecto al proyectista; el artículo 17.6, 2º y 3º párrafo, LOE respecto
del constructor; y el artículo 17.7, 2º párrafo, LOE respecto del director de la
obra.

activa del promotor para ejercitar la acción de regreso resulta del artículo 1145.1, 2° párrafo, del Código Civil[62], y del propio artículo 18.2 LOE que regula el plazo de prescripción de esta acción[63]. Así pues, el promotor está legitimado para ejercitar la acción de regreso frente los demás partícipes en el proceso constructivo y reclamar la condena de aquellos en función de la responsabilidad individualizada que a cada uno pueda finalmente alcanzar en las relaciones internas[64].

2. PRESUPUESTOS DE LA ACCIÓN DE REGRESO DEL PROMOTOR

Los presupuestos de la acción de regreso del promotor son:

a) La reparación extrajudicial de los daños o resolución judicial firme de condena;

b) El ejercicio de la acción dentro del plazo de prescripción señalado en la Ley, y

c) La no imputación de los daños al promotor en las relaciones internas.

2.1. Reparación extrajudicial de los daños o resolución judicial firme de condena y ejercicio de la acción dentro del plazo de prescripción

Un primer presupuesto de la acción de regreso del promotor es que aquél haya reparado extrajudicialmente los daños materiales en el edificio o haya sido condenado por resolución judicial firme a su reparación. En segundo lugar, es preciso que el promotor ejercite la acción de regreso dentro del plazo de prescripción previsto en la Ley.

De acuerdo con el artículo 18.2 LOE, el *dies a quo* del plazo de

---

62. De acuerdo con el artículo 1145.1, 2° párrafo, CC, en las obligaciones solidarias «[e]l que hizo el pago sólo puede reclamar de sus codeudores la parte que a cada uno corresponda, con los intereses del anticipo».

63. El artículo 18.2 LOE prevé un plazo de prescripción de dos años para «la acción de regreso que pudiese corresponder a cualquiera de los agentes que intervienen en el proceso de la edificación contra los demás, o a los aseguradores contra ellos».

64. Reconocen la legitimación activa del promotor para ejercitar la acción de regreso frente el resto de agentes intervinientes en la construcción las SSTS, 1ª, 22.5.2009 (RJ 2009, 3034); 20.12.2007 (RJ 2007, 8664); 20.6.1995 (RJ 1995, 4934); 29.9.1993 (RJ 1993, 6659); y 10.10.1992 (RJ 1992, 7545). En la jurisprudencia menor *vid.*, entre otras, las SSAP Barcelona, Civil, Sec. 16ª, 2.9.2009 (JUR 2009, 463383); Murcia, Sec. 5ª, Civil, 20.3.2009 (JUR 2009, 234452); Madrid, Civil, Sec. 14ª, 18.3.2009 (JUR 2009, 248929); y Toledo, Civil, Sec. 1ª, 13.3.2002 (AC 2002, 841).

prescripción de la acción de regreso del promotor frente el resto de agentes de la edificación es distinta en función de si la obligación que aquél pretende regresar deriva o no de una condena judicial. Así, el mencionado precepto establece que el plazo de prescripción de dos años de la acción de regreso se computa

«... desde la firmeza de la resolución judicial que condene al responsable a indemnizar los daños, o a partir de la fecha en la que se hubiera procedido a la indemnización de forma extrajudicial»[65].

Así, por un lado, si la obligación que el promotor pretende regresar emana de una transacción extrajudicial con el propietario de la edificación, el derecho del promotor a ejercitar la acción de regreso nace en la fecha en la que hubiera procedido a la reparación de los daños materiales en el edificio, de forma específica, es decir, en el momento de finalización de los trabajos de reparación, o por equivalente, esto es, en el momento del pago de la indemnización[66].

Por otro lado, si la obligación que pretende regresar el promotor deriva de una condena judicial, el derecho del promotor a ejercitar la acción de regreso nace en el momento en el que la sentencia judicial que le condena a reparar los daños materiales deviene firme[67]. En este punto, el artículo 18.2 LOE difiere del artículo 1145.1, 2º párrafo, del Código civil y de la jurisprudencia del Tribunal Supremo sobre responsabilidad por

---

65. La probable justificación de esta distinción legal radica, según la SAP Girona, Civil, Sec. 2ª, 26.11.2008 (JUR 2009, 144855), «en que, mediando condena, el perjuicio puede entenderse producido, ya que si no se produce el pago voluntario es probable, por no decir seguro, que se inicie la vía de apremio a instancias del acreedor. Sin embargo, si no ha existido condena el perjuicio sólo se concreta por el pago» (FD 1º).

66. Exige la reparación extrajudicial de los daños como presupuesto de la acción de regreso del promotor la SAP Las Palmas, Civil, Sec. 3ª, 1.6.2009, FD 2º (JUR 2009, 371147). Sobre ello en la doctrina vid. GÓMEZ MARTÍNEZ, Algunos aspectos procesales en la aplicación del régimen de responsabilidad del artículo 1.591 del Código Civil y de la Ley de Ordenación de la Edificación, op. cit., p. 113.

67. En este mismo sentido interpreta dicho precepto Ignacio SIERRA GIL DE LA CUESTA, «Capítulo V. El tiempo en la responsabilidad por vicios o defectos en la edificación», en GARCÍA VARELA (Coord.), Derecho de la Edificación, op. cit., p. 426. En contra, CORDERO LOBATO, Capítulo 21. Responsabilidad civil de los agentes que intervienen en el proceso de la edificación, op. cit., p. 566, señala que «la finalidad del artículo 18.2 es permitir que el demandado por defectos constructivos pueda ejercitar la acción de regreso en el propio pleito entablado por el perjudicado, que es lo que, en nuestra opinión, significa la disposición adicional 7ª, de la LOE (...)».

ruina anterior[68] que fijan el *dies a quo* del plazo de prescripción de la acción de regreso en el momento del pago[69].

2.2. Daños no imputables al promotor en las relaciones internas

Tras el análisis de los dos primeros presupuestos, procede ahora examinar el tercer requisito para que la acción de regreso del promotor prospere que consiste en que los daños no le sean imputables en las relaciones internas. En las páginas que siguen se analizan las condiciones para que el promotor pueda recuperar en las relaciones internas la cuantía íntegra de la condena solidaria, así como los casos en los que aquél debe asumir una parte de la responsabilidad por los daños materiales derivados de los vicios o defectos constructivos.

Las respuestas a estas cuestiones depende, fundamentalmente, de si los daños materials en la edificación son imputables: a) a actos u omisiones del promotor; b) a actos u omisiones del resto de agentes de la edificación; o c) si aquellos derivan de vicios o defectos cuya causa no se ha podido determinar o si han sido causados por varios agentes sin prueba del grado de intervención de cada uno de ellos.

2.2.1. *Por actos u omisiones propios del promotor*

La regla de la solidaridad del promotor con el resto de agentes de la edificación responsables sólo rige en las relaciones externas frente al propietario de la edificación[70]. En las relaciones internas del promotor con

---

68. En este sentido *vid.* la STS, 1ª, 20.12.2007 (RJ 2007, 8664) de acuerdo con la cual «para ejercitar la acción de repetición derivada del [artículo 1591 CC], es necesario haber pagado previamente los daños ocasionados» (FD 2º); y la STS, 1ª, 29.12.1998, (RJ 1998, 10140) que afirma que «dada la solidaridad entre los responsables de la obra imperfecta (a la que luego nos referiremos) el que pago adquiere un crédito frente a los cooobligados. En el momento del pagó es cuando nace ese derecho» (FD 2º). En la doctrina, han puesto de manifiesto esta diferencia CORDERO LOBATO, *Capítulo 21. Responsabilidad civil de los agentes que intervienen en el proceso de la edificación, op. cit.*, p. 566, y Rafael COLINA GAREA, «Comentario a la sentencia de 20 de diciembre de 2007 (RJ 2007, 8664)», *CCJC*, 77, 2008, p. 992.

69. MEZQUITA GARCÍA-GRANERO, *El artículo 1591 CC ante la Ley de Ordenación de la Edificación, op. cit.*, p. 16, considera que «[e]sta solución acorta, indudablemente el plazo de prescripción de la acción de repetición contra los demás responsables. Puede que el legislador quisiera evitar dilaciones en el pago».

70. La STS, 1ª, 5.5.2010 (RJ 2010, 5025) resume la jurisprudencia en este sentido, de acuerdo con la cual «el artículo 1145 CC permite que aquel o aquellos que cumplieron con el total de la deuda puedan acudir a otro posterior en ejercicio de la acción de reembolso o regreso para debatir la distribución del contenido de la obligación entre todos los intervinientes en el proceso constructivo, desapareciendo entonces la solidaridad que rige en las relaciones externas, frente al perjudicado acreedor, para pasar a regir en las internas (entre deudores solidarios) la mancomunidad» (FD 3º).

el resto de agentes de la edificación rige la regla de la parciariedad –o mancomunidad en el sentido utilizado en el artículo 1138 CC– y, en consecuencia, aquél responde por los vicios y defectos imputables a sus propios actos u omisiones en el proceso de la edificación[71].

Así, si los vicios y defectos son imputables, en parte, a los actos u omisiones del promotor y, en parte, a los actos u omisiones de otro u otros agentes de la edificación, el primero debe asumir en las relaciones internas la cuota de responsabilidad que le corresponda según su grado de contribución en la causación del daño. En este caso, el promotor no podrá regresar por el total de los costes invertidos en la reparación de los daños materiales, sino que el juez deberá descontar de la cuantía que el promotor reclama al agente u agentes, a los cuales les son parcialmente imputables los vicios y defectos constructivos, la cuota de responsabilidad imputable al promotor[72].

2.2.2. Por actos u omisiones del resto de agentes de la edificación

Como se ha señalado, en las relaciones internas, el promotor no responde solidariamente por actos u omisiones ajenos, pues la garantía que proporciona «en todo caso» (artículo 17.3, in fine, LOE) sólo es aplicable en las relaciones externas con «los terceros adquirentes de los edificios».

En efecto, la configuración del promotor como garante incondicional de lo edificado tiene como finalidad proteger a los futuros propietarios de la edificación quienes al adquirirla confiaron en su profesionalidad y prestigio comercial, pero en ningún caso tiene como objeto favorecer al resto de profesionales que intervienen junto con el promotor en el proceso constructivo[73].

En consecuencia, el promotor puede regresar frente al resto de agentes de la edificación por el total de los costes invertidos en la reparación

---

71. Para un análisis en profundidad de la imputación de responsabilidad al promotor por hecho propio vid. el epígrafe 1 del apartado I de este Capítulo.
72. En este sentido, vid. CORDERO LOBATO, Capítulo 21. Responsabilidad civil de los agentes que intervienen en el proceso de la edificación, op. cit., pp. 544-545.
73. BERCOVITZ RODRÍGUEZ-CANO, Comentario a la STS de 29 de junio de 1987, op. cit., pp. 4719-4720, respecto de la responsabilidad por ruina del artículo 1591.I CC, ya consideraba que «[l]os criterios de imputación de responsabilidad del promotor valen para justificar que el promotor responda solidariamente cuando está en juego la indemnización de los adquirentes. Pero no valen para repartir esa responsabilidad internamente entre todos esos sujetos. Soy un tanto escéptico en cuanto la existencia de alguna razón (valor general) que pueda justificar dentro de este ámbito la responsabilidad del promotor que no haya participado para nada en la construcción (que se haya limitado a encargar y a pagar al arquitecto, al aparejador y al constructor)».

de los daños materiales cuando dichos daños no sean imputables a sus propios actos u omisiones en las relaciones internas, es decir, siempre y cuando hubiera sido condenado exclusivamente con base a su condición de garante incondicional derivada del artículo 17.3, *in fine*, LOE[74].

> A favor, la SAP Baleares, Civil, Sec. 5ª, 19.4.2005 (JUR 2005/143444) afirma que «[s]e trata de una responsabilidad universal provisoria, que el promotor podrá posteriormente repercutir contra el agente de la edificación causante directo del defecto. Esta repercusión es *siempre* por el todo, pues, por definición, el promotor, no constructor, no puede tener parte alguna en los defectos por los que fue condenado» (FD 3º) (énfasis añadido).

2.2.3. *Por daños cuya causa no se ha podido determinar o causados por varios agentes sin prueba del grado de intervención*

La regla de acuerdo con la cual el promotor no responde en las relaciones internas de los daños derivados por vicios y defectos, más allá de aquellos imputables a su propia actuación en la obra, presenta problemas cuando en juicio no se ha podido determinar la causa de los daños materiales (artículo 17.3, *ab initio*, LOE). ¿Debe asumir en este caso el promotor una cuota de responsabilidad en las relaciones internas?

Una parte de la doctrina niega la responsabilidad del promotor en las relaciones internas en este caso, pues defienden que el hecho que el promotor-vendedor no intervenga materialmente en la obra excluye la posibilidad de imputar a su actuación los vicios o defectos[75].

Con todo, no cabe desconocer aquellos supuestos excepcionales, analizados en el apartado I, en los que el promotor-vendedor pudo haber contribuido con sus actuación en la causación del daño. En particular, cuando como consecuencia de una decisión adoptada por el promotor, pero ejecutada por otro agente de la edificación, se causan daños materiales en el edificio derivados de los vicios y defectos señalados en el artículo 17.1 LOE. Dada la excepcionalidad de esta situación, considero que si la causa de los daños no resulta probada en el juicio, el promotor sólo debería asumir una cuota de responsabilidad en las relaciones internas, en aquellos

---

74. En este sentido, ÁLVAREZ OLALLA, *La Responsabilidad por defectos en la edificación...*, op. cit., pp. 94-95; y CARRASCO PERERA, *La jurisprudencia post-loe ¿ha cambiado algo en el régimen de la responsabilidad por ruina?*, op. cit., p. 11, quien califica al promotor no constructor de fiador legal. En particular, CORDERO LOBATO, *Capítulo 21. Responsabilidad civil de los agentes que intervienen en el proceso de la edificación*, op. cit., p. 543, concreta esta consideración y afirma que la acción de regreso del promotor-vendedor ha de seguir el modelo de las acciones de regreso fundadas en la indemnidad de su titular (artículo 1838 CC y artículo 43 de la Ley 50/1980, de 8 de octubre, de contrato de seguro).
75. A favor de esta tesis, CORDERO LOBATO, *Capítulo 21. Responsabilidad civil de los agentes que intervienen en el proceso de la edificación*, op. cit., p. 544.

casos en los que quedara probado que los agentes de la edificación, siguiendo órdenes expresas del promotor, contravinieron las normas básicas de edificación, o que el promotor pactó con el constructor que la obra se realizara sin proyecto o sin dirección técnica.

Este dificultad no se presenta en los pleitos en los que quedase «debidamente probada la concurrencia de culpas sin que pudiera precisarse el grado de intervención de cada agente en el daño producido» (artículo 17.3, *ab initio*, LOE), pues en tal caso en las relaciones internas la responsabilidad se repartirá por partes iguales entre los agentes que efectivamente contribuyeron con su actuación a la causación del daño.

3. REGLAS DE DISTRIBUCIÓN DE LA RESPONSABILIDAD EN LAS RELACIONES INTERNAS Y COSA JUZGADA

En el proceso en el que el promotor ejercita la acción de regreso frente el resto de agentes de la edificación cabe distinguir tres supuestos:

a) El promotor ejercita la acción de regreso frente a un agente que fue condenado en la primera sentencia que prevé la distribución de la responsabilidad entre los distintos agentes responsables en las relaciones internas.

b) El promotor ejercita la acción de regreso frente a un agente que fue condenado en la primera sentencia que no prevé la distribución interna de las responsabilidades entre los agentes de la edificación.

c) El promotor ejercita la acción de regreso frente a un agente que no fue parte del primer proceso.

3.1. Eficacia de cosa juzgada de la sentencia que prevé la distribución interna de las responsabilidades

La sentencia judicial firme que condena solidariamente al promotor, junto con otros agentes de la edificación, a reparar los daños causados a los propietarios del edificio puede determinar cuál fue la contribución de cada agente en el resultado dañoso. En efecto, como se ha señalado, el promotor responde solidariamente aunque en el juicio se fije el grado de intervención de cada uno de ellos en la causación del daño.

En este contexto, el promotor que reparó los daños frente a los propietarios perjudicados está legitimado para ejercitar una acción de regreso frente el resto de agentes condenados, en la cual la distribución interna de responsabilidades prevista en la resolución judicial que pone fin al primer procedimiento producirá efecto de cosa juzgada (artículo 222.3 LEC)[76].

---

76. De acuerdo con el artículo 222.3 LEC «[l]a cosa juzgada afectará a las partes del proceso en que se dicte y a sus herederos y causahabientes, así como a los sujetos, no litigantes, titulares de los derechos que fundamenten la legitimación de las partes conforme a lo previsto en el artículo 11 de esta Ley (...)».

En consecuencia, los agentes demandados deberán asumir la parte de responsabilidad que les corresponda de acuerdo con el fallo del primer proceso[77].

Lo mismo debe sostenerse respecto de la acción de regreso que el promotor ejercita frente a aquel agente que si bien no fue condenado en el primer procedimiento, intervino en el mismo porque fue llamado por el promotor en virtud del mecanismo previsto en la disposición adicional séptima LOE y el artículo 14 LEC. Como se ha analizado más arriba, el Tribunal Supremo sostiene la tesis favorable a que el tercero interviniente sólo adquiere la condición de parte demandada si el actor solicita de manera expresa su condena. Por consiguiente, la sentencia no le puede condenar ni absolver. Con todo, el tercero quedará vinculado, en un eventual procedimiento posterior, por los pronunciamientos sobre los hechos y los fundamentos jurídicos de la sentencia.

3.2. Preferencia de la distribución parciaria de la responsabilidad, en defecto de distribución en la sentencia del primer proceso

El segundo supuesto es aquél en el que la sentencia judicial firme del primer proceso, que condena al promotor con el resto de agentes demandados a responder solidariamente de los daños frente al propietario de la edificación, no fija cuál fue la contribución de cada agente en el resultado dañoso. Principalmente porque en el primer procedimiento no fue posible individualizar la causa de los daños o determinar el grado de intervención de cada agente en el daño producido (artículo 17.3, *ab initio*, LOE).

En tal caso, el promotor puede ejercitar una acción de regreso contra el resto de agentes condenados en la primera sentencia que no prevé la distribución interna de las responsabilidades. En este segundo procedimiento, el juez aplicará la regla de distribución parciaria, o mancomunada en el sentido utilizado en el artículo 1138 CC, de responsabilidad en función de las respectivas contribuciones en el daño, siempre y cuando sea posible determinar la cuota de participación de cada agente en los vicios y defectos constructivos.

Esta regla parece más justa que la regla de reparto de la responsabili-

---

77. En este sentido, *vid.* GÓMEZ LIGÜERRE, *Solidaridad y derecho de daños...*, *op. cit.*, p. 208. En la jurisprudencia, *vid.* la STS, 1ª, 13.3.2007 (RJ 2007, 1787) la cual afirma que en estos casos la acción de regreso «no puede tener como alcance la modificación de las cuotas establecidas [en el primer pleito] sino simplemente el de hacer valer el reintegro de las cantidades que a cada uno le corresponde (...) a causa del desembolso realizado por el total de la cantidad adeudada». El fundamento en el que se basa dicha resolución es que «lo contrario supondría una revisión encubierta de la cosa juzgada» (FD 3º).

dad por partes iguales, pues en la construcción de edificios los daños materiales derivados de vicios o defectos constructivos son causados por la actuación de uno o varios agentes de la edificación, pero no por todos conjuntamente[78]. Además, este es el criterio de distribución de responsabilidad que el Tribunal Supremo ha aplicado en la jurisprudencia sobre responsabilidad por ruina[79].

> En efecto, el Tribunal Supremo ha defendido, entre otras en la STS, 1ª, 5.5.2010 (RJ 2101, 5025), que la solidaridad impropia no «restringe las acciones de repetición posteriores en que las partes, con distinta postura procesal, pueden de nuevo plantear litigio en torno a delimitar sus respectivas responsabilidades derivadas del artículo 1591 CC» (FD 3º).

Sin embargo, si no es posible determinar la cuota de participación de cada uno de los responsables en el resultado final se aplicará la regla de la distribución de la responsabilidad por partes iguales, es decir, la indemnización será prorrateada entre todos los agentes responsables (artículo 1145 de la Propuesta 2009)[80].

3.3. Ausencia de eficacia de cosa juzgada si el agente demandado no fue parte ni interviniente en el primer proceso

Por último, el propietario afectado por los vicios constructivos puede haber dirigido la demanda únicamente contra el promotor y que la sentencia del primer proceso sólo condene a éste a responder solidariamente de los daños. En este caso, el promotor asume en el proceso en el que ejercita la acción de regreso la carga de probar que los vicios constructivos son imputables a la intervención de los agentes de la edificación que no fueron demandados ni condenados en el primer pleito (artículo 217.2 LEC)[81]. En

---

78. En general sobre la regla de distribución de responsabilidad en función de las respectivas contribuciones al daño *vid.* GÓMEZ LIGÜERRE, *Solidaridad y derecho de daños..., op. cit.*, p. 210.

79. En este sentido, *vid.* CORDERO LOBATO, *Capítulo 21. Responsabilidad civil de los agentes que intervienen en el proceso de la edificación, op. cit.*, p. 544.

80. El artículo 1145 de la Propuesta 2009 prevé en relación con los acreedores solidarios que «[e]n las relaciones internas el crédito se presume por partes iguales». En la doctrina, en este sentido, *vid.* CORDERO LOBATO, *Capítulo 21. Responsabilidad civil de los agentes que intervienen en el proceso de la edificación, op. cit.*, p. 544.

81. En este sentido, *vid.* la STS, 1ª, Sec. 1ª, 29.10.2012 (RJ 2013, 2272), de acuerdo con la cual «el párrafo segundo del artículo 1445 del Código Civil, concede al deudor que realizó el pago la facultad de poder reclamar de sus codeudores la parte correspondiente a cada uno, con los intereses del anticipo. (...) De la caracterización de la figura se infiere que su aplicación requiere tanto de la regularidad del pago satisfecho, (...) como de la determinación de la participación de cada codeudor en la obligación cumplida. (...). [En las] Sentencias de 5 marzo 2012 (RJ 2012, 2974) (nº 80, 2012) y 10 octubre 2012 (nº 580, 2012) (RJ 2013, 1537) nos planteamos si a la parte recurrente, que es la que pretende el ejercicio del

efecto, la sentencia determinante de la responsabilidad solidaria no produce efectos de cosa juzgada con respecto a los no demandados (artículo 1143 Propuesta 2009), quienes no tuvieron la oportunidad de defenderse en el primer proceso[82].

Con todo, téngase en cuenta que los agentes no demandados que intervinieron en el proceso como terceros, porque fueron llamados por alguno de los agentes demandados en virtud de lo previsto en la disposición adicional 6ª LOE y el artículo 14 LEC, sí que están vinculados en un eventual procedimiento posterior, por los pronunciamientos sobre los hechos y los fundamentos jurídicos de la primera sentencia.

Por ello, el promotor tiene la carga de probar en el proceso en el que ejerce la acción de regreso contra el agente de la edificación no demandado y que no intervino en el primer procedimiento que los vicios y defectos son imputables a su ámbito de actuación. Por lo que, si el promotor no logra probar la causa del defecto la acción de regreso no prosperará (217.2 LEC)[83].

De este modo, en las relaciones internas, el promotor no se ve beneficiado por la presunción *iuris tantum* de relación de causalidad que el artículo 17.8 LOE establece a favor de los propietarios de edificaciones[84].

Así, la STS, 1ª, 11.6.2002 (RJ 2002, 5219) que resuelve la acción de regreso de la promotora, condenada en el primer proceso, contra el constructor, afirma que «no es suficiente con el hecho de que se haya producido una

---

derecho de regreso, le era exigible una actividad probatoria, dentro de lo razonable y en función del objeto del proceso, mayor de la efectivamente desplegada. Sin género, de duda alguna, la respuesta debe de ser afirmativa» (FD 2º). En la doctrina, *vid.* ÁLVAREZ OLALLA, *Comentario a la sentencia de 11 de junio de 2002, op. cit.*, p. 115; y GÓMEZ MARTÍNEZ, *Algunos aspectos procesales en la aplicación del régimen de responsabilidad del artículo 1.591 del Código Civil y de la Ley de Ordenación de la Edificación, op. cit.*, p. 111.

82. Sobre ello, Luis DÍEZ-PICAZO y PONCE DE LEÓN, *Fundamentos del derecho civil patrimonial*, vol. I, 6ª ed., Thomson Civitas, Cizur Menor (Navarra), 2007, p. 264. De acuerdo con el artículo 1143 de la Propuesta 2009 «[l]a sentencia dictada en proceso seguido entre uno de los acreedores solidarios y el deudor no produce, en relación con los demás acreedores, efecto de cosa juzgada; pero éstos podrán hacerla valer frente al deudor en la medida en que les sea provechosa».

83. CORDERO LOBATO, *Capítulo 21. Responsabilidad civil de los agentes que intervienen en el proceso de la edificación, op. cit.*, p. 542, pone de manifiesto que «el regreso no es solidario, y el responsable inicial carga con el riesgo de que la causa del defecto siga resultando desconocida (...)». También *vid.* Alejandro DÍAZ MORENO, «La solidaridad impropia en el ámbito de la edificación. Comentario a la Sentencia del TS de 5 de mayo de 2010 (RJ 2010, 5025)», *Revista de Derecho Patrimonial*, nº 27, 2011, p. 226.

84. En este sentido, ÁLVAREZ OLALLA, *Comentario a la sentencia de 11 de junio de 2002, op. cit.*, p. 115.

condena de la promotora por defectos de la construcción para que automáticamente se repercuta la misma sobre la entidad subcontratada por aquélla, siendo imprescindible que se acredite con claridad que fue la negligente actuación de quien de hecho llevó a cabo la ejecución material la causante de los perjuicios que hubieron de ser indemnizados» (FD 2º)[85].

En conclusión, a pesar de que el promotor, en su condición de garante frente a los propietarios de la edificación, puede en las relaciones internas regresar lo costes invertidos en la reparación de los vicios o defectos no imputables a su actuación frente al resto de agentes de la edificación, esta acción no siempre prosperará. En particular, no lo hará sino consigue probar que el agente no demandado en el primer proceso es el causante de los vicios o defectos de la edificación.

III. FUNCIÓN Y FUNDAMENTO DE LA RESPONSABILIDAD SOLIDARIA Y OBJETIVA DEL PROMOTOR FRENTE LOS PROPIETARIOS DEL EDIFICIO EN LA LOE

1. LA RESPONSABILIDAD SOLIDARIA Y OBJETIVA DEL PROMOTOR CUMPLE UNA FUNCIÓN DE GARANTÍA

La responsabilidad solidaria que el artículo 17.3, *in fine*, LOE impone al promotor «en todo caso» frente los propietarios del edificio –con independencia que los daños no deriven de sus propias decisiones, sino de la actuación del resto de agentes de la edificación– cumple una incuestionable función de garantía[86].

---

85. En el mismo sentido, *vid.* la STS, 1ª, 22.5.2009 (RJ 2009, 3034), la cual añade que «resulta evidente la vulneración del principio de igualdad de armas, que se integra en el derecho a la tutela judicial efectiva y en el derecho a un proceso con todas la garantías que es corolario de los principios de contradicción y bilateralidad al hacerse el traslado de los efectos de la cosa juzgada material de otro procedimiento en el que no intervinieron los ahora recurrentes, que también son ajenos a las relaciones mantenidas entre la promotora y los adquirentes de las viviendas» (FD 4º). *Vid.* también la SAP Barcelona, Civil, Sec. 16ª, 2.9.2009 (JUR 2009, 463383) afirma que «[l]ógica consecuencia de (...) [la condición de garante del promotor] es que una hipotética acción de regreso del promotor frente a los restantes agentes exige la previa reparación del daño ante el perjudicado o la firmeza de la resolución judicial condenatoria (artículo 18.2 LOE) *y la efectiva demostración de la responsabilidad individual del constructor, dirección facultativa, etcétera, contra los que se dirige la acción*» (FD 2º) (énfasis añadido).

86. *Vid.* CADARSO PALAU, *La responsabilidad de los constructores en la Ley de Ordenación de la Edificación (...), op. cit.*, p. 7, quien señala que «[h]ay que pensar, en cualquier caso, que la atribución solidaria de responsabilidad por hechos (vicios o defectos de construcción) en los que no se ha intervenido, o con independencia de la efectiva intervención en ellos, configura una solidaridad en estricta función de garantía, y confiere propiamente al promotor la condición de garante de las obligaciones y responsabilidades de los demás agentes intervinientes». También

Por un lado, así lo reconoce la Exposición de Motivos de la LOE, cuando afirma que el promotor es «una persona física o jurídica (...) a la que se obliga a garantizar los daños materiales que el edificio pueda sufrir» y, por el otro, el Tribunal Supremo, se ha pronunciado en numerosas sentencias en el sentido de que la solidaridad que regula el artículo 17.3, *in fine*, LOE

> «... constituye al promotor (...) en garante de la calidad del producto final elaborado»[87]; o «como una especie de avalista o garante de la obra, sin perjuicio de que una vez que pague o responda pueda resarcirse frente a los demás a través de la acción de repetición»[88].

La responsabilidad solidaria del promotor comporta que aquel garantice la indemnidad del propietario y de los futuros adquirentes de la edificación, frente a los daños materiales derivados de los vicios o defectos del artículo 17.1 LOE[89]. Además, de directa su responsabilidad es de carácter objetivo[90], pues como se ha analizado el promotor no queda exonerado si

vid. MARÍN GARCÍA DE LEONARDO, *La figura del promotor en la Ley de Ordenación de la Edificación, op. cit.*, p. 134; GONZÁLEZ TAUSZ, *El nuevo régimen del promotor inmobiliario tras la Ley de Ordenación de la Edificación, op. cit.*, p. 2702; y ABRIL CAMPOY, *La responsabilidad del promotor en la Ley de Ordenación de la Edificación..., op. cit.*, p. 1246.

87. *Vid.* en estos términos, entre otras, las SSTS, 1ª, Sec. 1ª, 24.5.2013 (RJ 2013, 180778); 18.9.2012 (RJ 2012, 9014); 19.7.2010 (RJ 2010, 6559); 1ª, 4.12.2008 (RJ 2008, 6950); 26.6.2008 (RJ 2008, 4272); 13.3.2008 (RJ 2008, 4050); 29.11.2007 (RJ 2007, 8657); 24.5.2007 (RJ 2007, 4008); y 24.3.2007 (RJ 2007, 4008).

88. En este sentido, *vid.* la STS, 1ª, 11.4.2012, FD 2º (JUR 2012, 152541). *Vid.* también la SAP Barcelona, Civil, Sec. 16ª, 2.9.2009 (JUR 2009, 463383) que afirma que la LOE funda la responsabilidad individual del promotor «... no en atención al incumplimiento de específicas obligaciones, sino por la función de garante solidario que le asigna la ley frente al perjudicado una vez constatada la realidad del vicio constructivo (...)» (FD 2º) y la SAP Barcelona, Civil, Sec. 13ª, 5.12.2007 (JUR 2008, 72745), según la cual «[el promotor aparece en la LOE] como garante incondicional frente a los adquirentes» (FD 4º).

89. Sobre la solidaridad en función de garantía *vid.* GÓMEZ LIGÜERRE, *Solidaridad y derecho de daños..., op. cit.*, p. 253.

90. Según la SAP Barcelona, Civil, Sec. 13ª, 19.6.2012 (EDJ 2012/157613) «la responsabilidad solidaria, en todo caso, del promotor (...) [es] muy cercana a la responsabilidad objetiva o por riesgo en el deber de responder por hechos ajenos (...) (FD 1º); la SAP Barcelona, Civil, Sec. 15ª, 9.1.2004 (JUR 2004, 97510) «su responsabilidad es casi objetiva y propiamente solidaria. Así resulta del artículo 17 de la ley de Ordenación de la Edificación» (FD 5º); la SAP Navarra, Sec. 2ª, 24.6.2004 (JUR 2004, 263003) «no cabe olvidar (...) que en el criterio decisorio de atribución solidaria, late el eco, del criterio de atribución objetiva de responsabilidad al promotor» (FD 2º); y las SSAP Madrid, Civil, Sec. 10ª, 23.1.2007 (JUR 2008, 43831) y Sec. 10ª, 1.7.2009 (JUR 2009, 342418) «[la obligación del promotor] (...) asumida frente al adquirente es una obligación de resultado. Se trata

prueba que no incurrió en culpa propia, sino únicamente cuando acredite la concurrencia de caso fortuito, fuerza mayor, acto de tercero o del propio perjudicado (art. 17.8 LOE). Además, el concepto de acto de tercero tiene un alcance restringido en el caso del promotor, que no queda exonerado si demuestra que el daño es imputable a otro agente de la edificación[91], sin perjuicio, de su derecho de regreso frente a los demás agentes de la edificación en las relaciones internas.

Teniendo en cuenta la función de garantía que cumple la responsabilidad solidaria del promotor del artículo 17.3 LOE, en el capítulo séptimo de esta obra se discute si dicho régimen de responsabilidad está justificado cuando quien transmite la vivienda no es un profesional, sino un autopromotor individual o colectivo, que por definición actúan ajenos al ejercicio de una actividad profesional.

En estos casos, ¿está justificado que el autopromotor responda en virtud de la LOE frente al comprador? Y si el primer comprador transmitiese a su vez la vivienda a un tercero. ¿Estaría fundamentada la responsabilidad del autopromotor frente a este tercero con quien no tiene un vínculo contractual?

Con el objeto de ofrecer una respuesta fundada a estas cuestiones, a continuación se analizan los argumentos con base en los cuales el Tribunal Supremo, en aplicación del artículo 1591 del Código Civil, fundamentó la responsabilidad solidaria y objetiva del promotor por hechos ajenos.

2. FUNDAMENTO DE LA POSICIÓN DE GARANTE DEL PROMOTOR

El artículo 17.3, *in fine*, LOE no explica las razones en las que se fundamenta la responsabilidad solidaria y objetiva del promotor «en todo caso». En cambio, bajo el régimen de responsabilidad del artículo 1591.I CC, la jurisprudencia del Tribunal Supremo ofreció diversos argumentos en los que basar la posición de garante que el promotor ocupa en el proceso constructivo.

La STS, 1ª, 8.6.1992 (RJ 1992, 5168) resume la postura del Tribunal

---

de una responsabilidad solidaria y objetiva en función y con fines de garantía» (FD 5º y FD 1º).

91. En la doctrina, *vid.* CORDERO LOBATO, *El Código Técnico de la Edificación como Norma Jurídica...*, *op. cit.*, pp. 80-81, afirma que «el promotor es responsable objetivamente cualquiera que fuera la causa del defecto (art. 17.3 LOE), al igual que lo seria cualquier vendedor (*cfr.* art. 1484 CC)»; CARRASCO PERERA, *La insistente recurrencia de un falso problema: ¿está derogado el artículo 1591 Código civil?, op. cit.*, p. 5; CORDERO LOBATO, *Capítulo 13. El promotor, op. cit.*, pp. 392-393; y Mariano YZQUIERDO TOLSADA, *Sistema de responsabilidad civil, contractual y extracontractual*, Ed. Dykinson, Madrid, 2001, pp. 238-242.

R. MILÀ RAFEL: Promoción inmobiliaria, autopromoción y cooperativas...

Supremo en un reiteradísimo párrafo: «La doctrina de esta Sala fue desde un principio unánime y pacífica, equiparando la figura del promotor con la del contratista, a efectos de incluirlo en la responsabilidad decenal establecida en el artículo 1591 CC; y las razones que motivaron este criterio fueron las siguientes: a) que la obra se realiza en su beneficio; b) que se encamina al tráfico de la venta a terceros; c) que los terceros adquirentes han confiado en su prestigio comercial; d) que fue el promotor quien eligió y contrató al contratista y a los técnicos; y e) que adoptar criterio contrario supondría limitar o desamparar a los futuros compradores de pisos, frente a la mayor o menor solvencia del resto de los intervinientes en la construcción» (FD 2º)[92].

El Tribunal Supremo utilizó tanto argumentos propios de la responsabilidad extracontractual como de la responsabilidad contractual para fundar la responsabilidad del promotor por ruina derivada de actos u omisiones del resto de agentes de la edificación[93].

Por un lado, los argumentos propios de la responsabilidad extracontractual son los siguientes:

a) El promotor responde porque incurrió en negligencia en la elección y el control de los profesionales que intervienen en el proceso de la edificación –culpa *in eligendo* y culpa *in vigilando*– a los cuales es atribuible la ruina (artículo 1903.IV CC).

b) El promotor responde porque se beneficia económicamente de la comercialización de la obra y, en consecuencia, debe asumir los perjuicios derivados de dicha actividad.

c) El promotor responde «por el riesgo que toda empresa comporta».

Por otro lado, las reglas propias de la responsabilidad contractual que el Tribunal Supremo aplicó a la responsabilidad del promotor son las siguientes:

a) El promotor responde como deudor por los hechos de sus auxiliares para el cumplimiento de su prestación.

b) El promotor como vendedor responde por incumplimiento de la obligación de garantía que asume frente a los adquirentes de viviendas.

2.1. Culpa «in eligendo» e «in vigilando» del promotor (artículo 1903.IV CC)

En la responsabilidad extracontractual, la solidaridad en función de

---

92. En el mismo sentido, sin ánimo exhaustivo, *vid.* las SSTS, 1ª, 4.12.2008 (RJ 2008, 6950); 13.13.2007 (RJ 2008, 329); 24.5.2007 (RJ 2007, 4008); 6.5.2004 (RJ 2004, 2098); 28.1.1994 (RJ 1994, 575); y 1.10.1991 (RJ 1991, 7255).
93. En este sentido, *vid.* BERCOVITZ RODRÍGUEZ-CANO, *Comentario a la STS de 29 de junio de 1987, op. cit.*, p. 4719.

garantía suele imponerse a aquellos agentes que ostentan funciones de control, de dirección o de supervisión y que, en consecuencia, deberían haber evitado el daño. De este modo, el derecho crea incentivos suficientes para que el agente potencialmente responsable lleve a cabo todos los actos que están en sus manos para evitar el daño[94].

Por ello, uno de los argumentos en base a los cuales el Tribunal Supremo fundó la responsabilidad del promotor derivada del artículo 1591.I CC es, por un lado, la contratación negligente del constructor, de los técnicos, u otros agentes intervinientes, que causaron con su actividad los vicios o defectos constructivos –culpa *in eligendo*–. Y, por otro, el abandono por parte del promotor de las funciones de control sobre las actividades de construcción desarrollados por el constructor o técnicos por él contratados –culpa *in vigilando*–[95].

Con todo, la mejor doctrina ha evidenciado la falta de fundamento de esta argumentación, pues la imputación de responsabilidad del promotor con base en criterios subjetivos, por culpa propia, a pesar de que sea presunta, encuentra escollos importantes[96].

En primer lugar porque, tal y como afirma Rodrigo BERCOVITZ RODRÍGUEZ-CANO[97], resulta chocante fundar la culpa *in eligendo* del promotor en la contratación del resto de agentes de la edificación, cuando aquél contrata a técnicos profesionales que ostentan la titulación exigible o a constructoras cuya situación jurídica es plenamente regular.

En segundo lugar, también resulta problemático basar la responsabilidad del promotor en su culpa *in vigilando* si aquél no se reservó funciones de supervisión o control de los agentes de la edificación intervinientes. Generalmente, el agente de la edificación a cuya actuación es imputable el daño no tiene una relación de dependencia o subordinación respecto del promotor, pues se trata de contratistas independientes, no subordinados a sus órdenes.

En este sentido se ha pronunciado el Tribunal Supremo, el cual sólo

---

94. En este sentido, *vid.* GÓMEZ LIGÜERRE, *Solidaridad y derecho de daños...*, op. cit., p. 253.

95. Fundamentan la responsabilidad del promotor en la culpa *in eligendo* o *in vigilando* las SSTS, 1ª, 26.6.2008 (RJ 2008, 4272); 14.5.2008 (RJ 2008, 3067); 13.5.2002 (RJ 2002, 5705); 30.12.1998 (RJ 1998, 10145); 20.11.1998 (RJ 1998, 8413); 1.10.1998 (RJ 1998, 8732); 8.1.1990 (RJ 1990, 7585); y 29.6.1987 (RJ 1987, 4828).

96. *Vid.* MORALES MORENO, *El dolo como criterio de imputación de responsabilidad al vendedor por defectos de la cosa, op. cit.,* p. 684.

97. BERCOVITZ RODRÍGUEZ-CANO, *Comentario a la STS de 29 de junio de 1987, op. cit.,* p. 4719.

aprecia relación de subordinación o dependencia entre la empresa promotora y el agente de la edificación cuando este último

«... está sujeto al control de la propiedad o promotora de la obra o se encuentra incardinado en su organización correspondiéndole el control, vigilancia y dirección de las labores encargadas» [STS, 1ª, 11.6.2008 (RJ 2008, 3563)][98].

En efecto, no puede afirmarse que en todo caso el resto de agentes de la edificación se encuentran en una situación de dependencia respecto del promotor. Por medio del contrato de obra o de servicios, el dueño de la obra encarga a profesionales independientes una determinada obra o servicio y en este sentido manifiesta su voluntad contractual. La vigilancia del dueño de la obra sobre los agentes que contrata tiene como finalidad comprobar la conformidad de lo ejecutado con lo pactado, lo cual debe diferenciarse de la idea de vigilancia, control, o dirección de la ejecución técnica de las labores encargadas[99].

2.2. Beneficio económico del promotor

Bajo la vigencia del artículo 1591.I del Código Civil, otro de los criterios de imputación que el Tribunal Supremo esgrimió para justificar la responsabilidad solidaria del promotor es aquel de acuerdo con el cual el promotor se beneficia económicamente de la comercialización de la obra y, en consecuencia, debe asumir los perjuicios derivados de dicha actividad[100].

Este criterio de imputación se basa en la teoría utilitaria, definida por Fernando REGLERO CAMPOS como aquella de acuerdo con la cual

«... aquel que emprende una actividad generadora de riesgos para terceros con el exclusivo propósito de obtener un beneficio, ha de soportar los daños que de tal actividad se deriven, aunque hayan sobrevenido sin su culpa»[101].

---

98. En particular, el TS se ha pronunciado en este sentido en la jurisprudencia que analiza la responsabilidad extracontractual del promotor por daños causados en fincas colindantes *ex* artículo 1903.IV CC. *Vid.* además, entre las más recientes, las SSTS, 1ª, 11.6.2008 (RJ 2008, 3563); 20.11.2007 (RJ 2008, 19); y 12.3.2001 (RJ 2001, 3976). Sobre ello en la doctrina, *vid.* DE ÁNGEL YÁGÜEZ, *Tratado de responsabilidad civil, op. cit.*, pp. 371-390.
99. MALINVAUD y JESTAZ, *Droit de la promotion immobilière, op. cit.*, p. 61.
100. Aplican este criterio entre otras las SSTS, 1ª, 16.12.2005 (RJ 2006, 1222); 31.3.2005 (RJ 2005, 2743); 3.5.1996 (RJ 1996, 3775); 20.2.1989 (RJ 1989, 1212); 9.3.1988 (RJ 1988, 1609); 30.10.1986 (RJ 1986, 6021); 28.3.1985 (RJ 1985, 1220); 11.2.1985 (RJ 1985, 545); 13.6.1984 (RJ 1984, 3236); y 1.3.1984 (RJ 1984, 1194).
101. REGLERO CAMPOS, *Capítulo II. Los sistemas de responsabilidad civil, op. cit.*, p. 261.

Si bien este criterio, a diferencia del anterior, prescinde del requisito de culpa o negligencia del promotor, pues presupone que la responsabilidad del promotor es objetiva, ha sido también objeto de crítica por la doctrina. En particular, destaca la opinión de Rodrigo BERCOVITZ RODRÍGUEZ-CANO, quien considera reprochable que en una economía de mercado caracterizada por la libertad de precios los tribunales imputen responsabilidad con fundamento en la finalidad de obtener un beneficio económico[102].

De acuerdo con el mencionado autor, este criterio de imputación de responsabilidad sólo podría considerarse adecuado en el caso en que el promotor tomara decisiones, con la finalidad de obtener un mayor beneficio económico, que a la postre originaran vicios o defectos constructivos, como el uso de materiales de mala calidad[103] o la ejecución de la obra incumpliendo las normas constructivas. Con todo, en tales casos, podría imputarse la responsabilidad al promotor por hechos propios, pues concurriría con su propia actuación negligente a la causación del daño.

Además, tal y como señala Fernando REGLERO CAMPOS, la imputación de responsabilidad por riesgo exclusivamente a actividades lucrativas fue rechazada por la doctrina porque dejaba fuera del círculo de responsables a los titulares de otras actividades generadoras de riesgos sin ánimo de lucro[104]. En particular, la aplicación del criterio analizado a la responsabilidad del promotor excluía de la responsabilidad solidaria *ex* artículo 1591.I CC a las promociones llevadas a cabo en régimen de cooperativas de viviendas.

Tras la entrada en vigor de la LOE, no cabe fundamentar la responsabilidad solidaria del promotor en el ánimo de lucro, pues la propia LOE ha estimado irrelevante este criterio en el artículo 9 LOE.

La responsabilidad objetiva y solidaria que el artículo 17.3, *in fine*, LOE impone al promotor puede fundarse en una versión evolucionada de

---

102. BERCOVITZ RODRÍGUEZ-CANO, *Comentario a la STS de 29 de junio de 1987, op. cit.*, p. 4719. En el mismo sentido, *vid.* CORDERO LOBATO, *Comentario a la sentencia de 3 de octubre de 1996, op. cit.*, p. 245; y MARTÍNEZ ESCRIBANO, *Responsabilidades y garantías de los agentes de la edificación, op. cit.*, pp. 49 y 50.

103. Por ejemplo, la SAP Madrid, Civil, Sec. 14ª, 4.6.2009 (JUR 2009, 20630) afirma que «... no cabe sostener que es doctrina jurisprudencial incuestionable la de que el promotor-vendedor no debe responder de los defectos de cimentación, pues en diversas Sentencias, teniendo en cuenta las circunstancias del caso, se ha declarado la responsabilidad por tales vicios del promotor (...), y ello *tanto más si se tiene en cuenta que precisamente la reducción de obra a quien benefició (en el caso) fue al promotor, al resultar más económica la cimentación realizada respecto de la que había que efectuar*» (FD 4º) (énfasis añadido).

104. REGLERO CAMPOS, *Capítulo II. Los sistemas de responsabilidad civil, op. cit.*, pp. 263-264.

la teoría del riesgo, que no tiene en cuenta la finalidad lucrativa de la actividad, sino la realización de una actividad económica generadora de riesgos[105]. De acuerdo con la teoría del riesgo, la sociedad permite que las empresas lleven a cabo actividades económicas generadoras de un riesgo potencial de causación de daños por los beneficios que reportan a aquélla. En contrapartida, las empresas deben asumir los daños que deriven de su actividad empresarial, si bien pueden distribuir dicho riesgo entre todos los consumidores y usuarios repercutiéndolo en el precio de sus bienes o servicios.

En particular, el promotor profesional que lleva a cabo una actividad empresarial potencialmente generadora de daños debe asumir los riesgos derivados de la misma[106]. Como profesional logra distribuir entre los múltiples adquirentes de viviendas con los que contrata los daños soportados repercutiendo en el precio final de la vivienda, tanto el coste de adquisición de la prima del seguro decenal, como el derivado de las indemnizaciones derivadas de su responsabilidad por vicios constructivos[107].

2.3. Responsabilidad por la actividad de auxiliares y colaboradores en el cumplimiento de las obligaciones

Uno de los argumentos propios de la responsabilidad contractual con base al cual el Tribunal Supremo fundamentó la responsabilidad solidaria del promotor es el de la responsabilidad del deudor por la actividad de los auxiliares que utiliza en el cumplimiento de las obligaciones asumidas contractualmente. De acuerdo con este criterio, el principal –en este caso, el promotor– no puede quedar exonerado de responsabilidad alegando que ha utilizado un profesional independiente para el cumplimento de su prestación cuando aquellos han actuado como auxiliares o colaboradores[108].

Aplica este razonamiento la STS, 1ª, 12.3.1999 (RJ 1999, 2375), de

---

105. *Ibidem.*
106. En este sentido, *vid.* la STS, 1ª, 9.3.1988 (RJ 1988, 1609) señala que deben de asumir la responsabilidad por ruina «... incluso aquéllos, que como al promotor, le es achacable esa culpabilidad proveniente de su exclusiva negligencia al soportar esos vicios, quizás producidos por otros elementos subjetivos en forma inmediata y directa con la obra consecuente a su condición profesional y vínculo contractual, pero que alcanza al promotor, *por el riesgo que toda empresa comporta* y su cuota de responsabilidad como consecuencia de su carácter de vendedor con relación a los compradores de los pisos, le es exigible también conforme al art. 1484 del Código Civil» (FD 7°).
107. Sobre la responsabilidad por riesgo *vid.* REGLERO CAMPOS, *Capítulo II. Los sistemas de responsabilidad civil, op. cit.*, pp. 266-267.
108. *Vid.* MARÍN GARCÍA DE LEONARDO, *La figura del promotor en la Ley de Ordenación de la Edificación, op. cit.*, p. 144, quien califica la responsabilidad del promotor de «responsabilidad vicaria o responsabilidad indirecta o refleja».

acuerdo con la cual «[e]l Promotor, en definitiva, viene a hacer suyos los trabajos ajenos, realizados por personas a las que ha elegido y confiado, y los enajena a los adquirentes de los pisos. Su obligación de entrega, caso de que tengan vicios incursos en el art. 1591, la ha cumplido de modo irregular, defectuoso, y no puede quedar liberado alegando responsabilidad de terceros ligados con él mediante los oportunos contratos» (FD 2º)[109].

A pesar de que el Código civil no contiene una norma general que regule la responsabilidad contractual del deudor por hechos de sus dependientes o auxiliares[110], la doctrina la admite y el artículo 1189 de la Propuesta de modernización del Código Civil en materia de obligaciones y contratos de 2009 recoge esta línea doctrinal al señalar que

> «Si el deudor se sirviere del auxilio o colaboración de un tercero para el cumplimiento, los actos y omisiones de éste se imputarán al deudor como si los hubiera realizado él mismo»[111].

A diferencia del artículo 1903.IV del Código Civil, la responsabilidad contractual del deudor por hechos de sus auxiliares no precisa culpa o dolo del deudor[112], por lo que la ausencia de culpa *in eligendo* o *in vigilando* del promotor no es obstáculo para hacerle responder por hechos de

---

109. En particular, la STS, 1ª, 4.12.2008 (RJ 2008, 6950) señala que «el Promotor ni diseña ni ejecuta o vigila la obra, al ser funciones propias de los demás agentes que intervienen en el proceso constructivo, si bien lo idea, lo controla, administra y dirige a fin de incorporar al mercado la obra hecha, por lo que de admitirse la tesis de la recurrente en ningún caso resultaría condenada solidariamente en un proceso por vicios constructivos (...). La responsabilidad de los promotores no es por tanto por culpa extracontractual, sino que opera dentro del ámbito jurídico del art. 1591 del Código Civil, en relación al 1596, como responsabilidad profesional, por tratarse de supuesto de ruina» (FD 1º). En idénticos términos, *vid.* la STS, 1ª, Sec. 1ª, 18.9.2012 (RJ 2012, 9014) (FD 1º).

110. El Código civil contiene preceptos aplicables a contratos determinados como el artículo 1596 CC, que regula la responsabilidad del contratista «por el trabajo ejecutado por las personas que ocupare en la obra».

111. Sobre el artículo 1189 de la Propuesta 2009, *vid.* Nieves FENOY PICÓN, «La modernización del régimen de incumplimiento del contrato: Propuestas de la Comisión General de Codificación. Parte primera: Aspectos generales. El incumplimiento», *Anuario de Derecho Civil*, vol. 63, nº 1, 2010, pp. 98-100.

112. Así, *vid.* por el artículo 1189 de la Propuesta de 2009 que no exige culpa del deudor. En la doctrina, en este sentido, *vid.* Francisco JORDANO FRAGA, *La responsabilidad del deudor por los auxiliares que utiliza en el cumplimiento*, Civitas, Madrid, 1994, p. 353; LACRUZ BERDEJO et al., *Elementos de Derecho Civil II, Derecho de Obligaciones. Parte general. Teoría General del Contrato, op. cit.*, p. 172; DÍEZ-PICAZO Y PONCE DE LEÓN, *Fundamentos del derecho civil patrimonial II, op. cit.*, pp. 730-732; CARRASCO PERERA, *Derecho de contratos, op. cit.*, p. 956; y Fernando PANTALEÓN PRIETO, «El sistema de responsabilidad contractual (Materiales para un debate)», *Anuario de Derecho Civil*, nº 44, nº 3, 1991, p. 1058.

sus auxiliares. La ausencia de exigencia de culpa propia del deudor no es incompatible, como pone de manifiesto Francisco JORDANO FRAGA, con la idea que la responsabilidad contractual indirecta cumpla una función preventiva[113]. La responsabilidad objetiva del principal crea incentivos en el deudor a cumplir correctamente sus deberes de control, administración, y dirección, pues si su auxiliar o colaborador causa un daño deberá responder.

Cabe preguntarse si el constructor, el arquitecto o el resto de agentes contratados por el promotor, son verdaderos auxiliares en el cumplimento de las obligaciones asumidas en el contrato de compraventa o de obra por el promotor. Para responder a esta pregunta hay que partir de que la ausencia de relación de dependencia entre promotor y el agente responsable no es obstáculo para su calificación como auxiliar.

En efecto, el deudor responde por hecho de tercero, incluso en los casos en los que entre ellos no hubiera una relación de dependencia. En defecto de relación de dependencia entre el promotor y el tercero, el elemento determinante para calificar al tercero de auxiliar es que éste haya intervenido, por iniciativa del promotor, en la realización de actividades que supongan el cumplimento de su obligación contractual[114]. Para ello, resulta esencial definir la prestación contractual del promotor, si bien ya adelantamos que puede variar en función del contrato[115]. En particular, se plantea la disyuntiva entre considerar al promotor como un simple vendedor o como fabricante de la edificación.

Sólo el promotor-vendedor profesional se obliga frente a los adquirentes de edificaciones no sólo a entregar o transmitir la cosa vendida, sino también a «fabricar» la edificación. En tal caso, los agentes de la edificación son considerados auxiliares en el cumplimento de la obligación del promotor. En esta línea se ha pronunciado Antonio Manuel MORALES MORENO[116], quien considera que «el vendedor del piso o local no es un

---

113. JORDANO FRAGA, *La responsabilidad del deudor por los auxiliares que utiliza en el cumplimiento*, Civitas, Madrid, 1994, p. 428, afirma que la responsabilidad contractual indirecta objetiva «incentiva, reflejamente (...), a dicho principal, a hacer cuanto personalmente esté en su mano para limitar ese riesgo que legalmente se le imputa, en modo que no resulte incompatible con el normal desenvolvimiento de su actividad».

114. Sobre ello, *vid.* LACRUZ BERDEJO et al., *Elementos de Derecho Civil II, Derecho de Obligaciones. Parte general. Teoría General del Contrato, op. cit., op. cit.*, p. 172; y CARRASCO PERERA, *Derecho de contratos, op. cit.*, pp. 956-961.

115. En este sentido, JORDANO FRAGA, *La responsabilidad del deudor por los auxiliares que utiliza en el cumplimiento, op. cit.*, p. 172, señala que «la determinación de quiénes son auxiliares del deudor, depende, en cada caso concreto, de, entre otras cosas, la propia extensión de lo debido por éste».

116. *Vid.* MORALES MORENO, *El dolo como criterio de imputación de responsabilidad al vendedor por defectos de la cosa, op. cit.*, p. 682.

vendedor cualquiera, sino un vendedor que, precisamente, lo ha fabricado»; y Antonio CABANILLAS SÁNCHEZ[117], quien afirma que «el promotor es quien crea el producto, es decir, el productor de pisos y locales, debiendo entenderse desde esta perspectiva su misión de garante».

El hecho que los agentes de la edificación –constructor, técnicos y otros– intervengan en la ejecución de la prestación del promotor antes de que el promotor celebre el contrato de compraventa con los terceros adquirentes y, en consecuencia, antes del nacimiento de su obligación de entregar la vivienda, no excluye al resto de agentes de la edificación de la condición de auxiliares del promotor[118].

2.4. Obligación de garantía incondicional del promotor como vendedor (o arrendador) profesional

Para algunos autores, el fundamento de la responsabilidad solidaria y objetiva del promotor del artículo 17.3, *in fine*, LOE, no se encuentra en el hecho que los agentes de la edificación actúen como auxiliares o colaboradores en el cumplimento de su prestación, sino en que el promotor asume como vendedor (o arrendador) profesional una obligación de garantía frente a los terceros adquirentes[119]. Coincido con esta tesis teniendo en cuenta algunas consideraciones, que se desarrollan con más detalle en los apartados que siguen.

En primer lugar, cualquier vendedor de inmuebles, tanto el vendedor-promotor profesional como el que autopromotor que vende la vivienda promovida en un inicio para uso propio, tiene la obligación de entregar una cosa conforme. Con todo, sí que existen diferencias en las expectativas del comprador si el bien transmitido es una vivienda nueva o una vivienda

---

117. CABANILLAS SÁNCHEZ, *La configuración jurisprudencial del promotor como garante, op. cit.*, p. 233.

118. En este sentido, respecto de cualquier deudor *vid.* JORDANO FRAGA, *La responsabilidad del deudor por los auxiliares que utiliza en el cumplimiento, op. cit.*, p. 181. Con todo, CARRASCO PERERA, *Derecho de contratos, op. cit.*, p. 955, considera que el promotor-vendedor «... no es el deudor de una obligación en la que haya empleado como auxiliar en el cumplimiento al arquitecto o aparejador cuando éstos son independientes y contrató con ellos antes de vender los pisos al acreedor-comprador. Si responde por ellos, como lo hace, es por la razón de que su obligación de garantía es incondicional en cuanto vendedor».

119. CARRASCO PERERA, *Derecho de contratos, op. cit.*, p. 955, defiende que «[t]ampoco es estrictamente un tipo de responsabilidad del deudor por hecho de un tercero la que debe soportar quien frente a su acreedor está vinculado por una garantía incondicional, como es el vendedor o el arrendador por vicios o defectos de la cosa entregada». Del mismo autor, *vid. La jurisprudencia post-loe ¿ha cambiado algo en el régimen de la responsabilidad por ruina?, op. cit.*, p. 10.

usada o de segunda mano, las cuales son relevantes para determinar la conformidad del bien entregado con el contrato.

Ahora bien, si bien cualquier vendedor está obligado en virtud del contrato de compraventa a entregar un bien conforme, sólo el vendedor que, además, es promotor, asume en virtud del 17.3 de la LOE una garantía adicional a la derivada del contrato de compraventa. Porque su responsabilidad derivada de la LOE es imperativa y porque ésta no está sometida al principio de relatividad de los contratos. Esta garantía adicional sólo está justificada cuando quien transmite la vivienda es un profesional.

2.4.1. *Obligación del vendedor de entregar un bien conforme: relevancia de las expectativas del comprador*

El promotor que vende un inmueble –y, en general, cualquier vendedor– incumple el contrato de compraventa cuando «no realiza exactamente la prestación principal o cualquier otro de los deberes que de la relación obligatoria resulten» (artículo 1188.I de la Propuesta de 2009). La «no realización exacta de la prestación» equivale a la falta de conformidad[120]. En el ordenamiento jurídico español, el concepto de falta de conformidad sólo se emplea en el derecho positivo vigente en relación con la compraventa de bienes muebles.

> La entrega de una cosa con defectos es un supuesto de falta de conformidad de acuerdo con el artículo 35 del Convenio de Viena cuando la cosa entregada es una mercadería[121], y de acuerdo con el artículo 116.1.b) TRLGCU cuando la cosa entregada es un producto de consumo[122].

En el caso de los bienes inmuebles, a los cuales es aplicable el régimen de compraventa de cosa específica del Código civil, la entrega de un inmueble con vicios es una entrega de cosa diversa (*aliud pro alio*), según la jurisprudencia del Tribunal Supremo sobre incumplimiento contractual (artículos 1101 y ss. y 1124 CC); o un caso de vicios ocultos, de acuerdo

---

120. *Vid.* en este sentido, Antoni VAQUER ALOY, «El principio de conformidad: ¿supraconcepto en el Derecho de obligaciones?», *Anuario de Derecho Civil*, vol. 64, n° 1, 2011, p. 9, quien afirma que «si nos mantenemos en la literalidad del art. 1188 de la propuesta, y pese a que el precepto no lo menciona expresamente, la "no realización exacta de la prestación" nos conduce a un concepto clave en el nuevo derecho de obligaciones: la falta de conformidad».
121. Convención de las Naciones Unidas sobre los contratos de compraventa internacional de mercaderías, hecho en Viena 17.7.1990. Instrumento de adhesión 17.7.1990 (BOE n° 26, 30.1.1991).
122. Fruto de la transposición de la Directiva 1999/44/CE del Parlamento Europeo y el Consejo, de 25 de mayo de 1999, sobre determinados aspectos de la venta y las garantías de los bienes de consumo (DOL n° 171, de 7.7.1999).

con el régimen de saneamiento por vicios ocultos del Código civil (artículos 1484 a 1490 CC)[123].

Con todo, la doctrina emplea el concepto de falta de conformidad para englobar «cualquier desviación de los bienes respecto de las expectativas del comprador en el contrato de compraventa»[124], con independencia que el bien transmitido sea un bien mueble o inmueble.

La Propuesta de Anteproyecto de Ley de Modificación del Código civil en materia de contrato de compraventa de 2005[125] (Propuesta sobre compraventa 2005) aplica este concepto a los bienes inmuebles al prever la obligación del vendedor de cualquier tipo de bienes de entregar la cosa conforme con el contrato[126]. En particular, el artículo 1474 Propuesta sobre compraventa 2005 establece que «la cosa entregada deberá ser conforme con el contrato en cantidad, calidad y tipo y deberá estar embalada o envasada en la forma que resulte del contrato». Y el artículo 1475 de la Propuesta sobre compraventa 2005 señala que hay falta de conformidad: «1º. Si la cosa no se ajusta a la descripción del vendedor; 2º. Si no posee las cualidades de la muestra o del modelo presentados por el vendedor al comprador; 3º. Si no es apta para el uso especial requerido por el comprador al celebrarse el contrato siempre que el vendedor haya admitido que la cosa es apta para dicho uso; 4º. Si no es apta para los usos a que ordinariamente se destinan bienes del mismo tipo o no presenta la calidad y proporciona las prestaciones habituales que, conforme a la naturaleza del bien el comprador puede fundamentalmente esperar».

De acuerdo con el derecho vigente, para poder atribuir al vendedor de la vivienda defectuosa las consecuencias jurídicas del incumplimiento del contrato por entrega de una cosa no conforme, es preciso, además de la constatación de la situación de incumplimiento material, la imputación de dicho incumplimiento al vendedor[127]. En las prestaciones específicas

---

123. Sobre la compatibilidad entre los remedios por vicios ocultos (artículos 1484 a 1490 CC) y por incumplimiento contractual (artículos 1101 y ss. y 1124 CC) en caso de entrega de una vivienda con vicios constructivos *vid.* lo señalado en el Capítulo Primero, apartado II, epígrafe 2.6.3.

124. Esta definición es de VAQUER ALOY, *El principio de conformidad: ¿supraconcepto en el Derecho de obligaciones?, op. cit.,* p. 14.

125. Elaborada por la sección de derecho civil de la Comisión General de Codificación (Boletín Oficial del Ministerio de Justicia, de mayo de 2005, nº 1988).

126. En este sentido, *vid.* DÍEZ-PICAZO Y PONCE DE LEÓN, *Fundamentos del derecho civil patrimonial,* vol. IV, *op. cit.,* p. 146.

127. En este sentido, *vid.* GÓMEZ POMAR, *El incumplimiento contractual en Derecho español, op. cit.,* pp. 9-11. A diferencia del incumplimiento contractual regulado en la Propuesta 2009, el cual, tal y como pone de relieve FENOY PICÓN, *La modernización del régimen de incumplimiento del contrato: Propuestas de la Comisión General de Codificación. Parte primera: Aspectos generales. El incumplimiento, op. cit.,* p. 70, «... es un concepto neutro desde el punto de vista de la imputación subjetiva al deudor. Basta con constatar que ha habido una divergencia entre lo materialmente ejecutado y lo diseñado y exigible según el

de dar y de hacer el incumplimiento contractual es imputable al vendedor con independencia de que aquel no hubiera incurrido en culpa, excepto si concurren en el caso las justas causas de exoneración. El Prof. Ángel CARRASCO PERERA defiende que esta regla no es aplicable si quien debe la obligación de dar y de hacer actúa ajeno al ejercicio de una actividad profesional o empresarial[128]. Sin embargo, los tribunales españoles no aplican, al menos de manera explícita, esta distinción al decidir sobre la responsabilidad contractual del vendedor (arrendador) de viviendas.

Para determinar la conformidad del inmueble entregado por el vendedor, ya fuere un promotor profesional o un autopromotor, es preciso tener en consideración: por un lado, la prestación real –el inmueble efectivamente entregado– y por el otro lado, la prestación prometida –como las partes concibieron el inmueble en el contrato de compraventa, lo cual se integrará en las compraventas de consumo con el contenido de la oferta, promoción o publicidad (artículo 61.2 TRLCU)–[129]. Si el inmueble entregado es diferente al pactado hay falta de conformidad[130].

De entre los criterios relevantes para determinar la falta de conformidad, destaca para el caso de la compraventa de inmuebles nuevos o de segunda mano o usados el criterio de «la calidad y (...) las prestaciones habituales que, conforme a la naturaleza del bien el comprador puede fundamentalmente esperar» (artículo 1475.4º de la Propuesta 2005)[131]. Las expectativas del comprador en uno y otro caso son diferentes. El comprador de una vivienda nueva tiene, por lo general, la expectativa de que ésta no presente vicio o defecto alguno. En cambio, el comprador de una vivienda usada o de segunda mano puede fundamentalmente esperar que

---

contrato, para que pueda decirse que el deudor ha incumplido». *Vid.* también la Exposición de Motivos de la Propuesta 2009 de acuerdo con la cual «... el deudor no se exonera por no haber sido culpable, sino que sólo se exonera cuando concurren las justas causas de exoneración».

128. CARRASCO PERERA, *Derecho de contratos, op. cit.*, p. 941, señala que «[s]uponiendo que el deudor de esta prestación específica de dar y de hacer es siempre un profesional y no un consumidor, no existe finalmente espacio para la culpa del deudor respecto de la producción del defecto o falta de conformidad (...)».

129. Sobre los efectos de la publicidad en la determinación del contenido obligacional de la compraventa de consumo, *vid.* GÓMEZ POMAR, *El incumplimiento contractual en Derecho español*, op. cit, p. 7. En especial, en la compraventa de vivienda *vid.*, entre otras, la STS, 1ª, Sec. 1ª, 28.2.2013 (RJ 2013, 2164).

130. VAQUER ALOY, *El principio de conformidad: ¿supraconcepto en el Derecho de obligaciones?, op. cit.*, p. 9; y DÍEZ-PICAZO Y PONCE DE LEÓN, *Fundamentos del derecho civil patrimonial*, vol. IV, *op. cit.*, p. 145.

131. *Cfr.* con el art. 116.1.d) TRLGCU, aplicable a las compraventas de consumo de bienes muebles. Sobre la relevancia de este criterio para concretar la conformidad en las venta de bienes de segunda mano, *vid.* VAQUER ALOY, *El principio de conformidad: ¿supraconcepto en el Derecho de obligaciones?, op. cit.*, p. 14.

ésta presente desperfectos o deterioros derivados del normal uso de la misma, teniendo en consideración su antigüedad.

En el caso del vendedor autopromotor, es posible que la edificación transmitida sea una vivienda nueva, puesto que determinadas circunstancias personales o económicas pueden determinar que el autopromotor inicial decida vender la vivienda a terceros antes de habitar en ella. En estos supuestos, el régimen de responsabilidad por incumplimiento contractual no presenta especialidades respecto del régimen al que está sometido el promotor profesional[132].

Sin embargo, por regla general, en la práctica el contrato de compraventa por el que el autopromotor no profesional transmite la edificación a terceros es una compraventa de vivienda usada o de segunda mano entre particulares, puesto que tras promover la vivienda para uso propio, habita en ella y, con posterioridad, la transmite. En este caso, la jurisprudencia tiene en cuenta al determinar el alcance de la responsabilidad del vendedor las calidades y prestaciones habituales que el comprador puede esperar conforme a la naturaleza del bien.

En efecto, el adquirente de una edificación de segunda mano no puede

---

132. Si bien no se trata de supuesto de autopromoción de vivienda, puede verse, la SAP Barcelona, Civil, Sec. 1ª, 28.7.2009 (JUR 2009, 416788) la cual resuelve un caso en el que la vendedora demandada por incumplimiento contractual alegó la ausencia de profesionalidad, que el tribunal niega. Los hechos del caso son los siguientes. El 30.11.2000, Regina adquirió una vivienda unifamiliar en Castelldefels (Barcelona) por un precio de 661.113,31 €. Con el objeto de ampliar y reformar la vivienda, Regina encargó la realización y ejecución del proyecto de reforma integral y ampliación, cuyo coste total ascendió a 302.812,12 €, y cuya ejecución finalizó el 26.6.2002. Dos meses más tarde, Regina puso la casa en venta, y cuatro meses después vendió la vivienda a Gabriela, obteniendo un beneficio económico con la operación de 121.607,08 €. En 2003, aparecieron defectos constructivos en la vivienda, consistentes en humedades, grietas en paredes y fisuras. La compradora demandó a Regina por incumplimiento contractual con base en los artículos 1101, 1106 y 1224 CC, y solicitó el abono del coste de la reparación de los desperfectos existentes en la vivienda así como una indemnización por los daños y perjuicios derivados del incumplimiento. El JPI nº 6 de Barcelona (19.7.2007) estimó en parte la demanda y condenó a Regina a pagar 82.638 € a la compradora. La AP estima en parte el recurso de apelación interpuesto por la demandante en el sentido de incrementar la condena a 92.547,54 €. «Con tales premisas se ha de concluir que la vendedora, que obtuvo un gran beneficio con la operación, debe responder por los defectos constructivos de que adolece la obra en cuestión en la medida en que el objeto de la compraventa era una vivienda totalmente reformada (no una vivienda usada), de modo que, conforme el artículo 1258 CC, se ha de entender como obligación de la vendedora la entrega de una vivienda en perfectas condiciones, sin que pueda pretenderse que la compradora deba asumir que la vivienda puede presentar deficiencias propias de la reforma» (FD 4º).

esperar que aquélla tenga las mismas características y cualidades que una vivienda nueva. Como se ha señalado, al celebrar el contrato el comprador asume que el bien puede presentar deterioros o desperfectos causados por el uso previo del mismo y puede fundamentalmente esperar que el bien no tenga la misma calidad y características que un bien nuevo. Por este motivo, en muchas ocasiones, el precio ofrecido por el comprador es inferior que el que pagaría por una vivienda nueva de las mismas características[133].

> En este sentido, en la jurisprudencia menor, la SAP Barcelona, Civil, Sec. 1ª, 14.11.2002 (JUR 2003, 57328) señala que en la compraventa de vivienda necesitada de alguna reparación: «Hemos de introducir el factor corrector de la "previsibilidad objetiva" con el fin de no llegar a situaciones verdaderamente injustas o inicuas: se precisa que la cosa vendida presente un defecto, o una carga no aparente por razón de tales defectos, *que no era de esperar en el estado normal de la misma*, y cuya subsanación no suponga una mejora que altere el equilibrio de los elementos que fueron tenidos en cuenta a la hora de contratar» (FD 3º)(énfasis añadido).

Por ello, no hay falta de conformidad si el comprador de la vivienda de segunda mano conocía la falta de conformidad o no la podía ignorar en el momento de la celebración del contrato[134], excepto en los casos en los que el vendedor hubiera ocultado dolosamente el vicio al comprador[135].

Algunos ejemplos de faltas de conformidad se hallan en la jurisprudencia sobre saneamiento por vicios ocultos. Como se ha señalado, en el Código civil la falta de conformidad por entrega de un inmueble con vicios constructivos es un supuesto de vicios ocultos. En las acciones derivadas del saneamiento por vicios ocultos (artículos 1484 a 1499 CC) los tribunales valoran hasta qué punto el precio final acordado, habitualmente inferior

---

133. En este sentido, pero respecto de la compraventa de bienes muebles de consumo de segunda mano, *vid.* Manuel Jesús MARÍN LÓPEZ, «Comentario a los artículos 114 a 127 del TRLGDCU», en BERCOVITZ RODRÍGUEZ-CANO (Coord.), *Comentario del Texto Refundido de la Ley General para la Defensa de los Consumidores y Usuarios y otras leyes complementarias, op. cit.*, p. 1415.
134. *Conf.* con los artículos 116.3 TRLCU, 35.3 del Convenio de Viena y 1478 de la Propuesta de compraventa 2005.
135. *Vid.*, por ejemplo, la STS, 1ª, Sec. 1ª, 2.3.2007 (RJ 2007, 2525) que declara la nulidad de la compraventa de una vivienda usada entre particulares por vicio del consentimiento. Los vendedores ocultaron dolosamente a los compradores que la vivienda transmitida padecía aluminosis (FD 3º); y la SAP Barcelona, Civil, Sec. 16ª, 29.1.2002 (JUR 2002, 111714) que declara la resolución de la compraventa de vivienda de segunda mano al considerar que la presencia de cemento aluminoso en el edificio constituye un vicio oculto, del cual la vendedora tenía conocimiento en el momento de la venta (FD 2º).

al de una edificación nueva, ya descontaba la existencia, real, cierta y efectiva, de los defectos por los cuales el comprador solicita la resolución del contrato (acción redhibitoria) o la reducción del precio (acción estimatoria o *quanti minoris*).

Un primer grupo de sentencias afirma que el comprador ha de asumir que la vivienda puede presentar deficiencias propias del tiempo transcurrido desde su construcción si ello se tuvo en cuenta en el precio de venta.

Así, por ejemplo, la SAP Barcelona, Civil, Sec. 1ª, 29.7.2008 (JUR 2008, 307384) afirma que «parece excesivo pretender incluir como vicios redhibitorios pequeñas humedades en el garaje o falta de pendiente en dos terrazas por cuanto ello *supondría tanto como exigir al vendedor de una vivienda de segunda mano las mismas obligaciones que al promotor que entrega una vivienda de nueva construcción, y parece claro que las expectativas del comprador en uno y otro caso resultan diferentes y se encuentran en relación con el precio de adquisición*» (FD 3º) (énfasis añadido)[136]. En la misma línea, la SAP Toledo, Civil, Sec. 2ª, 24.1.2007 (JUR 2007, 88738) añade que: «[l]as deficiencias de la vivienda no son graves en tanto que los vicios referidos son compatibles, unas veces, con el paso del tiempo –se trata de una vivienda de segunda mano– y no la hacen impropia para el uso a que está destinada, y otras veces los defectos aludidos eran fácilmente constatables» (FD 3º)[137].

---

136. La SAP Barcelona, Civil, Sec. 1ª, 29.7.2008 (JUR 2008, 307384) resuelve el siguiente caso. Mariana y Darío compraron una vivienda unifamiliar de 10 años de antigüedad situada en Tiana (Barcelona). Con posterioridad a la entrega de la vivienda, aparecieron filtraciones de agua de lluvia en el sótano y en el garaje, así como estancamiento de aguas en las terrazas y la planta piso. Mariana y Darío demandaron a los vendedores y en ejercicio de la acción estimatoria (art. 1486 CC) solicitaron la reducción del precio en 11.704,7 €. El JPI nº 5 de Mataró (10.10.2006) desestimó la demanda. La AP confirma. En sentido parecido, *vid.* también, la SAP Barcelona, Civil, Sec. 1ª, 29.1.2007 (JUR 2007, 177163). Jorge y Remedios vendieron a otros particulares una vivienda unifamiliar de 35 años de antigüedad que presentaba deficiencias. Los compradores demandaron a Jorge y Remedios con base en los artículos 1484 y ss. CC y solicitaron el pago de las reparaciones. El JPI desestimó. La AP desestimó el recurso de apelación de los demandantes pues «el comprador ha de asumir que la vivienda puede presentar deficiencias propias del tiempo transcurrido desde su construcción (...)» y «tomó en consideración las posibles deficiencias de la vivienda propias de su antigüedad a la hora de adquirir la misma por el precio pactado» (FD 3º).

137. Los hechos que dieron lugar a la SAP Toledo, Civil, Sec. 2ª, 24.1.2007 (JUR 2007, 88738) son los siguientes. Dos particulares vendieron a Cecilia y Patricia una vivienda de segunda mano en la que aparecieron deficiencias. Los vendedores demandaron a los compradores en ejercicio de la acción estimatoria (artículo 1484 CC). El JPI condenó a los demandados a pagar 2.238 €. La AP estima el recurso de los demandados. *Vid.* también la SAP Barcelona, Civil, Sec. 13ª, 25.10.2006 (JUR 2007, 110749), que se pronuncia sobre una compraventa entre particulares de una vivienda individual, ubicada en una urbanización que carecía hasta entonces de red de saneamiento, disponiendo de fosas sépticas como sis-

En otros casos, los tribunales han considerado que los defectos en la vivienda transmitida reunían los requisitos de los vicios ocultos del artículo 1484 del Código civil y que, por lo tanto, estiman la pretensión del comprador de rebajar del precio o de resolver el contrato.

Así, la SAP Cádiz, Civil, Sec. 2ª, 22.7.2008 (JUR 2009, 9640) declara la obligación del vendedor a rebajar el precio de una vivienda de segunda mano con vicios ocultos en la fachada, que ignoraba en el momento de la venta; la SAP Sevilla, Civil, Sec. 6ª, 14.1.2008 (JUR 2008, 379045) estima la acción estimatoria porque las partes no manifestaron en el contrato que había una rebaja del precio por concurrencia de vicios constructivos, por lo que no se puede entender que se conocían (FD 2º); la SAP Alicante, Civil, Sec. 8ª, 18.10.2005 (JUR 2005, 273304) estima la acción *quanti minoris* por defectos en la cañería interior de la vivienda de segunda mano de más de 40 años; y la SAP Valencia, Civil, Sec. 8ª, 20.9.1999 (AC 1999, 7912) condena a la vendedora a rebajar el precio de una vivienda de segunda mano con fugas de agua de las conducciones del chalé «al tratarse de deterioros que dificultan la utilidad del inmueble destinado a vivienda», no conocidas por el vendedor antes de la venta (FD 2º).

Por último, como se ha señalado, la entrega de una vivienda usada o de segunda mano no conforme supone también, según la jurisprudencia del Tribunal Supremo un *aliud pro alio*, que permite la aplicación de las acciones generales por incumplimiento contractual de los artículos 1101 y ss. y 1124 del Código Civil[138].

Destaca en la jurisprudencia menor la SAP Zaragoza, Civil, Sec. 4ª, 29.3.2005 (JUR 2005, 103101) la cual afirma en un caso de la venta de una vivienda por parte de un autopromotor individual que «se trata de una vivienda de segunda mano, por lo que, conforme a una nutrida corriente jurisprudencial, el vendedor cumple con entregar la cosa vendida en el estado

tema de evacuación de aguas residuales, y habiendo recibido en su momento la cédula de habitabilidad. A los pocos meses de la compraventa aparecieron numerosas manchas de humedad. Los compradores demandaron a los vendedores y solicitaron la resolución del contrato con base en el artículo 1486 CC. El JPI desestimó. La AP confirmó pues «ha de partirse del concreto objeto adquirido y aceptado: vivienda de segunda mano, de unos 16 años de antigüedad (se construyó en 1987) (...), por lo que se abona un precio inferior al de tasación» (FD 5º).

138. *Vid.*, por ejemplo, la SAP Guadalajara, Civil, Sec. 1ª, 14.12.2006 (JUR 2007, 102881) que señala en un supuesto de compraventa de vivienda usada que «[n]os encontraríamos *a priori* ante un incumplimiento si faltaran elementos básicos esenciales en la vivienda (...)» (FD 1º); y la SAP Navarra, Civil, Sec. 2ª, 16.9.2004 (JUR 2004, 293263) de acuerdo con la cual «la vivienda adquirida a la demandada por los actores, es inhábil para el fin destinado: servir de vivienda, habida cuenta las deficiencias y defectos constructivos estructurales que presenta, por lo que cabe alcanzar la conclusión de estar ante un *"aliud pro alio"* (...)» (FD 3º).

en que se encuentra sin más garantía que aquella que se convenga entre las partes [excepto en los casos] en que los defectos sean de tal envergadura que la hagan inservible para el uso a que se destina, en cuyo caso sería de aplicación la tesis jurisprudencial de *aliud pro alio*» (FD 2°). Sin embargo, el Tribunal no condena al autopromotor por no concurrir los requisitos de la mencionada doctrina[139].

En conclusión, el promotor, profesional o autopromotor, que transmite a terceros la edificación responde frente al comprador por cualquier falta de conformidad, teniendo en consideración, entre otros criterios, para determinar la falta de conformidad las prestaciones habituales que, conforme a la naturaleza del bien el comprador puede fundamentalmente esperar.

2.4.2. *Garantía adicional que el vendedor que además es promotor asume en virtud del artículo 17.3 LOE*

Si bien cualquier vendedor está obligado en virtud del contrato de compraventa a entregar un bien conforme, sólo el vendedor que, además, es promotor, asume en virtud del 17.3 de la LOE una garantía adicional a la derivada del contrato de compraventa. Esta garantía es calificada de adicional por dos motivos:

a. *La responsabilidad del promotor derivada del artículo 17.3 LOE es imperativa*

En primer lugar, la responsabilidad del promotor derivada del artículo 17.3, *in fine*, LOE es imperativa, a diferencia de las responsabilidad deri-

---

139. En particular, los hechos que dieron lugar a la SAP Zaragoza, Civil, Sec. 4ª, 29.3.2005 (JUR 2005, 103101) son los siguientes. Blas promovió para sí mismo una vivienda cuya construcción se inició por Cornelio el 15.11.1992, quien la abandonó inacabada, por lo que fue continuada por el propio Blas, quien la terminó el 24.2.1994, y la ocupó sin haber obtenido la cédula de habitabilidad, por lo que los técnicos de la obra emitieron certificado de fin de obra con el compromiso por parte de la propiedad de corregir las deficiencias indicadas. En 2002, Blas vendió la vivienda. Los compradores demandaron a Blas y a los técnicos, y solicitaron una indemnización con base en los artículos 1591.I y 1101 CC. El JPI n° 2 de Zaragoza (9.3.2004) absolvió a los técnicos y condenó al vendedor a pagar 13.849 € por incumplimiento contractual. La AP estima el recuso de apelación del demandado y revoca la SJPI. «En el caso, los defectos (...) se hallaban presentes en el momento en que la venta fue perfeccionada, y no impidieron la ocupación del inmueble por su anterior propietario por un período tan largo como el que va desde el año 1994 al 2002» (FD 2°). Otro ejemplo de pronunciamiento judicial relativo a la responsabilidad contractual del autopromotor individual de su vivienda es la SAP Huelva, Civil, Sec. 1ª, 3.12.2003 (JUR 2004, 64374), resumida *supra*, que condena a los autopromotores demandados por incumplimiento del contrato de compraventa por entrega de cosa distinta a la pactada (FD 3°).

vada de incumplimiento contractual o por vicios ocultos, que puede ser objeto de limitación, siempre y cuando las partes respeten las normas imperativas y no excluyan el dolo[140].

En defecto de pronunciamiento expreso en otro sentido, la interpretación que debe darse a la LOE es que las normas de los artículos 17 y 18 LOE son de naturaleza imperativa[141], pues en relación con la responsabilidad por ruina, el Tribunal Supremo había considerado que «las responsabilidades derivadas del artículo 1591 CC no son renunciables *a priori*»[142].

Además, el carácter imperativo del régimen de responsabilidad del artículo 17 LOE se fundamenta en el artículo 51 CE, relativo a la protección por parte de los poderes públicos de los derechos de los consumidores y usuarios[143]. Y, en particular, en los principios inspiradores de la legislación protectora del consumidor, que considera nula la renuncia previa de los derechos reconocidos al consumidor (artículo 10 TRLGCU)[144], tal y como ocurre en la regulación de las compraventas de consumo, en las que la imperatividad de la responsabilidad por incumplimiento contractual está reconocida legalmente, por lo que no puede ser objeto de limitación o exoneración en el contrato (art. 86 TRLGDCU)[145]. Por otro lado, el carácter imperativo de la LOE encuentra su justificación en el artículo 47 CE, relativo al derecho de todos los españoles a una vivienda digna y adecuada[146].

---

140. Artículos 1255 y 1102 del Código civil.
141. *Vid.*, en este sentido, CABANILLAS SÁNCHEZ, *La responsabilidad civil por vicios en la construcción en la Ley de Ordenación de la Edificación, op. cit.*, pp. 427-428; PANTALEÓN PRIETO, *Responsabilidades y Garantías en la Ley de Ordenación de la Edificación, op. cit.*, p. 4; y MARTÍNEZ ESCRIBANO, *Responsabilidades y garantías de los agentes de la edificación, op. cit.*, pp. 82 y ss. A diferencia de la LOE, el artículo 1792-5 del *Code civil* francés contiene una regla expresa en este sentido.
142. *Vid.* la STS, 1ª, 12.3.1999, FD 3º (RJ 1999, 2375).
143. El artículo 1.1 LOE se refiere expresamente como objetivo de la Ley «la adecuada protección de los intereses de los usuarios».
144. De conformidad con el artículo 10 TRLGCU «[l]a renuncia previa a los derechos que esta norma reconoce a los consumidores y usuarios es nula, siendo, asimismo, nulos los actos realizados en fraude de ley de conformidad con lo previsto en el artículo 6 del Código Civil».
145. Tal y como señala CARRASCO PERERA, *Derecho de contratos, op. cit.*, p. 509, «la exclusión convencional de los remedios contractuales y de la responsabilidad derivada de incumplimiento está prohibida en la contratación con consumidores en los términos de los diversos apartados del art. 86 TRLGDCU».
146. Dicho objetivo se pretende garantizar, con el segundo objetivo de la Ley señalado en el artículo 1.1 LOE que es el de «asegurar la calidad mediante el cumplimiento de los requisitos básicos de los edificios» (1.1 LOE). En este sentido, *vid.* MARTÍNEZ ESCRIBANO, *Responsabilidades y garantías de los agentes de la edificación, op. cit.*, p. 83.

En consecuencia, por regla general, son nulas las cláusulas contractuales de limitación o exoneración de la responsabilidad del promotor derivada del artículo 17.3, *in fine*, LOE, tanto del profesional como del autopromotor, así como el resto de pactos que los agentes de la edificación celebren contraviniendo el contenido de las normas imperativas de la LOE (artículo 6.3 CC)[147].

Con todo, el carácter imperativo del régimen de responsabilidad del artículo 17 LOE es una cuestión muy discutible cuando el sujeto que transmite la vivienda no es un promotor profesional, sino un autopromotor que actúa con un propósito ajeno a su actividad comercial, empresarial, oficio o profesión. En este caso, no existe ninguna situación de desequilibrio estructural entre el vendedor –el autopromotor– y el comprador de la vivienda que justifique la imperatividad de la responsabilidad del artículo 17 LOE, excepto cuando los vicios o defectos sean imputables a una actuación dolosa del autopromotor[148].

b.   *La responsabilidad del promotor derivada del artículo 17.3, LOE no está sometida al principio de relatividad de los contratos*

En segundo lugar, la responsabilidad de la LOE constituye una garantía adicional a la que cualquier vendedor debe prestar al comprador, porque en la primera no rige el principio de relatividad de los contratos (artículo 1257 CC). En efecto, la LOE, a diferencia de las reglas sobre responsabilidad por incumplimiento contractual del Código Civil, legitima activamente para reclamar la reparación de los daños no sólo al comprador, con quien está ligado contractualmente el promotor, sino también a los futuros adquirentes de la edificación.

Sin embargo, bajo la vigencia del régimen de responsabilidad por ruina del artículo 1591.I CC el Tribunal Supremo había declarado que el promotor responde con base a dicho régimen de responsabilidad, no sólo frente al adquirente del inmueble, sino también frente a los subadquirentes del mismo, quienes reciben con la cosa todas las acciones transmisibles que garantizan su dominio y defienden los derechos inherentes a la propiedad[149].

---

147.   En la jurisprudencia menor *vid.* la SAP Toledo, Civil, Sec. 2ª, 18.1.2013 (EDJ 2013/12589) que declara nula la cláusula de exoneración de la responsabilidad derivada de la LOE, pactada en la escritura pública de compraventa a favor de los vendedores autopromotores de la vivienda.

148.   De acuerdo con CARRASCO PERERA, *Derecho de contratos, op. cit.*, p. 502, «[u]n estatuto normativo contractual se transforma de dispositivo en Derecho necesario cuando el legislador abandona su posición de partida neutral y pasa a considerar que existe una situación de desequilibrio estructural entre las partes (...)».

149.   «Es doctrina de esta Sala la de que el causahabiente, a título singular y por acto ˮinter vivosˮ, de uno de los contratantes y, por lo tanto, el comprador de una vivienda que la adquiere de quien fue comprador de ella al promotor, está legiti-

Tras la entrada en vigor de la LOE, se plantea la cuestión relativa a si la jurisprudencia citada, que excepciona el principio de relatividad de los contratos, continúa siendo de aplicación. Considero que es dudoso que esta doctrina jurisprudencial, que hace responder por incumplimiento contractual al promotor frente a los sucesivos adquirentes de la edificación, sea de aplicación respecto del autopromotor no profesional que con posterioridad transmite su vivienda. Además, incluso bajo la vigencia del régimen de responsabilidad del artículo 1591.I CC esta doctrina no se aplicaba al autopromotor, que se encontraba excluido del concepto de promotor definido por la jurisprudencia del Tribunal Supremo sobre responsabilidad por ruina.

2.4.3. Justificación de la garantía adicional en la confianza que el promotor profesional genera en el tráfico

De acuerdo con algunas sentencias del Tribunal Supremo sobre responsabilidad por ruina, así como con la opinión mantenida por una parte de la doctrina, esta garantía adicional, que el promotor asume en virtud de la LOE, se fundamenta, en la confianza que el prestigio profesional del promotor genera en los adquirentes sobre la idoneidad del inmueble transmitido. Por consiguiente, sólo está justificada cuando quien transmite la vivienda es un promotor que actúe en ejercicio de una actividad empresarial o profesional.

En efecto, bajo la vigencia del artículo 1591.I CC, el Tribunal Supremo basó la responsabilidad solidaria del promotor en la regla propia de la responsabilidad contractual relativa a la confianza generada en el tráfico[150]. Es el promotor, y no el resto de los agentes de la edificación,

---

mado activamente para ejercitar contra éste las acciones derivadas del incumplimiento del primitivo contrato» [STS, 1ª, 10.5.1995, FD 2º (RJ 1995, 4226)]. En la misma línea vid. también las SSTS, 1ª, 28.11.2003, FD 2º (RJ 2003, 8361); 30.6.1997 FD 7º (RJ 1997, 5406); 10.5.1995, FD 2º (RJ 1995, 4226); 2.11.1981, Cdo. 2º (RJ 1981, 4412); 20.2.1981, Cdo. 2º (RJ 1981, 1007); y 3.10.1979, Cdo. 2º (RJ 1979, 3236). En la jurisprudencia menor vid., entre otras, las SSAP Madrid, Civil, Sec. 1ª, 19.12.2008, FD 1º (JUR 2009, 181355); y Madrid, Civil, Sec. 14ª, 28.6.2006, FD 4º (JUR 2007, 17755).
La doctrina relativa a la transmisión de la acción contractual con la cosa ha sido también adoptada por la jurisprudencia francesa tal y como señalan MALINVAUD y JESTAZ, Droit de la promotion immobilière, op. cit., p. 187: «[D]e même que pour les garanties légales, elle décide qu'étant attachée à la chose, l'action en responsabilité fondée sur un manquement aux obligations contractuelles se transmet, accessoirement à celle-ci, à touts les acquéreurs successifs de l'immeuble, qui disposent ainsi d'une action contractuelle directe contre les constructeurs».

150. En este sentido, vid. BERCOVITZ RODRÍGUEZ-CANO, Comentario a la STS de 29 de junio de 1987, op. cit., p. 4719. De acuerdo con esta regla, tal como señala JORDANO FRAGA, La responsabilidad del deudor por los auxiliares que utiliza en

quien se relaciona con los adquirentes del edificio o partes del mismo y quien genera en ellos la confianza sobre la idoneidad del inmueble enajenado fundada en su prestigio profesional[151].

En palabras del Tribunal Supremo, el promotor responde por ruina porque las «relaciones [del adquiriente de la vivienda] son exclusivamente con el promotor que es quien lleva a cabo las obras con destino al tráfico y en su beneficio, lo que contribuye a que los compradores confíen en su prestigio profesional» [STS, 1ª, 27.9.2004, FD 1º (RJ 2004, 6187)][152]. El ejercicio de la actividad del promotor en el mercado inmobiliario genera en los terceros adquirentes una expectativa sobre la idoneidad del inmueble resultante, quienes «al realizar la adquisición de los pisos y locales contemplan la garantía que les depara el Promotor» [STS, 1ª, 29.6.1987, FD 2º (RJ 1987, 4828)][153]. En parecidos términos, señala que «por su cualidad de promotor crea actividades proyectadas sobre la construcción y como la misma ha de llevarse a cabo, lo cual le vincula en relación a los terceros adquirentes, ya que éstos al realizar la adquisición de los pisos y locales contemplan la garantía que les depara el promotor» [STS, 1ª, 29.6.1987, FD 2º (RJ 1987, 4828)].

Tras la entrada en vigor de la LOE, algunos autores, con cuya opinión coincido, han defendido que sólo el promotor-vendedor profesional genera

---

     el cumplimiento, op. cit., p. 430, el acreedor al contraer la obligación confió en el deudor, y en particular en su «solvencia, eficacia y capacidad de su organización empresarial o profesional para, en primer término, realizar, aun recurriendo a terceros colaboradores, correctamente el cumplimento debido o, en su defecto, afrontar, también, claro, cuando se ha recurrido a la colaboración de terceros, las consiguientes responsabilidades (...)».

151. CORDERO LOBATO, *Capítulo 13. El promotor, op. cit.*, p. 393, afirma que la razón por la cual el promotor debe ser garante incondicional frente a los propietarios es que «los futuros propietarios pueden razonablemente confiar en la idoneidad del inmueble cuando el mismo es el resultado de una actividad de mercado realizada por quien se presenta ante ellos como un profesional del mercado inmobiliario. Y quien participa en el tráfico está obligado a que el resultado de su actividad profesional satisfaga esta expectativa».

152. *Vid.* en los mismos términos la STS, 1ª, 24.5.2007, FD 1º (RJ 2007, 4008); y en términos parecidos, las SSTS, 1ª, 4.12.2008 (RJ 2008, 6950); 24.5.2007 (RJ 2007, 4008); y 27.9.2004 (RJ 2004, 6187) que señalan que al contratar con el promotor «los terceros adquirentes han confiado en su prestigio comercial».

153. Hacen referencia a la confianza de los adquirentes en el promotor, entre otras, las SSTS, 1ª, 21.10.1998, FD 1º (RJ 1998, 8732); y 20.6.1985, Cdo. 3º (RJ 1985, 3625). De acuerdo con este último pronunciamiento «... los terceros adquirentes, que precisamente al realizar su adquisición contemplan la garantía que les depara el promotor que se manifiesta como tal, (...) el adquirente, quien lo que en definitiva ha tenido en consideración para efectuar la adquisición es la garantía de autenticidad de la obra con adaptación a lo que el promotor-vendedor ofrecía (...)» (Cdo. 3º).

en los futuros adquirentes una confianza sobre la idoneidad del inmueble enajenado, pero no el autopromotor-vendedor que actúa ajeno al ejercicio de una actividad empresarial o profesional.

Así, Ángel CARRASCO PERERA, Encarna CORDERO LOBATO, Mª del Carmen GONZÁLEZ CARRASCO[154] afirman que «[d]e los argumentos que el Tribunal Supremo utilizó para imputar la responsabilidad del artículo 1591 CC al promotor (...) el único que nos parece utilizable es el de la garantía que para los adquirentes representa la participación del promotor en el proceso de la edificación, razón por la cual la denominación de promotor (y, por tanto, de responsable) debe reservarse para aquellos casos en que estamos ante un promotor que aparece en el tráfico como un profesional de la construcción».

En particular, Encarna CORDERO LOBATO defiende que el régimen de responsabilidad solidaria que el artículo 17.3 LOE impone al promotor encuentra su justificación en su condición de garante incondicional de la edificación como profesional del mercado inmobiliario que creó la confianza en los adquirentes sobre la idoneidad del inmueble[155].

El argumento de la confianza que el promotor genera en el tráfico no permite justificar la responsabilidad solidaria y objetiva del promotor no profesional del artículo 17.3 LOE, cuando los daños en la edificación no son imputables a su propia actuación. El autopromotor individual y los comuneros que promueven en régimen de comunidad de propietarios actúan ajenos al ejercicio de una actividad empresarial o profesional cuando transmiten sus viviendas a terceros, por lo que ni el adquirente de la vivienda autopromovida, ni los posteriores adquirentes de la misma, tienen en cuenta en el momento de su adquisición el prestigio del transmitente en el sector de la construcción[156].

---

154. *Vid.* CORDERO LOBATO, *Capítulo 21. Responsabilidad civil de los agentes que intervienen en el proceso de la edificación, op. cit.* p. 524.

155. En este sentido, CORDERO LOBATO, *Capítulo 13. El promotor, op. cit.*, pp. 392-393. Esta autora añade que el criterio de imputación de responsabilidad del promotor en la LOE no tiene la precisión suficiente para permitir por sí mismo la atribución de responsabilidad del artículo 17 LOE, y que requiere de un título de imputación adicional. Por ello «[a] pesar de que el artículo 9.1 LOE no incluya ninguna referencia al ejercicio empresarial de la promoción inmobiliaria, son estos profesionales quienes deben ser considerados promotores a los efectos de la LOE, pues únicamente en estos casos existe un criterio que permita imputar la responsabilidad del artículo 17 LOE» (pp. 393-394). *Vid.* también CORDERO LOBATO, *Capítulo 21. Responsabilidad civil de los agentes que intervienen en el proceso de la edificación, op. cit.* p. 524.

156. *Vid.* en este sentido la SAP Valencia, Civil, Sec. 7ª, 29.10.2009, FD 2º (JUR 2010, 224240) de acuerdo con la cual «[e]l promotor asume frente al comprador una obligación de garante de todos los intervinientes en la obra, sin embargo, al caso presente el promotor no adopta posición de garante en cuanto que contrata la obra para sí, pudiéndose hablar de autopromotor por lo que en síntesis en

De todo lo anterior puede concluirse que sólo el promotor profesional que genera en el tráfico una expectativa sobre la idoneidad del inmueble transmitido debería ofrecer, además de la garantía que cualquier vendedor ofrece en virtud del Código Civil a los compradores de viviendas, la garantía adicional –imperativa y frente a los posteriores adquirentes de la edificación– derivada del artículo 17.3 LOE.

La aplicación de este argumento y de todos los anteriores analizados en este apartado, nos lleva a sostener que la responsabilidad solidaria y objetiva que la LOE impone a todo promotor sólo está suficientemente justificada respecto del promotor profesional, pero no cuando aquél es un autopromotor que ha promovido la edificación para uso propio.

---

modo alguno ha de venir a soportar la deficiente ejecución del contrato por la actora».

SÉPTIMO

RESPONSABILIDAD POR DEFECTOS CONSTRUCTIVOS EN LA AUTOPROMOCIÓN Y LAS COMUNIDADES DE PROPIETARIOS

I. RESPONSABILIDAD DEL PROMOTOR POR DEFECTOS CONSTRUCTIVOS EN LA AUTOPROMOCIÓN INDIVIDUAL Y LAS COMUNIDADES DE PROPIETARIOS

El artículo 9.1 LOE no exige para atribuir la condición de promotor que la «persona, física o jurídica, pública o privada, que, individual o colectivamente, decide, impulsa, programa y financia, con recursos propios o ajenos, las obras de edificación», además, actúe con un propósito relacionado con su actividad comercial, empresarial, oficio o profesión. En otras palabras, la Ley incluye en la figura de promotor al autopromotor individual y el autopromotor colectivo que construye agrupado en régimen de comunidad de propietarios, a pesar de que por definición actúan ajenos al ejercicio de una actividad empresarial o profesional.

En consecuencia, la LOE impone el mismo régimen de responsabilidad a todo promotor que entre dentro del amplio concepto definido por su artículo 9.1, sin hacer distinción alguna entre la transmisión de una vivienda por parte de una empresa promotora profesional del sector inmobiliario y la transmisión por parte de un particular, quien decide enajenar su vivienda promovida inicialmente para uso propio.

Respecto de la autopromoción en comunidad de propietarios de construcción debe tenerse en cuenta, tal y como se examina en el Capítulo Cuarto, que en la mayoría de promociones interviene un gestor que decide los elementos esenciales de la promoción en cuyo caso la Ley atribuye al gestor la condición de promotor y la responsabilidad ligada a esta figura a efectos de la LOE (artículo 17.8 LOE). Por ello, los supuestos en los que los comuneros serán calificados de promotores y asuman la responsabilidad por daños materiales en la edificación derivados de vicios constructivos serán, en la práctica, excepcionales. En consecuencia, este capítulo centra principalmente su atención en la responsabilidad del autopromotor individual.

1. MIENTRAS EL AUTOPROMOTOR DESTINA LA VIVIENDA AL USO PROPIO, SÓLO ASUME EN LAS RELACIONES INTERNAS RESPONSABILIDAD POR HECHO PROPIO DOLOSO O NEGLIGENTE

1.1. Ausencia de responsabilidad del autopromotor por hecho ajeno o por daños cuya causa no se haya podido determinar

La edificación cuya construcción promueve el autopromotor se destina al uso propio del autopromotor y al de su familia. Durante este lapso de tiempo, no nace responsabilidad alguna del autopromotor derivada de daños causados por vicios o defectos constructivos por la sencilla razón de que él es, simultáneamente, el propietario perjudicado por los daños[1].

En el caso en que durante este período surjan en la vivienda vicios o defectos constructivos de los enumerados en el artículo 17.1 LOE, el autopromotor, en su condición de propietario, está legitimado activamente para ejercitar frente a los profesionales que intervinieron en la obra la acción de responsabilidad legal del artículo 17 LOE[2].

En este contexto, el autopromotor –del mismo modo que el promotor profesional–, puede asimismo fundar la demanda contra los profesionales que contrató en el incumplimiento de los contratos de obra o de servicios[3] y, en particular, solicitar el cumplimiento de la obligación (artículo 1098, 2º CC), la resolución del contrato (artículo 1124 CC), así como la indemnización de daños y perjuicios (artículo 1101 CC)[4].

Bajo ninguno de los dos regímenes mencionados, legal o contractual, el profesional de la construcción demandado por el autopromotor puede eximirse o reducir su cuota de responsabilidad alegando la del propio

---

1. En el mismo sentido, vid. MARTÍNEZ ESCRIBANO, *Responsabilidades y garantías de los agentes de la edificación, op. cit.*, p. 195.
2. Vid. la STS, 1ª, 7.7.1990 (RJ 1990, 5783) que reconoce la legitimación activa de los comuneros de la comunidad de propietarios que encargaron la ejecución de la obra frente el contratista y el arquitecto con base en el artículo 1591.I CC.
3. En este sentido, vid. entre otras, la SAP Pontevedra, Civil, Sec. 3ª, 22.5.2013 (JUR 2013, 219788).
4. De acuerdo con el artículo 1190 de la Propuesta de 2009 «[e]n caso de incumplimiento podrá el acreedor, conforme a lo dispuesto en este Capítulo, exigir el cumplimiento de la obligación, reducir el precio o resolver el contrato y, en cualquiera de estos supuestos, podrá además exigir la indemnización de los daños y perjuicios producidos».

autopromotor con base en el artículo 17 LOE, salvo que el autopromotor hubiera contribuido con sus propios actos u omisiones a la causación de los vicios o defectos.

En consecuencia, en las relaciones internas con el resto de agentes de la edificación, el autopromotor –del mismo modo que el promotor profesional– no asume en virtud de la LOE parte de la responsabilidad derivada de vicios o defectos causados por el resto de agentes de la edificación; ni aquéllos cuya causa no se haya podido determinar; o aquéllos con causa conocida, pero sin que se haya podido determinar el grado de contribución de cada agente en el resultado dañoso[5].

En la jurisprudencia menor puede verse en este sentido, la SAP Valladolid, Civil, Sec. 3ª, 9.4.2008 (JUR 2008, 332315) la cual resuelve el siguiente supuesto de hecho. Eusebio y Marcelina contrataron la edificación de una vivienda unifamiliar en la que aparecieron deficiencias. Aquéllos demandaron a la constructora y a los técnicos y solicitaron la reparación de los defectos constructivos con base en el artículo 17 LOE. La constructora presentó reconvención y solicitó a los demandantes 41.488,94 €. El JPI nº 7 de Valladolid (24.7.2007) condenó a los demandados a reparar los vicios y a Eusebio y Marcelina a pagar 41.488,94€. La AP desestima el recurso de apelación interpuesto por la constructora. «[L]a subsanación o reparación de las deficiencias constructivas (...) no solo viene sustentada (...) en el sistema de responsabilidad establecido por la LOE o artículo 1591 del Código civil, sino también en el régimen de responsabilidad contractual (...)» (FD 2º). Y si «(...) si *bien es verdad que los actores*, de acuerdo con la nueva Ley Ordenadora de la Edificación, *tienen la consideración de promotor* de su propia vivienda, *esta condición ocasional y de autopromoción, no puede ser equiparada con la del promotor profesional* que habitualmente se dedica a la enajenación o reventa a terceros de los inmuebles cuya construcción promueven» (FD 2º) (énfasis añadido).

Otro ejemplo puede verse en la SAP Cantabria, Civil, Sec. 2ª,

5. En la jurisprudencia del Tribunal Supremo destaca la STS, 1ª, 25.9.1992 (RJ 1992, 7327), resumida *supra*, la cual señala que no puede hacerse responsable «a una persona tan sólo por concurrir en ella el carácter de contratista o constructor, sino por haber desempeñado tales funciones en la obra (...), por lo que, acreditado que en el supuesto de autos no asumió tales funciones el actor, *quien intervino sólo como dueño de la obra, aun cuando pudiera haber participado en las deliberaciones que procedieron a su ejecución, es visto que no se le puede achacar responsabilidad alguna*» (FD 3º) (énfasis añadido). Sin embargo, *vid.* la SAP Barcelona, Civil, Sec. 17ª, 14.4.2009 (JUR 2009, 493731) que condena al autopromotor de tres viviendas, una para él y otras dos para cada uno de sus hijos, a asumir, junto con el arquitecto técnico (10%) y el constructor (70%), el 20% de los defectos o vicios de ejecución consistentes en el mal estado de nivelación del suelo del garaje, sin que concurriera prueba en el caso de que el defecto hubiera sido causado por una decisión del autopromotor.

28.10.2005 (JUR 2006, 1637). Eugenio celebró un contrato de obra con «Piscijardín Cantabria S.L.» para la construcción de una piscina, que presentó deficiencias. Eugenio demandó a «Piscijardín Cantabria S.L.» y solicitó la reparación de los defectos constructivos en su piscina. El JPI n° 6 de Santander (25.10.2004) estimó en parte la demanda y condenó a pagar 24.783 €. La AP desestimó el recurso de apelación interpuesto por la demandada quien argumentaba que el demandante ostentaba la condición de promotor conforme a la LOE y con base en el artículo 9.2 LOE era el único responsable de las deficiencias, pues eran consecuencia de la inexistencia de un proyecto técnico de ejecución que sólo él estaba obligado a recabar. El Tribunal aprecia que «*[l]a condición de promotor* no priva al actor de la legitimación activa para interesar, al amparo del artículo 1101 del Código Civil, la responsabilidad del contratista por incumplimiento defectuoso de la obligación de ejecutar la obra concertada, *ni puede servir para eximir al demandado de la observancia de sus deberes negociales.* El contratista se hace cargo del deber de ejecutar la construcción conforme a la «lex artis» y, consiguientemente, asume la responsabilidad del resultado consumado, así como de todos los defectos o vicios que sean consecuencia de su actuación profesional, frente a la parte con quien contrató» (FD 1°) (énfasis añadido)[6].

---

6. Resuelven en el mismo sentido las siguientes resoluciones: la SAP Cáceres, Sec. 1ª, 28.11.2012 (JUR 2012, 3020); la SAP Madrid, Civil, Sec. 8ª, 13.2.2012 (JUR 2012, 97124) según la cual al autopromotor individual «no se le puede imputar responsabilidad por no haber realizado un determinado estudio o ejecutado partida alguna, pues en los técnicos está la posibilidad de renunciar a la ejecución sin esas garantías» (FD 4°); la SAP La Rioja, Civil, Sec. 1ª, 28.12.2011 (JUR 2012, 39444) de acuerdo con la cual «el hecho cierto de que a la demandante deba considerársele como promotora o *autopromotora no implica por sí y automáticamente que deba atribuírsele responsabilidad en los vicios y defectos* existentes en la obra como pretende la apelante (...). Esta Sala comparte la apreciación del Juez «a quo» de que de la diversa prueba practicada *no se deriva que la promotora tuviera conocimientos sobre la técnica constructiva más amplios que el básico de cualquier ciudadano medio* (...)» (FD 2°); la SAP Burgos, Civil, Sec. 2ª, 19.2.2010 (JUR 2010, 155953) que concluye que «[e]l constructor está obligado a ejecutar el trabajo encomendado conforme a la «lex artis» (...). Resulta indiferente en el presente caso que la parte actora sea autopromotor pues en la relación interna con el contratista, éste debe cumplir el encargo adecuadamente y no se ha acreditado que se ejecutara conforme a las instrucciones recibidas (...)» (FD 2°); la SAP Valencia, Civil, Sec. 7ª, 29.10.2009 (JUR 2010, 224240) de acuerdo con la cual «[e]l promotor asume frente al comprador una obligación de garante de todos los intervinientes en la obra, sin embargo, *en el caso presente el promotor no adopta posición de garante en cuanto que contrata la obra para sí,* pudiéndose hablar de autopromotor por lo que en síntesis en modo alguno ha de venir a soportar la deficiente ejecución del contrato por la actora» (FD 2°); y la SAP Barcelona, Civil, Sec. 11ª, 4.6.2009 (JUR 2009, 420630) que afirma que «... estem davant d'una relació (...) clàssica amo/ constructor, on aquest respon de tot defecte constructiu directe, de pròpia mà, o indirecte, fet de tercer (...). Cap responsabilitat ha d'assumir l'autopromotor per allò que realment han fet altres, per poc perits o massa agosarats. Impera plenament

1.2. Responsabilidad del autopromotor por hecho propio

El autopromotor asume en las relaciones internas con los profesionales que contrató la cuota de responsabilidad que le corresponda cuando hubiera contribuido con sus propias acciones u omisiones a la causación de los vicios o defectos constructivos[7].

A los efectos de decidir si los daños deben ser imputados al autopromotor en las relaciones internas, la jurisprudencia ha considerado relevante la ausencia de profesionalidad del autopromotor[8]. Si el promotor no es un profesional, los tribunales exigen para que los daños le sean imputables que, con anterioridad, los agentes de la edificación hubieran advertido a aquél sobre la incorrección de su actuación o de su decisión.

En los casos en los que a pesar de que el autopromotor hubiera podido contribuir con sus propias acciones u omisiones a la causación de los vicios o defectos constructivos, los agentes de la edificación intervinientes no advirtieron a éste de la incorrección de su actuación o de sus decisiones, el autopromotor no deberá asumir en las relaciones internas parte de la responsabilidad. El fundamento de esta línea jurisprudencial se encuentra en el hecho que el autopromotor carece de los suficientes conocimientos técnicos para valorar las consecuencias de sus decisiones.

De conformidad con todo lo anterior, puede afirmarse que en las relaciones internas el promotor no profesional sólo responde cuando su comportamiento haya sido gravemente negligente o doloso. En otras palabras, responde por su actuación gravemente culpable o dolosa y, en consecuencia, asume la cuota de responsabilidad imputable a su propia actuación cuando a pesar de que los profesionales le advirtieron de la incorrección o inconveniencia de sus actos éste no los rectificó.

---

l'article 1101 i 1591 CC i la doctrina inherent; no pas la LOE, a més, reservada a les edificacions de nova planta» (FD 5º) (énfasis añadido).

7. No hay relación de causalidad entre el daño y el incumplimiento por parte del autopromotor de la obligación de contratar el seguro decenal –que le imponía la LOE en su versión vigente en el momento de construcción de la vivienda–. «[E]n modo alguno conlleva que a dicho incumplimiento se le anude como consecuencia jurídica una responsabilidad en la producción de daños causados en el inmueble por defectos del suelo achacables, sin duda alguna, al arquitecto que elaboró el proyecto con preterición del adecuado estudio geotécnico» (SAP Ciudad Real, Civil, Sec. 2ª, 20.3.2013 (JUR 2013, 257512)].

8. En la SAP Ciudad Real, Civil, Sec. 2ª, 20.3.2013 (JUR 2013, 257512), el tribunal consideró que el hecho que el autopromotor fuera un cualificado profesional de la excavación y que fuese el mismo quien ejecutase mediante su empresa la excavación no permite hacer responderle de los daños materiales en la vivienda derivados de vicios del suelo, pues «percibir y determinar si la cimentación proyectada (...) se ajusta a la adecuada en función del estrato geológico (...) corresponde al arquitecto».

La jurisprudencia que analiza la responsabilidad del autopromotor en las relaciones internas suele pronunciarse sobre casos en los que los agentes de la edificación que han sido demandados por el autopromotor tratan de eludir su responsabilidad alegando la responsabilidad del propio autopromotor en las relaciones internas. A continuación se destacan las constelaciones de casos más frecuentes.

a. El autopromotor no contrató la dirección facultativa encargada de dirigir y vigilar la ejecución de las obras

En los casos en los que el autopromotor no contrató la dirección facultativa encargada de dirigir y vigilar la ejecución de las obras, según la STS, 1ª, 4.6.2002 (RJ 2002, 7574), el dueño de la obra queda excluido de responsabilidad si el constructor no advirtió al autopromotor de la exigencia legal de la intervención de los técnicos, pues

> «... [e]s sin duda exigible que empresas dedicadas a estas actividades conozcan la normativa legal y participen al dueño de la obra de la necesidad de la intervención de determinados técnicos». Si no lo hicieron es «... absolutamente inaceptable que, siendo la demandada la ejecutante de la obra (...) lo haga sin la preceptiva intervención técnica y trate de desplazar su responsabilidad al demandante dueño de la obra que ha sufrido los daños y perjuicios consecuentes a una ejecución defectuosa, lo que contradice la buena fe contractual (art. 1258 del Código Civil)» (FD 7º)[9].

b. El autopromotor no contrató a un proyectista para que redactara el proyecto técnico

En los supuestos en los que el dueño de la obra no contrató a un proyectista para que redactara el proyecto técnico, aquél no debe asumir responsabilidad en las relaciones internas si los profesionales contratados no le informaron de la necesidad de mismo, pues

> «... según mayoritaria jurisprudencia, la obligación de realizar el proyecto técnico o cualquier otro informe por parte del autopromotor sólo es exigible cuando le fuera pedido por arquitecto proyectista o por la dirección facultativa de la obra, ya que no teniendo la cualificación necesaria dicho

---

9. Los hechos que dieron lugar a la STS, 1ª, 4.6.2002 (RJ 2002, 7574) son los siguientes. Una Comunidad de Propietarios contrató a «Impermeabilizantes y Pavimentos Murguía, S.L.» para la ejecución de obras en las fachadas lateral y posterior, entre otras. La comunidad de propietarios demandó a la contratista con base en los artículos 1101 y 1124 CC, así como el artículo 1591.I CC, y solicitó la resolución del contrato de obra y una indemnización de 70.966,75 €. El JPI nº 1 de Gernika-Lumo estimó la demanda. La AP de Bilbao (Sec. 3ª, 11.11.1996) desestimó el recurso de apelación. El TS confirma pues la responsabilidad por no haber contratado los técnicos recae sobre el constructor si el dueño de la obra no es un profesional (FD 7º).

propietario de la obra ni dedicándose profesionalmente a la actividad relacionada con la construcción no se le puede exigir que conozca la conveniencia de realizar dichos informes previos a la construcción» [SAP Badajoz, Civil, Sec. 3ª, 30.3.2012 (JUR 2012, 137065), FD 6º].

Con todo, si los autopromotores habían sido advertidos por el constructor de la necesidad de contratar a un proyectista para la redacción del proyecto técnico, así como de la conveniencia de la intervención de un director de obra y un director de ejecución de la obra, y con el objeto de ahorrar costes, desoyeron tales advertencias:

«... parece lógico que los vicios o defectos surgidos por la conducta del propio promotor puedan exonerar parcialmente de responsabilidad al resto de intervinientes en el proceso constructivo» [SAP Cádiz, Civil, Sec. 2ª, 2.3.2007 (JUR 2007, 173888), FD 2º][10].

En la misma línea, la SAP Córdoba, Civil, Sec. 2ª, 7.9.2009 (JUR 2010, 47243) imputa el 50% de los daños derivados de vicios o defectos constructivos en una piscina a la actuación de los propios autopromotores quienes contribuyeron en tal porcentaje a la causación de los daños pues, a pesar de haber contratado a un constructor para la ejecución de la piscina, no encargaron la redacción de un proyecto técnico, ni contrataron la dirección facultativa, a pesar de ser conscientes de su necesidad[11].

---

10. La SAP Cádiz, Civil, Sec. 2ª, 2.3.2007 (JUR 2007, 173888) resuelve un caso en que unos autopromotores individuales celebraron un contrato de obra con José Ignacio (constructor). Los comitentes de la obra demandaron al constructor por defectuosa ejecución de la obra contratada. El JPI nº 1 de Sanlúcar de Barrameda (7.9.2006) condenó al demandado a pagar una indemnización por cumplimiento defectuoso del contrato de obra (*no consta cuantía*). La AP estima el recurso de apelación interpuesto por José Ignacio, en el sentido de reducir la indemnización en un 30% por concurrencia de culpa de los autopromotores. «Los actores pretendieron aprovecharse de la rebaja sustancial en el precio que suponía prescindir de elementos tan esenciales en una obra (...) como eran la contratación de un técnico proyectista que elaborara un proyecto, la de un director de obra y la de un director de la ejecución de la obra. Confiaron en sus propios conocimientos y en los que aportara el contratista Sr. José Ignacio (constructor). Y de aquella forma de proceder resulta ahora un evidente perjuicio que no puede imputarse en exclusividad al contratista, sino también a su propia ambiciosa y confiada actuación (...)» (FD 2º). Resuelven casos parecidos las SSTS, 1ª, 25.1.1989 (RJ 1989, 126), y 12.11.1984 (RJ 1984, 5373); y la SAP Asturias, Civil, Sec. 6ª, 6.3.2006 (JUR 2006, 133179).

11. La SAP Córdoba, Civil, Sec. 2ª, 7.9.2009 (JUR 2010, 47243) decide sobre el caso siguiente. Luis Miguel y Mari Luz encargaron a un arquitecto superior y a un arquitecto técnico la construcción de una vivienda. Con posterioridad, y sin la intervención de los técnicos, los dueños de la obra encargaron a una constructora la construcción de una piscina que se llevó a cabo sin proyecto ni licencia de obras. Con posterioridad aparecieron daños y desperfectos en la vivienda como consecuencia de los asientos de relleno efectuados con ocasión de la realización de la piscina sin conexión con los elementos de cimentación o estructurales del

c. *El autopromotor no aportó toda la documentación e información previa necesaria para la redacción del proyecto*

El autopromotor no profesional sólo está obligado a aportar la documentación e información necesaria para la redacción del proyecto cuando ha sido solicitada por los técnicos que intervienen en la construcción. En consecuencia, en las relaciones internas no cabe imputar responsabilidad al autopromotor, por ejemplo, por no haber facilitado el estudio geotécnico de la parcela, que no había sido solicitado por la dirección facultativa, aunque dicho informe podría haber evitado los vicios constructivos en la vivienda [SAP Valencia, Civil, Sec. 8ª, 19.7.2011 (JUR 2011, 317054)][12].

La carga de la prueba del hecho que el autopromotor «se negó a que se elaborara el informe geotécnico por no sufragar su importe solicitado» recae sobre el agente que pretende reducir su responsabilidad, pues lo que debe hacer el agente de la edificación «... como profesional (...) es, o bien rechazar el encargo contractual que se le hizo o requerir al promotor para

---

edificio principal. Luis Miguel y Mari Luz demandaron a los técnicos y a la constructora, y solicitaron 13.447 € con base en el artículo 1591.I CC. El JPI de Baena (30.9.2008) condenó a la constructora a responder por el 50% de los daños, al entender que los dueños habían intervenido en un 50% en la causación. La AP confirma. «Es cierto que aunque los dueños de la vivienda (...) integran la figura de promotores, no por ello les es exigible responsabilidad derivada en los supuestos de ruina o deficiencia en las obras promovidas (...) el juez a quo no ha acudido a este argumento para atribuir responsabilidad a los actores (...); sino por el hecho de realizar un encargo a la constructora, la realización de una piscina, sin que se acomodase al proyecto de un arquitecto (...). *Y de lo anterior eran conscientes los dueños de la obra*» (FD 2°) (énfasis añadido).

12. Aplica el mismo criterio la SAP Badajoz, Civil, Sec. 2ª, 4.4.2006 (JUR 2006, 14026), que hace referencia a la obligación de los constructores de informar a la dueña de la obra no profesional de la necesidad de determinadas formalidades administrativas. María contrató con dos profesionales la construcción de una vivienda unifamiliar con piscina para su uso particular en Fuente de Cantos (Badajoz), en los que, con posterioridad, aparecieron defectos constructivos. María demandó a los constructores con base en el artículo 1591.I CC y solicitó la reparación de los defectos. La JPI n° 1 de Zafra (24.1.2005) estimó la demanda. La AP desestima el recurso de apelación de los demandados. «No cabe tal apreciación de culpa en la actora. Si los constructores, profesionales de tal actividad, afrontan la construcción del edificio lo hacen con todas sus consecuencias. Tenían la obligación de haber exigido a la actora, que no es promotora profesional, sino mera dueña de la obra, por decirlo en términos del Código civil, el que diese cumplimiento a las formalidades administrativas, pero el que no observara la actora tales formalidades no exonera de culpa a los constructores. *Piénsese en que la dueña de la obra no es una profesional que vaya a enriquecerse con la construcción de su propia vivienda, sino que atiende a una mera necesidad personal. Otra cosa hubiese sido el que hubiese ostentado la condición de profesional de la promoción de viviendas*» (FD 4°) (énfasis añadido).

que así se lo expresase haciendo constar exonerándose de las responsabilidades que se derivasen de defectos en el suelo» [SAP Ciudad Real, Civil, Sec. 2ª, 20.6.2013 (JUR 2013, 257512)].

d. *El autopromotor tomó decisiones, ejecutadas por otro agente de la edificación, contrarias a las normas constructivas que derivaron en vicios o defectos en la edificación*

Los profesionales que intervienen en el proceso constructivo deben advertir al autopromotor de la incorrección de sus decisiones cuando sean contrarias a las normas constructivas. En consecuencia, por ejemplo, en los casos de supresión de partidas que finalmente deriven en defectos constructivos, el autopromotor

> «... solo será corresponsable en los supuestos en que ordenase, como propietario y promotor, la supresión de partidas que afecten a la estanqueidad del inmueble y hubiese sido previamente advertido de las consecuencias negativas de dicha supresión» [SAP Segovia, Civil, Sec. 1ª, 29.7.2011, FD 4º (JUR 2011, 330172)][13].

2. TRAS LA TRANSMISIÓN DE LA VIVIENDA, EL AUTOPROMOTOR RESPONDE FRENTE AL ADQUIRENTE COMO CUALQUIER PROMOTOR, SIN PERJUICIO DE LA ACCIÓN DE REGRESO

Determinadas circunstancias personales o económicas pueden conllevar que el autopromotor transmita *inter vivos*, normalmente mediante un contrato de compraventa, la vivienda inicialmente promovida para uso propio, dentro del período de garantía decenal previsto en el artículo 17.1 LOE. En este contexto, si la vivienda entregada no es conforme con el contrato, el autopromotor que transmite la vivienda responde:

1º Por un lado, frente al comprador de la vivienda en virtud del régimen de responsabilidad por incumplimiento contractual (artículos 1101 y ss. y 1124 CC). En este caso, se trataría de una compraventa de una vivienda de segunda mano o una vivienda usada entre particulares, por lo que, como se examinó en el Capítulo Sexto, para determinar la conformidad del bien con el contrato, deberán tenerse principalmente en consideración, las presta-

---

13. En el caso resuelto por la SAP Segovia, Civil, Sec. 1ª, 29.7.2011 (JUR 2011, 330172) el tribunal estimó que «... debe rechazarse las imputaciones que al respecto hacen constructor y aparejador sobre su cuota de responsabilidad derivada de la modificación del proyecto o de la supresión de determinadas medidas de aislamiento o impermeabilización a su instancia, puesto que no consta que tenga conocimientos técnicos que le permitiesen valorar las consecuencias, debiendo haber sido advertido de ellas» (FD 4º).

ciones habituales que conforme a la naturaleza del bien el comprador puede fundamentalmente esperar[14].

2º Por otro lado, el autopromotor asume no sólo frente al comprador, sino también frente a los posteriores adquirentes de la vivienda, la responsabilidad por los daños materiales que se produzcan en la misma por vicios o defectos constructivos, en los términos establecidos en el artículo 17.3 LOE.

2.1. Responsabilidad solidaria y directa del autopromotor por los vicios con independencia de su intervención en su causación (artículo 17.3, «in fine», LOE)

Las especialidades en las obligaciones del autopromotor contrastan con la ausencia de un régimen jurídico especial para el autopromotor en la responsabilidad por vicios y defectos constructivos de la LOE. En efecto, la exención a contratar el seguro decenal que el 2º párrafo de la disposición adicional 2ª, Uno, LOE reconoce al autopromotor individual de una única vivienda unifamiliar, no equivale a que éste no responda como promotor a los efectos del 17 LOE. En caso de transmisión *inter vivos* de la vivienda dentro del período de garantía decenal, el autopromotor individual responderá conforme el régimen de responsabilidad de la Ley, incluso cuando hubiera sido expresamente exonerado por el adquirente de la constitución del seguro decenal y hubiera probado haber destinado la vivienda a uso propio[15].

De acuerdo con el tenor literal de la LOE, quien promueve la construcción de una edificación para destinarla a uso propio está sujeto al mismo régimen de responsabilidad por vicios y defectos constructivos que el resto de promotores, pues la Ley somete a cualquier tipo de promotor incluido en el amplio concepto definido en el artículo 9.1 al régimen de responsabilidad del artículo 17[16]. Por ello, es aplicable a la responsabilidad del autopromotor todo lo señalado en el capítulo anterior respecto del promotor inmobiliario en general.

Sin embargo, cabe subrayar aquí que el autopromotor, a pesar de no

---

14. Sobre ello, *vid.* el epígrafe 2.4.1. del apartado III del Capítulo Sexto.
15. En este sentido, CORDERO LOBATO, *Capítulo 13. El promotor, op. cit.*, p. 488; y CARRASCO PERERA, CORDERO LOBATO y GONZÁLEZ CARRASCO, *Derecho de la construcción y la vivienda, op. cit.*, p. 482.
16. En este sentido la SAP Huelva, Civil, Sec. 1ª, 3.12.2003 (JUR 2004, 64374), afirma que «el autopromotor, esto es, el simple particular que, por ejemplo, persigue sólo la construcción de su propia vivienda, queda asimismo incurso en el ámbito de las prescripciones que la ley destina al promotor, y ello con todas sus consecuencias, incluidas, por tanto, las conectadas al régimen legal de responsabilidades y garantías» (FD 2º).

ser un profesional, responde de manera solidaria y directa frente a los posteriores adquirentes de la vivienda por los daños materiales que se produzcan en la misma dentro de los plazos de garantía derivados de vicios o defectos:

a) Imputables a su propia actuación o decisiones, es decir, responde por hecho propio.

b) Imputables a actos u omisiones de los profesionales de la edificación que ha contratado para construir su vivienda, en este caso, la responsabilidad del autopromotor es por hecho ajeno. En efecto, el autopromotor responde solidariamente junto con el agente causante de los daños, incluso cuando en el juicio se determine la causa de los daños y éstos se imputen a la actuación de uno o varios agentes de la edificación y se fije el grado de intervención de cada uno de ellos en la causación del daño.

c) Imputables a una causa que no se ha podido determinar en el juicio o imputable a varios agentes sin prueba del grado de intervención de cada uno de ellos.

La responsabilidad solidaria del autopromotor con independencia de su intervención en la causación de los vicios es objetiva. De modo que, una vez el adquirente de la vivienda afectada haya probado la concurrencia de los daños materiales derivados de vicios constructivos, así como su manifestación dentro de los plazos de garantía, el autopromotor demandado sólo quedará exonerado de responsabilidad si acredita que aquéllos se deben a caso fortuito, fuerza mayor, acto de tercero, o acto del propio perjudicado por el daño (artículo 17.8 LOE). Pero en ningún caso quedará exonerado si prueba que no incurrió en culpa *in vigilando* o *in eligendo*.

En este contexto se presenta una de las consecuencias desproporcionadas que conlleva la aplicación del régimen de responsabilidad del promotor a quien promueve ajeno al ejercicio de una actividad profesional o empresarial. El autopromotor demandado asume, en el proceso en el que el posterior adquirente le reclama su responsabilidad *ex* artículo 17 LOE, la carga de probar la concurrencia de alguna de las causas de exoneración que excluyen su responsabilidad (artículo 17.8 LOE). Sin embargo, en el proceso, la ausencia de conocimientos técnicos del autopromotor, quien no se dedica profesionalmente a la construcción, sumada al hecho que no intervino materialmente en la obra, dificultarán excesivamente la tarea probatoria.

El Tribunal Supremo en aplicación del artículo 1591.I CC adoptó una marcada tendencia a la objetivación mediante la inversión de la carga de la prueba, que aplicó, primero, mediante la presunción *iuris tantum* de culpa y, luego, mediante la presunción *iuris tantum* de relación de causalidad. El argumento con base al cual el Alto Tribunal justificó la presunción de causalidad fue el de proteger adecuadamente el adquirente de vivienda, quien carecía de conocimientos técnicos y de información sobre el desarrollo de las obras, frente a los profesionales de la edificación.

Sin embargo, este argumento pierde su fundamento cuando el sujeto demandado es un particular no profesional. En consecuencia, puede afirmarse que la recepción de la doctrina jurisprudencial del Tribunal Supremo sobre responsabilidad por ruina por el actual artículo 17.8 LOE, sin considerar las particularidades que presenta el autopromotor no profesional –quien, según la jurisprudencia, estaba excluido del círculo de responsables del artículo 1591.I CC– ha comportado que la presunción de causalidad que, precisamente, se instauró para salvaguardar los intereses del comitente frente los agentes profesionales, acabe teniendo el efecto contrario cuando el comitente, además, actúe ajeno al ejercicio de una actividad empresarial.

2.2. La LOE sigue en la responsabilidad del autopromotor el artículo 1792-1.2º del «Code Civil» francés

La responsabilidad legal del promotor no profesional frente a terceros adquirentes de la edificación por defectos constructivos es una particularidad compartida con el derecho francés, en el que responde como constructor, toda persona que vende, una vez terminada, una obra que ha hecho construir, a pesar de que la venta de la vivienda no sea inmediatamente posterior a la finalización de la obra.

No obstante, a diferencia del derecho español, el ordenamiento jurídico francés no fundamenta la responsabilidad del autopromotor en su condición de promotor. De acuerdo con la doctrina francesa, no hay promoción cuando el futuro propietario se dirige directamente a los arquitectos y contratistas con el fin que construyan una edificación, pues el particular no actúa como intermediario económico, aspecto fundamental de la actividad del promotor[17].

En el derecho francés, el fundamento legal de la responsabilidad del autopromotor por vicios o defectos constructivos del artículo 1792 *Code*

---

17. En palabras de MALINVAUD y JESTAZ, *Droit de la promotion immobilière, op. cit.,* p. 2, «[l]e rôle d'intermédiaire économique joué par le promoteur constitue l'aspect fondamental de son activité. On ne saurait parler de promotion lorsque de promotion lorsque le futur propriétaire de l'immeuble s'adresse directement à ceux qui l'édifient, c'est-à-dire aux architectes et entrepreneurs. En pareil cas l'intéressé se loge sur mesure et la situation peut être qualifiée d'artisanale. Mais cette forme d'artisanat n'existe plus dans la construction collective et elle connaît une régression dans le domaine de la construction individuelle».

Civil[18], se encuentra en el artículo 1792-1.2° del *Code Civil*, de acuerdo con el cual se considera constructor de la obra

> «... toda persona que vende, una vez terminada, una obra que ha construido o ha hecho construir».

En consecuencia, el autopromotor responde frente al adquirente de la garantía decenal de los artículos 1792 y 1792-2, y de la garantía de buen funcionamiento de dos años del artículo 1792-3.

Algunos autores han criticado el sometimiento a este régimen de responsabilidad al particular que, habiendo hecho construir su casa, tiene que venderla por razones de conveniencia personal, equiparándolo al promotor profesional que comercializa las viviendas individuales una vez terminadas[19].

En particular, Philippe MALINVAUD y Philippe JESTAZ[20] consideran más acertada la regla que recogía la versión anterior del artículo L.261-9 del *Code de la construction et de l'habitation*. De acuerdo con la redacción anterior del artículo, en estos casos era de aplicación el régimen del contrato de compraventa y, en particular, el mecionado precepto permitía en los supuestos en que el vendedor no era profesional, que las partes pactaran una cláusula de exoneración en caso de vicios ocultos.

A pesar de las críticas doctrinales, la *Cour de cassation* francesa ha estimado en diversas sentencias que el autopromotor no profesional también responde en virtud de la régimen previsto en el 1792-1.2° del *Code Civil* francés.

> Así, por un lado, la sentencia de la *Cour de cassation*, Civ. 3, 14.1.1998, Bull. Civ. III, n° 11, resuelve el siguiente caso. En 1989, el matrimonio Díaz Casas, después de haber hecho obras de reparación en su casa, vendieron la misma a Y y X. Con posterioridad, aparecieron filtraciones que afectaron la nueva construcción. Y y X demandaron al matrimonio Díaz Casas con base en la responsabilidad del artículo 1792 *Code Civil*. La *Cour d'appel d'Amiens* (30.6.1995) condenó a los demandados a reparar los defectos. La *Cour de cassation* confirma: «es constructor, de acuerdo con el artículo 1792-1 del Code civil, la persona que vende después de acabada una obra que ha construido o ha hecho construir y estas disposiciones no limitan su aplicación a las ventas inmediatamente posteriores a la finalización de la obra».

> Por otro lado, la posterior sentencia de la Cour de cassation, Civ. 3, 2.10.2002, Bull. Civ. III, n° 204, aplica el mismo razonamiento. En 1987,

---

18. MALINVAUD y JESTAZ, *Droit de la promotion immobilière, op. cit.*, pp. 166-167.
19. Así lo ponen de manifiesto, MALINVAUD y JESTAZ, *Droit de la promotion immobilière, op. cit.*, p. 168.
20. MALINVAUD y JESTAZ, *Droit de la promotion immobilière, op. cit.*, pp. 166 y 168.

M.Z. contrató a SFPM para la realización de unos trabajos de obra mayor en su chalet. En 1989, el M.Z. vendió el chalet al matrimonio Z., en el que con posterioridad aparecieron importantes fisuras. Los adquirentes demandaron a la constructora SFPM y a M.Z. con base en la responsabilidad del artículo 1792 *Code Civil*. La *Cour d'appel de Versailles* (8.11.1999) condenó al constructor y al M.Z. solidariamente a la reparación de los vicios. La *Cour de cassation* confirma[21].

2.3. Acción de regreso del autopromotor frente el resto de agentes responsables y carga de la prueba

El comprador de la vivienda autopromovida afectada por los vicios constructivos puede haber dirigido la demanda únicamente contra el autopromotor y que la sentencia del primer proceso sólo condene a éste a responder de los daños con base en el artículo 17.3, *in fine*, LOE. En este contexto, el autopromotor que fue demandado y condenado está legitimado para recuperar lo pagado mediante el ejercicio de una acción de regreso frente a los agentes de la edificación responsables (artículos 1145.1, 2º párrafo, CC y 18.2 LOE).

Sin embargo, el autopromotor no siempre recuperará lo pagado y, por ello, no es cierto que, el ejercicio de la acción de regreso comporta que, en todo caso y en última instancia, el autopromotor no asuma la responsabilidad derivada de los vicios o defectos constructivos.

Tal como se ha señalado respecto del promotor en general[22], en este segundo proceso recae sobre el autopromotor, que ejercita la acción de regreso, la carga de probar la imputación de los daños a los agentes de la edificación, quienes no fueron demandados y condenados en el primer pleito (artículo 217.2 LEC), pues la primera sentencia no produce efectos de cosa juzgada con respecto a los no demandados. En el caso en que el autopromotor no logre probar la responsabilidad de los agentes demandados en vía de regreso, no podrá recuperar lo pagado y deberá asumir, en última instancia, la responsabilidad.

En consecuencia, en las relaciones internas con los agentes no demandados en el primer proceso el autopromotor asume el riesgo de no poder probar que el agente demandado es el causante del daño. En efecto, en las relaciones internas, el autopromotor no se ve beneficiado por la presunción *iuris tantum* de relación de causalidad que el artículo 17.8 LOE establece a favor de los propietarios de edificaciones. Este aspecto de la LOE se

---

21. En este sentido, *vid.* también la sentencia de la *Cour de cassation*, Civ. 3, 17.1.1995, Bull. Civ. III, nº 61, p. 39.
22. Sobre la ausencia de eficacia de cosa juzgada de la primera sentencia frente al agente no demandado *vid.* el epígrafe 3.3 apartado II del Capítulo Sexto.

considera criticable cuando quien ejercita la acción de regreso es un consumidor y dirige la misma frente a los profesionales de la construcción que contrató.

II. CRÍTICA A LA RESPONSABILIDAD DEL AUTOPROMOTOR POR VICIOS CON INDEPENDENCIA DE SU INTERVENCIÓN EN LA CAUSACIÓN DE LOS MISMOS Y PROPUESTA DE «LEGE FERENDA»

1. RESPUESTA DE LA DOCTRINA Y LA JURISPRUDENCIA A LA RESPONSABILIDAD DEL AUTOPROMOTOR EN LA LOE

Los artículos 9.1 y 17 LOE modifican el criterio que el Tribunal Supremo había desarrollado en aplicación del artículo 1591.I CC, de acuerdo con el cual sólo el promotor que actuaba con ánimo de lucro quedaba incluido en el círculo de responsables por ruina del edificio. En efecto, el Tribunal Supremo incluyó al promotor con ánimo de lucro en el círculo de responsables del artículo 1591.I con el propósito de proteger al adquirente frente al promotor profesional[23], cuya responsabilidad el precepto citado no contempla, porque la figura del promotor surgió en el mercado inmobiliario con posterioridad a la promulgación del Código civil.

El Tribunal Supremo, en cambio, en ningún caso calificó de promotor al adquirente de viviendas frente al dueño de la obra que actuaba sin ánimo de lucro y con la finalidad de construir una vivienda para sí[24]. El artículo 1591.I del Código Civil sí que contempla esta figura, pues en la concepción de los redactores del Código civil de 1889, la relación jurídica típica en la construcción de edificios era justamente el supuesto de relación entre

---

23. En palabras del Tribunal Supremo «para preservar los derechos de *los compradores, que ocupan acreditada situación de desigualdad en los contratos de compraventa de pisos y locale*s (...)» [STS, 1ª, 15.5.1995, FD 3º (RJ 1995, 4237)].
24. En parecidos términos se pronuncia la SAP, Baleares, Civil, Sec. 5ª, 7.11.2006 (JUR 2007, 103232), que se ha mostrado contraria a la responsabilidad del autopromotor en la LOE al afirmar que «... la recepción indiscriminada por la LOE de la doctrina jurisprudencial relativa a la equiparación del promotor con el constructor, a efectos del también sometimiento del primero a las previsiones del artículo 1591 del Código Civil (en cuya dicción literal no está comprendido el promotor), ha acabado por desvirtuar –o al menos no encontrar fundamento– en el sentido originario y auténtico de esa jurisprudencia, en la medida en que la misma surgió específicamente para dar protección al tercer adquirente frente al promotor profesional, es decir, frente al empresario que construye con ánimo de lucro y en el propósito de transmitir lo edificado, haciendo de ello el objeto de su giro o tráfico comercial (...)» (FD 4º).

el dueño del suelo que concertaba con el constructor y el arquitecto la realización de una obra destinada a su uso particular[25].

Por ello, entre otros motivos, tras la entrada en vigor de la LOE, la mayor parte de la doctrina que se ha ocupado de esta materia ha manifestado su disconformidad con la inclusión de todo comitente en la noción de promotor y, en particular, con el sometimiento del autopromotor individual al riguroso régimen de responsabilidad del promotor previsto en el artículo 17.3, *in fine*, LOE[26]. Otros autores no sólo han centrado sus críticas en la atribución de responsabilidad al autopromotor individual, sino a todo promotor que carezca de la condición de profesional, por tanto, también al autopromotor que construye agrupado en régimen de comunidad de propietarios[27].

Entre otros autores contrarios a la responsabilidad del autopromotor cabe citar a José Manuel RUIZ-RICO RUIZ[28], quien considera que «(...) debajo de esta nueva concepción del legislador late (...) la voluntad de hacer recaer la reparación de los defectos constructivos en ese sujeto que es el promotor, pero entendido *como profesional de la actividad edificatoria*. Lo que nos debe llevar a aplicar ese criterio de *imputación únicamente a los promotores profesionales*, excluyendo a los demás posibles comitentes». Y María José SANTOS MORÓN[29], de acuerdo con la cual «la consideración del propietario particular como promotor provoca consecuencias despropor-

---

25. En la doctrina ponen de relieve este aspecto, LÓPEZ RICHART, *Responsabilidad personal e individualizada y responsabilidad solidaria en la Ley de Ordenación de la Edificación, op. cit.*, p. 171; y PANTALEÓN PRIETO, *Responsabilidades y Garantías en la Ley de Ordenación de la Edificación, op. cit.*, p. 11.

26. En este sentido, destacan PANTALEÓN PRIETO, *Responsabilidades y Garantías en la Ley de Ordenación de la Edificación, op. cit.*, p. 3; ESTRUCH ESTRUCH, *Las responsabilidades en la construcción..., op. cit.*, pp. 736 y ss.; LÓPEZ RICHART, *Responsabilidad personal e individualizada y responsabilidad solidaria en la Ley de Ordenación de la Edificación, op. cit.*, p. 171; y MARTÍNEZ ESCRIBANO, *Responsabilidades y garantías de los agentes de la edificación, op. cit.*, pp. 194-196.

27. Entre los autores contrarios a la responsabilidad de todo autopromotor que carezca de la condición de profesional, *vid.* CORDERO LOBATO, *Capítulo 13. El promotor, op. cit.*, pp. 393-394; CORDERO LOBATO, *Capítulo 21. Responsabilidad civil de los agentes que intervienen en el proceso de la edificación, op. cit.* p. 524; CARRASCO PERERA, CORDERO LOBATO y GONZÁLEZ CARRASCO, *Derecho de la construcción y la vivienda, op. cit.*, p. 485; ABRIL CAMPOY, *La responsabilidad del promotor en la Ley de Ordenación de la Edificación..., op. cit.*, p. 1243; GONZÁLEZ TAUSZ, *El nuevo régimen del promotor inmobiliario tras la Ley de Ordenación de la Edificación, op. cit.*, p. 2715; y VILASAU SOLANA, *La noció de promotor en la Llei 38/1999 d'Ordenació de l'Edificació..., op. cit.*, p. 107.

28. RUIZ-RICO RUIZ, *Capítulo VII. Los criterios de imputación de los distintos agentes de la edificación..., op. cit.*, p. 145.

29. *Vid.* SANTOS MORÓN, *Artículo 17. Responsabilidad civil de los agentes que intervienen en el proceso de la edificación, op. cit.*, p. 347-348.

cionadas que probablemente no tuvo en cuenta el legislador (...) [D]ebiera hacerse una interpretación correctora del artículo 9 en el sentido de excluir del concepto de promotor al particular que construye para sí, aunque luego decida enajenar lo construido».

Tras la entrada en vigor de la LOE, en la jurisprudencia menor, encontramos un número elevado de pronunciamientos que muestran una cierta tenencia de los tribunales a diferenciar la actividad del autopromotor que construye para sí de la del promotor profesional.

Por un lado, la SAP Valladolid, Civil, Sec. 3ª, 9.4.2008 (JUR 2008, 332315) aprecia que «(...) si bien es verdad que los actores, de acuerdo con la nueva Ley Ordenadora de la Edificación, tienen la consideración de promotor de su propia vivienda, esta condición ocasional y de autopromoción, no puede ser equiparada con la del promotor profesional que habitualmente se dedica a la enajenación o reventa a terceros de los inmuebles» (FD 2º)[30]. Por otro lado, la SAP Cantabria, Civil, Sec. 2ª, 28.10.2005 (JUR 2006, 1637) estima que a los efectos de la LOE «(...) el actor es promotor-propietario de la obra, pero no se le puede equiparar con el promotor inmobiliario (...) en el caso que nos ocupa, el actor es mero propietario y destinatario final de la obra, carece de los conocimientos precisos para ponderar las exigencias técnicas de la obra que pretende contratar y, en estas circunstancias, se dirige a una empresa que se oferta en el mercado como especialista en el ramo de construcción (...), con la garantía que esto supone en cuanto a profesionalidad y experiencia (...)» (FD 1º)[31]. Añade, la SAP Huelva, Civil, Sec. 1ª, 28.5.2009 (JUR 2009, 378089) que «(...) [m]ás discutibles hace el TS los supuestos de dueño de la obra, autopromotor de su vivienda, que por lo general se ve obligado a confiar en los profesionales de la construcción que ha podido encontrar, con mayor o menor fortuna, y desde luego con absoluta ignorancia de su grado de preparación profesional, teniendo que conformarse con la formal homologación de éstos, ante su absoluta falta de conocimientos al respecto (...)» (FD 2º); y las SSAP Huesca, Civil, Sec. Única, 11.3.1999, FD 1º (AC 1999, 7177) y Córdoba, Sec. 2ª, 26.1.2000, FD 5º (AC 2000, 2885) que afirman que «[e]l dueño de la obra, entendido en su sentido más tradicional, cumple con la diligencia exigible al encomendar la dirección y ejecución a profesionales competentes».

2. TOMA DE POSICIÓN: CRÍTICA A LA RESPONSABILIDAD DEL AUTOPROMOTOR POR DAÑOS DERIVADOS DE VICIOS CON INDEPENDENCIA DE SU INTERVENCIÓN EN LA CAUSACIÓN DE LOS MISMOS

2.1. Falta de aplicación al autopromotor de los argumentos en los que se fundamenta la posición de garante del promotor en la LOE

Partiendo de la función de garantía que cumple la responsabilidad

---

30. Para un resumen de los hechos que dieron lugar a este pronunciamiento *vid.* el epígrafe 1.1 del apartado I de este capítulo.
31. *Ibidem.*

solidaria del promotor regulada en el artículo 17.3, *in fine*, LOE, en las páginas que siguen se analiza si dicho régimen de responsabilidad está justificado cuando quien transmite la vivienda no es un profesional, sino un autopromotor individual o colectivo, que por definición actúan ajenos al ejercicio de una actividad profesional.

El supuesto de hecho considerado es el siguiente: un particular contrata a profesionales de la edificación para que construyan una vivienda en la que habita durante un determinado período de tiempo. Con posterioridad, el autopromotor vende la vivienda a un tercero. Tras la venda y dentro del período de garantía aparecen daños materiales en la vivienda derivados de vicios constructivos imputables a la actuación del arquitecto, del constructor o de cualquier otro agente de la edificación –pero no imputables a la actuación dolosa o negligente del propio autopromotor, supuesto que es considerado más adelante–.

En este contexto: ¿está justificado que el autopromotor responda en virtud de la LOE frente al comprador? Y si el primer comprador transmitiese a su vez la vivienda a un tercero, ¿estaría justificada la responsabilidad del autopromotor frente a este tercero con quien no tiene un vínculo contractual? Con el objeto de responder estas cuestiones, en el Capítulo Sexto se han examinado los argumentos con base en los cuales el Tribunal Supremo basó, en aplicación del artículo 1591.I CC, la responsabilidad solidaria y objetiva del promotor por hechos ajenos. De estos argumentos, sólo dos son aplicables al régimen jurídico de responsabilidad del promotor previsto en la LOE: la responsabilidad del promotor por la actividad de auxiliares y colaboradores en el cumplimento de sus obligaciones contractuales; y la obligación de garantía incondicional que asume el promotor en su condición de vendedor o arrendador profesional.

2.1.1. El resto de agentes de la edificación no son auxiliares en el cumplimiento de la obligación del autopromotor

En primer lugar, la responsabilidad solidaria y objetiva del promotor por hecho ajeno podía encontrar justificación en que aquél no puede quedar exonerado de responsabilidad alegando que ha utilizado a profesionales independientes, pues aquellos actúan como auxiliares en el cumplimento de su prestación. Con todo, la responsabilidad del autopromotor por hechos ajenos tampoco puede fundamentarse en la responsabilidad del deudor por la actividad de los auxiliares en el cumplimento de sus obligaciones.

La prestación contractual del autopromotor, que vende su vivienda tras su construcción, consiste en entregar la edificación en las condiciones pactadas en el contrato, sin que forme parte de su obligación contractual la de fabricar la cosa. En la prestación así definida, los agentes de la edificación contratados por el autopromotor no pueden ser considerados auxiliares del cumplimento de la obligación del deudor, sino únicamente agentes cuya actividad fue presupuesto necesario para el cumplimento del deudor[32].

En efecto, los autopromotores, que actúan en un ámbito ajeno a una actividad empresarial o profesional, se obligan frente al posterior comprador de la vivienda a entregar o transmitir la propiedad de la vivienda ya construida y no a construirla o a fabricarla[33].

2.1.2. *Ausencia de justificación de la asunción por parte del autopromotor vendedor de una garantía de carácter imperativo y frente a terceros adquirentes*

El criterio más relevante, en el que la doctrina y la jurisprudencia del Tribunal Supremo han basado la responsabilidad solidaria y objetiva del promotor por hechos ajenos, es la garantía adicional de carácter imperativo que el promotor, como vendedor o arrendador, asume frente el comprador y los posteriores adquirentes de las viviendas.

Si bien cualquier vendedor está obligado en virtud del contrato de compraventa a entregar un bien conforme, sólo el vendedor que, además, es promotor, asume en virtud del 17.3, *in fine*, LOE una garantía adicional a la derivada del contrato de compraventa. Esta garantía es adicional, primero, porque la responsabilidad derivada de la LOE es imperativa, a diferencia de la responsabilidad por incumplimiento contractual o por vicios ocultos, que puede ser objeto de limitación, siempre y cuando las partes respeten las normas imperativas y no excluyan el dolo; y segundo, porque el principio de relatividad de los contratos no es aplicable en la responsabi-

---

32. Jordano Fraga, *La responsabilidad del deudor por los auxiliares que utiliza en el cumplimiento, op. cit.*, pp. 208-209, pone como ejemplo el caso paradigmático de tercero que es mero presupuesto del cumplimiento del deudor el del «*fabricante* o *mayorista* de una cosa o producto, en las relaciones entre el *vendedor* de esa misma cosa o producto (del que el primero resulta, por tanto, su *proveedor*) y el *comprador* de este vendedor (...). [L]os *proveedores* del vendedor, como regla, no son auxiliares de cumplimiento de éste en sus relaciones con el *comprador*. Y, no lo son, por los propios términos en que se concibe normalmente, según el contrato de compraventa, la obligación del deudor-vendedor: la *entrega-transmisión* de la cosa vendida, no la *procuración-suministro* o la *fabricación* de la misma».

33. En términos parecidos, Gómez de la Escalera, *La responsabilidad civil de los promotores, constructores y técnicos por defectos de construcción..., op. cit.*, p. 189, «... la responsabilidad del vendedor que se limita a enajenar un edificio ya construido, sin ninguna conexión o intervención en el proceso edificatorio, como no fuera el simple encargo de la obra al contratista, y en su caso el arquitecto, parece que no debe extenderse a los defectos de su construcción, que serán plenamente imputables a quienes lo construyeron».

lidad de la LOE. Están legitimados activamente para reclamar la reparación de los daños, no sólo el primer adquirente, sino también a los sucesivos.

De acuerdo con algunas sentencias del Tribunal Supremo sobre responsabilidad por ruina, así como con la opinión mantenida por una parte de la doctrina, esta garantía adicional, que el promotor asume en virtud de la LOE, se fundamenta en la confianza que el prestigio profesional del promotor genera en los adquirentes sobre la idoneidad del inmueble transmitido[34]. Por consiguiente, sólo está justificada cuando quien transmite la vivienda es un promotor que actúa en ejercicio de una actividad empresarial o profesional.

a. Imperatividad de la responsabilidad del promotor por hecho ajeno y ausencia de fundamento cuando no es un profesional

El carácter imperativo de la responsabilidad del promotor por hecho ajeno del artículo 17.3, *in fine*, LOE sólo está justificada cuando quien promovió la vivienda fue un promotor profesional. Por el contrario, tal responsabilidad debería ser de naturaleza dispositiva cuando el vendedor actúe ajeno al ejercicio de una actividad empresarial o profesional.

La tesis anterior es coherente con la regulación del derecho de contratos. Por regla general, las normas sobre responsabilidad por incumplimiento contractual del Código Civil y las normas de saneamiento por vicios ocultos (artículo 1485.II)[35], en sede de compraventa, son dispositivas. Esto es, su régimen jurídico puede ser modificado por las partes en el contrato, siempre y cuando éstas respeten los límites impuestos por los artículos 1255 y 1102 del Código civil[36].

Las normas sobre incumplimiento contractual sólo adquieren el carác-

---

34. En este sentido, *vid.* Cordero Lobato, *Capítulo 13. El promotor, op. cit.*, pp. 393-394; Cordero Lobato, *Capítulo 21. Responsabilidad civil de los agentes que intervienen en el proceso de la edificación, op. cit.* p. 524; y Carrasco Perera, Cordero Lobato y González Carrasco, *Derecho de la construcción y la vivienda, op. cit.*, p. 485. Para un análisis más detallado de esta doctrina *vid.* el epígrafe 2.4 del apartado III del Capítulo Sexto.

35. De acuerdo con el artículo 1485.II del Código civil, «[e]sta disposición no regirá cuando se haya estipulado lo contrario, y el vendedor ignorara los vicios o defectos ocultos de lo vendido».

36. Díez-Picazo y Ponce de León, *Fundamentos del Derecho civil Patrimonial*, vol. II, *op. cit.*, pp. 753-757, señala que las cláusulas de modificación convencional del régimen de la responsabilidad del deudor, ya sea de exoneración o de limitación de la misma, son admisibles en derecho español siempre que respeten los límites del artículo 1255 CC y del artículo 1102 CC, de acuerdo con el cual «[l]a responsabilidad procedente del dolo es exigible en todas las obligaciones. La renuncia de la acción para hacerla efectiva es nula».

ter de imperativas si entre las partes existe una situación de desequilibrio estructural. Tal y como sucede en las compraventas de consumo entre un profesional y un consumidor, en las que la responsabilidad por faltas de conformidad no puede ser excluida o limitada por pacto, según lo previsto en el artículo 10 TRLGDCU. En este caso, el legislador tiene en consideración la situación de desequilibro existente entre las partes para establecer el carácter imperativo de la responsabilidad del empresario o profesional frente al consumidor[37].

En virtud de las normas sobre incumplimiento contractual del Código civil y el principio de autonomía de voluntad consagrado en el artículo 1255 CC, el autopromotor, en su condición de vendedor no profesional, puede acordar con el comprador una cláusula de exoneración de responsabilidad por incumplimiento contractual, siempre y cuando no incumplan con ello una norma imperativa o excluyan la responsabilidad por dolo. Ello es así porque no concurre en la relación jurídica entre el autopromotor y el adquirente una situación de desequilibrio estructural[38].

Por ello, y teniendo en cuenta que el Tribunal Supremo ha fundamentado la posición de garante del promotor en la obligación de garantía que asume como vendedor, es más coherente con el régimen jurídico del contrato de compraventa que esta garantía adicional sólo se imponga de manera imperativa a los promotores profesionales. En cambio, respecto al promotor no profesional este régimen de responsabilidad debería ser dispositivo[39].

El anterior razonamiento es también coherente con la reforma que el propio legislador estatal efectuó con la introducción del segundo párrafo de la disposición adicional 2ª, Uno, LOE, que permite al adquirente de la vivienda unifamiliar exonerar al autopromotor individual de la contratación de la garantía decenal, siempre que concurran el resto de requisitos exigidos por el precepto.

En efecto, los tres tipos de seguros regulados en la LOE están vincu-

---

37. De acuerdo con Carrasco Perera, *Derecho de contratos, op. cit.*, p. 502, «[u]n estatuto normativo contractual se transforma de dispositivo en Derecho necesario cuando el legislador abandona su posición de partida neutral y pasa a considerar que existe una situación de desequilibrio estructural entre las partes (...)».

38. En este sentido, Ortí Vallejo, *La responsabilidad civil en la edificación, op. cit.*, pp. 1135-1136.

39. En parecidos términos, Martínez Escribano, *Responsabilidades y garantías de los agentes de la edificación, op. cit.*, p. 195, afirma que «es patente la falta de justificación de esta responsabilidad solidaria «en todo caso» del autopromotor individual porque se trata de un particular que se sitúa en una posición de igualdad frente al adquirente de la vivienda. No se produce en estos casos un desequilibrio entre ambos que haga al perjudicado merecedor de una especial tutela (...)».

lados a los tres tipos de daños descritos en el artículo 17.1 LOE, de los que a su vez deriva la responsabilidad del promotor y del resto de agentes de la edificación. Por ello, el reconocimiento por parte del legislador de un régimen dispositivo en la contratación de la garantía decenal podría poner en evidencia que aquél estima que, en estos casos, la situación de equilibrio entre las partes permite establecer normas dispositivas.

Por último, la imperatividad de la responsabilidad de la LOE sólo respecto del promotor profesional coincide con el criterio que ha adoptado el legislador del TRLCU en el artículo 149, rubricado «responsabilidad por daños causados por la vivienda». Este precepto somete a un régimen de responsabilidad objetiva a quienes construyan o comercialicen viviendas, en el marco de una actividad empresarial, por daños ocasionados por defectos de la vivienda que no estén cubiertos por un régimen legal específico. Por tanto, no a todos los promotores incluidos en el concepto establecido la LOE, sino sólo aquellos que, además, reúnan la condición de profesionales del mercado inmobiliario[40].

b. *Responsabilidad del promotor frente a terceros adquirentes y ausencia de fundamento cuando no es un profesional*

Considero, además, que la doctrina jurisprudencial que hace responder por incumplimiento contractual al promotor no sólo frente al primer adquirente sino también frente a los sucesivos, tampoco es de aplicación respecto del autopromotor no profesional que con posterioridad transmite su vivienda. En estos casos, no concurre una situación de desequilibrio entre las partes que justifique la exclusión del principio general de relatividad de los contratos (artículo 1257 CC).

2.2. Conclusión: la responsabilidad del autopromotor sólo está justificada cuando se le imputa por daños derivados de actos u omisiones propios

Como se ha analizado, no son aplicables al promotor que actúa ajeno al ejercicio de una actividad profesional o empresarial los argumentos en los que se fundamenta la posición de garante que el promotor asume en virtud de la LOE. En consecuencia, puede afirmarse que la responsabilidad del promotor no profesional por vicios o defectos constructivos imputables a la actuación del resto de agentes de la edificación no se encuentra suficientemente fundamentada en la LOE.

En efecto, el régimen de responsabilidad del promotor, diseñado en el artículo 17.3 LOE, no está suficientemente justificado en aquellos casos

---

40. Para un análisis detallado del régimen de responsabilidad del artículo 149 TRLCU *vid.* epígrafe 3 del apartado II del Capítulo Primero de este libro.

en los que concurran las siguientes circunstancias: primero, el sujeto responsable actúa ajeno al ejercicio de una actividad profesional o empresarial; y segundo, los daños derivan de vicios causados por actos u omisiones ajenos, pues en juicio: a) ha quedado probado que los daños derivan de vicios o defectos causados por la actuación de uno o más agentes de la edificación distintos al autopromotor; o b) no queda determinada la causa de los mismos.

Por ello, defiendo que si la causa del defecto es imputable a un tercero –entendiendo tercero en sentido estricto, es decir, incluyendo también en el mismo al resto de agentes de la edificación– la responsabilidad del autopromotor debería ser dispositiva y la legitimación activa limitarse al primer adquirente.

Por el contrario, la responsabilidad, imperativa y frente a terceros adquirientes, del autopromotor derivada de la LOE sí está justificada en aquellos casos en los que se le imputa responsabilidad por daños derivados de actos u omisiones propios dolosos. Esto es, cuando aquél haya contribuido con su actuación dolosa en la causación de los vicios o defectos constructivos, tal y como ocurre, cuando el autopromotor, a pesar de haber sido advertido por los profesionales de la edificación sobre la incorrección o la inconveniencia de sus decisiones o actos, realiza alguna acción u omisión que a la postre contribuye a la causación de los daños.

3. PROPUESTA DE «LEGE FERENDA»: EXONERACIÓN DE RESPONSABILIDAD DEL AUTOPROMOTOR INDIVIDUAL EN LA ESCRITURA DE TRANSMISIÓN CON CONSENTIMIENTO EXPRESO DEL ADQUIRENTE

3.1. Modificación legal propuesta e incertidumbre sobre la legalidad de esta cláusula en el derecho vigente

Los argumentos anteriormente expuestos llevan al convencimiento de la necesidad de establecer, para el autopromotor no profesional, un régimen dispositivo de responsabilidad derivado de vicios o defectos constructivos, siempre que aquéllos no sean imputables a su propia actuación, mediante una reforma de la LOE. Con todo, esta primera afirmación debe ser matizada. La exclusión de la responsabilidad del autopromotor no profesional debe modularse teniendo en cuenta el resto de intereses en juego y, en particular, los de los adquirentes de viviendas, quienes podrían ver perjudicados sus derechos si se introdujera una excepción demasiado amplia y ambigua a la responsabilidad del promotor no profesional.

Por ello, se propone establecer un régimen de carácter dispositivo, paralelo al establecido en el segundo párrafo de la disposición adicional segunda, Uno, LOE para la exoneración de contratación del seguro decenal. De acuerdo con la norma propuesta, las partes del contrato de compraventa, en uso de su autonomía privada, podrían pactar la exoneración de responsabilidad del autopromotor individual *ex* artículo 17.3, *in fine*, LOE cuando los vicios no fueran imputables a su propio dolo. En particular, la modificación legal propuesta es la siguiente:

No será exigible al autopromotor individual de una única vivienda unifamiliar para uso propio, cuando transmita aquélla *inter vivos* dentro del plazo de garantía de 10 años, la responsabilidad derivada de vicios o defectos constructivos del artículo 17 LOE, si concurren los requisitos siguientes:

a) Que los vicios o defectos no fueran imputables al dolo del autopromotor;

b) Que el autopromotor pruebe en la escritura de transmisión haber habitado en la vivienda; y

c) Que el autopromotor fuere expresamente exonerado por el adquiriente de la vivienda en la escritura de transmisión.

La exoneración expresa del autopromotor por el adquirente de la vivienda en ningún caso limita la legitimación del propietario para reclamar responsabilidad al resto de agentes de la edificación con base el régimen del artículo 17 LOE.

Algunos autores han manifestado que, de conformidad con el derecho español vigente, esta cláusula de exoneración de responsabilidad del autopromotor en los contratos de compraventa de viviendas entre particulares ya es válida, por lo que no sería necesaria esta reforma legal. Defienden que dichas cláusulas son válidas porque la responsabilidad de la LOE no tiene carácter imperativo respecto del promotor no profesional[41]. Sin embargo, no contamos con jurisprudencia del Tribunal Supremo sobre esta cuestión, que únicamente se ha pronunciado en contra de la validez de estas cláusulas en casos en los que el vendedor era un promotor profesional.

En mi opinión, la reforma legal propuesta contribuiría a dotar de mayor seguridad jurídica a los particulares que pacten este tipo de cláusu-

---

41. *Vid.* CORDERO LOBATO, *Capítulo 13. El promotor, op. cit.,* pp. 393-394; CORDERO LOBATO, *Capítulo 21. Responsabilidad civil de los agentes que intervienen en el proceso de la edificación, op. cit.,* p. 524; CARRASCO PERERA, CORDERO LOBATO y GONZÁLEZ CARRASCO, *Derecho de la construcción y la vivienda, op. cit.,* p. 485; y MARTÍNEZ ESCRIBANO, *Responsabilidades y garantías de los agentes de la edificación, op. cit.,* pp. 194-196, quien apuesta por una posible interpretación correctora de la ley por parte de la jurisprudencia.

las pues, en defecto de un pronunciamiento legal sobre esta cuestión, es muy probable que los tribunales las acaben declarando nulas por ser contrarias a una norma imperativa (artículo 6.3 CC). De hecho hasta la fecha, el único pronunciamiento judicial sobre la materia, la SAP Toledo, Civil, Sec. 2ª, 18.1.2013 (JUR 2013, 63058), se ha manifestado en contra de la admisibilidad de estas cláusulas, si bien es dudoso que en el caso los vendedores fueran auténticos autopromotores individuales, pues transmitieron la vivienda sin haber vivido en ella, lo cual es un indicio suficiente para apreciar que el sujeto ha actuado en el marco de una actividad empresarial. Según la SAP citada,

> «La Disposición Adicional Segunda en su punto primero lo que exonera al autopromotor es de la constitución de dicho seguro, pero no, como hace la sentencia de instancia de las responsabilidades (...). En consecuencia (...) la introducción en la escritura pública de la cláusula de exención, es improcedente y debe tenerse por no puesta al ir contra lo estipulado en la LOE. No se puede asumir una situación ilegal amparándose, como realiza la sentencia de instancia, en la autonomía de la voluntad conforme lo preceptuado en el art. 1255 CC. Por lo tanto, al ser considerados los demandados autopromotores, conforme a lo preceptuado en el art. 17.3 de la LOE, responderán solidariamente con los demás agentes intervinientes ante los posibles adquirentes de los daños materiales en el edificio ocasionados por los vicios o defectos de construcción» (FD 1º)[42].

---

42. Los hechos que dieron lugar a la SAP Toledo, Civil, Sec. 2ª, 18.1.2013 (JUR 2013, 63058) son los siguientes. Ramona y Efrain encargaron a profesionales de la construcción la realización de una obra. En abril de 2006, aquéllos vendieron a Abel y Eulalia la vivienda unifamiliar resultante en escritura pública. En el contrato, pactaron la exoneración de la eventual responsabilidad derivada del artículo 17 LOE de los vendedores. En el proceso, no quedó probado que en el momento de la celebración del contrato los vendedores habitaran la vivienda, pues aquélla se encontraba en construcción y no fue hasta septiembre del mismo año que se otorgó el acta de final de obra. Con posterioridad a la entrega, aparecieron daños materiales en la vivienda derivados de vicios constructivos, algunos de los cuales fueron reparados a instancias de los compradores por 6.200 €. Los compradores demandaron a Efrain y Ramona y solicitaron una indemnización con base en el artículo 17 LOE que incluía los 6.200 € ya satisfechos, más 21.794,08 € por los costes de reparación de los daños aún no subsanados. El JPI nº 2 de Toledo (20.12.2010) desestimó íntegramente la demanda, pues dio por acreditado que los demandados eran autopromotores y «entiende que conforme la Disposición Adicional Segunda de la LOE y a la vista del pacto llegado por las partes en la escritura, a los mismos se les debe eximir de las responsabilidades que exige dicha ley a los autopromotores» (FD 1º de la SAP). La AP de Toledo estimó en parte el recurso de apelación interpuesto por los demandantes, declaró la nulidad de la cláusula de exoneración de responsabilidad de los transmitentes y condenó a los demandados a pagar 6.200 €, más la cantidad determinada en ejecución de sentencia por defectos que no reparados.

3.2. Ámbito de aplicación de la modificación propuesta: autopromotor individual de una única vivienda unifamiliar para uso propio

El ámbito de aplicación de la modificación legal propuesta estaría limitado al autopromotor individual de una única vivienda unifamiliar al que se refiere la disposición adicional segunda, Uno, LOE[43].

Si bien es cierto que al inicio de este capítulo se critica la responsabilidad por hecho ajeno *ex* artículo 17.3, *in fine*, LOE de cualquier promotor que actúa ajeno al ejercicio de una actividad empresarial, la propuesta de *lege ferenda* sólo incluye entre los sujetos beneficiarios de tal exoneración al autopromotor individual de una única vivienda unifamiliar. Esta limitación se fundamenta en la necesidad de introducir una norma que conlleve seguridad jurídica sobre los supuestos en los cuales el autopromotor puede quedar exonerado; impedir el uso fraudulento de la norma y que no puedan beneficiarse de la exoneración sujetos que promueven viviendas no destinadas a uso propio.

Por ello, quedan fuera del ámbito de aplicación de la norma propuesta, a pesar de actuar ajenos al ejercicio de una actividad empresarial, el autopromotor individual de una edificación con varias viviendas destinadas a uso propio y al de sus familiares. Y también los autopromotores colectivos que promueven agrupados en régimen de comunidad de propietarios a pesar de actuar al margen de una actividad empresarial.

Sin embargo, respecto a este segundo supuesto, debe tenerse en consideración que los comuneros podrían beneficiarse de la posibilidad de pactar la cláusula de exoneración de responsabilidad, en los términos descritos, si las viviendas unifamiliares autopromovidas cuentan con estructuras independientes y la comunidad es de tipo valenciano, es decir, de las previstas en el artículo 8.4 LH. Por tanto, que los comuneros «construyan un edificio con ánimo de distribuirlo, *ab initio*, entre ellos mismos, transformándose en propietarios singulares de apartamento o fracciones independientes». La Dirección General de los Registros y del Notariado ha entendido en interpretación de la disposición adicional segunda, Uno, LOE, que en este caso los comuneros actúan de manera análoga a un autopromotor individual.

3.3. Prueba del uso propio en la escritura de transmisión

La propuesta de *lege ferenda* también deja fuera del ámbito de la exoneración de responsabilidad al autopromotor que inició la promoción de una vivienda para uso propio y después, por cambio de sus circunstan-

---

43. Sobre el concepto de autopromotor individual previsto en la disposición adicional segunda, Uno, LOE *vid.* el epígrafe 2.3. del apartado II del Capítulo Quinto.

cias personales, decide vender la vivienda sin haber habitado en ella. Si bien en este caso, el autopromotor puede haber actuado ajeno al ejercicio de una actividad empresarial o profesional, la dificultad de probar un elemento subjetivo, como es el de la intención con la que aquél promovió la edificación, supondría abrir la puerta a la utilización fraudulenta de la norma[44].

Por ello, la propuesta de *lege ferenda* exige necesariamente, a los efectos de que el adquirente pueda exonerar al autopromotor de responsabilidad en la escritura pública de transmisión de la vivienda, que éste pruebe en el momento de otorgamiento de la escritura haber utilizado la vivienda para uso propio. De modo análogo a lo que exige la disposición adicional segunda, Uno, LOE, respecto a los casos en los que autopromotor individual pretenda beneficiarse de la exoneración de la obligación de contratar el seguro decenal.

3.4. Necesidad de exoneración expresa del adquirente en la escritura de transmisión

La propuesta de *lege ferenda* exige un último requisito, que el autopromotor sea expresamente exonerado por el adquiriente de la vivienda en la escritura pública de transmisión.

La exoneración de responsabilidad del autopromotor individual en los casos mencionados comporta la consiguiente desprotección del adquirente de la vivienda, quien sólo podrá reclamar al autopromotor responsabilidad con base en el artículo 17 LOE cuando los vicios o defectos de la vivienda fueran causados por el autopromotor interviniendo culpa o dolo.

La exigencia de exoneración expresa por parte del adquirente evita la desprotección de éste en caso que en el momento de la adquisición desconociera que el promotor de su vivienda no fue un profesional del sector inmobiliario, sino un particular que la promovió para sí. Sin em-

---

44. VILASAU SOLANA, *La noció de promotor en la Llei 38/1999 d'Ordenació de l'Edificació..., op. cit.*, p. 99, pone de relieve esta problemática al señalar que «és promotor el subjecte que decideix la construcció i que en serà el destinatari final; l'anomenat autopromotor. (...) D'entrada aquesta configuració pot semblar rigorosa i exigent (ateses les conseqüències que comporta). Semblaria més just considerar promotor exclusivament aquell subjecte que emprèn la construcció per transmetre-la a tercers. Ara bé, tenir en compte quina és la finalitat del comitent a l'hora de decidir construir, i sobretot si es tracta d'un comitent individual, no està exempt de dificultats. La decisió del destí que es donarà a la construcció no s'exterioritza necessàriament i, en cas de fer-ho, pot ser que no coincideixi amb la voluntat interna o bé que variï al llarg del procés constructiu». En el mismo sentido *vid.* LÓPEZ RICHART, *Responsabilidad personal e individualizada y responsabilidad solidaria en la Ley de Ordenación de la Edificación, op. cit.*, p. 177.

bargo, debe tenerse en cuenta que si en la escritura de declaración de obra nueva el autopromotor se benefició de la exención de contratar el seguro decenal, este hecho constará en la hoja registral de la finca para que los futuros adquirentes conozcan la ausencia de aseguramiento[45].

Por último, es preciso destacar que tal cláusula de exoneración no producirá efectos frente a terceros (artículo 1257 CC). Sin embargo, no será habitual que dentro de un plazo de diez años el autopromotor habite en la vivienda, la venda y con posterioridad este tercero la vuelva a transmitir.

---

45. *Vid.* las RRDGRN 9.5.2007 (RJ 2007, 3777) y 28.10.2004 (RJ 2004, 7808).

OCTAVO

RESPONSABILIDAD POR DEFECTOS CONSTRUCTIVOS EN LAS COOPERATIVAS DE VIVIENDAS, EN DEFECTO DE PROMOTOR-GESTOR

I. RESPONSABILIDAD DE LAS COOPERATIVAS DE VIVIENDAS FRENTE A SUS SOCIOS EN LA LOE, EN DEFECTO DE PROMO-TOR-GESTOR

Bajo la vigencia del artículo 1591.I del Código Civil, la Sala Primera del Tribunal Supremo había negado la condición de promotoras de las cooperativas de viviendas y su legitimación pasiva en la acción de responsabilidad por ruina, con base en su ausencia de ánimo de lucro[1].

Tras la entrada en vigor de la LOE, el artículo 9.1 LOE ha modificado el concepto de promotor definido en la jurisprudencia anterior, al no exigir la intención lucrativa en su actividad. Por ello, en ausencia de un gestor con intervención decisoria en la promoción, es la cooperativa, y no sus socios, o su Consejo rector, quien reúne la condición de promotor y quien debe asumir la responsabilidad ligada a la figura.

Por el contrario, tal como se examina en el Capítulo Cuarto, recaerá sobre el gestor de la cooperativa la condición de promotor y la responsabilidad ligada a la figura, si éste interviene en la promoción adoptando el papel protagonista y tomando las decisiones sobre los elementos esenciales de la edificación.

En consecuencia, bajo la vigencia de la LOE, las cooperativas de viviendas están sujetas al mismo régimen de responsabilidad por vicios y defectos constructivos que el resto de promotores, y les es aplicable todo

---

1. Para un análisis en profundidad de esta línea jurisprudencial, *vid.* el epígrafe 2.1 del apartado III del Capítulo Tercero.

lo señalado en el Capítulo Sexto respecto del promotor inmobiliario en general.

Con todo, a diferencia de lo defendido, hasta ahora, respecto del auto-promotor individual o colectivo, se valora positivamente el cambio de rumbo tomado por la LOE en relación con las cooperativas de viviendas fundamentalmente por los motivos que se exponen a continuación.

1. NECESIDAD DE UNA PROTECCIÓN EFECTIVA DE LOS INTERE-SES DE LOS SOCIOS ADQUIRENTES

Uno de los argumentos a favor del reconocimiento de la legitimación pasiva de las cooperativas de viviendas en la responsabilidad del artículo 17.3 LOE es la necesidad de proporcionar una efectiva protección de los intereses de los socios adquirentes de viviendas, en aquellos casos en que no intervenga en la promoción un gestor con intervención decisoria.

Si bien la jurisprudencia sobre responsabilidad por ruina fue desarro-llada por el Tribunal Supremo con la finalidad de proteger a los adquirien-tes de viviendas cuando tras la adquisición aparecían vicios o defectos constructivos en las mismas, la doctrina sobre la ausencia de legitimación pasiva de las cooperativas de viviendas no daba una respuesta satisfactoria a la situación en la que se encontraba el socio adjudicatario de una vi-vienda con vicios constructivos[2].

En especial, bajo la vigencia del artículo 1591.I del Código civil, la ausencia de responsabilidad de las cooperativas de viviendas por vicios constructivos dejaba desprotegidos a los socios en aquellos casos en los que los vicios eran imputables a la actuación de la propia cooperativa[3], o en aquellos en que el resto de agentes demandados habían sido declarados insolventes. En estos casos, cuando los vicios o defectos constructivos sólo afectaban las viviendas o locales de determinados socios cooperativis-tas, el coste total de la reparación de la vivienda o el local defectuoso debía ser asumido por el socio adjudicatario afectado.

---

2. En este sentido, *vid.* Carrasco Perera, Cordero Lobato, González Carrasco, *Co-mentarios a la legislación de ordenación de la edificación, op. cit.*, p. 498, nota al pie 20.

3. *Vid.*, por ejemplo, el caso resuelto por la STS, 1ª, 8.5.1995 (RJ 1995, 3942), en la que el Tribunal absolvió de la responsabilidad por ruina a los técnicos y a la cooperativa, que había actuado como constructora y a quien era imputable la ruina. En la doctrina critican la ausencia de responsabilidad de las cooperativas en estos casos, Isabel Espín Alba, «Responsabilidad civil en la Ley de Ordenación de la Edificación», *Revista Xurídica Gallega*, nº 25, 2000, pp. 65-66; Carrasco Perera, Cordero Lobato y González Carrasco, *Derecho de la construcción y la vivienda, op. cit.*, p. 434; y Estruch Estruch, *Las responsabilidades en la construcción..., op. cit.*, p. 771.

Por ello, con anterioridad a la LOE, parte de la doctrina señaló que en esta situación lo razonable sería que la solidaridad existente entre los socios para construir el edificio, que fue gestionada por la cooperativa de viviendas, continuara con posterioridad a la entrega del edificio en la reparación de los vicios y defectos constructivos[4]. Dichos autores propusieron que la cooperativa asumiera los gastos derivados de la reparación de los vicios y defectos constructivos para, con posterioridad, repartir los mismos entre los socios cooperativistas, incluso entre los socios que no habían sufrido daño alguno, por medio de la imputación de pérdidas regulada en el artículo 59.2 LC[5]. En la jurisprudencia menor, se ha manifestado a favor de esta solución la SAP Barcelona, Civil, Sec. 16ª, 31.7.2003 (JUR 2003, 256855), de acuerdo con la cual

«... [s]e hace difícil entender que una entidad pueda vender los pisos y no responsabilizarse de sus defectos. El hecho de que sea cooperativa, e incluso aunque lo fuera sin ánimo de lucro, no debería hacer muy diferente esta cuestión porque la solidaridad entre compradores para levantar el edificio que canaliza la cooperativa, es razonable continúe en la reparación de aquellos vicios que afectan a alguno de los comuneros» (FD 2º).

Tras la entrada en vigor de la LOE, como se analiza más adelante, si la cooperativa es condenada a reparar los vicios y defectos constructivos *ex* artículo 17.3 LOE y aquélla está infracapitalizada repartirá los costes entre todos los cooperativistas, por medio de la imputación de pérdidas «en proporción a las operaciones, servicios o actividades realizadas por cada uno de ellos con la cooperativa» [artículo 59.2.c) LC].

2. LAS COOPERATIVAS NO VENDEN LAS VIVIENDAS A SUS SOCIOS

La jurisprudencia del Tribunal Supremo tuvo en consideración para negar la responsabilidad por ruina de las cooperativas de viviendas que las relaciones mutualistas entre éstas y sus socios no se rigen por la legislación

---

4. Proponen esta solución, Carlos MARTÍNEZ DE AGUIRRE, «La responsabilidad decenal del artículo 1591 del Código Civil: breve repaso de la Jurisprudencia de los años noventa», *Aranzadi Civil*, vol. I, 1993, Parte Estudio, p. 15; TRUJILLO DÍEZ, *Interposición gestora de las cooperativas de viviendas, op. cit.*, p. 2293; CARRASCO PERERA, CORDERO LOBATO y GONZÁLEZ CARRASCO, *Derecho de la construcción y la vivienda, op. cit.*, p. 438; y ESTRUCH ESTRUCH, *Las responsabilidades en la construcción..., op. cit.*, p. 771.
5. En este sentido, *vid.* TRUJILLO DÍEZ, *Interposición gestora de las cooperativas de viviendas, op. cit.*, p. 5, el cual afirma que con la responsabilidad por vicios constructivos de la cooperativa «... se posibilita también que la reparación de los defectos constructivos sea soportada en igual medida por todos los socios, a través de su derrama incluso a los que no han sufrido prejudicio y, en todo caso, a todos por igual».

aplicable al contrato de compraventa. Por ello, antes de la entrada en vigor de la LOE, el Tribunal Supremo consideraba que las cooperativas de viviendas no asumían frente a sus socios la obligación de garantía incondicional de entregar una vivienda sin vicios o defectos constructivos. Entre otras, el Tribunal Supremo consideró, en la STS, 1ª, 20.2.1989 (RJ 1989, 1212), que

> «... la adjudicación de las viviendas a los socios cooperativistas y la aportación de las cantidades resultantes de la distribución y derrama del costo de la construcción, [son] operaciones a todas luces diferenciables de la idea de venta a persona ajena a la constructora» (FD 2º).

Las cooperativas de viviendas pueden establecer dos clases de relaciones jurídico-económicas con sus socios[6]. Por un lado, *las relaciones societarias*, en virtud de las cuales los socios están obligados a realizar las aportaciones obligatorias y voluntarias que integran el capital social. Las aportaciones obligatorias se fijan en los estatutos (artículo 46.1 LC), determinan la adquisición de la condición de socio, limitan su responsabilidad y constituyen un fondo repartible cuando el socio se da de baja (artículo 51 LC)[7]. En consecuencia, el capital social de las cooperativas varía en función de la entrada y salida de socios, sin necesidad de modificación estatuaria[8]. El régimen jurídico aplicable a las relaciones societarias entre la cooperativa y sus socios no es controvertido, pues se rigen por el derecho de sociedades.

Por el otro lado, *las relaciones mutualistas*, cuya naturaleza jurídica es discutida. Estas relaciones nacen como consecuencia de la actividad que la cooperativa efectúa con sus socios para la consecución de su objeto social. En particular, en las cooperativas de viviendas, la relación mutualista es aquella en virtud de la cual la cooperativa adjudica la vivienda al socio. A cambio de la adjudicación de la vivienda, los socios están obligados a realizar una segunda clase de aportaciones, constituidas por las cantidades necesarias para financiar la construcción de las viviendas. Estas cantidades no integran el capital social, sino que forman parte de la que la doctrina ha llamado «masa de gestión empresarial»[9].

---

6. Vargas Vasserot, *La actividad cooperativizada y las relaciones de la cooperativa con sus socios y con terceros, op. cit.*, pp. 19-20.
7. En este sentido *vid.* la SAP Burgos, Civil, Sec. 3ª, 6.11.2009 (AC 2010, 609).
8. Vicent Chuliá, *Introducción al derecho mercantil*, vol. I, *op. cit.*, p. 920, quien, además, señala que «el capital social de la cooperativa no desempeña las mismas funciones que la Sociedad Anónima. (...) La función empresarial o de fondo de explotación del capital social es mínima, por su escaso importe, frente al a veces enorme volumen económico de las operaciones cooperativizadas realizadas con los socios».
9. La expresión «masa de gestión empresarial» procede de Vicent Chuliá, *Introducción al derecho mercantil*, vol. I, *op. cit.* p. 920.

La «masa de gestión empresarial» está formada por aportaciones «(...) coyunturales, [que] vienen exigidas por la necesidad de financiación que la cooperativa tenga en cada momento, y al no estar normalmente previstas en los Estatutos necesitan del acuerdo de la Asamblea para ser exigibles (...)» [SAP Burgos, Civil, Sec. 3ª, 6.11.2009 (AC 2010, 609)][10].

En las relaciones mutualistas, los cooperativistas reúnen una doble condición. Por un lado, son socios, pues las relaciones se desarrollan en el ámbito societario. Pero, a su vez, son clientes de la cooperativa, pues reciben la vivienda a cambio de unas determinadas cantidades económicas[11]. Por ello, la doctrina cuestiona la naturaleza jurídica de la relación mutualista entre la cooperativa de viviendas y los socios. Los autores que han tratado esta materia en el Estado español han identificado dos grandes teorías[12]:

a) La *tesis corporativista, societaria o unitaria*, de acuerdo con la cual las relaciones mutualistas tienen naturaleza societaria y, en consecuencia, se regulan por el derecho de sociedades, y

b) La *tesis contractualista o dualista*, de acuerdo con la cual las relaciones mutualistas no son estrictamente societarias, sino que éstas se rigen por el contrato civil individualmente celebrado por la cooperativa

---

10. La SAP Burgos, Civil, Sec. 3ª, 6.11.2009 (AC 2010, 609) añade que «[l]a forma en la que los socios pueden venir obligados a realizar estas aportaciones puede ser diversa; en ocasiones será la Cooperativa la que adelante el dinero a reserva de la aprobación de las cuentas del ejercicio, para una vez aprobadas proceder a distribuir el gasto entre los socios. En otras ocasiones serán los socios los que hagan los pagos periódicos que se hayan establecido, bien por los Estatutos bien en Asamblea, sin perjuicio de la aprobación ulterior de las cuentas y de la distribución definitiva del gasto. Otras veces se acudirá directamente a los socios en búsqueda de financiación (...)» (FD 2°).

11. En este sentido, *vid.* Iván Jesús TRUJILLO DÍEZ, «Las relaciones mutualísticas entre socio y cooperativa desde el derecho de sociedades y el derecho de contratos: una jurisprudencia en construcción», *Cuadernos de Derecho y Comercio, Consejo General de los Colegios Oficiales de Corredores de Comercio*, Septiembre de 1998, p. 128.

12. Los autores que han analizado las distintas teorías sobre la naturaleza jurídica de las relaciones mutualistas entre las cooperativas y sus socios son Iván Jesús TRUJILLO DÍEZ, en sus obras, «Las relaciones mutualísticas entre socio y cooperativa desde el derecho de sociedades y el derecho de contratos: una jurisprudencia en construcción», *op. cit.* y *Cooperativas de consumo y cooperativas de producción, op. cit.*; Francisco José MARTÍNEZ SEGOVIA, «La relación cooperativizada entre la sociedad cooperativa y sus socios: naturaleza y regímenes jurídicos», *Revista de Derecho de Sociedades*, n° 25, 2005, pp. 203-234; y Carlos VARGAS VASSEROT, *La actividad cooperativizada y las relaciones de la cooperativa con sus socios y con terceros, op. cit.* En especial, en relación con las cooperativas de viviendas, *vid.* LAMBEA RUEDA, *Cooperativas de viviendas: promoción, construcción y adjudicación de la vivienda al socio cooperativo, op. cit.*

con cada uno de los socios. Por consiguiente, de acuerdo con esta tesis, las relaciones mutualistas se rigen por el régimen jurídico aplicable al contrato en cuestión y, sólo subsidiariamente, por el contrato de sociedad[13]. Dentro de esta teoría pueden distinguirse dos posibilidades, que la relación mutualista entre la cooperativa de viviendas y los socios se rija por un contrato de cambio, como el contrato de compraventa, o bien que esta relación se regule por un contrato de gestión o representación, el contrato de mandato en nombre propio o por la figura de la representación indirecta.

2.1. La adjudicación de la vivienda al socio como un elemento inherente al contrato de sociedad

La tesis corporativista, societaria o unitaria defiende que las relaciones mutualistas entre la cooperativa y el socio se sitúan en la relación societaria entre la cooperativa y el socio. El régimen jurídico aplicable a las relaciones mutualistas es, por tanto, la Ley de cooperativas, los estatutos de la cooperativa y las decisiones de los órganos de ésta[14].

La aplicación de la teoría corporativista a las cooperativas de viviendas supone que la adjudicación de la vivienda al socio es un elemento inherente al contrato de sociedad[15]. El socio adjudicatario de la vivienda no adquiere la condición jurídica de comprador de vivienda, sino la de socio cooperativista mediante la suscripción de un contrato de sociedad, asumiendo las obligaciones propias de la figura[16]. Ello comporta, entre otras, las siguientes consecuencias:

---

13. Tal y como señala, VARGAS VASSEROT, *La actividad cooperativizada y las relaciones de la cooperativa con sus socios y con terceros, op. cit.*, p. 107.
14. En este sentido, *vid.* TRUJILLO DÍEZ, *Las relaciones mutualísticas entre socio y cooperativa desde el derecho de sociedades y el derecho de contratos..., op. cit.*, pp. 125-157; y VARGAS VASSEROT, *La actividad cooperativizada y las relaciones de la cooperativa con sus socios y con terceros, op. cit.*, pp. 107-108.
15. La Ley 11/2010 de cooperativas de Castilla-La Mancha, tal y como señala Mª del Carmen GONZÁLEZ CARRASCO, «Informe sobre la caracterización de las adjudicaciones o ventas realizadas por una cooperativa como operaciones de consumo», *Centro de Estudios de Consumo*, 2011, p. 3 (disponible en *https://www.uclm.es/centro/cesco/pdf/trabajos/23/2011/23-2011-4.pdf*), establece que «el suministro de bienes y servicios de la cooperativa a sus socios tendrá la consideración de operaciones societarias internas, al actuar aquella como consumidor directo de carácter conjunto o comunitario».
16. En este sentido, *vid.* VARGAS VASSEROT, *La actividad cooperativizada y las relaciones de la cooperativa con sus socios y con terceros, op. cit.*, p. 107; TRUJILLO DÍEZ, *Interposición gestora de las cooperativas de viviendas, op. cit.*, p. 2; y SAPENA TOMAS, CERDA BAÑULS y GARRIDO DE PALMA, *Las garantías de los adquirentes de vivienda frente a promotores y constructores, op. cit.*, p. 58, quienes ponen de manifiesto que «[l]a relación adquirente promotor o constructor desaparece con la solución cooperativista». En la jurisprudencia menor reciente, destacan en este

a) Si el socio quiere desvincularse de la cooperativa de viviendas deberá hacerlo mediante el mecanismo previsto de baja voluntaria y no por la vía de la resolución del contrato[17].

b) No se aplican en estas relaciones las normas sobre protección de consumidores[18], excepto aquellas que expresamente lo prevean. Una de las leyes sobre protección de consumidores que se aplica a las cooperativas de viviendas es, precisamente, la LOE.

c) Los socios adquieren la edificación a precio de coste, por lo que asumen el riesgo económico de la operación[19]. Al inicio de la promoción, los socios cooperativistas sólo conocen el precio estimado de la edificación. Sin embargo, este precio puede variar y, de hecho, en la práctica suele aumentar a medida que se desarrolla la promoción, puesto que los socios de la cooperativa deben asumir todos los costes derivados del proceso de la edificación, incluso los no previstos inicialmente.

d) La cooperativa de viviendas no responde por incumplimiento contractual frente a los socios en caso que las viviendas adjudicadas no reúnan las condiciones ofertadas o cuando las viviendas no sean adjudicadas dentro del plazo pactado.

Carlos VARGAS VASSEROT señala que la teoría corporativista pura presenta el inconveniente de negar en todo caso la existencia de contratos

---

sentido, las SSAP Madrid, Civil, Sec. 9ª, 15.12.2011 (JUR 2011, 22674); y Las Palmas, Civil, Sec. 5ª, 19.7.2010 (JUR 2011, 7082).

17. *Vid.* la STS, 1ª, 12.11.1990 (RJ 1990, 8702), que afirma que «[l]a naturaleza del vínculo cooperativo y las causas de la toma del acuerdo de incremento de las aportaciones no permitían aplicar el artículo 1.124 del Código Civil (...)» (FD 1º).

18. Esta es la posición defendida en las SSAP Madrid, Civil, Sec. 28ª, 30.3.2006 (AC 2006, 1735) y 30.9.2013 (JUR 2013, 313103) que rechazan la «... equiparación entre la incorporación a una cooperativa y un acto de consumo o compraventa a tercero con precio determinado (...) no deben dejarse de lado los principios de este tipo social, porque al final acabaríamos confundiendo el conjunto de derechos y obligaciones que inciden en el caso para mezclar la incorporación a una cooperativa con el consumo, desdibujando el régimen legal aplicable y sus consecuencias». En el mismo sentido se pronuncia la SAP Cádiz, Civil, Sec. 1ª, 25.7.2005 (AC 2005, 1647), de acuerdo con la cual «no se pueden considerar, (...) los criterios de promotor y comprador, ni aplicar sin matización alguna las disposiciones reguladoras de la compraventa. Por lo mismo, tampoco son de absoluta y primaria aplicación las normas de protección al consumo (...)» (FD 2º).

19. Como señala GONZÁLEZ TAUSZ, *La promoción inmobiliaria encubierta: un fraude de ley, op. cit.*, p. 99, aunque ««los precios de coste» son ofrecidos a los futuros interesados a adquirir su vivienda como una ventaja; (...) éstos encierran cierto peligro».

diferentes al social[20]. Además, como señala Iván Jesús Trujillo Díez[21], las soluciones que han ofrecido los defensores de la teoría corporativista en relación con la naturaleza jurídica de la relación mutualista son insuficientes porque «no han sido capaces de desentrañar la naturaleza de la relación que une al cooperativista con su sociedad en el desarrollo de la actividad cooperativizada».

2.2. El título de adjudicación de las viviendas a los socios en las cooperativas de viviendas no es un contrato de compraventa

2.2.1. «no tendrán la consideración de ventas», según la Ley 27/1999, de 16 de julio, estatal de cooperativas

La doctrina y jurisprudencia mayoritarias coinciden en señalar que el título de adjudicación de las viviendas a los socios en las cooperativas de viviendas no es un contrato de compraventa[22].

En primer lugar, porque a pesar de que la Ley 27/1999, de 16 de julio, de cooperativas no determina la naturaleza jurídica del título en virtud de la cual la cooperativa adjudica la vivienda al socio –que puede realizase «mediante cualquier título admitido en Derecho» (artículo 89.3 LC)– la ley añade que «[l]as entregas de bienes y prestaciones de servicios proporcionadas por las sociedades cooperativas a sus socios (...) no tendrán la consideración de ventas» (disposición adicional 5ª, apartado 2º, LC)[23].

Además, otro de los argumentos en contra de calificar el título de adjudicación de la vivienda de contrato de compraventa es que, en el ordenamiento jurídico español, los socios no transmiten a la cooperativa la propiedad de las aportaciones constituidas por las cantidades necesarias para financiar la construcción de las viviendas. En consecuencia, falta uno

---

20. *Vid.* Vargas Vasserot, *La actividad cooperativizada y las relaciones de la cooperativa con sus socios y con terceros, op. cit.*, p. 148.
21. *Vid.* Trujillo Díez, *Cooperativas de consumo y cooperativas de producción, op. cit.*, pp. 61-66.
22. En este sentido, *vid.* González Poveda, *Diferentes formas de promoción de viviendas. Especial mención a las cooperativas de viviendas..., op. cit.*, p. 286, quien señala que «[e]s unánime la doctrina en considerar que la adjudicación al socio de la titularidad de la vivienda no constituye una compraventa, sino que es un acto debido por la cooperativa al socio en el que no hay contraposición de intereses».
23. Sin embargo, Lambea Rueda, *Cooperativas de viviendas: promoción, construcción y adjudicación de la vivienda al socio cooperativo, op. cit.*, p. 130, pone de manifiesto que esta teoría no es ajena a nuestro ordenamiento jurídico y, a pesar de la disposición adicional mencionada, la compraventa con los socios es admitida en determinadas cooperativas de consumo, categoría dentro de la cual estaban incluidas las cooperativas de viviendas.

de los elementos esenciales de este contrato, el intercambio de una cosa por un precio exigido por el artículo 1445 CC.

En efecto, la doctrina y la jurisprudencia mayoritarias interpretan tanto el artículo 52.3 como la disposición adicional tercera, ambos de la Ley estatal de cooperativas, en el sentido que, excepto previsión estatutaria en contra, estas cantidades no integran el capital social de la cooperativa, sino que forman parte de la masa de gestión empresarial, la cual se mantiene en la propiedad de los socios durante todo el proceso constructivo[24]. Además, así lo han establecido expresamente algunas leyes de cooperativas autonómicas[25].

> Según el tenor literal del artículo 52.3 LC «[l]os bienes de cualquier tipo entregados por los socios para, la gestión cooperativa y, en general, los pagos para la obtención de los servicios cooperativizados, no integran el capital social y están sujetos a las condiciones fijadas y contratadas con la sociedad cooperativa».

> Y, de acuerdo con la disposición adicional tercera LC, «[l]os acreedores personales de los socios no tendrán derecho alguno sobre los bienes de las cooperativas ni sobre las aportaciones de los socios al capital social, que son inembargables. Todo ello, sin menoscabo de los derechos que pueda ejercer el acreedor sobre los reembolsos, intereses y retornos que correspondan al socio».

2.2.2. *Jurisprudencia menor a favor de la responsabilidad contractual de las cooperativas de viviendas por faltas de conformidad*

De acuerdo con lo anterior, en el ordenamiento jurídico español las cooperativas no venden las viviendas a sus socios y, en consecuencia, no responden por incumplimiento contractual, con base en los artículos 1101 y ss. y 1124 del Código Civil, en caso de faltas de conformidad en las viviendas adjudicadas a sus socios. Sin embargo, si la propia cooperativa celebra con sus socios contratos calificables de contratos de compraventa, los tribunales aplicarán a esta relación el régimen jurídico propio de la compraventa.

Así, por ejemplo, la STS, 1ª, 31.12.1992 (RJ 1992, 10424) aplica a la

---

24. En este sentido, *vid.* FAJARDO GARCÍA, *La gestión económica de la cooperativa: responsabilidad de los socios, op. cit.*, pp. 93-100; VARGAS VASSEROT, *La actividad cooperativizada y las relaciones de la cooperativa con sus socios y con terceros, op. cit.*, pp. 120-125; y LAMBEA RUEDA, *Cooperativas de viviendas: promoción, construcción y adjudicación de la vivienda al socio cooperativo, op. cit.*, p. 130.

25. Para un análisis detallado de lo establecido sobre esta cuestión en las leyes cooperativas de algunas Comunidades Autónomas *vid.* TRUJILLO DÍEZ, *Cooperativas de consumo y cooperativas de producción, op. cit.*, pp. 59; y VARGAS VASSEROT, *La actividad cooperativizada y las relaciones de la cooperativa con sus socios y con terceros, op. cit.*, p. 123.

adjudicación de la vivienda la normativa de la compraventa pues «dado que los contratos tienen la naturaleza que jurídicamente les corresponda a tenor del conjunto de derechos y obligaciones estipuladas (...) es evidente que el tan mentado contrato de 28-12-1983, catalogado un tanto eufemísticamente como de opción de acceso diferido a la propiedad, no es ni más ni menos, con las limitaciones que por su carácter cooperativista y de disciplina en el uso de los privilegios que tal condición depara a los socios integrantes de la misma, que un contrato de compraventa con precio aplazado (...)» (FD 2º)[26].

La jurisprudencia menor ya cuenta con algunas sentencias que partiendo de la condición de promotora de la cooperativa de viviendas atribuyen a ésta responsabilidad contractual por faltas de conformidad en las viviendas adjudicadas, ya sea porque el demandante había sufrido daños distintos a los cubiertos por el régimen de responsabilidad de la LOE o porque los vicios en la vivienda adjudicada se manifestaron fuera de los plazos de garantía previstos en la Ley.

Así, la SAP Barcelona, Civil, Sec. 4ª, 22.10.2009 (JUR 2010, 46267), aprecia que si la cooperativa puede ser calificada de promotor a efectos de la LOE, responde no sólo conforme el régimen de responsabilidad del artículo 17 LOE sino también conforme el régimen contractual del Código Civil como cualquier otro promotor, con independencia de la calificación jurídica que pueda darse al contrato de adjudicación de la vivienda. En particular, señala que la cooperativa

«... ([como] cualquier promotor) tiene una doble responsabilidad frente el adquirente de la vivienda; una, derivada del proceso constructivo, yendo frecuentemente enlazada a la de algún otro agente interviniente en la construcción, y otra, dimanante del contrato de compraventa con el adquirente (o de aquel instrumento jurídico en cuya virtud de transmite la propiedad del inmueble al adquirente). (...) Esta responsabilidad del promotor transmitente de la propiedad se rige por el CC y los plazos de prescripción son los generales (...). La responsabilidad del promotor deriva de la falta de entrega de la cosa adjudicada en perfectas condiciones» (FD 5º)[27].

26. *Vid.* también la SAP Valencia, Civil, Sec. 7ª, 5.12.2011 (JUR 2012, 75408), que califica de abusiva la cláusula en la compraventa de una vivienda a manos de una cooperativa que establece distintas consecuencias económicas para las partes en caso de resolución por incumplimiento; y la SAP Islas Baleares, Civil, Sec. 3ª, 14.6.2007 (AC 2007, 1802) que considera que «[l]os convenios entre la Cooperativa Limitada de viviendas Nova 2000, SL, y los hoy demandados, no son contratos de adjudicación sino de compraventa, ya que es doctrina reiterada que los contratos no se califican por el nombre que los interesados les hayan dado (...)» (FD 3º).

27. La SAP Barcelona, Civil, Sec. 4ª, 22.10.2009 (JUR 2010, 46267) resuelve el siguiente caso. La «Cooperativa Habitatge Entorn SCCL» inició la promoción de una edificación en Vic (Barcelona). El 23.7.2004, Victorino se incorporó en la cooperativa mediante firma del correspondiente documento. El 29.6.2005, la Coo-

En la misma línea se pronuncia la SAP Barcelona, Civil, Sec. 13ª, 19.6.2012 (JUR 2012, 257995) que condena a la cooperativa de viviendas a pagar una indemnización a quienes fueron sus socios por los daños derivados de vicios constructivos en las viviendas adjudicadas. La SAP condena a la cooperativa no sólo con base en el artículo 17.3 LOE, sino también con base en la responsabilidad contractual de los artículos 1101 y ss. y 1124 del Código civil:

> «En este caso, (...) resulta (...) que la promotora de la obra de edificación, y la vendedora de las viviendas a sus propietarios, es la demandada Habitatge Entorn S.C.C.L que, por lo tanto, se encuentra plenamente legitimada pasivamente para soportar el ejercicio acumulado de la acción de responsabilidad extracontractual del artículo 17 de la LOE y de la acción de responsabilidad contractual de los artículos 1101, 1124, y concordantes del Código Civil, por los defectos en la construcción del edificio» (FD 1º)[28].

A pesar de estos pronunciamientos jurisprudenciales, la generalización de la responsabilidad contractual de las cooperativas de viviendas

---

perativa le entregó la vivienda mediante contrato de adjudicación. En el momento de entrega de la vivienda, Victorino detectó que los muebles de la cocina estaban en mal estado debido a una inundación que unos trabajadores de la obra habían provocado en la vivienda. Además, aparecieron otros defectos de acabado en la vivienda. Victorino demandó a la cooperativa y solicitó una indemnización de 38.000 € con base en la LOE y los artículos 1101 y ss. y 1124 CC. La Cooperativa solicitó que se llamara a juicio a la constructora, «Acciona Infraestructuras S.A.», y la actora amplió la demanda frente a dicha constructora. El JPI nº 46 de Barcelona (15.9.2008) estimó en parte la demanda, condenó a la cooperativa a pagar 9.700 € por incumplimiento contractual y absolvió a la constructora al apreciar la excepción de prescripción de la acción del artículo 17 LOE, al haber transcurrido más de un año desde la fecha de la recepción de la obra. La AP desestimó el recurso de apelación de la Cooperativa que alegó su falta de consideración de promotor al ostentar la cualidad de promotor-mediador, y no hallarse en una compraventa de la que se deriven responsabilidades obligacionales, sino ante un acto de adjudicación llevado a cabo por la propia cooperativa de la que el actor forma parte. «No siendo discutida la aplicación de la LOE al caso que nos ocupa, queda zanjado el tema de la naturaleza de la cooperativa promotora. Responde exactamente en los mismos términos que cualquier otra persona física o jurídica promotora de un inmueble» (FD 5º).

28. La SAP Barcelona, Civil, Sec. 13ª, 19.6.2012 (EDJ 2012/157613) resuelve el siguiente caso. La cooperativa «Habitatge Entorn, S.C.C.L» promovió la construcción de un edificio de viviendas en Hospitalet de Llobregat (Barcelona), que fue construido por «Acciona Infraestructuras, S.A.». Tras la adjudicación de las viviendas a los socios, la comunidad de propietarios demandó a la cooperativa y a la constructora en ejercicio acumulado de la acción de responsabilidad contractual (artículos 1101 y ss. y 1124 CC) y la acción de responsabilidad del artículo 17 LOE y solicitó una indemnización (*no consta cuantía*). El JPI nº 6 de Barcelona (13.4.2011) estimó en parte la demanda y condenó a los demandados a pagar 55.885,56 €. La AP confirma.

frente a sus socios con base a los artículos 1101 y ss. y 1124 CC, si bien puede parecer deseable desde el punto de vista de la protección de los adquirentes de viviendas, no parece coherente con el sistema actualmente defendido por la mayoría de la doctrina y la jurisprudencia. Por ello, sólo en aquellos casos en los que de los pactos celebrados entre la cooperativa y sus socios se derive que la primera se ha obligado a entregar una vivienda con determinadas características y dentro de un determinado plazo[29], aquélla deberá responder por incumplimiento contractual con base en las reglas generales del Código civil[30].

2.2.3. El modelo francés: mayor protección de los socios por su condición de compradores de viviendas

En la actualidad, en el ordenamiento jurídico francés las cooperativas de viviendas, en caso que no hayan contratado los servicios de una sociedad gestora para realizar su programa de construcción, deben transmitir la propiedad de las viviendas a los socios cooperativistas mediante un contrato de compraventa de vivienda en estado futuro de terminación.

En consecuencia, la adjudicación de la vivienda al socio es el acto por el cual la cooperativa de viviendas, como vendedora, cumple con su obligación de entrega de la cosa vendida. Además, la cooperativa de viviendas está sometida a las mismas obligaciones que cualquier vendedor de vivienda y los socios cooperativistas ostentan idénticos derechos que los compradores de viviendas a construir[31]. En particular, en Francia la regulación de las cooperativas de viviendas (sociétés coopératives de construction) se encuentra en los artículos L. 213-1 a L. 213-15 del Code de la construction et de l'habitation (CCH).

---

29. Con todo, TRUJILLO DÍEZ, Interposición gestora de las cooperativas de viviendas, op. cit., p. 5, entiende que las cooperativas de viviendas no se comprometen a «calidad alguna, como tampoco se comprome[n] a no superar un coste determinado».

30. GONZÁLEZ CARRASCO, Informe sobre la caracterización de las adjudicaciones o ventas realizadas por una cooperativa como operaciones de consumo, op. cit., p. 4, ha señalado que si bien «algunos artículos de la normativa de cooperativas o de otras leyes relacionadas con la construcción se anticipan a los peligros que supone el control de cooperativas por empresarios de la promoción inmobiliaria extendiendo a todas ellas, sin excepción, algunas normas típicas relacionadas con el consumo (ej. En las de viviendas, DA 1ª LOE...). Pero ello no significa que todas las cooperativas surjan del mismo modo ni que todas respondan a una estructura de gestión externalizada que permita considerar existente una relación de consumo entre la misma y sus socios adjudicatarios».

31. Sobre la transmisión de la propiedad de las viviendas al asociado en las cooperativas de viviendas en Francia vid. MALINVAUD y JESTAZ, Droit de la promotion immobilière, op. cit., pp. 510-511.

El artículo L. 213-5 CCH establece que: «La transmisión de la propiedad por la sociedad a un asociado, si resulta de una convención distinta del contrato de sociedad, opera conforme las disposiciones del artículo 1601-3 del *Code Civil*, reproducido en el artículo L. 261-3 del presente código. Si la sociedad no ha confiado a un promotor inmobiliario la realización de su programa de construcción, la conclusión de tal contrato es obligatoria; este contrato, además, debe ser conforme las disposiciones del artículo L. 213-8»[32].

Y el artículo L. 261-3 CCH, que reproduce el artículo 1601-3 del *Code civil*, señala que «La venta en estado futuro de terminación es el contrato por el cual el vendedor transfiere inmediatamente al comprador sus derechos sobre el suelo así como la propiedad de las construcciones existentes. Las obras a realizar devienen propiedad del comprador a medida que se van ejecutando; el comprador estará obligado a pagar el precio a medida que avancen los trabajos. El vendedor conservará los poderes de propietario de la obra hasta la recepción de los trabajos»[33].

Este régimen jurídico especial de las cooperativas de viviendas se introdujo por la Ley francesa de 16 de julio de 1971 con la finalidad de evitar los riesgos que asumían los cooperativistas en este tipo de promociones. En el momento de aprobación de la Ley, la mayor parte de sociedades cooperativas eran falsas cooperativas, entendidas como aquellas creadas a iniciativa de promotores inmobiliarios privados. La finalidad de la Ley fue que estos promotores inmobiliarios dejaran de utilizar las cooperativas de viviendas como meros instrumentos de comercialización[34].

A los efectos de la protección de los adquirentes de las viviendas por daños derivados de vicios constructivos o por cualquier otro tipo de incumplimiento contractual, la consideración de las relaciones mutualistas

---

32. De acuerdo con la versión original del artículo L. 213-5 CCH «*Le transfert de propriété par la société à un associé, s'il résulte d'une convention distincte du contrat de société, s'opère conformément aux dispositions de l'article 1601-3 du code civil, reproduit à l'article L. 261-3 du présent code. Si la société n'a pas confié à un promoteur immobilier la réalisation de son programme de construction, la conclusion d'un tel contrat est obligatoire; ce contrat doit, en outre, être conforme aux dispositions de l'article L. 213-8*».

33. Según el L. 261-3 CCH, introducido por la Ley n° 67-3 de 3 de enero de 1967 (Diario Oficial de 4.1.1967), «*Ainsi qu'il est dit à l'article 1601-3 du code civil: «La vente en l'état futur d'achèvement est le contrat par lequel le vendeur transfère immédiatement à l'acquéreur ses droits sur le sol ainsi que la propriété des constructions existantes. Les ouvrages à venir deviennent la propriété de l'acquéreur au fur et à mesure de leur exécution; l'acquéreur est tenu d'en payer le prix à mesure de l'avancement des travaux. Le vendeur conserve les pouvoirs de maître de l'ouvrage jusqu'à la réception des travaux*».

34. Vid. MALINVAUD y JESTAZ, *Droit de la promotion immobilière, op. cit.*, pp. 505-506.

como un contrato de compraventa es mucho más favorable a los intereses de los socios adquirentes de viviendas[35], pues los cooperativistas son titulares de los mismos derechos que el resto de consumidores adquirentes de viviendas.

Desde este punto de vista sería deseable la introducción del modelo francés en el ordenamiento jurídico español, pues resulta criticable que –por lo menos en lo que respecta a la calidad y características de las viviendas ofrecidas– los socios cooperativistas no se beneficien de la misma protección que recibiría un comprador de vivienda a manos de un promotor inmobiliario profesional, a pesar de que las cooperativas de viviendas actúan, en la práctica, de un modo muy similar a una sociedad promotora, aunque sin ánimo de lucro repartible entre sus socios.

Sin embargo, la adopción del modelo francés presenta dos inconvenientes. En primer lugar, requeriría un cambio legislativo en nuestro sistema jurídico, porque la calificación del acto por el cual la cooperativa de viviendas adjudica la vivienda a sus socios como contrato de compraventa no es coherente con el sistema diseñado en las distintas legislaciones, tanto estatal como autonómicas, de cooperativas.

En segundo lugar, también debe considerarse el efecto que produciría la introducción de la solución adoptada por la legislación francesa en nuestro ordenamiento jurídico. La obligación de las cooperativas de viviendas de celebrar un contrato de compraventa en construcción, en los casos en los que no intervenga una empresa gestora en la promoción, puede desincentivar enormemente este tipo de promociones, incluso hacerlas desparecer. De hecho, en Francia, tal y como ponen de manifiesto MALINVAUD y JESTAZ[36], las únicas sociedades que han surgido con posterioridad a la reforma legal mencionada son las cooperativas creadas por promotores públicos.

3. LAS COOPERATIVAS ACTÚAN COMO GESTORAS QUE DECIDEN LOS ELEMENTOS ESENCIALES DE LA PROMOCIÓN

3.1. Las cooperativas de viviendas actúan como mandatarias o representantes indirectas de los socios frente a terceros

La especial configuración de la relación mutualista en el ordena-

---

35. Parece pronunciarse en este sentido, LAMBEA RUEDA, *Cooperativas de viviendas: promoción, construcción y adjudicación de la vivienda al socio cooperativo, op. cit.*, p. 135, cuando afirma que «[p]odría admitirse la aplicación de sus normas formalmente, para evitar abusos, en orden a las cuestiones de vicios y cumplimiento de las obligaciones que, aún así, siguen repercutiendo sobre el socio, como ocurre en otros países».
36. *Vid.* MALINVAUD y JESTAZ, *Droit de la promotion immobilière, op. cit.*, p. 507.

miento jurídico español, ha llevado a la mayoría de la doctrina a defender la teoría de la interposición gestora de la cooperativa. De acuerdo con esta teoría, el contrato que vincula la cooperativa de viviendas con los cooperativistas es un contrato de mandato o de representación indirecta[37].

La cooperativa actúa como una entidad gestora, como intermediaria, mandataria o representante de los socios, en nombre propio y por cuenta ajena, frente a terceros. Algunos autores califican a la cooperativa como mandataria en nombre propio (artículo 1717 del Código civil). Así, Iván Jesús TRUJILLO DÍEZ afirma que

> «... [e]n cuanto a mandataria no representativa la cooperativa contrata *proprio nomine* con la empresa constructora y es sólo el patrimonio social el que responde de los deberes contraídos en el contrato de obra»[38].

Que la actividad mutualista de la cooperativa de viviendas se rige por lo previsto en el artículo 1717 del Código civil significa que la cooperativa, como mandataria, «(...) obra en su propio nombre (...)», por lo que, los socios mandantes, «(...) no tiene[n] acción contra las personas con quienes el mandatario ha contratado, ni éstas tampoco contra el mandante». En consecuencia, no existe relación contractual entre los socios cooperativistas y los terceros, pero sí entre la cooperativa y los terceros[39].

Junto con esta relación, coexiste la relación entre la cooperativa de viviendas –mandante– y los socios –mandatarios–, en la que de acuerdo con el artículo 1720 del Código civil el «... mandatario está obligado a dar cuenta de sus operaciones y a abonar al mandante cuanto haya recibido en virtud del mandato, aun cuando lo recibido no se debiera al segundo».

Ana LAMBEA RUEDA[40] califica la relación mutualista entre la coopera-

---

37. En España, los primeros autores que defendieron la teoría de la interposición gestora fueron Manrique AGUILAR GARCÍA, «Cooperativas de viviendas: disposiciones comunes y específicas», *Revista de Derecho Notarial*, Madrid, abril-junio, 1972; y Francisco MANRIQUE ROMERO y José Manuel RODRÍGUEZ-POYO GUERRERO, «La cooperativa: garantías formales para su eficacia en el tráfico», *Revista de Derecho Notarial*, Madrid, julio-diciembre, 1980, pp. 29 a 155. Con posterioridad, se han adherido a esta teoría autores como TRUJILLO DÍEZ, *Interposición gestora de las cooperativas de viviendas*, op. cit; VICENT CHULIÁ, *Introducción al derecho mercantil*, vol. I, *op. cit.* p. 919; FAJARDO GARCÍA, *La gestión económica de la cooperativa: responsabilidad de los socios, op. cit.*, p. 100; y con matices LAMBEA RUEDA, *Cooperativas de viviendas: promoción, construcción y adjudicación de la vivienda al socio cooperativo, op. cit.*, pp. 137 y ss.

38. En estos términos, *vid.* Iván Jesús TRUJILLO DÍEZ, «Comentario a la sentencia de 16 de febrero de 1998», 1288, *CCJC*, abril/agosto 1998, p. 819.

39. DÍEZ-PICAZO Y PONCE DE LEÓN, *Fundamentos del derecho civil patrimonial*, vol. IV, *op. cit.*, p. 498.

40. *Vid.* LAMBEA RUEDA, *Cooperativas de viviendas: promoción, construcción y adjudicación de la vivienda al socio cooperativo, op. cit.*, pp. 277-279.

tiva y sus socios de representación indirecta del socio por parte de la cooperativa, quien asume directamente los derechos y obligaciones. En efecto, de acuerdo con esta autora

> «... [l]a Cooperativa no es propietaria de las viviendas, actuando como persona jurídica que asocia a los interesados y los representa en nombre propio frente a terceros. Se mantiene la titularidad jurídica del socio, en común con los demás, de las viviendas cooperativas, construidas o no, hasta su adjudicación, objeto de la acertadamente llamada «masa de gestión económica» (...). De tal forma las deudas originadas en la construcción de las viviendas son responsabilidad de la Cooperativa que contrata con el tercero, y del socio desde el reconocimiento de su propiedad en el momento de adjudicación de la vivienda (las deudas derivadas de la promoción y construcción son a su cargo)»[41].

> En la jurisprudencia menor, destaca en este sentido la SAP Madrid, Civil, Sec. 21ª, 26.2.2013 (EDJ 2013/73045) de acuerdo con la cual «ciertamente, el socio adquiere de la Cooperativa, que otorga escritura pública de compraventa, pero lo que en realidad se hace es elevar a público un acuerdo previo de adjudicación celebrado en el interior de la Cooperativa, de forma que la titularidad de la Cooperativa de la obra ejecutada es meramente provisional e interina hasta la adjudicación a cada cooperati[vista]. La posición de la Cooperativa como persona jurídica interpuesta entre los socios y la constructora es más bien la de un mandatario o gestor, que contrata normalmente en su propio nombre, pero obrando por cuenta y en interés de los cooperativistas» (FD 2º).

3.2. Las cooperativas de viviendas no son simples intermediarias entre los socios y terceros, sino que deciden los elementos esenciales de la promoción

La jurisprudencia sobre responsabilidad por ruina del Tribunal Supremo, que excluía a las cooperativas de viviendas de la responsabilidad por vicios constructivos derivada del artículo 1591.I CC, parecía partir de la idea que existe una cierta identidad personal entre los titulares de las viviendas adjudicadas y la cooperativa promotora. Esto es, esta jurisprudencia equiparaba la promoción en régimen de cooperativas de viviendas con la autopromoción en la que el particular encarga la obra para uso propio[42].

Sin embargo, en la promoción en régimen de cooperativas, a diferencia de lo que sucede en la autopromoción individual y en la en promoción

---

41. Ana LAMBEA RUEDA, «Comentario a la sentencia de 29 de marzo de 2001», *CCJC*, nº 58, 2002, pp. 106-107.
42. En este sentido, TRUJILLO DÍEZ, esta jurisprudencia «prescindía de la interposición jurídica de la cooperativa, para equipararla al comitente que encarga la obra para su propio disfrute».

en régimen de comunidad de propietarios, interviene una persona jurídica, la cooperativa, con personalidad jurídica propia distinta a la de los destinatarios finales de la edificación[43].

En este sentido se ha pronunciado el propio Tribunal Supremo, en la STS, 3ª, 18.12.1991 (RJ 1991, 9334), en la que afirma que «[e]l hecho de que [los socios] sean los beneficiarios de su acción social, y que las viviendas construidas por la cooperativa no se destinen a la venta a terceros ni obtenga lucro, no puede equipararse al hecho de la construcción de una vivienda por una persona física para sí propia» (FD 2º). Y la SAP Madrid, Civil, Sec. 21ª, 26.2.2013 (JUR 2013, 173253) que señala que «la Cooperativa como persona jurídica no es un mero intermediario entre los cooperativistas y los gremios encargados de la construcción, no sirve exclusivamente a los fines personales de los cooperativistas que la integran; por el contrario, es una persona jurídica regida por la Ley y sus Estatutos, que tiene su propia finalidad, que en este caso es la promoción de un grupo de viviendas, y en la que ingresan o la constituyen los socios porque ven en el cumplimiento del fin de la Cooperativa un medio de procurar también su propio fin personal» (FD 2º).

En efecto, la cooperativa de viviendas es una persona jurídica a la que el ordenamiento reconoce plena personalidad jurídica desde el momento en que se inscribe en el Registro de Sociedades Cooperativas[44]. Como consecuencia de la personalidad jurídica propia, las cooperativas pueden contraer obligaciones frente a terceros y frente a sus socios (artículo 38.1 CC), de cuyo cumplimiento responden con todos sus bienes, presentes y futuros (artículo 1911 CC), a excepción del patrimonio que pertenece al Fondo de educación y promoción[45]. Con todo, debe considerarse que en las cooperativas de viviendas por fases o promociones «[l]os bienes que integren el patrimonio debidamente contabilizado de una promoción o fase no responderán de las deudas de las restantes» (artículo 90.V LC)[46].

---

43. *Vid.* Trujillo Díez, *Interposición gestora de las cooperativas de viviendas, op. cit.*, p. 1, de acuerdo con el cual la cooperativa de viviendas no puede considerarse sólo «la reunión de todos los socios para satisfacer sus necesidades de habitación», sino que ésta opera como una «interposición jurídicamente relevante». En términos muy parecidos, *vid.* Carrasco Perera, Cordero Lobato y González Carrasco, *Derecho de la construcción y la vivienda, op. cit.*, p. 1009.

44. Artículos 7 LC y 7.2 del Reglamento del Registro de Sociedades Cooperativas.

45. En este sentido, Paniagua Zurera, *La sociedad cooperativa. Las sociedades mutuas y las entidades mutuales...*, vol. 1, *op. cit.*, p. 239; y Fajardo García, *La gestión económica de la cooperativa: responsabilidad de los socios, op. cit.*, p. 200.

46. Sin embargo, la STSJ de Cataluña, Sala de lo Civil y Penal, Sec. 1ª, de 31.3.2011 (RJ 2011, 3834) no aplica el beneficio de patrimonio separado en una cooperativa de viviendas que califica de sociedad de responsabilidad limitada. «[L]a adjudicación a coste de la vivienda no es razón suficiente para aplicar el beneficio de patrimonio separado cuando no se trata, como hemos dicho, de una cooperativa

Como se ha señalado, la doctrina mayoritaria acepta que en el ordenamiento jurídico español las cooperativas de viviendas actúan frente a los cooperativistas como mandatarias en nombre propio o como representantes indirectas de los socios cooperativistas. Y, como se analizó al examinar la responsabilidad del gestor de comunidades de propietarios o de cooperativas de viviendas, el mandatario no garantiza el cumplimento de la obligación que contrae en nombre del mandante. Es decir, el gestor mandatario o representante no responde por incumplimiento del contrato de mandato si finalizada la promoción la edificación presenta vicios o defectos constructivos, excepto cuando incurriera en culpa o dolo (artículo 1726 del Código civil)[47].

Ahora bien, las cooperativas de viviendas no son simples intermediarias entre los socios y los terceros, sino que éstas intervienen en el proceso de la edificación decidiendo los elementos esenciales de la promoción. Es la cooperativa y no el socio, quien mediante sus órganos contrae los derechos y las obligaciones para la consecución del fin cooperativo. La cooperativa de viviendas es la persona que desde el inicio del proceso constructivo realiza, como mandataria en nombre propio o representante indirecta de los socios, todas las actuaciones necesarias con la finalidad de cumplir su objeto social (artículo 89.2 LC), hasta la finalización de las obras, momento en que la cooperativa adjudica la vivienda o local al socio (artículo 89.3 LC)[48]. Y, en especial, es la cooperativa de viviendas quien contrata a los agentes que intervienen en la construcción de las viviendas.

Subraya este aspecto la SAP Burgos, Civil, Sec. 2ª, 29.12.2009 (JUR 2010, 75215), al señalar que «[l]a cooperativa (...) tiene una personalidad propia y activa en el tráfico jurídico por medio de sus órganos de gobierno, manteniendo una posición interpuesta entre los socios y la constructora y los técnicos que ha contratado» (FD 3º). Y también, la ya citada STS, 3ª, 18.12.1991 (RJ 1991, 9334), según la cual «[l]a existencia de la persona

---

de viviendas haciendo supuesto de la cuestión al estimar que su condición de promotor –no impugnada la aplicación del art. 17.3 LOE– solamente puede hacerse valer frente el patrimonio de la sección– que serían los propios actores– cuando en la realidad probada ni intervinieron en la gestión (aunque formalmente aprobaron las cuentas en las Asambleas anuales) ni fueron los propietarios del terreno y el precio de las adjudicaciones no solo se construyó mediante aportaciones sino con un fuerte gravamen hipotecario» (FD 3º).

47. *Vid.* CORDERO LOBATO, *Comentario a la sentencia de 3 de octubre de 1996, op. cit.*, p. 249; y MARÍN GARCÍA DE LEONARDO, *La figura del promotor en la Ley de Ordenación de la Edificación, op. cit.*, p. 61.

48. En este sentido, *vid.* TRUJILLO DÍEZ, *Interposición gestora de las cooperativas de viviendas, op. cit.*, p. 1; CARRASCO PERERA, CORDERO LOBATO y GONZÁLEZ CARRASCO, *Derecho de la construcción y la vivienda, op. cit.*, p. 1009; GONZÁLEZ CARRASCO, *Informe sobre la caracterización de las adjudicaciones o ventas realizadas por una cooperativa como operaciones de consumo, op. cit.*, p. 3.

jurídica tiene entidad suficiente en derecho, para erigirla en centro de imputación de una actividad, que en modo alguno es confundible con la de los socios personas físicas, y cuya actividad no puede por menos de calificarse de empresarial, por ser ésa la propia calificación que le da su Ley rectora en su art. 1.º, tanto la actualmente vigente (Ley General de Cooperativas, nº 3/1987, de 2 de abril) (...)» (FD 3º).

De acuerdo con todo lo anterior, a favor de la responsabilidad de las cooperativas de viviendas por vicios constructivos con base a la LOE cabe afirmar que en este tipo de promociones, la cooperativa de viviendas interviene con personalidad jurídica propia e interés diferenciado de los destinatarios finales de la edificación. Y es la cooperativa la persona que, desde el inicio del proceso constructivo hasta la finalización de las obras, adopta, por medio de sus órganos, las decisiones esenciales de la promoción.

Por consiguiente, recaerá sobre la cooperativa y no sobre los socios la responsabilidad del promotor derivada de la LOE. Con todo, esta última afirmación debe ser matizada. Bajo ciertas circunstancias, los socios, asumirán los costes derivados de la responsabilidad por vicios constructivos. En particular, en caso de insolvencia de la cooperativa, los costes de la reparación de los daños en las viviendas de los socios se repartirán entre todos ellos, incluso entre los que no hayan sufrido daño alguno[49].

4. PROFESIONALIDAD DE LAS COOPERATIVAS E INADECUACIÓN DEL ÁNIMO DE LUCRO COMO CRITERIO DE IMPUTACIÓN DE RESPONSABILIDAD

El principal argumento a favor de la responsabilidad de las cooperativas de viviendas es que éstas actúan en ejercicio de una actividad empresarial y, en la mayoría de casos, con habitualidad en el tráfico. En efecto, en la práctica inmobiliaria las cooperativas se dedican a la promoción sucesiva de viviendas mediante distintas promociones o secciones[50]. Por ello, la realidad sociológica hacía aún más patente la necesidad de una protección efectiva de los adquirentes a manos de cooperativas que, en la práctica, actúan de un modo muy similar a una sociedad promotora, aunque sin ánimo de lucro repartible entre sus socios.

Con base en este el argumento, algunas sentencias de las Audiencias

---

49. En virtud de lo previsto en el artículo 59.2.c) LC.
50. Pone de manifiesto este hecho, la SAP Barcelona, Civil, Sec. 16ª, 8.2.2011(JUR 2011, 146838), que además cuestiona la ausencia de ánimo de lucro de las cooperativas de viviendas al señalar que «la existencia legal de cooperativas de estructuras muy diversas que profesionalmente se dedican a la promoción sucesiva de viviendas (...) hace pensar en un lucro, al menos indirecto (...)» (FD 2º).

Provinciales de Madrid y de Barcelona atribuyeron, en contra de lo defendido por el Tribunal Supremo, la responsabilidad del artículo 1591.I del Código civil a las cooperativas de viviendas[51]. En particular, estas sentencias se referían a cooperativas fundadas por sindicatos que, desde su constitución a finales de los años ochenta, habían promovido la construcción de múltiples edificaciones.

4.1. Jurisprudencia menor y relevancia de la profesionalidad de las cooperativas a efectos de su responsabilidad bajo la vigencia del artículo 1591.I CC

Bajo la vigencia del régimen de responsabilidad por ruina del artículo 1591.I CC, algunas sentencias de Audiencias Provinciales consideraron que la profesionalidad de las cooperativas de viviendas, así como su habitualidad en la actividad de promoción, debían conllevar su responsabilidad frente a los socios adjudicatarios por los daños derivados de vicios o defectos constructivos.

Esta línea jurisprudencial parte de la idea de que, si bien el Tribunal Supremo excluye del concepto de promotor a las cooperativas de viviendas que se constituyen por socios individuales con la finalidad de construir una única edificación, dicho Tribunal no se ha pronunciado de forma clara ni reiterada en relación con aquellas cooperativas que se dedican con profesional habitualidad a la promoción de viviendas, característica que equiparan a la obtención de un cierto lucro.

En concreto, la Audiencia Provincial de Barcelona ha manejado este argumento en sentencias en las que ha conocido de la responsabilidad por ruina de una cooperativa de viviendas, «Habitatge Entorn S.C.C.L.», que desde su constitución en 1989 por el sindicato Comisiones Obreras (CCOO) de Cataluña, había promovido la construcción de distintas edificaciones de viviendas y locales para adjudicarlos o cederlos a sus socios, si bien cada promoción constituía una fase con autonomía de gestión y patrimonio separados.

En la SAP Barcelona, Civil, Sec. 16ª, 31.7.2003 (JUR 2003, 256855), el Tribunal se pronuncia en un *obiter dictum* sobre la responsabilidad de la cooperativa de viviendas como promotora con base en el artículo 1591.I del Código Civil y afirma que

> «... [e]s cierto que con ocasión de promociones a través de cooperativas, el Tribunal Supremo vuelve a la literalidad del artículo 1591 y, habiendo contratista plenamente diferenciado, no incluye a la cooperativa pro-

---

51. SSAP Barcelona, Civil, Sec. 16ª, 31.7.2003 (JUR 2003, 256855); y Sec. 14ª, 4.4.2005 (JUR 2005, 114987). Y SSAP Madrid, Civil, Sec. 11ª, 7.9.2010 (JUR 2010, 343966); y Sec.19ª, 25.2.2009 (JUR 2009, 250903).

motora como responsable. Pero (...) en el presente caso (...) la realidad sociológica crea particulares dudas en aquellos casos en que la cooperativa no lo es para [una] determinada edificación sino que se dedica con profesional habitualidad a la promoción de viviendas, lo que permite poner en duda la falta de ánimo de lucro que parece estar en la base de aquella disquisición jurisprudencial (...)» (FD 3°).

En el caso, «Habitatge Entorn S.C.C.L». promovió la construcción de un edificio de viviendas en Granollers (Barcelona) y, una vez finalizado, adjudicó la propiedad de las viviendas a sus socios. Con posterioridad, aparecieron vicios y defectos constructivos en los elementos comunes y privativos de la edificación como consecuencia, entre otras causas, de la mala calidad de los materiales elegidos por la cooperativa. La comunidad de propietarios demandó a «Habitatge Entorn S.C.C.L.», a la constructora, a los arquitectos y a los aparejadores, y solicitó la reparación de los defectos constructivos con base en el artículo 1591.I CC. El JPI n° 6 de Granollers (31.7.2002) estimó en parte la demanda, absolvió a los arquitectos y a la cooperativa, por su falta de ánimo de lucro, y condenó al constructor y a los aparejadores a ejecutar las obras de reparación. Con posterioridad a la SJPI, las partes transigieron la responsabilidad. La AP estimó el recurso de apelación interpuesto por la comunidad en el sentido de absolverla de pagar las costas de los demandados absueltos en la SJPI, al existir dudas de derecho sobre la responsabilidad de la cooperativa de viviendas.

En una segunda sentencia, la SAP Barcelona, Civil, Sec. 14ª, 4.4.2005 (JUR 2005, 114987), la Audiencia considera que no es aplicable al caso la jurisprudencia del Tribunal Supremo sobre la ausencia de legitimación pasiva de las cooperativas viviendas, pues la cooperativa demandada, que no se organizó *ad hoc* para la construcción del edificio y cuyos socios no son conocidos, es, en puridad, una sociedad limitada que utiliza la estructura formal de cooperativa para llevar a cabo la promoción. En palabras de la Audiencia:

«... Habitatge no es una cooperativa organizada «ad hoc» para la construcción del bloque litigioso sino una sociedad limitada que (con estructura formal de cooperativa) de socios no conocidos, que ha llevado a cabo la promoción como «propietaria» de la obra» (FD 1°).

Los hechos que dieron lugar a la SAP, Barcelona, Civil, Sec. 14ª, 4.4.20005 (JUR 2005, 114987) son los siguientes. «Habitatge Entorn S.C.C.L.», con más de diez años de experiencia en el sector de la construcción, promovió la construcción de una edificación de viviendas en Martorell (Barcelona). En 1994, aparecieron defectos de acabado cuya reparación la cooperativa pagó con el 5% de las retenciones de la obra, sin acuerdo alguno del órgano directivo. En 1998, surgieron grietas en la fachada, que la cooperativa se comprometió a reparar con la colocación de una chapa metálica en las esquinas del inmueble, pero los vecinos consideraron la medida insuficiente. Además, aparecieron defectos en los balcones de la primera planta. La comunidad de propietarios demandó a la cooperativa, a las constructoras

«SPI» y «VTS», a los arquitectos técnicos y a los arquitectos superiores, y solicitó la reparación de los defectos constructivos con base en el artículo 1591.I CC. El JPI nº 13 de Barcelona (20.1.2004) condenó a la constructora «SPI» y a la cooperativa a reparar los defectos de los balcones, y a éstas junto con los arquitectos técnicos y superiores a reparar las grietas de la fachada. La AP estimó en parte el recurso de apelación de la comunidad en el sentido de incluir en la condena solidaria a la otra constructora «VTS», y desestimó el recurso de apelación interpuesto por la cooperativa. «[E]l Tribunal Supremo ha declarado la falta de responsabilidad de cooperativas (...) (constituidas claramente por socios individuales y con la finalidad de una exclusiva construcción) (...). Pero la doctrina jurisprudencial no se ha pronunciado de forma clara ni reiterada sobre la exclusión de la responsabilidad de una sociedad cooperativa limitada en casos como el presente y está claro que Habitatge no es cooperativa promotora sino promotora que ha adquirido forma social de cooperativa catalana limitada» (FD 1º).

La Audiencia Provincial de Madrid también ha seguido esta línea jurisprudencial, en casos en los cuales se discute la responsabilidad por ruina de cooperativas de viviendas con características análogas a aquélla sobre la cual se pronuncian las SSAP Barcelona anteriores. Por un lado, la SAP Madrid, Civil, Sec. 11ª, 7.9.2010 (JUR 2010, 343966), atribuye la condición de promotora a la cooperativa

«... cuyo objeto es precisamente la promoción y gestión de viviendas en régimen de cooperativa de manera que no se está en el caso ante una verdadera gestión exclusiva entre los cooperativistas, sino ante la figura del promotor que acude a fórmulas diversas en las que los particulares constituidos en comunidad o cooperativa adquieren viviendas en una promoción dirigida en todo por la entidad como profesional en la materia» (FD 3º).

Desde su constitución en el año 1992, «Europa Sur Sociedad Cooperativa Limitada» actuaba de forma profesionalizada en la promoción y gestión de viviendas en régimen de cooperativa. La cooperativa promovió un edificio de viviendas en Getafe (Madrid) y contrató a «Fomento y Gestión S.A.» para la gestión de la promoción. Con posterioridad a la adjudicación de las viviendas a los socios aparecieron vicios constructivos en las mismas. Varios propietarios demandaron a la cooperativa, al arquitecto técnico y a la constructora, y solicitaron la reparación de los defectos constructivos con base en el artículo 1591.I CC. El JPI nº 1 de Getafe (29.4.2008) estimó en parte la demanda y condenó a la constructora y a la cooperativa a reparar los defectos solidariamente. La AP estimó el recurso de apelación interpuesto por la constructora y el arquitecto técnico, y estimó en parte el de los actores, en el sentido modificar las reparaciones a realizar por la constructora. En cambio, desestimó el de la cooperativa que fundaba en su condición de promotor-mediador porque «la recurrente tuvo una actuación que la sitúa en el ámbito de la promoción, con la extensión de responsabilidad al amparo del artículo 1591 que ello supone» (FD 3º).

Por otro lado, la SAP Madrid, Civil, Sec. 19ª, 25.2.2009 (JUR 2009,

250903), la cual si bien no acaba condenando a la promotora a la reparación de los vicios constructivos, reconoce que según

> «... reiterada jurisprudencia (...) la Cooperativa no ostenta la condición de Promotora, en atención a la finalidad que le es propia, salvo supuestos excepcionales en que se ampare bajo la condición de Cooperativa en auténticas funciones de promotor» (FD 1º).

En 1988, el sindicato CCOO impulsó la constitución de la cooperativa de viviendas «Vitra Madrid Sociedad cooperativa», que desde su creación promovió la construcción de un gran número de edificaciones. En particular, los hechos que dieron lugar a la SAP Madrid, Civil, Sec. 19ª, 25.2.2009 (JUR 2009, 250903) se refieren a la promoción de un edificio que la cooperativa llevó a cabo en Madrid. Con posterioridad a la adjudicación de las viviendas a los socios, aparecieron defectos en el pavimento de los paseos peatonales exteriores, en las puertas del garaje, así como humedades en el garaje, cuya causa fueron las deficiencias en el sistema de evacuación de agua e impermeabilizado. La comunidad de propietarios demandó a la cooperativa, la constructora, Ernesto y Jerónimo, dirección facultativa, y solicitó la reparación de los defectos. El JPI nº 19 de Madrid (30.4.2008) estimó en parte la demanda, condenó a la constructora a reparar los defectos constructivos y a Ernesto a pagar 6.598,33 €, importe de reparación de las puertas del garaje, y absolvió al resto de demandados. La AP desestimó el recurso interpuesto por la comunidad pues «(...) ninguna impugnación se hace en el mismo cuanto a la *ratio decidendi* tomada en la sentencia recurrida para desestimar la demanda en relación con Vitra Madrid Sociedad Cooperativa (...)»[52].

Ya en aplicación de la LOE, los tribunales han continuado insistiendo en la profesionalidad de las cooperativas como elemento relevante para atribuibles la condición de promotoras. Así, por ejemplo, la ya citada SAP Barcelona, Civil, Sec. 4ª, 17.11.2011 (JUR 2012, 92371), ha declarado en relación de la cooperativa Suma, que desde su constitución, en 1996, había promovido numerosos conjuntos inmobiliarios, que aquélla está lejos de la concepción bucólica de grupo de personas que se asocian para construir su vivienda y que, por el contrario, se acerca peligrosamente a la profesionalización de la promoción.

4.2. La profesionalidad de la cooperativa genera frente al socio una expectativa sobre la idoneidad de la vivienda adjudicada

La jurisprudencia menor expuesta pretende acomodarse dentro de la jurisprudencia del Tribunal Supremo relativa a la ausencia de legitimación pasiva de las cooperativas en la acción de responsabilidad del artículo

---

52. También admite la legitimación pasiva de la cooperativa de viviendas en la acción de responsabilidad por ruina la SAP Madrid, Civil, Sec. 21ª, 18.6.2008 (JUR 2008, 293915), aunque no entra a analizar las razones.

1591.I CC, afirmando que el Tribunal Supremo sólo ha negado la legitimación pasiva de las cooperativas de viviendas constituidas *ad hoc* con socios conocidos, las cuales se caracterizan por la ausencia de ánimo de lucro. Sin embargo, el Tribunal Supremo, había aplicado aquella línea jurisprudencial a cualquier tipo de cooperativa de viviendas.

Lo que verdaderamente ponen de manifiesto estas sentencias es que la ausencia de ánimo de lucro de las cooperativas es irrelevante, porque la profesionalidad y la habitualidad en el tráfico inmobiliario de éstas genera en los socios, que se adhieren a las mismas con la finalidad de obtener una vivienda, una expectativa sobre la idoneidad del inmueble resultante[53].

En efecto, tal y como se concluye al examinar el fundamento de la responsabilidad del promotor en la LOE, el promotor profesional que genera en el tráfico una expectativa sobre la idoneidad del inmueble transmitido asume frente a los adquirentes una garantía imperativa[54]. Por otro lado, también se concluye que el criterio de imputación de responsabilidad basado en el ánimo de lucro del promotor es inadecuado en una economía de mercado. Y uno de los ámbitos en los que más relevancia adquiere esta crítica es, precisamente, en la responsabilidad de las cooperativas de viviendas.

Primero, porque es cuestionable que en todo caso las cooperativas de viviendas actúen sin intención lucrativa[55]. Y, segundo, porque la aplicación del criterio del ánimo de lucro suponía la ausencia de responsabilidad por ruina de las cooperativas de viviendas a pesar de que estas entidades desarrollan una actividad económica generadora de daños[56]. Y parece sensato pensar que un promotor profesional que lleva a cabo una actividad

---

53. *Vid.* Cordero Lobato, *Capítulo 13. El promotor, op. cit.*, p. 395 de acuerdo con la cual «la interposición de la cooperativa (...) genera en los socios cooperativistas la esperanza fundada de llegar a ser propietarios de un inmueble idóneo».
54. Apartado III del Capítulo Sexto de este trabajo.
55. *Vid.* sobre la sociedad cooperativa y el ánimo de lucro el epígrafe 1.2.1. del apartado III del Capítulo Tercero.
56. En esta línea se ha pronunciado Cadarso Palau, *Riesgo y responsabilidad en el contrato de obra (según el Proyecto de Ley 121/000043, 1994, de modificación del Código Civil), op. cit.*, p. 125, quien afirma en relación con el ánimo de lucro, «[d]isiento, por mi parte, de que la responsabilidad del promotor se justifique por referencia exclusiva a tal circunstancias; y disiento, en particular, de tal criterio haya sido esgrimido a favor de la inmunidad de las cooperativas de construcción, puesto que si las mismas despliegan una actividad organizativa de la operación, concurre respecto de ellas criterio de imputación bastante, con independencia de que medie o no móvil o finalidad lucrativa. Ello, aparte de que la ausencia de un específico móvil lucrativo tampoco excluye necesariamente el carácter empresarial de la actividad cooperativa (...)».

empresarial potencialmente generadora de daños debe asumir los daños finalmente derivados de la misma.

Por último, es preciso señalar que, aunque la jurisprudencia menor sobre responsabilidad por ruina de las cooperativas de viviendas bajo el régimen de responsabilidad del artículo 1591.I CC, analizada más arriba, trate de maneras distintas dos situaciones –las cooperativas de viviendas que actúan con habitualidad en el tráfico y aquéllas que se constituyen para una sola promoción–, tras la entrada en vigor de la LOE la consideración de promotor de las cooperativas de viviendas se aplica en todo caso, excepto cuando en la promoción intervenga un promotor-gestor. El ejercicio de una actividad empresarial es predicable de cualquier cooperativa, aunque sólo promueva una edificación ocasionalmente[57].

En síntesis, debe prevalecer por encima de las consideraciones relativas al ánimo de lucro, la protección de los socios que se incorporan en la cooperativa confiando en su prestigio profesional.

II. RESPONSABILIDAD DE LAS COOPERATIVAS DE VIVIENDAS FRENTE A TERCEROS NO SOCIOS POR VICIOS CONSTRUCTIVOS

La cooperativa de viviendas a parte de relacionarse jurídicamente con sus socios también puede relacionarse con terceros. En estas relaciones debe diferenciarse, por un lado, las relaciones jurídicas de la cooperativa de viviendas para realizar actos instrumentales a la consecución de su objeto social, por ejemplo, las relaciones jurídicas entre la cooperativa de viviendas y la constructora de las viviendas. Y, por el otro, las relaciones jurídicas de la cooperativa de viviendas con terceros no socios en relación con la actividad mutualista.

Las relaciones externas de la cooperativa con terceros no socios no presentan particularidad alguna, pues se rigen por el régimen jurídico aplicable al contrato que las partes hayan celebrado[58]. Así, tiene la consideración de venta el acto por el cual la cooperativa de viviendas enajena a

---

57. No exigía la habitualidad en la promoción el artículo 50.1 de la derogada Ley catalana 24/1991, de 29 de noviembre, de la vivienda, el cual define a los «promotores de viviendas» como «... las personas físicas o jurídicas, públicas o privadas, que, individual o colectivamente, deciden, impulsan, programan y financian, *aunque sea ocasionalmente*, con recursos propios o ajenos, obras de edificación o rehabilitación de viviendas, tanto si son para uso propio como si son para efectuar posteriormente su transmisión, entrega o cesión a terceros por cualquier título».

58. En este sentido en relación con las cooperativas en general, *vid.* VARGAS VASSEROT, *La actividad cooperativizada y las relaciones de la cooperativa con sus socios y con terceros, op. cit.*, pp. 19-20.

terceros no socios los locales comerciales y las instalaciones o edificaciones complementarias de su propiedad (artículo 89.4 LC)[59]. Según la jurisprudencia del Tribunal Supremo, también son ventas las transmisiones de locales comerciales a los socios[60].

De acuerdo con la STS, 1ª, 24.2.1992 (RJ 1992, 1513), «... no están (...) comprendidos dentro del ámbito de esa relación que une a cooperativa y socios, la venta de los locales comerciales a los socios, ya que la existencia de estos locales es una circunstancia que no altera la consideración de la cooperativa como tal (art. 103.2 del citado Reglamento), pudiendo o no existir tales locales cuyo destino se encuentra regulado en el art. 107 del Reglamento y, por otra parte, no es equiparable esa venta de los locales comerciales que puede ser hecha a cualquier persona, socio o no, con la adjudicación de las viviendas a los socios cooperativistas y la aportación por éstos de las cantidades resultantes de la distribución y derrama del coste de la construcción» (FD 2º).

Por otro lado, también tienen la consideración de compraventas los contratos en virtud de los cuales la cooperativa de viviendas enajena viviendas a terceros no socios. Si bien el artículo 89.4 de la Ley estatal de cooperativas no permite a la cooperativa enajenar viviendas a terceros no socios, esta regla encuentra excepciones en las Leyes de cooperativas de algunas Comunidades Autónomas[61], y en la disposición transitoria segunda de la Ley 2/2011, de 4 de marzo, de Economía Sostenible[62], que

---

59. El artículo 89.4 LC se refiere exclusivamente a que «[l]as cooperativas de viviendas podrán enajenar o arrendar a terceros, no socios, los locales comerciales y las instalaciones y edificaciones complementarias de su propiedad». En este sentido, vid. GONZÁLEZ CARRASCO, *Informe sobre la caracterización de las adjudicaciones o ventas realizadas por una cooperativa como operaciones de consumo*, op. cit., p. 10, quien señala que en estos casos «estamos ante una relación de consumo ordinaria. La cooperativa es una sociedad de carácter mercantil y puede relacionarse con terceros constituyendo las ventas realizadas en el ejercicio de su actividad actos de consumo».

60. Vid. CARRASCO PERERA, CORDERO LOBATO y GONZÁLEZ CARRASCO, *Derecho de la construcción y la vivienda*, op. cit., p. 1021.

61. Por ejemplo, de conformidad con el artículo 135.4 la Ley 11/2010, de 4 de noviembre, de cooperativas de Castilla-La Mancha «... [e]xcepcionalmente, en el caso de que, una vez finalizada la promoción y adjudicación de las viviendas a los socios, quedara alguna sin adjudicar, podrá ser adjudicada a una tercera persona no socia siempre que cumpla las condiciones objetivas que fijen los estatutos sociales y las específicas señaladas en los mismos para adquirir la condición de socio, y siempre que las viviendas a adjudicar no supongan más del 30% del conjunto de viviendas de la promoción. Dicha enajenación deberá ser sometida a comunicación del Registro de cooperativas. El incumplimiento de esta obligación de comunicación será causa de responsabilidad de los miembros del consejo rector, en los términos previstos en esta Ley».

62. BOE nº 55, de 5.3.2011.

permite a las cooperativas vender viviendas a terceros bajo ciertas condiciones[63].

Por consiguiente, la cooperativa de viviendas responde frente a los compradores de los locales, sean socios o no, y frente a los compradores de viviendas que no tengan la condición de socios:

- Por incumplimiento del contrato de compraventa cuando entregue locales o viviendas con vicios constructivos, o con cualquier otra falta de conformidad, con base en los artículos 1101 y ss. y 1124 CC[64].

- Adicionalmente, la cooperativa de viviendas también responde frente a los terceros no socios por los daños derivados de vicios y defectos constructivos, ya sea con base en el artículo 1591.I CC[65] o en base en el artículo 17.3, *in fine*, LOE, en función de la Ley temporalmente aplicable al caso.

III. RESPONSABILIDAD DE LOS SOCIOS FRENTE LA COOPERATIVA DE VIVIENDAS Y FRENTE A TERCEROS ACREEDORES DE LA MISMA

1. FRENTE A LA COOPERATIVA DE VIVIENDAS: IMPUTACIÓN DE PÉRDIDAS A LOS SOCIOS [ARTÍCULO 59.2.C) LC]

Si bien las cooperativas de viviendas pueden ser condenadas a responder frente a los socios por los daños materiales en la edificación deriva-

---

63. En particular, en la disposición transitoria segunda de la Ley 2/2011, de 4 de marzo, de Economía Sostenible permite a las cooperativas enajenar o arrendar viviendas de su propiedad a terceros no socios siempre que se cumplan ciertas condiciones: que las viviendas fueran iniciadas antes de la entrada en vigor de la Ley; que el acuerdo sea aprobado por la Asamblea general; y que estas no alcancen el 50% de las operaciones realizadas con los socios.

64. GONZÁLEZ POVEDA, *Diferentes formas de promoción de viviendas. Especial mención a las cooperativas de viviendas...*, op. cit., p. 287, señala que «estos actos de disposición se regirán por las normas aplicables a la naturaleza del acto realizado, compraventa o arrendamiento, adquiriendo la cooperativa la posición jurídica correspondiente al mismo».

65. Un ejemplo de la responsabilidad por ruina de la cooperativa de viviendas frente a los terceros no socios bajo la vigencia del artículo 1591.I CC puede verse en la SAP Alicante, Civil, Sec. 8ª, 8.5.2009 (JUR 2009, 303478), la cual considera que es promotora y, en consecuencia, está legitimada pasivamente en la responsabilidad por ruina *ex* artículo 1591 CC la «Mutualidad de Previsión del Hogar Divina Pastora» respecto de una promoción en la que «... no ha acreditado la condición de mutualista de los compradores ni que el precio de venta de las viviendas y demás componentes inmobiliarios fuese el precio de coste» (FD 6°).

dos de vicios o defectos constructivos *ex* artículo 17.3 LOE, en ocasiones serán los propios socios quienes acabarán asumiendo las cantidades derivadas de esta responsabilidad.

En los supuestos en que la cooperativa de viviendas sea condenada a reparar los daños materiales derivados de los vicios o defectos en las viviendas de los socios y aquélla esté infracapitalizada, la cooperativa, mediante acuerdo de la Asamblea general, repartirá los costes entre los socios cooperativistas, incluso entre los socios que no han sufrido daño alguno en virtud de lo previsto en el artículo 59.2.c) LC.

En efecto, de acuerdo con el artículo 59.2 LC, si los resultados del ejercicio económico de la cooperativa son negativos, las pérdidas se imputarán, en primer lugar, al fondo de reserva voluntario y al obligatorio y, en segundo lugar, en la cuantía no compensada con los fondos obligatorios y voluntarios, a los socios en proporción a las operaciones, servicios o actividades realizadas por cada uno de ellos con la cooperativa[66]. El apartado 3º del precepto citado prevé que el socio puede satisfacer las pérdidas imputadas, entre otras formas, mediante el abono directo de las cantidades[67].

La obligación de los socios de reintegrar las pérdidas ordinarias cooperativas se sustenta, como afirma Isabel-Gemma FAJARDO GARCÍA, en la idea que la cooperativa gestiona la actividad empresarial, «en nombre propio pero por cuenta de éstos»[68].

Además, Pedro GONZÁLEZ POVEDA[69], ha defendido que dicha solidaridad entre los socios debe seguir incluso tras la disolución de la cooperativa si los vicios o defectos afectan de manera exclusiva a la vivienda de uno

---

66. En este sentido, PANIAGUA ZURERA, *La sociedad cooperativa. Las sociedades mutuas y las entidades mutuales...*, vol. 1, *op. cit.*, pp. 241-242; y URÍA GONZÁLEZ, *Derecho mercantil, op. cit.*, p. 588.

67. De conformidad con el artículo 59.3 LC «[l]as pérdidas imputadas a cada socio se satisfarán de alguna de las formas siguientes:
a. El socio podrá optar entre su abono directo o mediante deducciones en sus aportaciones al capital social o, en su caso, en cualquier inversión financiera del socio en la cooperativa que permita esta imputación, dentro del ejercicio siguiente a aquel en que se hubiera producido.
b. Con cargo a los retornos que puedan corresponder al socio en los siete años siguientes, si así lo acuerda la Asamblea general. Si quedasen pérdidas sin compensar, transcurrido dicho período, éstas deberán ser satisfechas por el socio en el plazo máximo de un mes a partir del requerimiento expreso formulado por el Consejo Rector».

68. *Vid.* FAJARDO GARCÍA, *La gestión económica de la cooperativa: responsabilidad de los socios, op. cit.*, p. 241.

69. *Vid.* GONZÁLEZ POVEDA, *Diferentes formas de promoción de viviendas. Especial mención a las cooperativas de viviendas..., op. cit.*, pp. 290-291.

o varios socios. Por ello, según el autor citado, los socios perjudicados pueden demandar al resto de socios, quienes deben responder con base en el principio de distribución proporcional de los gastos derivados de la promoción, incluso después de la disolución de la cooperativa.

En síntesis, a pesar de que los socios no son promotores a efectos de la LOE, bajo ciertas circunstancias asumirán los costes derivados de la responsabilidad de la cooperativa *ex* artículo 17.3 LOE.

2. FRENTE A TERCEROS: RESPONSABILIDAD DE LOS SOCIOS POR DEUDAS SOCIALES Y POR LAS DERIVADAS DE LA CONSTRUCCIÓN DE LAS VIVIENDAS ADJUDICADAS

La responsabilidad frente a terceros acreedores por las deudas sociales de la cooperativa corresponde siempre a ésta, pues tiene personalidad jurídica propia y un patrimonio separado del de sus socios[70]. Sin embargo, los socios pueden responder de manera subsidiaria[71], en caso de insolvencia o disolución de la cooperativa, de las deudas derivadas de su participación en la actividad económica de la cooperativa.

2.1. Por las deudas sociales (artículo 15.3 LC): responsabilidad limitada a las aportaciones sociales

Por regla general, frente a terceros acreedores de la cooperativa los socios responden de las deudas sociales de manera limitada, pues el artículo 15.3 LC establece que la responsabilidad de los socios por las deudas sociales

«... estará limitada a las aportaciones al capital social que hubiera suscrito, estén o no desembolsadas en su totalidad».

Cabe distinguir tres posibles situaciones:

a) El socio ha desembolsado la totalidad de las aportaciones al capital social. En este caso el socio no responde con su patrimonio de las deudas de la cooperativa frente a los acreedores sociales[72].

---

70. *Vid.*, por ejemplo, el artículo 5.1. de la Ley 4/1999, de 30 de de marzo, de cooperativas de la comunidad de Madrid (BOCM nº 87, de 14.4.1999), de acuerdo con el cual «[l]a Cooperativa responderá de sus deudas con todo su patrimonio presente y futuro, excepto el correspondiente a la reserva de educación y promoción cooperativa, que sólo responderá de las obligaciones estipuladas para el cumplimiento de sus fines».

71. En este sentido, Fajardo García, *La gestión económica de la cooperativa: responsabilidad de los socios, op. cit.*, pp. 198 y 199.

72. *Vid.* Mª del Carmen González Carrasco, «Comentario a la sentencia de 28 de octubre de 2002 (RJ 2002, 9185)», *CCJC*, nº 61, enero/marzo 2003, p. 239, quien señala que «a pesar de que se habla de responsabilidad limitada del socio, en realidad el principio es de no responsabilidad, ya que el mismo sólo arriesga lo que aportó o se comprometió a aportar a la cooperativa, más allá de lo cual no

b) El socio sólo desembolsó parte de las aportaciones al capital social. Este socio es deudor frente a la cooperativa de la parte de las aportaciones no desembolsadas. Por ello, tal y como señala Mª del Carmen GONZÁLEZ CARRASCO[73], los acreedores sociales, una vez agotado el patrimonio de la cooperativa y ante la inactividad de aquélla, pueden exigir que las aportaciones no desembolsadas ingresen en el patrimonio de la cooperativa mediante el ejercicio de la acción subrogatoria frente al socio deudor (artículo 1111 del Código civil)[74].

c) El socio ha causado baja en la cooperativa, si la cooperativa le ha reembolsado las aportaciones al capital social. En este caso el socio responde «(...) personalmente por las deudas sociales, previa exclusión del haber social, durante cinco años desde la pérdida de su condición de socio, por las obligaciones contraídas por la cooperativa con anterioridad a su baja, hasta el importe reembolsado de sus aportaciones al capital social» (artículo 15, apartado 4º, LC).

2.2. Por las deudas derivadas de la construcción de las viviendas adjudicadas: responsabilidad ilimitada en caso de insolvencia o disolución de la cooperativa

2.2.1. Análisis de la jurisprudencia del Tribunal Supremo sobre la responsabilidad de los socios por las deudas derivadas de la construcción de las viviendas adjudicadas

El Tribunal Supremo ha excepcionado la regla general del artículo 15.3 LC y ha adoptado la doctrina jurisprudencial de acuerdo con la cual, en las actividades que la cooperativa desarrolla al servicio y por cuenta y

---

responde. Si están íntegramente desembolsadas las aportaciones, el socio no responde en absoluto».

73. *Vid.* GONZÁLEZ CARRASCO, *Comentario a la sentencia de 28 de octubre de 2002 (RJ 2002, 9185), op. cit.,* p. 239, quien señala que «si el desembolso es parcial, la parte restante integra un derecho de crédito de la sociedad contra el socio, deuda que puede exigirse por los acreedores sociales por la vía subrogatoria (art. 1.111 del Código Civil)». *Vid.* también Manuel PANIAGUA ZURERA, *La sociedad cooperativa. Las sociedades mutuas y las entidades mutuales. Las sociedades laborales. La sociedad de garantía recíproca,* vol. 1, Manuel OLIVENCIA, Carlos FERNÁNDEZ-NÓVOA, Rafael JIMÉNEZ DE PARGA (Dirs.) y Guillermo JIMÉNEZ SÁNCHEZ (Coord.), *Tratado de Derecho Mercantil,* Marcial Pons, Madrid, 2005, pp. 240-241.

74. Según el artículo 1111 CC, «[l]os acreedores, después de haber perseguido los bienes de que esté en posesión el deudor para realizar cuanto se les debe, pueden ejercitar todos los derechos y acciones de éste con el mismo fin, exceptuando los que sean inherentes a su persona (...)».

riesgo de cada socio no es de aplicación el principio de responsabilidad limitada de los socios por las deudas sociales[75].

> Así, la STS, 1ª, 18.6.1991 (RJ 1991, 4522) afirma que «los socios que hayan sido integrados en una concreta promoción de vivienda vienen obligados a costear, con independencia de sus aportaciones societarias, los gastos constructivos de la vivienda que fuera adjudicada, y ello, por supuesto, no supone incompatibilidad o contradicción alguna con el principio de responsabilidad limitada (...), máxime, cuando los débitos derivados de la construcción de una vivienda adjudicada a un socio determinado, no pueden equipararse a las [deudas] sociales propiamente dichas» (FD 3°).

En efecto, la Sala Primera del Tribunal Supremo ha desarrollado una línea jurisprudencial que pretende dar respuesta a los supuestos en los que la cooperativa de viviendas ha adjudicado las viviendas a los socios sin recabar la aportación de cantidades en cuantía suficiente para pagar las deudas pendientes, y la constructora o suministradora de materiales, titulares de un derecho de crédito frente a la cooperativa, ven insatisfechos sus créditos ante la situación de insolvencia o disolución de la cooperativa[76].

En estos casos, por un lado, ya no es posible imputar las pérdidas a los adjudicatarios de las viviendas, pues una vez adjudicadas las viviendas aquellos suelen darse de baja de la misma; y, por el otro, los acreedores sociales tampoco pueden recuperar la totalidad de su crédito, pues la responsabilidad de los socios del artículo 15.3 LC por las deudas sociales no va más allá del importe de sus aportaciones al capital social[77].

---

75. En este sentido, *vid.* VICENT CHULIÁ, *Introducción al derecho mercantil*, vol. I, *op. cit.*, p. 919, que señala que en estas los socios deben soportar «las pérdidas de explotación de forma personal e ilimitada». Además, este autor destaca (p. 920) que «como característica más importante de la cooperativa, sus socios responden ilimitadamente con todo su patrimonio de la gestión de sus intereses que confían a la cooperativa («masa de gestión de la cooperativa»), asumiendo un riesgo propio según sea una cooperativa de producción (...) o de consumo (el riego del coste de adquisición de los bienes y servicios adquiridos, por. ej., la vivienda, en una cooperativa de viviendas)».

76. A favor de la responsabilidad ilimitada de los socios en estos casos, *vid.* las SSTS, 1ª, 12.12.2011 (RJ 2012, 34); 15.7.2011 (JUR 2011, 274829); 30.1.2008 (RJ 2008, 341); 19.10.2005 (RJ 2006, 1958); 28.10.2002 (RJ 2002, 9185; Comentada por GONZÁLEZ CARRASCO, *Comentario a la sentencia de 28 de octubre de 2002, op. cit.*; 19.3.2001 (Cendoj 28079110002001100791; Comentada por LAMBEA RUEDA, *Comentario a la sentencia de 29 de marzo de 2001, op. cit.*); 16.2.1998 (Comentada por TRUJILLO DÍEZ, *Comentario a la sentencia de 16 de febrero de 1998, op. cit.*); 19.5.1993 (RJ 1993, 3803); 22.5.1992 (RJ 1992, 4277); y 11.8.1991 (RJ 1991, 4522). En la jurisprudencia menor *vid.*, entre otras, las SSAP Madrid, Civil, Sec. 8ª, 27.2.2007 (JUR 2007, 216662) y Zaragoza, Civil, Sec. 5ª, 3.4.1999 (AC 2000, 1286).

77. Así lo pone de manifiesto, TRUJILLO DÍEZ, *Comentario a la sentencia de 16 de febrero de 1998, op. cit.*, p. 814.

Por ello, con el objeto de proteger a los terceros acreedores de la cooperativa por las deudas derivadas de la construcción de las viviendas, el Tribunal Supremo defiende que:

> «Tratándose (...) de una obra de viviendas y locales (...), siendo Promotora la Cooperativa, y cumpliéndose el objeto social de la misma en la adjudicación y entrega de tales unidades de obra, a los cooperativistas (...) éstos son co-promotores, y (...) adeudan, para evitar un enriquecimiento injusto a su favor, a la Constructora, las cantidades no pagadas, por los trabajos y materiales que se invirtieron en la misma, es decir, en cada una de las unidades (viviendas o locales) de los que los mismos, como adjudicatarios (...)» (FD 4º)[78].

El fundamento jurídico en el que el Tribunal Supremo imputa la responsabilidad a los socios en estos casos es el principio general del derecho que prohíbe el enriquecimiento injusto. En efecto, los cooperativistas obtienen un incremento patrimonial derivado de la adjudicación de su parte de la edificación, sin contribuir proporcionalmente en las derramas adicionales lo cual, a su vez, conlleva el empobrecimiento de un tercero, el suministrador, el constructor o los socios de la misma cooperativa integrados en una fase distinta, quienes han contribuido en el incremento del valor de dicha edificación[79].

La responsabilidad de los cooperativistas por enriquecimiento injusto es parciaria, o mancomunada en el sentido utilizado en el artículo 1138 del Código Civil, con base en el incremento patrimonial experimentado por cada uno de ellos en relación con la aportación a su vivienda, excepto pacto en contrario[80].

Esta jurisprudencia sólo es aplicable a la responsabilidad de los socios por las deudas sociales que proceden de los gastos necesarios para la adjudicación de las viviendas. En particular, estas sentencias incluyen en esta categoría de gastos:

a) Las cantidades que la cooperativa debe a la suministradora o la constructora por los materiales y los trabajos que aquellas hubieren invertido en la obra;

b) Las cantidades que la cooperativa debe al gestor de la promoción en concepto de gastos de construcción y honorarios del gestor[81]; y

---

78. En estos términos, *vid.* las SSTS, 1ª, 19.10.2005 (RJ 2006, 1958); 19.5.1993 (RJ 1993, 3803); y 22.5.1992 (RJ 1992, 4277).
79. En este sentido, *vid.* GONZÁLEZ CARRASCO, *Comentario a la sentencia de 28 de octubre de 2002 (RJ 2002, 9185), op. cit.*, pp. 240-241.
80. STS, 1ª, 12.12.2011 (RJ 2012, 34).
81. *Ibidem.*

c) Las cantidades que los socios integrados en una fase de la cooperativa habían aportado para la construcción de sus viviendas y que la sociedad cooperativa destinó, sin su conocimiento, a concluir la de los socios demandados[82].

En consecuencia, no cabe levantar el velo social y condenar a los socios por las deudas sociales que no proceden de los gastos necesarios para la adjudicación de las viviendas y las plazas de garaje a los socios. Así, no procede hacer responsables a los socios de las deudas sociales que provienen de deudas de terceros cooperativistas, morosos en sus obligaciones con la cooperativa; de una anormal gestión de la cooperativa[83]; o del cumplimento tardío o incorrecto por parte de la cooperativa de su obligación de entrega de las viviendas[84]. Y, ello, porque en estos casos no concurren los presupuestos de la acción de enriquecimiento injusto, pues «en nada incrementaron el valor de los pisos o locales adjudicados, por lo que no se puede decir que hubiera enriquecimiento de los demandados, quedando limitada la responsabilidad de los socios cooperativistas (...)» [STS, 1ª, 14.12.2006, FD 3º (RJ 2006, 8228)][85].

---

82. *Vid.* la STS, 1ª, 15.7.2011 (JUR 2011, 274829) de acuerdo con la cual la doctrina del enriquecimiento injusto «... es aplicable al caso (...) [en el que] los titulares de los créditos y los obligados fueran socios de la misma cooperativa de viviendas, integrados en dos fases distintas de la promoción» (FD 3º). En particular, la sentencia condena a la Cooperativa «Nuevo Perfil, Sociedad Cooperativa de Viviendas», y subsidiariamente a los socios de la primera fase desarrollada por la misma, a pagar a los demandantes, socios de la fase quinta, las cantidades que éstos últimos habían aportado para la construcción de sus viviendas y que la sociedad cooperativa destinó, sin su conocimiento, a concluir la de los socios demandados.

83. En este sentido, *vid.* la STS, 1ª, 14.12.2006, FD 3º (RJ 2006, 8228).

84. *Vid.* la SAP Albacete, Civil, Sec. 2ª, 10.7.2000 (La Ley 142019/2000) que afirma que la cooperativa «... es la persona sobre la que recaen los derechos y obligaciones que dimanan de la promoción inmobiliaria como ha venido a corroborar hoy el artículo 9 de la Ley 38/1999 (...). Por ello, no cabe levantar sin más «el velo cooperativo» obviando lo dispuesto en los artículos 71 de la Ley General de Cooperativas (artículos 15.3 y 15.7 de la Ley de cooperativas vigente) (...) cuando la pretensión de los acreedores no está casualizada en el incremento de valor de los pisos adjudicados, sino en el daño derivado del cumplimiento tardío o incorrecto de la cooperativa de su obligación de entrega» (FD 2º). Análogamente, la SAP Albacete, Civil, Sec. 2º, 19.5.2003, FD 4º (JUR 2004, 15671).

85. Tampoco es aplicable esta doctrina jurisprudencial, según la SAP Madrid, Civil, Sec. 28ª, 23.9.2013 (JUR 2013, 213789), al cooperativista que solicita la baja voluntaria de la cooperativa y solicita la devolución de las cantidades entregadas en concepto de aportación al capital social y para la adquisición de la vivienda, pues «[d]icha doctrina se estableció en contemplación de supuestos en los que las viviendas habían sido adjudicadas a los socios, y como mecanismo para evitar que los adjudicatarios se enriquecieran injustamente a costa de los acreedores de la cooperativa (...)» (FD 2º).

Sin embargo, esta línea jurisprudencial no es unánime, y el Tribunal Supremo se ha manifestado, en la STS, 1ª, 14.4.2009 (RJ 2009, 4724), en contra de la responsabilidad de los socios en estos casos, pues

«... el principio prohibitivo del enriquecimiento injusto (...) no puede convertirse en una fuente indiscriminada de obligaciones que haga responder a sujetos distintos del legalmente obligado por la sola circunstancia de haber obtenido aquellos alguna ventaja o provecho cuando, como en este caso, existe un régimen legal que junto al sujeto contractualmente obligado, la cooperativa, contemple la posible responsabilidad solidaria, en garantía de los acreedores, de otros sujetos, los miembros del consejo rector, pero sin extender en modo alguno esta garantía también a la responsabilidad de los propios socios, ya que, en tal caso, la referida limitación legal de su responsabilidad sería puramente ilusoria (...)» (FD 4º).

La STS, 1ª, 14.4.2009 (RJ 2009, 4724) trae a colación la cuestión de la subsidiariedad de la acción de enriquecimiento injusto, pues ésta parece optar por la subsidiariedad de la acción de enriquecimiento injusto contra los socios, al señalar que no procede porque en nuestro ordenamiento existe un precepto legal, el artículo 43 LC, que regula la responsabilidad de los miembros del Consejo rector y de los interventores por los daños causados a la cooperativa, a los socios y a terceros.

Si bien la exigencia de la subsidiariedad en la acción de enriquecimiento injusto no es una cuestión cerrada en la jurisprudencia del Tribunal Supremo, en la que se hallan sentencias a favor y en contra de la subsidiariedad[86], la mejor doctrina se ha manifestado en contra de la subsidiariedad de la acción de enriquecimiento[87].

2.2.2. Posible aplicación de la responsabilidad ilimitada de los socios frente a los terceros no socios

La jurisprudencia del Tribunal Supremo analizada plantea la siguiente

---

86. En la jurisprudencia reciente del Tribunal Supremo puede verse la STS, 1ª, 9.2.2012 (RJ 2012, 3786) de acuerdo con la cual «la sentencia recurrida exige un nuevo requisito centrado en el carácter subsidiario de la acción de enriquecimiento, cuya exigencia es discutible, aunque ha sido admitida por esta sala en las SSTS 402/2009, de 12 de junio y 1348/2006, de 29 de diciembre, entre otras». A favor de la subsidiariedad la STS, 1ª, 7.12.2011 (RJ 2012, 31) señala que «es cierto (...) que el requisito de la subsidiariedad de la acción por enriquecimiento injusto no era unánimemente exigido por la jurisprudencia (...). Sin embargo no es menos cierto que la jurisprudencia mantiene el requisito de la subsidiariedad de la acción por enriquecimiento injusto (...)». Por ello, «... solo cabe acudir a la aplicación de la doctrina del enriquecimiento injusto en defecto de acciones específicas, como remedio residual o subsidiario, pues si existen acciones específicas, estas son las que deben ser ejercitadas y ni su fracaso ni su falta de ejercicio legitiman para el ejercicio de la acción de enriquecimiento» (FD 5º).

87. En este sentido, vid. DÍEZ-PICAZO Y PONCE DE LEÓN, Fundamentos del derecho civil

cuestión: ¿deben los socios de la cooperativa de viviendas responder ilimitadamente, en caso de disolución o insolvencia de la cooperativa de viviendas, frente a los terceros no socios por los daños derivados de vicios constructivos en sus locales o viviendas?

En mi opinión, esta doctrina jurisprudencial no es aplicable al derecho de crédito que los terceros no socios puedan tener contra la cooperativa de viviendas. El motivo es que este crédito no procede de los gastos necesarios para la adjudicación de las viviendas a los socios, sino del incumplimiento de la cooperativa de su obligación como promotora de entregar los locales o viviendas sin vicios constructivos[88].

Pedro GONZÁLEZ POVEDA[89] considera que

«... [e]xtinguida la cooperativa, los terceros adquirentes de locales e instalaciones y edificaciones complementarias, podrán dirigirse contra los socios en su condición de promotores, llevando a juicio a todos ellos, pues en este caso no rige el principio de responsabilidad solidaria entre los socios, sino mancomunada. En estos casos es evidente que el beneficio recibido por los socios cooperativistas con el precio de la enajenación de esos elementos de la edificación que habrá redundado en una menor aportación por ellos a los gastos de la construcción».

En contra de lo defendido por el autor citado, considero que no concurren, como se analiza a continuación, en este supuesto los presupuestos de la pretensión de enriquecimiento[90].

1. *Enriquecimiento de los cooperativistas*. En el supuesto analizado concurre el primer requisito, el enriquecimiento de los cooperativistas, si los socios ven reducidos el precio de las viviendas con los beneficios obtenidos con la enajenación de los locales e instalaciones y edificaciones complementarias a terceros.

2. *Empobrecimiento del actor correlativo*. Sin embargo, si bien concurre un claro empobrecimiento de los demandantes, cuyos locales o viviendas pierden valor como consecuencia de los vicios o defectos cons-

---

patrimonial, vol. I, *op. cit.*, pp. 122-123; y LACRUZ BERDEJO *et al.*, *Elementos de Derecho Civil II*, *op. cit.*, pp. 416-417.

88. También en contra de la aplicación de esta línea jurisprudencial en estos casos, *vid.* CARRASCO PERERA, CORDERO LOBATO y GONZÁLEZ CARRASCO, *Derecho de la construcción y la vivienda*, *op. cit.*, p. 438; y GONZÁLEZ CARRASCO, *Comentario a la sentencia de 28 de octubre de 2002 (RJ 2002, 9185)*, *op. cit.*, pp. 240-241.

89. GONZÁLEZ POVEDA, *Diferentes formas de promoción de viviendas. Especial mención a las cooperativas de viviendas...*, *op. cit.*, pp. 290-291.

90. Para un análisis de los presupuestos de la pretensión de enriquecimiento, *vid.* DÍEZ-PICAZO Y PONCE DE LEÓN, *Fundamentos del derecho civil patrimonial*, vol. I, *op. cit.*, pp. 118-123.

tructivos, no puede afirmarse que exista una relación de causalidad entre el enriquecimiento de los socios y el empobrecimiento de los terceros.

3. *La falta de causa justificativa del enriquecimiento.* Por último, en el caso analizado, tampoco concurre el tercer presupuesto, la ausencia de una causa justificada del enriquecimiento, pues la obtención de un beneficio económico de la cooperativa con la transmisión de los locales o viviendas a terceros se fundamenta en un negocio jurídico válido, la compraventa.

En conclusión, si la responsabilidad de la cooperativa de viviendas procede de daños derivados de vicios o defectos en los locales o viviendas de terceros no socios, los socios no deben asumir de manera subsidiaria los costes derivados de tal responsabilidad. Frente a terceros acreedores de la cooperativa la responsabilidad de los socios por las deudas está limitada a las aportaciones al capital social (artículo 15.3 LC) y, en estos casos, no es de aplicación la responsabilidad ilimitada de los socios en virtud de la doctrina del enriquecimiento injusto, porque no concurren los presupuestos de la pretensión de enriquecimiento.

IV. RESPONSABILIDAD DE LOS MIEMBROS DEL CONSEJO RECTOR DE LA COOPERATIVA DERIVADA DEL ARTÍCULO 43 LC

1. RESPONSABILIDAD DE LOS MIEMBROS DEL CONSEJO RECTOR DERIVADA DEL ARTÍCULO 43 LC Y REMISIÓN A LOS ARTÍCULOS 236.1 Y 241 TRLSC

La doctrina se ha cuestionado si, en lugar de la cooperativa de viviendas, debe atribuirse la condición de promotor al Consejo rector y, en consecuencia, la responsabilidad solidaria y objetiva que el artículo 17.3, *in fine*, LOE impone al promotor.

La respuesta a esta cuestión debe ser negativa. La responsabilidad derivada del artículo 17 LOE recae sobre la cooperativa de viviendas por su condición de promotora, pues a pesar de que otras leyes atribuyan al Consejo rector algunas de las obligaciones emanadas durante el proceso constructivo –como la obligación de garantizar las cantidades entregadas a cuenta– a efectos de la acción de responsabilidad por vicios y defectos constructivos de la LOE, es la cooperativa de viviendas la persona jurídica que efectivamente aparece en el tráfico como empresario social o comerciante[91].

---

91. En palabras de CORDERO LOBATO, *Capítulo 13. El promotor, op. cit.*, pp. 395-396, es «la interposición de la cooperativa –y no la presencia de los miembros del consejo– la que genera en los socios cooperativistas la esperanza fundada de llegar a ser propietarios de un inmueble idóneo». En el mismo sentido *vid.* GONZÁLEZ

Con todo, la responsabilidad de la cooperativa de viviendas *ex* artículo 17.3, *in fine*, LOE no excluye la de los miembros del Consejo rector, quienes pueden llegar a responder y sumarse a la responsabilidad de la cooperativa cuando concurran los requisitos que la Ley exige para que nazca la responsabilidad de los consejeros[92].

Así, los miembros del Consejo rector responderán solidariamente con la cooperativa de viviendas, cuando hayan participado de forma negligente en la adopción de los acuerdos que hayan contribuido a la causación de los vicios y defectos constructivos y, además, concurran el resto de requisitos que la Ley exige para que nazca la responsabilidad de los consejeros [artículo 43 LC[93], que se remite a la regulación de la responsabilidad de los administradores de sociedades de capital, regulada en los artículos 236 a 241 del Texto Refundido de la Ley de Sociedades de Capital (TRLSC)][94]. Si bien el carácter no retribuido del cargo (artículo 89.6 LC) conlleva que su responsabilidad pueda ser moderada por los tribunales, por aplicación analógica del artículo 1726 CC[95].

2. PRESUPUESTOS DE LA RESPONSABILIDAD DE LOS MIEMBROS DEL CONSEJO RECTOR

En virtud de la remisión que el artículo 43 LC hace a la responsabilidad de los administradores de sociedades de capital, los miembros del Consejo rector de las cooperativas de viviendas responden:

a) Por un lado, frente a la cooperativa de viviendas, cuando hayan

---

POVEDA, *Diferentes formas de promoción de viviendas. Especial mención a las cooperativas de viviendas..., op. cit.*, p. 290, quien señala que «esta responsabilidad recae sobre la cooperativa, sin perjuicio de la que pueda serle exigida a éstos al amparo de los arts. 1331 y 135 de la LSA a los que viene a remitirse el art. 43 de la Ley 27/1999».

92. En este sentido *Vid.* la ya citada STS, 1ª, 14.4.2009 (RJ 2009, 4724), según la cual «... en este caso, existe un régimen legal que junto al sujeto contractualmente obligado, la cooperativa, contemple la posible responsabilidad solidaria, en garantía de los acreedores, de otros sujetos, los miembros del consejo rector (...)» (FD 4º). *vid.* también la SAP Cáceres, Civil, Sec. 1ª, 19.10.2010 (AC 2010, 19895).

93. De acuerdo con el artículo 43 LC «[l]a responsabilidad de los consejeros e interventores por daños causados, se regirá por lo dispuesto para los administradores de las sociedades anónimas, si bien, los interventores no tendrán responsabilidad solidaria».

94. Aprobado por el Real Decreto Legislativo 1/2010, de 2 de julio (BOE nº 161, de 3.7.2010).

95. CARRASCO PERERA, CORDERO LOBATO y GONZÁLEZ CARRASCO, *Derecho de la construcción y la vivienda, op. cit.*, p. 1081. De acuerdo con el artículo 1726 CC «El mandatario es responsable, no solamente del dolo, sino también de la culpa, que deberá estimarse con más o menos rigor por los Tribunales según que el mandato haya sido o no retribuido».

causado un daño a la cooperativa, o de manera indirecta a los socios o terceros –*acción social de responsabilidad* regulada en el artículo 238 TRLSC–[96].

b) Por el otro, frente a los socios o los acreedores sociales cuando los miembros del Consejo rector hayan lesionado de manera directa los intereses de los socios o terceros –*acción individual de responsabilidad* regulada en el artículo 241 TRLSC–[97].

Los presupuestos de la responsabilidad de los administradores se enumeran en el artículo 236.1 TRLSC, de acuerdo con el cual

> «... [l]os administradores de derecho o de hecho como tales, responderán frente a la sociedad, frente a los socios y frente a los acreedores sociales, del daño que causen por actos u omisiones contrarios a la ley o a los estatutos o por los realizados incumpliendo los deberes inherentes al desempeño del cargo».

Los consejeros de la cooperativa de viviendas responden cuando concurran los siguientes requisitos: a) acto u omisión del Consejo rector; b) que cause un daño en el patrimonio de la cooperativa o en el patrimonio de los socios o terceros; c) que efectivamente sea imputable a su comportamiento; d) que sea antijurídico por ser contrario a la ley o a los estatutos o por haber sido realizado incumpliendo los deberes inherentes al desempeño del cargo; y por último, e) que los miembros del Consejo rector incurrieran en culpa, si bien en este ámbito la culpa se presume, por lo que se produce una inversión de la carga de la prueba[98].

En especial, los miembros del Consejo rector responden por los daños causados de manera negligente a los terceros acreedores de la cooperativa cuando adjudican las viviendas a los socios, sin haber recabado de los socios las aportaciones necesarias para pagar los costes de construcción de las viviendas[99].

En supuestos de vicios o defectos constructivos, la responsabilidad solidaria de los consejeros frente a la cooperativa o frente a los propieta-

---

96. Según el artículo 238.1 TRLC «[l]a acción de responsabilidad contra los administradores se entablará por la sociedad, previo acuerdo de la junta general, que puede ser adoptado a solicitud de cualquier socio aunque no conste en el orden del día. Los estatutos no podrán establecer una mayoría distinta a la ordinaria para la adopción de este acuerdo».
97. El artículo 241 TRLSC prevé que «[q]uedan a salvo las acciones de indemnización que puedan corresponder a los socios y a los terceros por actos de administradores que lesionen directamente los intereses de aquéllos».
98. En este sentido, *vid.* VICENT CHULIÁ, *Introducción al derecho mercantil*, vol. I, *op. cit.*, pp. 606-609.
99. En este sentido, *vid.* la STS, 1ª, 12.12.2011 (RJ 2012, 34).

rios de los inmuebles –ya sean socios o terceros– requiere que aquéllos hayan actuado de forma negligente en la adopción de los acuerdos que hayan contribuido a la causación de los mismos[100]. Por ejemplo, que los consejeros hubieran elegido de manera negligente a un agente de la edificación, quien ha causado con su actuación el vicio o defecto constructivo. Ello sucederá cuando el agente elegido fuera notoriamente incapaz (*cfr.* artículo 1721.2 CC)[101].

Sobre la posible responsabilidad de los miembros del Consejo rector en un supuesto de responsabilidad por vicios o defectos constructivos se pronuncia la SAP Cáceres, Civil, Sec. 1ª, 19.10.2010 (AC 2010, 19895), de acuerdo con la cual

> «No cabe duda de que la Sociedad Cooperativa ostenta personalidad jurídica propia e independiente para ser sujeto pasivo de la acción que ha sido ejercitada en la demanda, cuya legitimación dimana de su condición de promotora de la edificación; ahora bien, para que, además, pueda exigirse responsabilidad al Consejo rector o a cualquiera de sus miembros, resulta inexcusable acreditar que el daño se ocasionó por dolo, abuso de facultades o negligencia grave, lo que no es posible predicar de quienes, como miembros del Consejo rector de la Cooperativa, han sido demandados en este Juicio encontrándose este hecho huérfano de prueba» (FD 1º)[102].

En conclusión, si bien los miembros del Consejo rector no actúan como promotores de acuerdo con la LOE, pueden llegar a responder soli-

---

100. En este sentido, Francisco VICENT CHULIÁ, «Comentario al artículo 64», en PAZ CANALEJO y VICENT CHULIÁ, *Ley General de Cooperativas*, en *Comentarios al Código de Comercio y legislación mercantil especial* (SÁNCHEZ CALERO y ALBALADEJO), op. cit, p. 824; y MORILLAS JARILLO y FELIÚ REY, *Curso de cooperativas, op. cit.*, p. 312.

101. Así lo pone de relieve CORDERO LOBATO, *Capítulo 13. El promotor, op. cit.*, pp. 395-396.

102. Los hechos que dieron lugar a la SAP Cáceres, Civil, Sec. 1ª, 19.10.2010 (AC 2010, 19895) son los siguientes. La «Sociedad Cooperativa Limitada de Viviendas Pablo Iglesias» promovió la construcción de un edificio de viviendas en Cáceres. Con posterioridad a la entrega de la obra, aparecieron humedades y filtraciones en los garajes debido a una impermeabilización insuficiente, deficiencias en la puerta del garaje y el muro medianero, así como en los elementos privativos. La Comunidad de propietarios demandó a la directora de ejecución de la obra y a su aseguradora, a la constructora, a sus administradores, a la cooperativa y a los miembros del Consejo rector de la misma, y solicitó la reparación de los defectos con base en el artículo 17 LOE. El JPI nº 3 de Cáceres (16.4.2010) estimó en parte la demanda y condenó a los demandados pagar una indemnización por los daños materiales derivados de los vicios descritos. La AP de Cáceres estimó en parte el recurso de la cooperativa y revocó la SJPI en el único sentido de absolver a los miembros del Consejo rector, quienes carecen de legitimación pasiva *ex* artículo 17 LOE.

dariamente en caso de vicios constructivos en las viviendas entregadas, junto con la cooperativa de viviendas, cuando concurran los requisitos que la Ley exige para que nazca la responsabilidad de los administradores.

CONCLUSIONES

I. PROPUESTA DE SOLUCIÓN DE LOS PROBLEMAS DE COOR-DINACIÓN ENTRE LOS DISTINTOS REGÍMENES DE RESPON-SABILIDAD DEL PROMOTOR INMOBILIARIO POR VICIOS O DEFECTOS CONSTRUCTIVOS

Frente a los adquirientes de la edificación, el promotor responde con base en cuatro regímenes de responsabilidad por vicios o defectos constructivos: el artículo 1591.I CC, los artículos 17 y 18 LOE, el artículo 149 TRLCU y la responsabilidad contractual del Código Civil. Tras el análisis de los distintos regímenes de responsabilidad, puede concluirse lo siguiente sobre la coordinación entre ellos:

1º *Incompatibilidad entre el artículo 1591.I CC y los artículos 17 y 18 LOE, los cuales tienen ámbitos de aplicación temporales distintos.* El artículo 1591.I CC es aplicable a las construcciones con solicitud de licencia de edificación anterior al 6.5.2000, y los artículos 17 y 18 LOE a las edificaciones con licencia a partir de esta fecha (disposición transitoria 1ª LOE). La LOE ha derogado tácitamente el artículo 1591.I CC y, además, ha conllevado la superación de la jurisprudencia del Tribunal Supremo sobre responsabilidad por ruina en los puntos no coincidentes con la nueva regulación. En consecuencia, se defiende que:

a) El artículo 1591.I CC no está vigente para su aplicación en aquellas obras cuya licencia ha sido solicitada a partir del 6.5.2000, pero que se encuentran excluidas del ámbito de aplicación material de la LOE por no tratarse de una «edificación» en el sentido del artículo 2.2 LOE. El precepto tampoco está vigente para exigir el resarcimiento de los daños no cubiertos por la LOE, es decir, los daños distintos a los materiales al propio edificio, derivados de los vicios o defectos del artículo 17.1 LOE.

b) Los preceptos de la LOE no son aplicables retroactivamente a las edificaciones con solicitud de licencia anterior al 6.5.2000, a pesar de que la acción de responsabilidad se ejercite después de la entrada en vigor de la LOE. En especial, me posiciono en contra de la aplicación retroactiva del artículo 18.1 LOE, que regula el plazo de prescripción de la acción de responsabilidad, y de la disposición adicional séptima LOE, la cual prevé un mecanismo que permite al agente demandado solicitar la intervención de otros agentes no demandados en el proceso.

2º *Incompatibilidad de los artículos 17 y 18 LOE con el artículo 149 TRLCU, los cuales cubren el resarcimiento de distintos tipos de daños derivados de vicios o defectos constructivos. Los artículos 17 y 18 LOE permiten al propietario solicitar el resarcimiento de los daños materiales en la edificación derivados de vicios o defectos constructivos.* Por contra, el artículo 149 TRLCU legitima al perjudicado para reclamar la reparación de los daños materiales a bienes de consumo distintos a la propia vivienda defectuosa, así como los daños personales derivados de la muerte o lesiones a personas, pero excluye el daño moral (artículos 128, 2º párrafo y 129.1 TRLCU).

3º *Compatibilidad de los tres regímenes anteriores con la responsabilidad contractual de los artículos 1101 y ss. y 1124 CC.* Con independencia de la responsabilidad derivada de los artículos 1591.I CC, 17.1 LOE o 149 TRLCU, el promotor inmobiliario responde frente al adquirente de edificaciones por incumplimiento del contrato de obra o de compraventa, si la edificación entregada presenta vicios o defectos constructivos o por cualquier otra falta de conformidad. La responsabilidad contractual es compatible con los tres regímenes anteriormente mencionados y, en especial, con el régimen de responsabilidad de la LOE. Me sumo a la posición adoptada por el Tribunal Supremo, que acepta dicha compatibilidad, incluso cuando los daños por los que se reclama coinciden con los cubiertos por el régimen de responsabilidad de la LOE.

II. LA AMPLIACIÓN DEL CONCEPTO DE PROMOTOR EN LA LOE ES EXCESIVA, PORQUE INCLUYE EL SUJETO QUE DECIDE LOS ELEMENTOS ESENCIALES DE LA PROMOCIÓN, CON O SIN ÁNIMO DE LUCRO, CON INDEPENDENCIA DE SU PROFESIONALIDAD

1º *El elemento definitorio del promotor es su intervención decisoria en el proceso edificatorio.* En otras palabras, es promotor quien toma las decisiones sobre los elementos esenciales de la promoción, incluyendo en esta categoría, entre otras decisiones, aquellas relativas a la adquisición del suelo, el encargo y aprobación del proyecto de obras, la elección de la constructora o la recepción de las obras.

2º *Valoración positiva del abandono del ánimo de lucro como elemento definitorio de la figura del promotor.* La LOE ofrece una definición de promotor de aplicación general en sus artículos 9.1 y 17.4, en la que amplía el concepto de promotor con respecto al definido por la jurisprudencia sobre responsabilidad por ruina. En la concepción legal de la LOE, el ánimo de lucro como característica indispensable del promotor debe entenderse abandonada. Se valora positivamente la modificación del concepto de promotor en este punto. Ello debe relacionarse con la evolución que el concepto de empresario ha tenido en la doctrina mercantilista, en la que, actualmente, es doctrina pacífica que es empresario, quien suministra bienes o servicios en el mercado, aunque lo haga sin ánimo de lucro.

3º *Crítica a la ausencia de exigencia de profesionalidad al promotor.* Con todo, la eliminación del ánimo de lucro como elemento definitorio del promotor, no ha ido acompañada en la LOE de la exigencia legal de otro requisito que se considera indispensable, la profesionalidad en la actividad de promoción. Por ello, me sumo a la doctrina que ha manifestado su disconformidad con la falta de exigencia de profesionalidad del promotor, principalmente, por las consecuencias que ello comporta a efectos de responsabilidad. Ello me conduce a defender que la ausencia de profesionalidad del promotor es un elemento que debe tenerse en cuenta para configurar su régimen jurídico.

III. CONCEPTO DE AUTOPROMOTOR INDIVIDUAL PROPUESTO: ÚNICAMENTE INCLUYE AL SUJETO QUE PROMUEVE PARA SÍ, AJENO AL EJERCICIO DE UNA ACTIVIDAD EMPRESARIAL O PROFESIONAL

1º *Se propone un concepto restringido de autopromotor individual,* que únicamente incluye al particular que contrata a un arquitecto y a un constructor, entre otros profesionales, la edificación de una vivienda para destinarla al uso propio. En consecuencia, el autopromotor individual, por un lado, es promotor, y, por el otro, es consumidor, porque actúa ajeno al ejercicio de una actividad empresarial o profesional.

IV. CALIFICACIÓN DE LAS COMUNIDADES «AD AEDIFICANDU»: COMUNIDADES DE BIENES, CUYOS COMUNEROS SON AUTOPROMOTORES COLECTIVOS SI PROMUEVEN PARA SÍ, AJENOS AL EJERCICIO DE UNA ACTIVIDAD EMPRESARIAL O PROFESIONAL

1º *Naturaleza jurídica de las comunidades* ad aedificandum. En el debate doctrinal y jurisprudencial sobre la naturaleza jurídica de las comunidades *ad aedificandum* he concluido que son comunidades de bienes, siguiendo la jurisprudencia del Tribunal Supremo que da el carácter de preferente a la voluntad de las partes para diferenciar la comunidad de bienes de la sociedad civil.

2º *Elementos que deben reunir los comuneros para recibir la calificación de autopromotores colectivos.* En el trabajo se propone incluir en el concepto de autopromotor colectivo, paralelamente a lo defendido respecto al autopromotor individual, únicamente a aquellos comuneros que: por un lado, son promotores, en defecto de un gestor con intervención decisoria en la promoción; y, por el otro, son consumidores. En efecto, la ausencia de personalidad jurídica propia de la comunidad comporta que la adjudicación de las viviendas con la disolución de la misma no suponga una transmisión de bienes a terceros.

V. CALIFICACIÓN DE LAS COOPERATIVAS DE VIVIENDAS: EN DEFECTO DE UN GESTOR CON INTERVENCIÓN DECISORIA EN LA PROMOCIÓN, ACTÚAN COMO PROMOTORAS Y EMPRESARIAS SOCIALES

1º En las promociones en régimen de cooperativas de viviendas intervienen dos sujetos con personalidad jurídica diferenciada: primero, los socios, quienes son los destinatarios finales de las viviendas; y segundo, la cooperativa de viviendas. En defecto de un gestor con intervención decisoria en la promoción, concurren en la cooperativa dos condiciones jurídicas:

a) *Por un lado, la cooperativa de viviendas es promotora.* A efectos de la LOE, y en ausencia de un gestor con intervención decisoria en la promoción, es la cooperativa de viviendas, y no sus socios, a quien cabe calificar de promotor, por ser la cooperativa el sujeto que, por medio de sus órganos, adopta las decisiones esenciales de la promoción (artículo 9.1 LOE). De este modo, la LOE modifica el criterio adoptado por la jurisprudencia sobre responsabilidad por ruina anterior.

b) *Por el otro lado, la cooperativa de viviendas es empresaria social.* Pues si bien los doctrina mercantilista discute la naturaleza jurídica de las cooperativas de viviendas, los autores coinciden en señalar que éstas desarrollan una actividad económica organizada, que tiene por objeto ofertar viviendas para el mercado, con independencia que su actividad no sea lucrativa. Además, en la práctica inmobiliaria del Estado español, las cooperativas actúan con habitualidad en el tráfico, pues se dedican a la promoción sucesiva de viviendas, mediante distintas promociones o secciones.

VI. NO TODO GESTOR DE COMUNIDADES O DE COOPERATIVAS DE VIVIENDAS ES PROMOTOR, SINO SÓLO EL PROMOTOR-GESTOR PORQUE DECIDE LOS ELEMENTOS ESENCIALES DE LA EDIFICACIÓN

1º *Clases de gestores de comunidades o de cooperativas de viviendas.* En el trabajo se diferencian dos clases de gestores de comunidades o de cooperativas de viviendas: el gestor mandatario, representante o prestatario de servicios, por un lado, y el promotor-gestor, por el otro. La jurisprudencia del Tribunal Supremo sobre responsabilidad por ruina, primero, con base en la doctrina del fraude de ley, y la LOE, después, en su artículo 17.4, han atribuido a la segunda categoría de gestor la condición de promotor a todos los efectos.

2º *Criterio diferenciador.* El elemento determinante para distinguir entre estas dos clases de gestor es el poder de decisión de éste sobre el proceso edificatorio. En consecuencia, no todo gestor de comunidades o cooperativas es promotor, sino únicamente el promotor-gestor porque decide los elementos esenciales de la promoción.

3º Además, la distinción entre estas dos grandes categorías de gestor no es sólo relevante para determinar su posible condición de promotor, sino también a los efectos de calificar la verdadera naturaleza jurídica del contrato que une al gestor con los comuneros o la cooperativa.

a) Por un lado, el gestor mandatario, representante o prestatario de servicios, incluidos en la primera categoría de gestor, no pueden ser calificados promotores a efectos de la LOE, porque, como máximo, gozan en virtud del contrato de facultades de administración propias de la gestión ordinaria de la promoción. Además, su contrato no presenta particularidad alguna, así como tampoco su responsabilidad contractual.

b) Por el contrario, la segunda clase de gestor, el promotor-gestor, es aquél que adopta el papel protagonista de la promoción y toma las decisiones esenciales del proceso constructivo. En efecto, a pesar de que el promotor-gestor califica el contrato en virtud del cual interviene en la promoción de contrato de mandato o de prestación de servicios con o sin representación, en la práctica, su actuación va más allá del mero asesoramiento o de la representación de los intereses de los comuneros o cooperativistas. El promotor-gestor utiliza la estructura típica de la autopromoción colectiva, la comunidad o la cooperativa, para llevar a cabo una promoción inmobiliaria en interés propio.

4º *Medios mediante los cuales se pone de manifiesto la intervención decisoria del gestor.* De una interpretación del artículo 17.4 LOE se derivan dos medios mediante los cuales se pone de manifiesto la intervención decisoria del gestor:

a) El «tenor del contrato» que une al promotor-gestor con la comunidad de propietarios o la cooperativa de viviendas.

b) Otras actuaciones del gestor por las que *de facto* actúa como promotor, entre las que destacan los casos en los que se produce una confusión entre la persona jurídica de la empresa gestora y de la cooperativa de viviendas, que permite a la primera controlar indirectamente las decisiones que toman los órganos de la segunda.

VII. EL CONTRATO DEL PROMOTOR-GESTOR DEBE SER CALIFICADO DE NEGOCIO JURÍDICO CELEBRADO EN FRAUDE DE LEY

1º *El papel de la figura del fraude de ley en la responsabilidad del promotor-gestor tras la LOE.* Con posterioridad a la entrada en vigor de la LOE, ya no es preciso acudir a la figura del fraude de ley para atribuir la condición de promotor al promotor-gestor, porque, como se ha señalado, el artículo 17.4 de la Ley ha recogido esta regla en su tenor literal. Sin embargo, la doctrina del fraude de ley continúa siendo de utilidad a los efectos de impedir que el promotor-gestor evite mediante rodeos responder por incumplimiento contractual en casos de falta conformidad en las viviendas adjudicadas.

2º *Cláusulas contractuales que permiten calificar el contrato de negocio celebrado en fraude de ley.* El contrato del promotor-gestor debe ser calificado como un contrato celebrado en fraude de ley si sigue la siguiente estructura: el promotor-gestor no celebra el negocio jurídico habitual para alcanzar la finalidad económica perseguida, comercializar viviendas por medio de un contrato de obra o de compraventa obteniendo un lucro a cambio, porque el ordenamiento jurídico contiene normas imperativas asociadas a este tipo de contratos cuya aplicación pretende eludir. En su lugar, el promotor-gestor configura el negocio jurídico de tal manera, que consigue el mismo resultado económico que obtendría con la celebración de un contrato de compraventa o de obra, pero sin asumir las consecuencias jurídicas que el ordenamiento jurídico asocia a este tipo de contratos.

Tras el estudio de la jurisprudencia sobre la materia, se han identificado las siguientes cláusulas como aquéllas que permiten al promotor-gestor conseguir el mismo resultado económico que obtendría con la transmisión de la edificación mediante un contrato de compraventa o de obra:

a) Retribución equivalente a un porcentaje sobre el coste de la obra.

b) Irrevocabilidad del mandato o el apoderamiento concedido a favor del gestor y cláusulas penales por resolución del contrato del gestor.

c) Amplitud de facultades otorgadas a favor del promotor-gestor para que adopte decisiones sobre: i) actos en los que sea preceptivo el acuerdo del Consejo rector o de la Asamblea general de la cooperativa; así como ii) actos de riguroso dominio, en los que se incluyen los actos de disposición.

VIII. PROPUESTA DE CALIFICACIÓN DEL CONTRATO DEL PROMOTOR-GESTOR COMO UN CONTRATO ATÍPICO COMPLEJO DE PROMOCIÓN

1º *Propuesta de calificación del contrato del promotor-gestor.* Siguiendo la solución adoptada por una parte de la jurisprudencia menor, así como por el artículo 1831 del Code Civil francés, se propone calificar el contrato del promotor-gestor celebrado en fraude de ley de contrato de promoción. Se trata de un contrato atípico complejo que presenta elementos de dos contratos típicos: primero, del contrato de obra. Y, segundo, del contrato de mandato representativo con facultades de disposición. En consecuencia:

a) Por un lado, las relaciones internas entre el promotor-gestor y los comuneros o socios se rigen por la regulación del contrato de obra. El gestor asume frente a sus clientes una obligación de resultado, que consiste en poner a su disposición una vivienda en los términos pactados. Por consiguiente, responde por incumpliendo contractual por cualquier falta de conformidad en las viviendas entregadas.

b) Por el otro lado, la actuación del promotor-gestor frente a terceros, se rige por las reglas del mandato representativo con facultades de disposición. En consecuencia, la cooperativa de viviendas o los comuneros resultan obligados a cumplir frente a terceros el negocio representativo que el promotor-gestor celebró por cuenta y nombre de los mismos.

IX. LA AUSENCIA DE PROFESIONALIDAD DEL AUTOPROMOTOR ES RELEVANTE EN EL GRADO DE EXIGIBILIDAD DE SUS OBLIGACIONES FRENTE A LOS POSTERIORES ADQUIRENTES: OBLIGACIÓN DE CONTRATAR DEL SEGURO DECENAL Y DE DEPOSITAR EL LIBRO DEL EDIFICIO

1º *Relevancia de la ausencia de profesionalidad del autopromotor en las obligaciones que debe cumplir frente a los posteriores adquirentes.* Tras el análisis del tratamiento legal y jurisprudencial de las obligaciones del autopromotor, resulta reafirmada la tesis de acuerdo con la cual la falta de profesionalidad del mismo es un elemento significativo a los efectos de configurar su régimen jurídico. En especial, la ausencia de profesionalidad del promotor es relevante en las obligaciones que aquél debe cumplir frente a los posteriores adquirentes de la edificación. Categoría en la que se incluyen, la obligación de contratar el seguro decenal y la obligación de entregar el libro del edificio.

2º En relación con la *obligación de contratar el seguro decenal*, el segundo párrafo de la disposición adicional 2ª, Uno, de la LOE exonera al autopromotor individual de acreditar la contratación del seguro decenal en la escritura de declaración de obra nueva, siempre y cuando se trate de una única vivienda unifamiliar para uso propio. La finalidad del seguro decenal, que radica en que el promotor garantice a los terceros adquirentes la reparación de los daños derivados por vicios estructurales, perdía su fundamento cuando el sujeto obligado a la contratación del seguro y el asegurado coincidían. Además, se valora positivamente que la Dirección General de los Registros y del Notariado haya extendido esta exoneración a los comuneros que construyen en régimen de comunidad de tipo valenciano, si las viviendas cuentan con estructuras independientes, pues en este supuesto actúan de manera análoga al autopromotor individual.

3º La Dirección General de los Registros y del Notariado, con base en la aplicación analógica de la disposición adicional 2ª citada, también ha exonerado al autopromotor individual de la *obligación de depositar el Libro del Edificio*. El fundamento de estas resoluciones, es que la finalidad del Libro del Edificio, que contiene la documentación de la obra ejecutada, no es proteger al promotor, sino a los posteriores adquirentes de la edificación. Por el contrario, en el trabajo se sostiene que el Libro del Edificio contiene información, en especial, la relativa a las instrucciones de uso y mantenimiento de la vivienda a la cual debe también tener acceso cualquier propietario, también el autopromotor. Por ello, se propone que en estos casos se imponga esta obligación al constructor, tal como establece, actualmente, la Ley de derecho de la vivienda de Cataluña.

4° A pesar de lo anterior, ni la disposición adicional 2ª LOE citada, ni la doctrina de la Dirección General eximen por completo al autopromotor del cumplimiento de sus obligaciones. Éstas sólo posponen la exigibilidad de su cumplimiento a un momento posterior: aquél en el que el autopromotor, tras habitar en la vivienda durante un determinado período de tiempo, transmite la misma a terceros dentro del período de garantía. En el libro se pone de manifiesto que, *incluso en este segundo momento temporal, en el que interviene un tercer adquirente al que proteger, la exigibilidad de las obligaciones del autopromotor es mucho más débil que las del promotor profesional*. Probado el uso efectivo de la vivienda por parte del autopromotor en la escritura de transmisión, el comprador tiene la facultad de exonerar a aquél de la contratación del seguro decenal o de la entrega del libro del edificio.

5° En *conclusión*, el reconocimiento por parte del legislador de un régimen dispositivo en las obligaciones del autopromotor cuando concurre un tercer adquirente al que proteger, podría poner en evidencia que aquél estima que, en estos casos, la situación de equilibrio entre las partes permite establecer normas de carácter dispositivo.

X. LA RESPONSABILIDAD DEL PROMOTOR DEL ARTÍCULO 17.3 LOE CUMPLE UNA FUNCIÓN DE GARANTÍA Y ES, FUNDAMENTALMENTE, UNA RESPONSABILIDAD OBJETIVA POR HECHO AJENO

1° *Ausencia de especialidades en la responsabilidad del promotor no profesional*. Las especialidades en las obligaciones del autopromotor, contrastan con la ausencia de un régimen jurídico especial para el autopromotor en la responsabilidad por vicios y defectos constructivos de la LOE. Esta es una particularidad compartida con el derecho francés, en el que responde como constructor, «toda persona que vende, una vez terminada, una obra que ha hecho construir» (artículo 1792-1.2º del Code Civil), a pesar de que la venta de la vivienda no sea inmediatamente posterior a la finalización de la obra.

2º *El régimen de responsabilidad del promotor del artículo 17.3 de la LOE cumple una incuestionable función de garantía.* En otras palabras, en virtud del mismo el promotor se obliga a garantizar la indemnidad de los futuros adquirentes de la edificación, si bien sólo en relación con los daños materiales en el edificio derivados de vicios constructivos. Y, sin perjuicio, de su derecho de repetición frente a los demás agentes de la edificación, en las relaciones internas.

3º *Frente a los adquirentes de la edificación, el promotor responde fundamentalmente por hecho ajeno.* El hecho que el promotor ni diseñe ni ejecute, ni vigile las obras, en principio, impide que de su actuación deriven los vicios. Por ello, frente a los adquirentes de la edificación, el promotor, no sólo responde por hecho propio, sino también y fundamentalmente por hecho ajeno: responde solidariamente, de los vicios derivados de la actuación del resto de agentes de la edificación y de aquéllos cuya causa no se haya podido determinar en el juicio. Esta solidaridad es directa, es decir, no es subsidiaria respecto de la del autor material del daño.

4º *Sólo, muy excepcionalmente, el promotor responde por vicios imputables, en parte, a su propia actuación.* Cuando los daños deriven de una decisión adoptada por el promotor y ejecutada por otro agente. Por ejemplo, cuando el promotor ordena una modificación del proyecto originario, pese a la advertencia del director de la obra de que es contraria a las normas constructivas.

5º *Además, la responsabilidad solidaria del promotor con independencia de su intervención en la causación de los vicios es objetiva.* No queda exonerado si prueba que no incurrió en culpa *in vigilando* o *in eligendo*, sino únicamente cuando acredite la concurrencia de alguna de las causas de exoneración.

XI. LA IMPERATIVIDAD DE LA RESPONSABILIDAD DEL PROMOTOR POR ACTOS U OMISIONES EN LOS QUE NO HA INTERVENIDO SÓLO ESTÁ FUNDAMENTADA CUANDO ES UN PROFESIONAL

1º *Fundamento de la responsabilidad del promotor en la jurisprudencia del Tribunal Supremo sobre responsabilidad por ruina.* En el trabajo se plantea la cuestión relativa a si el régimen de responsabilidad que el artículo 17.3 LOE impone a todo promotor está justificado cuando quien transmite la vivienda no es un profesional, sino un autopromotor individual o colectivo, que por definición actúan ajenos al ejercicio de una actividad profesional. Con el objeto de responder esta pregunta, se han analizado los argumentos con base en los cuales el Tribunal Supremo, en aplicación del artículo 1591 del Código Civil, fundamentó la responsabilidad solidaria y objetiva del promotor por hechos ajenos. De estos argumentos, se han considerado aplicables al régimen jurídico vigente dos:

a) De acuerdo con el primero, la responsabilidad del promotor por hecho ajeno se justifica en que aquél no puede quedar exonerado de responsabilidad alegando que ha utilizado a profesionales independientes, pues aquellos actúan como auxiliares en el cumplimento de su prestación;

b) Y, de acuerdo con el segundo, el promotor responde por hecho ajeno porque asume en virtud del contrato de compraventa una obligación de garantía incondicional frente a los terceros adquirentes.

2º *Sólo el vendedor que, además, es promotor, asume en virtud del 17.3 de la LOE una garantía adicional a la derivada del contrato de compraventa.* En especial, de los razonamientos anteriormente mencionados, el más relevante es la obligación de garantía incondicional que el promotor asume como vendedor frente a los terceros adquirentes. En el libro, se pone de manifiesto que cualquier vendedor está obligado en virtud del contrato de compraventa a entregar un bien conforme. Esto es, tanto el vendedor que es promotor, como el que no reúne esta condición. La entrega de una inmueble con vicios constructivos es una entrega de cosa diversa o aliud pro alio, según la jurisprudencia sobre incumplimiento contractual; o un caso de vicios ocultos, de acuerdo con el régimen de saneamiento del Código civil. Sin embargo, sólo el vendedor que, además, es promotor, asume en virtud del 17.3 de la LOE una garantía adicional a la derivada del contrato de compraventa:

a) Primero, porque su responsabilidad derivada de la LOE es imperativa. A diferencia de las normas sobre incumplimiento contractual o sobre vicios ocultos, que pueden ser objeto de limitación, siempre y cuando las partes respeten las normas imperativas y no excluyan el dolo (artículos 1255 y 1102 del Código civil).

b) Y, segundo, porque el principio de relatividad de los contratos no es aplicable en la responsabilidad de la LOE. Están legitimados activamente para reclamar la reparación de los daños, no sólo el primer adquirente, sino también a los sucesivos.

3° *La garantía que el promotor asume se funda en la confianza que su prestigio profesional genera en los adquirentes.* De acuerdo con algunas sentencias del Tribunal Supremo sobre responsabilidad por ruina, así como con la opinión mantenida por una parte de la doctrina, esta garantía adicional, que el promotor asume en virtud de la LOE, se fundamenta, en la confianza que el prestigio profesional del promotor genera en los adquirentes sobre la idoneidad del inmueble transmitido. Por consiguiente, sólo está justificada cuando quien transmite la vivienda es un promotor que actúe en ejercicio de una actividad empresarial o profesional.

4° La aplicación de los anteriores argumentos, me ha llevado a la conclusión que *la responsabilidad solidaria y objetiva del autopromotor por hecho ajeno no está suficientemente justificada en la LOE.* Por ello, defiendo que esta responsabilidad debería ser dispositiva y la legitimación activa limitarse al primer adquirente.

   a) En estos casos, no existe una situación de desequilibrio estructural entre las partes que justifique la imperatividad de la responsabilidad por hechos ajenos del autopromotor.

   b) Además, esta tesis es coherente con la regulación general de las obligaciones, que permite al vendedor no profesional acordar con el comprador su limitación de responsabilidad contractual, siempre y cuando respeten los límites legales.

5° Por el contrario, en el libro se sostiene que *la responsabilidad imperativa del autopromotor, está justificada cuando aquél haya contribuido con su actuación gravemente culposa o dolosa en la causación de los vicios o defectos constructivos.* Por ejemplo, si aquél tomó decisiones contrarias a las normas constructivas, que a la postre hubieran contribuido en la causación de los daños. En estos casos, la jurisprudencia sólo aprecia culpa o dolo del autopromotor si los profesionales de la edificación, que intervinieron en la obra, advirtieron a aquél sobre la incorrección de sus decisiones, pues los tribunales estiman que el autopromotor carece de los suficientes conocimientos técnicos para valorar las consecuencias de sus decisiones.

XII. PROPUESTA DE LEGE FERENDA: EXONERACIÓN DE RESPONSABILIDAD POR HECHO AJENO EN LA ESCRITURA DE TRANSMISIÓN CON CONSENTIMIENTO EXPRESO DEL ADQUIRENTE

1° Con el objeto de emendar este aspecto de la LOE se hace una propuesta de *lege ferenda*. Se propone establecer un régimen de carácter dispositivo en la responsabilidad por hecho ajeno del autopromotor, paralelo al establecido en la disposición adicional segunda de la LOE.

2° *La modificación legal propuesta es la siguiente*: No será exigible al autopromotor individual de una única vivienda unifamiliar para uso propio, cuando transmita aquélla dentro del período de garantía, la responsabilidad por vicios constructivos de la LOE, si concurren los requisitos siguientes:

a) Que los vicios o defectos no fueran imputables al dolo del autopromotor.

b) Que el autopromotor pruebe en la escritura de transmisión haber utilizado la vivienda.

c) Que el autopromotor fuere expresamente exonerado por el adquiriente de la vivienda en la escritura de transmisión.

Esta exoneración en ningún caso limita la legitimación del adquirente para reclamar responsabilidad al resto de agentes de la edificación.

XIII. VALORACIÓN POSITIVA DE LA RESPONSABILIDAD DE LAS COOPERATIVAS DE VIVIENDAS FRENTE A SUS SOCIOS EX ARTÍCULO 17.3 LOE, EN DEFECTO DE PROMOTOR-GESTOR

1° *Valoración positiva de la responsabilidad de las cooperativas de viviendas frente a sus socios ex artículo 17.3 LOE, en defecto de promotor-gestor*. A diferencia de lo defendido respecto del autopromotor individual o colectivo, en el trabajo se valora positivamente el cambio de rumbo tomado por la LOE en relación con las cooperativas de viviendas. En ausencia de un gestor con intervención decisoria en la promoción, es la cooperativa, y no sus socios, o su Consejo rector, quien reúne la condición de promotor y, en consecuencia, quien debe asumir la responsabilidad ligada a la figura.

2° *Los argumentos a favor de la responsabilidad de las cooperativas de viviendas frente a sus socios ex artículo 17.3 LOE son*:

a) La necesidad de una protección efectiva de los intereses de los socios cooperativistas.

b) En este tipo de promociones, interviene un sujeto, la cooperativa de viviendas, con personalidad jurídica propia e interés diferenciado de los destinatarios finales de la edificación. Y es la cooperativa la persona que, desde el inicio del proceso constructivo hasta la finalización de las obras, adopta, por medio de sus órganos, las decisiones esenciales de la promoción. Por consiguiente, recaerá sobre la cooperativa y no sobre los socios la responsabilidad del promotor derivada de la LOE.

c) Las cooperativas de viviendas actúan en ejercicio de una actividad empresarial y, en la mayoría de supuestos, con habitualidad en el tráfico. Por ello, la realidad sociológica hacía aún más patente la necesidad de una protección efectiva de los adquirentes a manos de cooperativas que, en la práctica, actúan de un modo muy similar a una sociedad promotora, aunque sin ánimo de lucro repartible entre sus socios. Con base en este argumento, algunas sentencias de las Audiencias Provinciales de Madrid y de Barcelona atribuyeron, en contra de lo defendido por el Tribunal Supremo, la responsabilidad del artículo 1591.I del Código civil a las cooperativas de viviendas. Ya en aplicación de la LOE, los tribunales han continuado insistiendo en la profesionalidad de las cooperativas como elemento relevante para atribuibles la condición de promotoras.

En síntesis, sostengo que debe prevalecer por encima de las consideraciones relativas al ánimo de lucro, la protección de los socios que se incorporan en la cooperativa confiando en su prestigio profesional.

3º *La discutida responsabilidad contractual de las cooperativas de viviendas frente a sus socios por faltas de conformidad en las viviendas adjudicadas.* Más controvertido es determinar si, además, las cooperativas de viviendas responden por incumplimiento contractual, en caso de faltas de conformidad en las viviendas adjudicadas a sus socios. En el ordenamiento español, a diferencia de lo establecido en el derecho francés, la jurisprudencia y doctrina mayoritarias defienden que las cooperativas no venden las viviendas a sus socios. Por el contrario, sostienen que la cooperativa actúa como mandataria en nombre propio o representante indirecta de los socios. Por ello, se concluye que la generalización de la responsabilidad contractual de las cooperativas frente a sus socios, no es coherente con la posición actualmente defendida por la mayoría de la jurisprudencia y doctrina. Con todo, la jurisprudencia menor ya cuenta con algunas sentencias que atribuyen este tipo de responsabilidad a las cooperativas de viviendas.

3º *A pesar de que los socios cooperativistas no son promotores a efectos de la LOE, bajo ciertas circunstancias asumirán los costes derivados de la responsabilidad de la cooperativa ex artículo 17.3 LOE.* De acuerdo con la LOE, la responsabilidad por vicios constructivos recae sobre el patrimonio de la cooperativa y no sobre el de sus socios. Sin embargo:

a) Todos los socios deberán asumir los costes derivados de la responsabilidad de la cooperativa por vicios o defectos en las viviendas de los socios afectados, si la cooperativa es condenada y está infracapitalizada. En estos casos, la cooperativa repartirá los costes entre los socios, incluso entre los socios que no han sufrido daño alguno [artículo 59.2.c) LC].

b) Por el contrario, si la responsabilidad de la cooperativa procede de vicios o defectos en los locales o viviendas de terceros no socios, los socios cooperativistas no deben asumir de manera subsidiaria los costes derivados de tal responsabilidad. Frente a terceros acreedores de la cooperativa la responsabilidad de los socios por las deudas sociales está limitada a las aportaciones al capital social (artículo 15.3 LC). Además, se defiende que en estos casos no es de aplicación la responsabilidad de los socios en virtud de la doctrina del enriquecimiento injusto, porque no concurren los presupuestos de la pretensión de enriquecimiento.

4º *Por último, los miembros del Consejo rector responderán solidariamente con la cooperativa de viviendas, cuando hayan participado de forma negligente en la adopción de los acuerdos que hayan contribuido a la causación de los vicios o defectos constructivos* y, además, concurran el resto de requisitos que la Ley exige para que nazca la responsabilidad de los consejeros (artículo 43 LC y remisión a los artículos 236.1 y 241 TRLSC).

XIV. PROPUESTA DE SOLUCIÓN DE LOS PROBLEMAS DE COORDINACIÓN ENTRE LOS DISTINTOS REGÍMENES DE RESPONSABILIDAD DEL PROMOTOR INMOBILIARIO POR VICIOS O DEFECTOS CONSTRUCTIVOS

Frente a los adquirientes de la edificación, el promotor responde con base en cuatro regímenes de responsabilidad por vicios o defectos constructivos: el artículo 1591.I CC, los artículos 17 y 18 LOE, el artículo 149 TRLCU y la responsabilidad contractual del Código Civil. Tras el análisis de los distintos regímenes de responsabilidad, puede concluirse lo siguiente sobre la coordinación entre ellos:

4º *Incompatibilidad entre el artículo 1591.I CC y los artículos 17 y*

18 LOE, los cuales tienen ámbitos de aplicación temporales distintos. El artículo 1591.I CC es aplicable a las construcciones con solicitud de licencia de edificación anterior al 6.5.2000, y los artículos 17 y 18 LOE a las edificaciones con licencia a partir de esta fecha (disposición transitoria 1ª LOE). La LOE ha derogado tácitamente el artículo 1591.I CC y, además, ha conllevado la superación de la jurisprudencia del Tribunal Supremo sobre responsabilidad por ruina en los puntos no coincidentes con la nueva regulación. En consecuencia, se defiende que:

c) El artículo 1591.I CC no está vigente para su aplicación en aquellas obras cuya licencia ha sido solicitada a partir del 6.5.2000, pero que se encuentran excluidas del ámbito de aplicación material de la LOE por no tratarse de una «edificación» en el sentido del artículo 2.2 LOE. El precepto tampoco está vigente para exigir el resarcimiento de los daños no cubiertos por la LOE, es decir, los daños distintos a los materiales al propio edificio, derivados de los vicios o defectos del artículo 17.1 LOE.

d) Los preceptos de la LOE no son aplicables retroactivamente a las edificaciones con solicitud de licencia anterior al 6.5.2000, a pesar de que la acción de responsabilidad se ejercite después de la entrada en vigor de la LOE. En especial, me posiciono en contra de la aplicación retroactiva del artículo 18.1 LOE, que regula el plazo de prescripción de la acción de responsabilidad, y de la disposición adicional séptima LOE, la cual prevé un mecanismo que permite al agente demandado solicitar la intervención de otros agentes no demandados en el proceso.

5º *Incompatibilidad de los artículos 17 y 18 LOE con el artículo 149 TRLCU, los cuales cubren el resarcimiento de distintos tipos de daños derivados de vicios o defectos constructivos.* Los artículos 17 y 18 LOE permiten al propietario solicitar el resarcimiento de los daños materiales en la edificación derivados de vicios o defectos constructivos. Por contra, el artículo 149 TRLCU legitima al perjudicado para reclamar la reparación de los daños materiales a bienes de consumo distintos a la propia vivienda defectuosa, así como los daños personales derivados de la muerte o lesiones a personas, pero excluye el daño moral (artículos 128, 2º párrafo y 129.1 TRLCU).

6º *Compatibilidad de los tres regímenes anteriores con la responsabilidad contractual de los artículos 1101 y ss. y 1124 CC.* Con independencia de la responsabilidad derivada de los artículos

1591.I CC, 17.1 LOE o 149 TRLCU, el promotor inmobiliario responde frente al adquirente de edificaciones por incumplimiento del contrato de obra o de compraventa, si la edificación entregada presenta vicios o defectos constructivos o por cualquier otra falta de conformidad. La responsabilidad contractual es compatible con los tres regímenes anteriormente mencionados y, en especial, con el régimen de responsabilidad de la LOE. Me sumo a la posición adoptada por el Tribunal Supremo, que acepta dicha compatibilidad, incluso cuando los daños por los que se reclama coinciden con los cubiertos por el régimen de responsabilidad de la LOE.

XV. LA AMPLIACIÓN DEL CONCEPTO DE PROMOTOR EN LA LOE ES EXCESIVA, PORQUE INCLUYE EL SUJETO QUE DECIDE LOS ELEMENTOS ESENCIALES DE LA PROMOCIÓN, CON O SIN ÁNIMO DE LUCRO, CON INDEPENDENCIA DE SU PROFESIONALIDAD

4° *El elemento definitorio del promotor es su intervención decisoria en el proceso edificatorio.* En otras palabras, es promotor quien toma las decisiones sobre los elementos esenciales de la promoción, incluyendo en esta categoría, entre otras decisiones, aquellas relativas a la adquisición del suelo, el encargo y aprobación del proyecto de obras, la elección de la constructora o la recepción de las obras.

5° *Valoración positiva del abandono del ánimo de lucro como elemento definitorio de la figura del promotor.* La LOE ofrece una definición de promotor de aplicación general en sus artículos 9.1 y 17.4, en la que amplía el concepto de promotor con respecto al definido por la jurisprudencia sobre responsabilidad por ruina. En la concepción legal de la LOE, el ánimo de lucro como característica indispensable del promotor debe entenderse abandonada. Se valora positivamente la modificación del concepto de promotor en este punto. Ello debe relacionarse con la evolución que el concepto de empresario ha tenido en la doctrina mercantilista, en la que, actualmente, es doctrina pacífica que es empresario, quien suministra bienes o servicios en el mercado, aunque lo haga sin ánimo de lucro.

6° *Crítica a la ausencia de exigencia de profesionalidad al promotor.* Con todo, la eliminación del ánimo de lucro como elemento definitorio del promotor, no ha ido acompañada en la LOE de la exigencia legal de otro requisito que se considera indispensable, la profesionalidad en la actividad de promoción. Por ello, me sumo a la doctrina que ha manifestado su disconformidad con la falta de exigencia de profesionalidad del promotor, principalmente, por las consecuencias que ello comporta a efectos de responsabilidad. Ello me conduce a defender que la ausencia de profesionalidad del promotor es un elemento que debe tenerse en cuenta para configurar su régimen jurídico.

XVI. CONCEPTO DE AUTOPROMOTOR INDIVIDUAL PROPUESTO: ÚNICAMENTE INCLUYE AL SUJETO QUE PROMUEVE PARA SÍ, AJENO AL EJERCICIO DE UNA ACTIVIDAD EMPRESARIAL O PROFESIONAL

2º *Se propone un concepto restringido de autopromotor individual*, que únicamente incluye al particular que contrata a un arquitecto y a un constructor, entre otros profesionales, la edificación de una vivienda para destinarla al uso propio. En consecuencia, el autopromotor individual, por un lado, es promotor, y, por el otro, es consumidor, porque actúa ajeno al ejercicio de una actividad empresarial o profesional.

XVII. CALIFICACIÓN DE LAS COMUNIDADES «AD AEDIFICANDUM»: COMUNIDADES DE BIENES, CUYOS COMUNEROS SON AUTOPROMOTORES COLECTIVOS SI PROMUEVEN PARA SÍ, AJENOS AL EJERCICIO DE UNA ACTIVIDAD EMPRESARIAL O PROFESIONAL

3º *Naturaleza jurídica de las comunidades* ad aedificandum. En el debate doctrinal y jurisprudencial sobre la naturaleza jurídica de las comunidades *ad aedificandum* he concluido que son comunidades de bienes, siguiendo la jurisprudencia del Tribunal Supremo que da el carácter de preferente a la voluntad de las partes para diferenciar la comunidad de bienes de la sociedad civil.

4º *Elementos que deben reunir los comuneros para recibir la calificación de autopromotores colectivos*. En el trabajo se propone incluir en el concepto de autopromotor colectivo, paralelamente a lo defendido respecto al autopromotor individual, únicamente a aquellos comuneros que: por un lado, son promotores, en defecto de un gestor con intervención decisoria en la promoción; y, por el otro, son consumidores. En efecto, la ausencia de personalidad jurídica propia de la comunidad comporta que la adjudicación de las viviendas con la disolución de la misma no suponga una transmisión de bienes a terceros.

XVIII. CALIFICACIÓN DE LAS COOPERATIVAS DE VIVIENDAS: EN DEFECTO DE UN GESTOR CON INTERVENCIÓN DECISORIA EN LA PROMOCIÓN, ACTÚAN COMO PROMOTORAS Y EMPRESARIAS SOCIALES

2º En las promociones en régimen de cooperativas de viviendas intervienen dos sujetos con personalidad jurídica diferenciada: primero, los socios, quienes son los destinatarios finales de las viviendas; y segundo, la cooperativa de viviendas. En defecto de un gestor con intervención decisoria en la promoción, concurren en la cooperativa dos condiciones jurídicas:

c) *Por un lado, la cooperativa de viviendas es promotora.* A efectos de la LOE, y en ausencia de un gestor con intervención decisoria en la promoción, es la cooperativa de viviendas, y no sus socios, a quien cabe calificar de promotor, por ser la cooperativa el sujeto que, por medio de sus órganos, adopta las decisiones esenciales de la promoción (artículo 9.1 LOE). De este modo, la LOE modifica el criterio adoptado por la jurisprudencia sobre responsabilidad por ruina anterior.

d) *Por el otro lado, la cooperativa de viviendas es empresaria social.* Pues si bien los doctrina mercantilista discute la naturaleza jurídica de las cooperativas de viviendas, los autores coinciden en señalar que éstas desarrollan una actividad económica organizada, que tiene por objeto ofertar viviendas para el mercado, con independencia que su actividad no sea lucrativa. Además, en la práctica inmobiliaria del estado español, las cooperativas actúan con habitualidad en el tráfico, pues se dedican a la promoción sucesiva de viviendas, mediante distintas promociones o secciones.

XIX. NO TODO GESTOR DE COMUNIDADES O DE COOPERATIVAS DE VIVIENDAS ES PROMOTOR, SINO SÓLO EL PROMOTOR-GESTOR PORQUE DECIDE LOS ELEMENTOS ESENCIALES DE LA EDIFICACIÓN

5º *Clases de gestores de comunidades o de cooperativas de viviendas.* En el trabajo se diferencian dos clases de gestores de comunidades o de cooperativas de viviendas: el gestor mandatario, representante o prestatario de servicios, por un lado, y el promotor-gestor, por el otro. La jurisprudencia del Tribunal Supremo sobre responsabilidad por ruina, primero, con base en la doctrina del fraude de ley, y la LOE, después, en su artículo 17.4, han atribuido a la segunda categoría de gestor la condición de promotor a todos los efectos.

6° *Criterio diferenciador.* El elemento determinante para distinguir entre estas dos clases de gestor es el poder de decisión de éste sobre el proceso edificatorio. En consecuencia, no todo gestor de comunidades o cooperativas es promotor, sino únicamente el promotor-gestor porque decide los elementos esenciales de la promoción.

7° Además, la distinción entre estas dos grandes categorías de gestor no es sólo relevante para determinar su posible condición de promotor, sino también a los efectos de calificar la verdadera naturaleza jurídica del contrato que une al gestor con los comuneros o la cooperativa.

c) Por un lado, el gestor mandatario, representante o prestatario de servicios, incluidos en la primera categoría de gestor, no pueden ser calificados promotores a efectos de la LOE, porque, como máximo, gozan en virtud del contrato de facultades de administración propias de la gestión ordinaria de la promoción. Además, su contrato no presenta particularidad alguna, así como tampoco su responsabilidad contractual.

d) Por el contrario, la segunda clase de gestor, el promotor-gestor, es aquél que adopta el papel protagonista de la promoción y toma las decisiones esenciales del proceso constructivo. En efecto, a pesar de que el promotor-gestor califica el contrato en virtud del cual interviene en la promoción de contrato de mandato o de prestación de servicios con o sin representación, en la práctica, su actuación va más allá del mero asesoramiento o de la representación de los intereses de los comuneros o cooperativistas. El promotor-gestor utiliza la estructura típica de la autopromoción colectiva, la comunidad o la cooperativa, para llevar a cabo una promoción inmobiliaria en interés propio.

8° *Medios mediante los cuales se pone de manifiesto la intervención decisoria del gestor.* De una interpretación del artículo 17.4 LOE se derivan dos medios mediante los cuales se pone de manifiesto la intervención decisoria del gestor:

c) El «tenor del contrato» que une al promotor-gestor con la comunidad de propietarios o la cooperativa de viviendas.

d) Otras actuaciones del gestor por las que *de facto* actúa como promotor, entre las que destacan los casos en los que se produce una confusión entre la persona jurídica de la empresa gestora y de la cooperativa de viviendas, que permite a la primera controlar indirectamente las decisiones que toman los órganos de la segunda.

XX. EL CONTRATO DEL PROMOTOR-GESTOR DEBE SER CALIFICADO DE NEGOCIO JURÍDICO CELEBRADO EN FRAUDE DE LEY

3º *El papel de la figura del fraude de ley en la responsabilidad del promotor-gestor tras la LOE.* Con posterioridad a la entrada en vigor de la LOE, ya no es preciso acudir a la figura del fraude de ley para atribuir la condición de promotor al promotor-gestor, porque, como se ha señalado, el artículo 17.4 de la Ley ha recogido esta regla en su tenor literal. Sin embargo, la doctrina del fraude de ley continúa siendo de utilidad a los efectos de impedir que el promotor-gestor evite mediante rodeos responder por incumplimiento contractual en casos de falta conformidad en las viviendas adjudicadas.

4º *Cláusulas contractuales que permiten calificar el contrato de negocio celebrado en fraude de ley.* El contrato del promotor-gestor debe ser calificado como un contrato celebrado en fraude de ley si sigue la siguiente estructura: el promotor-gestor no celebra el negocio jurídico habitual para alcanzar la finalidad económica perseguida, comercializar viviendas por medio de un contrato de obra o de compraventa obteniendo un lucro a cambio, porque el ordenamiento jurídico contiene normas imperativas asociadas a este tipo de contratos cuya aplicación pretende eludir. En su lugar, el promotor-gestor configura el negocio jurídico de tal manera, que consigue el mismo resultado económico que obtendría con la celebración de un contrato de compraventa o de obra, pero sin asumir las consecuencias jurídicas que el ordenamiento jurídico asocia a este tipo de contratos.

Tras el estudio de la jurisprudencia sobre la materia, se han identificado las siguientes cláusulas como aquéllas que permiten al promotor-gestor conseguir el mismo resultado económico que obtendría con la transmisión de la edificación mediante un contrato de compraventa o de obra:

d) Retribución equivalente a un porcentaje sobre el coste de la obra.

e) Irrevocabilidad del mandato o el apoderamiento concedido a favor del gestor y cláusulas penales por resolución del contrato del gestor.

f) Amplitud de facultades otorgadas a favor del promotor-gestor para que adopte decisiones sobre: i) actos en los que sea preceptivo el acuerdo del Consejo rector o de la Asamblea general de la cooperativa; así como ii) actos de riguroso dominio, en los que se incluyen los actos de disposición.

XXI. PROPUESTA DE CALIFICACIÓN DEL CONTRATO DEL PROMOTOR-GESTOR COMO UN CONTRATO ATÍPICO COMPLEJO DE PROMOCIÓN

2º *Propuesta de calificación del contrato del promotor-gestor.* Siguiendo la solución adoptada por una parte de la jurisprudencia menor, así como por el artículo 1831 del *Code Civil* francés, se propone calificar el contrato del promotor-gestor celebrado en fraude de ley de contrato de promoción. Se trata de un contrato atípico complejo que presenta elementos de dos contratos típicos: primero, del contrato de obra. Y, segundo, del contrato de mandato representativo con facultades de disposición. En consecuencia:

c) c)Por un lado, las relaciones internas entre el promotor-gestor y los comuneros o socios se rigen por la regulación del contrato de obra. El gestor asume frente a sus clientes una obligación de resultado, que consiste en poner a su disposición una vivienda en los términos pactados. Por consiguiente, responde por incumpliendo contractual por cualquier falta de conformidad en las viviendas entregadas.

d) d)Por el otro lado, la actuación del promotor-gestor frente a terceros, se rige por las reglas del mandato representativo con facultades de disposición. En consecuencia, la cooperativa de viviendas o los comuneros resultan obligados a cumplir frente a terceros el negocio representativo que el promotor-gestor celebró por cuenta y nombre de los mismos.

XXII. LA AUSENCIA DE PROFESIONALIDAD DEL AUTOPROMOTOR ES RELEVANTE EN EL GRADO DE EXIGIBILIDAD DE SUS OBLIGACIONES FRENTE A LOS POSTERIORES ADQUIRENTES: OBLIGACIÓN DE CONTRATAR DEL SEGURO DECENAL Y DE DEPOSITAR EL LIBRO DEL EDIFICIO

6º *Relevancia de la ausencia de profesionalidad del autopromotor en las obligaciones que debe cumplir frente a los posteriores adquirentes*. Tras el análisis del tratamiento legal y jurisprudencial de las obligaciones del autopromotor, resulta reafirmada la tesis de acuerdo con la cual la falta de profesionalidad del mismo es un elemento significativo a los efectos de configurar su régimen jurídico. En especial, la ausencia de profesionalidad del promotor es relevante en las obligaciones que aquél debe cumplir frente a los posteriores adquirentes de la edificación. Categoría en las que se incluyen, la obligación de contratar el seguro decenal y la obligación de entregar el libro del edificio.

7º En relación con la *obligación de contratar el seguro decenal*, el segundo párrafo de la disposición adicional 2ª, Uno, de la LOE exonera al autopromotor individual de acreditar la contratación del seguro decenal en la escritura de declaración de obra nueva, siempre y cuando se trate de una única vivienda unifamiliar para uso propio. La finalidad del seguro decenal, que radica en que el promotor garantice a los terceros adquirentes la reparación de los daños derivados por vicios estructurales, perdía su fundamento cuando el sujeto obligado a la contratación del seguro y el asegurado coincidían. Además, se valora positivamente que la Dirección General de los Registros y del Notariado haya extendido esta exoneración a los comuneros que construyen en régimen de comunidad valenciana, si las viviendas cuentan con estructuras independientes, pues en este supuesto actúan de manera análoga al autopromotor individual.

8º La Dirección General de los Registros y del Notariado, con base en la aplicación analógica de la disposición adicional 2ª citada, también ha exonerado al autopromotor individual de la *obligación de depositar el Libro del Edificio*. El fundamento de estas resoluciones, es que la finalidad del Libro del Edificio, que contiene la documentación de la obra ejecutada, no es proteger al promotor, sino a los posteriores adquirentes de la edificación. Por el contrario, en el trabajo se sostiene que el Libro del Edificio contiene información, en especial, la relativa a las instrucciones de uso y mantenimiento de la vivienda a la cual debe también tener acceso cualquier propietario, también el autopromotor. Por ello, propone que en estos casos se imponga esta obligación al constructor, tal como establece, actualmente, la Ley de derecho de la vivienda de Cataluña.

9º A pesar de lo anterior, ni la disposición adicional 2ª LOE citada, ni la doctrina de la Dirección General eximen por completo al autopromotor del cumplimiento de sus obligaciones. Estas sólo posponen la exigibilidad de su cumplimiento a un momento posterior: aquél en el que el autopromotor, tras habitar en la vivienda durante un determinado período de tiempo, transmite la misma a terceros dentro del período de garantía. En el libro se pone de manifiesto que, *incluso en este segundo momento temporal, en el que interviene un tercer adquirente al que proteger, la exigibilidad de las obligaciones del autopromotor es mucho más débil que las del promotor profesional.* Probado el uso efectivo de la vivienda por parte del autopromotor en la escritura de transmisión, el comprador tiene la facultad de exonerar a aquél de la contratación del seguro decenal o de la entrega del libro del edificio.

10° En conclusión, el reconocimiento por parte del legislador de un régimen dispositivo en las obligaciones del autopromotor cuando concurre un tercer adquirente al que proteger, podría poner en evidencia que aquél estima que, en estos casos, la situación de equilibrio entre las partes permite establecer normas de carácter dispositivo.

XXIII. LA RESPONSABILIDAD DEL PROMOTOR DEL ARTÍCULO 17.3 LOE CUMPLE UNA FUNCIÓN DE GARANTÍA Y ES, FUNDAMENTALMENTE, UNA RESPONSABILIDAD OBJETIVA POR HECHO AJENO

6° *Ausencia de especialidades en la responsabilidad del promotor no profesional.* Las especialidades en las obligaciones del autopromotor, contrastan con la ausencia de un régimen jurídico especial para el autopromotor en la responsabilidad por vicios y defectos constructivos de la LOE. Esta es una particularidad compartida con el derecho francés, en el que responde como constructor, «toda persona que vende, una vez terminada, una obra que ha hecho construir» (artículo 1792-1 del Code Civil), a pesar de que la venta de la vivienda no sea inmediatamente posterior a la finalización de la obra.

7° *El régimen de responsabilidad del promotor del artículo 17.3 de la LOE cumple una incuestionable función de garantía.* En otras palabras, en virtud del mismo el promotor se obliga a garantizar la indemnidad de los futuros adquirentes de la edificación, si bien sólo en relación con los daños materiales en el edificio derivados de vicios constructivos. Y, sin perjuicio, de su derecho de repetición frente a los demás agentes de la edificación, en las relaciones internas.

8° *Frente a los adquirentes de la edificación, el promotor responde fundamentalmente por hecho ajeno.* El hecho que el promotor ni diseñe ni ejecute, ni vigile las obras, en principio, impide que de su actuación deriven los vicios. Por ello, frente a los adquirentes de la edificación, el promotor, no sólo responde por hecho propio, sino también y fundamentalmente por hecho ajeno: responde solidariamente, de los vicios derivados de la actuación del resto de agentes de la edificación y de aquéllos cuya causa no se haya podido determinar en el juicio. Esta solidaridad es directa, es decir, no es subsidiaria respecto de la del autor material del daño.

9º *Sólo, muy excepcionalmente, el promotor responde por vicios imputables, en parte, a su propia actuación.* Cuando los daños deriven de una decisión adoptada por el promotor y ejecutada por otro agente. Por ejemplo, cuando el promotor ordena una modificación del proyecto originario, pese a la advertencia del director de la obra de que es contraria a las normas constructivas.

10º *Además, la responsabilidad solidaria del promotor con independencia de su intervención en la causación de los vicios es objetiva.* No queda exonerado si prueba que no incurrió en culpa *in vigilando* o *in eligendo*, sino únicamente cuando acredite la concurrencia de alguna de las causas de exoneración.

XXIV. LA IMPERATIVIDAD DE LA RESPONSABILIDAD DEL PROMOTOR POR ACTOS U OMISIONES EN LOS QUE NO HA INTERVENIDO SÓLO ESTÁ FUNDAMENTADA CUANDO ES UN PROFESIONAL

2º *Fundamento de la responsabilidad del promotor en la jurisprudencia del Tribunal Supremo sobre responsabilidad por ruina.* En el trabajo me he cuestionado si el régimen de responsabilidad que el artículo 17.3 LOE impone a todo promotor está justificado cuando quien transmite la vivienda no es un profesional, sino un autopromotor individual o colectivo, que por definición actúan ajenos al ejercicio de una actividad profesional. Con el objeto de responder esta cuestión, se han analizado los argumentos con base en los cuales el Tribunal Supremo, en aplicación del artículo 1591 del Código Civil, fundamentó la responsabilidad solidaria y objetiva del promotor por hechos ajenos. De estos argumentos, en el trabajo se han considerado aplicables al régimen jurídico vigente dos:

a) De acuerdo con el primero, la responsabilidad del promotor por hecho ajeno se justifica en que aquél no puede quedar exonerado de responsabilidad alegando que ha utilizado a profesionales independientes, pues aquellos actúan como auxiliares en el cumplimento de su prestación;

b) Y, de acuerdo con el segundo, el promotor responde por hecho ajeno porque asume en virtud del contrato de compraventa una obligación de garantía incondicional frente a los terceros adquirentes.

6º *Sólo el vendedor que, además, es promotor, asume en virtud del 17.3 de la LOE una garantía adicional a la derivada del contrato de compraventa.* En especial, de los razonamientos anteriormente mencionados, el más relevante es la obligación de garantía incondicional que el promotor asume como vendedor frente a los terceros adquirentes. En el trabajo, se pone de manifiesto que cualquier vendedor está obligado en virtud del contrato de compraventa a entregar un bien conforme. Esto es, tanto el vendedor que es promotor, como el que no reúne esta condición. La entrega de una inmueble con vicios constructivos es una entrega de cosa diversa o *aliud pro alio*, según la jurisprudencia sobre incumplimiento contractual; o un caso de vicios ocultos, de acuerdo con el régimen de saneamiento del Código civil. Sin embargo, sólo el vendedor que, además, es promotor, asume en virtud del 17.3 de la LOE una garantía adicional a la derivada del contrato de compraventa:

c) Primero, porque su responsabilidad derivada de la LOE es imperativa. A diferencia de las normas sobre incumplimiento contractual o sobre vicios ocultos, que pueden ser objeto de limitación, siempre y cuando las partes respeten las normas imperativas y no excluyan el dolo (artículos 1255 y 1102 del Código civil).

d) Y, segundo, porque el principio de relatividad de los contratos no es aplicable en la responsabilidad de la LOE. Están legitimados activamente para reclamar la reparación de los daños, no sólo el primer adquirente, sino también a los sucesivos.

7º *La garantía que el promotor asume se funda en la confianza que su prestigio profesional genera en los adquirentes.* De acuerdo con algunas sentencias del Tribunal Supremo sobre responsabilidad por ruina, así como con la opinión mantenida por una parte de la doctrina, esta garantía adicional, que el promotor asume en virtud de la LOE, se fundamenta, en la confianza que el prestigio profesional del promotor genera en los adquirentes sobre la idoneidad del inmueble transmitido. Por consiguiente, sólo está justificada cuando quien transmite la vivienda es un promotor que actúe en ejercicio de una actividad empresarial o profesional.

8º La aplicación de los anteriores argumentos, me ha llevado a la conclusión que *la responsabilidad solidaria y objetiva del auto-promotor por hecho ajeno no está suficientemente justificada en la LOE*. Por ello, defiendo que esta responsabilidad debería ser dispositiva y la legitimación activa limitarse al primer adquirente.

c) En estos casos, no existe una situación de desequilibrio estructural entre las partes que justifique la imperatividad de la responsabilidad por hechos ajenos del autopromotor.

d) Además, esta tesis es coherente con la regulación general de las obligaciones, que permite al vendedor no profesional acordar con el comprador su limitación de responsabilidad contractual, siempre y cuando respeten los límites legales.

9º Por el contrario, en el trabajo se sostiene que *la responsabilidad imperativa del autopromotor, está justificada cuando aquél haya contribuido con su actuación gravemente culposa o dolosa en la causación de los vicios o defectos constructivos*. Por ejemplo, si aquél tomó decisiones contrarias a las normas constructivas, que a la postre hubieran contribuido en la causación de los daños. En estos casos, la jurisprudencia sólo aprecia culpa o dolo del autopromotor si los profesionales de la edificación, que intervinieron en la obra, advirtieron a aquél sobre la incorrección de sus decisiones, pues los tribunales estiman que el autopromotor carece de los suficientes conocimientos técnicos para valorar las consecuencias de sus decisiones.

XXV. PROPUESTA DE LEGE FERENDA: EXONERACIÓN DE RESPONSABILIDAD POR HECHO AJENO EN LA ESCRITURA DE TRANSMISIÓN CON CONSENTIMIENTO EXPRESO DEL ADQUIRENTE

4º Con el objeto de emendar este aspecto de la LOE, en el libro se hace una propuesta de *lege ferenda*. Se propone establecer un régimen de carácter dispositivo en la responsabilidad por hecho ajeno del autopromotor, paralelo al establecido en la disposición adicional segunda de la LOE.

5º *La modificación legal propuesta es la siguiente*: No será exigible al autopromotor individual de una única vivienda unifamiliar para uso propio, cuando transmita aquélla dentro del período de garantía, la responsabilidad por vicios constructivos de la LOE, si concurren los requisitos siguientes:

d) Que los vicios o defectos no fueran imputables al dolo del autopromotor.

e) Que el autopromotor pruebe en la escritura de transmisión haber utilizado la vivienda.

f) Que el autopromotor fuere expresamente exonerado por el adquiriente de la vivienda en la escritura de transmisión.

Esta exoneración en ningún caso limita la legitimación del adquirente para reclamar responsabilidad al resto de agentes de la edificación.

XXVI. VALORACIÓN POSITIVA DE LA RESPONSABILIDAD DE LAS COOPERATIVAS DE VIVIENDAS FRENTE A SUS SOCIOS EX ARTÍCULO 17.3 LOE, EN DEFECTO DE PROMOTOR-GESTOR

5º *Valoración positiva de la responsabilidad de las cooperativas de viviendas frente a sus socios ex artículo 17.3 LOE, en defecto de promotor-gestor.* A diferencia de lo defendido respecto del autopromotor individual o colectivo, en el trabajo se valora positivamente el cambio de rumbo tomado por la LOE en relación con las cooperativas de viviendas. En ausencia de un gestor con intervención decisoria en la promoción, es la cooperativa, y no sus socios, o su Consejo rector, quien reúne la condición de promotor y, en consecuencia, quien debe asumir la responsabilidad ligada a la figura.

6º *Los argumentos a favor de la responsabilidad de las cooperativas de viviendas frente a sus socios ex artículo 17.3 LOE son*:

a) La necesidad de una protección efectiva de los intereses de los socios cooperativistas.

b) En este tipo de promociones, interviene un sujeto, la cooperativa de viviendas, con personalidad jurídica propia e interés diferenciado de los destinatarios finales de la edificación. Y es la cooperativa la persona que, desde el inicio del proceso constructivo hasta la finalización de las obras, adopta, por medio de sus órganos, las decisiones esenciales de la promoción. Por consiguiente, recaerá sobre la cooperativa y no sobre los socios la responsabilidad del promotor derivada de la LOE.

c) Las cooperativas de viviendas actúan en ejercicio de una actividad empresarial y, en la mayoría de casos, con habitualidad en el tráfico. Por ello, la realidad sociológica hacía aún más patente la necesidad de una protección efectiva de los adquirentes a manos de cooperativas que, en la práctica, actúan de un modo muy similar a una sociedad promotora, aunque sin ánimo de lucro repartible entre sus socios. Con base en este argumento, algunas sentencias de las Audiencias Provinciales de Madrid y de Barcelona atribuyeron, en contra de lo defendido por el Tribunal Supremo, la responsabilidad del artículo 1591.I del Código civil a las cooperativas de viviendas. Ya en aplicación de la LOE, los tribunales han continuado insistiendo en la profesionalidad de las cooperativas como elemento relevante para atribuibles la condición de promotoras.

En síntesis, sostengo que debe prevalecer por encima de las consideraciones relativas al ánimo de lucro, la protección de los socios que se incorporan en la cooperativa confiando en su prestigio profesional.

6º *La discutida responsabilidad contractual de las cooperativas de viviendas frente a sus socios por faltas de conformidad en las viviendas adjudicadas.* Más controvertido es determinar si, además, las cooperativas de viviendas responden por incumplimiento contractual, en caso de faltas de conformidad en las viviendas adjudicadas a sus socios. En el ordenamiento español, a diferencia de lo establecido en el derecho francés, la jurisprudencia y doctrina mayoritarias defienden que las cooperativas no venden las viviendas a sus socios. Por el contrario, sostienen que la cooperativa actúa como mandataria en nombre propio o representante indirecta de los socios. Por ello, se concluye que la generalización de la responsabilidad contractual de las cooperativas frente a sus socios, no es coherente con la posición actualmente defendida por la mayoría de la jurisprudencia y doctrina. Con todo, la jurisprudencia menor ya cuenta con algunas sentencias que atribuyen este tipo de responsabilidad a las cooperativas de viviendas.

7º *A pesar de que los socios cooperativistas no son promotores a efectos de la LOE, bajo ciertas circunstancias asumirán los costes derivados de la responsabilidad de la cooperativa ex artículo 17.3 LOE.* De acuerdo con la LOE, la responsabilidad por vicios constructivos recae sobre el patrimonio de la cooperativa, y no sobre el de sus socios. Sin embargo:

a) Todos los socios deberán asumir los costes derivados de la responsabilidad de la cooperativa por vicios o defectos en las viviendas de los socios afectados, si la cooperativa es condenada y está infracapitalizada. En estos casos, la cooperativa repartirá los costes entre los socios, incluso entre los socios que no han sufrido daño alguno [artículo 59.2.c) LC].

b) Por el contrario, si la responsabilidad de la cooperativa procede de vicios o defectos en los locales o viviendas de terceros no socios, los socios cooperativistas no deben asumir de manera subsidiaria los costes derivados de tal responsabilidad. Frente a terceros acreedores de la cooperativa la responsabilidad de los socios por las deudas sociales está limitada a las aportaciones al capital social (artículo 15.3 LC). Además, se defiende que en estos casos no es de aplicación la responsabilidad de los socios en virtud de la doctrina del enriquecimiento injusto, porque no concurren los presupuestos de la pretensión de enriquecimiento.

8º *Por último, los miembros del Consejo rector responderán solidariamente con la cooperativa de viviendas, cuando hayan participado de forma negligente en la adopción de los acuerdos que hayan contribuido a la causación de los vicios o defectos constructivos* y, además, concurran el resto de requisitos que la Ley exige para que nazca la responsabilidad de los consejeros (artículo 43 LC y remisión a los artículos 236.1 y 241 TRLSC).

BIBLIOGRAFÍA

Juan Manuel ABRIL CAMPOY, «La responsabilidad del promotor en la Ley de Ordenación de la Edificación (Ley 38/1999, de 5 de noviembre)», en Antonio CABANILLAS SÁNCHEZ *et al.* (Comité organizador), *Estudios jurídicos en homenaje al profesor Luis Díez-Picazo*, tomo II, Derecho Civil. Derecho de obligaciones, 2003, pp. 1233-1250.

Manrique AGUILAR GARCÍA, «Cooperativas de viviendas: disposiciones comunes y específicas», *Revista de Derecho Notarial*, Madrid, abril-junio, 1972, pp. 7-64.

Manuel ALBALADEJO GARCÍA, *Derecho Civil, II Derecho de Obligaciones*, 13ª ed., Edisofer, Madrid, 2008.

José ALMAGRO NOSETE, «Capítulo IX. Algunas cuestiones procesales», Román GARCÍA VARELA (Coord.), *Derecho de la Edificación*, 4ª ed., Bosch, Barcelona, 2008, pp. 539-560.

Manuel ALMENAR BELENGUER, César JIMÉNEZ LÓPEZ y Óscar PÉREZ PAZ, «Aspectos generales del Código Técnico de la Edificación: sistemática y aplicación», *El desarrollo de la Ley de Ordenación de la Edificación. Código Técnico de la Edificación*, Estudios de Derecho Judicial, nº 148, Consejo General del Poder Judicial, Madrid, 2007, pp. 61-124.

María Pilar ÁLVAREZ OLALLA, *La Responsabilidad por defectos en la edificación: (el Código civil y la Ley 38/1999, de 5 de noviembre, de Ordenación de la edificación)*, Aranzadi, Cizur Menor (Navarra), 2002.
– «Comentario a la sentencia de 11 de junio de 2002», *CCJC*, nº 61, 2003, pp. 111-118.

María Teresa ÁLVAREZ MORENO, «La cesión de solar por pisos o locales en el edificio construido», *Aranzadi Civil, enero/abril 2003*, nº 1, 1995, pp. 79-118.

Ricardo DE ÁNGEL YÁGÜEZ, *Tratado de responsabilidad civil*, Civitas, Madrid, 1993.

Federico ARNAU MOYA, *Los vicios de la construcción. (Su régimen en el Código Civil y en la Ley de Ordenación de la Edificación)*, Tirant lo Blanch, Valencia, 2004.

Jean-Bernard AUBY y Hugues PERINET-MARQUET, *Droit de l'urbanisme et de la construction*, 7ª edición, Montchrestien, París, 2004.

BANCO DE ESPAÑA, *Informe de Estabilidad Financiera*, 05/2013.

Alfonso BARCALA FERNÁNDEZ DE PALENCIA, «La responsabilidad civil de los agentes de la construcción», Javier SEOANE PRADO, Alfonso BARCALA FERNÁNDEZ DE PALENCIA, Juan José COBO PLANA (Coord.), *Garantías y responsabilidades en la Ley de Ordenación de la Edificación*, Sepín, Madrid, 2000, pp. 39 y ss.

Alberto BERCOVITZ RODRÍGUEZ-CANO, «Artículo 1. Ámbito de aplicación y derechos de los consumidores», en Rodrigo BERCOVITZ y Javier SALSAS (Coord.), *Comentarios a la Ley General para la Defensa de los Consumidores y Usuarios*, Civitas, 1992, pp. 17 a 43.

– «El concepto de consumidor», en Agustín AZPARREN LUCAS (Dir.), *Hacia un código del consumidor*, Consejo General del Poder Judicial, Centro de Documentación Judicial, Madrid, 2006, pp. 17 a 38.

– *Apuntes de derecho mercantil*, 10ª ed., Thomson-Aranzadi, Cizur Menor (Navarra), 2009.

Rodrigo BERCOVITZ RODRÍGUEZ-CANO, «Comentario a la STS de 29 de junio de 1987», *CCJC*, nº 14, 1987, pp. 4711-4720.

– «Comentario al artículo 25», en Rodrigo BERCOVITZ y Javier SALAS (Coord.), *Comentarios a la Ley General para la Defensa de los Consumidores y Usuarios*, Civitas, Madrid, 1992, pp. 681-694.

– «Comentario al artículo 28», en Rodrigo BERCOVITZ y Javier SALAS (Coord.), *Comentarios a la Ley General para la Defensa de los Consumidores y Usuarios*, Civitas, Madrid, 1992, pp. 713-727.

– «Comentario al artículo 3. Concepto general de consumidor y usuario», en Rodrigo BERCOVITZ RODRÍGUEZ-CANO (Coord.), *Comentario del Texto Refundido de la Ley General para la Defensa de los Consumidores y Usuarios y otras leyes complementarias*, Aranzadi, Cizur Menor (Navarra), 2009, pp. 86-99.

– «Comentario al artículo 4. Concepto de empresario», en Rodrigo BERCOVITZ RODRÍGUEZ-CANO (Coord.), *Comentario del Texto Refundido de la Ley General para la Defensa de los Consumidores y Usuarios y otras leyes complementarias*, Aranzadi, Cizur Menor (Navarra), 2009, pp. 99-104.

Carmen BOLDÓ RODA, «Régimen de garantías por daños materiales ocasionados por vicios o defectos en la construcción», *Revista Española de Seguros*, nº 103, julio-septiembre 2000, pp. 531-563.

Gumersindo BURGOS PÉREZ DE ANDRADE, «Capítulo III. Agentes de la Edificación», en Román GARCÍA VARELA (Coord.), *Derecho de la Edificación*, 4ª ed., Bosch, Barcelona, 2008, pp. 149-326.

José Manuel BUSTO LAGO, Natalia ÁLVAREZ LATA y Fernando PEÑA LÓPEZ, «Sección 9ª. Vivienda. Subsección 1ª. Compraventa de vivienda», *Reclamaciones de consumo. Derecho de consumo desde la perspectiva del consumidor*, 2ª ed., Thomson-Aranzadi, Cizur Menor, Navarra, 2008, pp. 677-733.

Santiago CAVANILLAS MÚGICA, «El Real Decreto Legislativo 1/2007, por el que se aprueba el texto refundido de la Ley General para la Defensa de los Consumidores y Usuarios y otras leyes complementarias», *Aranzadi Civil-Mercantil*, nº 1/2008 (Estudio), pp. 15-48.

Antonio CABANILLAS SÁNCHEZ, «La evolución de las responsabilidades en la construcción», *Centenario del Código Civil (1889-1989)*, Asociación de profesores de derecho civil, tomo I, Editorial Centro de Estudios Ramón Areces, Madrid, 1990, pp. 351-370.
– «La configuración jurisprudencial del promotor como garante», *Anuario de Derecho Civil*, vol. 43, nº 1, 1990, pp. 227-237.
– «La responsabilidad civil por vicios en la construcción en la Ley de Ordenación de la Edificación», *Anuario de Derecho Civil*, vol. 53, nº 2, 2000, pp. 405-510.
– «La declaración de obra nueva tras la Ley del Suelo de 28 de mayo de 2007», Javier GÓMEZ GÁLLIGO (Coord.), *Homenaje al profesor Manuel Cuadrado Iglesias*, tomo II, Thomson-Civitas, Cizur Menor (Navarra), 2008, pp. 1089-1111.

Juan CADARSO PALAU, «Riesgo y responsabilidad en el contrato de obra (según el Proyecto de Ley 121/000043, 1994, de modificación del Código Civil)», José GONZÁLEZ GARCÍA (Coord.), *Contratos de servicios y de obra. Proyecto de Ley y Ponencias sobre la reforma del Código civil en materia de contratos de servicios y de obra*, ed. Adhara, Jaén, 1996, pp. 54-130.
– «La responsabilidad de los constructores en la Ley de Ordenación de la Edificación. Una aproximación a la nueva disciplina», *El consultor inmobiliario*, nº 7, noviembre 2000, pp. 3-10.

Jorge CAFARENA LAPORTA, «Comentario al artículo 6.4 del Código Civil», en Manuel ALBALADEJO GARCÍA (Coord.), *Comentarios al Código Civil y compilaciones forales*, Edersa, tomo I, vol. 1º, Madrid, 1985 (versión v-lex).

Sergio CÁMARA LAPUENTE, «El concepto legal de «consumidor» en el Derecho privado europeo y en el Derecho español: aspectos controvertidos o no resueltos», *Cuadernos de Derecho Transnacional*, vol. 3, nº 1, Marzo 2011, pp. 84-117.
– «Comentario al artículo 4. Concepto de empresario», Sergio CÁMARA LAPUENTE (Dir.), *Comentarios a las normas de protección de los*

consumidores. Texto refundido (RDL 1/2007) y otras leyes y reglamentos vigentes en España y en la Unión Europea, Colex, Madrid, 2011, pp. 154-169.

María CARCABA FERNÁNDEZ, *La simulación en los negocios jurídicos*, Bosch, Barcelona, 1986.

Ángel CARRASCO PERERA, «La Jurisprudencia del Tribunal Supremo relativa a la responsabilidad contractual», 1993, *Aranzadi Civil*, vol. I (versión Westlaw).

– «La insistente recurrencia de un falso problema: ¿está derogado el artículo 1591 Código civil?», *Actualidad Jurídica Aranzadi*, 2000, nº 454, pp. 2-6 (versión Westlaw).

– «La jurisprudencia post-LOE ¿ha cambiado algo en el régimen de la responsabilidad por ruina?, *Aranzadi Civil*, nº 3, 2001, pp. 1-15 (versión Westlaw).

– Luis ORTEGA ÁLVAREZ, Consuelo ALONSO GARCÍA, Carmen GONZÁLEZ CARRASCO, Manuel Jesús MARÍN LÓPEZ, Jesús PUNZÓN MORALEDA y Iván TRUJILLO DÍEZ, Ángel CARRASCO PERERA (Dir.), *El Derecho de consumo en España: presente y futuro*, Instituto Nacional de Consumo, Madrid, 2002.

– «Comentario a la Resolución DGRN de 8 de febrero de 2003 (RJ 2003, 2606)», *CCJC*, nº 62, 2003, pp. 695-710.

– «Prescripción y retroactividad en la LOE», *Actualidad Jurídica Aranzadi*, nº 710/2006, Parte Tribuna, Editorial Aranzadi, Pamplona, 2006 (versión Westlaw).

– «Reparación en forma específica y reparación a costa del deutor en la responsabilidad por ruina», *InDret 1/2006*.

– y Mª del Carmen GONZÁLEZ CARRASCO, «Una introducción jurídica al Código Técnico de la Edificación», *InDret 3/2006*.

– y Encarna CORDERO LOBATO, Carmen GONZÁLEZ CARRASCO, *Derecho de la Construcción y la Vivienda*, 7ª ed., Thomson Reuters Aranzadi., Cizur Menor (Navarra), 2012.

– «Texto refundido de la Ley General para la defensa de los consumidores y usuarios (Real Decreto Legislativo 1/2007). Ámbito de aplicación y alcance de la refundición», *Aranzadi Civil*, nº 1, 2008 (versión Westlaw).

– *Derecho de contratos*, Aranzadi Thomson-Reuters, Cizur Menor (Navarra), 2010.

– «Capítulo 22. Garantías por daños materiales ocasionados por vicios y defectos de la construcción», en Ángel CARRASCO PERERA, Encarna CORDERO LOBATO, Mª del Carmen GONZÁLEZ CARRASCO, *Comentarios a la legislación de ordenación de la edificación*, 5ª edición,

Aranzadi Thomson Reuters, Cizur Menor (Navarra), 2011, pp. 579-691.
- «Capítulo 24. Escrituración de obra nueva y asientos del Registro Mercantil», en Ángel CARRASCO PERERA, Encarna CORDERO LOBATO, Mª del Carmen GONZÁLEZ CARRASCO, *Comentarios a la legislación de ordenación de la edificación*, 5ª edición, Aranzadi Thomson Reuters, Cizur Menor (Navarra), 2011, pp. 735-760.
- «Tipo para subastas hipotecarias, rehabilitaciones, declaraciones de obra nueva y otras regulaciones inmobiliarias en el Real Decreto-ley 8/2011», *Diario la Ley*, nº 7676, de 18 de julio de 2011.

Raquel CASTILLEJO MANZANARES, «La legitimación en el proceso civil según la ley de ordenación de la edificación», *El consultor inmobiliario*, La Ley, nº 70, julio-agosto, 2006, pp. 3-17.

J. Carlos CASTRO BOBILLO, «Del artículo 1591 del CC a la Ley de Ordenación de la Edificación», *Actualidad Civil*, 2001, pp. 417-442.

Federico de CASTRO Y BRAVO, *Derecho Civil de España*, tomo I, Thomson-Civitas, Cizur Menor (Navarra), 2008.
- *Derecho Civil de España*, tomo III, Thomson-Civitas, Cizur Menor (Navarra), 2008.

Luis Humberto CLAVERÍA GOSÁLVEZ, «Comentario al artículo 1276 del Código Civil», Manuel ALBALADEJO GARCÍA (Coord.), *Comentarios al Código Civil y compilaciones forales*, Edersa, tomo XVII, vol. 1º B, Madrid, 1993 (versión v-lex).

Miguel COCA PAYERAS, «Comentario al artículo 2 del Código Civil», en Manuel ALBALADEJO (Dir.), *Comentarios al Código Civil y Compilaciones Forales*, tomo I, vol. I, Edersa, Madrid, pp. 444-475, 1980.

Ana COLÁS ESCANDÓN, «Comentario a los artículos 1709 a 1739 del Código Civil», Rodrigo BERCOVITZ RODRÍGUEZ-CANO (Coord.), *Comentarios al Código Civil*, 3ª edición, Thomson Aranzadi, Cizur Menor (Navarra), 2009, pp. 1959-1979.

Rafael COLINA GAREA, «Comentario a la sentencia de 20 de diciembre de 2007 (RJ 2007, 8664)», *CCJC*, nº 77, 2008, pp. 977-1104.

CONFEDERACIÓN DE COOPERATIVAS DE VIVIENDAS DE ESPAÑA (CONVOVI), *Guía del socio cooperativista de viviendas* (*http://concovi.ecsocial.com/index.php?id–menu=-3&id–padre=5&id–articulo=1&id–categoria=1221&f–ofertas*).

Encarna CORDERO LOBATO, «Comentario a la sentencia de 3 de octubre de 1996», 1166, *CCJC*, nº 43, 1997, pp. 229-250.
- *El Código Técnico de la Edificación como Norma Jurídica. A propó-*

sito de la eficacia jurídica y los límites del RD 314/2006, Thomson-Aranzadi, Cizur Menor (Navarra), 2008.

– «Comentario a la sentencia de 22 de marzo de 2010 (RJ 2010, 2410)», *CCJC*, nº 85, 2011, pp. 339-347.

– «Capítulo 4. El Código Técnico de la Edificación», Ángel CARRASCO PERERA, Encarna CORDERO LOBATO, Mª del Carmen GONZÁLEZ CARRASCO, *Comentarios a la legislación de ordenación de la edificación*, 5ª edición, Aranzadi Thomson Reuters, Cizur Menor (Navarra), 2011, pp. 95-162.

– «Capítulo 13. El promotor», Ángel CARRASCO PERERA, Encarna CORDERO LOBATO, Mª del Carmen GONZÁLEZ CARRASCO, *Comentarios a la legislación de ordenación de la edificación*, 5ª edición, Aranzadi Thomson Reuters, Cizur Menor (Navarra), 2011, pp. 385-403.

– «Capítulo 18. Las entidades y los laboratorios de control de calidad de la edificación», Ángel CARRASCO PERERA, Encarna CORDERO LOBATO, Mª del Carmen GONZÁLEZ CARRASCO, *Comentarios a la legislación de ordenación de la edificación*, 5ª edición, Aranzadi Thomson Reuters, Cizur Menor (Navarra), 2011, pp. 461-468.

– «Capítulo 21. Responsabilidad civil de los agentes que intervienen en el proceso de la edificación», Ángel CARRASCO PERERA, Encarna CORDERO LOBATO, Mª del Carmen GONZÁLEZ CARRASCO, *Comentarios a la legislación de ordenación de la edificación*, 5ª edición, Aranzadi Thomson Reuters, Cizur Menor (Navarra), 2011, pp. 493-576.

Faustino CORDÓN MORENO, «Capítulo II. De la pluralidad de partes. Artículos 12 a 15 LEC», Faustino CORDÓN MORENO, Teresa ARMENTA DEU, Julio J. MUERZA ESPARZA, Isabel TAPIA FERNÁNDEZ (coords.), *Comentarios a la Ley de Enjuiciamiento Civil*, vol. I, 2ª ed., Aranzadi Thomson Reuters, Cizur Menor (Navarra), 2011, pp. 245-324.

María Isabel DE LA IGLESIA MONJE, «A vueltas con la exoneración de contratación del seguro decenal por el autopromotor individual en el caso de una personas jurídica (sentencia de la Audiencia Provincial de Barcelona de 22 de junio de 2009)», *Diario La Ley*, nº 7239, Sección Tribuna, 11 Sep. 2009.

Fernando DÍAZ BARCO, *Manual de Derecho de la Construcción. Adaptado al Código técnico de la Edificación y a la Ley reguladora de la subcontratación en el sector de la construcción*, Thomson Aranzadi, Cizur Menor (Navarra), 2007.

Juan María DÍAZ FRAILE, «El tratamiento registral de la obra nueva en la Ley 8/2007, de 28 de mayo, de suelo», *Diario La Ley*, nº 6824, 20 de noviembre de 2007.

Calixto Díaz-Regañón García-Alcalá, «Comentario al artículo 1281 a 1289 del Código Civil», Rodrigo Bercovitz Rodríguez-Cano (Coord.), *Comentarios al Código Civil*, 3ª edición, Thomson Aranzadi, Cizur Menor (Navarra), 2009, pp. 1521-1529.

Alejandro Díaz Moreno, «La solidaridad impropia en el ámbito de la edificación. Comentario a la Sentencia del TS de 5 de mayo de 2010 (RJ 2010, 5025)», *Revista de Derecho Patrimonial*, nº 27, 2011, pp. 213-228.

Luis Díez-Picazo y Ponce de León, *La representación en el derecho privado*, Civitas, Madrid, 1979, reimpresión 1992.
  - «Comentario a los artículos 1888 a 1890 del Código Civil», Cándido Paz-Ares Rodríguez, Rodrigo Bercovitz Rodríguez-Cano, Luis Díez-Picazo Ponce de León y Pablo Salvador Coderch (Dirs.), *Comentario del Código Civil*, tomo II, Ministerio de Justicia, Madrid, 1991, pp. 1943-1947.
  - «Ley de Edificación y Código civil», *Anuario de Derecho Civil*, vol. 53, nº 1, 2000, pp. 5-22.
  - y Antonio Gullón, *Sistema de derecho civil*, vol. I, 11ª ed., Tecnos, Madrid, 2003.
  - *Fundamentos del derecho civil patrimonial*, vol. I, 6ª ed., Thomson Civitas, Cizur Menor (Navarra), 2007.
  - *Fundamentos del derecho civil patrimonial*, vol. II, 6ª ed., Thomson Civitas, Cizur Menor (Navarra), 2007.
  - *Fundamentos del derecho civil patrimonial*, vol. IV, Thomson Reuters Civitas, Cizur Menor (Navarra), 2007.

Francisco Echeverría Summers, «Comentario al artículo 5», Rodrigo Bercovitz Rodríguez-Cano (Coord.), *Comentarios a la Ley de Propiedad Horizontal*, 3ª edición, Thomson Aranzadi, Cizur Menor (Navarra), 2007, pp. 117-145.
  - «Comentarios al Título III. De la comunidad de bienes. Artículos 392 a 406 del Código Civil», Rodrigo Bercovitz Rodríguez-Cano (Coord.), *Comentarios al Código Civil*, 3ª edición, Thomson Aranzadi, Cizur Menor (Navarra), 2009, pp. 545-570.

Isabel Espín Alba, «Responsabilidad civil en la Ley de Ordenación de la Edificación», *Revista Xurídica Gallega*, nº 25, 2000, pp. 57-80.

Jesús Estruch Estruch, *Las garantías de las cantidades anticipadas en la compra de viviendas en construcción*, Civitas-Thomson Reuters, Cizur Menor (Navarra), 2009.
  - *Las responsabilidades en la construcción: regímenes jurídicos y jurisprudencia*, 4ª ed., Thomson-Civitas, Cizur Menor (Navarra), 2011.

– «Comentario a la Sentencia de 28 de febrero de 2011», *CCJC*, n° 88, 2012, pp. 309-326.

Isabel-Gemma FAJARDO GARCÍA, *La gestión económica de la cooperativa: responsabilidad de los socios*, Tecnos, Madrid, 1997.

Pedro J. FEMENÍA LÓPEZ, «Comentario a la STS de 21 de junio de 1999», *CCJC*, 51, 1999, pp. 1251 y ss.

– *Responsabilidad extracontractual por ruina de edificios (De acuerdo con la Ley 38/1999, de 5 de noviembre, sobre Ordenación de la Edificación)*, Tirant lo Blanch, Valencia, 2000.

– *La responsabilidad del arquitecto en la Ley de Ordenación de la Edificación*, Dykinson, 2004, Madrid.

Nieves FENOY PICÓN, *Falta de conformidad e incumplimiento en la compraventa. (Evolución del ordenamiento español)*, Colegio de Registradores de la Propiedad y Mercantiles de España, Centro de Estudios Registrales, 1996.

– *El sistema de protección del comprador*, Cuadernos de Derecho Registral, Madrid, 2006.

– «La modernización del régimen de incumplimiento del contrato: Propuestas de la Comisión General de Codificación. Parte primera: Aspectos generales. El incumplimiento», *Anuario de Derecho Civil*, vol. 63, n° 1, 2010, pp. 48-136.

Mª Soledad DE LA FUENTE NÚÑEZ DE CASTRO, «Responsabilidades y garantías del autopromotor individual y colectivo según la vigente Ley de ordenación de la edificación», *El Consultor Inmobiliario*, n° 71, septiembre, 2006, pp. 3-25.

Manuel GARCÍA CARACUEL, «Cuestiones procesales en la LOE», Anna CAÑIZARES LASO (Dir.), *Estudios sobre derecho de la edificación*, Civitas-Thomson Reuters, Cizur Menor (Navarra), 2010, pp. 191-214.

Eduardo GARCÍA DE ENTERRÍA y Tomás Ramón FERNÁNDEZ, *Curso de Derecho Administrativo. I*, Thomson-Civitas, 14ª ed., Cizur Menor, 2008.

Ernesto GARCÍA-TREVIJANO GARNICA, «Régimen jurídico de la responsabilidad civil de los agentes de la edificación», *Revista de Derecho Urbanístico y Medio Ambiente*, n° 177, abril de 2000, pp. 13-48.

Petronila GARCÍA LÓPEZ, «Construcciones efectuadas en régimen de autopromoción individual y exoneración de la obligación de constituir las garantías previstas en la Ley de Ordenación de la Edificación», *Boletín del Colegio de Registradores*, n° 122, 2006, pp. 355-370.

José GARCÍA MONTALVO, «Algunas consideraciones sobre el problema de la vivienda en España», *Papeles de Economía Española*, 113, 2007, pp. 138-153.

Ignacio GARROTE FERNÁNDEZ-DÍEZ, «Contratos asociativos. La comunidad de bienes de origen negocial», Rodrigo BERCOVITZ RODRÍGUEZ-CANO (Dir.) y Nieves MORALEJO IMBERÓN y Susana QUICIOS MOLINA (Coord.), *Tratado de Contratos,* tomo III, Tirant lo Blanch, Valencia, 2009, pp. 2837-2856.

Carlos Rafael GÓMEZ DE LA ESCALERA, *La Responsabilidad civil de los promotores, constructores, y técnicos por los defectos de construcción: estudio del artículo 1591 del código civil y su problemática actual,* José Mª Bosch, Barcelona, 1990.
– «El promotor de edificios en régimen de comunidad. La responsabilidad *ex* artículo 1.591 C.C. de las llamadas sociedades de gestión inmobiliaria, Comentario a la Sentencia del Tribunal Supremo (Sala 1ª) de 3 de octubre de 1996. Ponencia de don Eduardo Fernández-Cid de Termes», *Cuadernos de Propiedad Horizontal Sepín,* abril 1997, pp. 49-55.

Carlos GÓMEZ LIGÜERRE, *Solidaridad y derecho de daños. Los límites de la responsabilidad colectiva,* Thomson-Civitas, Cizur Menor (Navarra), 2007.

Miguel GÓMEZ PERALS, *Responsabilidad del promotor por daños en la edificación,* Dykinson, Madrid, 2004.

Fernando GÓMEZ POMAR, «Fraude de ley, teoría de la interpretación y regulación de precios mínimos», *InDret 3/2004.*
– «El incumplimiento contractual en Derecho español», *InDret 3/2007.*
– «Capítulo IX. Ámbito de protección de la responsabilidad de producto», Pablo SALVADOR CODERCH y Fernando GÓMEZ POMAR (eds.), *Tratado de responsabilidad civil del fabricante,* Thomson-Civitas, Navarra, Cizur Menor, 2008, 657 a 718.
– «Capítulo XIII. Relación con otros regímenes de responsabilidad contractual o extracontractual», Pablo SALVADOR CODERCH y Fernando GÓMEZ POMAR (eds.), *Tratado de responsabilidad civil del fabricante,* Thomson-Civitas, Navarra, Cizur Menor, 2008, pp. 853 a 894.

Carlos GÓMEZ MARTÍNEZ, «Algunos aspectos procesales en la aplicación del régimen de responsabilidad del artículo 1.591 del Código Civil y de la Ley de Ordenación de la Edificación», *Cuestiones prácticas sobre la aplicación del artículo 1.591 CC y la LOE de 1999,* Estudios de Derecho Judicial, Consejo General del Poder Judicial, 122, 2008, Madrid.

Mª del Carmen GONZÁLEZ CARRASCO, «Comentario a la sentencia de 9 de abril de 1996», *CCJC,* nº 42, septiembre/diciembre 1996, pp. 979-988.
– «Comentario a la sentencia de 28 de octubre de 2002 (RJ 2002, 9185)», *CCJC,* nº 61, enero/marzo 2003, pp. 233-243.

- «La contratación inmobiliaria con consumidores», *Centro de Estudios de Consumo*, 2008 (*http://www.uclm.es/centro/cesco/comentarios.asp*).
- «Acceder a una vivienda en tiempos de crisis», *Centro de Estudios de Consumo*, 2009 (*http://www.uclm.es/centro/cesco/investigacion–09.asp*).
- «Capítulo 1. Objeto del régimen de Ordenación de la Edificación», Ángel CARRASCO PERERA, Encarna CORDERO LOBATO, Mª del Carmen GONZÁLEZ CARRASCO, *Comentarios a la legislación de ordenación de la edificación*, 5ª edición, Aranzadi Thomson Reuters, Cizur Menor (Navarra), 2011, pp. 47-87.
- «Capítulo 11. Documentación de la obra ejecutada», Ángel CARRASCO PERERA, Encarna CORDERO LOBATO, Mª del Carmen GONZÁLEZ CARRASCO, *Comentarios a la legislación de ordenación de la edificación*, 5ª edición, Aranzadi Thomson Reuters, Cizur Menor (Navarra), 2011, pp. 349-375.
- «Informe sobre la caracterización de las adjudicaciones o ventas realizadas por una cooperativa como operaciones de consumo», *Centro de Estudios de Consumo*, 2011 (*https://www.uclm.es/centro/cesco/pdf/trabajos/23/2011/23-2011-4.pdf*).

Carmen GONZÁLEZ LEÓN, «Comentario de la sentencia de 31 de marzo de 2005 (RJ 2005, 2743)», *CCJC*, n° 70, 2006, pp. 305-321.

Pere GONZÁLEZ NEBREDA, Josep SANTDIUMENGE FERRÉ, Manuel TÁBOAS BENTANACHS, «El Código Técnico de la Edificación y las normas urbanísticas. ¿A quiénes obliga el CTE? Criterios de prevalencia», *El desarrollo de la Ley de Ordenación de la Edificación. Código Técnico de la Edificación*, Estudios de Derecho Judicial, n° 148, Consejo General del Poder Judicial, Madrid, 2007, pp. 275-323.

Esther GONZÁLEZ PILLADO y Pablo GRANDE SEARA, «Comentarios prácticos a la LEC. Arts. 13, 14 y 15», *InDret 1/2005*.

Pedro GONZÁLEZ POVEDA, «Capítulo IV. Responsabilidades y garantías», Román GARCÍA VARELA (Coord.), *Derecho de la Edificación*, 4ª ed., Bosch, Barcelona, 2008, pp. 327-388.
- «Diferentes formas de promoción de viviendas. Especial mención a las cooperativas de viviendas. Responsabilidad de la cooperativa por defectos constructivos. Promoción y adjudicación de las viviendas. Responsabilidad de los socios adjudicatarios por las deudas sociales», *El derecho a una vivienda digna. Planteamiento general y problemas civiles específicos. Acceso a la vivienda, propiedad, arrendamientos, hipotecas*, Cuadernos Digitales de Formación, vol. 31, 2008, pp. 261-296.

Rafael GONZÁLEZ TAUSZ, «Las cooperativas de viviendas de responsabilidad limitada no existen», *REVESCO. Revista de Estudios Cooperativos*, n° 67, 1999, pp. 89-121.

– «El nuevo régimen del promotor inmobiliario tras la Ley de Ordenación de la Edificación», *Revista crítica de derecho inmobiliario*, Año n° 76, n° 661, 2000, pp. 1691-2726.

– «La promoción inmobiliaria encubierta: un fraude de ley», *Revista Crítica de Derecho Inmobiliario*, año 86, n° 717, 2010, pp. 93-124.

Antonio GORDILLO CAÑAS, «Comentario al artículo 1.733 CC», Cándido PAZ-ARES RODRÍGUEZ, Rodrigo BERCOVITZ RODRÍGUEZ-CANO, Luis DÍEZ-PICAZO PONCE DE LEÓN y Pablo SALVADOR CODERCH (Dirs.), *Comentario del Código Civil*, vol. II, Ministerio de Justicia, Madrid, 1991, pp. 1583-1586.

María Isabel GRIMALDOS GARCÍA, «¿Sociedad interna o comunidad de bienes?: de los criterios de distinción en nuestra jurisprudencia. A propósito de la STS de 17 de julio de 2012», *Diario La Ley*, n° 8056, Sección Doctrina, 5 de abril de 2013.

GRUPO DE RESPONSABILIDAD DE PRODUCTO, «Anexo III. Guía de jurisprudencia de responsabilidad de producto», Pablo SALVADOR CODERCH y Fernando GÓMEZ POMAR (eds.), *Tratado de responsabilidad civil del fabricante*, Thomson-Civitas, Cizur Menor (Navarra), 2008, pp. 979 a 1111.

Vicente GUILARTE GUTIÉRREZ, «Seguro decenal, autopromotor individual y Registro de la Propiedad: la Rs. de la DGRN de 11 de noviembre de 2008 o la identidad conceptual entre *«una única vivienda unifamiliar»* y *«dos únicas viviendas unifamiliares»*, Comunicación presentada en el I Congreso Internacional «Perspectivas del derecho inmobiliario y de la edificación», 11 y 22 de Marzo de 2009, Facultad de Derecho de la Universidad de Málaga.

Antonio J. JIMÉNEZ CLAR, «El sistema de seguros de la Ley de Ordenación de la Edificación», *Revista de derecho patrimonial*, n° 6, 2001, pp. 19-70.

– «El autopromotor y las obras de rehabilitación», *El Consultor Inmobiliario*, Junio, 2003, pp. 50-65.

Francisco JORDANO FRAGA, *La responsabilidad del deudor por los auxiliares que utiliza en el cumplimiento*, Civitas, Madrid, 1994.

José Luis LACRUZ BERDEJO *et al.*, *Elementos de Derecho Civil I, Parte General, Introducción*, vol. 1, 4ª ed., edición revisada y puesta al día por Jesús DELGADO ECHEVERRÍA, Dykinson, Madrid, 2006.

– *Elementos de Derecho Civil I, Parte General, Derecho Subjetivo. Ne-*

gocio Jurídico, vol. 3, 3ª ed., edición revisada y puesta al día por Jesús DELGADO ECHEVERRÍA, Dykinson, Madrid, 2005.

– *Elementos de Derecho Civil II, Derecho de Obligaciones. Parte general. Teoría General del Contrato*, vol. 1, 5ª ed., edición revisada y puesta al día por Francisco RIVERO HERNÁNDEZ, Dykinson, Madrid, 2011.

– *Elementos de Derecho Civil II, Derecho de Obligaciones. Contratos y cuasicontratos. Delito y cuasidelito*, vol. 2, 3ª ed., edición revisada y puesta al día por Francisco RIVERO HERNÁNDEZ, Dykinson, Madrid, 2005.

Fernando LACABA SÁNCHEZ, «Ley de Ordenación de la Edificación», *Revista jurídica La Ley*, nº 4974, 20 de enero de 2000, pp. 1 y ss.

Eugenio Llamas Pombo, «Actualidad Profesional», *El consultor Inmobiliario*, Marzo, 2003, pp. 52-55.

Ana LAMBEA RUEDA, «Comentario a la sentencia de 29 de marzo de 2001», *CCJC*, nº 58, 2002, pp. 90-109.

– *Cooperativas de viviendas: promoción, construcción y adjudicación de la vivienda al socio cooperativo*, 3ª ed., Comares, Granada, 2012.

Eugenio-Pacelli LANZAS MARTÍN, «La declaración de obra nueva hecha por autopromotor: el seguro decenal. Resolución de 9 de mayo de 2007, de la Dirección General de los Registros y del Notariado», *Revista Crítica de Derecho Inmobiliario*, nº 724, pp. 1043-1214.

José LEÓN ALONSO, «Comentario a los artículos 1.709 a 1.715 del Código Civil», Cándido PAZ-ARES RODRÍGUEZ, Rodrigo BERCOVITZ RODRÍGUEZ-CANO, Luis DÍEZ-PICAZO PONCE DE LEÓN y Pablo SALVADOR CODERCH (Dirs.), *Comentario del Código Civil*, Ministerio de Justicia, Madrid, 1991, tomo II, pp. 1523-1540.

J. Miguel LOBATO GÓMEZ, *Responsabilidad del promotor inmobiliario por vicios de la construcción*, Colección jurisprudencial práctica, nº 66, Tecnos, Madrid, 1994.

Rodrigo LÓPEZ GONZÁLEZ, «El cumplimiento del Código Técnico de la Edificación», *Revista española de seguros*, nº 126, 2006, pp. 699-718.

Jorge LÓPEZ NAVARRO «25. Comentario a la R. 28 de octubre de 2004, DGRN. BOE del 28 de diciembre de 2004», *(http://www.notariosyregistradores.com/RESOLUCIONES/2004-DICIEMBRE.htm)*, 2004.

Julián LÓPEZ RICHART, *Responsabilidad personal e individualizada y responsabilidad solidaria en la Ley de Ordenación de la Edificación*, Dykinson, Madrid, 2003.

Philippe MALINVAUD y Philippe JESTAZ, *Droit de la promotion immobilière*,

8ª edición actualizada por Patrice JOURDAIN y Olivier TOURNAFOND, Dalloz, París, 2009.

Carlos J. MALUQUER DE MOTES BERNET, «Protección de la edificación y protección del consumidor: La Ley catalana 24/1991, de 29 de noviembre, sobre la vivienda», *Derecho Privado y Constitución*, nº 6, mayo-agosto, 1995, pp. 69-84.

Francisco MANRIQUE ROMERO y José Manuel RODRÍGUEZ-POYO GUERRERO, «La cooperativa: garantías formales para su eficacia en el tráfico», *Revista de Derecho Notarial*, Madrid, julio-diciembre, 1980, pp. 29-155.

Javier MANRIQUE PLAZA, «Construcción en Comunidad», *Academia Sevillana del Notariado*, tomo VI, Edersa, 1992, pp. 107-150.

María Teresa MARÍN GARCÍA DE LEONARDO, *La figura del promotor en la Ley de Ordenación de la Edificación*, Aranzadi, Cizur Menor (Navarra), 2002.
– «El promotor, garante y responsable de la edificación», Antonio CABANILLAS SÁNCHEZ (Coord.), *Estudios jurídicos en homenaje al profesor Luis Díez-Picazo*, vol. 2, Derecho civil, derecho de obligaciones, 2002, pp. 2443-2454.

Manuel Jesús MARÍN LÓPEZ, «Comentario a los artículos 114 a 127 del TRLGDCU», Rodrigo BERCOVITZ RODRÍGUEZ-CANO (Coord.), *Comentario del Texto Refundido de la Ley General para la Defensa de los Consumidores y Usuarios y otras leyes complementarias*, Aranzadi, Cizur Menor (Navarra), 2009, pp. 1405-1605.

Miquel MARTÍN CASALS y Josep SOLÉ FELIU, «La responsabilidad civil por bienes y servicios en la Ley 26/1984, de 19 de julio, general para la defensa de los consumidores y usuarios», María José REYES LÓPEZ (Coord.), *Derecho Privado de Consumo*, Tirant lo Blanch, Valencia, 2005, pp. 197-216.
––– «¿Refundir o legislar? Algunos problemas de la regulación de la responsabilidad por productos y servicios defectuosos en el texto refundido de la LGDCU», *Revista de Derecho Privado*, septiembre-octubre 2008, pp. 78-111.

José Manuel MARTÍN OSANTE, «La defensa de los consumidores en la compraventa de viviendas tras la entrada en vigor del Texto Refundido 1/2007», *Revista de Derecho Patrimonial*, nº 24, 2010, pp. 93-118.

Carlos MARTÍNEZ DE AGUIRRE, «La responsabilidad decenal del artículo 1591 del Código Civil: breve repaso de la Jurisprudencia de los años noventa», *Aranzadi Civil*, vol. I, Parte Estudio, 1993 (versión Westlaw).

Celia MARTÍNEZ ESCRIBANO, *Responsabilidades y garantías de los agentes de la edificación*, 3ª ed., Lex Nova, Valladolid, 2007.

Francisco José MARTÍNEZ SEGOVIA, «La relación cooperativizada entre la sociedad cooperativa y sus socios: naturaleza y regímenes jurídicos», *Revista de Derecho de Sociedades*, n° 25, 2005, pp. 203-234.

Mª Dolores MEZQUITA GARCÍA-GRANERO, «El artículo 1591 CC ante la Ley de Ordenación de la Edificación», *Aranzadi Civil*, vol. III (estudio), 1999 (versión Westlaw).

– *El fraude de Ley en la Jurisprudencia*, Thomson-Aranzadi, Cizur Menor (Navarra), 2003.

José María MIQUEL GONZÁLEZ, «Comentario a los artículos 392 a 429 del Código Civil y Ley sobre Propiedad Horizontal», Manuel ALBALADEJO GARCÍA (Coord.), *Comentarios al Código Civil y compilaciones forales*, Edersa, tomo V, vol. 2°, Madrid, 1985 (versión Vlex).

MINISTERIO DE VIVIENDA, *Informe sobre la situación del sector de la vivienda en España*, Abril 2010.

Rosa MILÀ RAFEL, «Las mutualidades de previsión social que actúan sin ánimo de lucro y en interés de sus asociados no son promotor a efectos del artículo 1591 CC», *InDret 2/2008*.

– «Irretroactividad del plazo de prescripción del artículo 18.1 LOE. Comentario a la STS, 1ª, 22.3.2010 (JUR 2010, 123520; MP: José Antonio Seijas Quintana)», *InDret 3/2010*.

Antoni MIRAMBELL I ABANCÓ, «La administración de bienes o patrimonios ajenos: un proyecto de regulación en el derecho civil de Cataluña», Martín GARRIDO MELERO y Josep María FUGARDO ESTIVILL (coords.), *El patrimonio familiar, profesional y empresarial. Sus protocolos*, vol. 1, Bosch, Barcelona, 2005, pp. 139-204.

– «La regulació dels drets reals en el llibre cinquè del codi civil de Catalunya», *La codificació dels drets reals a Catalunya (materials de les Catorzenes Jornades de Dret Català a Tossa)*, 2007, pp. 21-58.

Antonio Manuel MORALES MORENO, «El alcance protector de las acciones edilicias», Anuario de *Derecho Civil*, vol. 33, n° 3, 1980, pp. 585-686.

– «El dolo como criterio de imputación de responsabilidad al vendedor por defectos de la cosa», *Anuario de Derecho Civil*, vol. 35, n° 3, 1982, pp. 591-684.

– La modernización del derecho de obligaciones, Thomson-Civitas, Cizur Menor (Navarra), 2006.

María Luisa MORENO-TORRES HERRERA, «Capítulo X. Panorama general de las acciones utilizables por los sujetos afectados por vicios o defectos constructivos» (apartados 10.1 y 10.2), José Manuel RUIZ-RICO RUIZ y María Luisa MORENO-TORRES HERRERA (Coord.), *La Responsabilidad civil en la Ley de Ordenación de la Edificación*, Comares, Granada, 2002, pp. 303-333.

María José MORILLAS JARILLO y Manuel Ignacio FELIÚ REY, *Curso de cooperativas*, 2ª edición, Tecnos, Madrid, 2002.

María José MORILLAS JARILLO, *Las sociedades cooperativas*, Iustel, Madrid, 2008.

Gerardo MUÑOZ DE DIOS, *Aportación de solar y construcción en comunidad*, Espasa-Calpe, Madrid, 1987.

Luis MUÑOZ DE DIOS, «La verticalidad de varias viviendas no importa: la exención del seguro decenal», *El notario del siglo xxi, revista on line del Colegio Notarial de Madrid*, mayo-junio, 2008.

Antonia NIETO ALONSO, «La responsabilidad por vicios o defectos ocultos en las ventas. La superación de la rígida normativa del Código civil como medio de defensa de los consumidores y usuarios», Antonio CABANILLAS SÁNCHEZ et al. (Comité organizador), *Estudios jurídicos en homenaje al profesor Luis Díez-Picazo*, tomo II, Derecho Civil. Derecho de obligaciones, 2003, pp. 2695-2714.

Guillermo ORMAZÁBAL SÁNCHEZ, «La notificación de la demanda a terceros prevista en la DA 7ª de la LOE: análisis del precepto y tentativa de aclarar un embrollo que ya viene durando demasiado», *Actualidad civil*, nº 2, Sección A Fondo, Febrero 2013, tomo 1, La Ley.

Jorge ORTEGA DOMÉNECH, *El contrato de obra en la jurisprudencia*, Editorial Reus, Madrid, 2007.

Antonio ORTÍ VALLEJO, *La protección del comprador por el defecto de la cosa vendida*, Ediciones TAT, Granada, 1987.
  – «Los vicios en la compraventa y su diferencia con el «aliud por alio»: jurisprudencia más reciente», *Aranzadi Civil*, vol. I, 1996 (versión Westlaw).
  – *Los defectos de la cosa en la compraventa civil y mercantil. El nuevo régimen jurídico de las faltas de conformidad según la Directiva 1999/44/CE*, Editorial Comares, Granada, 2002.
  – «La responsabilidad civil en la edificación», Luis Fernando REGLERO CAMPOS (Coord.), *Tratado de Responsabilidad Civil*, 3ª ed., Thomson Aranzadi, Navarra, 2006, pp. 1849-1892.
  – «La responsabilidad civil en la edificación», Luis Fernando REGLERO CAMPOS (Coord.), *Tratado de Responsabilidad Civil*, tomo II, 4ª ed., Thomson Aranzadi, Navarra, 2008, pp. 1125-1187.

Mª Nieves PACHECO JIMÉNEZ, «Comentario de la Resolución de la DGRN de 11 de noviembre de 2010 (RJ 2011, 689), *CCJC*, nº 86, mayo-agosto 2011, pp. 1275-1299.

Manuel PANIAGUA ZURERA, *La sociedad cooperativa. Las sociedades mutuas y las entidades mutuales. Las sociedades mutuas y las entidades mutuales. Las sociedades laborales. La sociedad de garantía recíproca*, vol. I, Manuel OLIVENCIA, Carlos FERNÁNDEZ-NÓVOA, Rafael JIMÉNEZ DE PARGA (Dirs.) y Guillermo JIMÉNEZ SÁNCHEZ (Coord.), *Tratado de Derecho Mercantil*, Marcial Pons, Madrid, 2005.

Fernando PANTALEÓN PRIETO, «El sistema de responsabilidad contractual (Materiales para un debate)», *Anuario de Derecho Civil*, n° 44, n° 3, 1991, pp. 1019-1091.

– «Responsabilidades y Garantías en la Ley de Ordenación de la Edificación», *II Congreso Nacional de Responsabilidad Civil y Seguro*, Salamanca, 24 de febrero de 2000, pp. 1-10 (*http://civil.udg.edu/cordoba/pon/pantaleon.htm*).

Mª Ángeles PARRA LUCÁN, «Capítulo XI. Responsabilidad civil por bienes y servicios defectuosos», Luis Fernando REGLERO CAMPOS (Coord.) *Tratado de Responsabilidad Civil*, tomo II, Parte especial primera, Thomson-Aranzadi, Cizur Menor (Navarra), 2008, pp. 421-556.

– «Comentario a los artículos 132 a 149 del Texto Refundido de la Ley General para la Defensa de los Consumidores y Usuarios y otras leyes complementarias», Rodrigo BERCOVITZ RODRÍGUEZ-CANO (Coord.) *Comentario del Texto Refundido de la Ley General para la Defensa de los Consumidores y Usuarios y otras leyes complementarias*, Aranzadi, Cizur Menor (Navarra), 2009, 1641-1761.

– «El aseguramiento de la vivienda», *Nul. Estudios sobre invalidez e ineficacia*, n° 1, 2009 (*http://www.codigo-civil.org/nulidad/lodel/entree.php?id=765*).

Cándido PAZ-ARES RODRÍGUEZ, «Ánimo de lucro y concepto de sociedad (Breves consideraciones a propósito del artículo 2.2 LAIE)», *Derecho mercantil de la Comunidad Económica Europea: estudios en homenaje a José Girón Tena*, Civitas, Consejo General de los Colegios Oficiales de Corredores de Comercio, 1991, pp. 731-756.

– y Jesús ALFARO ÁGUILA-REAL, «Comentario al artículo 38 CE», María Emilia CASAS BAAMONDE y Miguel RODRÍGUEZ-PIÑERO Y BRAVO FERRER (Coord.), *Comentarios a la Constitución Española, XXX aniversario*, Fundación Wolters Kluwer, Las Rozas (Madrid), 2008, pp. 980-1000.

José MARÍA PENA LÓPEZ, «Comentario al artículo 4 del Código Civil», Rodrigo BERCOVITZ RODRÍGUEZ-CANO (Coord.), *Comentarios al Código Civil*, 3ª edición, Thomson Aranzadi, Cizur Menor (Navarra), 2009, pp. 51-55.

Francisco PERTÍNEZ VÍLCHEZ, «Comentario a la sentencia de 16 de diciembre de 2004 (RJ 2005, 272)», *CCJC*, nº 69, septiembre/diciembre 2005, pp. 1263-1286.

Manuel PONS GONZÁLEZ y Miguel Ángel DEL ARCO TORRES, *Comentarios prácticos a la Ley de Ordenación de la Edificación*, Comares, Granada, 2003.

Agustín REDONDO APARICIO, «Capítulo 5. Construcción en comunidad», *Memento práctico inmobiliario 2007-2008*, Ediciones Francis Lefebvre.

Luis Fernando REGLERO CAMPOS, «Comentario a la Sentencia del Tribunal Supremo de 27 de mayo de 2004 (RJ 2004, 4264)», *CCJC*, nº 67, enero/abril 2005, pp. 325-337.

– «Capítulo II. Los sistemas de responsabilidad civil», Luis Fernando REGLERO CAMPOS (Coord.), *Tratado de Responsabilidad Civil*, tomo I, 4ª ed., Thomson Aranzadi, Cizur Menor (Navarra), 2008, pp. 247-300.

– y Luis MEDINA ALCOZ, «El nexo causal. La pérdida de oportunidad. Las causas de exoneración de responsabilidad: culpa de la víctima y fuerza mayor, Luis Fernando REGLERO CAMPOS (Coord.) *Tratado de Responsabilidad Civil*, tomo I, 4ª ed., Thomson Aranzadi, Cizur Menor (Navarra), 2008, pp. 247-300.

– (actualizado por Rodrigo BERCOVITZ RODRÍGUEZ-CANO), «Comentario al artículo 2», Rodrigo BERCOVITZ RODRÍGUEZ-CANO (Coord.), *Comentarios al Código Civil*, 3ª ed., Thomson Aranzadi, Cizur Menor (Navarra), 2009, pp. 44-47.

José REQUENA PAREDES, «El Código Técnico de la edificación (CTE), un nuevo marco para el ejercicio de la profesión de arquitecto», *El desarrollo de la Ley de Ordenación de la Edificación. Código Técnico de la Edificación*, Estudios de Derecho Judicial, nº 148, Consejo General del Poder Judicial, Madrid, 2007, pp. 23-60.

María José REYES LÓPEZ, *Manual de derecho privado de consumo*, La Ley, Madrid, 2009.

Antonio RIPOLL SOLER, «Comentarios a vuela pluma sobre el seguro decenal: el supuesto de la RDG de 9 de Mayo de 2007. Concepto de comunidad valenciana no asegurable», *(www.notariosyregistradores.com)*, 2007.

Encarna ROCA I TRIAS, *Derecho de daños. Textos y materiales*, 5ª ed., Tirant lo Blanch, Valencia, 2007.

Ramón Mª. ROCA SASTRE, Luis ROCA-SASTRE MUNCUNILL y Joan BERNÀ I XIRGO, *Derecho hipotecario*, tomo V, 9ª edición, Bosch, Barcelona, 2008.

Ángel ROJO FERNÁNDEZ-RÍO, «Lección 2. El empresario», Aurelio MENÉN-DEZ MENÉNDEZ y Ángel ROJO FERNÁNDEZ-RÍO (Dirs.), *Lecciones de derecho mercantil*, 8ª ed., Civitas Thomson Reuters, Cizur Menor (Navarra), 2010, pp. 61-95.

José Manuel RUIZ-RICO RUIZ, «Capítulo II. Los principios básicos de la nueva ley y la responsabilidad por vicios o defectos constructivos. La LOE y la protección de los consumidores», José Manuel RUIZ-RICO RUIZ y María Luisa MORENO-TORRES HERRERA (Coords.), *La Responsabilidad civil en la Ley de Ordenación de la Edificación*, Comares, Granada, 2002, pp. 15-24.

– «Capítulo VII. Los criterios de imputación de los distintos agentes de la edificación: la delimitación de su ámbito de responsabilidad», José Manuel RUIZ-RICO RUIZ y María Luisa MORENO-TORRES HERRERA (Coords.), *La Responsabilidad civil en la Ley de Ordenación de la Edificación*, Comares, Granada, 2002, pp. 131-178.

– y Belén CASADO CASADO, «Defectos constructivos: sobre la plena vigencia de la Ley de Ordenación de la Edificación respecto de todo tipo de obras, sea cual sea la fecha de solicitud de licencia de obra», *La Ley*, Año XXVII, nº 6533, martes, 25 de julio de 2006.

Pascual SALA SÁNCHEZ, «Capítulo X. El artículo 1591 del Código Civil y la Ley de Ordenación de la Edificación», Román GARCÍA VARELA (Coord.), *Derecho de la Edificación*, 4ª ed., Bosch, Barcelona, 2008, pp. 561-571.

Joaquín SAPENA TOMÁS, Jerónimo CERDÁ BAÑULS y Víctor Manuel GA-RRIDO DE PALMA, «Las garantías de los adquirentes de vivienda frente a promotores y constructores», *Ponencias presentadas por el notariado español a los congresos internacionales del notariado latino, XIII Congreso, Barcelona, 1975*, Junta de Decanos de los Colegios Notariales, Madrid, 1975.

Pablo SALVADOR CODERCH, «Comentario al artículo 2 del Código Civil», Cándido PAZ-ARES RODRÍGUEZ, Rodrigo BERCOVITZ RODRÍGUEZ-CANO, Luis DÍEZ-PICAZO PONCE DE LEÓN y Pablo SALVADOR CODERCH (Dirs.), *Comentario del Código Civil*, tomo I, Ministerio de Justicia, 1991, pp. 13-19.

– «Comentario a los artículos 1590 y 1591 del Código Civil», Cándido PAZ-ARES RODRÍGUEZ, Rodrigo BERCOVITZ RODRÍGUEZ-CANO, Luis DÍEZ-PICAZO PONCE DE LEÓN y Pablo SALVADOR CODERCH (Dirs.), *Comentario del Código Civil*, tomo I, Ministerio de Justicia, 1991, pp. 1186-1196.

– «Simulación negocial, deberes de veracidad y autonomía privada», *Simulación y deberes de veracidad. Derecho civil y derecho penal: dos estudios de dogmática jurídica*, Civitas, 1999, pp. 15-74.

– Albert AZAGRA MALO y Antonio FERNÁNDEZ CRENDE, «Autonomía privada, fraude de ley e interpretación de los negocios jurídicos», *InDret 3/2004.*

– Carlos GÓMEZ LIGÜERRE y Sonia RAMOS GONZÁLEZ, «Simulación civil y tributaria: sobre la distinción entre fraude de ley en sentido propio e impropio», *Actualidad civil*, n° 6, 2012 (versión La Ley Digital).

Fernando SÁNCHEZ CALERO y Juan SÁNCHEZ-CALERO GUILARTE, *Instituciones de derecho mercantil*, vol. I, 34ª ed., 7ª ed. en Aranzadi, Thomson Reuters Aranzadi, Cizur Menor (Navarra), 2011.

Inmaculada SÁNCHEZ RUIZ DE VALDIVIA, «Responsabilidad por daños en la construcción y venta de viviendas con defectos», Antonio CABANILLAS SÁNCHEZ et al. (Comité organizador), *Estudios jurídicos en homenaje al profesor Luis Díez-Picazo*, tomo II, Derecho Civil. Derecho de obligaciones, 2003, pp. 1201-1232.

Pascual SALA SÁNCHEZ, «Capítulo X. El artículo 1591 del Código Civil y la Ley de Ordenación de la Edificación», Román GARCÍA VARELA (Coord.), *Derecho de la Edificación*, 4ª ed., Bosch, Barcelona, 2008, pp. 561-571.

Francisco SALINERO ROMÁN, «La incidencia de la LOE en los criterios jurisprudenciales interpretativos del artículo 1591 del Código Civil», Arcadi VIÑAS (Coord.), *Aplicación de la Ley de enjuiciamiento civil y de la Ley de ordenación de la edificación*, Estudios de derecho judicial, n° 47, 2003, pp. 175-208.

Juan Alfonso SANTAMARÍA PASTOR, *Principios de derecho administrativo General I*, Centro de Estudios Ramón Areces, 4ª ed., Madrid, 2002.

Jaime SANTOS BRIZ, «Comentarios a los artículos 1887 a 1894», Manuel ALBALADEJO (Dir.), *Comentarios al Código Civil y Compilaciones forales*, tomo XXIV, Edersa, Madrid, 1984, pp. 44-71.

María José SANTOS MORÓN, «Artículo 17. Responsabilidad civil de los agentes que intervienen en el proceso de la edificación», Luciano PAREJO ALFONSO (Dir.), *Comentarios a la Ley de Ordenación de la Edificación*, Tecnos, 2001, Madrid.

José Antonio SEIJAS QUINTANA, «Ley de Ordenación de la Edificación y Código Técnico», *El desarrollo de la Ley de Ordenación de la Edificación. Código Técnico de la Edificación*, Estudios de Derecho Judicial, n° 148, Consejo General del Poder Judicial, Madrid, 2007, pp. 325-353.

Joan Carles SEUBA TORREBLANCA, «Capítulo III. Concepto de producto», Pablo SALVADOR CODERCH y Fernando GÓMEZ POMAR (eds.), *Tratado de responsabilidad civil del fabricante*, Thomson-Civitas, Cizur Menor (Navarra), 2008, pp. 105-133.

Eduardo SERRANO ALONSO, «Sobre la responsabilidad por «ruina» en el Código Civil y la Ley de la Edificación», Mª Paz GARCÍA RUBIO (Coord.), *Estudios Jurídicos en memoria del profesor José Manuel Lete del Río*, Aranzadi, Cizur Menor (Navarra), 2009.

Ignacio SIERRA GIL DE LA CUESTA, «Capítulo V. El tiempo en la responsabilidad por vicios o defectos en la edificación», Román GARCÍA VARELA (Coord.), *Derecho de la Edificación*, 4ª ed., Bosch, Barcelona, 2008, pp. 389-432.

Isabel SIERRA PÉREZ, «La responsabilidad en la construcción y la Ley de Ordenación de la Edificación», *Revista de Derecho Patrimonial*, nº 3/ 1999, Aranzadi, pp. 111-134.

Ricardo Francisco SIFRE PUIG, «Sinopsis de la Ley 38/1999, de 5 de noviembre, de Ordenación de la Edificación en relación con la constitución de las garantías de su artículo 19 y el Registro de la Propiedad», *Revista Crítica de Derecho Inmobiliario*, nº 669, 2002, pp. 97-190.

Manuel José SOLER SEVERINO, *Introducción a la Dirección Integrada de Proyecto («Project management»)*, en Antonio Eduardo HUMERO MARTÍN (Dir.), *Tratado técnico-jurídico de la edificación y del urbanismo*, tomo III, Aranzadi Thomson Reuters, Cizur Menor (Navarra), 2009, pp. 241-272.

Isabel TAPIA FERNÁNDEZ, «Comentario al artículo 71. Efecto principal de la acumulación. Acumulación objetiva de acciones. Acumulación eventual», Faustino CORDÓN MORENO, Teresa ARMENTA DEU, Julio L. MUERZA ESPARZA y Isabel TAPIA FERNÁNDEZ (Coord.), *Comentarios a la Ley de Enjuiciamiento Civil*, vol. I, Aranzadi Thomson-Reuters, 2ª ed., Cizur Menor (Navarra), 2011, pp. 605-613.

– «Comentario al artículo 217. Carga de la prueba», Faustino CORDÓN MORENO, Teresa ARMENTA DEU, Julio L. MUERZA ESPARZA y Isabel TAPIA FERNÁNDEZ (Coord.), *Comentarios a la Ley de Enjuiciamiento Civil*, vol. I, Aranzadi Thomson-Reuters, 2ª ed., Cizur Menor (Navarra), 2011, pp. 1067-1072.

Paloma TAPIA GUTIÉRREZ, «La protección de los consumidores y la Ley de Ordenación de la Edificación», *El Consultor Inmobiliario*, nº 8, diciembre de 2000.

Anxo TATO PLAZA, «As cooperativas de vivendas e a condición de promotor», en Manuel José BOTANA AGRA, Rafael Álvaro MILLÁN CALENTI (Coord.), *As cooperativas de vivendas no marco da Lei 5/1998 de*

cooperativas de Galicia, CECOOP (Centro de Estudios Cooperativos-USC), Santiago, 2007.
– «Cooperativas de vivendas, sociedades de xestión, e a atribución da condición de promotor. (Comentario á sentencia da audiencia provincial de Valencia de 28 de maio de 2007)», *Cooperativismo e Economía Social*, nº 30, 2007-2008, pp. 145-151.

Iván Jesús TRUJILLO DÍEZ, «Las relaciones mutualísticas entre socio y cooperativa desde el derecho de sociedades y el derecho de contratos: una jurisprudencia en construcción», *Cuadernos de Derecho y Comercio, Consejo General de los Colegios Oficiales de Corredores de Comercio*, Septiembre de 1998, pp. 125-157.
– «Comentario a la sentencia de 16 de febrero de 1998», *CCJC*, nº 47, abril/agosto 1998, pp. 809-820.
– «Interposición gestora de las cooperativas de viviendas», *Aranzadi Civil*, vol. III, Parte Estudio, 1999 (versión Westlaw).
– *Cooperativas de consumo y cooperativas de producción*, Aranzadi, Elcano, Navarra, 2000.

John UFF, *Construction Law. Law and Practice relating to the Construction Industry*, 9th edition, Sweet&Maxwell, London, 2005.

Rodrigo URÍA GONZÁLEZ, *Derecho mercantil*, 28ª ed. (revisada con la colaboración de Mª Luisa Aparicio), Marcial Pons, Madrid/Barcelona, 2001.
– Aurelio MENÉNDEZ (Dirs.) *Curso de derecho mercantil*, vol. 1, 2ª ed., Civitas, Madrid, 2006.

Antoni VAQUER ALOY, «El principio de conformidad: ¿supraconcepto en el Derecho de obligaciones?», *Anuario de Derecho Civil*, vol. 64, nº 1, 2011, pp. 5-40.

Inmaculada VARGAS BENJUMEA, «La responsabilidad del promotor en el proceso de la edificación», *El Consultor Inmobiliario*, nº 76, febrero 2007, pp. 3-40.

Carlos VARGAS VASSEROT, *La actividad cooperativizada y las relaciones de la cooperativa con sus socios y con terceros*, Thomson-Aranzadi, Cizur Menor (Navarra), 2006.

Sergio VEGA SÁNCHEZ, «Control de calidad y análisis de riesgos técnicos en la edificación», Antonio Eduardo HUMERO MARTÍN (Dir.), *Tratado técnico-jurídico de la edificación y del urbanismo*, tomo III, Aranzadi Thomson Reuters, Cizur Menor (Navarra), 2009, pp. 155-186.

Francisco VICENT CHULIÁ, «Las empresas mutualísticas y el Derecho mercantil en el Ordenamiento español», *Revista Crítica de Derecho Inmobiliario*, nº 512, 1976 (versión Vlex).

– Narciso PAZ CANALEJO, *Ley General de Cooperativas*, Fernando SÁNCHEZ CALERO y Manuel ALBALADEJO (Dir.), *Comentarios al Código de Comercio y legislación mercantil especial*, Edersa, tomo XX, vol. 1, Madrid, 1989.

– Narciso PAZ CANALEJO, *Ley General de Cooperativas*, Fernando SÁNCHEZ CALERO y Manuel ALBALADEJO (Dir.) *Comentarios al Código de Comercio y legislación mercantil especial*, Edersa, tomo XX, vol. 2, Madrid, 1990.

– «Introducción al derecho mercantil», vol. I, Tirant lo Blanch, 1ª edición de esta colección, que constituiría la 22ª edición del Manual de Introducción al Derecho mercantil ampliada, 2010, Valencia.

Mònica VILASAU SOLANA, «La noció de promotor en la Llei 38/1999 d'Ordenació de l'Edificació. Qui és (i potser no hauria de ser) promotor en la LOE?», *Revista Jurídica de Catalunya*, nº 1., 2001, pp. 83-112.

Juan Antonio XIOL RÍOS, «Cuestiones relevantes para el segundo: el seguro decenal de daños y la constitución de las garantías a través del seguro de caución», *Revista española de seguros: publicación doctrinal de derecho y economía de los seguros privados*, nº 128, 2006, pp. 651-670.

Mariano YZQUIERDO TOLSADA, *Sistema de responsabilidad civil, contractual y extracontractual*, Ed. Dykinson, Madrid, 2001.

– «Apuntes sobre la responsabilidad civil de los intervinientes en la construcción», *Revista española de seguros*, nº 18, 2006, pp. 635-650.

Isabel ZURITA MARTÍN, «La armonización de la normativa reguladora de la responsabilidad civil por daños causados por productos y servicios defectuosos efectuada por la nueva ley general para la defensa de los consumidores y usuarios», *Revista práctica de Derecho de Daños*, nº 66, 2008, pp. 8-34.

TABLA DE SENTENCIAS Y RESOLUCIO-NES CITADAS

Tribunal de Justicia de las Comunidades Europeas

Sala y fecha	Ref.	Asunto	Ponente
6ª, 8.2.1990	TJCE 1990, 98	*Financiën/Shipping and Forwarding Enterprise Safe BV* (C-320/88)	Federico Mancini
5ª, 25.4.2002	TJCE 2002, 142	*Comisión de las Comunidades Europeas c. República Francesa* (C-52/00)	David Alexander Ogilvy Edward
5ª, 25.4.2002	TJCE 2002, 140	*Comisión de las Comunidades Europeas c. República Helénica* (C-154/00)	Peter Jann
5ª, 25.4.2002	TJCE 2002, 141	*María Victoria González Sánchez c. Medicina Asturiana, S.A.* (C-183/00)	Peter Jann

Tribunal Constitucional

Sala y fecha	Ref.	Magistrado Ponente
Pleno, 5.6.2001	RTC 2001, 159	Guillermo Jiménez Sánchez
Pleno, 6.2.1992	RTC 1992, 13	Álvaro Rodríguez Bereijo

Audiencia Nacional

Sala y fecha	Ref.	Magistrado Ponente
Penal, Sec. 1ª, 16.7.2001	JUR 2001, 205441	Javier Gómez Bermúdez

Tribunal Supremo

Sala y fecha	Ref.	Magistrado Ponente
1ª, Sec. 1ª, 27.12.2013	RJ 2014, 021	Ignacio Sancho Gargallo
1ª, Sec. 1ª, 25.11.2013	RJ 2013, 7872	Antonio Salas Carceller
2ª, Sec. 1ª, 29.10.2013	RJ 2013, 7126	Joaquín Giménez García
1ª, Sec. 1ª, 24.10.2013	RJ 2013, 7859	José Antonio Seijas Quintana
1ª, Sec. 1ª, 4.10.2013	RJ 2013, 7054	Francisco Javier Orduña Moreno
1ª, Pleno, 13.9.2013	RJ 2013, 5931	Francisco Marín Castán
1ª, Sec, 1ª, 3.7.2013	RJ 2013, 5913	Francisco Javier Arroyo Fiestas
1ª, Sec. 1ª, 24.5.2013	RJ 2013, 180778	Francisco Javier Arroyo Fiestas
1ª, Sec. 1ª, 16.5.2013	RJ 2013, 13701	José Antonio Seijas Quintana
1ª, Sec. 1ª, 23.4.2013	RJ 2013, 3494	José Antonio Seijas Quintana
1ª, Sec. 1ª, 28.2.2013	RJ 2013, 2164	Xavier O'Callaghan Muñoz
1ª, Sec. 1ª, 28.2.2013	JUR 2013, 77753	José Antonio Seijas Quintana
1ª, Sec. 1ª, 5.2.2013	RJ 2013, 1995	Francisco Javier Arroyo Fiestas
1ª, Sec. 1ª, 10.12.2012	RJ 2013, 914	Francisco Marín Castán
1ª, Sec. 1ª, 29.10.2012	RJ 2013, 2272	Francisco Javier Orduña Moreno
1ª, Sec. 1ª, 11.10.2012	RJ 2013, 2270	Francisco Javier Orduña Moreno
1ª, Sec. 1ª, 10.10.2012	RJ 2013, 1537	Francisco Javier Orduña Moreno
1ª, Pleno, 26.9.2012	RJ 2012, 9337	José Antonio Seijas Quintana
1ª, Sec. 1ª, 18.9.2012	RJ 2012, 9014	José Antonio Seijas Quintana
1ª, Sec. 1ª, 17.7.2012	RJ 2012, 9331	Francisco Javier Orduña Moreno

Sala y fecha	Ref.	Magistrado Ponente
1ª, Sec. 1ª, 11.5.2012	RJ 2012, 6345	José Antonio Seijas Quintana
1ª, Sec. 1ª, 2.3.2012	RJ 2012, 4635	José Antonio Seijas Quintana
1ª, 19.4.2012	RJ 2012, 5908	Francisco Javier Arroyo Fiestas
1ª, 11.4.2012	JUR 2012, 152541	José Antonio Seijas Quintana
1ª, Sec. 1ª, 27.2.2012	RJ 2012, 4051	Francisco Javier Arroyo Fiestas
1ª, 9.2.2012	RJ 2012, 3786	Encarnación Rocas Trias
1ª, Sec. 1ª, 25.1.2012	RJ 2012, 1902	José Antonio Seijas Quintana
1ª, Sec. 1ª, 21.12.2011	RJ 2011, 144	José Antonio Seijas Quintana
1ª, 12.12.2011	RJ 2012, 34	Encarnación Roca Trías
1ª, Sec. 1ª, 25.10.2011	RJ 2012, 433	Román García Varela
1ª, Sec. 1ª, 11.10.2011	RJ 2012, 1102	Román García Varela
1ª, 7.12.2011	RJ 2012, 31	Francisco Marín Castán
1ª, 25.10.2011	RJ 2012, 433	Román García Varela
1ª, 15.7.2011	JUR 2011, 274829	José Ramón Ferrándiz Gabriel
1ª, 15.7.2011	RJ 2011, 5123	José Antonio Siejas Quintana
1ª, 7.6.2011	RJ 2011, 4391	José Antonio Seijas Quintana
1ª, 6.4.2011	RJ 2011, 3148	José Antonio Seijas Quintana
1ª, 30.3.2011	RJ 2011, 3132	Antonio Salas Carceller
1ª, Sec. 1ª, 28.2.2011	RJ 2011, 455	José Antonio Seijas Quintana
1ª, 15.2.2011	RJ 2011, 446	José Antonio Seijas Quintana
1ª, 21.12.2010	RJ 2011, 144	José Antonio Seijas Quintana
1ª, 19.7.2010	RJ 2010, 6559	José Antonio Seijas Quintana

Sala y fecha	Ref.	Magistrado Ponente
1ª, 5.5.2010	RJ 2010, 5025	Juan Antonio Xiol Ríos
1ª, 22.3.2010	RJ 2010, 2410	José Antonio Seijas Quintana
1ª, 25.2.2010	RJ 2010, 1406	Xavier O'Callaghan Muñoz
1ª, 10.2.2010	RJ 2010, 528	Román García Varela
1ª, 14.1.2010	RJ 2010, 156	Encarnación Roca Trías
1ª, 22.7.2009	RJ 2009, 6485	Román García Varela
1ª, 16.7.2009	RJ 2009, 6472	Ignacio Sierra Gil de la Cuesta
1ª, Sec. 1ª, 8.7.2009	RJ 2009, 7248	Encarnación Roca Trías
3ª, 19.6.2009	RJ 2009, 6753	Emilio Frías Ponce
1ª, 22.5.2009	RJ 2009, 3034	José Antonio Seijas Quintana
1ª, 27.4.2009	RJ 2009, 2899	Román García Varela
1ª, 14.4.2009	RJ 2009, 4724	Francisco Marín Castán
1ª, 18.2.2009	RJ 2009, 1499	José Almagro Nosete
1ª, 4.12.2008	RJ 2008, 6950	José Almagro Nosete
1ª, 20.11.2008	RJ 2009, 283	Encarnación Roca Trías
1ª, 30.7.2008	RJ 2008, 4639	Román García Varela
1ª, 21.7.2008	RJ 2008, 4487	Encarnación Roca Trías
1ª, 3.7.2008	RJ 2008, 4365	Román García Varela
1ª, 26.6.2008	RJ 2008, 4272	José Antonio Seijas Quintana
1ª, 11.6.2008	RJ 2008, 3563	Ignacio Sierra Gil de la Cuesta
1ª, 14.5.2008	RJ 2008, 3067	Román García Varela
1ª, 30.4.2008	RJ 2008, 2690	José Antonio Seijas Quintana
1ª, 28.4.2008	RJ 2008, 2681	José Antonio Seijas Quintana
1ª, 14.3.2008	RJ 2008, 3067	Román García Varela
1ª, 13.3.2008	RJ 2008, 4050	José Antonio Seijas Quintana
1ª, 11.2.2008	RJ 2008, 1697	José Almagro Nosete

Sala y fecha	Ref.	Magistrado Ponente
1ª, 30.1.2008	RJ 2008, 341	Ignacio Sierra Gil de la Cuesta
1ª, 20.12.2007	RJ 2007, 8664	Román García Varela
1ª, 13.12.2007	RJ 2008, 329	Juan Antonio Xiol Ríos
1ª, 13.12.2007	RJ 2008, 330	Juan Antonio Xiol Ríos
1ª, 3.12.2007	RJ 2007, 8657	Antonio Gullón Ballesteros
1ª, 29.11.2007	RJ 2007, 8654	José Antonio Seijas Quintana
1ª, 20.11.2007	RJ 2008, 19	José Antonio Seijas Quintana
1ª, 5.6.2007	RJ 2007, 3425	José Almagro Nosete
1ª, 24.5.2007	RJ 2007, 4008	José Antonio Seijas Quintana
1ª, 23.3.2007	RJ 2007, 2352	Clemente Auger Liñán
1ª, 13.3.2007	RJ 2007, 1787	José Almagro Nosete
1ª, Sec. 1ª, 2.3.2007	RJ 2007, 2525	Rafael Ruiz de la Cuesta Cascajares
1ª, 14.12.2006	RJ 2006, 8228	Ignacio Sierra Gil de la Cuesta
1ª, 25.10.2006	RJ 2006, 6707	Pedro González Poveda
1ª, 11.10.2006	RJ 2006, 6444	José Antonio Seijas Quintana
1ª, 7.11.2005	RJ 2005, 8068	Román García Varela
1ª, 24.7.2006	RJ 2006, 5137	Román García Varela
1ª, Sec. 1ª, 13.7.2005	RJ 2005, 5098	Desconocido
1ª, 28.6.2006	RJ 2006, 3550	Román García Varela
1ª, 16.12.2005	RJ 2006, 1222	Rafael Ruiz de la Cuesta Cascajares
1ª, 15.11.2005	RJ 2005, 7631	Pedro González Poveda
1ª, 19.10.2005	RJ 2006, 1958	Rafael Ruiz de la Cuesta Cascajares
1ª, 27.9.2005	RJ 2005, 8887	Rafael Ruiz de la Cuesta Cascajares
1ª, 30.6.2005	RJ 2005, 5087	Clemente Auger Liñán
1ª, 30.6.2005	RJ 2005, 5985	Clemente Auger Liñán

Sala y fecha	Ref.	Magistrado Ponente
1ª, 2.6.2005	RJ 2005, 5308	Xavier O'Callaghan Muñoz
1ª, 26.5.2005	RJ 2005, 6084	Pedro González Poveda
1ª, 31.3.2005	RJ 2005, 2743	Pedro González Poveda
1ª, 16.12.2004	RJ 2005, 272	Jesús Corbal Fernández
1ª, 8.10.2004	RJ 2004, 6695	Francisco Marín Castán
1ª, 27.9.2004	RJ 2004, 6187	Alfonso Villagómez Rodil
1ª, 4.6.2004	RJ 2004, 3983	Román García Varela
1ª, 27.5.2004	RJ 2004, 4264	Pedro González Poveda
1ª, 20.5.2004	RJ 2004, 3526	Clemente Auger Liñán
1ª, 6.5.2004	RJ 2004, 2098	Clemente Auger Liñán
1ª, 15.4.2004	RJ 2004, 2626	Ignacio Sierra Gil de la Cuesta
1ª, 25.2.2004	RJ 2004, 1635	Francisco Marín Castán
1ª, 11.12.2003	RJ 2003, 8658	Clemente Auger Liñán
1ª, 28.11.2003	RJ 2003, 8361	Pedro González Poveda
2ª, 9.10.2003	RJ 2003, 7233	José Ramón Soriano Soriano
1ª, 2.10.2003	RJ 2003, 6451	Jesús Corbal Fernández
1ª, 22.7.2003	RJ 2003, 5852	Pedro González Poveda
1ª, 8.2.2003	RJ 2003, 1523	José Manuel Martínez Pereda Rodríguez
1ª, 31.1.2003	RJ 2003, 647	Alfonso Villagómez Rodil
1ª, 11.12.2002	RJ 2002, 10737	Román García Varela
1ª, 28.10.2002	RJ 2002, 9185	Pedro González Poveda
1ª, 11.6.2002	RJ 2002, 5219	Antonio Romero Lorenzo
1ª, 4.6.2002	RJ 2002, 7574	Teófilo Ortega Torres
1ª, 13.5.2002	RJ 2002, 5705	Alfonso Villagómez Rodil
1ª, 16.11.2001	RJ 2001, 9459	Alfonso Villagómez Rodil
1ª, 31.10.2001	RJ 2001, 9736	Xavier O'Callaghan Muñoz
1ª, 22.6.2001	RJ 2001, 5074	Alfonso Villagómez Rodil
1ª, 19.3.2001	Cendoj 28079110002001100791	Luis Martínez-Calcerrada Gómez

Sala y fecha	Ref.	Magistrado Ponente
1ª, 15.3.2001	RJ 2001, 3194	Alfonso Villagómez Rodil
1ª, 12.3.2001	RJ 2001, 3976	Román García Varela
1ª, 10.11.2000	RJ 2000, 9212	José Manuel Martínez-Pereda Rodríguez
1ª, 26.5.2000	RJ 2000, 4394	Francisco Marín Castán
1ª, 31.3.2000	RJ 2000, 2493	Alfonso Villagómez Rodil
1ª, 9.3.2000	RJ 2000, 1515	Alfonso Villagómez Rodil
1ª, 21.2.2000	RJ 2000, 752	José Almagro Nosete
1ª, 12.2.2000	RJ 2000, 821	
1ª, 25.1.2000	RJ 2000, 118	Luis Martínez-Calcerrada y Gómez
1ª, 29.11.1999	RJ 1999, 9139	José Ramón Vázquez Sandes
1ª, 27.11.1999	RJ 1999, 8283	José de Asís Garrote
1ª, 10.11.1999	RJ 1999, 8862	Jesús Corbal Fernández
1ª, 28.10.1999	RJ 1999, 7631	José de Asís Garrote
1ª, 13.10.1999	RJ 1999, 7426	Alfonso Villagómez Rodil
1ª, 10.10.1999	RJ 1999, 8862	Jesús Corbal Fernández
1ª, 23.9.1999	RJ 1999, 7266	Luis Martínez-Calcerrada y Gómez
1ª, 21.6.1999	RJ 1999, 4390	Ignacio Sierra Gil de la Cuesta
1ª, 23.4.1999	RJ 1999, 2591	Alfonso Villagómez Rodil
1ª, 12.3.1999	RJ 1999, 2375	Antonio Gullón Ballesteros
1ª, 27.1.1999	RJ 1999, 7	Antonio Gullón Ballesteros
1ª, 30.12.1998	RJ 1998, 10145	Ignacio Sierra Gil de la Cuesta
1ª, 29.12.1998	RJ 1998, 10140	José Menéndez Hernández
1ª, 20.11.1998	RJ 1998, 8413	Luis Martínez-Calcerrada y Gómez
1ª, 21.10.1998	RJ 1998, 8732	Jesús Marina Martínez Pardo
1ª, 28.9.1998	RJ 1998, 7287	Xavier O'Callaghan Muñoz

Sala y fecha	Ref.	Magistrado Ponente
1ª, 8.6.1998	RJ 1998, 4279	Pedro González Poveda
1ª, 4.3.1998	RJ 1998, 1039	Xavier O'Callaghan Muñoz
1ª, 19.12.1997	RJ 1997, 9108	Francisco Morales Morales
1ª, 17.12.1997	RJ 1997, 9099	Román García Varela
1ª, 1.12.1997	RJ 1997, 8693	Alfonso Barcala Trillo Figueroa
1ª, 22.11.1997	RJ 1997, 8097	Alfonso Villagómez Rodil
1ª, 30.6.1997	RJ 1997, 5406	José Almagro Nosete
1ª, 29.6.1987	RJ 1987, 4828	Mariano Martín-Granizo Fernández
1ª, 26.6.1997	RJ 1997, 5149	Alfonso Barcala Trillo Figueroa
1ª, 30.6.1997	RJ 1997, 5406	José Almagro Nosete
1ª, 15.10.1996	RJ 1996, 1468	Ricardo Enríquez Sancho
1ª, 3.10.1996	RJ 1996, 7006	Eduardo Fernández-Cid de Termes
1ª, 25.6.1996	RJ 1996, 4853	Alfonso Barcala Trillo Figueroa
1ª, 2.2.1996	RJ 1996, 1082	Xavier O'Callaghan Muñoz
1ª, 8.11.1995	RJ 1995, 8113	Gumersindo Burgos Pérez de Andrade
1ª, 16.10.1995	RJ 1995, 7539	Luis Martínez-Calcerrada y Gómez
1ª, 27.9.1995	RJ 1995, 6452	Luis Martínez-Calcerrada y Gómez
1ª, 20.6.1995	RJ 1995, 4934	Teófilo Ortega Torres
1ª, 15.5.1995	RJ 1995, 4237	Alfonso Villagómez Rodil
1ª, 15.5.1995	RJ 1995, 4237	Alfonso Villagómez Rodil
1ª, 10.5.1995	RJ 1995, 4226	Francisco Morales Morales
1ª, 8.5.1995	RJ 1995, 3942	Alfonso Barcala Trillo Figueroa
1ª, 2.12.1994	RJ 1994, 9394	Pedro González Poveda

Sala y fecha	Ref.	Magistrado Ponente
1ª, 10.10.1994	RJ 1994, 7474	Pedro González Poveda
1ª, 22.9.1994	RJ 1994, 6982	Jaime Santos Briz
1ª, 11.6.1994	RJ 1994, 5227	Francisco Morales Morales
1ª, 17.2.1994	RJ 1994, 1621	Luis Martínez-Calcerrada y Gómez
1ª, 28.1.1994	RJ 1994, 575	Pedro González Poveda
1ª, 23.12.1993	RJ 1994, 10111	Rafael Casares Córdoba
1ª, 9.12.1993	RJ 1993, 9890	Antonio Gullón Ballesteros
1ª, 30.11.1993	RJ 1993, 9186	José Luis Albácar López
1ª, 30.11.1993	RJ 1993, 9186	José Luis Albácar López
1ª, 29.9.1993	RJ 1993, 6659	Jesús Marina Martínez-Prado
1ª, 24.7.1993	RJ 1993, 6479	Alfonso Vilagómez Rodil
1ª, 19.5.1993	RJ 1993, 3803	Jesús Marina Martínez-Pardo
1ª, 11.5.1993	RJ 1993, 3539	Pedro González Poveda
1ª, 12.4.1993	RJ 1993, 2997	Teófilo Ortega Torres
1ª, 10.3.1993	RJ 1993, 1829	Matías Malpica González-Elipe
1ª, 5.2.1993	RJ 1993, 829	Gumersindo Burgos Pérez de Andrade
1ª, 25.1.1993	RJ 1993, 356	José Almagro Nosete
1ª, 31.12.1992	RJ 1992, 10424	Matías Malpica González-Elipe
1ª, 4.11.1992	RJ 1992, 9193	Eduardo Fernández-Cid de Temes
1ª, 10.10.1992	RJ 1992, 7545	Pedro González Poveda
1ª, 25.9.1992	RJ 1992, 7327	José Luis Albácar López
1ª, 8.6.1992	RJ 1992, 5168	Luis Martínez Calcerrada y Gómez
1ª, 4.6.1992	RJ 1992, 4997	Eduardo Fernández-Cid de Temes
1ª, 22.5.1992	RJ 1992, 4277	Francisco Morales Morales

R. MILÀ RAFEL: Promoción inmobiliaria, autopromoción y cooperativas...

Sala y fecha	Ref.	Magistrado Ponente
1ª, 31.3.1992	RJ 1992, 2311	Francisco Morales Morales
1ª, 24.2.1992	RJ 1992, 1513	Pedro González Poveda
1ª, 28.1.1992	RJ 1992, 273	Pedro González Poveda
1ª, 23.12.1991	RJ 1991, 9477	Teófilo Ortega Torres
3ª, 18.12.1991	RJ 1991, 9334	Luis Antonio Burón Barba
1ª, 26.11.1991	RJ 1991, 8508	Jesús Marina Martínez-Pardo
1ª, 1.10.1991	RJ 1991, 7254	Antonio Fernández Rodríguez
1ª, 1.10.1991	RJ 1991, 7255	Gumersindo Burgos Pérez de Andrade
1ª, 30.9.1991	RJ 1991, 6075	Alfonso Villagómez Rodil
1ª, 24.9.1991	RJ 1991, 6279	Matías Malpica González-Elipe
1ª, 11.8.1991	RJ 1991, 4522	Alfonso Barcala Trillo Figueroa
1ª, 18.6.1991	RJ 1991, 4522	Alfonso Barcala Trillo-Figueroa
1ª, 16.4.1991	RJ 1991, 2718	José Almagro Nosete
3ª, Secc. 6ª, 25.3.1991	RJ 1991, 3097	Juan Manuel Sanz Bayón
1ª, 29.1.1991	RJ 1991, 345	Gumersindo Burgos Pérez de Andrade
1ª, 18.12.1990	RJ 1990, 10286	Antonio Fernández Rodríguez
1ª, 12.11.1990	RJ 1990, 8702	Jesús Marina Martínez Pardo
1ª, 8.10.1990	RJ 1990, 7585	Rafael Casares Córdoba
1ª, 17.7.1990	RJ 1990, 5890	Gumersindo Burgos Pérez de Andrade
1ª, 7.7.1990	RJ 1990, 5783	Manuel González Alegre y Bernardo
1ª, 23.4.1990	RJ 1999, 2591	Alfonso Villagómez Rodil
1ª, 6.3.1990	RJ 1990, 1672	Pedro González Poveda
1ª, 9.2.1990	RJ 1990, 674	Jesús Marina Martínez-Pardo

Sala y fecha	Ref.	Magistrado Ponente
1ª, 24.1.1990	RJ 1990, 22	Eduardo Fernández-Cid de Temes
1ª, 19.12.1989	RJ 1989, 8843	Eduardo Fernández-Cid de Temes
1ª, 7.6.1989	RJ 1989, 4347	Jaime Santos Briz
1ª, 5.6.1989	RJ 1989, 4296	Mariano Martín-Granizo Fernández
1ª, 27.4.1989	RJ 1989, 3269	Ramón López Vilas
1ª, 14.4.1989	RJ 1989, 3056	Mariano Martín-Granizo Fernández
1ª, 20.2.1989	RJ 1989, 1212	Pedro González Poveda
1ª, 25.1.1989	RJ 1989, 126	Antonio Fernández Rodríguez
1ª, 12.12.1988	RJ 1988, 9436	Jesús Marina Martínez Pardo
1ª, 25.11.1988	RJ 1988, 8713	Rafael Casares Córdoba
1ª, 18.11.1988	RJ 1988, 8610	Eduardo Fernández
1ª, 16.11.1988	RJ 1988, 8469	Cecilio Serena Velloso
1ª, 9.3.1988	RJ 1988, 1609	Matías Malpica González Elipe
1ª, 22.2.1988	RJ 1988, 1271	Juan Latour Brotons
1ª, 12.2.1988	RJ 1988, 941	Matías Malpica González-Elipe
1ª, 31.10.1987	RJ 1987, 7492	Rafael Pérez Gimeno
1ª, 17.7.1987	RJ 1987, 5805	Cecilio Serena Velloso
1ª, 13.7.1987	RJ 1987, 5461	Antonio Sánchez Jáuregui
1ª, 29.6.1987	RJ 1987, 4828	Mariano Martín-Granizo Fernández
1ª, 30.10.1986	RJ 1986, 6021	José María Gómez de la Bárcena y López
1ª, 30.9.1986	RJ 1986, 5228	Antonio Sánchez Jáuregui
1ª, 20.6.1986	RJ 1986, 3786	Rafael Pérez Gimeno
1ª, 7.2.1986	RJ 1986, 683	Cecilio Serena Velloso
1ª, 20.6.1985	RJ 1985, 3625	Antonio Fernández Rodríguez
1ª, 28.3.1985	RJ 1985, 1220	Rafael Casares Córdoba

R. MILÀ RAFEL: Promoción inmobiliaria, autopromoción y cooperativas...

Sala y fecha	Ref.	Magistrado Ponente
1ª, 25.2.1985	RJ 1985, 773	Mariano Martín-Granizo Fernández
1ª, 16.2.1985	RJ 1985, 558	Rafael Pérez Gimeno
1ª, 12.2.1985	RJ 1985, 546	José Beltrán de Heredia y Castaño
1ª, 12.2.1985	RJ 1985, 546	José Beltrán de Heredia y Castaño
1ª, 11.2.1985	RJ 1985, 545	Cecilio Serena Velloso
1ª, 12.11.1984	RJ 1984, 5373	Rafael Casares Córdoba
1ª, 16.6.1984	RJ 1984, 3236	Carlos de la Vega Benayas
1ª, 13.6.1984	RJ 1984, 3236	Antonio Sánchez Jáurengui
1ª, 5.5.1984	RJ 1984, 1200	José Beltrán de Heredia y Castaño
1ª, 1.3. 1984	RJ 1984, 1194	Antonio Sánchez Jáuregui
1ª, 23.2.1983	RJ 1983, 1068	Jaime De Castro García
1ª, 23.3.1982	RJ 1982, 1500	Jaime de Castro García
1ª, 17.2.1982	RJ 1982, 743	Carlos de la Vega Benayas
1ª, 1.2.1982	RJ 1982, 3236	Carlos de la Vega Benayas
1ª, 5.12.1981	RJ 1981, 5046	Manuel González Alegre y Bernardo
1ª, 2.11.1981	RJ 1981, 4412	Antonio Sánchez Jáuregui
1ª, 20.4.1981	RJ 1981, 1658	José Antonio Seijas Martínez
1ª, 16.3.1981	RJ 1981, 916	Cecilio Serena Velloso
1ª, 9.3.1981	RJ 1981, 904	Rafael Casares Córdoba
1ª, 20.2.1981	RJ 1981, 1007	Antonio Sánchez Jáuregui
1ª, 3.10.1979	RJ 1979, 3236	Jaime De Castro García
1ª, 17.10.1974	RJ 1974, 3896	Manuel Taboada Roca
1ª, 11.10.1974	RJ 1974, 3798	–

Tribunales Superiores de Justicia
Cataluña

Resolución y fecha	Ref.	Magistrado Ponente
STSJ de Cataluña, Sala de lo Civil y Penal, Sec. 1ª, 31.3.2011	RJ 2011, 3834	José Francisco Valls Gombau

Madrid

Resolución y fecha	Ref.	Magistrado Ponente
STSJ de Madrid, Sala de lo contencioso-administrativo, 7.2.2007	JUR 2007, 154415	Ricardo Sánchez Sánchez

Audiencias Provinciales
A Coruña

Resolución y fecha	Ref.	Magistrado Ponente
SAP Coruña, Civil, Sec. 3ª, 26.12.2008	AC 2009, 459	Rafael Jesús Fernández-Porto García
SAP A Coruña, Civil, Sec. 6ª, 10.11.2008	JUR 2009, 119651	José Ramón Sánchez Herrero
SAP A Coruña, Civil, Sec. 4ª, 4.1.2008	JUR. 2008, 100270	Antonio Miguel Fernández Montells Fernández
SAP A Coruña, Sec. 5ª, 29.1.2007	JUR 2007, 297646	Mª del Carmen Vilariño López
SAP A Coruña, Civil, Sec. 5ª, 12.6.2006	JUR 2007, 141236	José Manuel Busto Lago
SAP A Coruña, Civil, Sec. 3ª, 17.11.2006	JUR. 2007, 38564	Rafael Jesús Fernández-Porto García
SAP, A Coruña, Civil, Sec. 5ª, 20.1.2005	JUR 2005, 102184	Julio Tasende Calvo
SAP A Coruña, Civil, Sec. 4ª, 19.1.2005	JUR 2005, 102185	José Manuel Busto Lago

Álava

Resolución y fecha	Ref.	Magistrado Ponente
SAP Álava, Civil, Sec. 1ª, 14.9.2007	JUR 2008, 23776	Iñigo Elizburu Aguirre
SAP Ávila, Civil, Sec. 1ª, 2.10.2006	JUR 2007, 245878	Jesús García García

Resolución y fecha	Ref.	Magistrado Ponente
SAP Álava, Civil, Sec. 2ª, 23.3.2006	JUR 2006, 153452	Jesús Alfonso Poncela García
SAP Álava, Civil, Sec. 2ª, 29.9.1999	AC 1999, 2128	Ramón Ruiz Jiménez

Albacete

Resolución y fecha	Ref.	Magistrado Ponente
SAP Albacete, Civil, Sec. 2ª, 19.5.2003	JUR 2004, 15671	Federico Andrés López de la Riva Carrasco
SAP Albacete, Civil, Sec. 2ª, 10.7.2000	La Ley 142019, 2000	María del Carmen González Carrasco

Alicante

Resolución y fecha	Ref.	Magistrado Ponente
SAP Alicante, Civil, Sec. 5ª, 15.3.2012	JUR 2012, 215432	Teresa Serra Abarca
SAP Alicante, Civil, Sec. 9ª, 24.11.2011	AC 2012, 153	Domingo Salvatierra Ossorio
SAP Alicante, Civil, Sec. 9ª, 5.10.2009	AC 2009, 2259	José Manuel Valero Díez
SAP Alicante, Civil, Sec. 8ª, 17.7.2009	JUR 2009, 368353	Enrique García-Chamón Cervera
SAP Alicante, Civil, Sec. 8ª, 8.5.2009	JUR 2009, 303478	Enrique García-Chamón Cervera
SAP Alicante, Civil, Sec. 4ª, 14.6.2007	JUR 2008, 8726	María Amor Martínez Atienza
SAP Alicante, Civil, Sec. 8ª, 6.6.2006	JUR. 2006, 259260	Enrique García-Chamón Cervera
SAP Alicante, Civil, Sec. 8ª, 26.5.2006	JUR. 2006, 259492	Francisco José Soriano Guzmán
SAP Alicante, Civil, Sec. 8ª, 1.2.2006	JUR. 2006, 128718	Enrique García-Chamón Cervera
SAP Alicante, Civil, Sec. 8ª, 18.10.2005	JUR 2005, 273304	Enrique García-Chamón Cervera
SAP Alicante, Civil, Sec. 7ª, 14.11.2001	JUR 2002, 24301	José Manuel Valero Díez

Asturias

Resolución y fecha	Ref.	Magistrado Ponente
SAP Asturias, Civil, Sec. 7ª, 3.6.2009	JUR 2009, 312233	Paz Fernández-Rivera González
SAP Asturias, Civil, Sec. 6ª, 29.1.2007	JUR 2007, 133256	José Manuel Barral Díaz
SAP Asturias, Civil, Sec. 6ª, 21.11.2006	JUR 2007, 45895	Elena Rodríguez-Vigil Rubio
SAP Asturias, Civil, Sec. 6ª, 6.3.2006	JUR 2006, 133179	José Manuel Barral Díaz
SAP Asturias, Civil, Sec. 7ª, 14.1.2002	JUR 2002, 110561	Víctor Covián Regales
SAP Asturias, Civil, Sec. 6ª, 15.11.1999	AC 1999, 8593	Elena Rodríguez-Vigil Rubio

Badajoz

Resolución y fecha	Ref.	Magistrado Ponente
SSAP Badajoz, Civil, Sec. 2ª, 6.9.2012	JUR 2012, 318806	Fernando Paumard Collado
SAP Badajoz, Civil, Sec. 3ª, 30.3.2012	JUR 2012, 137065	María Isabel Bueno Trenado
SAP Badajoz, Civil, Sec. 2ª, 4.4.2006	JUR 2006, 140261	Isidoro Sánchez Ugena
SAP Badajoz, Civil, Sec. 2ª, 4.4.2005	AC 2005, 962	Fernando Paumard Collado

Baleares

Resolución y fecha	Ref.	Magistrado Ponente
SAP Baleares, Civil, Sec. 5ª, Civil, 6.5.2013	JUR 2013, 203470	Covadonga Sola Ruiz
SAP Baleares, Civil, Sec. 5ª, 27.7.2011	JUR 2011, 310432	Santiago Oliver Barceló
SAP Baleares, Civil, Sec. 4ª, 24.3.2009	JUR 2009, 248497	Miguel Álvaro Artola Fernández
SAP Baleares, Civil, Sec. 3ª, 6.3.2009	JUR 2009, 294868	Catalina Mª Moragues Vidal
SAP Baleares, Civil, Sec. 5ª, 15.7.2008	JUR 2009, 95656	Santiago Oliver Barceló

R. MILÀ RAFEL: Promoción inmobiliaria, autopromoción y cooperativas...

Resolución y fecha	Ref.	Magistrado Ponente
SAP Baleares, Civil, Sec. 4ª, 30.10.2007	JUR 2008, 78458	Miguel Ángel Aguiló Monjo
SAP Baleares, Civil, Sec. 3ª, 14.6.2007	AC 2007, 1802	María Rosa Rigo Rosselló
SAP Baleares, Civil, Sec. 4ª, 9.1.2007	JUR. 2007, 89038	Miguel Ángel Aguiló Monjo
SAP Baleares, Civil, Sec. 5ª, 18.12.2006	JUR. 2007, 60319	Miguel Juan Cabrer Barbosa
SAP Baleares, Civil, Sec. 3ª, 22.11.2006	JUR. 2007, 38463	Catalina Mª Moragues Vidal
SAP Baleares, Civil, Sec. 5ª, 7.11.2006	JUR 2007, 103232	Santiago Oliver Barceló
SAP Baleares, Civil, Sec. 5ª, 28.10.2005	AC 2006, 117	Santiago Oliver Barceló
SAP Baleares, Civil, Sec. 5ª, 19.4.2005	JUR 2005, 143444	Santiago Oliver Barceló
SAP Baleares, Civil, Sec. 3ª, 22.2.2005	JUR 2005, 79069	Guillermo Rosselló Llaneras

Barcelona

Resolución y fecha	Ref.	Magistrado Ponente
SAP Barcelona, Civil, Sec. 13ª, 20.12.2013	JUR 2014, 52493	Juan Bautista Cremades Morant
SAP Barcelona, Civil, Sec. 1ª, 22.4.2013	JUR 2013, 195890	Antonio Ramón Recio Córdova
SAP Barcelona, Civil, Sec. 1ª, 11.3.2013	JUR 2013, 166162	Antonio Ramón Recio Córdova
SAP Barcelona, Civil, Sec. 13ª, 19.6.2012	JUR 2012, 257995	Fernando Utrillas Carbonell
SAP Barcelona, Civil, Sec. 1ª, 27.3.2012	JUR 2012, 167981	Ramón Vidal Carou
SAP Barcelona, Civil, Sec. 13ª, 14.2.2012	JUR 2012, 144616	Juan Bautista Cremades Morant
SAP Barcelona, Civil, Sec. 17ª, 15.12.2011	JUR 2012, 97730	José Antonio Ballester Llopis
SAP Barcelona, Civil, Sec. 4ª, 17.11.2011	JUR 2012, 92371	Vicente Conca Pérez

Resolución y fecha	Ref.	Magistrado Ponente
SAP Barcelona, Civil, Sec. 1ª, 18.7.2011	JUR 2011, 308575	María Dolores Portella LLuch
SAP Barcelona, Civil, Sec. 16ª, 8.2.2011	JUR 2011, 146838	Agustín Ferrer Barriendos
SAP Barcelona, Civil, Sec. 11ª, 9.9.2010	JUR 2010, 375881	José María Bachs i Estany
SAP Barcelona, Civil, Sec. 4ª, 25.3.2010	JUR 2010, 244286	Mireia Ríos Enrich
SAP Barcelona, Civil, Sec. 16ª, 2.2.2010	JUR 2010, 158135	Inmaculada Zapata Camacho
SAP Barcelona, Civil, Sec. 16ª, 2.2.2010	JUR 2010, 375881	José María Bachs i Estany
SAP Barcelona, Civil, Sec. 4ª, 23.12.2009	JUR 2010, 115998	Mercedes Hernández Ruiz Olalde
SAP Barcelona, Civil, Sec. 13ª, 3.12.2009	JUR 2010, 76797	Juan Bautista Cremades Morant
SAP Barcelona, Civil, Sec. 4ª, 22.10.2009	JUR 2010, 46267	Vicente Conca Pérez
SAP Barcelona, Civil, Sec. 16ª, 13.10.2009	JUR 2009, 48994	José Luis Valdivieso Polaino
SAP Barcelona, Civil, Sec. 16ª, 2.9.2009	JUR 2009, 463383	Jordi Seguí Puntas
SAP Barcelona, Civil, Sec. 1ª, 28.7.2009	JUR 2009, 416788	Antonio Ramón Recio Córdova
SAP Barcelona, Civil, Sec. 14ª, 22.6.2009	AC 2009, 1720	Aurora Figueras Izquierdo
SAP Barcelona, Civil, Sec. 11ª, 4.6.2009	JUR 2009, 420630	José María Bachs i Estany
SAP Barcelona, Civil, Sec. 13ª, 8.5.2009	JUR 2009, 378936	Mª Asunción Claret Castany
SAP Barcelona, Civil, Sec. 19ª, 6.5.2009	JUR 2009, 401981	Mª Asunción Claret Castan
Barcelona, Civil, Sec. 14ª, 14.4.2009	JUR 2009, 493731	José Antonio Ballester Llopis
SAP Barcelona, Civil, Sec. 13º, 17.3.2009	JUR 2009, 379150	Juan Bautista Cremades Morant

Resolución y fecha	Ref.	Magistrado Ponente
SAP Barcelona, Civil, Sec. 4ª, 11.3.2009	JUR 2009, 385528	Mercedes Hernández Ruiz-Olalde
SAP Barcelona, Civil, Sec. 19ª, 18.2.2009	AC 2009, 1208	Amelia Mateo Marco
SAP Barcelona, Civil, Sec. 19º, 14.1.2009	JUR 2009, 379884	Mª Asunción Claret Castany
SAP Barcelona, Civil, Sec. 4ª, 21.11.2008	JUR 2009, 145176	Mireia Ríos Enrich
SAP Barcelona, Civil, Sec. 1ª, 29.7.2008	JUR 2008, 307384	Antonio Ramón Recio Córdova
SAP Barcelona, Civil, Sec. 5ª, 15.4.2008	JUR 2008, 179540	Fernando Utrillas Carbonell
SAP Barcelona, Civil, Sec. 1ª, 11.2.2008	JUR 2008, 122912	Antonio Ramón Recio Córdova
SAP, Barcelona, Civil, Sec. 14ª, 17.1.2008	JUR 2008, 107035	Francisco Javier Pereda Gámez
SAP Barcelona, Civil, Sec. 13ª, 5.12.2007	JUR. 2008, 72745	Juan Bautista Cremades Morant
AAP Barcelona, Civil, Sec. 16ª, 30.3.2007	AC 2007, 1669	Jordi Seguí Puntas
SAP Barcelona, Sec. 13ª, Civil, 7.2.2007	JUR 2007, 20510	Juan Bautista Cremades Morant
SAP Barcelona, Civil, Sec. 14ª, 15.11.2006	JUR. 2007, 110177	María del Carmen Vidal Martínez
SAP Barcelona, Civil, Sec. 13ª, 25.10.2006	JUR 2007, 110749	Juan Bautista Cremades Morant
SAP Barcelona, Civil, Sec. 17ª, 16.5.2006	JUR. 2006, 260223	María Dolors Montolió Serra
SAP Barcelona, Civil, Sec. 4ª, 3.11.2005	JUR 2006, 86785	Mireia Ríos Enrich
SAP Barcelona, Civil, Sec. 16ª, 15.4.2005	JUR 2005, 122912	José Luis Valdivieso Polaino
SAP Barcelona, Civil, Sec. 14ª, 4.4.2005	JUR 2005, 114987	Francisco Javier Pereda Gámez
javascript:void(0);SAP Barcelona, Civil, Sec. 13ª, 29.3.2005	JUR 2005, 124894	Juan Bautista Cremades Morant

Resolución y fecha	Ref.	Magistrado Ponente
SAP Barcelona, Civil, Sec. 1ª, 7.6.2004	JUR 2004, 204575	Francisco Javier Pereda Gámez
SAP Barcelona, Civil, Sec. 17ª, 19.3.2004	JUR 2004, 155550	Amelia Mateo Marco
SAP Barcelona, Civil, Sec. 15ª, 9.1.2004	JUR. 2004, 97510	Jordi Lluis Forgas Folch
SAP Barcelona, Civil, Sec. 16ª, 31.7.2003	JUR 2003, 256855	Agustín Ferrer Barriendos
SAP Barcelona, Civil, Sec., 1ª, 14.11.2002	JUR 2003, 57328	...
SAP Barcelona, Civil, Sec. 16ª, 29.1.2002	JUR 2002, 111714	Ramón Foncillas Sopena

Burgos

Resolución y fecha	Ref.	Magistrado Ponente
SAP Burgos, Civil, Sec. 3ª, 15.1.2014	JUR 2014, 40677	Ildefonso Barcalá Fernández de Palencia
SAP Burgos, Civil, Sec. 3ª, 31.7.2012	JUR 2012, 316255	María Esther Villimar San Salvador
SAP Burgos, Civil, Sec. 3ª, 3.5.2011	JUR 2011, 196151	Ildefonso Barcalá Fernández de Palencia
SAP Burgos, Civil, Sec. 2ª, 18.1.2011	AC 2011, 252	Mauricio Muñoz Fernández
SAP Burgos, Civil, Sec. 2ª, 19.2.2010	JUR 2010, 155953	Mauricio Muñoz Fernández
SAP Burgos, Civil, Sec. 2ª, 29.12.2009	JUR 2010, 75215	Juan Miguel Carreras Maraña
SAP Burgos, Civil, Sec. 3ª, 6.11.2009	AC 2010, 609	Ildefonso Barcalá Fernández de Palencia
SAP Burgos, Civil, Sec. 3ª, 30.4.2009	JUR 2009, 271384	Ildefonso Barcalá Fernández de Palencia
SAP Burgos, Civil, Sec. 2ª, 16.3.2009	JUR 2009, 223040	Mauricio Muñoz Fernández
SAP Burgos, Civil, Sec. 3ª, 10.3.2009	JUR 2009, 301727	Ildefonso Barcalá Fernández de Palencia
SAP Burgos, Civil, Sec. 3ª, 11.12.2006	JUR. 2007, 23351	Ildefonso Barcalá Fernández de Palencia

Resolución y fecha	Ref.	Magistrado Ponente
SAP Burgos, Civil, Sec. 2ª, 21.6.2006	JUR. 2006, 228686	Arabela García Espina
SAP Burgos, Civil, Sec. 3ª, 5.5.2006	JUR 2006, 163452	Juan Sancho Fraile
SAP Burgos, Civil, Sec. 2ª, 20.9.2005	JUR 2005, 236917	Juan Miguel Carreras Maraña
SAP Burgos, Civil, Sec. 3ª, 13.9.2005	JUR 2005, 240480	Ildefonso Barcalá Fernández de Palencia
SAP Burgos, Civil, Sec. 3ª, 8.7.2005	JUR 2005, 213636	Ildefonso Barcalá Fernández de Palencia
SAP Burgos, Civil, Sec. 3º, 28.1.2002	JUR 2003, 75853	Ildefonso Barcalá Fernández de Palencia

Cáceres

Resolución y fecha	Ref.	Magistrado Ponente
SAP Cáceres, Sec. 1ª, 28.11.2012	JUR 2012, 3020	Antonio María González Floriano
SAP Cáceres, Civil, Sec. 1ª, 19.10.2010	AC 2010, 1895	Antonio María González Floriano
SAP Cáceres, Civil, Sec. 1ª, 30.11.2006	JUR 2007, 45532	Juan Francisco Bote Saavedra

Cádiz

Resolución y fecha	Ref.	Magistrado Ponente
SAP Cádiz, Civil, Sec. 2ª, 1.12.2009	JUR 2010, 211234	Antonio Marín Fernández
SAP Cádiz, Civil, Sec. 1ª, 25.7.2005	AC 2005, 1647	Lorenzo del Río Fernández
SAP Cádiz, Civil, Sec. 1ª, 27.12.2002	JUR 2003, 113804	Pedro Marcelino Rodríguez Rosales
SAP Cádiz, Civil, 25.7.1996	AC 1996, 2546	Manuel Carlos Grosso de la Herrán

Cantabria

Resolución y fecha	Ref.	Magistrado Ponente
SAP Cantabria, Civil, Sec. 4ª, 21.9.2011	JUR 2012, 390762	María José Arroyo García

Resolución y fecha	Ref.	Magistrado Ponente
SAP Cantabria, Civil, Sec. 2ª, 18.3.2009	JUR 2009, 234799	Javier de la Hoz de la Escalera
SAP Cantabria, Civil, Sec. 4ª, 5.6.2008	JUR 2008, 355543	Joaquín Tafur López de Lemus
SAP Cantabria, Civil, Sec. 2ª, 28.10.2005	JUR 2006, 1637	Milagros Martínez Rionda
SAP Cantabria, Civil, Sec. 3ª, 4.5.2005	JUR 2005, 137819	José Luis López del Moral Echeverría
SAP Cantabria, Civil, Sec. 1ª, 12.4.2005	JUR 2005, 99379	Javier de la Hoz de la Escalera

Castellón

Resolución y fecha	Ref.	Magistrado Ponente
SAP Castellón, Civil, Sec. 3ª, 1.7.2010	JUR 2010, 345719	Rafael Giménez Ramón
SAP Castellón, Civil, Sec. 1ª, 15.3.2010	AC 2010, 450	Aurora de Diego González
SAP Castellón, Civil, Sec. 3ª, 3.10.2006	JUR 2007, 224872	José Manuel Marco Cos
SAP Castellón, Civil, Sec. 1ª, 20.10.2010	AC 2010, 2036	Esteban Solaz Solaz
SAP Castellón, Civil, Sec. 3ª, 22.2.2008	JUR 2008, 191703	Mª Ángeles Gil Marqués
AAP Castellón, Civil, Sec. 3ª, 5.9.2006	JUR. 2007, 228479	Adela Bardón Martínez
SAP Castellón, Civil, Sec. 3ª, 20.6.2006	JUR. 2006, 253280	José Manuel Marco Cos
SAP Castellón, Civil, Sec. 3ª, 19.1.2006	JUR 2006, 190214	José Manuel Marco Cos
SAP Castellón, Civil, Sec. 1ª, 11.11.2005	JUR 2005, 69152	José Francisco Morales de Biedma

Ciudad Real

Resolución y fecha	Ref.	Magistrado Ponente
SAP Ciudad Real, Civil, Sec. 2ª, 20.6.2013	JUR 2013, 257512	Fulgencio V. Velázquez de Castro Puerta
SAP Ciudad Real, Civil, Sec. 1ª, 12.3.2007	JUR 2007, 248981	Luis Casero Linares

Resolución y fecha	Ref.	Magistrado Ponente
SAP Ciudad Real, Civil, Sec. 1ª, 19.12.2000	JUR 2001, 95096	Cesáreo Duro Ventura
SAP Ciudad Real, Civil, Sec. 2ª, 21.12.1998	AC 1998, 2569	Carmen Pilar Catalán Martín de Bernardo

Córdoba

Resolución y fecha	Ref.	Magistrado Ponente
SAP Córdoba, Civil, Sec. 2ª, 7.9.2009	JUR 2010, 47243	José Antonio Carnero Parra
SAP Córdoba, Civil, Sec. 2ª, 7.9.2009	JUR 2010, 47243	José Antonio Carnero Parra
SAP Córdoba, Civil, Sec. 3ª, 28.7.2003	JUR 2003, 220299	Felipe Moreno Gómez
SAP Córdoba, Sec. 2ª, 26.1.2000	AC 2000, 2885	Juan Ramón Berdugo y Gómez de la Torre

Girona

Resolución y fecha	Ref.	Magistrado Ponente
SAP Girona, Civil, Sec. 1ª, 5.4.2009	JUR 2009, 386151	Fernando Lacaba Sánchez
SAP Girona, Civil, Sec. 2ª, 26.11.2008	JUR 2009, 144855	Joaquim Miquel Fernández Font
SAP Girona, Civil, Sec. 2ª, 6.6.2008,	JUR 2008, 329908	José Isidro Rey Huidobro
SAP Girona, Civil, Sec. 1ª, 23.1.2006	JUR 2006, 90051	Fernando Lacaba Sánchez
SAP Girona, Civil, Sec. 2ª, 24.3.2004	AC 2004, 715	José Isidro Rey Huidobro
SAP Girona, Civil, Sec. 2ª, 3.10.2003	JUR 2004, 25961	Juan Manuel Abril Campoy
SAP Girona, Civil, Sec. 1ª, 30.1.1998	AC 1998, 51	José Isidro Rey Huidobro

Guadalajara

Resolución y fecha	Ref.	Magistrado Ponente
SAP Guadalajara, Civil, Sec. 1ª, 22.3.2011	JUR 2011, 178570	Isabel Serrano Frías

Resolución y fecha	Ref.	Magistrado Ponente
SAP Guadalajara, Civil, Sec. 1ª, 29.1.2007	JUR 2007, 81214	Concepción Espejel Jorquera
SAP Guadalajara, Civil, Sec. 1ª, 14.12.2006	JUR 2007, 102881	Isabel Serrano Frías
SAP Guadalajara, Civil, Sec. 1ª, 25.10.2006	JUR 2007, 24054	Isabel Serrano Frías

Guipúzcoa

Resolución y fecha	Ref.	Magistrado Ponente
SAP Guipúzcoa Civil, Sec. 3ª, 17.11.2008	JUR 2009, 91066	Juana María Unanue Arratíbel
SAP Guipúzcoa, Civil, Sec. 3ª, 29.12.2006	JUR 2007, 102762	Juana María Unanue Arratíbel

Granada

Resolución y fecha	Ref.	Magistrado Ponente
SAP Granada, Civil, Sec. 4ª, 22.11.2013	JUR 2014, 33683	Juan Francisco Ruiz Rico Ruiz
SAP Granada, Civil, Sec. 4ª, 13.3.2009	JUR 2009, 274943	Moisés Lazuen Alcón
SAP Granada, Civil, Sec. 3ª, 21.11.2008	JUR 2009, 60517	Klaus Jochen Albiez Dormán
SAP Granada, Civil, Sec. 5ª, 9.2.2007	JUR 2007, 175840	Antonio Mascaró Lazcano
SAP Granada, Civil, Sec. 3ª, 15.7.2003	JUR 2003, 219521	Antonio Mascaró Lazcano
SAP Granada, Civil, Sec. 4º, 17.11.1992	AC 1992, 1525	Carlos José de Valdivia y Pizcuela

Huelva

Resolución y fecha	Ref.	Magistrado Ponente
SAP Huelva, Civil, Sec. 1ª, 28.5.2009	JUR 2009, 378089	Santiago García García
SAP Huelva, Civil, Sec. 3ª, 15.12.2005	JUR 2006, 161999	José María Méndez Burguillo
SAP Huelva, Civil, Sec. 3ª, 25.2.2005	JUR 2005, 145017	Antonio Germán Pontón Práxedes

Resolución y fecha	Ref.	Magistrado Ponente
SAP Huelva, Civil, Sec. 1ª, 3.12.2003	JUR 2004, 64374	Fructuoso Jimeno Fernández
SAP Huelva, Civil, Sec. 2ª, 2.7.2003	JUR 2003, 218698	Andrés Bodega de Val

Huesca

Resolución y fecha	Ref.	Magistrado Ponente
SAP Huesca, Sec. 1ª, 27.7.2012	JUR 2012, 289575	Antonio Angos Ullate
SAP Huesca, Civil, Sec. Única, 11.3.1999	AC 1999, 7177	Ángel Iribas Genua
SAP Huesca, Civil, Sec. Única, 3.2.1992	AC 1992, 293	Gonzalo Gutiérrez Celma

Jaén

Resolución y fecha	Ref.	Magistrado Ponente
SAP Jaén, Civil, Sec. 1ª, 20.1.2010	JUR 2010, 136895	Esperanza Pérez Espino
SAP Jaén, Civil, Sec. 2ª, 14.2.2007	JUR 2007, 175496	Rafael Morales Ortega
SAP Jaén, Sec. 2ª, Civil, 20.11.2006	JUR 2007, 194957	Rafael Morales Ortega
SAP Jaén, Civil, Sec. 2ª, 11.7.2006	JUR 2007, 40496	Elena Arias Salgado Robsy
SAP Jaén, Civil, Sec. 1ª, 10.3.1997	AC 1997, 459	María Lourdes Molina Romero

La Rioja

Resolución y fecha	Ref.	Magistrado Ponente
SAP Rioja, Civil, Sec. 1ª, 9.12.2011	JUR 2012, 3294	María del Puy Aramendía Ojer
SAP La Rioja, Civil, Sec. 1ª, 10.5.2006	JUR 2006, 183615	Luis Miguel Rodríguez Fernández

Las Palmas

Resolución y fecha	Ref.	Magistrado Ponente
SAP Las Palmas, Civil, Sec. 5ª, 19.7.2010	JUR 2011, 7082	Mónica García de Yzaguirre

Resolución y fecha	Ref.	Magistrado Ponente
SAP Las Palmas, Civil, Sec. 3ª, 1.6.2009	JUR 2009, 371147	Ricardo Moyano García
SAP Las Palmas, Civil, Sec. 5ª, 5.5.2009	JUR 2009, 320800	José Antonio Morales Mateo
SAP Las Palmas, Civil, Sec. 5ª, 28.3.2007	JUR. 2007, 148003	Pedro Joaquín Herrera Puentes
SAP Las Palmas, Civil, Sec. 3ª, 30.11.2006	JUR 2007, 67032	Rosalía Fernández Alaya

León

Resolución y fecha	Ref.	Magistrado Ponente
SAP León, Civil, Sec. 2ª, 23.7.2009	JUR 2009, 355232	María Teresa Manga Alonso
SAP León, Civil, Sec. 1ª, 21.5.2009	JUR 2009, 281475	Ana del Ser López

Lleida

Resolución y fecha	Ref.	Magistrado Ponente
SAP Lleida, Civil, Sec. 2ª, 22.2.2010	JUR 2010, 155802	Ana Cristina Sainz Pereda
SAP Lleida, Civil, Sec. 2ª, 16.12.2009	JUR 2010, 116854	Ana Cristina Sainz Pereda

Lugo

Resolución y fecha	Ref.	Magistrado Ponente
SAP Lugo, Civil, Sec. 1ª, 26.5.2008	JUR 2008, 339044	José Luis Quiroga de la Fuente

Madrid

Resolución y fecha	Ref.	Magistrado Ponente
SAP Madrid, Civil, Sec. 14ª, 14.1.2014	JUR 2014, 63627	Amparo Camazón Linacero
SAP Madrid, Civil, Sec. 28ª, 30.9.2013	JUR 2013, 313103	Pedro Gómez Sánchez
SAP Madrid, Civil, Sec. 28ª, 23.9.2013	JUR 2013, 313789	Ángel Galgo Peco

Resolución y fecha	Ref.	Magistrado Ponente
SAP Madrid, Civil, Sec. 12 ª, 18.4.2013	JUR 2013, 209502	José María Torres Fernández de Sevilla
SAP Madrid, Civil, Sec. 18ª, 8.4.2013	JUR 2013, 195766	Pedro Pozuelo Pérez
SAP Madrid, Civil, Sec. 13ª, 4.3.2013	JUR 2013, 156404	Carlos Cerzón Gonález
SAP Madrid, Civil, Sec. 21ª, 26.2.2013	JUR 2013, 173253	José Zarzuelo Descalzo
SAP Madrid, 10.2.2013, Civil, Sec. 14ª, 10.2.2013	JUR 2013, 173358	Pablo Quecedo Aracil
SAP Madrid, Civil, Sec. 14ª, 20.12.2012	JUR 2013, 89368	Paloma García de Ceca
SAP Madrid, Civil, Sec. 21ª, 18.9.2012	JUR 2012, 340568	Guillermo Ripoll Olazabál
SAP Madrid, Civil, Sec. 21ª, 12.7.2012	JUR 2012, 265080	José Zarzuelo Descalzo
SAP Madrid, Civil, Sec. 12 ª, 23.2.2012	AC 2012, 1406	José Luis Díaz Roldán
SAP Madrid, Civil, Sec. 10ª, 20.2.2012	JUR 2012, 104419	José Manuel Arias Rodríguez
SAP Madrid, Civil, Sec. 8ª, 13.2.2012	JUR 2012, 97124	Carmen García de Leaniz Cavallé
SAP Madrid, Civil, Sec. 9ª, 15.12.2011	JUR 2011, 22674	Juan Ángel Moreno García
SAP Madrid, Sec. 14ª, 23.12.2011	JUR 2012, 108850	Juan Uceda Ojeda
SAP Madrid, Civil, Sec. 13ª, 7.6.2011	JUR 2011, 311515	Modesto de Bustos Gómez-Rico
AAP Madrid, Civil, Sec. 14ª, 25.5.20011	JUR 2011, 345458	Pablo Quecedo Aracil
SAP Madrid, Civil, Sec. 19ª, 6.5.2011	JUR 2011, 312611;	Nicolás Díaz Méndez
SAP Madrid, Civil, Sec. 13ª, 31.5.2011	JUR 2011, 292478	Modesto de Bustos Gómez-Rico
SAP Madrid, Civil, Sec. 14ª, 30.3.2011	JUR 2011, 200864	Pablo Quecedo Aracil
SAP Madrid, Civil, Sec. 14ª, 23.2.2011	JUR 2011, 202899	Juan Uceda Ojeda

Resolución y fecha	Ref.	Magistrado Ponente
SAP Madrid, Civil, Sec. 18ª, 3.2.2011	JUR 2011, 147488	Pedro Pozuelo Pérez
SAP Madrid, Civil, Sec. 8ª, 27.9.2010	JUR 2010, 361832	Victoria Salcedo Ruiz
SAP Madrid, Civil, Sec. 8ª, 27.9.2010	JUR 2010, 361832	Mª Victoria Salcedo Ruiz
SAP Madrid, Civil, Sec. 11ª, 7.9.2010	JUR 2010, 343966	Cesáreo Duro Ventura
SAP Madrid, Civil, Sec. 9ª, 16.4.2010	JUR 2010, 233491	Juan Luis Gordillo Álvarez Valdés
SAP Madrid, Civil, Sec. 14ª, 31.3.2010	JUR 2010, 234090	Pablo Quecedo Aracil
SAP Madrid, Civil, Sec. 11ª., 8.2.2010	JUR 2010, 124546	Cesáreo Duro Ventura
SAP Madrid, Civil, Sec. 8ª, 25.1.2010	JUR 2010, 104974	Antonio García Paredes
SAP Madrid, Civil, Sec. 11ª, 19.1.2010	JUR 2010, 127140	Lourdes Ruiz de Gordejuela López
SAP Madrid, Civil, Sec. 10ª, 1.7.2009	JUR 2009, 342418	José Manuel Arias Rodríguez
SAP Madrid, Civil, Sec. 20ª, 17.6.2009	JUR 2009, 343732	Ramón Fernando Rodríguez Jackson
SAP Madrid, Civil, Sec. 14ª, 4.6.2009	JUR 2009, 20630	Pablo Quecedo Aracil
SAP Madrid, Civil, Sec. 21ª, 1.6.2009	JUR 2009, 364096	María Almudena Cánovas del Castillo Pascual
SAP Madrid, Civil, Sec. 19ª, 13.5.2009	JUR 2010, 269243	Ramón Ruiz Jiménez
SAP Madrid, Civil, Sec. 14ª, 18.3.2009	JUR 2009, 248929	Pablo Quecedo Aracil
SAP Madrid, Civil, Sec. 21ª, 27.1.2009	JUR 2009, 15959	Rosa María Carrasco López
SAP Madrid, Civil, Sec. 1ª, 19.12.2008	JUR 2009, 181355	José Manuel Arias Rodríguez
SAP Madrid, Civil, Sec. 19ª, 10.11.2008	JUR 2009, 75829	Nicolás Díaz Méndez
SAP Madrid, Civil, Sec. 13ª, 19.9.2008	JUR 2009, 107957	Modesto de Bustos Gómez-Rico

Resolución y fecha	Ref.	Magistrado Ponente
SAP Madrid, Civil, Sec. 14ª, 30.7.2008	JUR 2008, 383268	Amparo Camazón Linacero
SAP Madrid, Civil, Sec. 18ª, 24.7.2008	JUR 2008, 376680	Jesús Rueda López
SAP Madrid, Civil, Sec. 21ª, 18.6.2008	JUR 2008, 293915	María Almudena Cánovas del Castillo Pascual
SAP Madrid, Civil, Sec. 10ª, 9.5.2008	JUR 2008, 233736	Ángel Vicente Illescas Rus
SAP Madrid, Civil, Sec. 11ª, 15.4.2008	JUR 2008, 179487	Félix Almazán Lafuente
SAP Madrid, Civil, Sec. 10ª, 9.4.2008	JUR 2008, 233736	Ángel Vicente Illescas Rus
SAP Madrid, Civil, Sec. 9ª, 17.3.2008	JUR 2008, 151929	José Luis Durán Berrocal
SAP, Madrid, Civil, Sec. 14ª, 30.7.2007	JUR 2008, 383268	Amparo Camazón Linacero
SAP Madrid, Civil, Sec. 14ª, 24.5.2007	JUR 2007, 268810	Pablo Quecedo Aracil
SAP Madrid, Civil, Sec. 13ª, 16.4.2007	JUR. 2007, 201898	José González Olleros
SAP, Madrid, Civil, Sec. 20ª, 1.3.2007	JUR. 2007, 150904	José María Salcedo Gener
SAP, Madrid, Civil, Sec. 8ª, 27.2.2007	JUR. 2007, 216662	Lourdes Ruiz de Gordejuela López
SAP Madrid, Civil, Sec. 12ª, 13.2.2007	JUR. 2007, 175615	José Vicente Zapater Ferrer
SAP Madrid, Civil, Sec. 21ª, 13.2.2007	JUR 2007, 153460	Rosa María Carrasco López
SAP Madrid, Civil, Sec. 10ª, 23.1.2007	JUR. 2008, 43831	Ángel Vicente Illescas Rus
SAP Madrid, Civil, Sec. 14ª, 21.11.2006	JUR 2007, 67880	Amparo Camazón Linacero
SAP Madrid, Civil, Sec. 18ª, 26.10.2006	JUR 2007, 69640	María Guadalupe de Jesús Sánchez
SAP Madrid, Civil, Sec. 14ª, 25.7.2006	JUR 2007, 24672	Amparo Camazón Linacero
SAP Madrid, Civil, Sec. 14ª, 28.6.2006	JUR 2007, 17755	Amparo Camazón Linacero

Resolución y fecha	Ref.	Magistrado Ponente
SAP Madrid, Civil, Sec. 14ª, 30.5.2006	JUR 2006, 288899	Juan Uceda Ojeda
SAP Madrid, Civil, Sec. 28ª, 30.3.2006	AC 2006, 1735	Gregorio Plaza González
SAP Madrid, Civil, Sec. 9ª, 15.9.2005	JUR 2005, 258079	Carlos Ceballos Norte
SAP Madrid, Civil, Sec. 9ª, 8.9.2005	JUR 2005, 253169	Juan Ángel Moreno García
SAP Madrid, Civil, Sec. 20ª, 18.4.2005	JUR 2005, 106099	Juan Vicente Gutiérrez Sánchez
SAP Madrid, Civil, Sec. 13ª, 16.9.2004	JUR 2005, 19565	Victoriano Jesús Navarro Castillo
SAP Madrid, Civil, Sec. 25ª, 28.6.2003	JUR 2003, 256726	Santiago García Fernández
SAP Madrid, Civil, Sec. 12ª, 7.4.2003	JUR 2003, 203691	José Vicente Zapater Ferrer
SAP Madrid, Civil, Sec. 9ª, 14.3.2003	JUR 2004, 157300	José Luis Durán Berrocal

Murcia

Resolución y fecha	Ref.	Magistrado Ponente
SAP Murcia, Civil, Sec. 4ª, 31.1.2013	JUR 2013, 90643	Juan Martínez Pérez
SAP Murcia, Civil, Sec. 1ª, 10.11.2011	JUR 2011, 422945	Andrés Pacheco Guevara
SAP Murcia, Civil, Sec. 4ª, 9.9.2010	JUR 2010, 343779	Juan Martínez Pérez
SAP Murcia, Civil, Sec. 5ª, 20.3.2009	JUR 2009, 234452	Miguel Ángel Larrosa Amante
SAP Murcia, Sec. 1ª, Civil, 27.1.2009	JUR 2009, 287454	Cayetano Blanco Ramón
SAP Murcia, Civil, Sec. 4ª, 4.4.2007	JUR. 2007, 282085	Jaime Jiménez Llamas
SAP Murcia, Civil, Sec. 1ª, 18.12.2006	JUR. 2007, 75068	Julia Fresneda Andrés
SAP Murcia, Civil, Sec. 1ª, 4.4.2006	JUR. 2006, 159762	Francisco José Carrillo Vinader

Navarra

Resolución y fecha	Ref.	Magistrado Ponente
SAP Navarra, Civil, Sec. 1ª, 11.7.2008	JUR 2009, 95732	Fermín Zubiri Oteiza
SAP Navarra, Civil, Sec. 2ª, 24.7.2004	JUR. 2004, 263003	Teresa Cobo Sáenz
SAP Navarra, Civil, Sec. 2ª, 16.9.2004	JUR 2004, 293263	Francisco José Goyena Salgado

Orense

Resolución y fecha	Ref.	Magistrado Ponente
SAP Orense, Civil, Sec. 1ª, 11.9.2009	JUR 2009, 406721	Josefa Otero Seivane

Pontevedra

Resolución y fecha	Ref.	Magistrado Ponente
SAP Pontevedra, Civil, Sec. 3ª, 22.5.2013	JUR 2013, 219788	Francisco Javier Romero Costas
SAP Pontevedra, Civil, Sec. 1ª, 3.6.2009	JUR 2009, 302299	Francisco Javier Valdés Garrido
SAP Pontevedra, Civil, Sec. 1ª, 4.2.2009	JUR 2009, 192077	Francisco Javier Valdés Garrido
SAP Pontevedra, Civil, Sec. 6ª, 21.12.2007	JUR. 2008, 277442	Julio César Picatoste Bobillo
SAP Pontevedra, Civil, Sec. 6ª, 21.4.2006	JUR 2006, 203225	Julio César Picatoste Bobillo
SAP Pontevedra, Civil, Sec. 1ª, 8.2.2006	JUR. 2006, 82768	Inmaculada de Martín Velásquez

Salamanca

Resolución y fecha	Ref.	Magistrado Ponente
SAP Salamanca, Civil, Sec. 1ª, 3.2.2012	JUR 2012, 66349	Fernando Carbajo Cascón
SAP Salamanca, Civil, Sec. 1ª, 29.12.2005	JUR 2006, 79479	José Ramón González Clavijo

Santa Cruz de Tenerife

Resolución y fecha	Ref.	Magistrado Ponente
Santa Cruz de Tenerife, Civil, Sec. 3ª, 24.10.2011	JUR 2012, 81577	María Luisa Santos Sánchez
SAP Santa Cruz de Tenerife, Civil, Sec. 1ª, 12.5.2006	JUR 2006, 212724	María Luisa Santos Sánchez

Segovia

Resolución y fecha	Ref.	Magistrado Ponente
SAP Segovia, Civil, 28.6.2013	JUR 2013, 277478	María Felisa Herrero Pinilla
SAP Segovia, Civil, Sec. 1ª, 29.7.2011	JUR 2011, 330172	Ignacio Pando Echevarría
SAP Segovia, Sec. 1ª, Civil, 10.6.2011	AC 2011, 1449	Rafael de los Reyes Sainz de la Maza
SAP Segovia, Civil, Sec. 1ª, 11.7.2006	AC 2006, 1298	Pilar Álvarez Olalla

Sevilla

Resolución y fecha	Ref.	Magistrado Ponente
SAP Sevilla, Civil, Sec. 5ª, 28.10.2011	JUR 2012, 30044	Juan Márquez Romero
SAP Sevilla, Civil, Sec. 2ª, 16.6.2009	JUR 2009, 420008	Juan Márquez Romero
SAP Sevilla, Civil, Sec. 2ª, 21.7.2008	JUR 2009, 15329	Rafael Márquez Romero
SAP Sevilla, Civil, Sec. 6ª, 14.1.2008	JUR 2008, 379045	José Carlos Ruiz de Velasco Linares

Tarragona

Resolución y fecha	Ref.	Magistrado Ponente
SAP Tarragona, Civil, Sec. 3ª, 5.5.2011	JUR 2011, 366372	María de los Ángeles Barcenilla Visus
SAP Tarragona, Civil, Sec. 3ª, 30.3.2006	JUR 2006, 249662	Mª Ángeles García Medina
SAP Tarragona, Civil, 9.3.1993	EDJ 1993, 12208	Concepción Espejel Jorquera

Toledo

Resolución y fecha	Ref.	Magistrado Ponente
SAP Toledo, Civil, Sec. 2ª, 18.1.2013	JUR 2013, 63058	Alfonso Carrión Matamoros
SAP Toledo, Civil, Sec. 1ª, 15.12.2009	JUR 2010, 85110	Urbano Suárez Sánchez
SAP Toledo, Civil, Sec. 2ª, 17.9.2008	JUR 2008, 367526	Juan Manuel de la Cruz Mora
SAP Toledo, Civil, Sec. 2ª, 24.1.2007	JUR 2007, 88738	Alfonso Carrión Matamoros
SAP Toledo, Civil, Sec. 1ª, 13.3.2002	AC 2002, 841	Emilio Buceta Miller
SAP Toledo, Civil, Sec. 1ª, 22.6.1995	AC 1995, 1224	Julio Tasende Calvo

Valencia

Resolución y fecha	Ref.	Magistrado Ponente
SAP Valencia, Civil, Sec. 8ª, 15.5.2013	JUR 2013, 255748	Eugenio Sánchez Alcaraz
SAP Valencia, Civil, Sec. 11ª, 9.3.2012	AC 2012, 755	Alejandro Giménez Murria
SAP Valencia, Civil, Sec. 7ª, 5.12.2011	JUR 2012, 75408	María Ibáñez Solaz
SAP Valencia, Civil, Sec. 8ª, 19.7.2011	JUR 2011, 317054	Enrique Emilio Vives Reus
SAP Valencia, Civil, Sec. 7ª, 6.5.2011	JUR 2011, 301661	María del Carmen Escrig Orenga
SAP Valencia, Civil, Sec. 8ª, 24.11.2010	JUR 2011, 108655	María Fe Ortega Mifsud
SAP Valencia, Civil, Sec. 7ª, 29.10.2009	JUR 2010, 224240	Olga Casas Herraiz
SAP Valencia, Civil, Sec. 7ª, 5.3.2008	JUR 2008, 153106	José Antonio Lahoz Rodrigo
SAP Valencia, Civil, Sec. 7ª, 28.5.2007	JUR 2007, 260305	Pilar Cedrán Villalba
SAP Valencia, Civil, Sec. 7ª, 20.9.2006	AC 2007, 143	Pilar Cerdán Villalba

Resolución y fecha	Ref.	Magistrado Ponente
SAP Valencia, Civil, Sec. 8ª, 4.2.2005	JUR 2005, 85844	Fernando Javierre Jiménez
SAP Valencia, Civil, Sec. 8ª, 20.9.1999	AC 1999, 7912	Enrique Emilio Vives Reus
SAP Valencia, Civil, Sec. 8ª, 26.9.1996	AC 1996, 1708	Eugenio Sánchez Alcaraz

Valladolid

Resolución y fecha	Ref.	Magistrado Ponente
SAP Valladolid, Civil, Sec. 3ª, 5.6.2013	JUR 2013, 246511	Ángel Muñiz Delgado
SAP Valladolid, Civil, Sec. 1ª, 14.12.2009	JUR 2010, 69107	José Ramón Alonso Mañero Pardal
SAP Valladolid, Civil, Sec. 3ª, 9.4.2008	JUR 2008, 332315	Miguel Ángel Sendino Arenas
SAP Valladolid, Civil, Sec. 1ª, 3.11.2006	JUR 2007, 7865	José Antonio San Millán Martín
SAP Valladolid, Civil, Sec. 3ª, 18.9.2002	JUR 2002, 264188	Miguel Ángel Sendino Arenas

Vizcaya

Resolución y fecha	Ref.	Magistrado Ponente
SAP Vizcaya, Civil, Sec. 3ª, 16.3.2011	JUR 2011, 303361	María Carmen Keller Ehevarría
SAP Vizcaya, Civil, Sec. 13ª, 14.2.2012	JUR 2012, 144616	María Concepción Marco Cacho

Zamora

Resolución y fecha	Ref.	Magistrado Ponente
SAP Zamora, Civil, Sec. 1ª, 20.9.2012	AC 2012, 1900	Pedro Jesús García Garzón

Zaragoza

Resolución y fecha	Ref.	Magistrado Ponente
SAP Zaragoza, Civil, Sec. 5ª, 25.6.2013	JUR 2013, 257834	Alfonso María Martínez Areso
SAP Zaragoza, Civil, Sec. 5ª, 9.12.2011	JUR 2012, 4076	Antonio Luis Pastor Oliver

Resolución y fecha	Ref.	Magistrado Ponente
SAP Zaragoza, Civil, Sec. 4ª, 23.3.2007	JUR 2007, 272402	Juan Ignacio Medrano Sánchez
SAP, Zaragoza, Civil, Sec. 5ª, 22.1.2007	JUR. 2007, 59731	Antonio Luis Pastor Oliver
SAP Zaragoza, Civil, Sec. 4ª, 29.3.2005	JUR 2005, 103101	Javier Seoane Prado
SAP Zaragoza, Civil, Sec. 5ª, 16.11.2004	JUR 2004, 312270	Juan Ignacio Medrano Sánchez
SAP Zaragoza, Civil, Sec. 5ª, 29.4.2003	AC 2003, 1289	Juan Ignacio Medrano Sánchez
SAP Zaragoza, Civil, Sec. 5ª, 14.2.2003	JUR 2003, 67361	Juan Ignacio Medrano Sánchez
SAP Zaragoza, Civil, Sec. 4ª, 19.11.2001	JUR 2002, 212711	Javier Seoane Prado
SAP Zaragoza, Civil, Sec. 5ª, 3.4.1999	AC 1999, 1286	Antonio Luis Pastor Oliver
SAP Zaragoza, Civil, Sec. 4ª, 8.9.1998	AC 1998, 1568	José Javier Solchaga Loitegui

Dirección General de los Registros y del Notariado

Resolución y fecha	Ref.
RDGRN 2.4.2013	RJ 2013, 3666
RDGRN 13.12.2012	JUR 2013, 23579
RDGRN 3.7.2012	RJ 2012, 8835
RDGRN 3.7.2012	RJ 2012, 10069
RDGRN 26.6.2012	RJ 2012, 8825
RDGRN 21.1.2012	RJ 2012, 3252
RDGRN 26.9.2011	RJ 2011, 7299
RDGRN 25.3.2011	RJ 2011, 2865
RDGRN 11.11.2010	JUR 2010, 400842
RDGRN 26.7.2010	JUR 2010, 317313
RDGRN 23.7.2010	JUR 2010, 317311
RDGRN 23.7.2010	JUR 2010, 317311
RDGRN 22.7.2010	RJ 2010, 4878
RDGRN 25.5.2009	RJ 2009, 4022
RDGRN 21.1.2009	RJ 2009, 1607

Resolución y fecha	Ref.
RDGRN 14.1.2009	RJ 2009, 1082
RDGRN 12.1.2009	RJ 2009, 1603
RDGRN, 9.1.2009	RJ 2009, 277
RDGRN, 8.1.2009	RJ 2009, 276
RDGRN, 8.1.2009	RJ 2009, 275
RDGRN, 19.12.2008	RJ 2009, 2769
RDGRN 17.12.2008	RJ 2009, 1317
RDGRN, 15.12.2008	RJ 2009, 314
RDGRN, 15.12.2008	RJ 2009, 313
RDGRN, 13.12.2008	RJ 2009, 312
RDGRN, 12.12.2008	RJ 2009, 311
RDGRN, 10.12.2008	RJ 2009, 1467
RDGRN, 11.11.2008	BOE nº 304, de 18.12.2008
Resolución circular DGRN, 26.7.2007	–
RDGRN, 9.5.2007	RJ 2007, 3777
RDGRN, 17.3.2007	RJ 2007, 1966
RDGRN, 19.7.2005	RJ 2005, 7023
RDGRN, 6.4.2005	RJ 2005, 3485
RDGRN, 5.4.2005	RJ 2005, 3484
RDGRN, 4.12.2004	RJ 2004, 8155
RDGRN, 28.10.2004	RJ 2004, 7808
RDGRN, 9.7.2003	RJ 2003, 6083
Resolución circular DGRN, 3.12.2003	–
RDGRN, 8.2.2003	RJ 2003, 2606
RDGRN, 14.2.2001	RJ 2002, 2154
Instrucción DGRN, 11.9.2000	–
RDGRN, 20.3.2000	–
RDGRN 17.7.1998	RJ 1998, 5973
RDGRN 31.3.1997	RJ 1997, 2049
RDGRN 24.6.1991	RJ 1991, 4659

Tribunal Económico-Administrativo Central

Resolución y fecha	Ref.
RTEAC 11.10.2011	JUR 2011, 386924